Comportement organisationnel

Comportements humains et organisations
dans un environnement complexe

Steven L. McShane • Charles Benabou

Chenelière
McGraw-Hill

CHENELIÈRE ÉDUCATION

Comportement organisationnel
Comportements humains et organisations
dans un environnement complexe

Traduction de : *Canadian Organizational Behaviour* 5e éd. de
    Steven L. McShane © 2004 McGraw-Hill Ryerson Limited
    (ISBN 978-0-0709-1232-8)

© 2008 Les Éditions de la Chenelière inc.

Édition : Sylvain Ménard
Coordination : Chantal Lamarre et Martine Brunet
Traduction : Louise Drolet et Peggy Brenier avec la participation
    de Charles Benabou
Révision linguistique : Ginette Laliberté et Carole Pâquet
Correction d'épreuves : Isabelle Rolland, Natacha Auclair,
    Isabelle Roy, Diane Robertson et Carole Bellefeuille
Conception graphique et infographie : Yvon St-Germain
Adaptation de la couverture originale : Nora Simard
Impression : Imprimeries Transcontinental

**Catalogage avant publication
de Bibliothèque et Archives nationales du Québec
et Bibliothèque et Archives Canada**

McShane, Steven Lattimore

    Comportement organisationnel : comportements humains
    et organisations dans un environnement complexe

    Traduction de la 5e éd. de : Canadian organizational behaviour.

    Comprend des réf. bibliogr. et un index.

    ISBN 978-2-7651-0449-0

    1. Comportement organisationnel. 2. Comportement organisa-
tionnel – Canada. I. Benabou, Charles, 1944-   . II. Titre.

HD58.7.M3214 2007   658.3   C2007-941137-1

CHENELIÈRE ÉDUCATION

7001, boul. Saint-Laurent
Montréal (Québec)
Canada H2S 3E3
Téléphone : 514 273-1066
Télécopieur : 514 276-0324
info@cheneliere.ca

ISBN 978-2-7651-0449-0

Dépôt légal : 1er trimestre 2008
Bibliothèque et Archives nationales du Québec
Bibliothèque et Archives Canada

Imprimé au Canada

1 2 3 4 5 ITIB 11 10 09 08 07

Nous reconnaissons l'aide financière du gouvernement du Canada
par l'entremise du Programme d'aide au développement de l'industrie
de l'édition (PADIÉ) pour nos activités d'édition.

Gouvernement du Québec – Programme de crédit d'impôt pour
l'édition de livres – Gestion SODEC.

Sources des photos de la couverture

En arrière-plan : Alexander Hafemann/
Istockphoto.

En vignettes (de haut en bas) : Jane Norton,
Istockphoto ; Roman Dekan, Istockphoto ;
PhotoDisc ; Digitalvision/Shutterstock ; iLexx/
Shutterstock ; Istockphoto.

Dans cet ouvrage, le masculin est utilisé comme
représentant des deux sexes, sans discrimination à l'égard des hommes et des femmes, et
dans le seul but d'alléger le texte.

DANGER

LE
PHOTOCOPILLAGE
TUE LE LIVRE

L e contexte socioéconomique et technique actuel n'a jamais été aussi propice à l'étude des comportements humains dans les organisations. En effet, quel dirigeant ne s'est pas posé l'une ou l'autre de ces questions : comment bâtir une équipe hautement performante ? Comment introduire un changement technologique sans provoquer des affrontements improductifs ? De plus, quel employé ne s'est pas interrogé sur la manière de résoudre un conflit ? Le contenu de cet ouvrage vise notamment à apporter des éléments de réflexion et de réponse à ces questions.

Le comportement organisationnel (CO) est au confluent de trois disciplines : la psychologie (par exemple, la psychologie industrielle et organisationnelle), les sciences sociales et la théorie des organisations. Autant dire que ce champ d'étude est marqué d'un caractère scientifique et pratique. Son but est de décrire, d'expliquer et de prédire les comportements humains à l'intérieur de l'environnement particulier d'une organisation.

Le CO est un champ d'étude intéressant, car il sous-tend les diverses fonctions de l'entreprise. Ainsi, les plus grandes universités — du moins les établissements états-uniens — accordent à cette matière une place importante. Elles ont mis sur pied un cours fondamental dans tous leurs programmes de gestion, et ce, depuis la fin des années 1950. On comprendra donc que les exemples de cet ouvrage viennent surtout de la littérature anglo-saxonne en raison de l'accumulation plus ancienne des recherches dans cette discipline. Néanmoins, les apports européens ne seront pas négligés lorsque seront abordés les concepts originaux (par exemple, l'analyse stratégique du Français Michel Crozier) ou les pratiques exemplaires (par exemple, celles qui sont issues du modèle scandinave de l'organisation du travail).

Cet ouvrage est divisé en quatre grandes parties qui correspondent à autant de champs d'étude.

■ La première partie comporte deux chapitres introductifs : le chapitre 1 présente un historique des éléments constitutifs du CO, puis expose les grands principes de la démarche scientifique. Le chapitre 2 brosse un tableau sélectif (mais substantiel) des changements de l'environnement externe des organisations qui font appel, plus que jamais, aux concepts présentés dans cet ouvrage : l'environnement sociodémographique, technique, économique, socioéthique et politico-légal.

■ La deuxième partie est consacrée à des thèmes relatifs à la compréhension de l'individu comme objet d'étude dans son milieu de travail. Les comportements de l'employé, à quelque niveau que ce soit, sont indissociables des éléments suivants : la personnalité, les perceptions, les affects, les attitudes et les valeurs ainsi que la motivation et les apprentissages, dont l'actualisation dépend autant de la personne elle-même que de l'organisation.

■ La troisième partie de cet ouvrage — la vie de l'organisation ne pouvant s'expliquer grâce à la seule compréhension des comportements individuels — traite de la nature des groupes et de leur dynamique (le travail d'équipe, la communication, les relations de pouvoir, les processus décisionnels et la créativité, le conflit et sa résolution, le leadership et les phénomènes d'influence). Nous insisterons sur le fait que l'organisation est un construit, c'est-à-dire une création collective où les individus et les groupes ne se déterminent que par rapport à autrui.

■ La quatrième partie est réservée aux caractéristiques propres de l'organisation et à la façon dont elles sont inextricablement mêlées aux comportements des individus et des groupes. Les structures traditionnelles et modernes (en réseaux, virtuelles, etc.) et la culture des organisations sont les aspects qui recevront ici une attention particulière. Le chapitre sur le changement (qui, en réalité, pourrait aussi se trouver au début du manuel) vient clore cet ouvrage.

Évidemment, le lecteur comprendra que le découpage de la matière en catégories relatives aux individus, aux groupes et à l'organisation est quelque peu artificiel puisque toutes ces variables sont liées. En fait, ces regroupements n'ont qu'un intérêt didactique. Nous tenterons, autant que faire se peut, d'établir des liens entre les chapitres, mais nous laisserons aussi au lecteur le plaisir d'établir les siens.

Les thèmes de ce manuel, dans leurs fondements, peuvent se retrouver dans n'importe quel autre ouvrage semblable, et ils sont nombreux. Toutefois, nous croyons les avoir enrichis de contenus moins fréquents dans ce genre de manuels. Faisons une recension rapide (non exhaustive) de ces ajouts.

Le chapitre 1 est un historique approfondi et inédit du CO et un rappel de la démarche scientifique. Ce chapitre est une nouveauté par rapport au livre original et à bien d'autres sur le sujet, car ces aspects ont progressivement disparu des manuels en CO. En effet, étant donné que l'étudiant aborde cette matière pour la première fois, il gagne à connaître les origines de la discipline et son caractère scientifique.

Nous insistons particulièrement sur l'apprentissage organisationnel. De plus, nous évoquons des activités récentes d'apprentissage collectif comme les communautés de pratique ou les retours d'expérience.

En ce qui concerne la motivation, le lecteur remarquera le contexte historique de l'apparition des théories sur le thème et de nouvelles approches, comme les besoins innés de Lawrence et Nohria, le courant de la psychologie positive de Mihaly Csikszentmihalyi ou encore la notion de mobilisation du personnel explorée par certains chercheurs québécois.

Le chapitre sur la communication se voit enrichi d'une section qui montre comment élaborer un plan de communication de crise (par exemple, dans les cas de terrorisme ou de catastrophes naturelles).

En ce qui concerne le leadership, nous ajoutons aux théories classiques des approches différentes, comme le leadership discret et le leadership pathologique. Nous suscitons notamment des questionnements, par exemple, sur la différence entre le leadership féminin et masculin ou entre le leadership et l'entreprenariat.

Au sujet du pouvoir, nous examinons le point de vue de celui qui subit ce pouvoir. Nous traitons aussi de la conformité et des fameux jeux politiques de Mintzberg.

De nouvelles structures organisationnelles (par exemple, en réseaux ou virtuelles) sont décrites au chapitre 15.

Le changement, vu au dernier chapitre, comporte des ajouts comme la différence entre le changement radical et le changement graduel, des méthodes de changement modernes axées sur les affects positifs et une typologie d'organisations paralysées par leurs succès antérieurs.

En outre, étant donné l'importance actuelle de l'éthique, celle-ci et la question de la responsabilité sociale sont traitées aux chapitres 2 et 3 et chaque fois que des pratiques managériales évoquées dans les autres chapitres posent des dilemmes de cet ordre. Par ailleurs, la relativité des théories est soulignée à l'aide d'exemples de situations réelles prises dans plusieurs contextes culturels dont, bien sûr, les contextes québécois et canadien.

Enfin, chaque chapitre renvoie à une somme importante de références, autant classiques que récentes, qui pourraient aider les étudiants dans leurs recherches.

LA STRUCTURE DES CHAPITRES

Les chapitres sont sensiblement construits de la même manière. En début de chapitre, un énoncé des objectifs d'apprentissage indique à l'étudiant les contenus essentiels qu'il doit maîtriser. Des exemples de pratiques d'entreprises réelles, nationales et internationales, sont insérés tout au long du chapitre. En outre, de petites rubriques rapportent des résultats de recherche originaux. Le lecteur peut embrasser d'un coup d'œil, dans la marge, la définition des concepts importants. Le résumé du chapitre, les questions, les cas et les exercices viennent enrichir la compréhension des notions présentées. Par ailleurs, la version électronique de certains exercices ainsi que des clés de correction sont disponibles sur le site de Chenelière Éducation au www.cheneliere.ca/mcshanebenabou.

Enfin, il faut mentionner que cet ouvrage, compte tenu de sa dimension scientifique (avec des exposés clairs et accessibles de concepts et de théories ainsi que des références multiples) et pratique (grâce aux exemples réels et à la mention constante des applications concrètes des connaissances), s'adresse autant à l'étudiant des deux premiers cycles qu'au praticien, qu'il soit cadre ou non.

Nous voudrions maintenant remercier de nombreuses personnes. D'abord, les collègues qui ont directement contribué à l'élaboration d'un chapitre ou d'une partie de l'ouvrage : Pierre-Marie Lagier, dont la contribution a considérablement enrichi le chapitre 14 sur le leadership, et Gilles Cloutier, pour les mêmes raisons en ce qui concerne le chapitre 11 ; Claude Lamontagne, pour ses efforts ayant permis la construction d'un cas réel très intéressant sur l'approche sociotechique au chapitre 7 ; Jean Pasquero, pour un tour d'horizon sur l'éthique et la responsabilité sociale au chapitre 2 ; et Kathleen Bentein, pour sa contribution à la question de l'engagement organisationnel au chapitre 3.

Notre reconnaissance va également aux collègues qui nous ont permis d'utiliser les résultats de leurs recherches ou des cas : Corinne Gendron, pour ses réflexions sur les questions de responsabilité sociale ; Lucie Morin et Louis Baron (étudiant), pour le *coaching* de dirigeants (résumé d'un article primé) ; Denis Morin, pour un extrait d'une de ses recherches sur la rétroaction de la performance ; Maher Bouhadra, pour un extrait d'un de ses articles sur la diversité ; et Céleste Grimard-Brotheridge, pour la soumission d'un cas.

Notre gratitude pour relecture et commentaires va également à nos collègues Danielle Desbiens, Denis Morin, Robert Scheitoyan, Farid Belkaloul, Pierre-Marie Lagier et Claude Lamontagne.

Remercions aussi toutes les personnes (dont Véronique Grisé) et les entreprises qui nous ont fourni des photos ou des données. Elles reconnaîtront leur contribution dans l'un ou l'autre des chapitres.

Enfin, nous remercions l'équipe de la maison d'édition Chenelière Éducation, en particulier Sylvain Ménard, Chantal Lamarre et Martine Brunet.

À Émilie, Emmanuelle et Simon

À tous ceux et celles qui enseignent le comportement organisationnel

TABLE DES MATIÈRES

Introduction au comportement organisationnel

Objectifs d'apprentissage

À LA FIN DE CE CHAPITRE, VOUS DEVRIEZ POUVOIR :

- définir le comportement organisationnel (CO) et justifier l'étude de cette discipline ;
- distinguer le CO de champs connexes ;
- décrire l'expérience de Mayo, son importance et son enseignement ;
- résumer les conceptions de l'organisation en utilisant les métaphores de Gareth Morgan ;
- dégager les points communs entre la gestion scientifique et la gestion classique ;
- distinguer les rôles des dirigeants selon Mintzberg ;
- caractériser l'organisation comme un système ouvert ;
- expliquer en quoi consiste la théorie de la contingence ;
- décrire les étapes de la méthode expérimentale ;
- évaluer les avantages et les limites des différentes stratégies de recherche ;
- montrer l'importance de l'éthique en recherche dans le domaine du CO.

L'Union Canadienne, employeur de choix 2006 pour les relations humaines

« L a vie est trop courte pour être malheureux au travail. » À qui doit-on cette phrase? À un révolutionnaire, un idéaliste? Non, ce sont les mots de Jean Vincent, président de l'Union Canadienne.

Voilà qui explique en partie pourquoi cette compagnie d'assurances québécoise de 350 employés figure au palmarès des 50 Employeurs de choix au Canada pour la troisième année de suite. En 2004 et en 2005, elle y a respectivement occupé les 10e et 12e rangs. L'entreprise du boulevard Laurier à Québec se classe parmi les 10 meilleures entreprises en ce qui a trait à la conciliation travail–vie personnelle, aux pratiques de ressources humaines et aux avantages sociaux. Par exemple, une table de billard est située près de la cafétéria. Des tournois y sont organisés à l'heure du midi. Les employés peuvent suivre des cours de langue pendant les heures de travail. Il y a par conséquent une prime au bilinguisme. Et une fois par semaine, des massages sur chaise sont offerts gratuitement. Les employés de l'Union Canadienne ont par ailleurs le choix de travailler selon un horaire de trois ou de quatre jours par semaine. L'assurance santé est entièrement payée par l'employeur. Des 5 à 7 sont régulièrement organisés pour souligner les bons coups. Le taux de rétention des employés est de 97 % à l'Union Canadienne. L'écoute et, surtout, la communication ont d'ailleurs reçu beaucoup d'attention cette année. Un site intranet a été mis en place, ce qui permet au président, Jean Vincent, de communiquer régulièrement avec ses employés.

Claudia Henry, Jean-Benoît Forgues, Suzy Mailloux et Monica Chouinard, des employés heureux à l'Union Canadienne, une compagnie d'assurances située à Québec.

Stéphane Champagne

Source : Stéphane Champagne, « Le succès se cache dans les détails », *La Presse Affaires*, Montréal, 24 décembre 2005, p. 7.

Diriger comme dans l'armée
chez Home Depot

À l'aide d'un système informatique ultrasophistiqué, le siège social de Home Depot, situé à Atlanta, contrôle tous les achats et mesure tout. Ce contrôle s'exerce depuis l'arrivée de Robert L. Nardelli, p.-d.g. de Home Depot depuis 2000. Cet homme dirige son personnel comme on mène un bataillon de soldats. Il fixe des « cibles » plutôt que des objectifs, et ses programmes de formation sont semblables à des exercices militaires: rigoureux, précis et répétitifs! Et ce n'est pas seulement une analogie: parmi les employés de Home Depot, le nombre d'anciens militaires est passé de 10 000 à 17 000 depuis l'arrivée de Robert L. Nardelli. Le style militaire de Home Depot a fait la une de *Business Week* en avril 2006.

Ces patrons contrôlants et autoritaires font jaser par les temps qui courent. Pourquoi ? Parce que leur style va à l'encontre de toutes les théories de gestion à la mode. La gestion participative, l'intelligence émotionnelle et le coaching ne font pas partie de leur vocabulaire.

Ce type de gestion peut ne pas plaire à tout le monde, concède Roger Plamondon (vice-président de Home Depot pour l'est du Canada). D'ailleurs, dès l'arrivée de Robert Nardelli, plusieurs cadres ont quitté le navire ou se sont fait montrer la sortie. Sur les 34 dirigeants, 29 ont été remplacés durant la première année! Même pour ceux qui ont fait l'armée comme Alain Ishak, directeur du Groupe Hay pour le Québec, ce type de management comporte de grands risques.

« Quand vous avez une peur terrible de ne pas avoir un bon score et de perdre votre emploi, cela peut être tentant de maquiller les chiffres », avance ce psychologue industriel.

Les actionnaires de Home Depot ne semblent pas convaincus non plus, car malgré tous les efforts de Robert Nardelli, le titre de la grosse boîte orange ne cesse de perdre du terrain au profit de sa grande rivale, Lowe's. ▪

Source: K. Noël, « Diriger comme dans l'armée », *Commerce*, juin 2006, p. 67.

Ici commence le parcours du lecteur dans les méandres des comportements humains à l'intérieur des organisations modernes. Tous ceux qui y travaillent peuvent être amenés à se poser des questions telles que les suivantes :

- Comment puis-je motiver mes employés ?
- Comment puis-je retenir mes bons collaborateurs ?
- Comment introduire le changement avec succès ?
- Comment prévenir les effets néfastes du stress au travail ?
- Les décisions de groupe sont-elles plus efficaces que les décisions individuelles ?
- Comment élaborer un plan de communication dans les situations de crise ?
- Quelles sont les réactions des employés face à l'injustice dans les organisations ?

Pour répondre à ces questions et à bien d'autres, on dispose maintenant d'un ensemble de connaissances bien structuré : la science du comportement organisationnel (CO en abrégé). Toutefois, certains dirigeants possèdent le talent pour répondre à quelques-unes de ces questions d'un point de vue pratique. C'est le cas de Jean Vincent, président de l'Union Canadienne (*voir le texte d'introduction du chapitre*). Jean Vincent a compris l'importance du volet humain dans la gestion de son entreprise. Par contre, cela ne semble pas être le cas de Robert Nardelli, ex-président de Home Depot. Ce dernier a voulu mettre de manière exclusive et brutale l'accent sur des résultats à court terme, et ce, au détriment des actionnaires (l'action a perdu 7 % de sa valeur en 2005), de ses clients et de ses employés. Il a finalement et abruptement démissionné de ses fonctions le 3 janvier 2007, « d'un commun accord » avec le conseil d'administration (ce qui ne l'a pas empêché de recevoir 210 millions en prime de départ, au grand dam des investisseurs).

Qu'est-ce donc que le comportement organisationnel ?

comportement organisationnel

Le comportement organisationnel (CO) est une branche des sciences humaines et de la gestion qui vise à décrire, à expliquer et à prédire les comportements humains dans les organisations.

Le **comportement organisationnel** (CO) est une branche des sciences humaines et de la gestion qui vise à décrire, à expliquer et à prédire les comportements humains dans les organisations.

En règle générale, tel qu'on le verra un peu plus loin, on estime que le comportement organisationnel est apparu comme un domaine distinct de recherche et d'enseignement à la fin des années 1950. Néanmoins, avant cette époque, la psychologie industrielle (et plus tard organisationnelle) lui avait déjà donné ses premières assises. L'étude du comportement humain n'est évidemment pas nouvelle. Un grand nombre d'écrivains, de romanciers, d'artistes et de philosophes ont écrit sur la nature humaine. Platon, dans sa fameuse métaphore de la caverne, nous mettait déjà en garde contre les pièges des apparences et de la perception. Cette figure de rhétorique a bien servi les idées de Gareth Morgan, théoricien moderne de l'organisation (nous y reviendrons plus loin). Les écrits de l'Italien Nicolas Machiavel, au XVIe siècle, ont jeté les bases du travail contemporain sur la dynamique du pouvoir et de la politique en entreprise. La Bruyère, au XVIIe siècle, dans ses *Caractères*, faisait déjà une fine description de plusieurs types de personnalité. En outre, des économistes se sont exprimés sur l'organisation du travail. En 1776, Adam Smith préconisait une nouvelle forme de structure organisationnelle fondée sur la division du travail. David Ricardo, en 1817, prônait la spécialisation des tâches. Ces deux économistes ont certainement influencé le courant rationnel de la théorie des organisations. Plus près de nous, le philosophe Jean-Paul Sartre, par exemple, a traité brillamment de la perception et des émotions.

Toutefois, les sujets mentionnés ici et bien d'autres sont devenus des thèmes du CO, et ce, quand ils ont fait l'objet d'études rigoureuses et scientifiques et quand les organisations modernes sont devenues la cellule d'analyse. Mais, dira-t-on, l'organisation non plus n'est pas une notion nouvelle. Par exemple, l'Église romaine ou l'armée sont de vieilles institutions qui se sont montrées parfois terriblement efficaces dans l'atteinte de leurs objectifs. De plus, les guildes ou les manufactures ne datent pas d'hier non plus. Alors qu'autrefois, à côté de ces organisations peu nombreuses coexistaient d'autres formes d'échanges sociaux et d'initiatives purement individuelles (l'artisanat, le commerce, etc.), aujourd'hui nous sommes entourés d'organisations de notre naissance à notre mort (les hôpitaux, les écoles, les entreprises, les administrations, etc.), et il est rare qu'un individu seul puisse subvenir à tous ses besoins[1]. La prolifération des organisations est contemporaine de la révolution industrielle, elle-même issue du bond prodigieux de la science et des techniques, ainsi que des avancées sociales, du moins dans les pays développés. De plus, l'organisation, en tant que construit social relativement jeune et omniprésent, demande qu'on se penche sur son fonctionnement. Le CO, comme d'autres sciences, procède ainsi quand il s'agit de comprendre les comportements humains.

Pour introduire le comportement organisationnel, ce chapitre se divise en trois grandes parties. Précédée de précisions préliminaires sur la nature du CO, la première partie présente un historique et les contenus importants des principales disciplines constitutives du CO. La deuxième partie décrit la démarche scientifique qui caractérise le CO. Sont abordés les différents types de théories, la démarche expérimentale, les stratégies de recherche et l'éthique qui doit accompagner ce genre de travaux. Enfin, la troisième partie, plus courte, est constituée d'une conclusion élaborée. Celle-ci met en évidence toutes les implications liées à la définition que nous avons donnée du CO au début. Elle présente aussi un schéma intégrateur des différentes variables qui influent sur le comportement des individus dans les organisations.

LA SPÉCIFICITÉ DU COMPORTEMENT ORGANISATIONNEL

Cette introduction précise les termes de la définition du CO donnée au début du chapitre. Elle distingue le CO d'autres champs d'études avec lesquels ce dernier peut être confondu. Y sont également présentés les thèmes de cet ouvrage et leur sont associées les diverses disciplines les ayant suscités.

La nature du comportement organisationnel

Revenons maintenant à la définition du CO pour en expliquer davantage le sens et la portée. Précisons tout d'abord la signification du mot « comportement », hérité du terme anglais *behavior*. En psychologie, ce terme signifie presque exclusivement « conduite observable » (en référence à l'école behavioriste). En français, il exprime aussi bien des actes commis qu'une attitude (on dit parfois, dans le langage courant, qu'une personne a un comportement négatif). Cependant, le comportement organisationnel, tel qu'il est enseigné aujourd'hui et comme on le verra dans les thèmes traités dans cet ouvrage, englobe non seulement les actions et les réactions des individus dans leur milieu de travail, mais aussi leurs pensées et leurs sentiments. Autrement dit, le CO traite des aspects comportementaux, cognitifs et conatifs (relatifs à l'action) des individus et des groupes dans les organisations.

La définition du CO donnée plus haut circonscrit déjà les objets d'étude de cette discipline : les personnes, les groupes et l'organisation, celle-ci étant considérée comme un lieu de travail au sens large[2]. Le terme « comportements humains » indique aussi d'emblée que l'orientation des recherches et les thèmes de cette discipline relèvent en premier lieu des sciences humaines, à savoir la psychologie (par exemple, lorsqu'on traite de la perception individuelle ou de la motivation) ou les **sciences sociales** (par exemple, dans l'étude des groupes de travail). Toutefois, les conduites humaines ne peuvent être expliquées qu'à l'aide des seules sciences du comportement. Comme le contexte est « organisationnel », le comportement humain peut aussi trouver des explications et des analyses intéressantes à partir d'éléments et de variables qui relèvent des institutions mêmes (par exemple, leur structure ou leur technologie).

Le comportement organisationnel est donc au confluent de trois champs d'études ou de disciplines[3] : la psychologie (plus précisément la **psychologie industrielle et organisationnelle**), les sciences sociales (on se réfère ici, sans distinction exagérée, aux thèmes relevant à la fois de la psychosociologie des organisations et de la sociologie) et la **théorie de l'organisation** (*voir la figure 1.1*). Plusieurs thèmes de ces trois champs d'études constituent, à des degrés variables, le contenu de la matière du CO. Leur influence est directe pour les deux premières disciplines, elle l'est moins souvent en ce qui concerne la théorie des organisations, bien qu'elle soit omniprésente implicitement de façon importante dans les thèmes traités. Ces points seront développés plus loin.

Le reste du chapitre s'étend assez longuement sur l'apport de ces trois disciplines au comportement organisationnel. C'est notamment le cas dans un historique substantiel de la psychologie industrielle et organisationnelle qui partage avec le CO la grande majorité des thèmes de cet ouvrage. Bien que des parties respectives de ces trois disciplines constituent la matière même du CO, il n'en demeure pas moins que, d'une part, le CO est plus que la somme de ces parties et que, d'autre part, ces trois disciplines constituent un champ d'études à part entière. On apporte donc, au tableau 1.1, des précisions quant aux différences (parfois ténues) entre le CO considéré dans son ensemble et ses trois disciplines constitutives. On précise également les différences entre le CO et la gestion des ressources humaines qui, parfois, se partagent certains thèmes.

---

sciences sociales
Ensemble des sciences (la sociologie, l'économie, etc.) qui étudient principalement les activités et les rapports des groupes humains.

psychologie industrielle et organisationnelle
Branche de la psychologie et domaine de recherche et d'intervention consacré à l'étude du travail et des comportements humains dans les organisations.

théorie de l'organisation
Ensemble des théories dont l'unité d'analyse est principalement l'organisation comme fait social.

FIGURE 1.1

Disciplines constitutives du champ du comportement organisationnel

Le comportement organisationnel et les champs connexes

TABLEAU 1.1 Différences conceptuelles entre le comportement organisationnel et les domaines auxquels il est associé

CO et psychologie industrielle et organisationnelle (psy I/O)	Ces deux disciplines étudient les comportements humains dans les organisations, mais les différences sont subtiles et de plusieurs ordres. 1. À cause de son volet « industriel », la psy I/O, bien plus que le CO, a une approche plutôt « micro » des comportements, alors que le CO traite et s'inspire aussi de plusieurs théories de l'organisation (approche « macro »). 2. La psy I/O, en raison de son histoire (bien plus que le CO), met l'accent sur la psychologie différentielle (surtout la sélection et l'évaluation du personnel), les thèmes de la mesure (la validité des instruments, par exemple) et la formation. Ce volet « industriel » ne fait presque pas partie du CO dans la pratique pédagogique, sinon de façon indirecte. Par contre, la partie « organisationnelle » a fourni la majorité de ses thèmes au CO (la motivation, le leadership, etc.) ; elle incorpore de plus en plus de thèmes issus de la théorie des organisations (la culture, par exemple). 3. Plus que sa consœur, le CO est transversal aux fonctions de l'entreprise.
CO et sciences sociales	Les sciences sociales (la sociologie, l'économie, etc.) étudient les comportements des groupes humains. À ce titre, elles influencent théoriquement le CO. Toutefois, celui-ci s'en distingue par une vision plus limitée de ces groupes qui sont essentiellement ceux qui participent à la vie des organisations. Ainsi, ce sont surtout les travaux en psychologie sociale, parfois en sociologie et en psychosociologie des organisations, qui susciteront de nombreux thèmes en CO (les groupes de travail, les rôles, la culture, etc.).
CO et théorie des organisations (TO)	Une des différences importantes entre ces deux champs réside dans le niveau d'abstraction des sujets traités, la TO s'en distinguant par un degré plus élevé que le CO. Comme son nom l'indique, la TO traite des différentes conceptions de l'organisation ; elle fait donc appel à de plus nombreuses disciplines que le CO (l'économie, la politique, le droit, la gestion, etc.).
CO et gestion des ressources humaines (GRH)	Le CO est le fondement théorique et conceptuel des programmes concrets et pratiques des ressources humaines. Malgré quelques redondances de thèmes, une distinction entre le CO et la GRH s'impose. Voici quelques exemples des aspects fondamentaux traités en CO (à gauche de la barre oblique) et leurs transpositions dans les programmes de GRH : 1. Personnalité/recrutement, sélection, affectation, etc. ; 2. Apprentissage/formation, rémunération par les compétences, programmes de *coaching*, de mentorat, etc. ; 3. Valeurs, attitudes et perception/politiques de non-discrimination en emploi, équité salariale, programmes pour réduire l'absentéisme, codes d'éthique, etc. ; 4. Motivation et organisation du travail, satisfaction/politiques de rémunération, programmes de reconnaissance, restructuration des postes, politiques d'aménagement du temps de travail, gestion par objectifs, etc. ; 5. Nature et dynamique des groupes/rémunération de groupe, formation d'équipes diverses efficaces ; 6. Conflits et pouvoir/négociations contractuelles, établissement de structures de résolution des conflits, politiques pour contrer la violence et le harcèlement psychologique au travail, etc. ; 7. Émotions et stress/programmes de réduction du stress, programmes d'aide à l'emploi (PAE) ou de qualité de vie au travail, etc. ; 8. Cultures nationales et internationales, politiques d'expatriation et de rapatriement des employés, politiques d'accommodements raisonnables, audits culturels, etc.

La situation actuelle du comportement organisationnel

Le comportement organisationnel n'a pas toujours fait partie des programmes universitaires de gestion. En fait, c'est une matière relativement récente, étudiée depuis les années 1960 aux États-Unis et depuis une quinzaine d'années seulement en Europe.

C'est à Fritz Roethlisberger, qui a été professeur à Harvard, qu'on doit les termes « comportement organisationnel ». Il a travaillé avec le professeur Elton Mayo, devenu célèbre pour avoir lancé l'école dite des relations humaines (sujet abordé plus loin) après ses travaux dans les années 1930 à l'usine Hawthorne de la Western Electric. Roethlisberger était convaincu qu'une approche plus théorique et plus large du comportement manquait dans les écoles de gestion. En 1948, à Harvard, il a réussi à introduire un premier cours à dimension humaine qui s'intitulait « relations humaines ». Voulant désamorcer les réactions négatives au mouvement des relations humaines (perçu comme non scientifique), il a remplacé les termes « relations humaines » par « comportement organisationnel ». En 1957, il a obtenu que cette matière soit incluse et reconnue officiellement dans le nouveau programme de doctorat de l'école de gestion de Harvard[4].

Les centres d'intérêt du CO sont vastes mais, à cause de cette ampleur, le CO court le risque de céder à des sujets à la mode. Sa liberté lui vient en partie du fait que son champ d'études ne correspond pas à un ordre réglementé (contrairement à la psychologie industrielle et organisationnelle). De plus, il n'y a pas de service de « comportement organisationnel » dans les entreprises comme il en existe en marketing, en finances ou en ressources humaines (il n'y en a pas non plus pour les psychologues I/O).

C'est parmi les diplômés en psychologie I/O dans les facultés de psychologie, ou ceux des facultés de gestion (où le CO est une option offerte au doctorat) qu'on trouve les spécialistes en CO. La majorité d'entre eux n'ont pas de difficulté à se trouver un emploi dans les pays anglo-saxons. Ils peuvent tout d'abord travailler dans un service de ressources humaines (parfois même à la vice-présidence de grandes entreprises). On les trouve aussi dans un service de formation et de développement du personnel (quand ce service est distinct de celui de la GRH), jumelé ou non à des activités de développement organisationnel (DO); beaucoup sont aussi consultants dans les domaines suivants: le recrutement, la sélection, la formation et l'évaluation du personnel. Ils sont également sollicités pour diverses tâches portant sur des aspects qui relèvent de leurs compétences (par exemple, la gestion des conflits).

Pour conclure cette introduction et présenter un aperçu du contenu de l'ouvrage, on soulignera le caractère multidisciplinaire du CO sous forme de résumé (*voir le tableau 1.2*), ainsi que les domaines ou les sciences qui influent de façon variable sur le champ du CO (outre les contributions majeures annoncées). Les thèmes et les chapitres correspondants seront aussi précisés. La partie supérieure du tableau indique les champs prépondérants d'influence (directe ou indirecte) et la partie inférieure, ceux dont l'influence est moindre quoique notable. Il faut noter qu'un champ disciplinaire peut influer sur le contenu de plusieurs thèmes mais, pour ne pas alourdir le tableau, seulement les différences essentielles sont relevées.

Pour comprendre en profondeur le CO, il convient maintenant de décrire davantage la contribution majeure des trois disciplines annoncées: la psychologie industrielle et organisationnelle, les sciences sociales et la théorie des organisations.

TABLEAU 1.2	Disciplines contribuant au champ du comportement organisationnel

Disciplines	Thèmes correspondants en CO
Influences majeures	
Psychologie	Attitudes, valeurs et personnalité (chapitre 3), perception et apprentissage (chapitre 4), émotions et stress professionnel (chapitre 5), motivation (chapitres 6 et 7)
Sociologie	Nature et dynamique des groupes, rôles, socialisation (chapitres 8 et 9), modèles de communication (chapitre 11), pouvoir (chapitre 12), leadership (chapitre 14)
Anthropologie et ethnographie	Culture d'entreprise et cultures nationales (chapitre 16)
Sciences politiques	Pouvoir et politique (chapitre 12), conflits (chapitre 13)
Sciences économiques	Division du travail (chapitres 1 et 15), prise de décision (chapitre 10), la firme comme lieu de transactions et de contrats (contrat psychologique [chapitre 3], théorie de l'équité [chapitre 6], modes de rémunération et de reconnaissance [chapitre 7])
Théorie de l'organisation ou managériale	Théories classiques, théorie de la contingence et des systèmes (chapitre 1), théories de l'impact de l'environnement et du changement (chapitres 2 et 17), l'organisation comme lieu du savoir (chapitre 4)
Autres influences	
Cybernétique et théorie de l'information	Communication (chapitre 11)
Droit	Équité en emploi, justice organisationnelle, éthique et responsabilité sociale des entreprises (chapitre 3), harcèlement sexuel et psychologique (chapitres 3, 5 et 12)
Marketing	Créativité (chapitre 10)

LES DISCIPLINES CONSTITUTIVES DU CO

Nous décrivons ici le contenu des contributions des trois disciplines (quand il n'y a pas trop de redondance avec les thèmes traités en détail dans l'ouvrage). Nous faisons aussi un historique plus élaboré de la psychologie industrielle et organisationnelle, étant donné son apport majeur.

L'historique et l'apport de la psychologie industrielle et organisationnelle

Un historique est utile à plusieurs titres. Outre le fait qu'il permet de comprendre la genèse de la discipline, il donne la possibilité au lecteur de se familiariser avec le contexte économique et social à l'origine de la motivation des chercheurs à se pencher sur un sujet donné. Il permet aussi de faire connaissance avec des auteurs classiques en la matière[5].

La psychologie I/0 a changé plusieurs fois de nom durant son histoire. En 1914, on la nommait « psychologie économique » (*Business economics* ou « psychologie des affaires » en 1923); l'appellation « psychologie industrielle » est devenue plus commune après la Première Guerre mondiale. En 1962, la psychologie industrielle a officiellement pris le nom de « Division 14 de l'American Psychological Association (APA) » et, en 1973, elle a aussi été « organisationnelle »; cette division est donc devenue la « Division de la psychologie industrielle et organisationnelle ».

Cette appellation est restée quand elle s'est incorporée, en 1982, sous le nom de Society for Industrial and Organizational Psychology Inc, Division 14 de l'APA, suivie par son pendant canadien (CSIOP, C pour *Canadian*)[6].

Plusieurs facteurs expliquent le développement de la psychologie industrielle au tournant du XXᵉ siècle, comme ils peuvent expliquer d'autres domaines tels que le développement scientifique, l'industrialisation de l'économie, la production de masse, la croissance des grandes entreprises, les progrès techniques et la mise en place de mesures statistiques appliquées aux sciences sociales. Par exemple, Sir Francis Galton (1822-1911), cousin de Darwin dont il a épousé les idées, a été un scientifique doué, doublé d'un anthropologue, d'un explorateur, d'un psychométricien et d'un statisticien. Il est à l'origine du concept statistique de la régression et de la corrélation. Il a aussi été le premier à appliquer des méthodes statistiques dans l'étude des différences individuelles humaines, ce qui, bien sûr, a été utile dans le développement de la psychologie industrielle.

Il est difficile d'expliquer la présence de certains thèmes en CO (notamment ceux qui portent sur la personne) si on ignore ceux que privilégiait la psychologie en général. Ainsi, l'étude de phénomènes physiologiques a pris beaucoup d'importance à partir de la moitié du XIXᵉ siècle, en Europe surtout. Il en est ainsi de la fatigue, de l'attention et de la perception. Cette situation est due aux travaux des physiciens et des physiologistes dont la démarche rigoureuse allait être le fondement de la psychologie en général et, par conséquent, de la psychologie industrielle. Parmi eux, il faut bien sûr mentionner Wilhem Wundt, un psychologue allemand que l'on considère comme le fondateur de la psychologie moderne. Wundt a grandement contribué à faire de la psychologie naissante une science autonome (c'est-à-dire dégagée surtout de la philosophie) aux alentours de 1879. Il a fondé son Institut de psychologie à l'Université de Leipzig.

Peu après la création officielle de la psychologie scientifique à Leipzig, des chercheurs d'universités étrangères ont afflué au laboratoire de Wundt. Après avoir obtenu leur doctorat, la plupart rentraient dans leurs pays respectifs pour y fonder des laboratoires similaires et effectuer des travaux semblables. C'est également ce qui s'est produit dans le cas de pionniers en psychologie industrielle comme Hugo Walter Dill Scott et James McKeen Cattell. Hugo Münstenberg, lui-même Allemand, a émigré aux États-Unis. Nous y reviendrons plus loin.

Le caractère appliqué de la psychologie industrielle, bien que les auteurs ne s'entendent pas toujours sur ce point, est dû au fait que les hommes d'affaires de l'époque ont fait appel à des universitaires pour résoudre des problèmes concrets dans leurs entreprises. Par exemple, le fameux fabricant de chaussures suisse Ivan Bally a fait appel à Jules Suter de l'Université de Zurich.

Nous découperons l'évolution de la psy I/O en cinq périodes relativement distinctes : avant 1930, de 1930 au début de la Seconde Guerre mondiale, de celle-ci à 1960, de 1960 à 1980 et après 1980[7].

La psychologie industrielle d'avant 1930 Walter Dill Scott, bien que peu connu, est parmi les premiers psychologues industriels les plus actifs dans ce champ nouveau. Né en 1869 dans l'État de l'Illinois, il a obtenu son doctorat en 1900, à l'Université de Leipzig (Allemagne) sous la supervision de Wundt, comme nous l'avons déjà mentionné. De retour aux États-Unis, à l'Université Northwestern où il est devenu professeur, Scott a été un auteur prolifique en psychologie industrielle : il a écrit six livres et une centaine d'articles. Il a quitté Northwestern pour se joindre au programme de psychologie appliquée au Carnegie Institute of

Technology (appelé Carnegie Tech). De plus, Scott a été un pionnier dans l'élaboration d'outils de sélection comme les formulaires de demande d'emploi, les entrevues et différents tests. Il a contribué à l'effort de guerre des États-Unis en travaillant sur des instruments de recrutement et de sélection des recrues. Il est devenu président de l'APA en 1919. Avec Clothier, il a écrit un livre très influent dans le domaine, *Personnel management*. Ce psychologue industriel est mort en 1955.

Un pionnier plus connu dans le domaine est Hugo Münsterberg. Né en 1863 à Dantzig, en Allemagne, il a obtenu son doctorat à l'Université de Leipzig, également avec Wundt. Il est parti pour les États-Unis en 1892 où il est devenu professeur à la prestigieuse Université de Harvard et président de l'APA en 1898. Münsterberg y a enseigné le premier cours de psychologie appliquée et, de 1906 à 1916, il a écrit 20 livres, la plupart sur les applications pratiques de la psychologie. En 1913, il a publié un ouvrage majeur dans la discipline qui nous intéresse : *Psychology and Industrial Efficiency*[8]. Le contenu traitait de sujets maintenant classiques en psychologie industrielle : le recrutement et la sélection, la formation, la monotonie et la fatigue au travail, l'attention. Conspué par ses collègues à cause de son soutien à l'Allemagne au début de la Première Guerre mondiale, il est mort en 1916 à 53 ans.

Walter Van Dyke Bingham est surtout connu pour avoir dirigé le programme de psychologie appliquée, mentionné plus haut, au Carnegie Tech. Né en Iowa en 1880, il a obtenu son doctorat de l'Université de Chicago en 1908 et, au cours de ses voyages, il a rencontré de nombreux futurs psychologues ou psychologues industriels européens : Koffka et Köhler (les fondateurs célèbres du gestaltisme ou psychologie de la forme), Charles Spearman et le pionnier anglais C.S. Myers. Il a enseigné à Columbia comme assistant du célèbre psychologue expérimental E.L. Thorndike avec qui il a travaillé sur les tests mentaux. Il a occupé la fonction d'éditeur du *Journal of Personnel Research* (qui est devenu plus tard le *Personnel Journal*) et il a travaillé à l'effort de guerre, durant le deuxième conflit mondial, comme psychologue en chef dans l'armée américaine. Au Carnegie Tech, Bingham a collaboré avec de nombreux chercheurs qui ont exercé une grande influence en psychologie industrielle, par exemple Kornhauser (1896-1990). Celui-ci a apporté une contribution importante dans quatre domaines : le recrutement et la sélection, les attitudes au travail, les relations avec le syndicat et la santé mentale des travailleurs. Sa philosophie et son travail sur les tests sont résumés dans le livre écrit avec Kingsbury, *Psychological Tests in Business*, en 1924[9]. Il a consacré les dernières années de sa vie aux conditions de travail des employés en publiant notamment *Mental Health of the Industrial Worker*, en 1965[10]. Il a été l'un des rares psychologues industriels, il faut le dire, à s'intéresser aux relations entre les employeurs et les syndicats.

Louis Leon Thurstone (1887-1955) est bien connu des psychologues industriels pour ses travaux sur la mesure des opérations mentales, les tests d'intelligence et l'analyse factorielle. Il a été président de l'APA en 1933. James McKeen Catell (1860-1944) a aussi étudié avec Wundt en Allemagne. Il a reçu son doctorat de l'Université de Leipzig en 1886. C'est là qu'il a développé un grand intérêt pour la variabilité de la performance humaine. De retour aux États-Unis, il a enseigné la psychologie à l'Université de Pennsylvanie de 1888 à 1891 où il a influencé un autre pionnier de la psychologie industrielle, Morris Viteles, dont on reparlera plus loin. Il a ensuite enseigné à l'Université de Columbia d'où il a été congédié en raison de ses positions pacifistes durant la Première Guerre mondiale. Il a fondé, avec Mark Baldwin, la *Psychological Review* en 1894. Son enseignement à Columbia a profité à d'autres auteurs connus dans la discipline comme E.L. Miner, Strong et Urhbock.

Edward L. Thorndike (1874-1949) a d'abord été un pionnier de l'apprentissage humain et animal. Il s'est fait connaître grâce à sa fameuse loi de l'effet (un effet positif a tendance à stimuler la répétition de l'action qui l'a produit). Ses travaux ont eu une grande influence sur ceux des behavioristes et de Vroom, dont on verra la fameuse théorie des attentes au chapitre 6. Il a enseigné à l'Université de Columbia de 1899 à 1940, a été président de l'APA en 1912 et un chercheur très prolifique avec plus de 450 articles et de nombreux livres. Thorndike a aussi contribué à l'avancement de la psychologie industrielle dans le domaine de la sélection et des tests au sein d'un groupe actif de 10 psychologues dans les années 1920.

Edward Strong (1884-1963) est surtout connu pour sa contribution à la mesure des intérêts professionnels et à la planification de carrière. Il a enseigné à l'Université Stanford de 1923 à 1949. Son test mesurant les intérêts professionnels, publié pour la première fois en 1927, est encore utilisé de nos jours sous le nom de *Strong-Campbell Interest Inventory*.

D'autres chercheurs et consultants ont fait des contributions significatives à la psychologie industrielle. On pense, par exemple, à Harold Burtt, né en 1890 au Massachusetts, qui a publié un livre important, *Psychology and Industrial Efficiency* (1929)[11]. Il a été le premier président de la division de psychologie industrielle et de commerce de l'APA en 1946. Moris Simon Viteles a été un chercheur et un praticien très actif dans le domaine de la psychologie industrielle. Né en Russie en 1898, il a émigré avec ses parents en Angleterre puis aux États-Unis où ils se sont établis en 1904. En 1921, il a obtenu son doctorat de l'Université de Pennsylvanie. Il a été un pionnier de l'internationalisation de la psychologie industrielle en collaborant avec des psychologues français (Jean-Marie Lahy) ou russes. Il a également été un praticien habile à conceptualiser l'expérience sur le terrain ; il a travaillé pour Bell Telephone. Ses contributions essentielles ont été ses méthodes d'analyse des postes et son ouvrage majeur *Industrial Psychology*, en 1932[12]. Cette « bible » de plusieurs générations de psychologues industriels a permis de définir le champ de cette discipline. En 1953, il a publié un autre ouvrage complétant la partie organisationnelle de la discipline, *Motivation and Morale in Industry*[13]. Viteles est mort en 1996 à l'âge de 98 ans.

Lillian Moller Gilbreth (1878-1972), bien que sa carrière ne se soit pas déroulée dans le domaine de l'enseignement, est également reconnue comme une pionnière de la psychologie industrielle. Elle a reçu son doctorat de l'Université de Brown en 1914, et sa thèse traitait de l'application du management scientifique à l'efficacité des instituteurs. Avec son conjoint Frank Gilbreth, elle a fondé sa propre firme de consultation. Adepte de Taylor et de ses travaux sur la division du travail, elle s'en est dissociée quelque peu en introduisant la nécessité de considérer avant tout les besoins des travailleurs. Sa thèse de doctorat a été publiée en 1914 sous la forme d'un livre qui a eu un effet important : *The Psychology of Management*[14]. Quant à Mary P. Follett (1868-1933), bien qu'elle n'ait pas été une psychologue à proprement parler, elle mérite d'être citée ici pour ses écrits sur l'autorité, le conflit, le leadership et les processus de groupe.

En dehors des États-Unis, on commençait aussi à appliquer les méthodes de la psychologie scientifique à l'industrie[15]. En Suisse, Jules Suter (1913) a fondé l'Institut de psychologie industrielle où ont été exécutés des travaux sur la formation, la sélection, l'orientation de carrière, le leadership et les relations humaines. Franziska Baumgarten-Tramer (1886-1970) a également été une grande psychologue industrielle allemande. En France, Jean-Marie Lahy, dès 1905, a conduit des travaux sur la sélection de dactylos et, plus tard, sur des problèmes de sélection et d'orientation professionnelle. En Allemagne, il faut noter les travaux de William Stern (1871-1938), qui a travaillé avec Ebbinghaus (connu pour ses travaux sur l'apprentissage et la mémoire) à l'Université de Berlin. Il est l'un des fondateurs de la psychologie différentielle et du concept de quotient intellectuel mesuré au moyen de tests psychologiques. Otto Lipmann a reçu son doctorat de l'Université de Breslau en 1914, et il est reconnu comme un pionnier dans les travaux sur les différences cognitives (qu'il n'a pas trouvées) entre les sexes. Il s'opposait également aux travaux de Taylor, plaidant pour une approche plus humaniste du travail. Malheureusement, le régime hitlérien a mis fin de manière abrupte aux travaux de Lipmann et de Stern en 1933. Né à Londres en 1873, Charles Samuel Myers, est considéré comme l'un des plus importants psychologues industriels du milieu du XXe siècle. Diplômé de Cambridge, psychologue et psychiatre pour l'armée anglaise en France durant la Première Guerre mondiale, il a travaillé sur les traumatismes de guerre. De retour dans son pays, il a fondé l'Institute of Industrial Psychology, en 1921, où ont été menés des travaux et des formations sur l'amélioration des conditions de travail dans les usines, sur la fatigue, la productivité et construction de tests. Il a publié des livres influents comme *Industrial Psychology* en 1929, où le style simple et clair a permis d'initier beaucoup d'étudiants à cette discipline. Il est mort en 1946[16].

En Hollande, la psychologie industrielle a préféré des analyses qualitatives, des tests projectifs et l'observation aux aspects mécaniques et quantitatifs de la sélection du personnel. Les Français ont contribué assez tôt (1905) au développement de la psychologie appliquée, notamment avec les travaux de Binet et Simon sur les tests d'intelligence. Jean-Marie Lahy (1872-1944) a apporté une contribution importante à la psychologie du travail en France grâce à ses travaux en psychologie différentielle et en ergonomie (l'étude qualitative et quantitative des conditions de travail). Il a été le fondateur des services de psychologie dans le système de transport parisien pour les entreprises Renault et Peugeot, et il a mis sur pied la revue *Le travail humain* en 1932. En 1920, l'Institut de psychologie a vu le jour à la Sorbonne. Lahy a formé de nombreux psychologues dans différents domaines, notamment celui de la psychologie du travail. En pratique, l'ergonomie reste un domaine d'étude et de recherche encore très actif en France, probablement sous l'influence de syndicats nationaux fortement axés sur la réduction des accidents du travail et l'amélioration de la qualité de vie. Les aspects cognitifs et psychosociaux de la psychologie du travail restent des domaines de choix en France. En plus des instruments classiques de sélection du personnel, l'école française de psychologie du travail a mis de l'avant la graphologie comme outil d'évaluation de la personnalité (technique dont les Anglo-Saxons contestent la validité prédictive). En Australie, George Elton Mayo a été professeur de psychologie en 1919 et a émigré aux États-Unis en 1923. Ses travaux et son influence dans le mouvement des relations humaines font partie de l'histoire. Au Canada anglais, l'origine de la psychologie I/O est un peu floue, mais on la situe aux alentours de 1928 et au Québec francophone, vers 1960. La psychologie I/O est aujourd'hui une division de l'Ordre des psychologues du Québec. Le programme de psychologie industrielle et organisationnelle menant au doctorat est enseigné depuis près de quatre décennies à l'Université de Montréal et, plus récemment, à l'Université du Québec à Montréal. Beaucoup de psychologues I/O d'origine canadienne se sont fait connaître davantage aux États-Unis qu'au Canada même. On peut citer, par exemple, Albert Bandura, né en 1925 au nord de l'Alberta, le Montréalais Victor Vroom ou encore Gary Latham, de l'Université de Toronto. Nous reparlerons de ces célèbres chercheurs au chapitre 4 (sur l'apprentissage) et au chapitre 6 (sur la motivation).

Après la Première Guerre mondiale, la prospérité retrouvée permet aux psychologues industriels de travailler dans de nombreuses entreprises (comme Metropolitan Life, Procter and Gamble, American Tobacco Company, etc.). La psychologie industrielle n'a pris cette appellation qu'après la guerre, notamment sous l'influence des écrits de Viteles. Un examen attentif des revues spécialisées de l'époque montre que les sujets dominants portaient majoritairement sur la sélection, mais aussi sur la performance, l'absentéisme, les accidents du travail et l'orientation de carrière. Dans les années 1920, les psychologues industriels ont aussi beaucoup mis l'accent sur les méthodes quantitatives et la mesure, probablement pour donner un caractère rigoureux et scientifique à leurs recherches, au même titre que celles qui prévalaient dans les autres disciplines en essor. Cette rigueur scientifique est toujours celle du comportement organisationnel. Le concept de validité, les critères de mesure de la performance ainsi que l'analyse de variance en statistiques ont été élaborés à ce moment-là. La mesure des attitudes a été améliorée avec les techniques des échelles de Thurstone à partir de 1927[17] et celles de Likert en 1932[18].

De 1927 à 1932, un programme important de recherche mené à Hawthorne, l'usine d'assemblage de la Western Electric, sous l'impulsion d'Elton Mayo et de F.J. Roethlisberger de l'Université Harvard, allait lancer l'école des relations humaines et implanter solidement la psychologie industrielle comme objet d'étude[19].

L'école des relations humaines, dominée par les problèmes d'organisation du travail dans les ateliers et les usines, a dans un premier temps entrepris des travaux en psychologie industrielle. La deuxième période a été celle de la «découverte du facteur humain» dans le fonctionnement de l'entreprise. Les travaux de Mayo et de Roethlisberger, effectués à Ciceron près de Chicago, à l'usine Hawthorne, ont contribué de façon décisive à infléchir les centres d'intérêt de la psychologie industrielle naissante. Au départ, le problème que posait la Western Electric s'inscrivait dans les recherches classiques des analyses des conditions de travail de l'époque. À l'occasion d'une première série de travaux dans le secteur de l'assemblage de relais électriques, on s'est d'abord demandé quel était l'éclairage optimal pour des tâches industrielles courantes, et ensuite quelles étaient les autres conditions de travail qui correspondaient à une préoccupation d'efficience. Ces conditions de travail étaient la rémunération, la fréquence et la durée des pauses, le type de supervision et l'horaire de travail. Pour y répondre, Mayo et ses collègues ont formé deux groupes : un groupe de contrôle (ou groupe témoin) qui continuait à travailler dans les conditions habituelles et un groupe expérimental, objet des variations des éléments précités. Ce dernier groupe était petit (cinq ou six ouvrières) et installé à l'écart. Un observateur avait pour mission d'enregistrer tout ce qui pouvait se produire et surtout de faire régner une atmosphère et une supervision détendues dans l'atelier expérimental. On a augmenté les pauses, la rémunération, l'éclairage, et on a diminué la journée de travail. La production continuait d'augmenter régulièrement à chacune de ces manipulations. Jusque-là, rien d'étonnant. Toutefois, la surprise a été de voir que l'augmentation de cette production perdurait, même lorsqu'on est revenu à la situation initiale ou pire (à un moment de l'expérience, les ouvrières ont continué de travailler efficacement même à des niveaux d'illumination guère plus intenses qu'un clair de lune, rapporte Mayo).

école des relations humaines

Ensemble des travaux qui, à partir d'Elton Mayo, en 1924, ont privilégié une vision de la personne au travail centrée sur l'aspect humain (la motivation, la vie de groupe, la dimension relationnelle, etc.).

Elton Mayo (1880-1949), précurseur de l'école des relations humaines.

Courtoisie de State Library of South Australia, SLSA : B 13694

L'élément explicatif de ces résultats a été qu'une nouvelle variable inattendue s'était glissée dans le plan expérimental, à savoir la variable humaine qui créait une nouvelle attitude par rapport au travail et au groupe. En effet, en demandant leur aide et leur coopération, l'équipe de recherche avait donné aux jeunes filles un sentiment d'importance et d'appartenance et un travail dont elles percevaient davantage le sens. On a ainsi appris que le moral des travailleurs dépendait du style de supervision : ils travaillaient mieux quand on leur laissait de l'autonomie et que leurs chefs les respectaient. Une dernière étape de la recherche, menée à la fin de 1930 avec 14 employés de sexe masculin à l'usine d'embobinage cette fois-ci, et des milliers d'entrevues par la suite, a permis d'en apprendre davantage. Les conditions ont été les mêmes qu'à l'assemblage de relais, à la différence que les chercheurs n'ont pas fait de changements expérimentaux. À l'exception de l'isolement du groupe expérimental, on a voulu reproduire les conditions de travail réelles de l'usine d'embobinage. Un observateur relevait les données. Ici les résultats ont été totalement différents. La production, au lieu d'augmenter, a été au contraire restreinte volontairement par le groupe qui jugeait que cette production était « suffisante » et correcte. Cette restriction avait aussi pour effet de protéger les travailleurs plus lents. L'importance du groupe de travail et de son influence sur ses membres et sur la productivité ont été évidentes : le groupe a une structure informelle et des règles propres auxquelles les individus doivent se soumettre s'ils veulent continuer d'en faire partie. Bref, l'aspect social des situations industrielles venait d'être mis en relief. D'un point de vue méthodologique, on a nommé l'« effet Hawthorne » l'influence que le seul fait de participer à une expérience peut avoir sur le comportement des sujets.

De 1930 au début de la Seconde Guerre mondiale Les études de Hawthorne ont suscité de nombreuses théories de la motivation (notamment celles qui sont basées sur la satisfaction des besoins) qui seront développées au chapitre 6 et de nombreux travaux sur la satisfaction au travail, concept qui sera vu en détail au chapitre 3, avec les attitudes.

D'autres études d'importance ont vu le jour après 1930. Elles tournent autour des travaux de Kurt Lewin (1890-1947), un scientifique formé en biologie et en psychologie (notamment à l'approche gestaltiste). Il a fui l'Allemagne nazie pour se réfugier aux États-Unis (Université de l'Iowa, en 1935). Ses premiers écrits fustigeaient le système taylorien du travail. Ses travaux touchent autant à la psychologie organisationnelle qu'à la psychologie sociale, qui sera traitée plus loin. Quant à ses autres intérêts, Lewin les a partagés avec ses étudiants qui se sont penchés sur des sujets concernant le monde du travail. Il a influencé les travaux ultérieurs sur la motivation (notamment les travaux de Vroom — *voir le chapitre 6*) avec son concept de « valence », c'est-à-dire la force d'attraction d'un stimulus. Sur le plan individuel, avec Dembo, Festinger et Sears, il a beaucoup travaillé sur le niveau d'aspiration, première version de la théorie des objectifs (*voir également le chapitre 6*). D'un point de vue méthodologique, Lewin a été à l'origine de l'approche dite de « recherche-action », où des problèmes concrets faisaient l'objet d'études planifiées. Celles-ci engageaient des scientifiques et les participants dans la recherche de solutions toujours évaluées et raffinées en conséquence (*voir le chapitre 17*). Il a également travaillé à titre de consultant, avec Coach et French, en 1948, sur la résistance au changement (*voir le chapitre 17*) à la société Harwood Manufacturing[20].

Kurt Lewin (1890-1947) a grandement contribué à la théorie et à la pratique de la psychologie organisationnelle (le changement, le conflit, la motivation, le leadership, etc.).

Par ailleurs, la sélection, le recrutement et la formation ont continué de constituer l'essentiel des activités des psychologues industriels. C'est à cette époque qu'ont été conçus des tests connus comme le *Minnesota Clerical Test*.

De la Seconde Guerre mondiale à 1960   La Seconde Guerre mondiale a encore exigé les services des psychologues industriels, par exemple pour la sélection de pilotes. La sélection des agents secrets s'est faite au moyen d'une nouvelle technique : les centres d'évaluation (*assessment center*), où l'on simule des situations de travail similaires à celles que devront vivre les candidats. Des évaluateurs chevronnés observent et jugent les comportements efficaces. D'autres études propres à la psychologie industrielle et organisationnelle ont vu le jour après le deuxième conflit mondial : l'analyse des postes, la rémunération, la formation, l'évaluation de la performance, les relations de travail, les cercles de qualité et toujours la satisfaction professionnelle. Des techniques encore utilisées de nos jours comme celle du choix forcé (dans des tests pour éviter des réponses socialement acceptables) ou celle de l'incident critique de Flanagan (récits d'événements aux effets extrêmes) ont été développées. Les théories de la motivation, du leadership et la psychologie des groupes ont intéressé des centres de recherche sur ces sujets comme l'Ohio State Leadership Studies avec Shartle et Stodgill, le Research Center for Group Dynamics à l'Université du Michigan et The Cornell University Studies of Satisfaction in Work and Retirement, ce dernier centre étant sous la responsabilité de Patricia Smith. Des programmes d'études sur la psychologie industrielle ont été institués dans de nombreuses universités. En 1948, l'ouvrage de Ghiselli et Brown, *Personal and Industrial Psychology*, publié par McGraw-Hill, est devenu une référence incontournable.

Selon l'approche sociotechnique, l'introduction de technologies doit se faire conjointement avec la considération des aspects humains du travail. Cette approche a connu un traitement intéressant par le Tavistock Institute of Human Relations, en Angleterre, sous l'impulsion de chercheurs comme Eric Trist et Kenneth Bamforth, en 1951[21]. Leurs études portaient sur les changements techniques dans les mines de charbon d'Angleterre à la fin des années 1940. Nous reviendrons en détail sur cette approche au chapitre 7, considérée comme un mode particulier d'organisation du travail motivante. Les mises en garde et les conseils de cette école de pensée sont plus que jamais actuels à l'heure des technologies toujours plus nombreuses et sophistiquées, qui sont parfois introduites sans grande réflexion sur leur impact humain (qu'on pense, par exemple, à la résistance au changement).

La fin des années 1950 a vu des travaux importants sur la motivation provenant de la satisfaction des besoins de croissance. Abraham Maslow et Douglas McGregor figurent parmi les auteurs les plus connus du courant humaniste qui a caractérisé cette période.

Deux nouvelles revues scientifiques ont été fondées, *Human Relations*, éditée en 1948 et *Administrative Science Quarterly*, éditée en 1955. Un certain intérêt pour les relations patronales-syndicales s'est fait jour après le deuxième conflit mondial mais, il faut le dire, plutôt faiblement, du moins en Amérique du Nord (*voir, par exemple, Arthur Kornhauser, 1949*)[22].

Abraham Maslow (1908-1970), professeur américain de psychologie sociale, est certainement l'auteur le plus connu sur la motivation humaine, notamment en raison de sa hiérarchie des besoins et de ses études sur le besoin de réalisation.

Corbis

De 1960 à 1980   De nombreuses recherches sur la satisfaction des besoins (notamment les besoins de croissance), comme celles de McClelland en 1961 et

Frederick Herzberg (1923-2000), professeur de psychologie et consultant, initiateur de travaux importants, dans les années 1970, sur la recherche d'une organisation du travail motivante en entreprise.

Collections spéciales, J. Willard Marriott Library, Université de l'Utah

d'Alderfer en 1972, ont continué d'intéresser les chercheurs. Les travaux de Herzberg (par exemple ceux de 1966) et de ses collègues, au sujet de la nécessité de concevoir les tâches autrement pour qu'elles soient motivantes, ont donné une impulsion déterminante aux études et aux pratiques ultérieures relatives à l'organisation du travail et au mouvement de la qualité de vie dans les organisations. Pour la petite histoire, rapportons que Flanagan avait déconseillé à Herzberg d'employer la technique de l'incident critique dans sa «découverte» de deux facteurs distincts de satisfaction au travail. Cette technique, selon la critique qui lui a été faite, polarisait les réponses des sujets dans ces deux catégories[23].

Les changements de valeurs dans les sociétés en développement, la prospérité de ces années-là, les lois contre la discrimination, la présence massive des baby-boomers dans la population, la concurrence internationale, la remise en question de l'autorité traditionnelle et la force des syndicats ont suscité de nouveaux centres d'intérêt pour la psychologie industrielle et organisationnelle. Les thèmes suivaient ou précédaient les pratiques d'alors : le passage de systèmes bureaucratiques à démocratiques, les équipes de travail performantes, la participation des employés au processus décisionnel, la qualité de vie au travail et la démocratie industrielle, la gestion des conflits, la culture organisationnelle. Des programmes pour faciliter le changement se sont implantés un peu partout dans les entreprises ouvertes sous le nom de «développement organisationnel» (DO), qui sera traité au chapitre 17.

D'autres théories intéressantes de la motivation fondée sur la rationalité humaine ont vu le jour à cette même époque. On pense à celles de Victor Vroom et à sa théorie des attentes, en 1964, ainsi qu'à celle de Locke en 1968 sur l'établissement des objectifs (*voir le chapitre 6*). Hackman et Oldham, inspirés par Herzberg, en 1975, mettaient au point leur modèle d'enrichissement des postes, objet de nombreuses recherches et d'applications intéressantes par la suite (*voir le chapitre 7*). La théorie de Deci, en 1975, allant à contre-courant, postulait que le fait de récompenser des individus parce qu'ils effectuent une tâche qu'ils aiment faire peut miner cette motivation intrinsèque (*voir le chapitre 6*). Les travaux de Mowday et de ses collègues, en 1979, sur divers aspects de l'engagement organisationnel, ont connu un certain succès. Le behaviorisme est revenu en force avec les travaux de Luthans et Kreiner en 1975. Ces travaux décrivent comment on peut modifier les comportements au travail en agissant sur l'environnement de l'individu et en utilisant judicieusement des techniques de renforcement (*voir le chapitre 4*)[24]. Le premier volume d'importance portant sur les sujets en question a été celui de Dunette, publié en 1976, *Handbook of Industrial and Organizational Psychology*[25].

Les contenus des programmes de doctorat en psychologie organisationnelle ont été précisés en 1965. La *Society for Industrial and Organizational Psychology*, en 1985 (et la même société canadienne en 1989), préconise le développement des compétences suivantes[26] : 1) une culture générale sur la discipline I/O et le monde des affaires ; 2) la connaissance des thèmes fondamentaux (les théories de la motivation, la théorie des organisations, le DO, les groupes restreints, la théorie de la décision, les théories sur les attitudes et le leadership, la performance humaine et son évaluation) ; 3) la maîtrise de la démarche scientifique appliquée aux sciences humaines, de la psychologie différentielle et de la formation ; 4) l'éthique en I/O ; 5) les habiletés d'intervention et de consultation dans le monde des affaires ; 6) un certain nombre de qualités personnelles (le respect, le jugement), sociales et inter-personnelles.

Après 1980   L'accroissement de la concurrence, la déréglementation de nombreux secteurs d'activité, la mondialisation des marchés et les changements radicaux dans les organisations (les fusions, les acquisitions et les restructurations), la poussée spectaculaire des techniques informatiques (Internet, par exemple), la prédominance du capital humain, la protection des droits individuels et les actions d'organismes voués à la préservation de notre environnement physique et social ont suscité le traitement de nombreux thèmes nouveaux en IO : le change-ment (en continuation avec le thème du DO) et l'apprentissage organisationnel, les nouvelles formes d'organisation du travail et de l'aménagement du temps de labeur, la justice organisationnelle et la responsabilité sociale des entreprises. On assiste aussi à un regain des travaux sur les individus : le concept de la personna-lité et les tests permettant de la cerner sont réhabilités, et des sujets portant sur la vie affective connaissent un certain engouement, comme le montrent les études sur les émotions et les affects. Hormis les aspects techniques de la psychologie dif-férentielle, des analyses de postes et de la formation, tous ces thèmes, comme on le voit, sont aussi ceux du comportement organisationnel.

D'autres revues spécialisées et prestigieuses telles que *Academy of Management Journal, Academy of Management Review, Organizational Behavior and Human Processes* ont vu le jour. En 2006, Rogelberg[27] a publié une encyclopédie sur le sujet.

La partie précédente décrivait l'apport historique majeur de la psychologie industrielle et organisationnelle au comportement organisationnel. Elle en consti-tue l'aspect très concret plutôt centré sur la psychologie individuelle ou sur l'indi-vidu dans sa relation au groupe. Mais le comportement en organisation peut aussi s'expliquer par les actions collectives des acteurs en entreprise. À cet égard, les disciplines de la sphère des sciences sociales ont apporté une contribution impor-tante à la science du CO, ce qui sera décrit dans la section suivante.

L'apport des sciences sociales au CO

Dans cette section, par souci de simplification, sera indistinctement décrite l'in-fluence sur le comportement organisationnel de trois disciplines parentes : la psychologie sociale, la psychosociologie des organisations et la sociologie des organisations. Ces disciplines portent sur des thèmes qu'on trouve directement ou indirectement dans le comportement organisationnel. Ces thèmes sont ramenés à cinq rubriques importantes : les groupes dans l'organisation, la théorie des rôles, le constructivisme, l'analyse stratégique et la notion de culture[28].

psychologie sociale
Étude des individus dans leur relation au groupe.

Les groupes dans l'organisation   Nous avons déjà vu avec Mayo l'importance des groupes dans les comportements individuels, notamment avec les groupes informels. Nous avons aussi mentionné les travaux importants de Kurt Lewin et son apport à la psychologie organisationnelle. Ses travaux en **psychologie sociale** sont maintenant approfondis. En 1944, Kurt Lewin fonde le Research Center for Group Dynamics au Massachusetts Institute of Technology (MIT). Ce centre de recherche (qui, en 1948, a transféré ses activités à l'Institute for Social Research à l'Université du Michigan) traitait de phénomènes de groupes. Ses étudiants, tels que French, Lippitt et White, en particulier en 1939, ont étudié les effets du leader-ship sur la productivité et la satisfaction. D'autres études célèbres en psychologie sociale du travail, toujours sous la houlette de Lewin, ont porté sur la dynamique et la structure des groupes, la coopération et la compétition, et les réseaux de communication. Les travaux de Lewin et de ses collègues ont encouragé les entreprises à adopter ultérieurement des pratiques participatives de gestion. Cette équipe est également responsable de la création du National Training Laboratory, qui a popularisé la pratique des T-Groups (*training groups*) à partir de 1947 et, plus tard, de la construction d'équipes (*team building*). Dans ces activités, les employés reçoivent une formation sur les rôles et la façon de s'en acquitter efficacement, la communication de groupe, la résolution des conflits, etc. Cet héritage conceptuel et pratique, à partir des années 1980, a certainement permis d'accompagner l'explosion des technologies de l'information et de la robotique en créant de nouvelles formes d'organisation du travail basées sur des équipes performantes (*voir les chapitres 8 et 9*).

La théorie des rôles en organisation   Pour Katz et Kahn (1960), l'organisation est un système de multiples rôles qu'ils définissent comme un ensemble d'activités et de conduites potentielles[29]. Le champ du rôle d'un individu A (qu'ils nomment la personne focale) est l'ensemble des individus en organisation qui ont une incidence sur son comportement au travail. Ils sont alors des « émetteurs de rôles ». Les exigences de ceux-ci (y compris celles de la personne focale) peuvent entraîner des comportements divers allant de l'élargissement des rôles formels ou informels aux différents conflits que suscite la conception de chacun de son rôle (*voir le chapitre 8*). Les travaux de Katz et Kahn ont donné lieu à d'autres recherches sur les conflits et le stress engendrés par les tensions liées à l'accomplissement de ces rôles (*voir le chapitre 5*).

Le constructivisme   Bien que cette notion soit antérieure à Karl Weick (par exemple, avec Piaget), c'est à ce dernier qu'on doit une approche psychosociologique intéressante de l'organisation et de son environnement[30]. Pour lui, la réalité n'est pas donnée d'avance à un individu qui serait passif. Elle est une construction de celui qui la détermine. Ainsi, la concurrence peut être vue comme un problème ou un avantage pour un dirigeant. Il agira à partir de cette cognition et, ainsi, il aura transformé son environnement qui devient « agi » (*enacted*). Cette action peut être consciente ou inconsciente, l'inaction pouvant aussi être un choix. Il peut ensuite accompagner cette perception d'actes (établissement de normes, de règles, de stratégies, etc.), construisant ainsi une autre réalité qui deviendra « la réalité » de plusieurs.

Cette conception de l'organisation permet des analyses fructueuses de la culture à travers les significations données par ses acteurs à la vie de l'entreprise. Elle peut aussi expliquer les phénomènes de pouvoir et d'influence en analysant les schèmes dominants interprétatifs de la réalité: par exemple, un service de marketing peut devenir puissant s'il réussit à convaincre le reste de l'organisation que son diagnostic d'une situation particulière est le bon. Dans le cas du comportement organisationnel, une autre leçon du **constructivisme** est que, puisque l'édification la réalité d'un individu dépend de lui, s'il veut changer son environnement, il faut que lui-même change. D'où un certain nombre de pratiques intéressantes qu'on verra au chapitre 7 (les pratiques d'autonomisation, les pensées positives, la « gestion » de soi, etc.). Et puisque le comportement des individus dépend de multiples variables, il est plus profitable (par exemple, pour induire des changements) de se pencher sur les relations entre les variables que sur les variables elles-mêmes, ce qui fait disparaître la notion de causalité, car celle-ci devient circulaire.

---

théorie des rôles
Théorie expliquant le fonctionnement des organisations comme un système de multiples rôles.

---

constructivisme
École de pensée selon laquelle la réalité « objective » n'existe pas. Également, processus par lequel l'organisation est une construction sociale, une création indissociable d'acteurs actifs.

**analyse
stratégique**

Nom donné au type
d'analyse des orga-
nisations fondée sur
les stratégies qu'éla-
borent les acteurs
afin d'atteindre leurs
objectifs, ces straté-
gies étant détermi-
nées par les relations
de pouvoir entre
différents groupes
professionnels.

L'analyse stratégique L'analyse stratégique est due aux travaux du sociologue français Michel Crozier et de son équipe[31]. Comme cette approche sera
expliquée en détail au chapitre 12, on se contentera d'expliquer ici la façon dont
elle enrichit l'étude des comportements en organisation.

Cette théorie permet de comprendre le fonctionnement des organisations d'un
point de vue sociologique. Dans cette optique, elle offre également des outils pratiques d'analyse. Parmi les éléments principaux de la théorie figurent les notions
d'acteur et surtout de pouvoir. Le comportement humain est « stratégique » (d'où
la notion d'acteurs). En effet, les individus ou les groupes s'activent à maximiser
leurs gains. Ils interpréteront leurs rôles et leurs objectifs de façon à veiller aux
enjeux qui les concernent, d'où la naissance potentielle de conflits. Crozier met
l'accent sur l'action collective, donc sur l'interdépendance des acteurs, étant
donné les moyens individuels nécessairement limités de chacun d'eux. À cet
égard, les relations entre les acteurs sont toujours une relation de pouvoir, selon
Crozier, pouvoir dont il précise les sources et les conditions d'apparition et d'usage.

Michel Crozier (1922-), sociologue français, est connu
pour avoir fourni une théorie et des outils d'analyse du
comportement humain et des organisations au moyen de
l'étude des relations de pouvoir entre des acteurs à la fois
interdépendants et autonomes, contraints et intéressés.

Legouhy, Capital – Gamma/Ponopresse

Les cultures organisationnelles et nationales
L'anthropologie sociale et l'ethnographie sont des disciplines essentiellement dédiées à l'étude des cultures, des institutions, des ethnies, des coutumes et
des traditions. À partir des années 1980, ces disciplines ont exercé une grande influence sur l'analyse
des organisations considérées comme des phénomènes culturels. Ce type de traitement des organisations a permis de voir le changement dans une
nouvelle perspective (par exemple, le changement ne
peut se faire que s'il est aussi culturel). Les cultures
nationales (telles que Hofstede, en 1980, les a classi-
fiées[32]) et leurs relations avec les valeurs et les cultures
managériales occupent un champ récent non négligeable en comportement organisationnel (*voir les
chapitres 3 et 16*).

Nous avons vu jusque-là l'apport de la psychologie
industrielle et organisationnelle ainsi que celui des
sciences sociales sur le comportement organisationnel. Il nous reste à voir maintenant, d'un point de vue
plus « macro », comment la théorie de l'organisation,
directement ou indirectement, a influé sur le champ
du CO. Le terme générique de « la théorie » de l'organisation désigne en fait un ensemble de théories et
d'écoles de pensée. Ces dernières traduisent une
conception particulière des organisations, de leurs
caractéristiques et de leur dynamique.

L'INFLUENCE DE LA THÉORIE DES ORGANISATIONS SUR LA DISCIPLINE DU CO [33]

Avant de décrire les théories choisies, nous présentons un aperçu global des différentes écoles de pensée avec une catégorisation intéressante de Gareth Morgan.

Dans son ouvrage *Images de l'organisation*, Morgan évoque un ensemble de métaphores, chacune d'elles renvoyant aux conceptions que les théoriciens ont des organisations[34].

Morgan définit une métaphore comme le procédé par lequel on tente de comprendre un élément de son expérience à partir d'un autre élément. Dans le dictionnaire *Larousse*, le terme **métaphore** est défini comme étant l'utilisation d'une image qui aurait le pouvoir de faire mieux comprendre l'objet original à laquelle elle renvoie. Par exemple, lorsqu'on dit que l'organisation est une machine, on utilise une métaphore. Morgan suppose que les théories de l'organisation sont fondées sur des métaphores qui nous amènent à les envisager de façon distincte et multiple. Pour Morgan, les théories essentielles des organisations reposent sur huit métaphores qui seront ramenées à sept, vu la ressemblance de certaines d'entre elles[35]. Il compare successivement l'organisation à une machine, à un organisme, à un cerveau, à un ensemble culturel, à une arène politique et d'exercice du pouvoir, à une « prison du psychisme » et à un lieu de transformation.

> **métaphore**
> Utilisation d'une image qui aurait le pouvoir de faire mieux comprendre l'objet original à laquelle elle renvoie (*Larousse*).

Un aperçu des théories de l'organisation à l'aide de métaphores

■ *L'organisation vue comme une machine*   Cette vision consiste à voir l'organisation comme une machine bien huilée, où chaque pièce a une fonction bien précise qui s'harmonise avec celle des autres. Dans ces organisations, le travail doit être exécuté de façon machinale et répétitive. On attend des chefs qu'ils « pensent » et commandent, et des employés bien formés qu'ils se comportent docilement comme les rouages d'une mécanique efficace. Morgan met les travaux des théoriciens du début du XXᵉ siècle dans cette catégorie. Il en est ainsi de la théorie de la bureaucratie du sociologue allemand Max Weber, de l'école classique de la gestion représentée par Henry Fayol et de l'organisation scientifique du travail qu'on doit à Frédérick Taylor. Ces trois conceptions seront reprises en détail ultérieurement. Charlie Chaplin, dans son célèbre film *Les temps modernes*, a fustigé efficacement l'aliénation du travail à la chaîne (ou fordisme) où l'employé devient lui-même une partie de la machine (*voir la photo tirée du film*).

Charlie Chaplin, dans le film *Les temps modernes* tourné en 1936, illustre magistralement la métaphore de l'organisation vue comme une machine.

Corbis

■ *L'organisation vue comme un organisme vivant* Cette métaphore attire l'attention sur la gestion des besoins de l'organisation et sur les relations avec le milieu dans lequel elle se trouve. L'organisation est comparée à un être humain qui a des besoins complexes devant être satisfaits pour se développer. L'école des relations humaines, amorcée avec les travaux de Mayo à l'usine de Hawthorne procède de cette vision, puisqu'une variété de besoins autres que les besoins économiques y ont été considérés. Des auteurs faisant partie de l'école des relations humaines perpétuent cette vision. Parmi les plus connus, on peut citer Maslow, Argyris, Herzberg, McGregor, Likert et les tenants de l'approche sociotechnique. Cette image de l'organisation va de pair avec la conception de l'organisation comme un système ouvert à son milieu, devant se structurer et fonctionner selon les exigences de l'environnement, ce qui constitue une forme d'adaptation. La théorie de la contingence, dont les tenants les plus connus sont Tom Burns et G.M. Stalker, ainsi que Paul Lawrence et Jay Lorsch de l'Université Harvard, prolongent cette vision. Au cours des années 1970, plusieurs auteurs proposent une taxonomie de structures et de stratégies provoquées par des changements dans l'environnement externe de l'entreprise comme le marché, la technologie, etc. On retiendra les travaux de Joan Woodward, en 1965, pour l'importance de la technologie sur la structure et ceux d'Alfred Chandler, pour celle de la stratégie, en 1962. Toutefois, les recherches les plus citées sur la structure des organisations sont celles d'Henry Mintzberg, de l'Université McGill, dans les années 1980, pour qui l'«adhocratie» et les structures matricielles représentent des formes d'organisations souples, non formelles et propices à des changements rapides (*voir le chapitre 15*). Le développement organisationnel (DO) est une des approches connues dans ces années-là; le DO permet d'harmoniser l'environnement, la structure et la culture de l'entreprise à l'aide des sciences du comportement.

■ *L'organisation vue comme un cerveau* Dans cette métaphore, l'organisation est capable de se montrer aussi souple et aussi inventive que le cerveau. Les organisations sont des systèmes de traitement de l'information, en mesure d'apprendre. Dans cette optique, elles sont aussi des systèmes de communication et de prise de décision. Herbert Simon, prix Nobel, et James March ont été, dans les années 1940 et 1950, des pionniers dans cette manière de comprendre l'organisation, probablement influencés par l'explosion de l'usage de l'ordinateur et les théories sur l'intelligence artificielle[36, 37]. C'est Simon qui a introduit le fameux concept de «rationalité limitée». Il s'agit simplement d'un concept exprimant l'idée que les décideurs, compte tenu des connaissances forcément limitées qu'ils ont d'un problème, ne peuvent recourir aux meilleures solutions, mais à celles qui leur paraissent les plus satisfaisantes, étant donné les circonstances. Cette conception de l'organisation a donné lieu à de nombreux travaux concernant les effets de l'incertitude sur le processus décisionnel et la programmation de stratégies organisationnelles. L'apport de Simon à la psychologie du travail est qu'il explique les comportements en ce qui a trait aux choix, aux buts, aux moyens et aux décisions, et non plus pour ce qui est des besoins à satisfaire. Simon a également sensibilisé les dirigeants aux pièges décisionnels qui peuvent déboucher sur des jeux politiques ou des conclusions erronées (*voir le chapitre 10*). Cependant, comme le dit Aktouf[38], à trop vouloir être rationnel et donner la préséance aux acteurs spécialistes de la décision, Simon devient la cible des mêmes critiques que celles qui ont été faites à l'école de la gestion classique.

L'investissement actuel dans des systèmes d'information sophistiqués et des réseaux de communication relève de cette conception de l'organisation. Les théories relativement récentes sur l'organisation apprenante et le capital intellectuel appartiennent à cette représentation de l'organisation comme un système d'apprentissage complexe (*voir le chapitre 4*).

■ *L'organisation vue comme un ensemble culturel* Cette image renvoie aux organisations comme étant des ensembles culturels composés d'idées, de valeurs, de normes, de rites, de rituels et de croyances. Cette métaphore a eu beaucoup de succès dans les années 1980 (ce sujet a déjà été abordé et il sera repris au chapitre 16).

■ *La métaphore du politique*   Ici l'organisation est considérée comme un ensemble composé de groupes ayant des intérêts différents et comme un lieu de conflits et de jeux de pouvoir. Pour Michel Crozier, par exemple, l'organisation est un lieu privilégié de conflits. Parmi les conduites qui sont sources de litiges, des chercheurs soulignent les curieux comportements « territoriaux » en organisation (*voir l'encadré 1.1*). L'organisation est également conçue comme un instrument de contrôle et de domination, soucieuse seulement d'efficience et d'efficacité au détriment des travailleurs. On donne en exemple le « dégraissage massif » des entreprises à partir des années 1980, et ce, en dépit des profits qu'ont réalisés les organisations. On dénonce de plus en plus la délocalisation des entreprises qui utilisent, dans les pays pauvres, une main-d'œuvre bon marché. On dénonce aussi les accidents du travail qui se produisent à cause de la négligence des entreprises (la pollution, le travail dangereux, les produits toxiques, etc.).

■ *L'organisation comme une prison du psychisme*   L'image qui prévaut dans cette métaphore est que les organisations sont des lieux d'enfermement de la pensée, des idées et des croyances. Morgan utilise beaucoup les notions de la psychanalyse pour expliquer les comportements autoritaires et narcissiques, et les sentiments d'anxiété qui se font jour dans les organisations. Les relations de dépendance par rapport à des leaders forts et de contre-dépendance dérivent de cette conception de l'organisation. L'explication anthropomorphique d'organisations névrotiques, voire pathologiques, se trouve dans la personnalité troublée des leaders d'entreprise. Les travaux de Manfred Kets de Vries sont édifiants à ce sujet (*voir le chapitre 14*).

■ *L'organisation comme flux et transformation*   Les théoriciens utilisant cette métaphore tentent de comprendre les organisations à partir des logiques du changement. On cherche ici à décoder les logiques de transformation et de changement de l'organisation. Dans cette vision, l'organisation « enacte » son environnement, c'est-à-dire qu'elle lui donne naissance, car ce dernier n'est que le prolongement de sa propre vie (*voir le constructivisme exposé précédemment*). Par exemple, « les chiffres et graphiques qu'une organisation produit sur les tendances du marché, sur sa position relative face à la concurrence, sur les prévisions de vente, sur la disponibilité des matières premières, et bien d'autres éléments, sont en réalité des projections des propres intérêts et préoccupations des organisations. Ces projections reflètent la compréhension que l'organisation a d'elle-même qui ainsi participe au maintien de son identité » (Morgan, *Images de l'organisation*, p. 281). L'organisation est ainsi vue comme un système autoproducteur, générant un état de flux constant, source de permanence et de changement à la fois. D'où l'intérêt des travaux sur la culture de l'organisation qui permettent la recherche d'une identité d'entreprise qui guidera les actions de ses membres et qui les aidera à déterminer leur avenir. Dans la même ligne de pensée, le changement organisationnel est considéré comme un moyen de reformuler les oppositions entre des éléments conflictuels ou en opposition. Il s'agit donc ici d'opérer le changement grâce à une analyse dialectique. Par exemple, comment concilier la responsabilité sociale des entreprises et le profit, comment harmoniser les relations entre jeunes et vieux travailleurs, entre syndicats et patronats, entre la majorité nationale et les minorités ethniques (il suffit de constater le débat passionné qui a pris place au Québec en 2007 à propos des accommodements raisonnables), etc.?

Voyons maintenant de plus près quelques-unes des théories de l'organisation annoncées précédemment et ayant eu une influence majeure sur l'étude du comportement organisationnel.

Les comportements territoriaux au travail

Après qu'une entreprise de haute technologie de Vancouver eut rénové sa salle à manger, l'un des employés s'est approprié une chaise et une table.

À midi moins dix, on pouvait apercevoir le programmeur, son sac à lunch à la main, marcher rapidement de son bureau jusqu'à « sa » chaise.

Quand cette tactique s'est avérée insuffisante, le programmeur a pris l'habitude de courir déposer, vers 11 h, un livre sur la table et une veste sur la chaise, histoire de bien signifier que l'endroit lui était réservé.

Et il ne s'agit pas d'un cas isolé, croit Sandra Robinson, professeure à l'École d'études commerciales Sauder, de l'Université de la Colombie-Britannique, qui a étudié le phénomène de la territorialité au travail. « La territorialité, c'est de dire haut et fort : C'est à moi ! » dit-elle.

« Presque tout le monde a tôt ou tard un comportement territorial », renchérit Graham Brown, spécialiste de la question à l'École d'études commerciales Lee Kong Chian de l'Université de Singapour.

Or un tel comportement peut semer le malheur et la discorde dans un bureau, prévient Mme Robinson.

En privilégiant leurs propres intérêts au détriment de ceux de leurs collègues et de l'entreprise, ces employés dilapident temps, énergie et ressources, tout en minant leur productivité, l'esprit d'équipe et leurs relations interpersonnelles, estiment les experts.

Ce comportement cache un besoin accru de contrôle, dit le Dr Ross Woolley, psychologue industriel chez Wilson Banwell Human Solutions, une société de gestion des ressources humaines.

Les travailleurs ayant un comportement territorial peuvent nuire aux équipes de travail, mais c'est pire encore lorsqu'il s'agit de membres de la direction, ajoute le Dr Woolley.

Les gestionnaires au comportement territorial peuvent exiger de leurs employés qu'ils leurs vouent une loyauté irréaliste et buter sans fin sur des détails, dit-il. Ils peuvent demander à des employés de jouer aux espions pour lui, encourager le commérage et gaspiller des ressources limitées en pure perte dans le seul but de préserver son territoire. Et ils peuvent être prompts à se débarrasser d'employés qu'ils soupçonnent de trahison.

Source : Elizabeth Newton. « Le b.a.-ba des comportements territoriaux au travail », *La Presse,* 22 septembre 2006, cahier Carrières, p. 2.

Quelques théories majeures de l'organisation et leur influence sur le CO

Pour les raisons exposées précédemment, les théories de l'organisation sur lesquelles on s'attardera ici sont au nombre de quatre : l'organisation scientifique du travail, la gestion classique, la théorie des systèmes et celle de la contingence.

organisation scientifique du travail
Ensemble des préceptes de F.W. Taylor selon lesquels le travail, à des fins d'efficacité, peut faire l'objet d'études rigoureuses débouchant sur une division horizontale et verticale du travail.

Taylor et l'organisation scientifique du travail Frederick Winston Taylor (1856-1915), élevé dans un milieu quaker et puritain, devait devenir un homme de loi comme son père, mais l'état de sa vue lui interdisait toute lecture pour plusieurs années. Il a reçu une formation sur son lieu de travail comme mécanicien à 18 ans, puis il a passé la majorité de sa carrière comme cadre et comme ingénieur en chef dans des aciéries, notamment à la Midvale Steel et à la Bethlehem Steel Co. Sa théorie de l'organisation fait partie d'un de ses ouvrages essentiels publié en 1911, *Principles of Scientific Management*[39]. Déjà, lorsqu'il était étudiant, il cherchait le geste le plus efficace dans le cas du baseball, et il avait inventé une raquette de tennis avec une forme nouvelle, mieux adaptée au jeu[40]. C'était aussi un homme de son temps, c'est-à-dire avec la foi dans la science en général, d'où son désir d'arriver à une méthode de gestion « scientifique » qui, pour certains analystes, n'a rien de ce caractère en réalité, sinon une approche systématique des problèmes.

À la Bethlehem Steel Co, Taylor s'attaque à un travail de manipulation simple : le chargement des gueuses de fonte sur des wagonnets. L'analyse de la manipulation a convaincu Taylor qu'on pouvait quadrupler ce chargement. Pour cela, il

Frederick Winston Taylor (1856-1915), père de l'organisation scientifique du travail.

Top Photo/Ponopresse

était nécessaire : 1) d'élaborer les modes les plus efficaces et les plus rapides d'exécution du travail de production grâce à l'étude des temps et des mouvements utiles ; 2) de choisir le travailleur afin qu'il exécute « docilement » les instructions ; pour Taylor, le recrutement et la formation adéquats sont fondamentaux ; 3) de rétribuer le travailleur « convenablement » et de le rémunérer à la pièce pour le motiver ; 4) d'opérer une division égale du travail entre le personnel en autorité et les ouvriers ; un système de contrôle étroit est instauré où chaque salarié est étroitement supervisé par des contremaîtres chargés de tâches précises ; les cadres sont chargés de « penser » (organiser, programmer, concevoir, gérer le matériel et le personnel) et les travailleurs, d'exécuter les tâches qui leurs sont attribuées.

Ce système, qui prévaut encore dans nombre de nos industries, partait d'une bonne intention de la part de Taylor. Ce dernier désirait, disait-il, la paix entre les travailleurs et les employeurs et, pour cela, il pensait que la raison et la « science » permettraient d'établir des relations harmonieuses entre eux, au lieu de guerres permanentes. Il voulait aussi codifier et organiser le travail moderne (qui prenait à peine la relève du travail artisanal) et le rendre efficace. Toutefois, les outrances de l'approche de Taylor, en partie dues, semble t-il, à sa personnalité de nature obsessionnelle, ont discrédité toute son œuvre, même si ses principes ont depuis dominé l'organisation du travail (sous la pression des syndicats, il a même été obligé de se défendre devant une commission de la Chambre des représentants). Henry Ford a organisé ses lignes d'assemblage pour la Ford modèle T, en 1909, en grande partie selon des principes tayloriens (il faut dire que cela lui a permis de baisser considérablement ses coûts de production). Les travailleurs, étroitement surveillés, peu qualifiés et interchangeables, y effectuaient, à un poste fixe, les mêmes gestes élémentaires et ennuyeux pendant leur journée de travail, et ils étaient dépossédés de toute initiative ou d'autonomie. Les « centres d'appels » (entrants) d'aujourd'hui et les conditions de travail des salariés dans les entreprises de pays émergents, toutes proportions gardées, sont des exemples d'application du fordisme-taylorisme. Malheureusement, ce système de la division du travail, malgré son efficacité dans certaines circonstances, ne fait qu'accentuer le clivage entre la direction et les travailleurs, engendre l'ennui et l'indifférence du travailleur pour sa tâche, oblige à davantage de contrôle et à la multiplication des paliers hiérarchiques et, enfin, transfère le savoir à la seule direction tout en isolant le travailleur.

gestion classique des organisations
Principes et méthodes rationnels d'administration des organisations fondés sur la division du travail, la dépersonnalisation des rapports humains, la primauté de la hiérarchie et de la discipline. Cette école de pensée renvoie surtout à Fayol et à Weber.

La gestion classique : Henri Fayol et Max Weber   Henri Fayol, d'abord ingénieur, est devenu p.-d.g. d'une entreprise minière en difficulté qu'il a brillamment redressée. Dans son livre écrit tardivement en 1916, *Administration industrielle et générale*, il présente les principes d'une gestion rationnelle des organisations et le travail essentiel des dirigeants, notions obligatoires et familières à tous les étudiants en gestion des entreprises[41]. En quatre lettres (PODC, sigle constitué des premières lettres de planifier, organiser, diriger, coordonner et contrôler), il a résumé ce qui constituera le « credo » de tout administrateur. Il énonce de nombreux principes administratifs et un mélange de principes moraux comme le principe d'équité pour tous et l'« esprit de corps ». Ce dernier trait peut être considéré comme le précurseur de l'engagement organisationnel. Il donne des conseils pratiques d'organisation aux gestionnaires, par exemple la départementalisation (les

Henri Fayol (1841-1925), ingénieur et cadre français, est reconnu comme le précurseur de la gestion classique.

Top Photo/Ponopresse

groupements d'activités similaires en différents services), l'éventail de commandement (le nombre de subordonnés que doit superviser un cadre), l'unité de commandement (chaque subordonné doit se rapporter à un seul chef) et le principe hiérarchique (la structure de contrôle de type pyramidal). On trouvera en détail la description de cette conception de l'organisation au chapitre 15 sur la structure.

Le sociologue allemand, Max Weber (1864-1920), s'est intéressé à la définition des caractéristiques essentielles des sociétés industrielles parmi lesquelles il prévoyait une croissance incontournable de la bureaucratie. La conception qu'il en avait a été élaborée dans son livre, *The Theory of Social and Economic Organization,* publié en 1922 en Allemagne[42]. Contrairement aux formes féodales et aux autres formes traditionnelles des organisations, le mérite de la bureaucratie est qu'elle est établie selon des principes rationnels. En effet, selon Weber, les formes plus anciennes d'autorité étaient basées sur le rayonnement personnel des chefs (l'autorité charismatique) ou sur les privilèges de quelques-uns (les nobles, les propriétaires terriens, les autorités religieuses, etc.). Toutefois, la bureaucratie, système que Weber qualifie de « rationnel-légal » dans sa forme idéale, présente l'objectivité et l'impersonnalité comme des moyens d'atteindre l'efficacité, l'équité et d'éviter la corruption et l'arbitraire. Le modèle idéal bureaucratique repose sur les neuf préceptes suivants :

1. L'établissement de normes et de règles « rationnelles » et écrites qui régissent le comportement approprié des employés et des dirigeants ;

2. Un ensemble de procédures de travail uniformisées ;

3. Une division systématique du travail avec l'octroi d'une autorité suffisante au titulaire du poste pour accomplir ses tâches dont les conditions de réalisation sont soumises à des règles précises ;

4. Une hiérarchie des fonctions ;

5. Une séparation entre l'exercice des fonctions et la propriété des moyens de production (l'individu est un employé, l'organisation ne lui appartient pas) ;

6. La dépersonnalisation des relations qui fait de la position détenue, et non de la personne, la base de toute interaction sociale ;

7. La sélection et la promotion objectives des personnes selon leurs compétences techniques ou administratives, évaluées au moyen de mesures non moins objectives (des tests, par exemple) ;

8. Une rémunération fixe en espèces fondée sur l'ancienneté et le rang, ou sur les résultats ;

9. Une discipline stricte et homogène.

■ *Les remises en cause des écoles classiques* La conception de l'organisation en tant que bureaucratie, c'est-à-dire en tant que type idéal (mais pas nécessairement le meilleur, comme l'annonçait déjà Weber lui-même), s'est rapidement attirée les critiques de plusieurs sociologues. Merton invoque la rigidité des comportements inadéquats lorsque les conditions changent, le conditionnement des individus à se conduire de façon excessivement prudente, ce qui inhibe la créativité et la flexibilité. Il fustige également le « déplacement » des buts organisationnels vers des buts visant seulement l'adhésion aux règles prescrites et la défense des intérêts (acquis) du personnel, compte tenu de la valorisation de l'« esprit de corps ». En outre, Merton se transforme en psychologue du travail quand il se demande si c'est la structure bureaucratique qui façonne la personnalité bureaucratique (la surconformité, la prudence excessive, les réactions défensives, etc.) ou l'inverse. Merton a encouragé la recherche dans ce sens[43].

De façon plus générale, quelques auteurs vont s'opposer à la vision mécaniste qui prévalait jusqu'à la fin des années 1930, notamment sous la plume de Chester Barnard, un psychologue du travail qui s'ignorait en quelque sorte. Barnard a été un haut dirigeant dans des entreprises de communication (il sera président de la New Jersey Bell Company) et un praticien qui a su réfléchir sur son expérience. Il a eu une grande influence sur la pensée administrative, notamment sur Herbert Simon, et il a reçu le prix Nobel d'économie. Barnard a exposé ses idées dans son livre majeur, *The Functions of the Executive*, publié en 1938[44]. Il a touché à de nombreux éléments qui font maintenant partie du domaine du comportement organisationnel.

Chester Barnard considère les organisations comme des systèmes de coopération qui n'assureront leur permanence que si elles sont efficaces et efficientes (on lui doit la nuance classique entre ces deux termes). L'efficacité a le sens qu'on lui connaît aujourd'hui, c'est-à-dire l'atteinte des buts de l'entreprise, mais il voit l'efficience comme la satisfaction des besoins des individus. Il considère les groupes comme un élément obligé de la vie des organisations, puisque nul ne possède toutes les capacités afin de diriger seul une entreprise. Pour lui, le tout est donc plus que la somme de ses parties, anticipant ainsi la théorie des systèmes qui sera abordée plus loin. Il prônait aussi des lignes de communication courtes et accessibles à tous dans l'organisation. Il est à l'origine d'une conception originale du pouvoir (qui sera reprise plus tard par Crozier et ses collaborateurs). Le pouvoir autoritaire trouvera toujours sur son chemin ce qu'on pourrait appeler un « contre-pouvoir », c'est-à-dire la capacité pour des subordonnés d'user de leur pouvoir particulier (par exemple, ralentir la cadence de production). De plus, il reconnaissait, à côté de l'organisation formelle, l'existence de l'organisation informelle (ce qu'avaient laissé entendre les travaux de Mayo) qui, loin d'être une nuisance, selon lui, accroît plutôt la communication et la cohésion des groupes. On voit ici que Barnard est en complète opposition avec les théories classiques et tayloriennes qui, elles, favorisaient l'unité de commandement et le respect de la structure établie officiellement. Il valorise plutôt le pouvoir incitatif, soit celui de convaincre et de récompenser, dans le respect des personnes. Comme on le voit, pour l'époque, il faisait figure d'exception. Enfin, il lance un concept qui sera repris plus tard par d'autres théoriciens (comme Wrapp en 1968, dans un contexte de changement), celui de la zone d'indifférence. Par cette expression, Barnard exprime cet espace d'acceptation de l'employé des ordres qu'il reçoit et que les chefs devraient s'évertuer à élargir, grâce à la persuasion[45]. On a reproché à Barnard sa vision un peu angélique et rationnelle de l'organisation, c'est-à-dire exempte de conflit et de fraude, ce que bien sûr démentent, entre autres, les méfaits de certains dirigeants.

Plusieurs ont donc remis en question la gestion classique, mais aussi la conception qu'on avait des fonctions et des rôles des dirigeants.

école des activités professionnelles du dirigeant
Ensemble des travaux visant à décrire les activités quotidiennes des dirigeants et à définir leurs rôles.

■ *La remise en cause des fonctions classiques des dirigeants* Pour de nombreux spécialistes de la gestion postérieurs à Fayol et à Weber, la description du travail des dirigeants, notamment par le PODC, restait un concept abstrait qui ne faisait que projeter sur les activités des gestionnaires l'esprit rationnel et bien ordonné des auteurs qui en traitaient. Ainsi, au lieu de se pencher sur les fonctions d'un dirigeant, de nombreux chercheurs se sont plutôt concentrés sur leurs activités quotidiennes, formant ce que Mintzberg appelle l'**école des activités professionnelles (du dirigeant)**. En voici quelques exemples : Sune Carlson, dès 1950, a fait preuve d'originalité méthodologique en interrogeant non seulement des dirigeants, mais aussi les gens qui les entouraient ; Hemphill, en 1960, a conçu un questionnaire classique quasi exhaustif sur les activités des cadres ; Sayles, en 1963, pour qui le travail des cadres était essentiellement de type social ; Wrapp, dont l'article, primé en 1968 par la *Harvard Business Review*, innovait en décrivant le rôle informel et politique du dirigeant ; Mintzberg lui-même avec sa fameuse étude de 1973 (qui sera décrite plus loin de façon plus détaillée) ; Stewart, en 1976, a classifié les tâches managériales en fonction des contraintes et des opportunités qui s'offrent aux dirigeants ; Kotter, en 1982, a souligné que l'efficacité et les rôles des dirigeants étaient associés à des industries et à des contextes particuliers ; et bien d'autres auteurs[46]. Tous ces travaux, directement liés au comportement organisationnel (puisque toutes les conduites managériales y sont décrites), ont permis de raffiner les processus de sélection, d'affectation et de formation des dirigeants.

■ *La fonction principale du dirigeant selon Mintzberg : la communication* L'étude de Mintzberg, en 1973, est certainement la plus connue parmi celles qui ont traité du travail des dirigeants, probablement à cause de sa simplicité et du style provocateur habituel de l'auteur. Compilant de façon constante les activités de dirigeants, il tente de démystifier l'idée selon laquelle ceux-ci planifient et prévoient leur travail de façon organisée. En bref, Mintzberg pense, au contraire, que leur travail est en grande partie plutôt improvisé ou à tout le moins qu'il ne fait pas l'objet d'une planification à long terme. De plus, leurs activités sont plutôt brèves (moins d'une heure pour la majorité d'entre elles) et orientées vers l'action et les contacts avec de multiples acteurs plutôt que vers une longue réflexion. Enfin, que loin de s'attarder à considérer des informations sophistiquées (comme un système expert ou simplement un système d'information), les dirigeants privilégient les supports verbaux (le téléphone et les réunions).

Mintzberg dégage ensuite trois grands rôles du dirigeant : les rôles de contact, d'information et de décision. Le rôle de contact comprend trois autres rôles : le rôle représentatif (le dirigeant représente l'organisation en tant qu'autorité, tant formelle que sociale), le rôle de direction (le rôle de chef) et le rôle de liaison (qui consiste à établir des contacts avec des acteurs autres que ceux des instances hiérarchiques supérieures). Le rôle d'information comprend aussi trois autres rôles : celui de guider les autres en collectant l'information utile, de diffuser cette information et d'être le porte-parole de l'entreprise à l'extérieur de ses murs. Enfin, le rôle de décision inclut quatre rôles : celui d'entreprendre (assurer la performance de l'entreprise), de corriger (réagir adéquatement en temps de crise) et de pourvoir aux ressources en temps et lieu (faire les bons choix en ce qui concerne les investissements, les dépenses, les projets, le temps, etc.). Enfin, le dirigeant a un rôle de négociateur, direct ou indirect (avec les clients, les fournisseurs, les divers gouvernements, les syndicats, etc.). Cette conception des rôles du dirigeant a eu un grand effet sur les programmes de formation pour cadres, où l'accent a été, dès lors, mis davantage sur l'acquisition de compétences concrètes que sur des connaissances purement théoriques en gestion[47].

Les organisations conçues comme des systèmes   C'est un théoricien de la biologie, Ludwig Von Bertalanffly qui, dans les années 1950, a proposé un cadre d'analyse rigoureux et scientifique avec l'ambition de l'appliquer à différentes disciplines, y compris à celles du domaine social. Dans sa *Théorie générale des systèmes*, écrite en 1956, il envisage les différents systèmes comme un ensemble complexe d'éléments en relation, ouvert à son environnement. Toute modification des éléments du système influe sur le système entier, de façon perceptible ou non. En connaissant l'ensemble des éléments et la dynamique des relations d'un système, on peut déduire le comportement de ce système[48].

Voyons maintenant comment l'approche « systémique » s'applique aux organisations.

■ *Les systèmes ouverts*   Hewlett-Packard possède peut-être beaucoup d'édifices et de matériel, mais Carly Fiorina, ex-chef de la direction, affirmait que son travail consistait à nourrir une entité vivante. « Je pense qu'un chef doit considérer l'entreprise comme un système vivant parmi d'autres, et qui respire », disait-elle[49]. De toute évidence, Carly Fiorina décrivait l'organisation comme un **système ouvert.**

Les organisations sont des systèmes ouverts parce qu'elles prennent les ressources nécessaires à leur survie dans leur environnement (les intrants) et les transforment en produits finis (les extrants) qu'elles restituent à l'environnement. La survie et le succès d'une entreprise dépendent de la capacité des employés à être sensibles aux changements qui surviennent dans l'environnement et à s'y adapter[50]. Par contre, un système fermé possède en soi toutes les ressources nécessaires pour survivre et ne dépendra pas totalement de son environnement externe. Par exemple, les monopoles qui évoluent dans un milieu très stable peuvent se permettre de négliger les besoins de leurs clients ou d'autres parties prenantes un certain temps sans en subir les conséquences immédiates.

Comme le montre la figure 1.2, les intrants sont, par exemple, les ressources humaines, financières et matérielles, ainsi que les matières premières et l'information. De nombreux sous-systèmes composent les organisations : le sous-système structurel (la division des rôles, des fonctions et des tâches, etc.), le sous-système culturel et humain (les valeurs, la dynamique sociale, les groupes informels, etc.) et le sous-système stratégique (les buts, les objectifs, la vision et la mission de l'organisation). Avec l'aide du sous-système technique (comme l'équipement, les méthodes de travail et l'information), ces sous-systèmes transforment les intrants en extrants divers (par exemple la quantité et la qualité des produits ou des services, la réputation de l'entreprise) ou des extrants moins appréciés (comme les mises à pied ou des licenciements massifs, ou encore les activités polluantes de l'entreprise, etc.). L'organisation reçoit une rétroaction de l'environnement externe en ce qui touche la valeur de ses extrants, ce qui permet en principe de modifier le choix, la quantité et la quantité des futurs intrants. Ce processus est cyclique.

Les intrants, les extrants, le processus de transformation et la rétroaction sont ainsi des éléments constitutifs d'un système. Il faut ajouter ici d'autres caractéristiques des systèmes : l'entropie négative, l'homéostasie, la différenciation et

système ouvert
Ensemble complexe d'éléments en relation qui puise ses ressources (les intrants) dans son environnement et qui les transforme en produits finis ou services (les extrants).

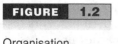

FIGURE **1.2**

Organisation
considérée comme
un système ouvert

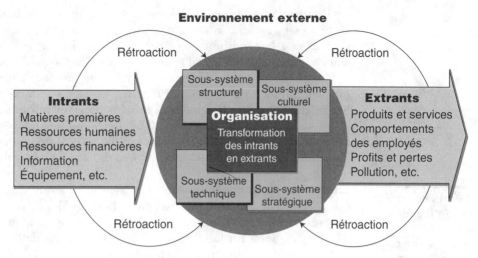

l'équifinalité. L'entropie est cette loi qui fait que les systèmes fermés dissipent leur énergie, s'usent et meurent à la longue. L'entropie négative, à l'opposé, caractérise les systèmes ouverts qui ont la capacité de se régénérer en important et en emmagasinant plus d'énergie qu'ils n'en consomment. L'homéostasie est la capacité d'un organisme de maintenir un équilibre entre ses intrants et ses extrants. Quand cet équilibre est rompu, l'organisme tend à se modifier pour le rétablir. On utilise souvent ce concept d'homéostasie pour expliquer la motivation de l'individu. Ainsi, un besoin (la faim, par exemple) rompt l'équilibre de notre organisme (qui se traduit par un besoin d'énergie, une impression désagréable, etc.), ce qui pousse celui-ci à faire des efforts (la motivation) pour chercher de la nourriture et ainsi rétablir cet équilibre. La différenciation est ce qui distingue les différents sous-systèmes ou fonctions. Dans l'organisation, l'environnement peut amener l'entreprise à se complexifier. Par exemple, la croissance d'une firme de type entrepreneuriale l'amène immanquablement, au-delà d'une certaine taille, à se structurer de façon plus formelle pour faire face aux nouvelles exigences de son environnement. L'équifinalité est la capacité des systèmes d'atteindre un but identique par différents moyens. Ainsi, pour régler le conflit entre deux groupes de personnes distincts en entreprise, on peut éloigner physiquement leurs bureaux ou fondre leurs deux unités en une seule avec des objectifs fédérateurs, ou encore dépersonnaliser les rapports en faisant communiquer les groupes à l'aide d'un intermédiaire (des personnes ou un système d'information), etc.

Voyons maintenant comment les organisations transigent avec leur environnement. Dire que la plupart des organisations contemporaines évoluent dans des environnements plus dynamiques qu'il y a quelques décennies peut sembler banal. Pour mesurer la rapidité avec laquelle les organisations changent, considérons ce qui suit : dans les années 1920, les entreprises faisaient partie de l'indice S&P 500 pendant 67 ans en moyenne. Aujourd'hui, une entreprise y figure en moyenne durant environ 12 ans seulement. Autrement dit, nos grands-parents pouvaient travailler pour la même organisation toute leur vie, tandis que vous survivrez sans doute à deux ou trois entreprises[51].

Toutefois, des études relativement récentes révèlent que les organisations s'adaptent assez vite à l'évolution rapide de leur milieu[52]. Pour rester en phase avec leur environnement externe, elles doivent être capables de modifier leurs extrants et les processus de transformation, mais à un rythme qui n'appauvrit pas leurs ressources et à la condition de respecter les besoins de leurs parties prenantes et leurs engagements, eu égard à leur responsabilité sociale[53, 54], d'où la difficulté.

Peter Senge, auteur du livre à succès, *La cinquième discipline* (l'approche systémique), publié en 1991 (chez First), a « revisité » le modèle systémique. Pour Senge, dans la nouvelle économie, les plus précieux intrants et extrants des organisations sont constitués du capital intellectuel des employés. Il fait l'apologie de cette approche pour bâtir des organisations dites apprenantes (le refus du raisonnement à courte vue, le décloisonnement des services, le travail en réseau, etc.).

La théorie de la contingence   Les théories relevant de cette école de pensée, nous l'avions déjà mentionné, expriment l'idée qu'il n'y a pas de formes définitives et arrêtées d'organisation et de fonctionnement qui répondent à tous les types d'environnement. En fait, des conditions différentes de l'environnement entraînent des formes différentes d'organisations. Autrement dit, la façon la plus efficace de concevoir une organisation est « contingente » aux caractéristiques et aux exigences de son environnement. Les premiers auteurs à populariser cette conception sont les Britanniques Tom Burns et George Stalker[55]. C'est à eux qu'on doit les expressions, maintenant courantes en gestion, d'organisations mécanistes et d'organisations organiques. Les premières évoluent dans un environnement stable et adoptent des structures de fonctionnement de type mécaniste, c'est-à-dire, pour simplifier, selon des préceptes et des pratiques s'inspirant de la gestion classique déjà vue plus haut. Les organisations organiques, devant des environnements incertains, voire turbulents, adoptent des règles de fonctionnement et de communication souples, accroissent la coopération interservices et permettent une certaine liberté d'action aux employés. L'enseignement des conclusions de Burns et Stalker est que les stratégies, les structures, le personnel et l'environnement doivent faire l'objet d'analyses simultanées et de choix de la part des dirigeants, car il n'y a pas un *one best way* pour gérer.

Lawrence et Lorsch, en 1967, complètent les analyses de Burns et Stalker avec une considération particulière pour les comportements humains. Pour eux, une organisation est efficace si elle se différencie (par exemple, si elle est scindée en services spécialisés) en fonction de ses exigences externes et, en même temps, si elle peut intégrer ces différences, d'où le titre de leur ouvrage majeur: *Organization and Environment: Differenciation and Integration*[56]. Cette théorie de l'organisation est intéressante, car elle porte l'analyse au niveau organisationnel et individuel. Sur la lancée de ce genre de travaux, Lorsch et Morse abordent, sur le plan du comportement organisationnel, la relation entre l'individu et son environnement, notamment par le facteur de l'intégration du premier au second[57]. L'intégration (mesurée par l'engagement organisationnel) de l'individu dans l'organisation est le produit de la convergence entre les éléments suivants: les caractéristiques des employés, le type de tâche et de structure de leurs unités et la spécificité de l'environnement externe de l'organisation. Ces auteurs définissent cette spécificité selon que l'environnement est stable (comme dans l'industrie de l'emballage) ou incertain (comme dans le secteur des hautes technologies). Cette intégration est non seulement le signe des organisations efficaces, mais aussi l'indication que leurs membres éprouvent un sentiment de compétence à maîtriser leur environnement professionnel. Le tableau 1.3, à titre d'exemple, précise les caractéristiques d'une organisation ayant un environnement incertain (l'information et les connaissances sont relativement difficiles à obtenir et à localiser), les siennes propres (par

théorie de la contingence
Théorie selon laquelle il n'y a pas de règles universelles permettant l'adaptation de l'organisation à son environnement. Au contraire, cette adaptation est le fruit de l'harmonisation conjointe des différentes caractéristiques de l'environnement externe et interne de l'organisation.

TABLEAU 1.3 Caractéristiques des employés, de l'environnement interne et du sentiment de compétence dans une organisation efficace et ayant un environnement incertain

Traits de personnalité des employés	Environnement interne	Sentiment de compétence
■ Perception complexe et intégrée de l'environnement (horizon temporel distant)	■ Comportements et actions orientés à long terme	Élevé
■ Tolérance élevée à l'ambiguïté	■ Objectifs scientifiques	
■ Individualisme	■ Structure peu formelle	
	■ Coordination des activités peu élevée	
	■ Résolution des conflits par la confrontation	

Source : Adaptation d'un tableau de Lorsch, J.W., Morse, J.J. (1974). *Organization and their Members : A Contingency Approach.* New York : Harper and Row.

exemple, celles d'un service de recherche) et celles de ses membres. La convergence de ces caractéristiques assure à ceux-ci un sentiment de compétence élevé.

Cette section clôt cette grande partie dédiée à l'historique et aux apports des diverses disciplines au CO. Comme on l'a vu avec la contribution de la psychologie industrielle et organisationnelle, le CO a des racines scientifiques bien établies, notamment celles qui relèvent de la psychologie expérimentale. Nous avons également mentionné un certain nombre de revues scientifiques qui ont vu le jour dans le domaine du CO, ce qui confirme sa démarche rigoureuse.

Cependant, la compréhension du CO peut quand même paraître accessible au commun des mortels, ce qui est en partie vrai, car nous sommes tous familiers avec des comportements en entreprise que nous avons pu observer. Par exemple, des employés heureux peuvent être plus fidèles à l'organisation ou être plus performants quand on leur fixe des objectifs. De plus, il est courant, pour le profane, de penser que les conclusions relatives au CO sont de l'ordre de l'intuition. Toutefois, cette familiarité et cette intuition, si elles peuvent constituer une bonne réflexion de départ, ne sont pas suffisantes pour constituer une théorie dont il faudra vérifier la validité et la généralité. Les théories vont même souvent contre le bon sens commun (*voir l'exercice 1.3 en fin de chapitre*). Par exemple, selon vous, qui va se sentir plus mal d'avoir menti publiquement, celui qui est payé 1 $ pour le faire, ou celui qui est payé 20 $? Les réponses sont partagées, tandis que l'expérience de Festinger et Aronson (*voir l'encadré 1.2*) propose une réponse éprouvée.

UN APERÇU DE LA DÉMARCHE SCIENTIFIQUE EN CO

Mais qu'est-ce qu'une théorie ? Qu'est-ce qui la justifie ? Répondre à ces questions et à bien d'autres, c'est familiariser le lecteur avec la démarche scientifique en CO. Dans cette partie de l'ouvrage seront présentées plusieurs notions relatives à la démarche scientifique : la nature et les types de théories, la méthode expérimentale, les stratégies de recherche et l'éthique en CO.

théorie
Une théorie est un ensemble de propositions ou de lois qui déterminent les rapports entre plusieurs concepts.

La nature, les fonctions et les types de théories

Une **théorie** est un ensemble de propositions ou de lois qui déterminent les rapports entre plusieurs concepts. Les théories remplissent trois fonctions. La première est

Les effets de la dissonance cognitive : une expérience contre-intuitive ?

Supposons qu'on exerce une forte pression pour amener un individu à faire en public une déclaration contraire à son opinion personnelle, moyennant une récompense. La théorie de la dissonance nous conduit à prédire que, si un individu fait en public une déclaration qu'il ne croit pas être vraie pour recevoir une maigre récompense, il modifiera sa croyance personnelle dans le sens de la déclaration publique ; si on augmente l'importance de la récompense, il modifiera d'autant moins son opinion personnelle.

Cette prédiction a été éprouvée dans une étude de Festinger et Carlsmith qui est brièvement résumée[58]. Dans cette expérience, durant une heure, des sujets ont accompli une série d'épreuves excessivement ennuyeuses et monotones. On a demandé aux sujets, « pour les besoins de l'expérience », d'annoncer à une autre personne qui attendait de subir ces mêmes épreuves, qu'elles étaient amusantes et plaisantes. Les sujets ont été placés dans les conditions suivantes :

1. la condition à 1 $ où les sujets recevaient 1 $ pour servir de complices ;

2. la condition à 20 $ où les sujets recevaient 20 $ pour le même travail ;

3. la condition de contrôle où l'on ne demandait pas aux sujets de mentir.

Chacun des sujets, après l'expérience, a alors été interrogé et on lui a demandé d'évaluer dans quelle mesure il avait trouvé les épreuves agréables. Les résultats ont confirmé les prédictions. Dans la condition de contrôle et la condition à 20 $, les sujets ont trouvé que ces épreuves étaient plutôt ennuyeuses. Dans la condition à 1 $, toutefois, les sujets ont estimé que les épreuves étaient plutôt amusantes. En résumé, dans la condition à 1 $, mentir publiquement pour « si peu » a introduit une dissonance considérable. La théorie de la dissonance cognitive, selon laquelle l'être humain s'efforce de réduire cette dissonance, amène le sujet récompensé faiblement, pour ce faire, à transformer son opinion publique pour qu'elle soit en accord avec son opinion personnelle.

Source : Résumé librement de L. Festinger et E. Aronson, « Éveil et réduction de la dissonance dans des contextes sociaux », dans A. Levy, *Psychologie sociale. Textes fondamentaux anglais et américains*, Paris, Dunod, 1965.

---

une fonction de clarification et de classification. Une bonne théorie permet de mettre de l'ordre dans des séries de faits ou d'événements sans quoi il faudrait face à une multitude d'informations sans signification, et ce, en permanence. Comme le disait le savant Claude Bernard : « Un fait n'est rien sans l'idée qui l'accompagne. » Bref, une théorie a une fonction de classification. Par exemple, en CO, Mintzberg, grâce à ses descriptions et à ses catégorisations commodes, a permis de mieux comprendre les structures organisationnelles. La deuxième fonction (liée à la première) concerne l'explication et la prédiction. On formule des théories dans le but d'expliquer et de prévoir les phénomènes pour mieux saisir le monde qui nous entoure[59]. En effet, une bonne théorie permet de préciser comment et pourquoi se produit un événement[60]. Les « théoriciens de la rue » que nous sommes tous peuvent bien observer que la fixation d'objectifs augmente la performance des employés et se cantonner à cette croyance. Par contre, la théorie peut nous permettre de déterminer les conditions subtiles d'occurrence de cette situation. On apprend, par exemple à la suite de recherches à ce sujet, que cette performance dépend de nombreux facteurs comme la nécessité pour l'individu d'adhérer au préalable à ces objectifs et celle de composer avec des sujets ayant un sentiment d'efficacité élevé. La troisième fonction est une fonction « économique », dans le sens où elle ne nous oblige pas à « réinventer la roue » avec, chaque fois, une grande dépense d'énergie.

Cependant, les sciences du comportement ne sont pas les sciences physiques. Les premières abordent la réalité selon deux conceptions des chercheurs : une conception positiviste et une conception phénoménologique. Examinons-les brièvement, car elles déterminent en grande partie les types de théories et les méthodes de recherche en CO.

Le positivisme et la phénoménologie en CO   Toute recherche exige une interprétation de la réalité, et les chercheurs peuvent percevoir celle-ci de deux manières. Ceux qui adhèrent au positivisme — et ils sont très nombreux — croient que la réalité existe indépendamment des sujets. Elle est «là», attendant d'être découverte et vérifiée. La plupart des recherches quantitatives sont fondées sur le positivisme. Ce dernier repose sur la prémisse suivante : on peut mesurer des variables, et ces variables ont des relations fixes avec d'autres variables. Le mode de pensée ici se veut essentiellement «objectif», et la rigueur du raisonnement peut permettre la généralisation des résultats. Cette façon de voir, en psychologie, a donné lieu à un principe scientifique appelé l'«opérationnalisme»: les concepts peuvent être établis et éprouvés par des opérations concrètes et vérifiables par des observateurs indépendants.

Par contre, dans la perspective phénoménologique, l'essence même de la réalité, du phénomène, se trouve dans l'expérience vécue. Ainsi procède Sartre dans son traitement philosophique et psychologique de l'émotion : il tente de découvrir la signification de l'émotion comme rapport du sujet à son univers vécu[61]. La généralité d'un concept est ici fondée sur une somme d'expériences subjectives, et la réalité est déterminée au moyen de l'interprétation commune des personnes présentes dans un environnement donné.

Dans cette conception, les chercheurs s'appuient surtout sur des données qualitatives (comme l'observation et les entretiens non directifs) dans la recherche d'explication des phénomènes. Pour eux, on ne peut pas vraiment prédire les relations entre des concepts, puisque chaque situation particulière façonne la réalité[62].

La plupart des spécialistes du comportement organisationnel se situent dans une voie médiane entre le positivisme et la phénoménologie. Beaucoup croient que la recherche inductive (celle qui part de l'observation des faits) devrait être amorcée dans une perspective phénoménologique. On devrait aborder chaque nouvelle recherche avec un esprit ouvert et chercher à découvrir comment les sujets interprètent eux-mêmes «leur» réalité. Ce processus oblige alors à recueillir plusieurs faits, à les analyser et à formuler des relations probables entre eux[63]. Une fois ces relations établies, le chercheur peut se placer dans une perspective positiviste et recueillir des données quantitatives. Ensuite, grâce à des expérimentations multiples, il doit s'assurer que les relations énoncées sont généralisables et qu'elles peuvent donner lieu à une théorie, laquelle est alors bien enracinée dans des données concrètes (d'où le nom de *grounded theory*, donné aux lois qui dérivent de cette approche[64]).

Dans le domaine du CO, les théories ne sont pas toutes de la même nature. Il est possible d'appréhender les théories en CO par leur objet, c'est-à-dire les buts que les chercheurs visent à atteindre.

Les types de théories   Quatre types de théories permettent de comprendre les phénomènes du CO : les théories paradigmatiques, causales, descriptives et prédictives[65].

▪ *Les théories paradigmatiques* proposent une nouvelle façon de penser des problèmes anciens, en l'occurrence une vision globale des relations et des comportements humains. Une théorie paradigmatique, grâce à la perspective plus large qu'elle donne à l'observateur, transforme le savoir traditionnel en réconciliant les contradictions apparentes aux yeux de l'observateur non averti. La théorie des systèmes qu'on a vue est un exemple de théorie paradigmatique. Les organisations y sont conçues comme des systèmes ouverts à leur environnement. Par conséquent, cette théorie fournit une nouvelle manière de décrire les organisations, et elle permet l'usage de toute une terminologie maintenant très courante (intrants, extrants, rétroaction, etc.). La théorie des rôles de Katz et Kahn, qui voient l'organisation précisément comme un ensemble de rôles, est aussi une théorie de type paradigmatique.

■ *Les théories causales,* comme leur nom l'indique, cherchent à expliquer des phénomènes fondamentaux et à comprendre l'organisation des variables en jeu. Par exemple, les recherches ne sont pas encore tout à fait concluantes sur la question de la causalité entre la performance et la satisfaction au travail.

■ *Les théories descriptives* ne recherchent pas les causes d'un phénomène. Elles dégagent des mécanismes qui, une fois qu'ils sont compris, peuvent expliquer un ensemble de faits. Par exemple, Crozier et ses collègues appréhendent les comportements humains de manière concrète, c'est-à-dire grâce à une logique d'acteurs vécue dans une organisation et se traduisant par des relations de pouvoir quotidiennes. « On ne s'interroge pas sur les raisons désignées des stratégies des acteurs (déterminisme des environnements ou des structures sociales). On les étudiera en fonction de l'organisation dans laquelle elles se déploient » (Bernoux[66]). Cette démarche permet une catégorisation des éléments sous observation qui, par déduction, finissent par expliquer un ensemble de faits[67].

■ *Les théories prédictives* cherchent évidemment à prédire le comportement des individus et des groupes et leur influence sur la performance. La théorie des attentes de Vroom (*voir le chapitre 6*), par exemple, a prouvé sa validité prédictive. Si on connaît la probabilité que se donne un individu d'atteindre ses objectifs et d'obtenir une « récompense » subséquente qu'il valorise, il est possible de prévoir l'intensité de l'effort (sa motivation) qu'il déploiera pour atteindre ses objectifs.

Aucune théorie n'est d'un type pur en CO, comme le montreront les multiples recherches citées dans cet ouvrage. Quel que soit le type de théorie choisi, la démarche scientifique est un processus continu, un va-et-vient entre un raisonnement inductif et déductif que va éprouver la méthode expérimentale.

La méthode expérimentale en CO

La **méthode expérimentale** est un mode de connaissance tendant à démontrer la cohérence d'un système de relations contrôlées par l'expérience. Des vérifications empiriques assurent ce contrôle, c'est-à-dire des données concrètes et objectives. La méthode expérimentale comporte en général cinq phases (*voir la figure 1.3*[68]) :

1. L'observation qui permet de déceler les faits remarquables et de les connaître avec précision ;
2. L'établissement des hypothèses sur les relations qui peuvent exister entre les faits ;
3. L'expérimentation proprement dite qui a pour but de vérifier les hypothèses ;
4. L'explication des résultats et leur interprétation ;
5. La généralisation des résultats et la formulation préliminaire ou élaborée d'une théorie.

FIGURE 1.3

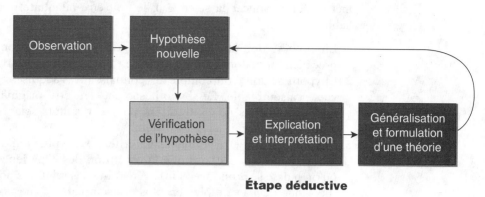

L'observation En comportement organisationnel, qui est une science jeune, beaucoup de recherches ne sont encore que des observations systématiques. Nous reviendrons sur les types d'observations lorsque nous présenterons les stratégies de recherche.

L'établissement des hypothèses Le moment de leur formulation caractérise les hypothèses induites et déduites.

◼ *Les hypothèses induites* L'hypothèse induite naît de l'observation des faits. Elle se présente comme une question que se pose le chercheur et consiste à supposer l'existence d'une relation entre les faits. Par exemple, un observateur remarque par hasard que certains employés s'attendent à ce que leur supérieur leur donne des directives, tandis qu'un style de leadership directif en irrite d'autres. L'observateur se demande alors pourquoi. À partir de cette question de recherche, il est possible de formuler une hypothèse plausible. Ainsi, on peut mettre en relation le sentiment de compétence des employés avec le degré d'acceptation de l'autorité, ce qui peut aboutir à l'hypothèse suivante : un leadership directif est d'autant mieux accepté que les employés ont un sentiment de compétence moyen ou bas. Une hypothèse induite peut aussi naître d'une observation dite occasionnelle, c'est-à-dire celle qui se réalise accidentellement. Par exemple, Pavlov a découvert les réflexes conditionnés au cours de ses expériences sur la physiologie de la digestion, en observant des sécrétions qui ne pouvaient pas s'expliquer par des actions biochimiques[69].

◼ *Les hypothèses déduites* À un stade plus avancé de la recherche, l'hypothèse ne se fonde plus sur l'observation, mais elle peut être déduite des relations déjà connues ou de théories élaborées. Ainsi, initialement, le modèle de l'établissement des objectifs de Locke (*voir le chapitre 6*) postulait et confirmait en partie que l'établissement d'objectifs accessibles, clairs, et présentant un défi augmentait la performance. Par la suite, le concepteur de la théorie et d'autres chercheurs ont raffiné le modèle. Le modèle complet finit par inclure deux autres variables : la proposition de base se vérifiait mieux lorsque l'individu adhérait aux buts (*goal commitment*) et qu'il avait une conception élevée de sa compétence (*self-efficacy beliefs*). On voit donc ici qu'on ne part plus d'une observation pour former une théorie, mais qu'on part de celle-ci pour la raffiner et la généraliser.

▨ *Les caractères d'une bonne hypothèse*   Une bonne hypothèse est celle qui permet de faire avancer la science. Elle doit être adéquate, vraisemblable et vérifiable[70].

1. L'hypothèse doit être une réponse adéquate à la question posée. Nous avons précédemment donné un exemple de ce rapport avec le style de leadership.
2. L'hypothèse doit tenir compte des connaissances acquises et être, de ce point de vue, vraisemblable. Les hypothèses peuvent être originales ou complémentaires, mais elles ne contredisent pas les résultats scientifiques acquis. Sans Planck, il n'y aurait pas eu Einstein.
3. L'hypothèse doit être vérifiable. Ce critère est le plus important. Cette caractéristique implique d'abord que la répétition des expériences est possible pour qu'on puisse se prononcer sur la généralité des relations postulées. L'hypothèse théorique devient de plus en plus vraisemblable à mesure que le nombre de faits prédits est grand. Cette vérification est toujours forcément partielle, car les variables considérées jouent un rôle, certes, mais en conjonction avec d'autres (c'est d'ailleurs pourquoi les chercheurs expriment souvent leurs résultats en des termes probabilistes).

La vérification d'une hypothèse implique également que celle-ci a un caractère opérationnel, c'est-à-dire mesurable. Quant elle est formulée, l'hypothèse est une conceptualisation de portée générale. Mais pour la vérifier, il faut définir de façon précise les concepts à l'étude.

Prenons l'hypothèse énoncée précédemment à propos des employés ayant un sentiment de compétence différent et du leadership directif.

Pour vérifier cette hypothèse, il faut d'abord définir les concepts que sont le sentiment de compétence des employés et le leadership directif. Ces concepts sont appelés des construits parce qu'il s'agit d'idées abstraites que le chercheur a élaborées et qui sont liées (directement ou indirectement) aux faits observés. Les spécialistes du comportement organisationnel ont créé le construit appelé le « leadership directif » afin de mieux comprendre les effets des différentes manières de diriger sur les employés. On ne peut voir, goûter ou sentir le leadership directif. Il faut plutôt se fier à des indicateurs indirects que sont les conduites observables : un leader directif est un cadre hiérarchique qui donne des ordres, établit des normes de rendement claires et veille à l'application des pratiques et des procédés établis.

La vérification des hypothèses grâce à l'expérimentation   En règle générale, on procède à une expérimentation pour vérifier les hypothèses émises. Cette expérimentation est traditionnellement de nature quantitative en CO, mais elle peut aussi être qualitative. Il faut alors choisir sa stratégie de recherche, partie qui sera abordée plus loin. Toutefois, on peut dire ici que le principe général est toujours le même : faire varier une donnée et observer les conséquences de cette variation sur le comportement. L'expérience est dite provoquée quand le chercheur agit sur une variable (dite indépendante) et observe les résultats. Elle est invoquée quand la manipulation d'une variable indépendante a été réalisée sans qu'intervienne le chercheur. Il en est ainsi des désordres provoqués par le stress au travail ou des différences culturelles managériales.

L'explication et l'interprétation des résultats   À partir de données multiples et parfois disparates, l'analyse des résultats conduit à les classer et à les regrouper. Ainsi, leur lecture en est facilitée (les tableaux et les graphiques sont ici d'un apport précieux). Il faut ensuite expliquer les résultats, au-delà des constatations faites à leur analyse. Un effort particulier d'interprétation des résultats permet de comprendre ceux qu'on n'attendait pas. Ce qui est important, c'est une grille cohérente de lecture des résultats.

La généralisation des résultats et l'élaboration d'une théorie À cette étape, le chercheur passe du particulier au général dans ses explications, s'il se sent légitimé de le faire. Cette généralisation peut s'étendre à quatre aspects du processus expérimental : la situation ou le contexte, le comportement observé, la personnalité des sujets et les relations entre ces aspects. Par exemple si, dans ses travaux, un chercheur parle d'un type de satisfaction au travail, dans ses conclusions, peut-il parler d'une théorie de « la » satisfaction au travail ? Bien sûr que non, à moins d'avoir mené ses expériences sur des satisfactions de différente nature, dans des organisations diverses, avec des sujets à la personnalité distincte, chaque fois avec des échantillons représentatifs de la population à l'étude, etc. Lorsque les chercheurs ont atteint ce niveau de généralisation, ils peuvent se permettre de parler de théorie, qu'elle soit préliminaire ou avancée. À partir de cette théorie, on peut formuler de nouvelles hypothèses, et ainsi de suite.

Jusqu'à maintenant, nous avons décrit la façon dont se construit une théorie. Maintenant, voyons les différentes façons de concevoir une recherche afin de pouvoir collecter les données pertinentes permettant d'atteindre les objectifs visés. En comportement organisationnel, on peut employer plusieurs stratégies de recherche.

Les stratégies de recherche en CO

On peut distinguer trois grandes **stratégies de recherche** : l'expérimentation en laboratoire, l'expérimentation sur le terrain et l'observation avec ou sans intervention du chercheur. L'utilisation d'une stratégie particulière dépend des objectifs du chercheur, voire de ses valeurs. Dans tous les cas, il s'agit de tester les hypothèses du chercheur ou de recueillir l'information qui lui permettra d'en formuler.

La recherche expérimentale en laboratoire Elle consiste à manipuler une variable dite indépendante et à observer ses effets sur une autre variable dite dépendante, toutes choses étant égales par ailleurs et dans des conditions précises et contrôlées. Les plans expérimentaux (*experimental design*) tentent de dégager des relations de cause à effet prévues dans les hypothèses du chercheur. Les expériences de Festinger et Aronson sur la théorie de la dissonance cognitive (comme celle qui a été décrite dans l'encadré 1.2) ont été menées en laboratoire. Elles n'en ont pas moins contribué à comprendre les attitudes. Les expériences en laboratoire ont l'avantage de permettre d'assurer la rigueur et le contrôle des comportements à l'étude, mais il est difficile de généraliser les résultats obtenus aux organisations complexes où toutes les variables agissent simultanément.

Les recherches expérimentales sur le terrain (*field experiments*) Elles sont en quelque sorte une application des méthodes de laboratoire à une situation réelle. Les études de Hawthorne en sont un exemple. Mayo et ses collègues tentaient de vérifier l'effet de variables telles que l'éclairage, les pauses et les jours de congé (les variables indépendantes) sur la productivité (la variable dépendante).

stratégie de recherche
Mode de collecte de données permettant d'atteindre les buts d'une recherche.

recherche expérimentale en laboratoire
Dans des conditions précises et contrôlées, il s'agit de manipuler une variable dite indépendante et d'observer ses effets sur une autre variable dite dépendante, toutes choses étant égales par ailleurs.

Pour ce faire, ces chercheurs ont formé des groupes « expérimentaux » (des groupes participant à l'expérience) et des groupes témoins (les groupes continuant à travailler dans les conditions habituelles). Bien que fournissant des données intéressantes et réelles, ces méthodes ont le « désavantage » d'influer, par leur simple introduction, sur le comportement habituel des groupes à l'étude, dans un sens ou un autre (*voir l'effet « Hawthorne »*). Cette méthode pose également des problèmes d'éthique : par exemple la perception des sujets d'être des « cobayes » et l'exclusion — aussi provisoire soit-elle — des groupes témoins en ce qui concerne les avantages liés aux projets soumis à l'expérimentation.

L'observation   On peut distinguer trois sortes d'**observation** : l'observation sans intervention du chercheur mais systématique (l'observation est dite naturelle), l'observation par enquête et l'étude de cas.

observation
Méthode de collecte de données avec ou sans intervention du chercheur.

■ *L'observation « naturelle »*   Ici les variables indépendantes sont modifiées par le cours des événements, non par le chercheur qui se contente d'observer et d'enregistrer ce qu'il voit et entend. Il peut ensuite relier la somme de ses observations à ses hypothèses. Ainsi, si on veut connaître les effets des licenciements massifs, avant et après leur occurrence, on peut observer les comportements des employés qui sont visés. L'observation connaît un regain de vigueur depuis quelques années, notamment depuis que l'étude de la culture d'entreprise est devenue une métaphore adoptée par les chercheurs en CO pour étudier l'organisation. Le chercheur peut aller plus loin dans le raffinement de ses observations en se mêlant à la vie de l'organisation à l'étude. La stratégie de recherche empruntée à l'ethnographie est dite « observation participante ». L'observation participante (et l'observation en général) privilégie une démarche de recherche synthétique, qualitative, opposée à la mesure à outrance, à la causalité linéaire, et où la neutralité de l'observateur est un leurre. Toutefois, cette méthode d'observation laisse entière la question de savoir ce qu'il advient des situations non observées. Doit-on les ignorer ou doit-on utiliser d'autres techniques comme l'entrevue ou le questionnaire ? Dans le premier cas, on délaisserait des informations peut-être précieuses ; dans le second, on adopterait des techniques que l'observation participante en particulier ne prise pas du fait qu'elles nous éloignent du sujet appréhendé dans son intégrité.

■ *L'observation par enquête*   Questionnaires et entrevues sont des techniques privilégiées de recherche dans l'observation par enquête. L'avantage de ces techniques est de pouvoir recueillir des informations sur un grand nombre de personnes, de répéter les mesures sur des phénomènes se modifiant avec le temps (la satisfaction au travail, par exemple) et de pouvoir soumettre les données recueillies à l'analyse statistique. Toutefois, ces techniques n'appréhendent que la perception des individus (même si cette perception est une donnée en soi) sur un phénomène et non le phénomène lui-même, et elles négligent des étapes préliminaires comme l'observation à laquelle le questionnaire ne peut pas se substituer. Il n'en reste pas moins que la multitude de travaux effectués à l'aide de questionnaires et d'entrevues a permis de faire avancer l'état de la recherche en CO.

Une autre technique est d'utiliser les données et les documents disponibles. Cette technique est dite « historique » ou d'archivage. Par exemple, on peut consulter les procès-verbaux des réunions ou toutes sortes de données sur la productivité.

étude de cas
Étude en profondeur d'une organisation permettant une conceptualisation des observations.

■ *L'étude de cas*   Une variante de l'observation active est l'**étude de cas**. Il s'agit, pour le chercheur, de concentrer son analyse sur une organisation en particulier, où la richesse des résultats prête à une interprétation théorique et laisse espérer qu'elle pourrait illustrer ce qui se passe dans d'autres organisations. Cette stratégie de recherche a déjà une tradition en sociologie des organisations. On connaît, par exemple, l'étude de Philip Selznick sur la Tennessee Valley Authority (agence de développement général créée dans le contexte du New Deal du président Roosevelt) en 1949[71] ou celle d'Alvin Gouldner sur la General Gypsum Corporation[72], ou encore celle de Michel Crozier, en 1963, auprès de deux organisations françaises[73]. Arrêtons-nous sur Crozier, puisque nous en reparlerons au chapitre 12. Son sujet d'étude est le phénomène bureaucratique, notamment les dysfonctions de ces organisations complexes dont nous sommes entourés. Il fait porter son enquête sur le « système social » des ateliers de production des trois usines d'un monopole industriel. À partir de ces données empiriques, Crozier souligne la généralité du phénomène bureaucratique, notamment ses dysfonctions les plus manifestes, dont celles qui sont issues des luttes de pouvoir[74].

En fait, aujourd'hui, le CO utilise toutes ces stratégies de recherche. Le choix d'une ou de plusieurs de ces stratégies qu'établit le chercheur dépend des critères qu'il s'est imposés. Ce choix peut venir de la priorité qu'il donne au *contrôle* des variables (la possibilité de les manipuler), au *réalisme* des phénomènes observés, à la *quantité* des variables à l'étude (par exemple, en laboratoire, les variables sont assez limitées en nombre) et à la *précision* recherchée (en général, les études en laboratoire permettent, par exemple, des hypothèses précises).

L'éthique de la recherche en CO

éthique (en recherche)
Ensemble de règles de conduite visant l'intégrité des chercheurs et de leurs méthodes de travail.

Les chercheurs en comportement organisationnel sont tenus de respecter les normes éthiques de la société dans laquelle ils effectuent leurs recherches. L'une des plus importantes considérations d'ordre moral a trait à la liberté des sujets de participer à une étude. Par exemple, un chercheur ne peut forcer des employés à remplir un questionnaire ou à participer à une expérience aux seules fins de la recherche. En outre, les chercheurs sont tenus de déclarer les risques potentiels inhérents à leur étude afin que les participants éventuels puissent faire un choix éclairé.

Enfin, les chercheurs doivent veiller à protéger la confidentialité des données sur les participants. Ils doivent les informer du moment où ils feront l'objet de l'étude et leur garantir que tous les renseignements les concernant demeureront confidentiels (sauf s'ils ont leur permission de divulguer leur identité). Les chercheurs préservent l'anonymat des sujets en protégeant soigneusement les données recueillies. En règle générale, les résultats d'une recherche sont présentés sous forme de chiffres assez globaux pour qu'ils ne révèlent pas l'opinion ou les caractéristiques d'un seul individu. Les chercheurs qui partagent les données recueillies avec d'autres chercheurs attribuent habituellement un code à chaque cas afin de protéger l'identité des sujets.

Par ailleurs, les chercheurs ne sont pas autorisés à émettre des jugements de valeur non fondés sur les phénomènes à l'étude. Les résultats obtenus doivent toujours être replacés dans le contexte et la culture du pays où l'enquête a été effectuée. Par exemple, la communauté scientifique verrait d'un mauvais œil qu'une recherche conclue péremptoirement que tel groupe de salariés n'aime pas travailler. Le chercheur attentif devra plutôt replacer ses découvertes à la lumière de ce que représente le travail dans une société donnée. Par exemple, une étude d'envergure auprès de 30 000 sujets de plusieurs pays de tous les continents montre que le sens et l'importance du travail se classent selon quatre valeurs : le travail peut être vu comme une contrainte, un fardeau (comme aux États-Unis dans les années 1980 pour ces deux perceptions) ou comme une responsabilité (par exemple au Japon) ou encore comme une contribution sociale (par exemple en République tchèque)[75].

Enfin, les chercheurs en CO comme dans d'autres domaines doivent préparer, rapporter et publier les résultats de leurs travaux de façon éthique, c'est-à-dire selon les normes édictées et acceptées par le milieu scientifique. Malheureusement, comme le rapporte Cossette dans une enquête publiée en 2007, ce n'est pas toujours le cas. Dans une étude menée auprès de 136 professeurs en sciences de l'administration dans les universités francophones du Québec, l'auteur observe que plusieurs d'entre eux jugent que certaines inconduites sont assez répandues (notamment la falsification d'informations ou le plagiat), ce qui dérange quelque peu. Toutefois, il faut dire que les 136 sujets interrogés ne représentent que 20% de la population visée[76].

CONCLUSION

Après cette longue présentation du comportement organisationnel, le lecteur est plus à même de saisir les implications explicites ou implicites de la définition donnée au tout début de chapitre, soit que le CO est une discipline scientifique et appliquée qui procède d'une vision humaniste.

Reprenons la définition: le CO est une branche des sciences humaines et de gestion qui vise à décrire, à expliquer et à prédire les comportements humains dans les organisations.

Le CO est une discipline scientifique

Nous avons amplement montré que le CO est une discipline scientifique, notamment dans la description de l'influence de la psychologie industrielle et organisationnelle sur le CO et la démarche scientifique appliquée au domaine. Cette influence se fait encore sentir en raison de l'accent mis sur la quantification dans les recherches en CO. Les méthodes statistiques, parfois très sophistiquées, restent les instruments privilégiés des démonstrations en CO (par exemple les analyses structurelles, les méta-analyses, etc.). Cependant, l'apport des sciences sociales et de la théorie des organisations au CO est venu contrebalancer l'outrance des recours aux méthodes quantitatives par des recherches qualitatives fécondes.

Le CO est une science appliquée

Étant donné sa filiation avec la psychologie industrielle et organisationnelle, très tôt le CO s'est orienté vers des thèmes présentant un intérêt pour la gestion, à savoir la performance et l'efficacité. À ce titre, elle est une science appliquée. Les psychologues du travail ont rapidement pris la relève des ingénieurs à ce chapitre (les travaux de Münstenberg, en 1913, ont suivi de près ceux de Taylor, particulièrement ceux de 1911). Les travaux en psychologie différentielle à des fins de sélection ont permis de faire des avancées notables dans la connaissance de la personnalité. Le développement de l'industrie a donné aux psychologues du travail l'occasion d'intervenir dans des problématiques qui constituent maintenant la majorité des variables dépendantes (non exclusivement) considérées par les chercheurs et les praticiens en CO: le roulement du personnel, les accidents, la satisfaction au travail, l'absentéisme, les grèves et, plus près de nous, le stress et le présentéisme, la qualité du travail et du service, les plaintes des clients internes et externes, le retour sur investissement, le taux d'innovation, l'engagement organisationnel, etc.

Le point de vue « managériel » est également implicite dans cette définition. C'est parce qu'ils détiennent du pouvoir et de l'influence que les dirigeants des entreprises ont la responsabilité de comprendre leurs ressources humaines.

Le CO procède d'une vision humaniste

Que le CO procède d'une vision humaniste semble évident si on considère l'historique du CO exposé ici, entre autres en raison de l'influence de la psychologie industrielle et organisationnelle. Les auteurs qui ont laissé leur marque dans cette discipline (Mayo, McGregor, Maslow, Argyris, Likert, Herzberg, etc.) ont constamment mis l'accent autant sur le développement des individus que sur celui des organisations (la satisfaction au travail, la réalisation de soi, la gestion des conflits, le leadership délégateur, le DO, etc.). Le CO dans ses développements modernes fait aussi une large place aux acteurs, à leurs attentes, à leurs objectifs, à leurs choix, à leur liberté même (par exemple, avec Locke et Crozier et avec les travaux valorisant les équipes autonomes ou les « bienfaits » de la reconnaissance des contributions des employés).

Un schéma intégratif des variables déterminantes du comportement

En définitive, le comportement est la manifestation des caractéristiques des personnes dans une situation ou un environnement donné. C'est ce que traduit la formule classique en psychologie : $C = f (P, E)$, où P représente les personnes ou les groupes et E, l'environnement physique ou social. Cette formulation du comportement suppose que les personnes et les situations sont traitées comme des entités indépendantes. Pour être conséquent avec la perspective particulière au CO, il serait plus exact de postuler que $C = f (E \leftrightarrow P)$, où l'interaction des personnes et des situations détermine le comportement.

Toutefois, avec Bandura (1977)[77], nous pensons que le comportement, les facteurs personnels et les facteurs environnementaux opèrent tous comme des variables interdépendantes (*voir le schéma ci-dessous*[78]).

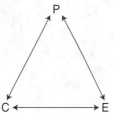

« C'est en grande partie par leurs actions que les individus produisent les conditions environnementales qui, en retour, affectent leur comportement. Les expériences de vie que produisent les comportements déterminent en partie ce qu'une personne devient et peut faire, ce qui, en retour influence les comportements subséquents. » (Bandura, 1977, p. 17).

Pour clore ce chapitre, la figure 1.4 présente les variables principales pouvant agir sur le comportement, et le tableau 1.4 donne des exemples de comportements possibles suscités par ces facteurs. Il faut noter que ces éléments ont été traités comme des variables indépendantes, mais qu'ils pourraient tout aussi bien agir comme des variables dépendantes des conduites humaines. Le grand cadre dans la figure représente les limites de l'organisation. Le schéma montre clairement que le comportement est fonction des variables liées aux individus, aux groupes (donc il s'agit de variables transactionnelles), à l'organisation (les cases sur le cadre) et à son environnement externe (les cases en dehors du cadre). Pour modifier le comportement, on devra agir sur l'une ou plusieurs de ces variables en commençant avec celles qui sont altérables et sur lesquelles on a le plus de prise. Par exemple, un cadre a le pouvoir de modifier plus aisément les variables organisationnelles (le système de récompenses ou la structure) que des variables individuelles comme les valeurs personnelles (néanmoins, agir sur la satisfaction des besoins des employés ou sur leurs attitudes est aussi à la portée des dirigeants). Le fait d'adopter cette vision systémique du comportement permet d'éviter le diagnostic simpliste des dysfonctionnements de l'organisation et d'agir en conséquence.

FIGURE   1.4   Dynamique du comportement humain dans les organisations

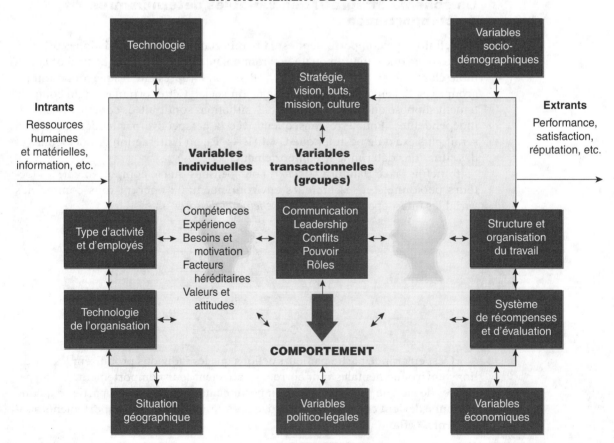

| TABLEAU 1.4 | Exemples de variables et de comportements associés |

Exemples de variables pouvant influencer les comportements en organisation	Exemples de comportements
La structure	Une structure très hiérarchisée peut induire des comportements de conformité.
La culture	Une culture où on tolère les risques raisonnables et les erreurs fidélise les employés.
La stratégie	Une fusion d'entreprise peut engendrer des conflits.
Le système de récompenses	Les contributions que les employés reconnaissent augmentent leur motivation au travail.
La technologie	Une technologie mal introduite peut susciter de la résistance au changement.
Le type d'activité et de personnel	Les employés d'un service de recherche auront des attentes à plus long terme que ceux d'un service de ventes.
L'organisation du travail	L'organisation du travail en équipes autonomes peut réduire l'absentéisme et susciter l'engagement.
Les variables sociodémographiques	La baisse démographique peut amener les travailleurs plus âgés à travailler plus longtemps.
Les attitudes	Une attitude discriminatoire des supérieurs peut provoquer le roulement du personnel ou des griefs.
Les besoins et les valeurs	Un employé valorisant la sécurité recherchera des entreprises qui récompensent l'ancienneté.
Le leadership	Un leader «transformationnel» peut obtenir de ses employés une motivation et une performance élevées.

RÉSUMÉ DU CHAPITRE

Le comportement organisationnel (CO) est une branche des sciences humaines et de gestion qui vise à décrire, à expliquer et à prédire les comportements humains dans les organisations. Le CO traite des aspects comportementaux, cognitifs et conatifs (de l'action) des individus et des groupes dans les organisations. Les disciplines principales qui constituent le domaine du CO sont la psychologie industrielle et organisationnelle (psy I/O), dont la contribution est majeure, les sciences sociales et la théorie de l'organisation.

Le CO se distingue de la psy I/O par son approche transversale des fonctions de l'entreprise et de son approche «macro» que lui a léguée la théorie des organisations, elle-même plus abstraite et plus globale dans son traitement de l'organisation que le CO. Par ailleurs, le CO diffère de la gestion des ressources humaines en ce sens qu'il est le fondement théorique et conceptuel des programmes concrets et pratiques de GRH qu'il ne traite pas explicitement.

Le CO doit beaucoup à la psy I/O pour son caractère scientifique et pratique et pour la plupart de ses thèmes liés au comportement individuel (les attitudes, les valeurs, la motivation, etc.). La psy I/O a été marquée par le mouvement des relations humaines qu'Elton Mayo a amorcé à l'usine de Hawthorne à partir de 1924. Ce mouvement a pris de l'ampleur dans les années subséquentes grâce à de nombreux chercheurs issus de ce mouvement humaniste. Ces derniers ont traité de la satisfaction des besoins humains supérieurs et de la motivation jusqu'à la fin des années 1970 (voir les travaux de Maslow, de Likert, de Herzberg, etc.). La psychologie sociale, notamment avec les travaux de Lewin et le mouvement sociotechnique, a apporté une contribution notable à la connaissance de la dynamique des groupes dans leur milieu de travail. Après 1980, les travaux sur la démocratie industrielle, la culture, le changement et, plus près de nous, la responsabilité sociale, la justice organisationnelle et un retour sur l'étude de la personnalité (notamment sur les affects) ont pris un essor remarquable.

Les sciences sociales ont enrichi la connaissance des comportements humains grâce aux travaux sur les rôles et la culture en entreprise, le constructivisme et la psychosociologie des organisations (notamment avec l'analyse stratégique de Crozier). La théorie de l'organisation, dont l'unité d'analyse est précisément celle-ci, nous éclaire aussi sur les comportements humains. Une façon commode de comprendre les diverses conceptions de l'organisation nous vient de Gareth Morgan, qui les subsume sous la forme de métaphores. Il rapporte que les organisations ont été conçues comme une machine (notamment avec la gestion scientifique et la gestion classique), un organisme (avec la théorie des systèmes et la théorie de la contingence), un cerveau (avec la théorie de la décision), un ensemble culturel (avec l'étude des cultures organisationnelles et nationales), une arène politique et d'exercice du pouvoir, une « prison du psychisme » et un lieu de transformation.

Outre qu'il possède les caractéristiques déjà mentionnées, le CO est un ensemble de théories scientifiques. Une théorie est un ensemble de propositions ou de lois qui déterminent les rapports entre plusieurs concepts. Il y a quatre types de théories : paradigmatiques, causales, descriptives et prédictives, d'où les fonctions qui les caractérisent, soit la fonction de clarification et de classification, la fonction explicative et la fonction économique. La démarche scientifique en CO oscille entre les théories inductives et déductives et procède de la démarche expérimentale. Celle-ci comprend cinq étapes : l'observation, l'établissement des hypothèses, l'expérimentation, l'explication et la généralisation des résultats. Les scientifiques en CO peuvent recourir à trois grandes stratégies de recherche : l'expérimentation en laboratoire, l'expérimentation sur le terrain et l'observation. On peut distinguer trois types d'observation : l'observation sans intervention du chercheur mais systématique (l'observation est dite naturelle), l'observation au moyen de l'enquête et l'étude de cas. La recherche en CO doit respecter l'éthique et les normes édictées dans ce genre d'activité.

En conclusion, le CO est une discipline scientifique, une science de gestion appliquée qui procède d'une vision humaniste.

MOTS CLÉS

analyse stratégique, p. 21

comportement organisationnel, p. 5

constructivisme, p. 20

école des activités professionnelles du dirigeant, p. 29

école des relations humaines, p. 15

éthique (en recherche), p. 41

étude de cas, p. 40

gestion classique des organisations, p. 26

métaphore, p. 22

méthode expérimentale, p. 36

observation, p. 40

organisation scientifique du travail, p. 25

psychologie industrielle et organisationnelle, p. 7

psychologie sociale, p. 19

recherche expérimentale en laboratoire, p. 39

sciences sociales, p. 7

stratégie de recherche, p. 39

système ouvert, p. 30

théorie, p. 33

théorie de la contingence, p. 32

théorie de l'organisation, p. 7

théorie des rôles, p. 20

QUESTIONS

1. Trouvez deux événements récents de l'actualité et expliquez leur lien avec le comportement organisationnel.

2. Au fond, les thèmes du comportement organisationnel vus dans ce chapitre n'intéressent que la fonction de la gestion des ressources humaines. Commentez cette assertion.

3. Quels sont les points communs que partagent la gestion scientifique du travail (Taylor) et la gestion classique (Fayol et Weber) ?

4. Quelles disciplines ont influé sur le CO ? Expliquez leur apport en prenant appui sur les thèmes énoncés dans ce chapitre.

5. Expliquez les différentes stratégies de recherche et précisez leurs objectifs, leurs avantages et leurs limitations.

6. Si, comme Mintzberg, on dit que le travail d'un dirigeant se caractérise par la brièveté, la variété et le morcellement de ses tâches, comment pouvez-vous expliquer qu'il puisse s'acquitter de ses fonctions ?

7. Expliquez en quoi l'approche des organisations comme des systèmes et la théorie de la contingence se complètent.

8. Vous avez pour tâche d'évaluer l'efficacité d'un programme de formation pour 200 contremaîtres. Ce programme est donné plusieurs fois durant l'année par groupes de 20 contremaîtres. Quatre groupes ont déjà reçu cet apprentissage. Le processus habituel est d'administrer un questionnaire de satisfaction à la fin du programme. Cette satisfaction a toujours été élevée, ce qui vous rend sceptique. Vous voudriez évaluer différemment ce programme, c'est-à-dire en prouvant qu'il donne des résultats tangibles. Quelles stratégies de recherche s'offrent à vous? Décrivez-les.

ÉTUDE DE CAS 1.1

UNE FENÊTRE SUR LA VIE

Pour Gilles LaCroix, rien n'était plus beau qu'une fenêtre à châssis en bois. Sa passion pour les fenêtres remontait à sa jeunesse à Saint-Jean, au Québec, où il avait appris à fabriquer des fenêtres résidentielles auprès d'un vieux charpentier. Il avait alors étudié les caractéristiques du bois et avait appris à choisir les meilleurs outils et à sélectionner des vitres de qualité auprès des fournisseurs locaux. Gilles LaCroix a été l'apprenti de ce charpentier dans un petit atelier puis, lorsque celui-ci a pris sa retraite, il a lui-même dirigé l'entreprise. Il a aussi engagé un apprenti lorsque son entreprise s'est agrandie dans la région. Ses activités ont rapidement pris de l'ampleur en même temps que se forgeait sa réputation de fabricant de fenêtres de qualité, qu'il signait LaCroix Industries ltée. Après huit ans d'existence, l'entreprise comptait 25 employés et déménageait dans des locaux plus spacieux pour répondre à une demande croissante provenant du sud du Québec. Au cours des premières années, Gilles LaCroix passait la majeure partie de son temps dans l'atelier de production à enseigner aux apprentis l'art unique qu'il avait appris à maîtriser et applaudissait les réussites de ses artisans.

Après 15 ans, LaCroix Industries employait plus de 200 personnes. Un programme d'intéressement a été mis en place afin de récompenser les employés pour leur contribution au succès de l'organisation. Du fait de l'expansion de l'entreprise, le siège social a été transféré dans une autre partie de la ville, mais le fondateur n'a jamais perdu le contact avec son personnel. Alors que les nouveaux apprentis recevaient désormais leur enseignement uniquement de maîtres-charpentiers et d'autres artisans, Gilles LaCroix discutait encore, plusieurs fois par semaine, avec les employés de l'usine et des bureaux.

Lorsqu'une deuxième période de travail a été mise en place, Gilles LaCroix, durant la pause du soir, n'a pas perdu l'habitude de venir discuter des affaires et de la réussite de l'entreprise qu'il attribuait à la qualité du travail des artisans; il leur apportait même du café et des beignes. Le personnel de la production appréciait les moments où Gilles LaCroix rassemblait tout le monde pour annoncer les nouveaux contrats que l'entreprise avait obtenus à Montréal et à Toronto. Après chaque annonce, Gilles LaCroix remerciait tout le personnel de contribuer à la réussite de l'entreprise. Tous savaient que la qualité des fenêtres LaCroix était devenue une norme d'excellence dans le domaine de la fabrication de fenêtres au Canada.

Presque à chacune de ses visites, Gilles LaCroix disait que les produits de l'entreprise devaient être de la plus haute qualité, car ils donnaient à de nombreuses familles une «fenêtre sur la vie». Le personnel ne se fatiguait pas d'entendre le fondateur de l'entreprise répéter ces paroles. Cependant, celles-ci ont pris une nouvelle signification lorsque Gilles LaCroix a commencé à afficher des photographies de familles regardant par une fenêtre LaCroix. Au début, Gilles LaCroix rendait personnellement visite aux entrepreneurs et aux propriétaires de maisons avec son appareil photo. Plus tard, alors que les photos «fenêtre sur la vie» devenaient célèbres, les gens ont commencé à envoyer eux-mêmes des photos de leur famille regardant à l'extérieur par d'élégantes fenêtres fabriquées par LaCroix Industries. Le personnel du marketing de l'entreprise a alors utilisé ces photos dans ses publicités, ce qui illustrait bien l'image qu'affectionnait Lacroix. À l'occasion d'une de ces campagnes de publicité, des clients satisfaits ont envoyé des centaines de photos.

Après le travail, le personnel de la production et des bureaux prenait le temps de leur écrire des lettres personnelles de remerciements.

Alors que l'entreprise atteignait le quart de siècle, Gilles LaCroix, âgé de 55 ans, a réalisé que la réussite et la survie de l'entreprise dépendaient maintenant de son expansion aux États-Unis. Après avoir consulté le personnel, Gilles LaCroix a pris la difficile décision de vendre une part majoritaire à Build-All Products, Inc., un conglomérat ayant une expérience internationale en marketing de produits de construction. Dans cet accord, Build-All nommait elle-même un vice-président, Jan Vlodosky. Ce dernier a été chargé de surveiller les activités de production, tandis que Gilles LaCroix passait davantage de temps à rencontrer les entrepreneurs d'Amérique du Nord. Il faisait une visite à l'usine et aux bureaux chaque fois qu'il le pouvait, mais cela n'arrivait qu'une fois par mois seulement.

Plutôt que de visiter l'usine de production, Jan Vlodoski quittait rarement son bureau du siège social de l'entreprise, dans le centre-ville. Il envoyait les commandes de production aux superviseurs dans des notes de service. Bien que la qualité du produit ait été la priorité tout au long de l'histoire de l'entreprise, il est vrai que moins d'attention était portée au contrôle des stocks. Jan Vlodoski a émis des directives strictes concernant les stocks et mis en place des procédures très rigoureuses d'utilisation des ressources pour chaque période de travail. Les superviseurs ont reçu une liste d'objectifs précis au sujet de la gestion des stocks. Alors que les employés pouvaient auparavant jeter quelques bouts de bois gauchis, ils devaient désormais justifier ce geste, généralement par écrit.

Jan Vlodoski a également annoncé de nouvelles procédures pour l'achat de fournitures de production. LaCroix Industries disposait d'un personnel responsable des achats hautement qualifié, qui travaillait étroitement avec les artisans à la sélection des fournisseurs. Toutefois, Jan Vlodoski souhaitait instaurer les politiques de Build-All. Les nouvelles méthodes d'achat mettaient les chefs de production à l'écart du processus de décision. Dans certains cas, le personnel de LaCroix devait accepter des compromis sur la qualité des produits, ce qu'il s'était jusque-là refusé de faire. Quelques employés ont remis leur démission au cours de cette période, expliquant qu'ils ne se sentaient pas à l'aise de faire des fenêtres qui ne résisteraient pas à l'épreuve du temps. Cependant, le chômage étant élevé à Saint-Jean, la majorité des employés a continué à travailler pour l'entreprise.

Après une année, les dépenses liées aux stocks avaient diminué d'environ 10%, mais le nombre de fenêtres défectueuses retournées par les entrepreneurs et les grossistes avait largement augmenté. Le personnel de l'usine savait que ce nombre-là augmenterait puisqu'il utilisait des matériaux de moindre qualité qu'auparavant pour réduire les frais d'approvisionnement. Le personnel de production a réalisé la gravité du problème après avoir reçu une note de Jan Vlodoski. Ce dernier exigeait le maintien de la qualité. Il a également changé le mode de rémunération. Alors qu'avec LaCroix, celle-ci était fondée sur une participation aux bénéfices, elle est devenue dépendante de la quantité d'unités produites individuellement. Après les premiers six mois de vice-présidence de Jan Vlodoski, quelques employés ont eu l'occasion de parler personnellement à Gilles LaCroix. Ils lui ont demandé ce qu'il pensait du changement et ont exprimé leur inquiétude. Gilles LaCroix s'est excusé, expliquant que ses voyages avaient fait en sorte qu'il n'avait pas entendu parler de ces problèmes, mais qu'il y regarderait de plus près.

Exactement 18 mois après l'intégration de Build-All comme actionnaire majoritaire de LaCroix Industries, Gilles LaCroix a rassemblé cinq de ses premiers employés de l'usine. Le fondateur de l'entreprise était pâle et bouleversé. Il leur a confié que le fonctionnement de Build-All était contraire à sa vision de l'entreprise et que, pour la première fois de sa carrière, il ne savait que faire. Build-All n'était pas non plus satisfait de l'accord. Alors que les fenêtres LaCroix jouissaient toujours d'une bonne part de marché et faisaient face à la concurrence, l'entreprise n'atteignait pas le taux de rendement de capital propre minimal de 18% que le conglomérat souhaitait. Ce résultat était notamment dû aux coûts de production imputables à la reprise des fenêtres retournées ou non utilisables à cause de leurs défauts de fabrication, eux-mêmes provoqués par la baisse de motivation des troupes. Gilles LaCroix a demandé conseil à ses compagnons de longue date.

Questions

1. Quels sont les thèmes de CO mentionnés dans ce chapitre qui sont soulevés ici? Comment sont-ils reliés?

2. Interprétez le cas en fonction des métaphores de la machine, de l'organisme et de la culture, tel que Morgan les a expliquées. Autrement dit, vous devez: a) poser un diagnostic de la situation par rapport à ces trois métaphores; b) trouver une façon cohérente de concilier ces explications (par exemple, y a-t-il des relations de cause à effet entre ces explications?); c) déterminer les solutions qui en découlent. Note: Le professeur peut aussi choisir d'autres métaphores.

3. Décrivez et expliquez la situation en fonction de systèmes ouverts et de contingence.

4. À partir de la description des rôles des dirigeants de Mintzberg, relevez ceux qu'a tenus Gilles LaCroix. Se trouve-t-il en conflit de rôles?

5. En vous fondant sur les premières années de l'entreprise, dégagez au moins quatre caractéristiques précises d'une PME par rapport à la direction, à l'environnement, au type d'activité et à la structure. En quoi ces particularités ont-elles favorisé ou défavorisé le changement?

EXERCICE EN GROUPE 1.2

POUR « CASSER LA GLACE »

Objectif Réaliser l'importance de l'aspect humain dans les organisations.

Instructions Le professeur demande aux étudiants de penser à un projet ou à une tâche où ils ont fait face à des problèmes ou à des difficultés dans leur organisation (ou leur groupe de travail universitaire ou sportif s'ils n'ont jamais travaillé). Cette réflexion est demandée, même si, finalement, le projet a été mené à bien.

Les étudiants doivent préciser la nature de ces difficultés ou de ces problèmes. Ils doivent déterminer si le problème était surtout d'ordre administratif, technique ou humain. Le problème est d'ordre administratif si on fait face à des difficultés liées aux règles, aux règlements, aux normes ou aux procédures en cours dans l'organisation. Il est d'ordre technique quand il se rapporte à des difficultés liées aux outils et au matériel de travail, aux procédés et aux méthodes permettant la production d'un bien ou d'un service. Le problème est d'ordre humain lorsque les difficultés relèvent essentiellement des comportements des individus ou des groupes (par exemple les attitudes, la perception, les valeurs des gens, la personnalité, la nature de la communication, etc.).

Le professeur compile au tableau les réponses des étudiants pour chacune de ces trois catégories. Quand il s'agit de problèmes humains, il note aussi la nature des réactions. Le professeur commente les résultats obtenus. Ainsi, si les problèmes humains dominent, il soulignera l'importance et l'actualité de l'étude du comportement organisationnel. Il peut aussi montrer que la nature des difficultés mentionnées fait partie des thèmes à l'étude dans ce cours. Si les problèmes administratifs ou techniques prédominent, le professeur peut essayer de trouver une réponse avec les étudiants qui les ont évoqués (par exemple, il se peut que la majorité de la classe soit composée de « techniciens », d'où le genre de préoccupation qu'ils peuvent avoir).

Source: Charles Benabou.

LE SENS COMMUN ET LA SCIENCE

Objectif Réaliser jusqu'à quel point votre sens commun ou votre intuition rejoignent ou non les découvertes scientifiques en comportement organisationnel.

Instructions Le groupe se divise en équipes de cinq ou six étudiants. Ces derniers lisent les énoncés ci-dessous et, ensemble, décident s'ils sont vrais ou faux (durée : de 30 à 45 minutes). Ensuite, le professeur donne les réponses appropriées. Il commente ces réponses selon ce qu'en disent les travaux scientifiques à ce sujet (et qui feront partie du contenu du cours). Il insistera sur les réponses les plus « contre-intuitives » et commentera ensuite en classe l'importance d'une science du CO, notamment pour les gestionnaires.

Répondez par vrai ou faux.	Vrai ▼	Faux ▼
1. Un travailleur heureux est un travailleur productif.	☐	☐
2. Souvent, les décideurs s'entêtent à poursuivre une ligne de conduite, même s'il est prouvé clairement que la décision initiale est inefficace.	☐	☐
3. Une organisation est plus performante si elle prévient les conflits entre ses employés.	☐	☐
4. Mieux vaut négocier seul qu'en équipe.	☐	☐
5. Les entreprises qui ont une solide culture d'entreprise sont plus efficaces.	☐	☐
6. Les employés performent mieux sans stress.	☐	☐
7. Pour qu'un changement en entreprise soit efficace, il faut toujours commencer par déterminer la source des problèmes courants de l'organisation.	☐	☐
8. Les leaders de sexe féminin font participer les employés aux décisions plus souvent que leurs homologues de sexe masculin.	☐	☐
9. Les Japonais privilégient davantage l'harmonie du groupe et la loyauté (degré élevé de collectivisme) que les Canadiens et les Américains (faible degré de collectivisme).	☐	☐
10. Les dirigeants au sommet de l'entreprise ont tendance à manifester des comportements dits de type A (grand niveau d'activité, impatience, esprit de compétition, irritabilité, sentiment d'urgence, volubilité).	☐	☐
11. Les employés trouvent généralement injuste d'être mieux payés que leurs collègues pour le même travail.	☐	☐

LES « THÉORICIENS DE LA RUE » ET LES SCHÈMES INTERPRÉTATIFS

Objectif Illustrer la variété des explications de la vie organisationnelle.

Instructions Le professeur annonce aux étudiants qu'il a lu le fait divers suivant dans les journaux : « Une femme âgée, qui vit dans un pays où la démographie est en baisse, est résidente dans une maison de retraite. Elle a été trouvée morte ; apparemment, elle s'est suicidée. » À la suite de ces quelques lignes, le professeur demande aux étudiants de formuler les hypothèses qui leur semblent les plus plausibles et qui pourraient expliquer cette situation (au maximum deux hypothèses par étudiant). Il demande ensuite à la classe de former des équipes de cinq ou six étudiants et, en fonction des hypothèses de chacun, d'exposer à leurs camarades la solution qu'il préconisent pour éviter que ce genre de situation tragique se reproduise à l'avenir.

Le professeur note ensuite au tableau les différentes explications et les regroupe selon les deux grandes catégories suivantes (au choix du professeur). La première catégorie comprend des explications au sujet des personnes : des explications de type individuel, interpersonnel, intragroupe, intergroupe, intraorganisationnel, interorganisationnel. La deuxième catégorie porte sur des explications fournies par différentes disciplines : l'aspect psychologique, philosophique, sociologique, économique,

culturel, politique. Le professeur montre que nous avons tous un schème explicatif des événements et que ces schèmes ou théories implicites guident nos actions. Pour le prouver, le professeur étudie les solutions apportées et tente de trouver des concordances entre les suppositions des étudiants et les solutions avancées.

Le professeur, à la vue des solutions, peut aussi aborder le principe d'équifinalité vu dans la théorie des systèmes.

Exercice inspiré d'une expérience pédagogique de Jack Wood, en 1997 : «Une discipline vitale (le CO)», *L'art du management*, Londres, Pearson et Éditions Village Mondial, Paris.

EXERCICE D'AUTOÉVALUATION   1.5

ÊTES-VOUS PRÊTS POUR UNE APPROCHE «CONTINGENTE» ?

Objectif Sensibiliser l'étudiant à l'approche contingente.

Instructions Répondez spontanément à chacune des questions suivantes en cochant vrai, faux, peut-être ou parfois.

Énoncé	Vrai ▼	Faux ▼	Peut-être ou parfois ▼
1. Les travailleurs satisfaits sont plus productifs que les travailleurs mécontents.	☐	☐	☐
2. Le fait qu'un gestionnaire ajoute un système de rémunération «à la pièce» pour un travail déjà motivant pour l'employé représente, à long terme, une très bonne politique de gestion.	☐	☐	☐
3. La bureaucratie est inefficace et n'est pas utile pour organiser.	☐	☐	☐
4. Les travailleurs doivent prendre part aux décisions qui les concernent.	☐	☐	☐
5. Les travailleurs souhaitent une activité stimulante.	☐	☐	☐
6. Les groupes de travail homogènes sont plus productifs que les groupes sans cohésion.	☐	☐	☐
7. Les structures d'une organisation doivent être très souples et capables de se modifier en vue d'obtenir une productivité maximale.	☐	☐	☐
8. Les dirigeants doivent se préoccuper davantage de la gestion du personnel que de la manière dont les tâches sont accomplies.	☐	☐	☐
9. Le comportement observé dans une organisation reflète la somme de toutes les personnalités qui la composent.	☐	☐	☐
10. Grâce à sa cohésion, la décision prise par le groupe sera meilleure qu'en l'absence de cohésion.	☐	☐	☐

Note : Il est préférable de donner cet exercice avant de voir les notions sur la théorie de la contingence. Le professeur expliquera les réponses qu'il donnera, et les étudiants détermineront s'ils sont prêts pour une approche contingente.

Source : D. Hellriegel, J.W. Slocum et R.W. Woodman, *Management des organisations*, Bruxelles, De Boeck Université, 1992, p. 23.

LA MÉTAPHORE COMME OUTIL D'ANALYSE DE L'ORGANISATION

L'enseignant peut ici se servir de l'exercice en groupe 16.2 du chapitre 16.

Comportements humains et organisations dans un environnement complexe

Objectifs d'apprentissage

À LA FIN DE CE CHAPITRE, VOUS DEVRIEZ POUVOIR :

- décrire à grands traits les six tendances principales qui caractérisent l'environnement des organisations modernes ;
- dégager les problématiques à dimension humaine que révèlent ces tendances ;
- énumérer les dimensions primaires et secondaires de la diversité de la main-d'œuvre ;
- décrire les avantages d'une main-d'œuvre multiculturelle ;
- déterminer les mesures à prendre pour faire face au vieillissement et à la pénurie annoncés de main-d'œuvre ;
- préciser les différentes finalités des technologies de l'information et des communications (TIC) ;
- tracer le profil de l'entreprise et du dirigeant modernes.

Le constructeur japonais réduit de 50%
les coûts de production des moteurs de Camry

Les travailleurs de la fonderie de Toyota à Troy, au Missouri, se sont esclaffés en 2003 lorsque Kosuke Shiramizu, vice-président à la direction de la compagnie, est venu du Japon pour leur confier une nouvelle tâche : réduire de moitié, en deux ans, le coût de production des moteurs V-6 destinés aux berlines Camry.

« Nous avons pensé qu'ils étaient fous ou bien que c'était une blague », raconte Robert Lloyd, 51 ans, qui, à titre de président de la division Bodine Aluminium, de Toyota, devait atteindre l'objectif fixé par M. Shiramizu.

Ce dernier disposait toutefois d'une arme secrète. Au Japon, quelque 300 ingénieurs planchaient sur une nouvelle technologie destinée à verser de l'aluminium fondu dans des moules pour fabriquer des pièces du moteur. Le nouvel équipement, qui s'inscrit dans le cadre d'un programme plus vaste de réduction des coûts chez Toyota, permet au constructeur d'utiliser des moules plus petits et moins chers.

La nouvelle technologie appliquée aux moteurs est en usage non seulement chez Bodine, usine que Toyota a construite en 1990, mais également dans ses fonderies au Japon et en Chine. Grâce à elle, le coût de fabrication du moteur du nouveau modèle Camry qui doit être en vente le mois prochain sera d'environ 1000 $US, soit la moitié du coût du moteur de la génération précédente de Camry, souligne Gary Convis, vice-président de la division de fabrication en Amérique du Nord.

En 2005, Toyota a vendu 431 703 Camry aux États-Unis, ce qui en a fait la voiture qui se vend le mieux dans ce pays pour la quatrième année consécutive.

Yoshikazu Tsuno, AFP/Getty Images

Mauvaises nouvelles pour Ford

La dernière initiative de réduction des coûts de Toyota constitue une mauvaise nouvelle supplémentaire pour les patrons de Ford et de General Motors. Partout dans le monde, Toyota améliore sa position, accroît ses ventes et ses profits, abaisse ses coûts de production et fournit de bons rendements à ses investisseurs.

Ensemble, Honda, Nissan et Toyota ont poussé GM et Ford au pied du mur. En 2005, les trois constructeurs japonais ont réalisé 28,2 % des ventes aux États-Unis, une augmentation de 2 %. Ensemble, Ford et GM ont été responsables de 44,8 % des ventes, une baisse de 2,3 %.

«En règle générale, l'industrie automobile n'en est pas une où les marges de profit sont élevées», indique Wendy Trevisani, qui participe à la gestion de 3,2 millions d'actions pour Thornburg Investment Management, à Santa Fe, au Nouveau-Mexique.

«Toyota a été en mesure de faire mentir cette tendance en faisant preuve d'innovation et en se concentrant sur les coûts», ajoute-t-elle.

Dépasser GM

Les économies réalisées dans la production aideront Toyota à atteindre un objectif plus grand: devenir le premier constructeur d'automobiles au monde.

En 2001, la direction de la compagnie avait fixé pour but d'accroître la production de 50% au cours de la décennie suivante. Toyota est en très bonne voie pour y arriver: la compagnie prévoit vendre 8,85 millions de véhicules sur la planète cette année, contre 5,9 millions en 2001. Si les ventes de GM baissent, cela pourrait être suffisant pour dépasser le géant américain, qui occupait le premier rang mondial l'an dernier, avec des ventes de 9,17 millions de véhicules.

En novembre 2005, GM a annoncé des plans pour fermer cinq usines nord-américaines avant 2008.

Réduire les coûts de construction sur des modèles qui s'écoulent à un tel volume est la seule manière de demeurer au sommet, selon M. Convis. ▪

Source: Bloomberg, «Toyota stupéfie la concurrence», *La Presse Affaires*, 1er mars 2006, p. 2.

Comme le montre l'article d'introduction du chapitre, Toyota n'a pas fini d'étonner. Ce qui est relaté dans ce texte illustre, directement ou indirectement, l'âpre concurrence que se livrent les entreprises à l'échelle mondiale et les stratégies qu'elles mettent au point pour s'y tailler une place enviable. Cet article permet de dégager plusieurs points : la concurrence est à l'échelle de la planète (l'entreprise Toyota possède des usines en Europe et en Amérique et elle a des fonderies en Chine) ; le salut (le terme n'est pas exagéré) des entreprises mondialisées (et de bien d'autres) repose plus que jamais sur l'innovation ; elle est technique ici, dans le cas de Toyota, qui a déjà surpris grâce à ses innovations sur les processus de travail : la production en flux tendus, l'amélioration continue (*kaizen*), les changements rapides d'outils, l'élimination des erreurs et du gaspillage et, pour ce faire, la participation des employés aux discussions sur le terrain. Tous ces éléments concourent à créer un autre avantage concurrentiel : la réduction des coûts, donc des voitures moins chères et de qualité pour le client. Ce ne sont là que quelques aspects des courants qui traversent l'environnement des entreprises modernes.

Les organisations, leurs dirigeants et leurs employés font face à un environnement incertain, complexe et turbulent. Celui-ci est constitué de forces et de tendances que les dirigeants doivent savoir reconnaître. Ils doivent également trouver des réponses aux problématiques que ces mouvements soulèvent pour les différents acteurs de l'entreprise. Plus que jamais, ces forces représentent un formidable défi à ceux qui s'intéressent au comportement organisationnel. En effet, chacune d'elles, immanquablement, interpelle le contenu des thèmes qui sont traités dans cet ouvrage : le changement, les attitudes, l'éthique, l'apprentissage, la motivation, l'organisation du travail, etc.

Ce chapitre commence avec la description des deux environnements (ou contextes) de l'organisation : l'environnement immédiat, dit d'affaires, et le contexte global dans lequel baignent les organisations. Les éléments de ces deux environnements sont illustrés à la figure 2.1. Le premier environnement fait surtout référence aux groupes de personnes que l'entreprise dessert et à ceux qui, en quelque sorte, la servent. Nous en mentionnons simplement les acteurs principaux, sans plus, car ce sujet n'est pas le propos de ce chapitre. L'environnement global est celui qui touche la plupart des entreprises et des sociétés : c'est celui dont nous traitons principalement dans ce chapitre[1]. Il est constitué de six types d'environnements : l'environnement économique, principalement celui qui est créé par la mondialisation des échanges ; l'environnement sociodémographique ; l'environnement humain, en particulier le capital intellectuel ; l'environnement technique ; l'environnement socioéthique et l'environnement politico-légal. Ce tour d'horizon n'est nullement exhaustif, loin de là. Il veut tout au plus sensibiliser le lecteur à quelques problématiques saillantes et pertinentes pour l'étude du comportement organisationnel.

Sous la pression des forces décrites précédemment, la plupart des organisations se sont radicalement transformées. Nous évoquerons les principaux paramètres de changement comme la composition diversifiée de la main-d'œuvre, les nouveaux modes de fonctionnement des entreprises, notamment ceux qui se mettent en place pour atteindre une haute performance et la qualité totale et les exigences de légitimité des entreprises.

Au terme de ce modeste inventaire des forces agissantes dans l'environnement de l'organisation, nous esquisserons un portrait de l'organisation du XXIᵉ siècle et des compétences que doivent posséder leurs dirigeants.

FIGURE   2.1   Environnement de l'organisation

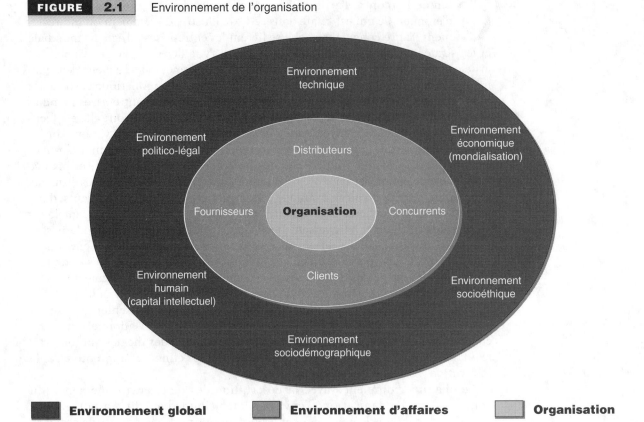

Environnement global   **Environnement d'affaires**   **Organisation**

L'ENVIRONNEMENT D'AFFAIRES DES ORGANISATIONS

Cet environnement est composé des fournisseurs, des distributeurs, des clients et des concurrents de l'entreprise.

Les fournisseurs

Les fournisseurs sont les individus ou les groupes d'individus qui fournissent à l'entreprise les ressources (les intrants) dont elle a besoin pour produire un bien ou donner un service (les matières premières, l'information, les finances, les consultants, etc.). Le travail d'un gestionnaire est de s'assurer qu'il dispose de fournisseurs fiables. Par exemple, Dell Computers a plusieurs fournisseurs pour les composants de ses ordinateurs (Intel pour les microprocesseurs et Quantum pour ses disques durs, entre autres). Des banques et des établissements financiers sont aussi des fournisseurs de Dell.

Les distributeurs

Les distributeurs sont des entreprises qui en aident d'autres à vendre leurs produits ou leurs services. Le choix du mode de distribution est important stratégiquement pour les organisations. Par exemple, UPS, DHL, Postes Canada ou Vidéotron sont des distributeurs.

Les clients

Les clients sont les individus, les groupes ou les organisations qui acquièrent un bien ou un service. La connaissance des besoins et des goûts des clientèles et la capacité de leur offrir le produit ou le service désiré font la force d'une entreprise.

Les concurrents

Les concurrents sont les organisations qui se disputent la même clientèle ou le même marché. Les concurrents peuvent être nationaux ou étrangers. Aujourd'hui, en ce qui concerne les grandes entreprises, la concurrence est mondiale.

L'ENVIRONNEMENT GLOBAL

L'environnement global est composé, comme on l'avait annoncé, de six types d'environnements de l'organisation : l'environnement économique, principalement celui qui est créé par la mondialisation des échanges, l'environnement socio-démographique, l'environnement humain (surtout le capital intellectuel), l'environnement technique, l'environnement socioéthique et l'environnement politico-légal.

L'environnement économique : un aspect fondamental, la mondialisation

Betty Coulter est une étudiante typique de 21 ans, diplômée d'un collège ou d'une université nord-américaine. Elle porte un jean griffé et est une grande amatrice des émissions de télévision américaine les plus branchées. Du moins, c'est ce qu'elle vous dira si vous l'interrogez quand vous l'appellerez au sujet d'un appareil défectueux. En réalité, Betty s'appelle Savitha Balasubramanyam et elle travaille dans un centre téléphonique situé à Bangalore, en Inde. «Peu importe que je m'appelle Betty ou Savitha, dit-elle avec un accent américain parfait, ce qui compte, c'est qu'à la fin de la journée, j'ai réussi à dépanner mon client[2]. »

Bienvenue à l'ère de la mondialisation! Qu'il s'agisse d'un géant de l'informatique en Europe ou d'un centre téléphonique en Inde, vos concurrents ont autant de chances de se trouver dans un coin reculé de la planète que dans votre propre pays. SAP, le géant allemand de l'informatique d'entreprise, est un chef de file dans son domaine. Ses applications se retrouvent dans les grandes entreprises du globe. Wipro Technologies, la plus grande société d'informatique de l'Inde, décroche régulièrement des contrats valant plusieurs millions de dollars auprès d'entreprises comme General Electric, Home Depot et Nokia. CustomerAsset, l'entreprise qui emploie Savitha Balasubramanyam, offre un service à la clientèle, accent américain compris, depuis le centre technologique de l'Inde.

mondialisation
Caractère d'une économie et d'une concurrence à l'échelle planétaire.

On parle de **mondialisation** dans le cas d'une économie et d'une concurrence à l'échelle planétaire[3]. Beaucoup d'entreprises ont mené des opérations «internationales » pendant de nombreuses années. Cependant, il s'agissait pour la plupart de sociétés d'import-export ou de filiales relativement indépendantes qui desservaient des marchés locaux. La mondialisation, par contre, consiste à relier et à coordonner ces segments dispersés géographiquement afin de servir des clients du monde entier et de concurrencer d'autres entreprises à l'échelle du globe[4].

La mondialisation n'est pas un nouveau concept pour les Canadiens. William Cornelius Van Horne, chef de la direction du Canadien Pacifique, qui a construit le légendaire hôtel de Banff Springs en 1888, aurait dit: «Puisque nous ne pouvons pas exporter le paysage, nous allons importer les touristes[5].» Aujourd'hui, ce sont Quebecor, Nortel, JDS Uniphase et d'autres entreprises qui repoussent les limites de leur champ d'action. Beaucoup d'entreprises ont réussi à sortir de leur marché intérieur et, dans le cas de multinationales, leur réussite fait souvent la manchette des journaux. Le lancement de leurs produits est parfois un événement mondial: c'est le cas pour Gillette et son rasoir Sensor, de Windows XP professionnel ou de Vista de Microsoft, du iPod de Steve Job ou encore de chacun des spectacles du Cirque du Soleil. Toutefois, la mondialisation s'applique aussi aux petites entreprises comme SiGe Semiconductor. Comptant moins de 100 employés, cette entreprise de haute technologie, établie à Ottawa, possède déjà des bureaux de vente dans plusieurs pays et engage des experts de Grande-Bretagne, d'Irlande, du Danemark, des États-Unis et d'autres pays; certains d'entre eux vivent toujours à l'étranger, mais ils viennent régulièrement à Ottawa[6].

Aujourd'hui, la libre circulation des capitaux et des ressources, la libéralisation des échanges et la déréglementation de nombreux secteurs de l'économie (les transports, les communications, les assurances, les finances, etc.) et l'essor des communications électroniques ont rompu les frontières économiques traditionnelles. Des alliances économiques régionales ou des partenariats entre nations (comme l'ALENA ou l'Union européenne) se sont formés ou sont près de l'être: ces ententes visent l'élimination des barrières douanières et l'harmonisation de pratiques commerciales et financières. Les économies de certains pays d'Asie ne cessent de croître, et plusieurs d'entre eux constituent les plus gros bassins de délocalisation: la Chine (entre 1990 et 2000, les entreprises étrangères ont investi plus de 500 milliards de dollars dans cet immense pays), l'Inde (le deuxième «producteur» mondial d'ingénieurs annuellement au monde — après la Chine), la République de Corée, la Malaisie, Taiwan, Singapour, la Thaïlande, etc.

Dans ce contexte, les entreprises de plusieurs pays s'associent maintenant plus fréquemment pour exploiter de façon avantageuse des créneaux commerciaux. Par exemple, on parle d'un rapprochement entre Microsoft et Yahoo pour contrer l'irrésistible ascension de Google sur le Web au détriment de ces deux sociétés, ou encore d'une offre d'alliance entre la société canadienne Alcan (qui l'a déclinée) et Alcoa, la multinationale américaine, ce qui ferait de la seconde la plus grande entreprise d'aluminium au monde si cette alliance se réalisait un jour[7]. Les fusions et les acquisitions d'entreprises font littéralement rage, quelle que soit leur nationalité, et les Québécois pourront toujours espérer que le café de la société Van Houtte, vendue récemment à la société américaine Littlejohn, ne changera pas de goût!

À titre indicatif, mentionnons que les fusions et les acquisitions en Europe et aux États-Unis ont atteint, au mois de mai 2007, 2000 milliards de dollars, soit 60% de plus que le record atteint l'année précédente à la même date! Parmi ces mouvements gigantesques, mentionnons l'acquisition de Reuters Group (Londres) par Thompson Corp la torontoise (transaction de 17 milliards de dollars) et le rachat de Chrysler par Cerberus Capital Management contre 7,4 milliards de dollars versés à DaimlerChrysler[8].

Dès lors, le brassage d'employés au niveau mondial est inévitable. Beaucoup d'entreprises ont un personnel d'origine diverse. Les employés que Nokia recrute sont des Indiens, des Chinois ou proviennent même de pays développés, surpassant en nombre les Finlandais travaillant au centre de recherche de Helsinki. Tous les constructeurs importants d'automobiles font produire leurs véhicules en dehors de leurs frontières : Toyota et Honda les font fabriquer en Ontario, Ford au Brésil et BMW en Afrique du Sud.

La mondialisation des échanges accentue la présence de « managers internationaux » qui s'expatrient dans le cadre de leurs fonctions. Cela ne va pas toujours sans problèmes quand ces cadres (et leur famille si elle les accompagne) subissent, après le plaisir du dépaysement, le choc culturel issu des efforts d'adaptation, parfois douloureux, à la culture et aux mœurs du pays hôte. Si ces personnes ne sont pas formées, ne parlent pas la langue du pays et n'ont pas de mentor, elles vivront durement l'incompréhension du système politique, éducatif et culturel du pays de leur nouvelle affectation. Quand leur mission se termine et qu'elle a été relativement longue, le retour au pays est un autre choc qui demande un autre temps d'adaptation. De plus, les collègues voient ces voyageurs un peu comme des « étrangers ».

Les conséquences de la mondialisation sur l'étude du CO   La mondialisation influence plusieurs aspects du comportement organisationnel. Elle a certes le mérite d'accroître l'efficacité de l'entreprise qui élargit son réseau, ce qui lui permet d'attirer des connaissances et des compétences précieuses (à l'instar de SiGe). Elle peut créer de nouvelles possibilités de carrière et permet de mieux saisir la diversité des besoins et des points de vue.

Toutefois, la mondialisation soulève également de nouveaux défis[9]. La question de savoir si elle enrichit ou appauvrit les pays en voie de développement ajoute une nouvelle dimension éthique aux décisions des entreprises[10]. De plus, celles-ci doivent adapter leurs structures et leurs réseaux de communication pour pouvoir devenir des joueurs sur l'échiquier mondial. La mondialisation entraîne une diversification de la main-d'œuvre qui influence la culture d'entreprise et peut provoquer des conflits de valeurs entre les employés.

La mondialisation est aussi reconnue comme l'une des principales sources de pression concurrentielle. Aussi la rend-on responsable de multiples restructurations des entreprises et de reconfigurations des processus (la réingénierie). Ces conditions diminuent la sécurité d'emploi, augmentent la charge de travail et exigent plus de souplesse de la part des employés. La mondialisation pourrait donc expliquer en partie pourquoi les Canadiens d'aujourd'hui font de plus longues heures, assument des charges de travail plus lourdes et ont plus de mal à concilier leurs obligations professionnelles et familiales (*voir le chapitre 5*)[11].

« Chaque entreprise, internationale ou non, doit examiner l'effet de la mondialisation sur la façon de travailler », prévient un cadre de GlaxoSmithKline, un fournisseur mondial de soins de santé. « Et même si vos activités ne sont pas internationales, l'un de vos concurrents ou de vos clients l'est à coup sûr[12]. »

La pression vers de hautes performances de l'entreprise au moindre coût a entraîné des licenciements massifs depuis plus de deux décennies (depuis la récession du début des années 1980, en fait). Et cela continue dans plusieurs multinationales : au début de 2007, 6100 licenciements ont été annoncés chez Bayer, 10 000 chez Airbus, 13 000 chez Chrysler, 10 000 chez Pfizer, etc. Ces licenciements provoquent, il faut le dire, des drames humains. On peut citer par exemple l'anxiété des « survivants » à ces coupes radicales et un accroissement des dysfonctionnements personnels (la dépression, la violence, l'irritabilité, l'individualisme exacerbé) et organisationnels (le roulement du personnel, l'absentéisme et le présentéisme, le sabotage, etc.) dus au stress inhérent à ces situations d'extrême insécurité psychologique et économique. Dans le même temps, les dirigeants reçoivent des rémunérations (notamment grâce à l'actionnariat) extrêmement généreuses (parfois sans rapport avec la performance de l'entreprise), voire choquantes aux yeux des employés. Aux États-Unis, l'écart entre le salaire moyen des employés et celui des dirigeants s'est considérablement creusé ces trois dernières décennies pour voir celui des gestionnaires valoir plus de 400 fois celui des salariés (par rapport à 60 dans les années 1970)!

Enfin, la mondialisation influence aussi l'étude du comportement organisationnel. Les chercheurs sont plus attentifs aux valeurs interculturelles et à la pertinence de leurs théories dans d'autres sociétés. On ne peut présumer que les groupes de travail, la responsabilisation, les récompenses basées sur le rendement ou d'autres pratiques relatives au comportement organisationnel, efficaces dans un pays, le seront autant dans d'autres parties du monde[13]. Par exemple, environ 150 chercheurs ont participé à un consortium appelé Project GLOBE. Ce dernier avait pour objectif d'étudier le leadership et les pratiques organisationnelles dans des douzaines de pays[14]. Ce niveau mondial d'investigation est de plus en plus nécessaire à mesure qu'on découvre les effets complexes des valeurs et des différences interculturelles.

Cette conjoncture fait appel, bien sûr, au domaine du comportement organisationnel, notamment à la question de la diversité (*voir le chapitre 3*), du stress au travail (*voir le chapitre 5*), des structures nouvelles (*voir le chapitre 15*) et des changements radicaux et culturels (*voir les chapitres 16 et 17*).

L'environnement sociodémographique

Dans cette partie, nous verrons les transformations de la main-d'œuvre canadienne et québécoise sous trois grands aspects: la diversité, la stratification démographique et les tendances sociales.

diversité
Ensemble des caractéristiques d'une population ou d'une main-d'œuvre qui différencient un individu ou un groupe d'un autre.

La diversité Les compétences humaines voyagent aussi de par le globe, donnant ainsi un visage diversifié et multiculturel aux entreprises évoluées de la planète. Il est nécessaire d'ajouter une précision ici. On pense à tort, parfois, que la **diversité** en entreprise ne concerne que les minorités dites visibles. En fait, comme on le verra plus loin, la diversité présente des facettes multiples comme le sexe, l'âge, etc.

En entrant dans presque n'importe quel restaurant McDonald's de Toronto, on a l'impression de pénétrer dans l'édifice des Nations unies. En effet, la chaîne de restaurants rapides emploie des gens de presque toutes les cultures présentes dans cette ville colorée. «Nous voulons que notre personnel reflète la communauté qu'il sert, cela a toujours été ainsi et le restera», affirme un cadre de McDonald's Canada. Le Canada est une société multiculturelle qui embrasse cette diversité. En fait, selon une enquête récente, 82% des Canadiens estiment que les gouvernements devraient préserver et favoriser le multiculturalisme au Canada[15].

À l'instar de McDonald's Canada, la plupart des organisations canadiennes emploient une main-d'œuvre de plus en plus multiculturelle en raison de la diversité démographique croissante du pays. La figure 2.2 illustre les dimensions primaires et secondaires de cette diversité. Les dimensions primaires — le sexe, l'origine ethnique, l'âge, la race, l'orientation sexuelle et les qualités physiques et mentales — sont les caractéristiques personnelles qui influencent la socialisation d'un individu et son image de soi. Les dimensions secondaires sont les caractéristiques qui font l'objet d'un apprentissage ou sur lesquelles nous avons un certain contrôle, par exemple, l'éducation, l'état civil, la religion et l'expérience professionnelle.

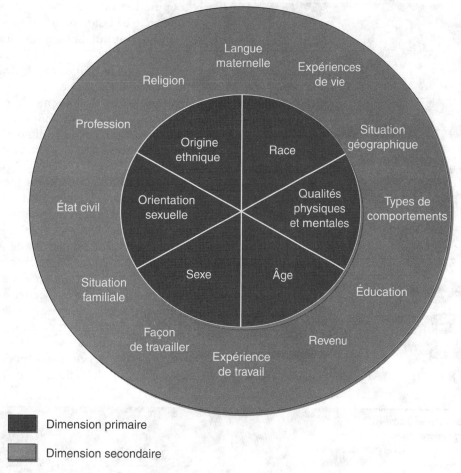

Dimensions
primaires
et secondaires
de la diversité
de la main-d'œuvre

◼ Dimension primaire

◼ Dimension secondaire

La main-d'œuvre canadienne s'est diversifiée tant en ce qui concerne la dimension primaire que la dimension secondaire.

Une main-d'œuvre de plus en plus multiculturelle   Le pourcentage des résidants canadiens classés comme minorité visible est passé de 5% en 1981 à 13% en 2001. En 2017, plus de 20% des Canadiens appartiendront à une minorité visible. Cette diversité culturelle est plus apparente à Toronto et à Vancouver, où près de 40% des résidants sont d'une minorité visible; cette proportion grimpera à 50% en 2017[16]. Plus de la moitié de tous les immigrants canadiens proviennent d'Asie, comparativement à un maigre 3% il y a quelques décennies, alors que le pourcentage d'immigrants en provenance d'Europe ou des États-Unis a chuté de 25%. Malgré ses besoins, le Québec ne reçoit que 20% de tous les nouveaux arrivants qui choisissent le Canada. Pourtant, le Québec se retrouve dans une position unique depuis la conclusion d'une entente signée en 1990 avec Ottawa lui permettant de sélectionner les immigrants. Les cinq principaux pays de naissance des immigrants installés au Québec sont l'Italie (9,8%), la France (7,1%), la Chine (3,5%), Haïti (6,8%) et le Liban (4,1%). Les nouveaux arrivants admis entre 1999 et 2003 viennent surtout de Chine, de France, du Maroc, d'Algérie et de Roumanie. Le grand Montréal a un visage résolument multiculturel, puisque près de 90% des personnes nées à l'étranger résidant au Québec y sont établies[17]. Par ailleurs, la population autochtone augmente plus rapidement que celle des Canadiens de souche européenne, surtout au Manitoba et en Saskatchewan. Il en résulte une mosaïque démographique croissante qui se reflète dans les milieux de travail canadiens.

Le mélange des cultures est un vrai défi pour les pays riches et, dernièrement, on a fait face aux questions qu'il pose, par exemple la délicate question des accommodements raisonnables.

La Commission des droits de la personne et des droits de la jeunesse définit ainsi l'**accommodement raisonnable** : « Obligation juridique découlant du droit à l'égalité, applicable dans une situation de discrimination, et consistant à aménager une norme ou une pratique de portée universelle, en accordant un traitement différentiel à une personne qui, autrement, serait pénalisée par l'application d'une telle norme. Il n'y a pas d'obligation d'accommodement en cas de contrainte excessive (sécurité ou performance de l'entreprise compromise par les accommodements, impact négatif sur les autres employés, etc.) ». De façon générale, les spécialistes s'entendent pour dire que l'apport des immigrants dans le monde du travail est plutôt bénéfique (*voir l'encadré 2.1*).

La décision de la Cour suprême, en mars 2006, permettant au jeune sikh Gurbaj Singh Multani de porter son kirpan à l'école marque le début d'un débat important sur les accommodements raisonnables.

Fred Chartrand, CP Images

accommodement raisonnable

Obligation juridique découlant du droit à l'égalité, applicable dans une situation de discrimination, et consistant à aménager une norme ou une pratique de portée universelle, en accordant un traitement différentiel à une personne qui, autrement, serait pénalisée par l'application d'une telle norme. Il n'y a pas d'obligation d'accommodement en cas de contrainte excessive.

Le magazine *Banana*, une publication impertinente sur la culture et le mode de vie des Canadiens d'origine asiatique, reflète la diversité culturelle croissante du Canada. Ce magazine a été fondé par les entrepreneurs Karen Yong (à droite), Mark Simon (en avant) et Jory Levitt (photographiée avec le publiciste Frances Wu à gauche), tous diplômés de l'Université de Victoria, en Colombie-Britannique. Il s'adresse aux jeunes Asiatiques occidentalisés qui souhaitent explorer et apprécier leur différence. Le magazine met également en lumière le fait que le caractère ethnique est une notion de plus en plus complexe parce qu'un nombre croissant de Canadiens possèdent un héritage multiculturel. Par exemple, dans les veines de Mark Simon coule une moitié de sang vietnamien, un quart de sang philippin et un quart de sang français[18]. De quelle façon les magazines comme *Banana* favorisent-ils le multiculturalisme au Canada ?

Mark van Manen, Vancouver Sun

www.bananaboys.com

L'immigration considérée comme un atout

Sur le plan macroéconomique, au vu des recherches sur le sujet comme celles du chercheur québécois Mathews ou celles de Derrick et de Polèse, l'apport de l'immigration, contrairement aux croyances, est globalement positif. Entre autres, l'immigration fournit la main-d'œuvre dont ont besoin les industries qui croissent le plus rapidement, et elle a un rôle important sur l'effet multiplicateur de la production et de l'emploi en relation avec la demande globale. Quant à l'effet de l'immigration sur la fiscalité, le Québec a réalisé des gains en accueillant une main-d'œuvre déjà instruite et formée.

Quant au niveau microéconomique, dans les entreprises de biens ou de services en particulier, la question de l'intégration des « minorités visibles » devient de plus en plus l'une des questions stratégiques de l'heure. Leur présence procure à une organisation, dans bien des cas, des avantages concurrentiels. La diversité des points de vue et la connaissance des marchés et des cultures étrangères que possèdent les immigrants dans une entreprise peuvent améliorer grandement les processus décisionnels. Par ailleurs, les organisations voulant maximiser leur performance organisationnelle et économique n'ont pas d'autres choix que de considérer, dans leur planification stratégique, les « minorités ethniques » ou « culturelles » d'aujourd'hui, car ces dernières constitueront la majorité de demain.

Source : Adaptation d'un article de M. Bouhadra, « Gestion de la diversité : une expérience de multiculturalisme », *Osmose*, automne 2001, p. 2-13. Maher Bouhadra est enseignant en gestion de la diversité ethnique à l'École des sciences de la gestion de l'UQÀM. Les références complètes des auteurs cités peuvent être trouvées dans l'article.

Ces étudiantes et amies de l'école secondaire internationale Antoine-Brossard, à Brossard, se préparent pour leur bal de finissants. Elles représentent bien la diversité québécoise. De gauche à droite, Jennifer Vo, Arda Ozcan, Elise Forest, Caroline Sem, Émilie Déborah et Nayla Sultani qui sont respectivement de souche vietnamienne, turque, québécoise, cambodgienne, franco-québécoise et libanaise.

L'immigration est loin d'être synonyme de pauvreté ou de problèmes pour les pays hôtes. Elle est souvent source de dynamisme. Par exemple, la Silicon Valley californienne, centre névralgique de la haute technologie mondiale, emploie beaucoup d'étrangers hautement qualifiés. On compte des innovateurs célèbres parmi eux : le Russe Serguey Brin, cofondateur de Google ; l'Allemand Andy Bechtolsheim et l'Indien Vinod Khosia, fondateurs de Sun Microsystems ; le Taïwanais Jerry Yang, cofondateur de Yahoo[19].

L'encadré 2.2 présente deux cas exemplaires d'entreprises québécoises qui ont su gérer la diversité.

Toutefois, les chercheurs sont de plus en plus troublés par les tentatives visant à classer les gens en fonction de leur origine ethnique, car cette attitude contribue à renforcer les stéréotypes. En particulier, il y a danger que les Canadiens non blancs soient considérés comme des « étrangers perpétuels », même si leurs familles sont établies au pays depuis plusieurs générations[20].

La connaissance et la fréquentation des différentes cultures permettent souvent de faire tomber les stéréotypes. Par exemple, l'école est un excellent creuset où se fondent les cultures et où la fréquentation précoce d'individus différents tend à susciter la tolérance. C'est ce que laisse entrevoir l'amitié des étudiantes de l'école secondaire internationale de Brossard.

Les femmes dans le monde du travail Une autre forme de diversité se reflète dans la proportion croissante des femmes sur le marché du travail. Les femmes représentent aujourd'hui près de 50 % de la main-d'œuvre rémunérée au Canada, comparativement à seulement 20 % il y a quelques décennies. Des changements dans l'équilibre hommes-femmes continuent de se produire dans les différentes

Une gestion de la diversité réussie : le cas de deux entreprises québécoises

Deux entreprises présentent leur expérience et leurs stratégies en gestion de la diversité, ce qui montre qu'avec de l'imagination on peut régler bien des problèmes.

« Pour vous dire, nous avons des travailleurs qui viennent d'Irak et d'Iran, ce qui n'empêche pas la bonne entente de régner dans l'usine », souligne Kathy Strasser, coordonnatrice aux ressources humaines chez Canlyte. L'entreprise de Lachine s'affiche comme un chef de file dans les appareils d'éclairage au Canada, et elle compte trois usines réparties en Ontario et au Québec. Celle de Lachine emploie 228 personnes, dont une soixantaine sont des néo-Québécois venus de 30 pays différents !

Ces gens, il a d'abord fallu les recruter, et on a procédé aussi bien par les recommandations des employés en place que par des annonces dans le journal du quartier ou des collaborations avec Emploi-Québec, ainsi qu'avec des agences de placement. L'accueil a suivi, avec tournée de l'usine, formation, parrainage, etc. Mais c'est la mise en place de programmes comme « Mégawatt plus » qui rendent Mme Strasser particulièrement fière du travail accompli. « Si un employé a une bonne idée, dit-elle, nous l'encourageons non seulement à nous la communiquer, mais aussi à l'implanter jusqu'au bout. » La personne reçoit notamment en échange des points pour participer à des tirages périodiques. En 2006, on a ainsi recensé 1253 idées, familièrement baptisées « un mégawatt », et 92 % des employés ont contribué ! Cette participa-tion permet de resserrer les rangs, selon elle, d'autant plus qu'une foule d'autres activités, destinées par exemple aux enfants, viennent soutenir l'intégration.

Éric Le Goff, lui, copréside Change Management Technologies, ou CMTek, et il se présente comme un membre d'une « minorité audible », puisqu'il est Français d'origine...

Cette PME montréalaise compte quelque 80 employés, dont la moitié sont des immigrés de 12 nationalités différentes, de l'Angleterre au Mexique en passant par la Nouvelle-Zélande et le Maroc.

CMTek évolue dans la haute technologie en proposant des solutions à de grandes entreprises. Récemment, elle travaillait à la refonte du site de Bell.ca.

« L'immigration nous permet d'avoir accès à des employés performants qui arrivent dotés d'expériences complémentaires et originales », disait-il.

Encore faut-il réussir l'intégration de tout ce bagage culturel. La recette de CMTek ? « L'informatique comme langage commun, une entreprise orientée vers le succès et la reconnaissance ainsi que l'avancement en fonction du mérite », selon M. Le Goff. Paradoxalement, la problématique acceptation des diplômes des nouveaux venus devient pour lui un avantage.

« Nous avons ainsi accès à des ressources de grande qualité qui ne trouvent pas automatiquement un travail en ingénierie, par exemple. C'est un véritable vivier. » Et Éric Le Goff de conclure : « L'immigration est un facteur de richesse pour CMTek ». Avec, comme sous-entendu, pour le Québec tout entier.

Source : René Vézina, *Les Affaires*, numéro spécial *Démographie*, « Une gestion de la diversité réussie : le cas de deux entreprises québécoises », 20 avril 2007, p. 21.

professions. Par exemple, chaque année, les femmes sont plus nombreuses que les hommes à obtenir leur diplôme en médecine tandis que, dans les années 1960, 90 % des médecins diplômés étaient des hommes[21].

Toutefois, il y a encore beaucoup à faire pour que les femmes puissent être mieux représentées dans différents secteurs, notamment dans les hautes sphères du pouvoir. Selon une étude de Catalyst, un organisme torontois dévoué à la promotion des femmes en milieu de travail, les femmes représentent 12 % des membres de conseil d'administration, ce qui est faible par rapport à leur place dans la société[22]. En 2006, les États-Unis ne comptent que 10 femmes p.-d.g., dans la liste des 500 entreprises américaines les plus riches, ce qui ne représente que 2,2 % de la totalité des p.-d.g., alors que les femmes forment 46 % de la population active états-unienne.

La stratification démographique

Dans cette section, nous verrons d'abord comment sont représentées les différentes cohortes d'âges au pays, puis nous évoquerons la problématique liée au vieillissement de la main-d'œuvre.

Les différentes cohortes et leurs valeurs L'âge des cohortes représente une autre dimension primaire de la diversité de la main-d'œuvre[23]. Les baby-boomers — les personnes nées entre 1946 et 1965 — nourrissent des valeurs et des attentes qui diffèrent légèrement de celles des employés de la génération X, nés entre 1965 et 1977[24]. Selon plusieurs auteurs, le baby-boomer typique attend et souhaite une plus grande sécurité d'emploi (du moins à cette étape-ci de sa carrière). Il a tendance à se surmener au travail, car il veut améliorer sa situation économique et sociale. En revanche, la plupart des membres de la génération X ne sont pas fidèles à une seule organisation et ne comptent pas sur une sécurité d'emploi aussi grande. En général, ils recherchent davantage de flexibilité au travail et sont attirés par la possibilité d'exploiter les nouvelles technologies. Certains auteurs affirment que les employés de la génération Y (les individus nés pendant la décennie postérieure à 1977 ou peu de temps après) s'attendent à assumer beaucoup de responsabilités et à participer aux décisions qui les concernent. Selon un sondage réalisé auprès de 2600 Canadiens par Workopolis, en 2006, un site Internet de recherche d'emploi, les jeunes de la génération Y sont curieux, flexibles et à l'aise avec la technologie et le travail d'équipe. Ils ne donnent pas une grande importance à l'autorité et recherchent un emploi qui leur offre l'occasion d'utiliser leur créativité. Contrairement aux attentes, leurs valeurs essentielles ne diffèrent pas tellement des valeurs des générations précédentes, car ils mettent de l'avant la famille et les perspectives de carrière, dans cet ordre-là, ce qui surprend chez une génération aussi jeune[25]. Une étude plus rigoureuse faite au Québec en 2006[26] confirme également ces constats.

Bien que ces affirmations ne s'appliquent certainement pas à chaque individu de ces cohortes, elles reflètent l'écart entre les valeurs et les attentes des différentes générations[27].

Le vieillissement et la pénurie de main-d'œuvre La population canadienne ne cesse de vieillir, à l'instar de celle de presque tous les autres pays développés. Le vieillissement de la population canadienne a été progressif pendant presque tout le XXe siècle. Temporairement freiné par le baby-boom, ce phénomène s'est poursuivi par la suite sous l'effet combiné d'une fécondité inférieure au seuil de remplacement des générations et de la hausse constante de l'espérance de vie (*voir la figure 2.3*). Le 1er juillet 2006, l'âge médian de la population a atteint un niveau sans précédent de 38,8 ans, comparativement à 38,5 un an auparavant et à 37,2 en 2001.

Selon les scénarios de croissance moyenne des dernières projections démographiques de Statistique Canada parues dans *Le Quotidien* du 15 décembre 2005, l'âge médian de la population s'élèverait à 46,9 ans en 2056. En 2011, les personnes âgées entre 45 et 64 ans représenteront 41% de la force de travail au Canada, comparativement à 29% en 1991. Au Québec, en 2006, les gens âgés de 65 ans et plus représentaient environ 14% de la population, soit presque le double de la proportion de 7,2% enregistrée au début du baby-boom, en 1946. Ils seront 20% en 2021 et 27% en 2031, soit l'année où les derniers membres de la génération

Âge médian
et nombre d'enfants
par femme,
1921 à 2006

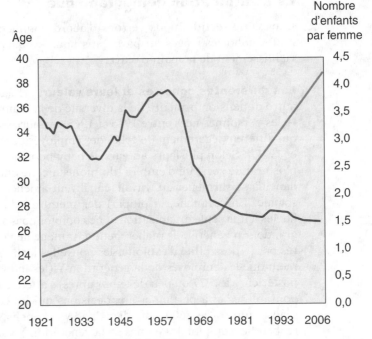

Source : *Le Quotidien*, décembre 2006, Statistique Canada.

du baby-boom atteindront 65 ans. Selon les projections, les personnes âgées pourraient constituer plus d'une personne sur quatre au sein de la population d'ici 2056.

Le Québec, affichant un âge médian de 40,4 ans, est la seule province en dehors de la région atlantique à enregistrer un âge médian supérieur à 40 ans. Ce fait est attribuable à une fécondité constamment inférieure à celle qui a été observée ailleurs au pays au cours des 25 premières années qui ont suivi le baby-boom. Au Québec, le nombre d'enfants par femme est de 1,62, alors que pour renouveler naturellement sa population, la province devrait atteindre un taux de 2,1. Les 44 000 immigrants que reçoit le Québec par année pour une population de 7 millions d'habitants ne suffisent pas à compenser le déclin de la population québécoise.

Le vieillissement de la population canadienne et québécoise et, par conséquent, la sortie assez massive du monde du travail des personnes concernées apportera nécessairement une pénurie de main-d'œuvre dans plusieurs secteurs de l'économie. Selon les analystes, d'ici cinq à dix ans, la moitié des cadres supérieurs prendront leur retraite. La demande pour des employés talentueux sera alors très forte, mais l'offre de personnel qualifié apparaît plus faible. Une façon de pallier cette pénurie serait que les personnes de 65 ans et plus demeurent sur le marché du travail après cet âge-là. Il semble, selon une enquête récente, que les aînés québécois veulent continuer de travailler (*voir l'encadré 2.3*).

Au Canada comme en Europe, dans les pays riches, selon les experts des Nations unies, l'immigration massive est la seule solution au problème du vieillissement des populations. À défaut, il faudra penser au long terme et établir de nouvelles mesures, dont beaucoup sont relatives à l'étude du comportement organisationnel : fixer un nouvel âge de la retraite, choisir comment financer de

Les aînés québécois veulent travailler

Les aînés québécois travaillent ou désirent continuer à travailler à l'approche de leurs vieux jours. C'est une des conclusions tirées d'un sondage mené par la firme Ipsos Décarie pour la Chambre des notaires du Québec en collaboration avec le Conseil des aînés.

L'enquête a été faite auprès de 1010 personnes de 55 ans et plus au Québec, du 3 au 23 octobre 2006.

Dans le cadre du sondage, 23 % des répondants affirment ne pas être à la retraite et occuper un emploi, soit à temps plein ou à temps partiel. Aussi, 9 % des aînés de 65 ans et plus travaillent, souvent à temps partiel. C'est environ 100 000 personnes.

Parmi les personnes interrogées qui sont à la retraite, le quart souhaiterait travailler. Cela représente un bassin de 240 000 travailleurs potentiels dans la province.

Les raisons principales évoquées pour revenir au boulot sont faciles à deviner : occuper du temps libre (29 %), aimer le travail (22 %) et augmenter ses revenus (17 %).

En général, les aînés sentent que leur avenir est suffisamment planifié : 87 % d'entre eux estiment que leur succession est bien préparée, environ 83 % ont un testament et 91 % d'entre eux l'ont fait notarier.

Pour la Chambre des notaires et le Conseil des aînés, le sondage confirme beaucoup de faits. « En revanche, le désir de continuer à travailler pour un retraité sur cinq et la contribution socioéconomique marquée des aînés à titre d'aidants naturels surprennent par l'ampleur du phénomène », dit Georges Lalande, président du Conseil des aînés.

Par ailleurs, 80 % des Québécois de 55 ans et plus se disent heureux, ce qui peut contredire l'affirmation selon laquelle la fin de carrière et l'approche de la retraite peuvent rendre malheureux.

La marge d'erreur du sondage est de 3,1 points de pourcentage, 19 fois sur 20.

Source : Michel Munger, *La Presse Affaires*, 22 novembre 2006, p. 12.

---

nouvelles politiques sociales, repenser l'organisation du travail, les politiques de recrutement, de formation et de conservation de la main-d'œuvre plus âgée, amoindrir les chocs des générations par la transmission des savoirs, donner de nouveaux rôles au personnel plus âgé (mentorat, *coaching*, etc.), éviter la discrimi-

Le Cirque du Soleil a mis la main sur une base de données qui garde en mémoire les aptitudes de sa main-d'œuvre afin de la redéployer rapidement, au besoin.

Rémi Lemée, archives La Presse

nation fondée sur l'âge, etc. À ce propos, le Québec est un des rares pays qui n'a pas fixé d'âge obligatoire de la retraite. Des pays européens comme l'Allemagne ou la Grande-Bretagne songent également à relever l'âge de la retraite ou de la préretraite et à allonger la durée de cotisation (comme la France).

Avec ce genre de mesures, la Finlande a réussi à obtenir un taux d'emploi de 55 % pour ses aînés, soit 10 points de plus que la moyenne européenne. L'horizon allongé de ces derniers compense pour le temps d'apprentissage des plus jeunes, ce qui permet un gain non négligeable de productivité pour l'ensemble de l'entreprise. Souvent, ce ne sont pas les capacités intellectuelles et de travail des aînés qui sont émoussées, mais ce sont les politiques de l'organisation et les préjugés qui précipitent cette érosion et la démotivation.

Par ailleurs, pour les entreprises, une autre façon de contrer la pénurie annoncée de main-d'œuvre est de gérer les talents. Elles peuvent, comme le Cirque du Soleil, investir dans des bases de données qui permettent de déployer rapidement la main-d'œuvre nécessaire[28].

Hydro-Québec, de son côté, a mis l'accent sur le maintien et le transfert des connaissances de son personnel (étant donné la perte d'un pourcentage important de ses effectifs) et Alcan, en raison de ses activités, a plutôt établi une gestion de la relève axée sur les cadres et ses orientations stratégiques[29]. Toutefois, il semble curieusement que ces efforts soient une exception plutôt que la règle car, selon une étude du Conference board de 2006[30], les entreprises ne semblent pas préparées à planifier la relève de leur personnel.

Quelques tendances sociales

Le développement de l'éducation, couplé à celui des communications, façonne une main-d'œuvre exigeante et maintenant consciente de ses droits.

En général, les valeurs québécoises ont changé vers plus d'individualisme et d'hédonisme (vivre pleinement le moment présent). Toutefois, elles restent aussi assez traditionnelles à bien des égards. En effet, la famille et le travail (le besoin d'accomplissement et d'autonomie) restent des valeurs centrales, toutes générations confondues. Ce qui émerge de façon constante dans les enquêtes sur la satisfaction au travail est le besoin de conciliation entre le travail et la vie familiale[31]. Par ailleurs, les Canadiens s'intéressent davantage à leur santé et à leur forme physique qu'auparavant. Des entreprises l'ont bien compris et certaines d'entre elles financent des activités sportives ou de mise en forme pour leurs employés. Par exemple, chez Visa Desjardins, un programme volontaire de suivi de la santé des employés mené sur trois ans a contribué à une chute de l'absentéisme de 28 % et de roulement du personnel de 54 %[32] !

Quant à la famille québécoise, elle a changé assez radicalement en quatre décennies : les divorces ou les séparations, les familles monoparentales ou « reconstituées », la contestation des rôles traditionnels et la participation active des femmes au marché de l'emploi ont passablement augmenté.

On trouvera davantage de détails sur la question des valeurs sociétales et culturelles aux chapitres 3 et 16. Ces tendances laissent prévoir une façon différente de gérer, c'est-à-dire dans le sens d'une écoute accrue, d'un aménagement de structures permettant aux employés de s'exprimer, de plus d'autonomie et d'efforts pour concilier les exigences du travail et celles de la famille, toujours plus complexes.

En conclusion : les conduites humaines au centre du débat Ces observations sur l'environnement sociodémographique montrent l'importance de gérer avec prudence et sagesse cette diversité (au sens général) de la main-d'œuvre. Elles appellent la nécessité de ne pas exercer de discrimination en emploi basée sur le sexe, l'origine ethnique, l'orientation sexuelle, le handicap, la religion ou l'âge. Cette obligation est d'autant plus impérative qu'au Canada, par exemple, le racisme est encore ressenti par plusieurs. En effet, une étude de Statistique Canada, effectuée en 2002, révèle que 20 % des membres de minorités visibles disent avoir été traités de façon injuste parfois ou souvent. Cela veut dire qu'il faut comprendre les mécanismes sous-jacents aux préjugés ou à la discrimination, comme la perception, les systèmes de valeurs, le processus d'attribution, les attitudes, les stéréotypes, autant de sujets propres au comportement organisationnel qui seront abordés dans les chapitres correspondants (*notamment les chapitres 3 et 4*). Les différences individuelles et de groupes apportent aussi leur lot d'incompréhension et de conflits entre les personnes ou à l'intérieur des équipes. Ainsi, quelques éléments de réponse à ces problématiques sont apportés aux chapitres sur le fonctionnement des groupes (les chapitres 8 et 9), la communication (le chapitre 11), la gestion des conflits (le chapitre 13) et la compréhension des cultures nationales (le chapitre 16).

L'environnement humain : l'importance du capital intellectuel

capital intellectuel
Ensemble du capital humain, structurel et relationnel de l'organisation.

Le **capital intellectuel** est l'ensemble du capital humain, structurel et relationnel de l'organisation. Le capital humain est constitué de toutes les compétences pertinentes faisant partie des ressources humaines d'une entreprise. Le capital structurel est l'ensemble du savoir que peut gérer une organisation par ses structures et ses différents systèmes. Le capital relationnel consiste en la valeur qu'ajoutent les relations entre l'entreprise et ses parties prenantes (des clients fidèles, des fournisseurs fiables, etc.).

Le passage croissant des activités manufacturières aux activités de service a des effets profonds sur la nature des emplois, les compétences et l'organisation du travail, l'apprentissage et bien d'autres activités liées aux ressources humaines et à leurs comportements. Les entreprises manufacturières n'ont certes pas disparu du paysage industriel, et nombre d'entre elles comme Dell, Procter & Gamble ou Alcan sont prospères. Toutefois, le nombre d'employés y travaillant, lui, a fortement décliné. Par exemple, il est passé de 20 % en 1970 à 10 % aujourd'hui aux États-Unis. La tendance est la même dans tous les pays industrialisés. Les entreprises autrefois productrices de biens se délestent de cette activité (par exemple la division des ordinateurs d'IBM a été vendue à une société chinoise) pour offrir principalement des services. C'est aussi le cas de Xerox, de General Electric ou de Bell qui offrent maintenant « des solutions » à leurs clients, bref, du savoir.

Les entreprises produisent donc maintenant des biens intangibles : des données, des logiciels, des nouvelles, de la distraction, de la publicité, etc. Une économie fondée sur le savoir peut générer des profits énormes. En effet, une fois qu'une idée a donné lieu à une invention, le coût de production de celle-ci est minime (un logiciel, par exemple). Il n'est pas étonnant que parmi les personnes les plus riches du monde se retrouvent ceux qui évoluent dans le secteur de l'informatique ou des finances (Bill Gates de Microsoft, Warren Buffet le financier, Steve Job d'Apple, etc.). Le problème de la facilité de reproduction des idées soulève d'ailleurs l'épineuse question de la contrefaçon, du vol de la propriété intellectuelle ou du piratage, notamment grâce à Internet. Dans le contexte de l'économie du savoir, l'éducation devient primordiale. Au Canada et au Québec, la scolarité s'est élevée, répondant en cela (bien qu'il y ait encore beaucoup à faire) aux nouvelles exigences de la majorité des emplois, c'est-à-dire à la demande de compétences pointues. Il est symptomatique d'ailleurs de constater que même les universités des pays industrialisés se font une concurrence féroce pour attirer des étudiants talentueux dans leurs programmes avancés tel le MBA (par exemple, le MBA de l'Université du Québec à Montréal est donné dans une dizaine de pays : en français en Afrique, en espagnol dans plusieurs pays d'Amérique du Sud et en anglais dans le cas de la Roumanie ou de la Pologne).

Les emplois exigeant des compétences de haut niveau s'accroissent, tandis que disparaissent les emplois demandant un personnel peu qualifié et les postes de niveau intermédiaire. La chasse au talent, même au niveau de la planète, est ouverte : le capital humain devient l'investissement le plus précieux des firmes innovatrices.

L'industrie du savoir, de l'intangible, se manifeste un peu partout maintenant, mais elle est plus évidente pour les organisations, dans les technologies, notamment les technologies de l'information et des communications.

Le défi technologie : l'omniprésence des TIC

TIC

Ensemble des techniques qui permettent de saisir, de stocker, de traiter et de communiquer l'information.

Quelques exemples de TIC   Aujourd'hui, lorsqu'on parle de nouvelles technologies, on pense surtout à la poussée phénoménale des technologies de l'information (fondée sur l'usage de l'informatique) et des télécommunications. Cette alliance est regroupée sous l'acronyme **TIC**. Il s'agit de techniques qui permettent de saisir, de stocker, de traiter et de communiquer l'information. En voici quelques exemples : Internet, les intranets, l'EDI (échange de données informatisées entre un fournisseur et un client stable), la GED (gestion électronique de documents), les ERP (progiciels de gestion intégrés), les collecticiels ou *groupware* en anglais (applications informatiques permettant à des personnes de travailler sur un même objet)[33]. Bien sûr, lorsqu'on évoque les nouvelles technologies, on songe aussi à l'automatisation des tâches et à la robotique. Cependant, étant donné les caractéristiques de la nouvelle économie, ce sont les TIC qui trouvent le plus grand nombre d'usagers et d'applications en milieu de travail.

Internet permet d'établir un lien entre les gens de la planète jusqu'aux endroits les plus inattendus, comme ici où l'on voit un « cyber-magasin » minuscule dans un tout petit village andin.

Internet   Dans le monde actuel, Internet est devenu un outil de consultation indispensable, et ce, même dans des endroits inattendus, comme le montre la photo ci-contre.

Selon l'Enquête canadienne sur l'utilisation d'Internet (ECUI) qu'a menée Statistique Canada, en 2005, le Canada comptait 16,8 millions d'internautes adultes (68 %). Au Québec, l'enquête annuelle du CEFRIO révèle qu'en 2005, 63,5 % des adultes québécois ont utilisé Internet, ce qui représente près de 4 millions de personnes. Dans les trois premiers mois de 2007, cette proportion d'utilisateurs tournait autour de 67 %. En 2006, près de la moitié des adultes québécois (47 %) utilisaient Internet, y compris le courrier électronique (les courriels), dans le cadre de leur travail (4,7 % de plus qu'en 2005). Le télétravail ou travail à distance gagne en popularité : le taux d'utilisation d'Internet à la maison à des fins professionnelles est passé de 20 % en 2004 à 30,6 % en 2006 (*voir la figure 2.4*).

Les différentes finalités des TIC   Les TIC ont bouleversé la vie des organisations, voire la nature des échanges entre les sociétés en général. L'utilisation des TIC vise plusieurs finalités : la production et la performance, la réorganisation du travail, l'apprentissage et la gestion.

■ *Les TIC comme instruments de production et de performance*   Les TIC peuvent servir d'instruments de production efficients. Par exemple, de nombreux systèmes de fabrication qui exigeaient plusieurs travailleurs manuels ne nécessitent aujourd'hui que quelques ingénieurs ou techniciens penchés sur leurs consoles pour

FIGURE 2.4

Utilisation d'Internet au Québec

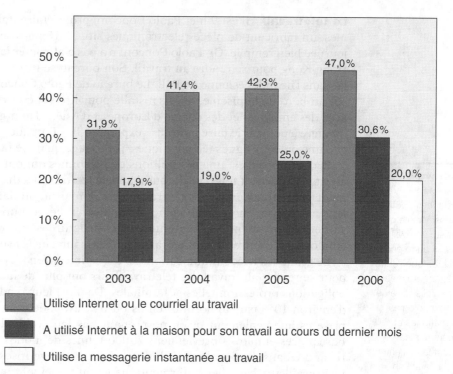

☐ Utilise Internet ou le courriel au travail

■ A utilisé Internet à la maison pour son travail au cours du dernier mois

☐ Utilise la messagerie instantanée au travail

Source : NeTendances 2006, Publications du CEFRIO, Québec.

surveiller la bonne marche de systèmes complètement automatisés. C'est le cas de systèmes flexibles de fabrication qui recourent à la technologie informatique pour assurer une transition efficace de la fabrication d'un produit à un produit différent (comme dans le cas de Toyota). L'organisation du travail est alors plutôt de type modulaire (ou cellulaire), et les employés y bénéficient d'une grande polyvalence et de beaucoup d'autonomie pour veiller à la bonne marche du processus (*voir aussi le chapitre 9*). L'utilisation efficace des TIC donne aussi un avantage concurrentiel. Par exemple, les systèmes informatiques de Wal-Mart ont permis une circulation efficace de l'information, au moyen de satellites, entre ses clients, ses magasins et ses fournisseurs. À Pratt & Whitney Canada, pour rendre plus efficace le service après-vente de ses moteurs volants dans près de 200 pays, un système informatisé est à la disposition des clients de la société. Ceux-ci ont un accès en tout temps à la fiche technique du moteur et peuvent ainsi effectuer des diagnostics à distance et obtenir des conseils techniques[34]. Grâce aux TIC également, le commerce électronique prend de plus en plus d'ampleur. La réussite phénoménale d'entreprises pionnières comme Amazon.com, Dell ou eBay doivent beaucoup aux TIC, et le commun des consommateurs y recourt sans difficulté. Par ailleurs, les TIC permettent à de petites entreprises des pays en émergence de se tailler une place sur le marché mondial.

■ *Les TIC comme instruments de réorganisation du travail* Les TIC permettent aussi de contribuer à changer la nature même de certains emplois et de concevoir de nouvelles organisations du travail. C'est le cas du télétravail (ou travail à distance) et des équipes virtuelles.

Le télétravail   Il est 9 h et Paolo Conconi, propriétaire italien de MPS Electronics, un fabricant de pièces électroniques situé à Hong-Kong, amorce une autre journée bien remplie. Or, Paolo Conconi n'a pas à affronter la circulation dense de Hong-Kong pour se rendre au travail. Son bureau se trouve chez lui, très loin de là, dans l'île indonésienne de Bali. Le bureau de Paolo Conconi est une table dressée au bord de la piscine, où il s'installe pour lire ses courriels et communiquer avec des employés et des clients d'Europe et d'Asie. « J'ai organisé mon travail de manière à pouvoir le faire partout », explique-t-il. « Tant que je dispose d'électricité et d'une ou deux lignes téléphoniques, j'ai tout ce qu'il me faut[35]. »

Paolo Conconi est une des millions de personnes qui ont modifié leur relation au travail grâce au **télétravail** (aussi appelé le « travail à distance »). Cet arrangement permet aux employés de travailler à la maison ou dans un site éloigné de leur entreprise, en général sur un ordinateur relié au bureau. Certains télétravailleurs concluent des ententes très structurées et formelles avec leurs employeurs, d'autres le font par arrangements informels avec leurs supérieurs.

Le géant des télécommunications AT&T estime qu'en n'ayant plus à se déplacer pour se rendre au travail, les télétravailleurs ont plus de facilité à concilier leurs obligations professionnelles et familiales. De plus, leur rendement s'est amélioré d'environ 10 % par rapport au temps où ils travaillaient au bureau. Cette entreprise estime également qu'en ne prenant pas leur véhicule pour se rendre au bureau, ces employés préviennent 70 000 tonnes de monoxyde de carbone de se répandre dans l'atmosphère. Selon un récent sondage Ipsos-Reid, la plupart des télétravailleurs canadiens affirment que cet arrangement améliore leur satisfaction au travail et leur permet de mieux équilibrer le travail et la vie de famille.

Au-delà de ces avantages, le télétravail engendre un certain nombre de problèmes pour les organisations et les employés. Par exemple, on peut citer l'isolement social de ces derniers et la difficulté pour les cadres d'établir un système d'évaluation de la performance de leurs subordonnés physiquement absents[36].

Les équipes virtuelles   La technologie de l'information facilite aussi la formation d'équipes virtuelles. Les **équipes virtuelles** se composent de personnes qui accomplissent des tâches sans égard aux frontières spatiales, temporelles et organisationnelles. Elles sont reliées grâce à la technologie de l'information[37].

À l'heure actuelle, les activités qui conviennent le mieux aux équipes virtuelles font l'objet d'une foule de recherches, de même que les conditions qui favorisent ou entravent leur efficacité. Les résultats préliminaires laissent penser que les équipes virtuelles demeurent en tout premier lieu des équipes, de sorte que leur dynamique est semblable à celle des équipes travaillant au même endroit. Toutefois, avec les équipes virtuelles, il faut recourir à des stratégies différentes pour instaurer un climat de confiance[38]. Nous traiterons de ces questions et d'autres sujets propres aux équipes virtuelles plus en détail aux chapitres 9 et 15.

Les TIC peuvent aussi contribuer à « enrichir » le travail, c'est-à-dire à le rendre plus motivant et plus intéressant. Par exemple, maintenant, les représentants à la clientèle des banques n'ont plus besoin de consulter leurs supérieurs pour régler des problèmes à leur portée ou pour prendre des décisions. Les TIC, grâce à leur richesse et à leur rapide accessibilité, permettent à cette catégorie d'employés et à bien d'autres de prendre rapidement des décisions, ce qui leur donne plus d'autonomie et la possibilité d'assumer plus de responsabilités. Les systèmes d'aide à la décision (SIAD) peuvent se substituer maintenant à de nombreux manuels, procédures et normes.

---

télétravail

Aussi appelé « travail à distance » : activité professionnelle qui consiste à travailler dans un autre endroit physique que l'entreprise, généralement au domicile, à l'aide des technologies informatiques et de communication qui font le lien entre l'employé et son organisation.

équipe virtuelle

Ensemble de personnes qui accomplissent des tâches sans égard aux frontières spatiales, temporelles et organisationnelles ; elles sont reliées grâce aux technologies de l'information.

Les effets variables des progiciels de gestion intégrés

1. Une amère pilule

L'échec le plus médiatisé est certainement celui de la Fox Meyer Drug. Cette grande entreprise de distribution pharmaceutique a estimé que la mise en place d'un PGI l'avait conduite à la faillite. En 1997, après deux ans et demi d'efforts et plus de 100 millions de dollars d'investissement, l'entreprise n'arrivait plus à traiter qu'une infime partie (2,4 %) des commandes quotidiennes gérées avec l'ancien système, et encore, avec beaucoup d'erreurs. La situation ne pouvait durer très longtemps. En effet, l'entreprise a fait très rapidement faillite et a été vendue pour 80 millions de dollars, alors qu'elle réalisait 5 milliards de chiffre d'affaires avant l'installation du PGI.

2. Un chausson avec ça?

En 2003, McDonald's a mis fin à un projet échelonné sur cinq ans qui visait le branchement de l'ensemble de ses restaurants à un réseau électronique mondial. Le géant a perdu 170 millions de dollars dans l'opération.

3. Un branchement judicieux

La société d'État québécoise, Hydro-Québec, a mis en œuvre un projet de PGI, Harmonie, fondé sur le progiciel SAP R/3. Ce projet, qui concernait 6500 utilisateurs, parmi les 30 000 salariés, représentait un investissement de 162 millions de dollars sur 10 ans (125 millions de dollars sur les 30 mois du projet) devant générer une réduction de charge de 37,3 millions de dollars par année. D'après Landry et Rivard (2000), Harmonie a livré les produits attendus selon l'échéancier prévu et en dépensant environ 22 millions de dollars de moins que le budget autorisé pour le projet. Ce qui précède, soulignent justement les auteurs du rapport, représente une performance remarquable dans ce domaine.

Sources : Cas 1 et 3 : P. Gilbert, « Les TIC en contexte de gestion », dans P. Gilbert, P. Guérin et F. Pigeyre, *Organisations et comportements*, Paris, Dunod, 2005 ; R. Landry et S. Rivard, « Le projet Harmonie », *Cirano*, Québec, 2000. *Cas 2 :* Réjean Roy, « Gestion du changement. Comment réussir un projet TI ? », *Perspectives 2006*, CEFRIO, 2006, p. 22-27.

■ *Les TIC comme instruments d'apprentissage* Les TIC permettent aussi un « apprentissage organisationnel »[39]. En effet, Internet et les intranets permettent de créer des bottins et des banques de données informant le personnel d'une organisation des compétences de chacun et de l'endroit où il peut les trouver, et ce, partout dans le monde pour ce qui est des multinationales. Le personnel peut aussi interroger le système informatique sur des problèmes auxquels il fait face ; dans le cas des grandes entreprises, il peut trouver une solution rapide que d'autres ont déjà expérimentée avec succès. Les TIC permettent aussi la formation à distance (*e-learning*), prisée pour sa rapidité, son uniformité et sa libre accessibilité. Cet apprentissage virtuel compte au Québec 60 entreprises qui emploient un millier de personnes[40] (*voir le chapitre 4 pour d'autres détails sur l'organisation apprenante*).

■ *Les TIC comme instruments de gestion* Aujourd'hui, les entreprises ne peuvent plus se passer de progiciels de gestion intégrés (PGI). C'est un système d'information qui permet de gérer de manière coordonnée les ressources de l'entreprise et d'établir des contrôles en temps réels. Parmi les plus connus, on trouve le fameux SAP ou le non moins connu Oracle. Les PGI ne sont pas toujours efficaces, car leur succès dépend de l'analyse des besoins de l'entreprise et des clients, ainsi que de facteurs humains exposés plus loin. Dans l'encadré 2.4 sont décrits deux échecs et un succès retentissants des PGI.

Les obstacles à l'implantation des TIC en général Les projets d'implantation des TI en général, bien qu'ils puissent devenir des atouts stratégiques pour l'entreprise, ne se heurtent pas moins à des obstacles importants. Selon le Standish Group International, organisme réputé en gestion de projets technologiques,

TABLEAU 2.1 Principaux obstacles à l'implantation des technologies en entreprise

Obstacles	Pourcentage de dirigeants citant cet obstacle
Les questions d'ordre budgétaire	51 %
La résistance au changement	31 %
Le manque de formation	23 %
L'incompréhension des employés	13 %
Les changements technologiques continuels et la lenteur ou la complexité du processus d'implantation des TIC	9 %
Le manque de ressources et de compétences	7 %
Les problèmes techniques (la fiabilité, etc.)	6 %
Le faible taux de rendement du capital investi	5 %
L'incompréhension des dirigeants	4 %
Les questions de sécurité et de confidentialité des données	3 %

Source : Réjean Roy, « Le quotient Internet des dirigeants québécois », *Perspectives,* CEFRIO, 2003, p. 34.

seulement 29 % des initiatives de TIC sont réalisées intégralement, à temps et en respectant les budgets prévus. Plus de la moitié, soit 53 %, connaissent des ratés (des retards, des fonctionnalités absentes, etc.), et 28 % échouent carrément (les projets sont abandonnés ou interrompus)[41].

D'autres difficultés se dressent devant la mise en œuvre de projets en TIC. Une étude menée auprès de 283 hauts dirigeants québécois, dans les 500 plus grandes sociétés de la province, montre que les principaux écueils résident dans le manque de ressources et la négligence provenant de facteurs humains (dont la résistance au changement) comme le montre le tableau 2.1.

Quel peut être l'intérêt de l'étude du comportement organisationnel dans le contexte de cette tendance technologique ? Le tableau 2.1 répondait déjà à cette question — qui fait référence à une bonne partie des thèmes abordés dans cet ouvrage. Les acteurs concernés par l'introduction des nouvelles technologies doivent être familiers avec la gestion du changement (*voir le chapitre 17*), l'apprentissage individuel et organisationnel auquel participent les TIC (*voir le chapitre 4*), la dynamique des équipes (les équipes virtuelles ou les équipes autonomes — *voir les chapitres 8 et 9*), le leadership pour gérer le changement (*voir le chapitre 14*), les modes de rémunération et de reconnaissance (étant donné les changements de rôles et de compétences — *voir le chapitre 6*), l'organisation du travail et l'établissement de nouvelles structures (l'enrichissement des postes, l'approche sociotechnique, etc. — *voir les chapitres 7 et 15*), le changement de culture de l'entreprise (créé à la suite de nouveaux modes de fonctionnement et de tout ce qui précède — *voir le chapitre 16*) et la prise de décision (à toutes les étapes de l'utilisation des TIC — *voir le chapitre 10*).

L'organisation et son environnement socioéthique[42]

Nous consacrerons à cette partie plus d'espace que pour les autres afin de refléter l'importance actuelle des questions d'éthique et de responsabilité sociale des entreprises. Nous reviendrons sur des aspects plus concrets à propos de ces questions au chapitre 3. Nous présenterons ici les problématiques générales que posent ces concepts d'une façon intégrée.

L'état des lieux Les exemples d'entreprises ou d'industries fréquemment mentionnées pour leur «mauvaise conduite» dans les domaines de la gouvernance, de l'éthique ou de la responsabilité sociale sont légion : Enron aux États-Unis ; Norbourg au Québec pour la fraude comptable ; Arthur Andersen pour complicité de fraude comptable également ; Exxon Valdez (Esso) ou Erika (Total) à la suite des naufrages pétroliers dévastateurs pour l'écosystème ; Parmalat (Italie) dans l'agroalimentaire pour fraude massive. Les contestations et les remises en cause des modèles d'affaires pour entorses à l'éthique ou à la responsabilité sociale ne sont pas en reste : Gildan au Québec pour entraves syndicales (mais maintenant plus actif dans des actions correctrices louables) ; les restaurants américains Denny's pour discrimination raciale (aussi dans une meilleure position maintenant) ; Wal-Mart pour abus de pouvoir ; Nike, Gap et Benetton pour le travail «délocalisé» des enfants (avec ici aussi des actions de correction ultérieures).

Ces scandales et ces abus ont sensibilisé la société en général aux agissements des organisations, lesquelles sont interpellées à leur tour par des problèmes sociaux, environnementaux et éthiques inédits qui agitent le monde contemporain. Les organisations y répondent selon deux logiques, une logique de réaction et une logique de proaction. Quelques exemples suffiront à illustrer les dynamiques en jeu.

Dans le premier cas, les organisations tentent de s'adapter à un environnement qui présente de nouveaux risques pour elles, au point parfois de menacer leur avenir. C'est ainsi que des percées technologiques sont contestées et leurs marchés rendus inaccessibles dans certains pays (les cellules souches, les organismes génétiquement modifiés) ; que de nouvelles industries font face à un avenir incertain pour des raisons écologiques (l'exploitation des sables bitumineux, l'industrie automobile) ; et que des modèles d'affaires sont remis en cause (la délocalisation de la production vestimentaire dans le tiers-monde, l'industrie pharmaceutique et la disponibilité des brevets de médicaments antisida). Des entreprises de renom font l'objet de scandales, et d'autres font faillite pour manquement aux règles d'éthique, comme on l'a vu, tandis que de nouvelles formes de concurrence prennent lentement leur place (le commerce équitable, l'investissement socialement responsable).

Face à ces turbulences, d'autres organisations sont attirées par un rôle social plus proactif, au-delà des obligations de leurs marchés. Ainsi, plusieurs multinationales ont préféré assumer une position de leader face à ces questions. C'est le cas de celles qui ont été invitées à s'approprier, dans leurs opérations courantes, les principes internationaux d'éthique du Pacte mondial des Nations unies[43] ou celles qui, comme Alcan (aluminium) au Canada, Ben & Jerry (les crèmes glacées), Starbucks (le café) ou Danone (l'agroalimentaire) veulent montrer la voie en matière de développement durable et accumuler les prix internationaux dans ce domaine. La question commune que posent ces exemples est celle du rôle de l'entreprise dans la société. Cette question n'a aujourd'hui rien de théorique. Toutes les entreprises, quelle que soit leur taille, finissent par subir l'influence des aspects socioéthiques de leur environnement. En fin de compte, ce sont les critères de leur prospérité à long terme qui sont soulevés. Cette remise en question déborde largement l'entreprise privée. Elle interpelle toutes les formes d'organisation, qu'il s'agisse d'entreprises privées ou publiques, d'organisations sans but lucratif, ou des multiples formes hybrides associant, à des degrés divers, le marché, l'État et le secteur associatif.

La problématique est donc très vaste. Elle est liée à des mutations planétaires où se trouvent l'expansion mondiale du modèle d'économie de marché, l'ampleur de certaines avancées scientifiques, la dégradation généralisée de l'environnement et une nouvelle soif des populations pour plus de liberté, de démocratie et de dignité. Elle requiert un vocabulaire nouveau, illustré à l'aide de concepts comme l'éthique des affaires, la responsabilité sociale et la gouvernance. Elle conduit les organisations à intégrer dans leurs décisions les intérêts d'un large éventail d'acteurs aux logiques parfois incompatibles. Dans tous les cas, la société requiert que l'organisation assume un certain nombre de responsabilités dites sociales[44].

Les mutations mondiales et la demande de responsabilité   Cette demande pour la prise en charge de nouvelles responsabilités est portée dans le long terme par plusieurs tendances lourdes qui se manifestent depuis une vingtaine d'années. Trois de ces tendances, qui paraissent importantes, sont abordées ici.

■ *L'accroissement du besoin de liberté individuelle*   Le développement économique, l'accès à une certaine abondance matérielle par le plus grand nombre et une meilleure éducation ont favorisé l'individualisme et la soif de liberté individuelle. Les consommateurs veulent pouvoir faire de vrais choix, les travailleurs désirent être consultés, les cadres requièrent une plus grande autonomie décisionnelle et les pouvoirs publics accèdent à diverses demandes de décentralisation. Les clients, les consommateurs et les fournisseurs de l'entreprise veulent aussi être respectés. Chacun veut pouvoir assumer ses valeurs et vivre selon sa culture ou ses priorités, dans l'ouverture à autrui. La gestion de la diversité, comme on l'a vu, est l'une des réponses que les organisations tentent d'apporter à ce nouveau défi. Dans ce contexte, l'entreprise exige une plus grande marge de manœuvre et, en particulier, des marchés plus flexibles, plus efficaces et donc moins réglementés. La liberté qu'elle veut regagner ne saurait toutefois lui être octroyée sans contrepartie. Une entreprise plus libre doit mériter sa liberté en se montrant plus responsable vis-à-vis de ses actes et de leurs conséquences pour les parties prenantes qu'elle peut toucher.

■ *L'explosion technologique*   Le développement accéléré du savoir scientifique et de la technologie au XXᵉ siècle pose des problèmes que l'humanité ne connaissait pas jusqu'à aujourd'hui. On sait depuis longtemps qu'une même invention peut conduire aussi bien à une amélioration des conditions de vie humaine qu'à la violence contre l'être humain. Le cas du nucléaire est bien connu. Rares sont les pays disposant de cette technologie qui ont, comme le Canada, fait le choix éthique de renoncer au nucléaire militaire pour se consacrer uniquement au nucléaire civil (l'électricité et les instruments médicaux). Les controverses concernant le nucléaire ont ouvert la voie au questionnement éthique sur le type de technologies qu'une société peut désirer développer. Depuis la fin de la Seconde Guerre mondiale, de nouveaux risques technologiques sont apparus. Parfois, ils sont relativement bien contrôlés, par exemple les radiations qu'émettent certains appareils électroniques de grande consommation (les baladeurs, les fours à micro-ondes, les téléphones portables). Dans d'autres cas, ils font l'objet de controverses technologiques qui divisent les populations et les gouvernements. C'est le cas des organismes génétiquement modifiés (OGM) dans le secteur alimentaire. On sait que le Canada, les États-Unis et l'Argentine, par exemple, y sont plutôt favorables, alors que plusieurs pays européens y sont fortement opposés et multiplient les moratoires. L'absence de connaissances scientifiques sur les effets à long terme de ces produits (le soja, le maïs) pour la santé humaine exige néanmoins de faire preuve d'un sens des responsabilités particulier vis-à-vis de nous-mêmes et des générations futures. Dans les situations les plus controversées, les débats dépassent la simple notion de risque et mettent en jeu des croyances philosophiques ou religieuses. C'est le cas notamment de la recherche sur la génétique humaine, en particulier sur les cellules souches ou le clonage (l'industrie pharmaceutique). Les hésitations des pouvoirs publics à trancher dans ce domaine créent de lourdes incertitudes sur les investissements des entreprises et des organisations publiques concernées. Les entreprises, elles-mêmes génératrices de ces technologies, font donc face à ces dilemmes éthiques : doit-on ou non produire et mettre en marché ces technologies ? Si oui, de quelle manière et à quelles conditions ?

■ *La mondialisation*   Comme nous l'avons déjà vu en début de chapitre, on regroupe sous ce terme une foule de phénomènes divers de nature économique, politique, sociale ou culturelle. Ces phénomènes forment un système complexe qui touche presque toutes les régions du monde. La mondialisation apporte de nombreux avantages aux populations, mais elle s'accompagne de nombreux inconvénients. Deux effets pervers de la mondialisation touchent plus particulièrement les entreprises. Le premier tient à l'exacerbation de la concurrence, qui conduit les entreprises à contenir leurs coûts par tous les moyens, au risque d'exercer des pressions indues sur leurs propres employés et de fermer les yeux sur les situations d'exploitation des ressources ou des travailleurs les moins protégés, en particulier dans les pays du tiers-monde. Le recours systématique à la sous-traitance a pu favoriser de tels abus. Au nom des droits humains, l'industrie du vêtement nord-américaine s'est ainsi vu reprocher l'emploi, illégal selon les normes internationales, d'enfants de moins de 14 ans dans les pays d'Asie, même si elle n'avait aucun contrôle direct sur les usines de ses sous-traitants. Le deuxième effet pervers de la mondialisation est la propagation de problèmes collectifs à l'échelle mondiale. C'est le cas de la pollution, et en particulier du réchauffement climatique (qui aura de graves répercussions sur plusieurs industries comme l'automobile, le transport ou l'énergie). C'est aussi le cas des problèmes plus sociaux comme le sida (où l'industrie pharmaceutique a dû accepter de sérieuses concessions au sujet de la protection de ses brevets dans le tiers-monde). Il en va de même pour l'accès à l'eau potable, un des grands problèmes planétaires du monde à venir. L'incertitude mondiale sur le statut à accorder à l'eau (bien public non marchand ou ressource naturelle privatisable) touche toutes les industries liées à l'utilisation, mais aussi à la collecte, à la distribution ou à la vente d'eau ou de boissons à base d'eau. On peut également mentionner l'expansion du réseau Internet, qui soulève des questions éthiques de plus en plus difficiles à résoudre localement, par exemple la protection de la vie privée ou la présence de contenus considérés comme offensants ou dangereux. Ces problèmes sont collectifs. Souvent créés ou entretenus par la négligence de tous, ils ne peuvent trouver de solutions qu'à travers un effort collectif. C'est donc une autre exigence éthique qui est évoquée ici, celle de la solidarité entre États, peuples, voire entre générations. Cette solidarité s'impose comme une nécessité pour combattre efficacement ces fléaux.

Dans la mesure où elles sont à la fois causes, bénéficiaires et victimes de ces tendances, les entreprises sont amenées à tenir compte des responsabilités qui sont les leurs en ce qui a trait à ces phénomènes. Pour éviter les risques évitables, une nouvelle éthique est nécessaire. À côté du principe de création de valeur, le principe de précaution s'impose alors comme l'un des fondements de l'action. Toutefois, un certain pragmatisme marque heureusement de plus en plus les solutions envisagées. La résolution de problèmes plutôt que la défense de systèmes de pensée motive souvent davantage les nouvelles générations. Le commerce équitable illustre cette tentative d'inventer de nouvelles formes d'action socioéconomique en dehors des sentiers battus. Dans l'entreprise, les affrontements n'ont pas disparu, mais les relations entre le patronat et les syndicats sont de plus en plus marquées au sceau de la collaboration face à des défis que chaque partie reconnaît aujourd'hui comme communs. Ce pragmatisme témoigne d'une révision des vieux modèles de confrontation au profit d'une éthique plus participative de la résolution de problèmes.

Les exigences de légitimité des entreprises : l'éthique, la gouvernance et la responsabilité sociale Les nouvelles conditions de l'environnement contemporain débouchent sur plusieurs questions entrecroisées quant à la relation entre l'organisation et la société. Plus généralement, cet ensemble de questions peut se résumer à la suivante : quelles sont les caractéristiques d'une entreprise considérée aujourd'hui comme un modèle à suivre, aussi bien pour les praticiens que pour les étudiants en gestion ? De telles questions sont dites d'ordre normatif : elles portent sur ce que l'organisation devrait faire plutôt que sur ce qu'elle fait dans la réalité.

Cette remise en cause touche tous les aspects de l'organisation : ses objectifs, ses pratiques et ses résultats. Dans chaque cas, celle-ci doit pouvoir se justifier vis-à-vis de normes d'évaluation externes sur lesquelles elle n'exerce souvent qu'un contrôle limité. L'organisation doit donc assurer sa légitimité. Pour y parvenir, elle doit se soumettre à trois exigences : faire preuve de responsabilité sociale, d'éthique des affaires et de bonne gouvernance. Il s'agit d'un nouveau vocabulaire. Ces concepts sont encore mal établis et soumis à une redéfinition permanente au gré des changements de valeurs et d'intérêts des acteurs sociaux. Malgré leur imprécision, il est nécessaire de les définir.

▨ *La légitimité* Par légitimité, on entendra la capacité d'une organisation de se faire reconnaître comme acceptable pour la société, tant dans ses objectifs que dans ses pratiques ou ses résultats. Cette capacité influence directement sa liberté d'action. Une organisation que soutient fortement son environnement aura plus facilement accès à des ressources ; elle bénéficiera d'une réputation qui la protégera contre les conséquences de certaines erreurs. À l'inverse, une organisation qui a une faible légitimité fera en permanence face à l'hostilité de différentes parties de son environnement. Ses succès ne seront pas reconnus à leur mérite et la moindre faute pourra dégénérer en scandale. Cette organisation sera à risque. Un hôpital public bénéficiera normalement de plus de bienveillance qu'un casino privé. La distribution de produits écologiquement sains provoquera moins de contestation que la vente de cigarettes ou de produits illicites. Une entreprise qui traite bien ses employés jouira d'une plus grande marge de manœuvre que celle qui est sujette à des grèves à répétition. Une entreprise qui fait des efforts notables pour préserver son environnement sera mieux évaluée qu'une entreprise qui le dégrade.

Les facteurs de légitimité de l'entreprise ont varié avec le temps. Le libéralisme économique du XIXᵉ siècle reconnaissait pleine légitimité aux activités d'affaires par définition. Toute entreprise y était légitime, à condition qu'elle ait été créée légalement et qu'elle respecte les lois en vigueur. Dans le système d'économie mixte qui est aujourd'hui celui de la plupart des pays, des critères supplémentaires s'ajoutent la création d'emplois, la recherche et le développement, la formation des employés et l'exportation, parmi de nombreux autres. Dans l'économie mondialisée qui se met en place, où les États ont perdu beaucoup de contrôle sur le comportement de certaines grandes entreprises, s'ajoutent des considérations de bonne gouvernance, d'éthique et de responsabilité sociale. La légitimité doit aujourd'hui se mériter, et l'entreprise doit y consacrer de nombreuses ressources pour l'entretenir et, surtout, pour éviter de la perdre.

■ *La gouvernance* La gouvernance d'une organisation fait référence à deux définitions. La première est restreinte et concerne uniquement les responsabilités de la haute direction d'une organisation envers ses actionnaires. Dans ce sens limité, la bonne gouvernance d'une entreprise est donc celle qui préserve les intérêts des actionnaires plutôt que ceux des dirigeants ou de leurs subordonnés. C'est la conception la plus courante en finance, en économie et en comptabilité. Le conseil d'administration en est l'outil privilégié.

La deuxième définition est beaucoup plus large. C'est celle qu'on utilise plus communément en management ou de plus en plus en stratégie. Elle s'étend à la capacité d'une organisation de satisfaire les intérêts de la société dans son ensemble, grâce à ses choix économiques et au respect de valeurs sociales communes, sans lesquelles aucune société ne peut fonctionner normalement.

éthique
Principes moraux qui guident les choix des organisations.

■ *L'éthique des affaires* L'**éthique** des affaires constitue un domaine nouveau de réflexion en gestion. Elle concerne les principes sous-jacents qui guident les choix des organisations. Ce concept se distingue de celui de la morale des affaires, qui normalement s'intéresse plus aux pratiques des organisations qu'à leur justification théorique. Certains préfèrent utiliser ce terme à la place de celui d'« éthique ».

Les questions que pose la détermination du rôle de l'entreprise dans la société sont de nature éthique (ou morale). Elles touchent la délimitation entre le bien et le mal, l'acceptable et l'inacceptable, le désirable et ce qui ne l'est pas, dans la vie des organisations. Pour y répondre, ou tout au moins pour participer ou faire avancer le débat sur cette problématique, il faut retourner aux principes fondamentaux qui sous-tendent la décision dans l'organisation. On découvre alors que de nombreuses décisions se prennent sur une base autre que le calcul ou la rentabilité économique immédiate. Certaines se fondent sur des valeurs (respect des employés, des autres parties prenantes), d'autres sur la concertation ou la participation (négociations collectives, recherche de consensus), d'autres encore sur des principes de justice (indemnisation des travailleurs malades ou accidentés, philanthropie).

Certes, les rapports de force ne sont pas absents, pas plus que les abus, les dérives ou les défaillances. Pour l'entreprise, toutefois, c'est bien l'ensemble de ces critères qui, pour le meilleur ou pour le pire, sous-tend sa destinée. Il y va de sa légitimité. C'est aussi au moyen de ces critères que ses objectifs, ses pratiques et ses résultats sont évalués, à l'intérieur comme à l'extérieur. Une gestion dite éthique n'est finalement qu'une gestion éclairée qui se préoccupe de la variété de ces questionnements et tente d'y apporter des réponses adéquates. Les codes d'éthique en sont un des nombreux instruments.

responsabilité sociale
Ensemble des obligations morales, contraintes ou volontairement assumées, d'une organisation dans un milieu donné.

■ *La responsabilité sociale* La **responsabilité sociale** des entreprises (RSE) est l'application pratique des principes éthiques par lesquels l'organisation mérite sa légitimité. Elle peut être définie comme l'ensemble des obligations, légalement requises ou volontairement assumées, qu'une organisation doit respecter afin de passer pour un modèle imitable de bonne citoyenneté dans un milieu donné. Ce milieu est celui qui confère à l'entreprise sa légitimité. Pour une petite entreprise, il sera local; pour une grande, il sera national ou international. Ici encore le concept fait référence à toutes les formes d'organisation, des coopératives de production aux multinationales en passant par les associations, les organismes publics, les organisations culturelles ou religieuses. De nombreuses grilles d'analyse ont été produites pour délimiter le sens de la RSE. Elles convergent généralement vers les éléments suivants:

- une gestion efficiente qui ne gaspille pas les ressources;
- un minimum de philanthropie qui fait en sorte que l'entreprise partage sa prospérité;
- la sollicitude envers les employés pour mériter leur respect;
- la limitation des nuisances et des risques inutiles pour la société;
- des systèmes de gestion en phase avec les exigences du changement social;
- la rectitude éthique fondant la gestion sur des valeurs claires et reconnues;
- la transparence qui fait en sorte que l'organisation rend des comptes crédibles par rapport à son environnement;
- la participation citoyenne qui amène l'entreprise à s'engager en faveur d'un monde meilleur pour tous.

Certains auteurs tiennent pour équivalents la responsabilité sociale de l'entreprise et le développement durable, en faisant de l'un le fondement de l'autre. Cette confusion est sans importance dans la pratique. L'un comme l'autre peuvent se résumer au modèle du *triple bilan:* la rentabilité économique, le développement social, la protection de l'environnement. Une version populaire réduit même ces concepts aux *trois P: Profits, Personnes, Planète.* De nombreuses entreprises publient aujourd'hui des rapports très complets sur la façon dont elles assument ces responsabilités sociales.

Pour assurer sa légitimité, l'organisation contemporaine doit donc s'ouvrir à un environnement nouveau, constitué de partenaires multiples. Ces acteurs sont motivés par des logiques différentes et souvent contradictoires avec lesquelles l'organisation doit composer pour assurer sa prospérité. Quels sont ces acteurs?

Les acteurs associés à la légitimité des entreprises   Ce sont ces acteurs qui évaluent le comportement des organisations, qui les contestent ou qui les accompagnent vers une plus large prise en compte de leurs responsabilités sociales. Ils sont constitués des groupes de pression, d'institutions précises, de consultants et des entreprises elles-mêmes.

■ *Les groupes de pression*   Les groupes de pression constituent l'élément le plus visible du contexte organisationnel non marchand. La plupart ont longtemps joué un simple rôle de dénonciation du comportement des entreprises. Leur objectif était unique: forcer les entreprises à modifier leurs comportements en fonction de certaines normes sociales. Dans tous les cas, il s'agissait de contraindre le comportement des entreprises en réduisant leur marge de manœuvre. Dans certaines situations, les groupes de pression ont pu faire fléchir directement des entreprises par des opérations de pression publique. Dans d'autres, ils sont parvenus à faire intervenir les pouvoirs publics. Ce sont par exemple ces groupes qui sont à l'origine de plusieurs des lois de protection des années 1960 et 1970: protection du consommateur, de la nature, des minorités, de la santé des travailleurs, voire de la langue de travail au Québec.

Aujourd'hui, les groupes de pression se sont beaucoup diversifiés. Ils se divisent en trois camps : ceux pour lesquels l'activisme dénonciateur demeure le seul objectif (c'est le cas de certains groupes altermondialistes) ; ceux qui ont choisi de collaborer avec les entreprises, préférant les accompagner dans une série de petits pas cumulatifs plutôt que d'attendre des changements qu'ils jugent aussi radicaux qu'improbables (ils sont nombreux dans le secteur de la protection de l'environnement) ; et ceux qui se réservent les deux options en fonction des circonstances (c'est le cas de Greenpeace, qui semble aujourd'hui favoriser la coopération quand elle l'estime possible, tout en maintenant disponibles les actions d'éclat fortement médiatisées qui ont fait sa réputation dans le passé).

Certains groupes de pression offrent même des services de consultation auprès des entreprises comme la vérification indépendante de leurs rapports socio-éthiques ou environnementaux. D'autres participent à la définition de normes de certification sociale et environnementale, que les entreprises membres s'engagent à respecter. On en trouve plusieurs exemples dans l'industrie forestière canadienne. Une autre nouveauté est l'émergence d'un activisme social de la part des actionnaires de certaines grandes entreprises. Des groupes militants devenus actionnaires profitent des assemblées générales annuelles pour imposer un programme éthique. Des entreprises canadiennes comme Bombardier ou Alcan ont ainsi dû répondre publiquement à leurs actionnaires de certaines de leurs pratiques à l'étranger.

■ *Les institutions* L'action des institutions est plus immergée que celle des groupes de pression. Traditionnellement, les États ont tenté d'influencer le comportement des entreprises grâce au système législatif (associé aux tribunaux et à des pénalités) et à la politique publique (des subventions ou des aides diverses). En matière de responsabilité des entreprises, c'est encore le cas. Citons l'exemple de la loi française sur les nouvelles régulations économiques de 2001, qui impose aux grandes entreprises la publication d'une large panoplie de données sociales et environnementales dans leur rapport annuel ou un rapport séparé. La nouveauté dans ce domaine est l'importance accrue des institutions internationales en ce qui concerne la propagation de nouvelles normes ou recommandations sociopolitiques qui, peu à peu, constituent un tissu international d'obligations nouvelles pour les entreprises. C'est le cas de l'ONU (les dix principes éthiques du Pacte mondial à l'intention des multinationales), de l'Organisation internationale du travail (huit conventions, dont une limitant le travail des enfants), de l'Organisation de coopération et développement économique (les principes directeurs de bonne gouvernance), de la Commission européenne (le Livre blanc sur la responsabilité sociale des entreprises) et de nombreuses autres organisations multilatérales. Leur pouvoir est limité parce qu'aucune n'a l'autorité de châtier les entreprises coupables, mais leur influence est réelle. En effet, les États qui ont ratifié leurs conventions s'engagent à les transposer dans leur législation nationale, et les groupes de pression et les consultants s'en inspirent dans leurs activités.

■ *Les consultants* Une véritable industrie de la consultation socioéthique s'est constituée autour des entreprises. Le mouvement a débuté aux États-Unis. Il a été relayé en Angleterre dès les années 1990 pour s'implanter partout dans le reste de l'Europe depuis l'an 2000. Les agences de notation sociale en sont le fer de lance. Fondées sur le modèle de l'évaluation financière de type Moody's ou Standard and Poor's, ces organisations de consultants fournissent aux entreprises une évaluation de leurs performances écologiques et sociales. Certaines disposent de leurs propres critères d'évaluation, d'autres s'inspirent des principes contenus dans les grandes conventions internationales et dans la pratique d'entreprises ou d'autres organisations pionnières (les normes AA1000, SA 8000, GRI, ISO 14000 sur la protection de l'environnement et ISO 26000 sur la responsabilité sociale, EMAS, Écolabel, Fair Trade). Quand ces évaluations sont publiées, elles créent un marché de l'information socioéthique qui provoque une certaine émulation parmi les entreprises (*benchmarking*). Dans de nombreux cas, ce processus est entretenu par les pressions émanant des syndicats et des groupes de pression liés à l'entreprise.

Au phénomène de la notation sociale, on peut ajouter celui dit de l'investissement éthique. Il s'agit, dans le cas de certains fonds spécialisés, d'appliquer à la gestion des capitaux qui leur sont confiés des critères associant la rentabilité économique et les filtres éthiques ou écologiques. Plusieurs fonds de pension syndicaux ou fondations universitaires ont régulièrement recours à ce genre de placements, qu'offrent aussi aujourd'hui la plupart des grandes institutions financières.

■ *Les entreprises*   Une grande partie des nouvelles normes sociales et environnementales disponibles provient du milieu des entreprises lui-même. Plusieurs organisations patronales sont à l'origine de principes ou de normes de comportement socioéthique (la table ronde dite de Caux pour les multinationales, en 1994 ; le programme de gestion responsable de l'industrie chimique canadienne et maintenant mondiale ; les principes Sullivan, du nom du pasteur à l'origine de principes éthiques et de justice pour les entreprises, où qu'elles opèrent, sur l'emploi des minorités ; les programmes volontaires de certification dans plusieurs industries). Parallèlement, un grand nombre d'entreprises ont pris des positions de leadership dans ce domaine en s'imposant des systèmes de normes socioenvironnementales novatrices. C'est le cas de l'aluminerie Alcan ou de Desjardins au Canada (*voir l'encadré 2.5*), des sociétés pharmaceutiques GSK en Grande-Bretagne ou Novartis en Suisse, ou de l'agroalimentaire Danone en France. Ces entreprises, chacune dans sa sphère, ont poussé assez loin la transparence vis-à-vis du public en publiant des rapports annuels détaillés sur leur comportement socioéthique y compris, parfois, sur leurs défaillances. En se fixant des critères élevés d'excellence, elles donnent ainsi le ton au reste de leur industrie. Finalement, les entreprises sont soumises aux pressions socioéthiques de leurs propres parties prenantes commerciales, soucieuses de limiter les risques associés à une prise en compte inadéquate des aspects sociétaux de leurs activités. Ainsi, les banquiers et les assureurs ont exercé de fortes pressions sur les pétrolières pour qu'elles limitent les risques de crises écologiques et se donnent des politiques efficaces dans le domaine environnemental.

Conclusion sur l'éthique   Le comportement des individus dans les organisations ne s'exerce pas en vase clos. Il dépend largement des conditions dans lesquelles ces individus sont placés. Ce qu'ils font ou ne font pas, mais aussi ce qu'ils pourraient faire et ce qu'ils devraient faire, est circonscrit par deux ensembles de normes : des normes externes de comportement, qui sont celles de la société à laquelle chacun retourne après ses heures de travail, et des normes internes en vigueur dans l'organisation, qui émanent généralement de la direction. Une organisation bien gérée sait comment rendre les deux compatibles ; elle permet alors d'atteindre deux objectifs. D'une part, elle évite les comportements dysfonctionnels liés à une trop grande différence entre les exigences de son environnement et ses propres pratiques. D'autre part, elle peut saisir les opportunités qui se présentent

Desjardins confirme son virage vert

Valeurs mobilières Desjardins (VMD), le courtier de Desjardins a aménagé son nouveau siège social en respectant les normes LEED (Leadership in Energy & Environment Design), une bible nord-américaine du développement durable dans l'immobilier.

VMD a inauguré mardi dernier ses locaux dans l'immeuble Le Windsor à Montréal, et s'attend à décrocher sa certification LEED d'ici le début de 2008, déclare à *La Presse Affaires* le directeur administratif Donald Côté. Ce serait une des premières certifications LEED obtenues au Québec pour l'aménagement intérieur, souligne-t-il.

Ce n'est pas d'hier que Desjardins s'intéresse à l'environnement, note Donald Côté. Depuis la fin des années 80, en fait. Et en décembre 2005, Desjardins a adopté une politique formelle de développement durable. Le complexe Desjardins est certifié Visez vert, de même que Le Windsor, ajoute-t-il.

Un immeuble LEED doit miser sur le transport en commun (métro, train) et Donald Côté a également prévu du stationnement pour 30 vélos et des douches pour les cyclistes.

VMD devait choisir des matériaux de construction, comprenant des matières recyclées (gypse, tapis,

Les locaux de Valeurs mobilières Desjardins, maintenant situés dans l'ancien hôtel Windsor.

Robert Mailloux, La Presse

chaises) et non toxiques (peinture, colle). Le courtier économise l'énergie (éclairage automatique) et l'eau (toilettes, lavabos). Il faut assurer et tester la qualité de l'air.

Source : Laurier Cloutier, « Desjardins confirme son virage vert », *La Presse Affaires*, 22 mai 2007, p. 6.

---

quand elle jouit d'une forte légitimité. La gestion ne concerne pas que des calculs de coûts ou de ressources. Elle concerne aussi, et peut-être surtout, la reconnaissance et l'application de normes économiques et socioéthiques adéquates dans un milieu donné.

L'irrésistible pression vers plus d'éthique interpelle les compétences évoquées ou traitées dans cet ouvrage (*voir les chapitres 3, 10 et 13*). Celles-ci consistent à savoir établir une culture d'éthique avec une tolérance zéro pour la fraude, à prendre une décision éclairée en fonction des intérêts, des droits et de la dignité des différentes parties prenantes et à gérer les conflits.

L'environnement politico-légal

Il est bien sûr difficile de rapporter ici toutes les lois et tous les règlements liés directement ou non aux ressources humaines et, partant, au comportement organisationnel. Toutefois, il faut insister sur le caractère des lois récentes à cet égard. Ces lois visent surtout à renforcer et à protéger les droits des individus et une certaine éthique en affaires. En ce qui concerne ce dernier point (revenons-y de ce point de vue), il faut mentionner les dispositions sévères adoptées après le scandale d'Enron. Ces dispositions visent à garantir une gouvernance sans reproche, à protéger les investisseurs et à délimiter le pouvoir des dirigeants. Aux États-Unis, la loi

Sarbanes-Oxley, entrée en vigueur en 2002, a permis l'adoption de mesures sévères en matière de manquements à l'éthique financière et comptable. Cette loi a rapidement inspiré l'Europe et le Canada. Elle intervient de façon coercitive sur la nature et le comportement du conseil d'administration et de ses rapports avec la direction générale. Les organismes de contrôle ont multiplié les poursuites sur le plan criminel et légal, imposant aux contrevenants de fortes amendes et des peines sévères d'emprisonnement. Ce fut le cas pour Dennis Kolowsky de Tyco qui a écopé d'une peine de 25 ans pour détournement de fonds ou du président d'Enron, Kenneth Lay, décédé en mai 2006 avant la fixation de sa sentence[45]. Comme son pendant américain, les autorités canadiennes en valeurs mobilières ont également mis en place des règlements visant à protéger ceux qui sonnent l'alarme (les *whistleblowers*) en cas de découverte de pratiques frauduleuses.

D'autres dispositions légales permettent de renforcer les droits individuels dans le sens d'une plus grande justice (la loi sur l'équité salariale, par exemple — en moyenne les femmes au Québec gagnent 10 à 15% de moins que les hommes, toutes choses étant égales) ou d'une meilleure protection des employés (par exemple la récente loi sur le harcèlement psychologique au Québec). D'autres lois et dispositions sous juridiction provinciale, plus anciennes celles-là, touchent également les thèmes développés dans ce manuel: la loi sur la santé et la sécurité au travail, la loi sur les accidents du travail et les maladies professionnelles, la loi favorisant le développement de la main-d'œuvre, la Charte des droits et libertés de la personne, le Code civil du Québec.

Quelles sont les compétences liées au comportement organisationnel que doivent alors développer les gestionnaires et les acteurs concernés par ce cadre légal? Bien sûr, connaître les droits et les devoirs des différents acteurs ou groupes d'acteurs avec lesquels les dirigeants doivent transiger, promouvoir l'équité et la justice en milieu de travail, prévenir et régler les conflits et la violence au travail, négocier avec les différents partenaires (les syndicats, les gouvernements), gérer les compétences humaines, établir un milieu de travail sain (sans accident, sans violence et sans stress nocif), aménager le temps de travail et les structures de manière à concilier le labeur et la qualité de vie.

Au terme de la description des forces agissant dans l'environnement des organisations, il faut se poser la question de savoir comment les entreprises ont réagi et réagiront à ces pressions vers le changement. Voyons quelques-unes de ces transformations, notamment celles qui ont un lien avec les comportements humains.

La transformation des organisations

Nous évoquerons ici deux grands axes de transformation. D'une part, les nouveaux contrats de travail psychologiques qui se sont établis entre les entreprises et la main-d'œuvre actuelle et, d'autre part, les modes de fonctionnement interne irréversibles comme l'adoption du concept de qualité totale.

Les nouveaux contrats de travail   Dans cette section, nous décrirons trois tendances qui émergent clairement: le mouvement vers «l'employabilité», les emplois atypiques et l'externalisation des activités et des emplois.

■ *L'employabilité*   La transformation de la main-d'œuvre, les nouvelles technologies de l'information et la mondialisation, on l'a vu précédemment, ont entraîné

employabilité
Relation de travail
dans laquelle les
employés doivent
continuellement
développer leurs
compétences
pour conserver
leur emploi.

des changements importants dans les relations de travail. Les fusions, la restructuration des organisations et la privatisation des organisations gouvernementales
ont modifié les relations contractuelles entre les employés et les employeurs[46]. De
ces turbulences est né entre eux un nouveau contrat psychologique appelé **employabilité**. Celle-ci remplace la garantie implicite d'un emploi à vie en échange
de la loyauté du salarié.

Selon le principe d'employabilité, les employés accomplissent une variété de
tâches plutôt que des fonctions précises et ils continuent d'acquérir des compétences qui leur permettront de conserver leur emploi. Dans cette optique, les individus doivent anticiper les besoins futurs de l'organisation et parfaire de nouvelles
aptitudes qui concordent avec ces besoins. Les chefs d'entreprise affirment la
nécessité de l'employabilité pour que les organisations puissent s'adapter à l'évolution accélérée du contexte des affaires. Toutefois, l'employabilité a aussi des
répercussions sur la conception des tâches, la loyauté organisationnelle, le stress
professionnel et d'autres sujets abordés dans cet ouvrage[47].

■ *L'emploi atypique*   La disparition progressive des emplois peu qualifiés, la
délocalisation des activités vers des pays où la main-d'œuvre est peu coûteuse, la
migration des emplois subséquente (y compris maintenant des emplois de professionnels), les restructurations des entreprises et les reconfigurations des processus
ont fait en sorte que le nombre des employés à temps plein des organisations
nationales a chuté et qu'a augmenté celui des effectifs aux emplois atypiques,
dont certains sont précaires (contractuels, à temps partiel, etc.).

emploi atypique
Tout emploi qui
n'est pas fondé
sur un contrat
implicite ou explicite
de travail à long
terme ou dans lequel
le minimum d'heures
de travail peut varier
d'une manière non
systématique.

L'**emploi atypique** est un emploi qui n'est pas fondé sur un contrat implicite
ou explicite de travail à long terme ou dans lequel le minimum d'heures de travail
peut varier d'une manière non systématique[48]. Statistique Canada estime que 12 %
de la main-d'œuvre occupe de tels emplois « non permanents »[49].

Qui sont donc les travailleurs qui occupent ce type d'emploi ? Un petit groupe
de travailleurs professionnels qui fait beaucoup parler de lui est constitué
d'« agents libres » ou de travailleurs autonomes. Comme les agents libres possèdent des compétences précieuses, la plupart obtiennent l'emploi qu'ils souhaitent
sur le marché du travail. Ils apprécient leur indépendance et ne recherchent pas
vraiment un emploi permanent[50]. Un groupe plus important de travailleurs atypiques, les travailleurs intérimaires ou intermittents, acceptent des emplois temporaires, à durée déterminée, faute de mieux. Certains ont des compétences
dépassées, d'autres manquent d'expérience de travail. Ce groupe de travailleurs
accepte des emplois atypiques afin de satisfaire leurs besoins financiers de base,
d'acquérir une expérience professionnelle et de trouver des pistes menant à un
emploi plus permanent. Les employés à temps partiel (qui font moins d'heures
que la semaine normale) font également partie de cette catégorie d'emplois atypiques. Cependant, il faut distinguer les salariés qui travaillent à temps partiel à
contrat indéterminé et ceux, plus précaires, qui travaillent sans aucun contrat
(comme les employés de la restauration rapide, par exemple). Le temps partiel
librement consenti est un avantage : il permet de concilier le temps consacré à la
vie personnelle et de famille, ou de loisir, à celui du travail.

Les travailleurs atypiques constituent une portion croissante de la main-d'œuvre
parce que les entreprises veulent une main-d'œuvre souple, flexible et compétente[51]. Grâce à la technologie de l'information, il est plus facile pour les membres
de certaines professions d'offrir leurs services à contrat sans devoir se déplacer
pour aller au bureau. Un autre facteur, d'un grand intérêt pour les entreprises il

Starbucks compte séduire Paris de façon « durable »

« Il a tout de suite été important pour Starbucks de se positionner en tant qu'experts en café explique Caroline de la Fouchardière, leur attachée de presse. Il était aussi important pour eux d'insister sur le côté proche des communautés. Proche des communautés où ils s'installent, mais aussi proche des communautés qui produisent le café. » Et pour montrer patte blanche, le géant du café a décidé de souligner sa démarche éthique, mais aussi ses considérations sociales et écologiques.

Ainsi, les employés sont appelés partenaires et bénéficient de contrats à durée indéterminée. Ce qui est rare pour ce type d'emploi en France. On paie aux nouveaux employés des formations pour du café et, incontestablement, les partenaires Starbucks sont bien plus aimables que n'importe quel garçon de café parisien. On aime aussi faire savoir que l'on recycle le sac de jute du café en rembourrage pour les meubles et on vend des boissons éthiques comme cette marque de *smoothies* qui aide les sans-abri français.

Starbucks est un des rares commerces dans sa catégorie qui se distingue par sa démarche éthique.

Adam Berry, archives Bloomberg News

Source : Katia Chapoutier, « Paris résistera-t-il à Starbucks ? », *La Presse*, cahier Actuel, 7 avril 2007, p. 4.

---

faut le dire, explique le nombre croissant de travailleurs atypiques, notamment ceux à temps partiel et à durée déterminée : comme ils ne bénéficient pas de tous les avantages sociaux et de sécurité d'emploi réservés aux autres, ces employés diminuent les coûts salariaux des employeurs. Toutefois, le nombre d'employés précaires et les avantages dont ils sont privés (la formation, par exemple) par rapport au personnel permanent ne desservent pas toujours les employeurs. En effet, les travailleurs maintenus longtemps dans la précarité et l'inaccessibilité à une formation qualifiante, non seulement ne se sentiront redevables d'aucune loyauté envers l'employeur mais, de plus, leur formation déficiente peut entraîner une baisse de la qualité des produits et des services et une hausse du nombre d'accidents de travail[52]. Des entreprises comme Starbucks l'ont compris, qui offrent des assurances collectives et d'autres avantages à tous leurs employés, quelle que soit leur situation (*voir l'encadré 2.6*).

La concurrence mondiale, la pression vers une organisation efficiente, « mince » et orientée vers la qualité ont amplifié le phénomène de l'externalisation des activités.

externalisation
Consiste, pour une organisation, à faire appel à d'autres entreprises pour que celles-ci lui fournissent les services ou la production d'un bien à un meilleur coût et mieux que si elle les assumait elle-même.

■ *L'externalisation : la sous-traitance, l'impartition et la « désimpartition »*   La définition de ces termes n'est pas toujours très claire et dépend des auteurs qui en traitent. L'**externalisation** est le terme général qui désigne, pour une organisation, le fait de faire appel à d'autres entreprises pour qu'elles lui fournissent les services ou la production d'un bien à un meilleur coût et mieux que si elle les assumait elle-même. Quand ces activités se font hors du pays du donneur d'ordre qui a décidé de ne plus y œuvrer, on parle alors de délocalisation. On peut constater par exemple la poussée fulgurante de l'Inde dans le secteur automobile. Selon

Des employés de Tata Motors Ltd. terminent l'assemblage de voitures à l'usine de Pimpri, à Pune, en Inde. En pleine croissance, le secteur automobile indien emploie déjà 10 millions de personnes.

Santosh Verma, archives Bloomberg News

l'Automobile Mission Plan (AMP), l'Inde comptera, en 2016, 25 millions d'emplois. Suzuki, Hyundai y sont déjà bien implantés. GM (USA), Fiat (Italie), Honda (Japon) et Renault-Nissan (France-Japon) ont annoncé des investissements totalisant 1,6 milliard de dollars. L'Inde emploie déjà 10 millions de travailleurs[53].

L'externalisation comprend aussi la sous-traitance et l'impartition. La sous-traitance consiste à faire réaliser à l'externe des activités qu'on peut ou non réaliser à l'interne (à noter, donc, le caractère conjoncturel). Par contre, l'impartition a une connotation plus large et plus stratégique que la sous-traitance; elle implique la décision de se départir complètement d'activités qui étaient entièrement réalisées à l'interne pour se concentrer sur celles qui sont névralgiques pour l'entreprise et où celle-ci excelle. Ce fut le cas, par exemple, de l'ingénierie à la société Ford ou de l'architecture des systèmes informatiques à GM. D'ailleurs, on observe maintenant une tendance à la « désimpartition », c'est-à-dire au « rapatriement » des activités autrefois imparties, pour des raisons de synergie, d'acquisition de compétences ou encore à la suite de changements stratégiques. Par exemple, Ford et GM ont procédé à la désimpartition des activités mentionnées plus haut[54].

Au Québec, les possibilités offertes à une entreprise de recourir à la sous-traitance sont régies légalement par les articles 45 et 46 du Code du travail qui limitent les circonstances dans lesquelles une entreprise peut impartir sa production. Par exemple, il y a une vingtaine d'années, Bombardier a concédé à quelques-uns de ses cadres les opérations de fabrication des chenilles de caoutchouc pour ses motoneiges. La nouvelle entreprise, devenue un sous-traitant de Bombardier, a hérité du syndicat et de sa convention collective[55]. Les réflexions qu'imposent ces modes de fonctionnement, eu égard aux questions du comportement organisationnel, concernent les domaines suivants : la gestion des conflits entre les syndicats et les employeurs dans les cas de sous-traitance litigieuse; la communication avec les parties concernées, notamment en situation de crise; l'apprentissage individuel et organisationnel pour ce qui est de la recherche des compétences clés autant en mode d'impartition que de désimpartition; la recherche de l'équité et de la justice dans les procédures d'externalisation.

Les nouveaux modes de fonctionnement de l'entreprise Les entreprises ont accru leur pression pour des hautes performances et se sont redéfinies différemment. Pour ce faire, sous des formes diverses, la tendance impérative vers la qualité « totale » est devenue irréversible.

■ *La pression vers la performance et la flexibilité des organisations* Les propriétaires dominants dans les organisations sont maintenant de grandes entreprises financières qui mettent de plus en plus l'accent sur l'intérêt de l'actionnaire, souvent au détriment de celui des autres parties prenantes, comme les employés ou la société. C'est ainsi que l'on a observé des licenciements massifs dans les années 1990, malgré des profits énormes des entreprises et la « starisation » de leurs leaders, comme en témoigne la popularité de l'ancien dirigeant de GE, Jack Welch.

Toutefois, il faut tempérer ces observations et noter que ces nouvelles formes organisationnelles s'appliquent surtout aux entreprises multinationales. La majorité des entreprises sont nationales et domestiques, et ce sont elles qui emploient le plus grand nombre de salariés.

Face à la concurrence mondiale impitoyable, les organisations sont devenues plus minces (y compris les gouvernements). Ainsi, il est devenu nécessaire de restructurer les entreprises où il n'y plus beaucoup de place pour le gaspillage du temps et des ressources, mais suffisamment d'espace pour accroître la performance des individus et des organisations, au prix parfois de douloureux changements, comme nous l'avons déjà vu.

Les entreprises se structurent différemment. Les descriptions d'emplois disparaissent pour faire place à des exigences de compétences plus vastes, évolutives et les individus sont intégrés à des équipes de travail, parfois virtuelles. Les cadres ont alors plus de gens qui se rapportent à eux et doivent eux-mêmes le faire à plus d'une personne à la fois (par exemple dans des structures matricielles). Le personnel a plus d'autonomie et il est conduit à prendre davantage d'initiative, à faire preuve de créativité, mais aussi à assumer des responsabilités plus grandes, notamment en l'absence de la supervision d'antan. Les gestionnaires, quant à eux, sont appelés à faire plus de coordination et de communication.

Ainsi se sont formées des équipes dotées d'une autonomie relative. Les groupes autodirigés, autonomes ou semi-autonomes sont devenus courants (*voir le chapitre 9*). Le magazine *Fortune,* dans sa liste de ses 100 plus grandes entreprises, remarque que le pourcentage de sociétés ayant mis sur pied des équipes autonomes est passé de 28 % en 1988 à 65 % en 2005. De plus, en ce qui concerne les efforts pour enrichir les postes en ce qui a trait à la motivation, ce pourcentage est passé de 60 à 86 % pour la même période.

■ *Les réponses aux exigences de qualité totale*   Ce mouvement vers une meilleure qualité des produits et des services est irréversible en cette époque de grande concurrence entre les organisations. Il s'est systématiquement concrétisé avec les Japonais (notamment dans le secteur de l'automobile et de l'électronique) et a culminé dans les années 1970 et 1980 (inspiré d'ailleurs dans les années 1940 par les Américains Joseph Duran et Edwards Demings). La qualité est l'ensemble des caractéristiques d'un produit ou d'un service qui satisfait les besoins de leurs utilisateurs. Parmi ces caractéristiques, on peut citer la performance, la durabilité, l'esthétique, la conformité aux standards établis, etc. La qualité du service (par exemple pour les lignes aériennes ou les restaurants) est devenue un avantage concurrentiel pour tous les pays industriels, voire une norme, à tel point que les entreprises méritantes à ce chapitre sont récompensées par des prix. Au Canada, c'est l'Institut national de la qualité qui remet le Prix Canada pour l'excellence à diverses organisations qui se sont distinguées dans ce domaine (en 2006, c'est l'entreprise Calian Technology d'Ottawa qui s'est mérité ce prix ; elle fournit des services d'affaires et de technologie à l'industrie, au gouvernement du Canada et évolue au niveau national et international). Aux États-Unis, c'est le prix Malcom Baldridge Award qui récompense et promeut la qualité (Motorola et Texas Instruments, par exemple, ont déjà figuré parmi les récipiendaires de ce prix).

La **gestion de la qualité totale** (GQT) est un prolongement systématique des efforts de qualité appliqués à toute l'entreprise. Cinq éléments la caractérisent :

gestion de la qualité totale
La gestion de la qualité totale (GQT) est un prolongement systématique des efforts de qualité appliqués à toute l'entreprise.

1) l'engagement de la direction dans ces efforts vers la qualité (l'engagement psychologique et financier); 2) l'engagement des employés par rapport à un travail de qualité et à la formation de cercles de qualité; 3) la qualité des matériaux utilisés; 4) la qualité de la technologie (l'entreprise investit dans des technologies — comme les TIC —, qui permettent de fabriquer un meilleur produit ou de donner un meilleur service); et 5) la qualité des méthodes et des procédés (par exemple, les doublons sont éliminés et le temps d'exécution des activités est amélioré).

Malgré son mérite, la GQT n'a pas toujours donné les résultats espérés. Une enquête menée aux États-Unis auprès de 500 entreprises en 1994 révèle que seulement un tiers des entreprises ayant mis en œuvre un programme de qualité affirment que celui-ci a eu un effet significatif sur leur productivité. La multinationale Johnson et Johnson a vu ses coûts augmenter considérablement après avoir introduit des cercles de qualité. Les causes de ces succès mitigés sont nombreuses: la pression pour des résultats rapides, un manque d'appui des dirigeants d'entreprises, le manque de formation au travail de groupe et aux techniques de contrôle statistique, les insuffisances de la supervision dans ce contexte souvent nouveau, l'ignorance des besoins des clients internes et externes, etc. [56]

Malgré ces embûches, il reste que le message vers plus de qualité dans les entreprises est efficacement passé, comme le montrent d'autres techniques visant le même but, à savoir le *benchmarking* (les standards de référence), la série ISO 9000 et les contrôles statistiques de la qualité.

Le *benchmarking* est le processus d'apprentissage des meilleures façons de faire des autres entreprises, eu égard à la qualité, de manière à les égaler ou à les surpasser. Par exemple, quand Ford a planifié la voiture Taurus, la société en a identifié les caractéristiques importantes pour les clients et a cherché les concurrents qui excellaient dans chacune d'elles pour les imiter. ISO 9000 fait référence à des standards de qualité établis par l'Organisation internationale de normalisation dont le siège social est situé en Suisse. Ces standards se rapportent aux caractéristiques du produit, à la formation des employés, à l'enregistrement des données, aux relations avec les fournisseurs et aux politiques de réparation. Au Canada, c'est le Standards Council of Canada qui certifie les entreprises répondant à ces normes de qualité. Beaucoup de grandes entreprises comme Eastman Kodak, General Electric ou Bombardier exigent de leurs fournisseurs qu'ils aient été ainsi certifiés. Les contrôles statistiques de la qualité sont une sorte de tableau de bord de la qualité. Des échantillons de produits sont testés, et on s'assure qu'ils correspondent aux standards de qualité. Le Six Sigma est une méthode expérimentée d'abord à Motorola et dont l'emploi a ensuite été popularisé à GE. C'est un programme essentiellement basé sur une mesure statistique de variation des processus qui doit être ramenée en deçà du sixième de la variation acceptable pour un client[57]. Ce programme vise de façon très rigoureuse la qualité et la réduction des pertes (www.sixsigmacanada.net). Une philosophie connexe au mouvement de la qualité est le *kaizen*, mot japonais qui signifie «amélioration continue». Elle vise à réduire constamment les coûts, à améliorer l'efficience et la qualité, et ce, par petites touches (la boîte à suggestions en est une). Cette approche s'applique plus difficilement aux changements radicaux. Elle est presque à l'opposé de la reconfiguration des processus.

La reconfiguration des processus est une approche radicale de changement. En partant du haut de l'organisation et en allant jusqu'en bas, tous les processus de fonctionnement de l'entreprise sont réexaminés en vue d'éliminer les activités intermédiaires inutiles, de réduire le gaspillage, les coûts et les possibilités d'erreurs, d'améliorer la qualité, bref, de faire comme s'il fallait rebâtir l'entreprise à partir de zéro. Cette approche demande beaucoup de changements et d'innovation, et elle a parfois suscité beaucoup de résistance de la part des employés qui, souvent avec raison, craignaient pour leur emploi. Si des activités sont éliminées, donc des tâches, des postes et des emplois le seront aussi. Des entreprises établies au Canada ont expérimenté avec succès la reconfiguration de leurs processus : Canadian Tire, Amex Canada, Siemens.

Pour les dirigeants, la gestion de la qualité veut dire la capacité de changer, de coordonner les efforts faits pour gérer ce changement, sensibiliser et former les employés. Ces derniers doivent notamment assumer de plus grandes responsabilités. Les dirigeants doivent aussi communiquer efficacement avec les clients et les fournisseurs, structurer différemment l'entreprise, inculquer de nouvelles valeurs le cas échéant (des valeurs liées à la qualité du produit et au service à la clientèle, par exemple), changer la culture ambiante, trouver des alternatives aux licenciements, innover, négocier avec les partenaires.

Au terme de la description de ces forces de l'environnement, il est maintenant possible de résumer en quoi l'entreprise du XXIᵉ siècle diffère de celle du siècle précédent et en quoi elle représente un défi pour l'étude du comportement organisationnel.

Les caractéristiques de l'organisation du XXIᵉ siècle sont résumées au tableau 2.2.

TABLEAU 2.2   Les caractéristiques des organisations du XXᵉ et du XXIᵉ siècles : une comparaison

Caractéristiques	Entreprise du XXᵉ siècle	Entreprise du XXIᵉ siècle
Structure	Pyramidale	En toile d'araignée
Atout concurrentiel	Stabilité, richesse en capitaux	Flexibilité, fort capital intellectuel
Ressources	Physiques	Intangibles
Marché	Domestique	Global
Leadership	Dogmatique et flamboyant	Transformationnel et discret
Attentes des employés	Sécurité, loyauté	Employabilité, accomplissement
Production	De masse	Sur mesure
Changements	Progressifs	Plutôt radicaux
Récompenses	De la loyauté	De la performance
Personnel	Homogène	Très diversifié
Qualité et éthique	Faire de son mieux	Incontournables et impératives
Stratégie	Basée sur les coûts, les indicateurs financiers, les actionnaires et les lois du marché	Basée sur des stratégies d'innovation qui bousculent les lois du marché; fondée sur la qualité totale et les intérêts de toutes les parties prenantes

Source : Adaptation libre du tableau de J.A. Byrne, « Management by Web », *Business Week*, 28 août, p. 66.

Développons certaines de ces caractéristiques.

1. *Une organisation en toile d'araignée*   L'organisation perd son caractère pyramidal avec le p.-d.g. omnipotent au sommet au profit d'une structure davantage en forme de toile d'araignée. Cette dernière structure permet d'établir des liens entre les employés, les fournisseurs, la clientèle et les autres parties prenantes dans diverses formes de collaboration. Les technologies de l'information accéléreront ce processus. Les frontières de l'entreprise seront plus floues (les entreprises virtuelles, par exemple) et en même temps plus étendues. Toutefois, on verra des entreprises ayant plusieurs formes coexister: certaines seront virtuelles, d'autres toujours physiques; on verra aussi des conglomérats à côté de petites entreprises spécialisées très performantes.

2. *Une organisation efficiente grâce à l'utilisation de TI*   En utilisant les technologies de l'information, les entreprises seront capables de mieux servir leur clientèle, plus rapidement, plus efficacement et à moindre coût, on l'a déjà vu. Une transaction à la banque faite avec l'aide d'un employé coûte environ 2 $, et seulement environ 5 ¢ par Internet!

3. *Une production taillée sur mesure*   Depuis un siècle, on assiste à une production et à une consommation de masse, les entreprises, avec raison, cherchant ainsi à faire des économies d'échelle. L'entreprise moderne, au contraire, cherchera à individualiser ses produits et ses services selon les goûts de la clientèle, la technologie aidant. Par exemple, grâce à Internet, vous pouvez choisir les divers composants de l'ordinateur commandé chez Dell et payé d'avance! De plus, la livraison est rapide grâce à l'organisation en réseau de Dell.

4. *La dépendance envers le capital intellectuel*   Dans une entreprise mondialisée où la conception des produits et des services, leur mise en marché et leur financement, la recherche et le développement, la quête de partenaires commerciaux et les relations avec les différents acteurs de l'entreprise sont plus difficiles à réaliser que la production même d'un bien (par exemple une automobile), on comprend qu'aujourd'hui, l'élément le plus précieux des organisations est le capital humain. Il s'agit de la somme des talents de la main-d'œuvre d'une organisation qui lui permettra de se tailler un avantage concurrentiel (grâce à leur valeur ou à leur rareté). Le défi sera donc de savoir comment attirer, motiver, mobiliser, récompenser et fidéliser ce personnel.

Alain Bouchard, octobre 2003 — Il achète 1663 magasins Circle K pour 1,12 milliard de dollars et double la taille de son entreprise. Fin 2006 — Couche-tard exploite plus de 5200 magasins en Amérique du Nord.

CP Photo

5. *Une perspective globale*   Au début, le terme «global» s'appliquait aux entreprises nationales qui vendaient leurs produits et leurs services en dehors du territoire national. Ensuite, il s'est appliqué au fait que ces entreprises manufacturaient dans plusieurs pays (la délocalisation). Maintenant, ce terme englobe aussi le personnel. Les entreprises chercheront les talents où qu'ils se trouvent dans le monde. Cette recherche exigera que les dirigeants aient une «intelligence culturelle», qu'ils soient capables de communiquer en plusieurs langues et de comprendre la culture ambiante. Par exemple, la réussite des «dépanneurs» Couche-Tard et l'échec de l'expansion de la pharmacie Jean Coutu aux États-Unis montrent la nécessité de bien connaître les cultures et les stratégies des entreprises qu'on achète ainsi que les habitudes des consommateurs du pays où on s'installe. En triplant sa taille d'un coup et les ventes n'étant pas au rendez-vous, l'entreprise Jean Coutu

Jean Coutu, avril 2004 — Il achète 1539 pharmacies Eckerd pour la somme de 3,13 milliards de dollars et triple la taille de son entreprise. Août 2006 — Il vend le réseau à Rite Aid.

Paul Chiasson, CP Photo

s'est considérablement endettée. Elle a même été contrainte de vendre 1858 pharmacies Eckerd et Brooks au géant Rite Aid. Enfin, la mésaventure a entraîné une perte sèche de 140 millions de dollars. C'est le contraire qui s'est produit pour l'entreprise Couche-Tard. Celle-ci a acheté des magasins qui allaient bien sans bousculer vraiment la culture ambiante et a profité de l'expérience qu'elle avait acquise aux États-Unis avec quelques épiceries les années précédentes.

6. *Une organisation où la vitesse est un avantage concurrentiel* Internet, les TIC et les reconfigurations des processus ont précipité la vitesse de conception et d'exécution des activités de travail. Le cycle de production des biens s'est raccourci de façon phénoménale. Maintenant, il y a peu de place pour le gaspillage, les délais, les doublons et la bureaucratie. Michaël Dell, fondateur de l'entreprise fabricante d'ordinateurs, quand on évoque ses succès, répond qu'on ne peut « se réjouir qu'une nanoseconde pour s'atteler de nouveau à la tâche ! » Une demande de crédit ne nécessite que quelques minutes pour qu'on vérifie si vous y êtes éligible. Les entreprises de transport par camion, grâce aux systèmes d'information et de communication par satellite, peuvent savoir instantanément où se trouvent les véhicules et où les rediriger en cas de trafic, de nouvelles commandes ou de nouveaux chargements. Les détails sur les informations concernant les opérations des entreprises sont maintenant disponibles en temps réel, au lieu d'attendre des rapports hebdomadaires ou mensuels.

7. *Une organisation qui réinvente le leadership stratégique* L'organisation des années 1980 et même celle du début du XXIe siècle, pour être efficace et survivre, a d'abord réagi en se restructurant, notamment en la « dégraissant » et en réduisant les coûts d'exploitation. Les multiples licenciements massifs ont fait rage dans ces années-là, ce qui n'a pas nécessairement amélioré la performance et la productivité. Ensuite, les entreprises ont adopté la qualité totale et la reconfiguration des processus, notions qui ont déjà été expliquées. Toutefois, l'avantage concurrentiel ne sera pas automatiquement au rendez-vous après ces mesures. Il est aussi et surtout à rechercher dans la capacité d'inventer des produits et des domaines d'activité totalement nouveaux, de modifier les règles en vigueur dans un secteur bien établi, comme cela est arrivé pour Apple avec l'invention de l'ordinateur personnel, à CNN avec son concept d'information continue, à Nokia avec son téléphone cellulaire (après que cette entreprise eut abandonné ses activités antérieures), à American Airlines avec son système informatisé de réservations SABRE, à Dell computers, etc.[58]

8. *Une entreprise où l'engagement des employés est élevé* Comment peut-on susciter l'engagement des employés envers leur travail et l'organisation ? 1) En sélectionnant les meilleurs candidats ayant des caractéristiques en phase avec la culture de l'entreprise ; 2) en les formant et en créant une culture d'apprentissage ; 3) en donnant aux individus ou aux équipes de travail le pouvoir et l'autonomie de prendre les décisions qui les concernent ; 4) en les informant sur les points qui peuvent les aider à comprendre et à mieux faire leur travail ; 5) en les récompensant adéquatement au moyen de stimulants tangibles et intangibles ; et 6) en développant une culture axée sur les résultats, une culture de soutien et de respect des uns envers les autres, notamment à l'égard de leurs différences et de leur diversité (*voir aussi les chapitres 3, 6 et 7*).

Ces caractéristiques exigent-elles des dirigeants un profil particulier, qui diffère aussi de celui qui était exigé au siècle dernier ? Pour clore ce chapitre, essayons d'esquisser le portrait d'un leader moderne.

Les qualités d'un dirigeant moderne   La littérature sur le sujet reconnaît que le dirigeant moderne fait montre des six qualités suivantes (cette liste est non exhaustive) concernant sa capacité 1) de composer avec le changement, l'ambiguïté et l'incertitude ; 2) de penser de façon conceptuelle et « systémique » ; 3) d'inspirer ses ressources humaines ; 4) de manifester des qualités politiques ; 5) de déployer une intelligence « culturelle » ; et 6) de mettre en œuvre ses habiletés techniques.

1. *La capacité de composer avec le changement, l'ambiguïté et l'incertitude*   Le contexte des entreprises largement décrit précédemment a montré la complexité de l'environnement actuel des entreprises. Les marchés sont de moins en moins stables, et le concurrent peut émerger de n'importe où (de pays émergents ou très petits) sans qu'on puisse prévoir son apparition (il suffit de constater la première place mondiale du producteur d'acier indien Mittal Steel, ou, naguère l'entreprise finlandaise Nokia ou encore l'avionneur Embraer au Brésil qui donne des maux de tête à Bombardier au Québec). Par essence, nous l'avons vu au premier chapitre, les réponses aux problématiques que rencontrent les dirigeants ne sont plus données d'avance et il faut changer de grille paradigmatique dès que les conditions l'imposent.

2. *La capacité de penser de façon conceptuelle et « systémique »*   Comme nous l'avons aussi expliqué au chapitre 1, penser de façon systémique est la capacité de replacer et de comprendre les problématiques dans une vision d'ensemble et d'éviter de s'enfermer dans des explications trop simplistes des problèmes à cause d'une pensée réductrice. Par exemple, il y a quelques années, Boeing a failli arrêter la production de ses modèles 737 en raison de ses ventes domestiques qui déclinaient. Cependant, un dirigeant du nom de Bob Norton, en s'appuyant sur ce qui avait fait le succès de cet avion aux États-Unis, a réussi à réintroduire avec succès ce modèle dans les pays en voie de développement. Ici, voir « plus loin que le bout de son nez », en l'occurrence penser de façon systémique, a permis à Boeing de prolonger la durée de vie de cet avion de façon profitable.

3. *La capacité d'inspirer ses ressources humaines*   C'est la capacité d'être un leader transformationnel, c'est-à-dire de savoir inspirer une vision à ses troupes et d'être capable de les motiver pour qu'ils la concrétisent. Ces leaders véhiculent alors une gestion symbolique, c'est-à-dire la valorisation et l'adoption de nouvelles croyances. Ils inspirent des actions et posent des gestes qui sont porteurs de sens pour les autres, et ce, de façon durable, notamment les comportements qui relèvent d'une éthique irréprochable.

4. *La capacité de manifester des qualités politiques*   Malgré la capacité de faire « rêver » son personnel au moyen d'une vision, le bon dirigeant reste cependant éminemment pratique et réaliste. Admettre que les jeux politiques font partie de la vie des organisations est une marque de ce réalisme, et jouer le jeu du pouvoir (en formant par exemple des alliances et des réseaux) est aussi la volonté d'influencer les événements et les gens dans le sens de la vision édictée (à l'intérieur, bien sûr, d'une éthique sans faille).

5. *La capacité de déployer une intelligence « culturelle »*   Nous avons compris que la mondialisation des échanges et la diversité du personnel demandaient une grande capacité à comprendre les valeurs et les cultures d'autrui et à mettre celles-ci à profit pour travailler efficacement. L'intelligence culturelle comprend trois dimensions : cognitive, physique et émotionnelle[59]. L'aspect cognitif fait référence à l'effort fourni pour comprendre une autre culture. L'aspect physique renvoie aux expressions vivantes d'une autre culture (les traditions, les gestes, etc.) et au désir de les adopter ou de les imiter. L'aspect émotionnel est la sensibilité aux autres cultures et au désir de la partager, quelles que soient les difficultés (*voir l'exercice 2.4 à la fin du chapitre pour la mesure de l'intelligence culturelle*). Les leaders qui travaillent dans des multinationales non traditionnelles ont souvent étudié et travaillé en dehors de leur pays d'origine, créé un solide réseau de contacts professionnels et parlent plusieurs langues. L'ex-p.-d.g. de Nokia, Jorma Ollila, est diplômé de la London School of Economics and Political Science et a passé huit années chez Citibank avant de joindre les rangs de Nokia[60].

6. *La capacité de mettre en œuvre ses habiletés techniques*   Ce sont les compétences qui permettent de comprendre ou d'accomplir le genre de travail principal qui se fait dans l'entreprise. C'est aussi la capacité de comprendre l'essentiel des explications un tant soit peu techniques de ses subordonnés.

L'intensité de toutes ces habiletés varie probablement en fonction du niveau hiérarchique des dirigeants. Par exemple, les cadres de premier niveau ont davantage besoin d'habiletés techniques que la haute direction et beaucoup moins d'habiletés à gérer le changement que celle-ci. Cette intensité varie aussi en fonction du contexte. Par exemple, dans une situation où il faut opérer des changements radicaux dans un contexte qui présente potentiellement de fortes oppositions et une forte teneur émotive, c'est un dirigeant de type transformationnel ayant une grande intelligence politique qui s'impose. Ce sont ces dernières qualités qui ont permis à Christian Blanc, p.-d.g. d'Air France de 1993 à 1997, de redresser de façon spectaculaire l'entreprise en crise tout en ayant pu obtenir, au moyen d'un référendum auprès des employés, des coupes dans les emplois, le gel des salaires et un accroissement de la productivité.

Ces talents nous amènent directement aux questions du leadership (*voir le chapitre 14*), à la prise de décision (*voir le chapitre 10*), au pouvoir et aux jeux politiques (*voir le chapitre 12*), à la culture des entreprises (*voir le chapitre 16*) et au changement (*voir le chapitre 17*).

Ces compétences sont-elles innées ou acquises ? Bien que des leaders puissent avoir plus de facilité que d'autres à déployer ces qualités, il n'en reste pas moins que la formation et le mentorat favorisent la manifestation de ces habiletés. Une technique de développement prisée à l'heure actuelle est le *coaching* (ou l'accompagnement) pour cadres dirigeants (*executive coaching*). L'encadré 2.7 présente une étude scientifique qui montre l'efficacité du *coaching* pour cadres.

L'effet du *coaching* des cadres dirigeants sur le sentiment d'efficacité personnelle : une étude sur le terrain

Le *coaching* des cadres dirigeants est une approche de développement des compétences de leadership (notamment relationnelles) en très forte croissance en raison, en partie, de la transformation profonde des entreprises. Le nombre de *coachs* professionnels a considérablement augmenté dans les dernières années : en 2006, l'International Coaching Federation regroupait à elle seule plus de 11 000 membres de 82 pays (*voir www.coachfederation.org*). L'étude à laquelle nous référerons ici veut précisément montrer le lien existant entre le *coaching* reçu par un cadre et son sentiment d'être efficace dans la croissance d'autrui.

Le *coaching* pour cadres dirigeants est généralement défini comme un accompagnement formateur du gestionnaire par une personne qualifiée. Le *coach* peut être un employé de l'organisation ou un consultant externe. Il planifie un certain nombre d'activités pour le cadre, ou le regarde agir, et lui fournit dans tous les cas une rétroaction utile sur son comportement envers autrui, généralement ses subordonnés. Des études montrent que ce *coaching* est relié à plusieurs variables, notamment à la performance de l'organisation, à l'engagement des employés envers celle-ci, à leur satisfaction au travail et envers l'autorité et la gestion du temps. L'étude mentionnée ici postule que le *coaching* a un effet sur le sentiment d'efficacité personnel (appelé le SEP) développé par Bandura (*voir aussi le chapitre 3*). Bandura définit le SEP comme la conviction qu'a une personne d'accomplir ses tâches avec succès. Une méta-analyse recensant 114 études réalisées entre 1976 et 1997 montre que le SEP est significativement lié à la performance au travail. La recherche rapportée ici distingue deux volets du SEP : le sentiment d'être efficace en matière, d'une part, de développement des subordonnés et, d'autre part, en ce qui concerne son propre développement. L'étude a été réalisée auprès de 127 cadres (avec un échantillon final de 73 participants) d'une entreprise manufacturière canadienne inscrits à un programme de développement de diverses compétences en gestion. Ce programme comprenait plusieurs techniques, dont, précisément, un *coaching* consistant en 14 rencontres individuelles avec un *coach* interne au rythme d'une rencontre de 75 minutes toutes les deux semaines. Les deux autres techniques consistaient en un séminaire de type magistral et des groupes de codéveloppement (apprentissage collectif dans une équipe).

La méthodologie consistait à soumettre un questionnaire sur les deux volets du SEP avant et après l'application de ces différentes formes d'apprentissage. Une analyse de régression multiple a montré que, contrairement aux autres techniques de formation des cadres, le *coaching* avait un effet déterminant sur les deux aspects du SEP, à savoir le sentiment du cadre de pouvoir contribuer efficacement au développement de ses subordonnés et également à sa propre croissance.

Source : L. Baron et L. Morin, « L'effet du coaching exécutif sur le développement du sentiment d'efficacité personnelle de compétences de gestion : étude empirique en milieu organisationnel », *Congrès annuel de l'ASAC,* Ottawa, 2 au 5 juin. Prix de la meilleure communication de la division Ressources humaines.

Note : Les références des auteurs cités peuvent être consultées dans l'article précité. M. Baron est étudiant au doctorat au département de psychologie de l'Université de Montréal et Lucie Morin est professeure au département organisation et ressources humaines de l'UQÀM.

RÉSUMÉ DU CHAPITRE

Les organisations transigent avec deux types d'environnements : un environnement immédiat, qui est son environnement d'affaires, et un contexte plus global composé de six types d'environnements. Ces derniers représentent un défi de taille pour les organisations modernes, notamment par rapport à la dimension humaine qui fait l'objet de cet ouvrage. Celles-ci sont confrontées à un environnement économique (en particulier celui qui est caractérisé par la mondialisation des échanges) sociodémographique, humain (surtout le capital intellectuel technique) socioéthique et politico-légal.

La mondialisation des échanges et la concurrence internationale sont à la source d'alliances interentreprises nationales ou multinationales, de fusions et d'acquisitions et de mouvements de main-d'œuvre importants. Elle permet aux entreprises de produire au moindre coût grâce aux délocalisations, à la sous-traitance et à l'impartition. Les formes d'emploi traditionnelles, tel l'emploi à vie, ont été remplacées par des emplois atypiques comme le travail autonome, à durée déterminée ou le travail à temps partiel. Toutefois, la mondialisation semble aussi être associée à l'augmentation récente de l'insécurité au travail, à l'intensification de la charge de labeur et à d'autres sources de stress professionnel.

L'analyse de l'environnement sociodémographique du pays montre deux grandes tendances : une diversité accrue de la main-d'œuvre et le vieillissement de la force de travail. La diversité est marquée par l'entrée massive des femmes sur le marché du travail et une main-d'œuvre multiculturelle. Celle-ci, malgré les heurts qu'elle peut provoquer, reste un avantage indéniable pour le pays (les décisions d'équipe et le service à la clientèle améliorés, par exemple). Le choc démographique est à venir si rien n'est fait au sujet du vieillissement de la population (à cause du retrait prochain de l'importante cohorte des baby-boomers), donc de la main-d'œuvre active canadienne et québécoise. La conséquence en serait une grave pénurie de personnel qu'il faudra gérer au moyen d'une immigration accrue, d'une planification de la relève, de la motivation et de la fidélisation des employés plus âgés comme des autres, d'une transmission des savoirs d'une cohorte à l'autre, d'une meilleure qualité de vie au travail (vu les valeurs prédominantes), de l'équité en emploi et de la tolérance envers les différences, quelles qu'elles soient.

L'environnement humain, notamment celui qui est constitué du capital intellectuel, a vu son importance grandir grâce à la prédominance de l'économie du savoir. La gestion du capital intellectuel améliore la capacité d'une organisation d'acquérir, de partager et d'utiliser les connaissances de manière à accroître ses chances de survie et son succès. Par son rôle dans l'innovation, le capital humain est aussi un avantage concurrentiel.

L'environnement technologique a obligé les entreprises à travailler différemment. Celles qui ont tiré avantage des TIC ont pu effacer les frontières temporelles et spatiales entre les individus et les organisations pour commercer mondialement. Les TIC ont aussi contribué à de nouvelles organisations du travail comme le télétravail et les équipes virtuelles, ont amélioré les modes de production et de contrôle ainsi que l'apprentissage organisationnel.

L'environnement socioéthique exerce des pressions indiscutables aujourd'hui vers une éthique irréprochable des entreprises et de leurs dirigeants et vers une part plus grande de leur responsabilité sociale. L'environnement politico-légal renforce ces pressions par une série de lois et de règlements destinés à protéger les droits et la dignité des parties prenantes aux activités des organisations (les lois concernant une meilleure gouvernance, l'équité en emploi, le harcèlement psychologique, etc.).

Enfin, l'entreprise du XXIe siècle sera de plus en plus concernée par la mondialisation des échanges (donc globale). Elle sera diversifiée et souple, travaillera en réseau et en équipes, misera sur son capital intellectuel, sera axée sur la performance et l'innovation stratégique. Quant à ses dirigeants, ils devront faire preuve d'intelligence « systémique », technique, politique et culturelle. Ils devront aussi être capables de composer avec l'incertitude et, surtout, en ces temps de dure concurrence, de susciter l'engagement de leurs employés et de leur inspirer des comportements éthiques.

MOTS CLÉS

accommodement raisonnable, p. 64

capital intellectuel, p. 71

diversité, p. 62

emploi atypique, p. 87

employabilité, p. 87

équipe virtuelle, p. 74

éthique, p. 81

externalisation, p. 88

gestion de la qualité totale, p. 90

mondialisation, p. 59

responsabilité sociale, p. 81

télétravail, p. 74

TIC, p. 72

QUESTIONS

1. Quels sont les effets possibles de la mondialisation sur les comportements humains en entreprise ?

2. Quelles sont les composantes du capital intellectuel ? Donnez des exemples pour chacune d'elles.

3. Comment une organisation peut-elle préserver son capital humain ?

4. Quels sont les avantages d'une main-d'œuvre diversifiée ?

5. Trouvez deux nouvelles récentes de l'actualité qui ont un lien avec la responsabilité sociale des entreprises. Expliquez-en la problématique.

6. Comment peut-on contrer le vieillissement et la pénurie de main-d'œuvre annoncés au Canada et au Québec?

7. Comment les TIC touchent-elles les modes de fonctionnement des entreprises et, par conséquent, les comportements humains?

8. À la fin de ce chapitre, on a décrit les six qualités d'un dirigeant moderne. Déterminez celles qui s'appliquent le mieux selon que l'on considère le niveau hiérarchique, le type d'industrie et d'organisation, la culture nationale ou d'autres facteurs qui vous viennent à l'esprit.

ÉTUDE DE CAS | **2.1**

LE GROUPE ALDO: UN DÉFI ORGANISATIONNEL DE TAILLE

Historique

Le Groupe Aldo est une entreprise canadienne à capital fermé qui évolue dans le domaine de la chaussure et des accessoires de mode depuis 1972. Aldo Bensadoun, propriétaire-fondateur toujours actif au sein de l'entreprise, a su la faire évoluer pour devenir le joueur principal dans son domaine au Canada. Cette entreprise se distingue, dans le commerce de détail, grâce à la recherche et au développement de nouveaux concepts et à la création de ses propres produits.

À ses débuts, l'entreprise avait établi des points de vente à l'intérieur des magasins d'une chaîne de vêtements québécoise. Par la suite, son développement a pris son envol avec l'ouverture de quatre magasins au Canada. Dès 1980, l'entreprise exploitait une trentaine de magasins et entreprenait son programme de diversification et de segmentation de marchés par l'acquisition de magasins faisant affaire sous la bannière Pegabo. Vingt-cinq ans plus tard, le Groupe compte 750 magasins répartis en Amérique du Nord, en Europe et dans vingt autres pays. Ses magasins sont regroupés sous les bannières Aldo, Transit/Spring, FeetFirst, Globo, StoneRidge et Aldo Accessoires. Fait à noter, chaque bannière défend une cause, que ce soit la lutte contre le sida, le cancer du sein ou toute autre œuvre de bienfaisance. Cette vision engagée de l'entreprise contribue à sensibiliser le personnel et la clientèle à leur environnement sociétal. Le Groupe Aldo parvient d'ailleurs à attirer une clientèle de tous âges. Tandis que les bannières Aldo et Transit/Spring attirent principalement le groupe des 18 à 34 ans, soit des jeunes de la classe moyenne ou des étudiants, les magasins Globo et FeetFirst permettent quant à eux de cibler les familles et les gens plus âgés.

L'équipe non syndiquée de l'entreprise est constituée d'une main-d'œuvre à temps partiel (75%) et à temps plein (25%). Au total, quinze mille personnes travaillent pour le Groupe Aldo, dont environ six cents sont en poste à son siège social situé à Montréal. L'équipe du siège social concentre principalement ses efforts sur la conception des produits, le design ainsi que sur l'analyse des tendances de la mode et les techniques de mise en marché. Notons que pour tous les magasins dans le monde, le design, la fabrication et l'aménagement sont réalisés à Montréal à partir de matériaux provenant de fournisseurs locaux.

Le centre de distribution, situé aussi à Montréal, regroupe une équipe de quatre cents personnes. Cette équipe est responsable de tout ce qui concerne la réception et la vérification des produits fabriqués aux quatre coins du monde, tout comme les commandes et l'acheminement de ces produits aux magasins du Groupe Aldo partout en Amérique du Nord. Il va sans dire que l'entreprise s'est dotée d'une infrastructure opérationnelle à la fine pointe de la technologie pour assurer cette gestion stratégique de l'approvisionnement.

En magasin, le personnel se répartit ainsi: gérant, assistant-gérant, vendeurs, caissiers et responsable de la marchandise. Comme le taux de roulement de cette main-d'œuvre est élevé, le Groupe tente de recruter des personnes qui démontrent de l'intérêt pour le service à la clientèle et la mode. Il offre une rémunération de base assortie de programmes de récompenses généreux pour son personnel à temps complet. Les personnes œuvrant à temps partiel dans l'entreprise peuvent, elles aussi, bénéficier de commissions intéressantes lorsqu'elles ont atteint leurs objectifs de vente. Cette approche a jusqu'à présent permis de maintenir un taux de motivation élevé, d'encourager les efforts et de maintenir un service à la clientèle reconnu.

Défis

Après avoir connu une forte progression au cours des cinq dernières années, le Groupe Aldo fait aujourd'hui face à un défi organisationnel de taille. En 2006, l'ouverture de cent cinquante magasins est prévue aux États-Unis. Le Groupe continue entre-temps sa croissance sur le plan international, notamment le développement de son réseau de franchises et de licences, la commercialisation de nouveaux concepts et l'expansion de ses sites de commerce électronique. L'entreprise compte en fait terminer l'année avec un chiffre d'affaires de un milliard de dollars et prévoit doubler sa taille actuelle au cours des cinq prochaines années. Dans ce contexte de croissance mondiale, le Groupe vise tout spécialement l'atteinte d'un effectif de vingt-cinq mille personnes et le maintien de son excellent service à la clientèle. Il espère aussi atteindre ces objectifs tout en maintenant la taille réduite de son équipe de direction et de gestion.

Pour relever ce défi avec succès, Aldo s'appuie sur une culture entrepreneuriale forte, caractérisée par une grande rapidité d'exécution, une flexibilité notable et une capacité d'adaptation aux changements et aux besoins du marché qui a fait ses preuves. À l'heure actuelle, entre quatre et huit semaines suffisent pour qu'une nouvelle stratégie de marchés soit diffusée et mise en place dans l'ensemble de l'organisation. Son statut d'entreprise à capital fermé lui confère en ce sens une grande liberté d'action. L'absence d'obligations de rendement pour les actionnaires lui a effectivement permis de se centrer sur les besoins des consommateurs plutôt que sur une croissance exponentielle des ventes à court terme. La progression régulière des affaires rendue possible par cette approche lui a notamment permis d'être moins vulnérable aux variations économiques.

Pour se développer, le Groupe Aldo peut aussi miser sur les trois valeurs véhiculées depuis toujours dans sa philosophie de gestion, à savoir l'amour, le respect et l'intégrité. L'amour, signifiant ici la passion pour les individus, les partenaires et les produits, le respect des gens pour ce qu'ils sont et l'intégrité dans le choix des actions font partie des valeurs mises de l'avant autant dans le management que chez le personnel. Ces valeurs se reflètent notamment dans les activités d'embauche, de formation et de service à la clientèle. Le Groupe a entre autres mis en place des programmes d'intégration pour ses nouveaux collaborateurs. Il rappelle en outre régulièrement ses valeurs et procède à diverses démarches pour les appuyer. Plus qu'un simple avantage concurrentiel, l'importance accordée au bien-être du personnel est une priorité pour l'organisation. Un choix payant, puisqu'il permet à l'entreprise de compter sur une main-d'œuvre loyale, engagée et fortement attachée à l'entreprise depuis des années. Le défi organisationnel actuel est donc de répandre partout dans le monde ces valeurs qui sont un gage du succès de la croissance du Groupe Aldo.

Rappelons que l'entreprise fait appel à une main-d'œuvre non syndiquée et jeune. Son taux de roulement élevé, dû au statut temporaire d'un grand nombre de ses collaborateurs, l'amène à se pencher sur diverses pratiques d'embauche. Le défi que le Groupe s'est donné de doubler le nombre de ses succursales l'oblige à s'ouvrir sur le monde et, par le fait même, à se pencher sur les différences culturelles et législatives tout en maintenant une structure opérationnelle simple et efficace. Pour s'assurer du respect des normes des pays hôtes, le Groupe fait appel à des franchisés. Des Canadiens n'hésitent pas non plus à s'expatrier pour occuper des postes clés afin de faciliter l'intégration de la culture Aldo.

Le succès de ce projet repose par ailleurs sur un leadership fort. À cet effet, le fondateur a su s'entourer d'une équipe de direction solide composée d'un président et de neuf vice-présidents qui assureront la continuité et le succès de demain. La taille réduite de cette équipe est un choix stratégique de l'entreprise. Chaque étape antérieure de croissance a d'ailleurs été marquée par la préoccupation de maintenir au plus bas niveau possible le pourcentage des frais généraux en lien avec l'administration. Des outils et des systèmes simples sont également implantés pour standardiser, adapter les opérations et réduire les erreurs au minimum.

Le Groupe souhaite maintenir cette approche dans l'avenir, plus particulièrement dans le contexte de croissance anticipée. Il désire en fait parvenir à intégrer les quinze mille personnes supplémentaires à son équipe sans devoir pour autant mettre en place de nouvelles fonctions administratives.

Votre équipe de consultants doit analyser la situation et soumettre ses recommandations quant aux meilleures stratégies de gestion des ressources humaines à adopter, d'une part, pour conserver et propager la culture organisationnelle d'Aldo dans un contexte d'expansion et, d'autre part, pour favoriser du même coup la croissance en maintenant un haut niveau de satisfaction de sa clientèle et une structure administrative réduite.

Questions

Pour ce faire, vous devez:

1. préciser votre compréhension de la situation du Groupe Aldo; les forces, les faiblesses, les menaces et les opportunités;

2. déterminer les enjeux liés aux ressources humaines et au comportement organisationnel auxquels l'entreprise fait face;

3. recommander un plan d'action par rapport à ces enjeux.

N.B. Les 24 et 25 mars 2006, Excalibur Desjardins, le tournoi universitaire canadien en ressources humaines, a accueilli les étudiants de 24 universités du Québec et du Canada. Les six équipes finalistes ont eu à étudier une situation réelle: celle du Groupe Aldo.

Source: Effectif, septembre-octobre 2006, vol. 9, n° 4, p. 11-12.

| ÉTUDE DE CAS | 2.2 |

UNE IDÉE FABULEUSE QUI NE L'ÉTAIT PAS VRAIMENT

par Fiona McQuarrie, Collège universitaire de la Vallée du Fraser

Irina berce son bébé tout en contemplant la pile de travail en souffrance qui s'accumule sur son bureau. Elle se demande comment une idée aussi géniale, en l'occurrence travailler à la maison, a pu tourner aussi mal en trois mois à peine.

Irina est agente hypothécaire dans une grande banque canadienne. Elle est entrée à la banque il y a 12 ans et a gravi les échelons jusqu'à son poste actuel qu'elle occupe depuis 4 ans. Elle aime beaucoup son travail, qui consiste à aider les clients à remplir leur demande d'hypothèque, puis à traiter et à approuver ou rejeter ces demandes. Elle éprouve une grande satisfaction à concrétiser le rêve de ses clients: être propriétaire de leur maison ou créer leur propre entreprise. Cependant, dans la ville où elle habite, le marché de l'immobilier est de plus en plus à la hausse, et son employeur a réagi à la demande accrue d'hypothèques en promettant d'offrir un service à la clientèle supérieur à celui des autres banques. Ainsi, les agents hypothécaires doivent maintenant varier leurs horaires ou faire des journées plus longues — travaillant parfois jusqu'à 80 heures par semaine — pour demeurer à la disposition de clients potentiels.

Quand Irina est devenue enceinte, elle et son mari ont été très heureux. Toutefois, Irina a vite compris que la présence du bébé compliquerait son travail. Trouver une gardienne à temps plein pour le bébé était quasi impossible, voire même très coûteux. Elle ne pourrait certainement pas continuer à travailler 80 heures par semaine, et son mari ne pouvait modifier son horaire pour rester à la maison et s'occuper du bébé.

Irina est donc allée voir son supérieur, David, et son chef de service, Ottavio, pour leur faire une proposition. Elle leur a offert de continuer à travailler à temps plein après la naissance du bébé, mais chez elle. «Comme la plus grande partie de mon travail se fait par téléphone, je peux le faire aussi bien à la maison qu'au bureau», leur dit-elle. «Si j'ai un ordinateur à la maison, je pourrais aussi traiter la plupart des demandes. Je travaillerais en dehors des heures d'affaires parce que je n'aurai pas besoin de partir à la fermeture des bureaux.» David a accepté la proposition d'Irina à la condition qu'elle vienne au bureau une fois par semaine pour assister à la réunion des agents hypothécaires. Ottavio s'est montré plus réticent, soulignant qu'un plan similaire avait échoué plusieurs années auparavant. En fin de compte, il a donné son accord devant la fiche de travail exceptionnelle d'Irina.

Irina a pris un mois de congé à la naissance de Sarah, puis elle a recommencé à travailler avec plaisir comme télétravailleuse. L'entreprise lui a fourni le matériel requis (un ordinateur, un modem et une imprimante), semblable à celui qu'elle utilisait au bureau. De plus, elle a fait en sorte que les demandes d'hypothèque soient livrées et ramassées chaque jour par un service de messagerie. Au début, tout s'est bien passé. Irina n'avait pas besoin de s'habiller chic pour aller travailler, de supporter les embouteillages, de trouver où se garer, et elle travaillait tout en s'occupant de sa fille.

La première difficulté majeure à laquelle elle s'est heurtée a été celle de trouver un endroit où travailler dans la maison. Avec la venue de Sarah, tous les endroits inoccupés étaient désormais remplis de meubles et d'articles pour bébés. Pendant les premières semaines, Irina s'est installée sur la table de la cuisine, mais l'ordinateur était trop lourd pour être déplacé au moment des repas. Elle a fini par acheter un bureau d'occasion qu'elle a installé dans un angle du salon à côté de la télévision. Cet arrangement lui permettait de conserver tous ses documents au même endroit, mais elle avait constamment son travail sous les yeux alors même qu'elle voulait se détendre et regarder la télévision.

Irina a ensuite découvert que prendre soin d'un nourrisson était beaucoup plus exigeant qu'elle ne le croyait. Sarah était un bébé facile, mais elle se mettait souvent à pleurer quand le téléphone sonnait et continuait de pleurer même après qu'Irina eut répondu. De plus, Irina avait de la difficulté à trouver un moment libre pour rappeler ses clients, car elle devait concilier ses appels avec les soins apportés à Sarah. Et comme Irina se levait souvent la nuit pour s'occuper de Sarah, elle était souvent épuisée pendant la journée. Même si elle demeurait disponible pour ses clients en dehors des heures d'affaires, elle était souvent très fatiguée, surtout le soir, et elle n'était pas très productive dans ces moments-là.

Une fois par semaine, comme il avait été convenu, Irina se rendait au bureau pour assister à la réunion des agents hypothécaires. Elle était contente de revoir ses collègues, mais également troublée par leurs commentaires sur sa nouvelle formule de travail. « Alors que se passe-t-il dans les téléromans ? Je parie que tu peux les regarder tant que tu veux ! » ou « Tu travailles sûrement moins dur que nous. Ce doit être agréable ! » Irina a réalisé que si elle obtenait de l'information utile pendant ces réunions, elle ratait aussi une foule de détails liés au travail. Souvent, la discussion portait sur une personne qu'elle ne connaissait pas. On lui précisait alors que la personne en question venait juste d'être embauchée. Certains employés

avaient démissionné ou avaient été mutés, et Irina ne pouvait pas le savoir, sauf si le sujet venait sur le tapis pendant la réunion. En outre, elle a découvert que ses collègues avaient beaucoup plus de clients qu'elle pour la simple raison qu'ils étaient là pour les aider quand ils se présentaient à la banque.

À la fin de la dernière réunion, David a convoqué Irina à son bureau. Il lui a expliqué qu'il avait reçu plusieurs appels de la part de clients qui se plaignaient d'entendre un bébé pleurer pendant qu'ils parlaient à Irina au téléphone. Il a ajouté que depuis qu'elle travaillait chez elle, son rendement préoccupait Ottavio. Irina a demandé ce qui n'allait pas. David a répondu que puisqu'elle gagnait du temps parce qu'elle n'avait pas besoin de se déplacer ni de faire face aux distractions du bureau, la banque s'attendait à ce qu'elle donne un rendement supérieur à celui de ses collègues. En fait, Ottavio se demandait même si Irina faisait vraiment les heures promises puisque son rendement ne semblait pas concorder avec les heures de travail qu'elle déclarait.

« Eh bien », a répondu Irina, « je travaille plus fort que jamais et je fais ce que j'avais promis de faire, y compris venir au bureau une fois par semaine. L'entreprise économise de l'argent puisqu'elle n'a pas à me fournir un bureau ici et je me mets à la disposition de mes clients en dehors des heures d'affaires comme promis. J'ignore ce que je peux faire de plus. »

« Tout ce que je sais, a répondu David, c'est qu'Ottavio est très préoccupé à cause de ton rendement et de l'image que tu donnes aux clients. En fait, il dit que ces problèmes sont les mêmes auxquels l'entreprise a déjà fait face quand il avait accepté que certains employés travaillent à la maison. Si la situation ne s'améliore pas au cours du prochain mois, nous devrons te demander de revenir travailler au bureau. »

Questions

1. Quels sont les principaux problèmes liés à cette formule de télétravail ?

2. Incombe-t-il à Irina ou à la banque de régler ces problèmes ?

3. Quelles solutions proposez-vous aux problèmes que vous avez relevés ?

L'EXERCICE MUSAVI-LARI

Objectif Découvrir les mécanismes perceptuels, émotifs et cognitifs qui influencent le processus décisionnel individuel et de groupe en ce qui concerne la diversité.

Instructions

■ Étape 1 : Chaque étudiant répond d'abord individuellement aux dix énoncés qui lui sont proposés en encerclant un des trois choix offerts : l'énoncé est vrai (V), l'énoncé est faux (F) ou l'information est insuffisante pour conclure (?). Durée : 10 à 15 minutes.

■ Étape 2 : Après avoir fait l'exercice individuellement, les étudiants regroupés en petites équipes font le même travail et tentent d'arriver à une réponse commune. La communication avec les autres groupes n'est pas permise. Durée : 20 à 30 minutes.

Ensuite, le professeur anime les débats et les enseignements quant aux mécanismes annoncés dans l'objectif de l'exercice.

Le récit

Akilah Musavi-Lari a été tué. Les autorités ont identifié dix suspects, tous connus comme terroristes. On sait que tous les suspects étaient proches du lieu où Akilah a été tué et à peu près à l'heure où cela s'est produit. Tous avaient des raisons de vouloir Akilah mort. Toutefois, une des personnes terroristes suspectées, Pat Flaherty O'Connor, a été exonérée de culpabilité.

Voici dix énoncés basés sur le récit ci-dessus. Indiquez si chacun d'eux est vrai (V), faux (F) ou si vous ne savez pas à cause du manque d'information (?). Cochez la réponse de votre choix.

Énoncé	Vrai ▼	Faux ▼	? ▼
1. On sait que Pat Flaherty O'Connor était à l'endroit où Akilah Musavi-Lari a été tué.	☐	☐	☐
2. On sait que les dix suspects terroristes étaient près de l'endroit où le crime a eu lieu.	☐	☐	☐
3. Un homme, Pat Flaherty O'Connor, a été exonéré de culpabilité.	☐	☐	☐
4. Les dix suspects terroristes étaient près de l'endroit où Akilah a été tué, et à peu près au même moment où cela s'est passé.	☐	☐	☐
5. La police ne sait pas qui a tué Akilah.	☐	☐	☐
6. On sait que les dix suspects identifiés par la police étaient près de la scène du crime.	☐	☐	☐
7. Le meurtrier de Musavi-Lari n'a pas fait d'aveux de sa propre volonté.	☐	☐	☐
8. On sait que les dix suspects étaient dans le voisinage du lieu du meurtre.	☐	☐	☐
9. L'individu Pat Flaherty O'Connor n'a pas été exonéré de culpabilité.	☐	☐	☐
10. Les événements suivants sont compris dans le récit : un homme a été tué, la police a identifié les dix suspects près de la scène du meurtre, tous les suspects voulaient voir Akilah Musavi-Lari mort, et un homme a été définitivement exonéré de culpabilité.	☐	☐	☐

Source : Berger, Nathalie S. (2001). *Journal of Management Education*, 25, 6, p. 737-745.
Traduction et adaptation : Charles Benabou.

LA MESURE DE VOTRE INTELLIGENCE CULTURELLE

Objectif Évaluer votre intelligence culturelle, c'est-à-dire votre facilité ou non à vous adapter à des cultures et à des individus différents de vous-même.

Mesure de votre intelligence culturelle					
Encerclez le chiffre qui correspond à votre évaluation de chacun des énoncés.	Complètement en désaccord ▼	En désaccord ▼	Neutre ▼	D'accord ▼	Complètement d'accord ▼
1. Avant d'être en contact avec une nouvelle culture, je m'y prépare toujours.	1	2	3	4	5
2. Si je fais face à quelque chose d'inattendu dans le cas d'une nouvelle culture, je m'en servirai pour mieux la connaître.	1	2	3	4	5
3. Je me prépare toujours à la façon dont je vais communiquer avec une autre culture.	1	2	3	4	5
4. Quand je fais face à une situation liée à une nouvelle culture, je sens tout de suite si ça va bien ou si ça va mal.	1	2	3	4	5

Total divisé par 4 _____ = Intelligence culturelle cognitive

5. Pour moi, il est facile de changer mon langage corporel (par exemple ma posture physique ou l'expression de mon regard) pour accommoder les gens d'une autre culture.	1	2	3	4	5
6. Je peux changer facilement mes expressions quand la situation « culturelle » l'exige.	1	2	3	4	5
7. Je modifie mon accent et mes intonations pour m'adapter aux gens d'une autre culture.	1	2	3	4	5
8. Je modifie assez facilement mes comportements habituels quand je rencontre des gens d'une autre culture.	1	2	3	4	5

Total divisé par 4 _____ = Intelligence culturelle physique

9. Je ne suis pas gêné quand je rencontre des gens d'une autre culture.	1	2	3	4	5
10. Je suis certain que je peux me lier d'amitié avec des gens d'une autre culture que la mienne.	1	2	3	4	5
11. Je m'adapte facilement au style de vie des autres cultures.	1	2	3	4	5
12. Je sais que je peux m'adapter à une situation « culturelle » qui ne m'est pas familière.	1	2	3	4	5

Total divisé par 4 _____ = Intelligence culturelle émotionnelle

Source : P.C. Earley et E. Mosakowski, « Cultural Intelligence », *Harvard Business Review*, octobre, vol. 82, n° 10, p. 139-146.

Interprétation : généralement, une moyenne inférieure à 3 indique qu'il y a place à amélioration, tandis qu'une moyenne supérieure à 4,5 réflète une intelligence culturelle forte.

CHAPITRE 3

Personnalité, attitudes, valeurs et éthique

Objectifs d'apprentissage

À LA FIN DE CE CHAPITRE, VOUS DEVRIEZ POUVOIR :

- comparer les grandes théories de la formation de la personnalité ;
- définir les composantes d'une attitude ;
- expliquer les changements d'attitudes par la dissonance cognitive ;
- préciser la nature des liens entre la satisfaction au travail et la performance ;
- expliquer l'origine et les pratiques de la gestion de la diversité du personnel ;
- comparer les trois formes d'engagement envers l'organisation et leur relation avec le contrat psychologique et la citoyenneté organisationnelle ;
- décrire les causes et les solutions relatives à l'absentéisme et au présentéisme ;
- établir les liens entre les valeurs, l'éthique et la responsabilité sociale des entreprises ;
- comparer les grands traits de la personnalité ;
- décrire les types de personnalités difficiles.

Six ans de prison pour Fastow

Andrew Fastow, l'ancien directeur financier d'Enron qui avait créé des partenariats illicites au cœur de la fraude qui a détruit l'entreprise, a été condamné hier à une peine d'emprisonnement de six ans, son appel à la clémence lancé à la dernière minute ayant été entendu.

Il avait plaidé coupable à des chefs distincts de complot en vue de commettre une contravention à l'infrastructure de télécommunication et de fraude touchant le commerce de valeurs mobilières, chaque chef entraînant une peine maximale de cinq ans.

« J'ai honte de ce que j'ai fait », a pour sa part déclaré M. Fastow au juge Hoyt avant le prononcé de la sentence, sa déclaration entrecoupée de pleurs.

M. Fastow a été le principal témoin au procès de Kenneth Lay, l'ancien président du conseil d'administration d'Enron, et de Jeffrey Skilling, l'ancien p.-d.g. de la compagnie. M. Skilling, 52 ans, et M. Lay, décédé en juillet dernier à l'âge de 64 ans, ont été reconnus coupables en mai d'avoir trompé les employés et les investisseurs à propos de la situation financière d'Enron.

Enron, qui fut pendant un temps la première firme mondiale de transactions dans le secteur de l'énergie, présentait une capitalisation boursière de plus de 68 milliards de dollars avant que sa mise en faillite en décembre 2001 ne fasse disparaître presque du jour au lendemain des milliers d'emplois et au moins 1 milliard de dollars en fonds de retraite.

Andrew Fastow
Les hauts dirigeants d'entreprises doivent être les premiers à adopter des comportements éthiques, sous peine d'en payer maintenant un prix élevé.
F. Carter Smith, Bloomberg News/Landov

L'ancien p.-d.g. de WorldCom entame sa peine d'emprisonnement

Bernard Ebbers, 65 ans, l'ancien p.-d.g. de WorldCom Inc., qui a été reconnu coupable d'avoir été à la tête de l'une des plus vastes fraudes de l'histoire des États-Unis, s'est présenté hier aux portes d'une prison fédérale en Louisiane pour commencer à purger sa peine de 25 ans d'emprisonnement.

M. Ebbers avait transformé une modeste compagnie de téléphone en deuxième fournisseur d'appels interurbains aux États-Unis, puis il a été accusé d'avoir organisé une fraude de 11 milliards de dollars qui a entraîné la faillite de WorldCom. L'an dernier, il avait été reconnu coupable de conspiration, de fraude en matière de commerce de valeurs mobilières et de sept chefs d'accusation pour avoir fait de fausses déclarations à la Securities and Exchange Commission (SEC — Commission américaine des opérations de Bourse).

L'an dernier, M. Ebbers a consenti à verser pas moins de 45 millions de dollars, soit presque tous ses actifs, pour contribuer à régler des réclamations dans des poursuites au civil. ■

Bernard Ebbers
Daniel Acker, Bloomberg News/ Landov

Source : La Presse Affaires, 27 septembre 2006, p. 2.

Les individus se distinguent par leur **personnalité,** c'est-à-dire par leur façon d'être, unique et stable, qui détermine leur manière de transiger avec leur environnement. Notre personnalité nous amène à percevoir et à construire le monde d'une manière propre à chacun d'entre nous, d'agir et d'y réagir avec une certaine constance. Les éléments constitutifs de la personnalité, et donc du comportement des gens en entreprise, ou ailleurs, sont très nombreux, mais dans ce chapitre-ci et les quatre suivants, nous ne traiterons que des variables classiques ayant fait l'objet d'études scientifiques, rigoureuses et applicables en milieu organisationnel. Attitudes, valeurs et traits de personnalité seront étudiés dans le présent chapitre ; dans le suivant, nous traiterons de la perception et de l'apprentissage ; au chapitre 5, nous examinerons la dimension affective (par l'étude des émotions), tandis qu'aux chapitres 6 et 7, nous analyserons les besoins et la motivation des individus.

Ce chapitre débutera donc par un survol nécessairement rapide et sélectif, vu leur nombre, des théories de la personnalité. Cela permettra de comprendre comment se forment une personnalité et les comportements conséquents. Nous aborderons ensuite les attitudes et les valeurs. Les attitudes au travail, c'est-à-dire ce parti pris favorable ou défavorable des gens vis-à-vis d'autres personnes, objets ou événements, ont toujours été un sujet central en psychologie des organisations. En effet, des attitudes telles que la satisfaction au travail, la résistance au changement, l'engagement des employés envers l'organisation, les préjugés, on le comprend, ont des impacts profonds sur le comportement des individus, leur performance et celle de leur organisation. Nous décrirons dans un premier temps les composantes des attitudes. Nous passerons ensuite en revue des attitudes importantes, en commençant par l'une des plus étudiées dans le domaine, la satisfaction au travail. Une autre attitude, cette fois négative, le préjugé, vaut qu'on s'y arrête étant donné, d'une part, que la main-d'œuvre actuelle est de plus en plus diverse et, d'autre part, qu'il est inacceptable, moralement et légalement, d'exercer de la discrimination envers des groupes précisément peu représentés dans la force de travail, ce dont nous parlerons également. Nous verrons ensuite d'autres attitudes (ou des concepts connexes) dont l'étude est relativement plus récente ou qui connaissent un regain d'intérêt : l'engagement et la citoyenneté organisationnels, le contrat psychologique et une conséquence importante des attitudes négatives : l'absentéisme.

Puisque nous traitons des variables individuelles qui influent sur le comportement, il est difficile de parler d'attitudes sans parler de valeurs. En effet, celles-ci peuvent déterminer l'orientation d'une attitude. Si, par exemple, je valorise la famille, j'aurai une attitude favorable envers mon entreprise qui a institué des horaires flexibles pour les parents ou des garderies en milieu de travail. À l'heure où les citoyens, les employés et d'autres milieux sont choqués des conduites récentes amorales et immorales de chefs d'entreprises et de leurs organisations, il faudra examiner la question des valeurs morales, de l'éthique et de la responsabilité sociale des institutions. Nous avons vu dans le texte d'introduction du chapitre que la société tolère de moins en moins les manquements à l'éthique de ses dirigeants. Nous achèverons ce chapitre en décrivant plus en détail plusieurs traits de personnalité qui ont leur importance en milieu de travail.

LES THÉORIES DE LA PERSONNALITÉ

Nous l'avons dit, la personnalité est une façon d'être unique et stable d'un individu. Diverses théories expliquent la formation de la personnalité. Les connaître permet aux dirigeants de mieux comprendre les comportements de leurs ressources humaines et d'élargir la gamme des interprétations de ces conduites. Nous simplifierons nécessairement les théories explicatives du développement de la personnalité, étant donné leur nombre et leur complexité. Trois approches permettent de voir clair dans cette multiplicité : l'approche psychodynamique (incluant les théories psychanalytiques et néo-psychanalytiques), la perspective behaviorale-cognitive et l'approche humaniste-existentielle[1, 2, 3].

Les théories dynamiques

Ces théories sont essentiellement d'inspiration psychanalytique. Nous évoquerons surtout les travaux de Freud et de Jung.

La conception freudienne   Pour Sigmund Freud (1856-1939), le père de la psychanalyse, l'appareil psychique des individus est composé de trois instances, sources d'énergie : le Ça, le Moi et le Surmoi. Elles fonctionnent soit de pair, soit en conflit. Ces deux modalités déterminent l'adaptation ou l'inadaptation relative de l'individu à son environnement. Le Ça est le monde de l'inconscient (difficilement accessible, sinon par les rêves et les symptômes névrotiques) et des pulsions, dont la raison d'être est de procurer du plaisir et d'éviter la souffrance (principe de plaisir). Le Ça se décharge par l'action sans quoi il est soumis à l'influence du Moi. Celui-ci représente le principe de réalité, et sa fonction est de canaliser les pulsions du Ça vers des comportements adéquats, notamment grâce aux fonctions cognitives dont l'individu assimile les apprentissages : perception, mémoire, raisonnement, anticipation. Par un système de récompenses et de punitions, le Moi apprend très tôt ce qui est permis et ce qui ne l'est pas. Le Surmoi remplit cette fonction. Il est constitué de deux sous-systèmes : la conscience morale transmise par la société et les parents et représentant les interdits, et l'Idéal du Moi qui correspond au contraire à l'intériorisation de ce que ces instances considèrent comme moralement bon. Le Surmoi est le siège de la morale et de l'éthique, qu'on verra plus loin. Une personnalité adaptée est celle qui sait maintenir l'équilibre entre les exigences du Ça et celles du Surmoi. En cas de conflit entre ces instances, les individus élaborent des mécanismes de défense pour éliminer l'angoisse qui en dérive. En voici les huit principaux : le refoulement est le rejet de sa conscience de désirs, de pensées et d'expériences pénibles ; la formation réactionnelle est l'adoption par un individu de comportements qui sont exactement l'inverse de ceux qu'il rejette (par exemple, une bonté extrême cachant de la haine refoulée) ; la régression consiste à adopter des comportements infantiles pour affronter une situation anxiogène ; le déplacement est le transfert (sans risques) d'un sentiment éprouvé envers une personne ou un objet à d'autres personnes ou objets ; la projection est l'attribution (à tort) à autrui de nos propres sentiments et motivations ; la rationalisation est la justification de nos comportements ou attitudes pour nous rassurer ; la négation est le refus de reconnaître l'évidence ; enfin, la sublimation est l'expression socialement acceptable de sentiments et de pulsions inadaptés ou tabous.

Nous ne traiterons pas des théories de la gestalt, car elles expliquent davantage les développements généraux de la psychologie que de la formation de la personnalité exclusivement.

L'approche analytique de Carl Jung   Admirateur et collaborateur de Freud, Jung s'en détache cependant quelque peu en délaissant les déterminismes inhérents à la psychanalyse orthodoxe pour mettre en valeur les potentialités de l'être, ce qu'il appelle le processus d'individuation. Pour Jung, les personnes sont composées d'un ensemble de polarités et de contraires non étanches (activité-passivité, par exemple), et l'être humain n'exploite qu'une faible partie de la multiplicité des pensées et des émotions qui dorment en lui, camouflées dans l'inconscient. S'il demeure important de comprendre l'être humain dans ses expériences antérieures et ses influences générationnelles (archétypes) et familiales, il est tout aussi important de tenir compte de ses aspirations et de ses buts. À partir de ce principe des contraires, Jung a développé plusieurs types psychologiques sur lesquels nous reviendrons.

D'autres analystes comme Erik Erikson considéraient que Freud mettait trop l'accent sur les pulsions biologiques et qu'il sous-estimait les facteurs interpersonnels et sociaux de la personnalité agissant à toutes les étapes d'une vie (et pas seulement dans l'enfance) dans le développement de l'individu. Pour Erikson, l'individu affronte une crise psychosociale spécifique à chaque stade, dont la résolution modèlera ses attitudes et comportements futurs.

L'approche behaviorale-cognitive

Aux antipodes de l'approche psychanalytique qui met l'accent sur l'univers intérieur des personnes, les tenants des théories behavioristes considèrent que tous les aspects du comportement sont contrôlés de l'extérieur par l'environnement. Selon eux, notre personnalité ne serait que le produit de nos conditionnements successifs, de notre condition présente et d'un répertoire de réponses apprises. Les théoriciens à l'origine de cette approche sont J. B. Watson, E. C. Tolman et B. F. Skinner, parmi les plus connus. Selon Skinner (père du conditionnement dit opérant), un comportement aura tendance à être répété s'il est suivi de conséquences positives et réprimé dans le cas contraire. Le comportement, alors renforcé, finit par constituer un répertoire de réponses conditionnées qui contribue à former la personnalité. Au chapitre 4, nous verrons en détail les différents types de renforcements, car ils sont à l'origine de l'apprentissage de nombreuses conduites humaines. D'autres théoriciens, comme Bandura, ne nient pas l'importance de l'environnement dans la formation de la personnalité (notamment pendant l'enfance), mais ils réintroduisent des variables cognitives (attention, mémoire, imitation, apprentissage social, émotions) susceptibles de répondre aux lois de l'apprentissage (nous en reparlerons également au chapitre 4). D'autres auteurs «cognitifs», comme Beck, postulent que dans le processus d'adaptation, le traitement de l'information joue un rôle fondamental. En prenant conscience de ses mécanismes symboliques (langage intérieur, images mentales), de son style cognitif (façon de résoudre les problèmes et de traiter l'information) et de ses pensées automatiques (non réfléchies), la personne peut comprendre et modifier ses comportements. Elle y arrivera, notamment en démasquant les motivations réelles de ses comportements, en s'ouvrant à la rétroaction d'autrui, en définissant le problème et ses priorités et en participant activement à cet effort de changement de ses comportements[4].

L'approche humaniste-existentielle

Ce mouvement, représenté, entre autres, par des théoriciens comme Maslow, Rogers et May, est aussi une réaction aux déterminismes de la pensée freudienne.

De plus, nous sommes au sortir de la Deuxième Guerre mondiale, où l'on découvre les horreurs de la barbarie fasciste. Les psychologues sentent alors le besoin de se poser la question sur le sens de la vie et la nécessité d'en trouver un. Nous nous attarderons à Rogers (1902-1986), Maslow étant expliqué au chapitre 5. Le fondement de la théorie de Rogers repose sur la croyance au développement de la personnalité dont la base est positive, rationnelle et réaliste. Tout individu est animé d'une tendance innée à développer toutes ses potentialités, à s'actualiser (ce que pense également Maslow) et trouve son épanouissement dans la construction d'un Moi conscient en accord avec ses propres expériences, à la fois différent et unique (concept de soi). Rogers a mis en place un concept thérapeutique fondé sur l'ouverture à l'expérience (accepter ce qui arrive sans honte et sans jugement), la prise en charge (être responsable de soi-même) et l'action (utiliser ses compétences pour réaliser ses choix).

LES ATTITUDES AU TRAVAIL

Définition et composantes de l'attitude

attitudes
Ensemble des croyances et des sentiments qui nous prédisposent à agir (intention) dans un sens défini envers des personnes ou des événements.

Les **attitudes** sont l'ensemble des croyances et des sentiments qui nous prédisposent à agir dans un sens défini envers une autre personne, ou un événement[5]. C'est donc aussi un parti pris au sens général, un positionnement personnel. Les attitudes englobent trois dimensions : cognitive (croyances), affective (sentiments) et comportementale (intention d'agir) (*voir la figure 3.1*).

■ *Les croyances* Les croyances correspondent à ce que l'on perçoit et à ce que l'on sait de l'objet de l'attitude. C'est l'aspect cognitif de l'attitude. Par exemple, on peut penser que les fusions engendrent toujours des mises à pied ou qu'elles permettent aux entreprises de survivre à l'ère de la mondialisation. Ces croyances découlent des expériences et des apprentissages passés[6].

■ *Les sentiments* Les sentiments proviennent de l'évaluation positive ou négative de l'objet de l'attitude. Certains pensent que les fusions sont bénéfiques, d'autres non. Le fait qu'on aime ou non les fusions provient de l'opinion ou du sentiment subjectif à l'égard de l'objet de l'attitude. C'est la dimension affective.

■ *Les intentions d'agir* L'intention « comportementale » ou d'agir correspond à la motivation potentielle d'adopter un comportement particulier à l'égard de l'objet de l'attitude. Ainsi, à la suite de ce qu'elle sait des fusions (croyances) et des sentiments négatifs qu'elle entretient à cet égard, une personne pourrait par conséquent envisager de quitter l'entreprise qui fusionne. Mais la correspondance entre l'intention et l'acte n'est pas automatique : la personne peut penser à quitter l'entreprise, mais elle ne le fera pas nécessairement (par exemple, elle peut trouver d'autres avantages à son entreprise, qui compensent largement la fusion). C'est ici la dimension comportementale.

Il faut noter que les chercheurs donnent de plus en plus de place à l'influence des émotions dans la formation de nos attitudes[7]. Le centre des émotions de notre cerveau participe aussi des croyances en ce sens qu'il reçoit également de l'information, mais il la traite beaucoup plus rapidement et d'une manière moins précise que le cerveau rationnel. Cette information « affective » vient teinter de sentiments négatifs ou positifs l'objet de l'attitude[8]. Il n'est pas étonnant, dans ce cas, que certains employeurs s'efforcent de susciter une foule d'émotions positives chez leurs employés, dans l'espoir qu'elles induiront des attitudes positives (comme la

FIGURE   3.1

Les trois
composantes
de l'attitude

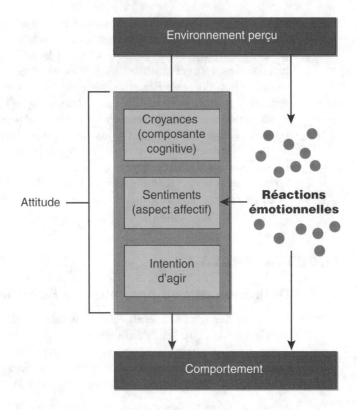

satisfaction au travail, que nous verrons plus loin)[9]. Le lecteur peut aussi se référer au chapitre 5 sur les émotions.

On s'est beaucoup intéressé à la possibilité de mesurer les attitudes (on le verra
à propos de la satisfaction au travail) pour essayer de prédire le comportement
(par exemple l'absentéisme ou le roulement du personnel). Mais cela n'est pas
facile. Notamment, des attitudes générales ne permettent pas de prédire des comportements particuliers. Ainsi, des attitudes générales envers la tolérance ou l'ouverture à autrui ne permettent pas de prédire si un patron engagera des membres
de minorités visibles. Selon Ajzen et Fishbein[10], des attitudes spécifiques annon-
cent des comportements spécifiques. Par ailleurs, plus il s'écoule de temps entre la
mesure de l'attitude et l'observation de certains comportements, et plus il est probable qu'il n'y ait pas de rapport entre l'une et l'autre (on le voit dans les sondages). Les attitudes et l'intention d'agir sont également influencées par les
normes, c'est-à-dire les règles de comportement qui poussent un individu à accepter ou à refuser la conduite qu'il avait l'intention d'adopter. Ces normes sont d'autant plus fortes qu'elles sont accompagnées de « récompenses » ou de sanctions.
Supposons que vous n'aimiez pas avoir de femmes jeunes dans votre équipe (vous
alléguez qu'elles s'absentent souvent, par exemple pour des raisons de maternité).
On pourrait déduire que vos intentions seraient de ne pas en recruter, mais vous
ne le ferez pas parce que ce comportement est inadmissible (norme) et que si
vous le faisiez, vous seriez peut-être sanctionné (poursuites pour discrimination).
Les intentions sont également soumises aux contraintes (réelles ou supposées)
perçues par la personne (dans notre exemple, ce pourrait être le fait que le processus de sélection soit mené par plusieurs personnes).

Le phénomène psychologique de la dissonance cognitive permet de mieux comprendre la relation entre les attitudes et le comportement.

La dissonance cognitive   C'est le psychologue Leon Festinger qui a introduit cette notion de **dissonance cognitive**[11]. Il y a dissonance cognitive lorsqu'une personne perçoit une incohérence, une contradiction ou une incompatibilité entre ses attitudes ou entre ses attitudes et ses comportements. Cette contradiction crée une tension désagréable qu'on cherche à atténuer en modifiant l'attitude ou le comportement. Prenons le cas d'Emmanuelle qui travaille pour le patron que nous évoquions précédemment et dont elle apprend qu'il n'est pas favorable au recrutement de jeunes femmes, ce qu'elle réprouve fortement. Pourtant elle trouve que c'est un bon patron. Cette discordance de points de vue pourra entraîner une modification de comportement chez elle pour réduire cette dissonance : elle peut convaincre son chef d'agir autrement, ou elle peut être amenée à changer de poste. Elle peut aussi rationaliser la situation pour réduire la dissonance : « Le chef est d'une autre génération et il ne peut comprendre que les choses ont évolué. » Elle peut aussi se dire qu'elle est bien payée grâce à lui (et à son travail) et que ce n'est pas si important que ça, etc.

Les différentes attitudes au travail   Les attitudes sont généralement stables, c'est-à-dire relativement persistantes. Les attitudes reliées au travail ont fait l'objet de nombreuses recherches, du fait qu'elles produisent plusieurs effets en entreprise : performance, absentéisme, roulement du personnel. Parmi les attitudes les plus étudiées en comportement organisationnel se trouve la satisfaction au travail à laquelle sera consacrée la prochaine section. Dans les dernières décennies, au vu de ses dommages et des réactions qu'elle suscite, on s'est également arrêté sur une attitude négative, le préjugé, et le comportement qui peut en découler, la discrimination au travail.

Nous verrons aussi d'autres attitudes qui ont fait l'objet de recherches, à savoir, l'engagement des individus envers leur organisation, les attitudes à l'égard du contrat psychologique entre l'employé et l'employeur, la citoyenneté organisationnelle et une conséquence majeure et coûteuse de ces attitudes si elles sont défavorables : l'absentéisme.

> **dissonance cognitive**
> Contradiction perçue, d'une part, entre les attitudes et, d'autre part, entre les attitudes et le comportement.

LA SATISFACTION AU TRAVAIL

La **satisfaction au travail** décrit l'attitude (positive ou négative) d'une personne à l'égard de son emploi et de son milieu de travail[12]. Chez les employés satisfaits, cette évaluation, fondée sur leurs observations et leurs expériences affectives, est plutôt favorable. En fait, la satisfaction au travail est un ensemble d'attitudes à l'égard de certains aspects précis du travail[13]. Par exemple, une personne peut être satisfaite de ses relations avec ses collègues, mais moins apprécier la charge de travail ou d'autres facettes de l'emploi. Pour la plupart d'entre nous, la satisfaction au travail est une partie importante de notre vie[14].

> **satisfaction au travail**
> Attitude d'une personne à l'égard de son emploi et de son milieu de travail.

Les Canadiens sont-ils satisfaits au travail ?

Les sondages indiquent qu'entre 82 % et 86 % des Canadiens sont modérément ou très satisfaits de leur emploi[15]. Les résultats d'une enquête réalisée dans 39 pays (*voir la figure 3.2*) révèlent que les travailleurs canadiens occupent le cinquième

FIGURE 3.2 Satisfaction au travail dans différentes cultures

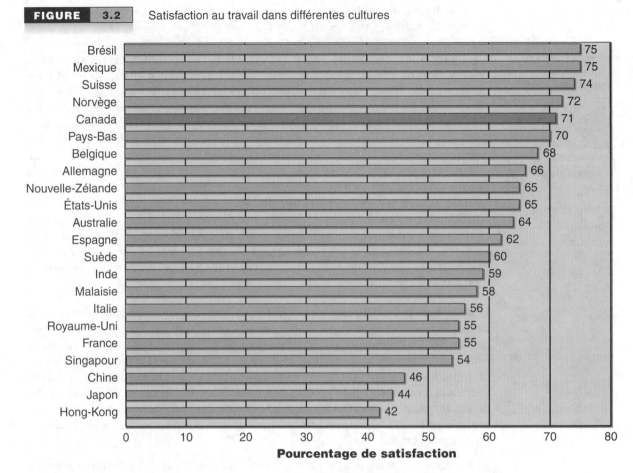

Pourcentage de satisfaction

Source : Basé sur le sondage d'Ipsos-Reid mené auprès de 9300 travailleurs répartis dans 39 pays au milieu de l'année 2000 (voir « Ipsos-Reid Global Poll Finds Major Differences in Employee Satisfaction Around the World », Communiqué de presse, 8 janvier 2001). La figure ci-dessus présente un échantillon de 22 pays, y compris tous les pays ayant obtenu les pointages les plus élevés.

rang pour la satisfaction au travail. Les Brésiliens et les Mexicains sont les plus satisfaits, tandis que les Japonais et les Chinois de Hong-Kong sont les moins satisfaits. Une autre étude révèle que, dans les 10 plus grandes économies mondiales, les Canadiens venaient au deuxième rang pour la satisfaction au travail après les Brésiliens[16]. Au Québec, un sondage récent révèle que plus de 9 travailleurs sur 10 se disent satisfaits de leur travail actuel, 50 % se disant très satisfaits et 42 %, satisfaits. Aussi, 90 à 95 % des sujets se disent motivés par leur travail et la même proportion de personnes affirment trouver un sentiment d'accomplissement personnel dans leur emploi[17].

Ces résultats signifient-ils que nous sommes très satisfaits de notre travail ? Peut-être bien, mais sans doute pas autant que ces statistiques le laissent croire. Le problème est que les sondages se composent souvent d'une seule question directe telle que : « Dans quelle mesure êtes-vous satisfait de votre travail ? » Or, de nombreux employés mécontents hésitent à révéler leurs sentiments en répondant à une question ainsi formulée. En effet, une réponse négative reviendrait à admettre qu'ils ont mal choisi leur emploi et qu'ils n'éprouvent pas de plaisir dans la vie.

Comment peut-on savoir si les taux globaux de satisfaction ont été surestimés ? En voici un indice : la moitié des Canadiens ont répondu qu'ils quitteraient leur emploi si une autre organisation leur offrait un emploi semblable avec un salaire légèrement plus élevé ! En outre, moins de la moitié des Canadiens recommanderaient leur entreprise comme étant le meilleur endroit où travailler dans la communauté[18]. Il faut aussi garder à l'esprit que les valeurs culturelles compliquent la comparaison de la satisfaction au travail d'un pays à l'autre[19]. Par exemple, les Chinois, les Sud-Coréens et les Japonais ont tendance à dissimuler leurs émotions en public ; aussi ils évitent sans doute les réponses extrêmes comme « très satisfait ».

Il faut dire cependant que le moral des employés s'est quelque peu effrité ces dernières années en raison des multiples changements qu'ils ont vécus (principalement les licenciements massifs et les restructurations), notamment chez les gens âgés de 45 à 54 ans.

Ajoutons que la satisfaction au travail varie selon le type d'emploi, le niveau hiérarchique et l'âge, le sexe et le groupe d'appartenance. Ainsi, des études montrent que les professionnels et les cadres tendent à être plus satisfaits que les ouvriers[20] ou que les personnes âgées sont plus contentes de leur sort que les plus jeunes dans leur organisation[21]. Les femmes et les personnes issues de groupes défavorisés en emploi seraient plus insatisfaites que les membres de groupes majoritaires[22].

Une découverte intéressante et intrigante est que la satisfaction au travail serait une disposition personnelle peu sujette aux fluctuations dues au contexte ! Ainsi, certaines personnes seraient satisfaites quels que soient leur emploi, le travail qu'elles font ou les tâches qu'elles pourraient effectuer dans leur vie. Cette recherche a été menée auprès de 5000 hommes qui ont changé d'emploi entre 1969 et 1971. Ceux qui étaient satisfaits en 1969 le restaient en 1971, et on observe la même tendance pour l'insatisfaction. Cette stabilité dans l'humeur persistait même 10 ans plus tard. Ces données tendent à confirmer l'hypothèse de la satisfaction au travail comme une prédisposition de la personnalité.

La satisfaction et le comportement au travail

« Sans une main-d'œuvre satisfaite, vous n'avez rien et vous n'irez jamais loin », prévient Annette Verschuren, présidente de la société Home Depot Canada[23].

Home Depot Canada, Fours Seasons Hotels and Resorts, Telus Corp. et une foule d'autres entreprises canadiennes se préoccupent beaucoup de la satisfaction au travail, ces temps-ci. Dans certaines organisations, les primes versées aux cadres dépendent en partie du taux de satisfaction des employés. La raison en est simple : la satisfaction au travail influe sur un grand nombre de comportements individuels, comme nous le verrons. Le **modèle départ-expression-loyauté-négligence** (DELN) permet d'organiser et de comprendre les conséquences de l'insatisfaction au travail. Comme son nom l'indique, ce modèle définit quatre types de réactions des employés lorsqu'ils sont insatisfaits[24].

modèle départ-expression-loyauté-négligence

Les quatre réactions des employés quant à l'insatisfaction au travail.

■ *Le départ* Cette réaction consiste à se retirer de la situation en cherchant un autre emploi, en démissionnant ou en demandant une mutation. Le roulement de la main-d'œuvre est une conséquence bien établie de l'insatisfaction au travail, surtout chez les employés qui trouvent de meilleures possibilités d'emploi ailleurs. Des preuves récentes démontrent aussi que le départ est lié à des « événements-chocs » particuliers, par exemple un conflit ou des attentes fortement déçues[25].

■ *L'expression* Ici, l'expression est définie comme toute tentative de modifier la situation désagréable par la manifestation de ses opinions ou de ses actes plutôt que de chercher à la fuir. De nombreux chercheurs voient désormais l'expression comme une réaction très positive ou constructive. Par exemple, l'employé tente de régler le problème avec la direction ou contribue activement à améliorer la situation. Toutefois, l'expression peut parfois prendre des formes de confrontation, par exemple lorsque l'employé dépose un grief ou qu'il adopte des comportements improductifs[26].

■ *La loyauté* La loyauté est un concept qui a été décrit de différentes manières[27]. La conception la plus répandue est que les personnes loyales sont des employés qui restent attachés à leur organisation et qui réagissent à l'insatisfaction en se contentant d'attendre que le problème se règle seul ou qu'il soit réglé par d'autres. Certains décrivent ces employés comme des personnes qui « souffrent en silence »[28].

■ *La négligence* Chez l'employé insatisfait, cette réaction signifie que l'employé fera moins d'efforts que d'habitude, négligera la qualité du travail effectué ou s'absentera davantage. La négligence peut entraîner des conséquences négatives pour l'organisation. Les recherches ont démontré que les employés insatisfaits ont tendance à s'absenter plus souvent, comme nous le verrons plus loin[29].

Laquelle de ces quatre réactions les employés insatisfaits choisiront-ils ? Cela dépend des caractéristiques des personnes et du contexte. Par exemple, si les possibilités de trouver un autre emploi sont faibles, l'employé délaissera l'option du départ. Celui qui s'identifie à son organisation sera plus enclin à s'exprimer qu'à partir. La personnalité est un autre facteur qui influence le comportement à adopter. Les employés responsables, ou extravertis, ou encore avec une grande stabilité émotive seront plus portés à s'exprimer.

Enfin, les expériences antérieures influencent le choix d'une ligne de conduite. Les employés qui, dans le passé, se sont exprimés sans succès auront plus tendance, à l'avenir, à partir ou à adopter des comportements de négligence s'ils sont insatisfaits au travail[30].

La mesure de la satisfaction au travail

La satisfaction au travail est un concept difficile à saisir, étant donné sa complexité comme attitude, dont nous avons relevé les multiples composantes. Mais il est important de le faire, compte tenu de l'importance de cette attitude sur les comportements professionnels et l'efficacité de l'entreprise. Questionnaires et incidents critiques sont des instruments privilégiés de cette mesure. Un des instruments les plus populaires est le JDI ou *Job Descriptive Index*, qui sonde l'opinion des employés sur le travail lui-même, la paie, les possibilités de développement, le type de supervision et les collègues. Cet instrument s'est avéré fiable[31]. Un autre outil bien connu est le *Minnesota Satisfaction Questionnaire* (MSQ), qui appréhende également divers aspects du travail[32]. L'avantage de ces questionnaires est qu'ils sont rapides à administrer et qu'ils offrent des normes de satisfaction pour plusieurs corps d'emploi.

La technique de l'incident critique consiste à faire relater par les employés des événements où ils se sont sentis particulièrement satisfaits ou insatisfaits (c'est la technique utilisée par Herzberg, auteur de la théorie des deux facteurs de la motivation dont nous dirons un mot). L'entrevue (y compris celle de départ) est une technique qui privilégie le dialogue direct et qui est riche en enseignement pour détecter les causes de satisfaction ou d'insatisfaction.

Les théories de la satisfaction au travail

Qu'est-ce qui rend les gens satisfaits dans leur travail ? On peut trouver un élément de réponse dans deux théories : celle, très connue, dite des deux facteurs de Frederick Herzberg, et la théorie de la valeur.

Nous ne détaillerons pas ici la théorie de Herzberg[33], car elle est aussi considérée comme une théorie de la motivation. On la trouvera décrite plus amplement au chapitre 6. Rappelons simplement que cet auteur postule que les employés sont satisfaits si leurs besoins de croissance (appelés aussi facteurs de motivation) sont comblés et mécontents quand ils ont de piètres conditions de travail relatives à la sécurité, l'encadrement, etc. Ces derniers facteurs, s'ils sont comblés, ne font que prévenir l'insatisfaction sans motiver pour autant les employés.

La théorie de la valeur postule que la satisfaction au travail ne se fera sentir que si les effets liés au travail (récompenses, par exemple) sont cohérents avec les résultats désirés, valorisés par l'employé, quels qu'ils soient (d'où le nom de la théorie)[34]. L'accent est mis ici sur l'écart entre ce que l'employé trouve dans son travail et ce qu'il désire. Plus grand est l'écart, plus grande est l'insatisfaction, et ce, davantage quand il s'agit d'aspects jugés importants par l'employé (autonomie au travail, par exemple). D'où l'importance de réduire ces écarts et, si cela est possible, de les combler, ce qui est plus facile à dire qu'à faire ! Cette théorie s'est cependant avérée valide.

La satisfaction au travail et la performance

Il existe une croyance qui a la vie dure dans le monde des affaires : un employé heureux est un employé productif. Est-ce vrai ? Dans les années 1980, les chercheurs en étaient arrivés à la solide conclusion qu'il existait un lien faible, voire négligeable, entre la satisfaction au travail et la performance[35]. Aujourd'hui, les preuves démontrent que le dicton populaire repose sur quelque fondement de vérité et qu'il existe un lien modéré entre ces deux variables. Par exemple, on a trouvé un lien modéré (et inverse) entre la satisfaction au travail et l'absentéisme et le roulement du personnel[36]. Quand on sait que le remplacement d'un employé coûte environ une fois son salaire annuel (et davantage pour des spécialistes), il est donc important d'avoir une main-d'œuvre satisfaite au travail.

Cette corrélation modérée nous conduit à la prochaine question : pourquoi ce lien entre la satisfaction au travail et la performance n'est-il pas plus fort ? Bien que les réponses soient multiples, nous en examinerons les trois plus courantes[37]. L'une des raisons est que les attitudes générales (comme la satisfaction au travail) ne permettent pas de prédire avec précision des comportements particuliers. En fait, certains employés demeurent productifs tout en se plaignant (expression), en cherchant un autre emploi (départ) ou en attendant patiemment que le problème se règle (loyauté).

Une deuxième raison tient au fait qu'un bon rendement engendre de la satisfaction au travail (plutôt que l'inverse), mais seulement quand ce rendement est lié à des récompenses appréciées. Le lien entre la satisfaction au travail et le rendement demeure faible également parce que de nombreuses organisations ne récompensent pas toujours la performance, d'où l'absence de relation.

La troisième raison est liée au fait que la variation de la performance peut dépendre de causes autres que la satisfaction au travail de l'individu : variations économiques (comme à la bourse), améliorations de la machinerie ou des structures, etc.

Le lien entre la satisfaction au travail et la performance est généralement plus fort dans les emplois complexes où les employés disposent d'autonomie[38].

La satisfaction au travail et la satisfaction du client

Outre le lien entre la satisfaction au travail et le rendement, les chefs d'entreprise sont convaincus que les employés heureux rendent les clients heureux. « Nous exigeons davantage de nos employés, mais nous faisons de notre mieux pour qu'ils soient heureux », explique un cadre de Four Seasons Hotels et Resorts, une entreprise de Toronto. « Les employés heureux donnent un meilleur service », affirme Gordon Bethune, chef de la direction de Continental Airlines. « Nous traitons bien nos gens et, en retour, ils traitent bien nos clients. Des employés heureux rendent les clients satisfaits[39]. »

Ce point de vue est défendu à juste titre, puisqu'il est étayé par des études récentes réalisées dans les domaines du marketing et du comportement organisationnel[40].

Deux facteurs principaux font en sorte que la satisfaction au travail a un effet positif sur le service à la clientèle[41]. Premièrement, la satisfaction au travail prédispose l'employé à se montrer aimable avec le client. Deuxièmement, les employés satisfaits, étant moins susceptibles de quitter leur emploi, acquièrent de l'expérience, donnent un meilleur service ; les clients tissent des liens particuliers avec eux, ce qui les fidélise[42].

Pour résumer ce thème, on trouvera à la figure suivante les façons pour les dirigeants de susciter la satisfaction chez leurs employés.

FIGURE 3.3 Comment susciter la satisfaction au travail ?

Comment susciter la satisfaction au travail ?

Donner aux employés des tâches qui représentent un défi, qui requièrent leurs compétences et correspondent à leurs intérêts.

Établir un milieu de travail aux pratiques équitables (paie, promotions, etc.).

Établir un milieu de travail sain, c'est-à-dire sécuritaire, confortable et commode.

Créer un milieu social plaisant : collègues et patrons solidaires, amicaux et empathiques.

Faire de l'entreprise un endroit où l'on a du plaisir à travailler, un milieu agréable où l'humour n'est pas exclu et où le stress est maintenu à un niveau modéré.

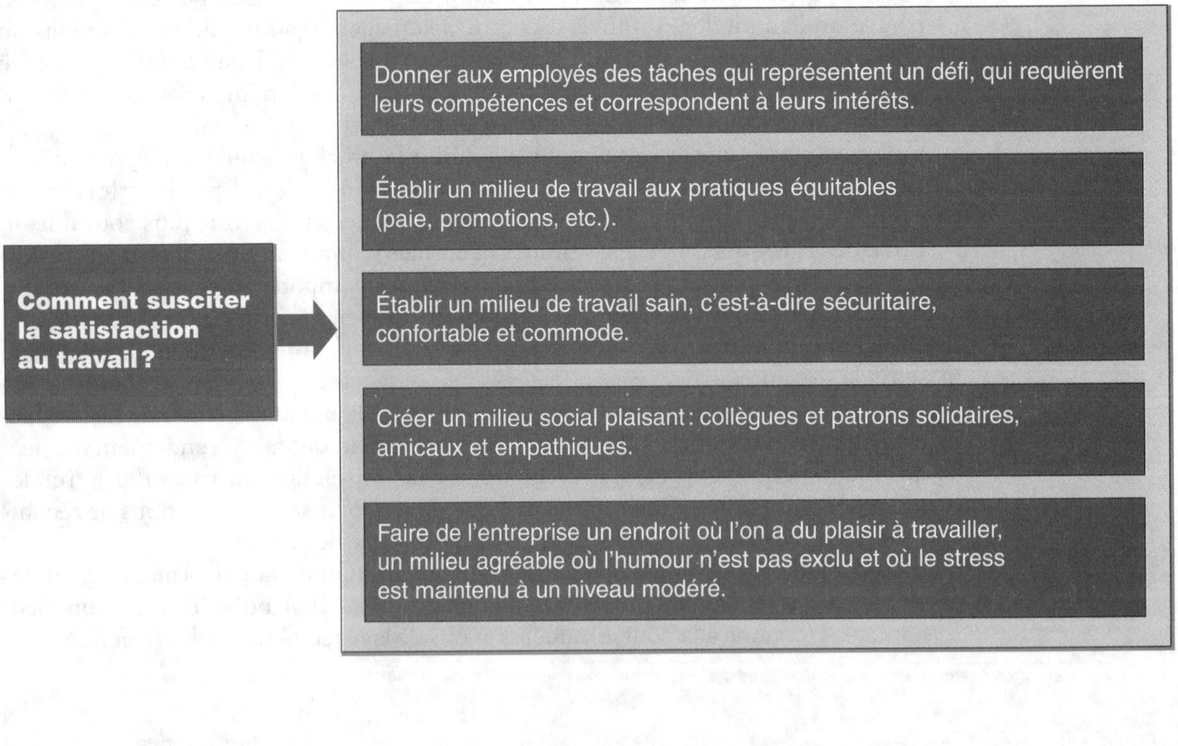

Il ne suffit pas de le faire, il faut le dire !

Chez Ultramar, nous écoutons vraiment nos employés. Nous sommes en faveur de la transparence. Et ça va dans les deux sens », affirme Louis Forget, vice-président aux affaires publiques. Ainsi, les 3700 employés d'Ultramar sont régulièrement informés des décisions et des visées de l'entreprise. D'ailleurs, quand ça va bien, chaque employé le sait parfaitement, car tout le monde a droit à une généreuse prime. Cette prime représente au moins 4 % du salaire. Le fonds de retraite d'Ultramar, dont chaque employé peut gérer sa portion, est lui aussi un puissant outil de reconnaissance.

Selon Lorraine Racicot, vice-présidente aux ressources humaines, le succès d'Ultramar repose également sur un fort sentiment d'appartenance.

« Les possibilités de carrière sont excellentes. Notre culture d'entreprise nous permet non seulement de garder nos employés (le taux de roulement est en deçà de 5 % par an, dit-elle), mais aussi d'être capables d'attirer les meilleurs. »

« Les gens qui travaillent ici sont fiers. Oui, on travaille avec ardeur, mais le fait d'avoir notre nom sur la liste des employeurs de choix, ça vient nous confirmer qu'on travaille pour une excellente entreprise »,

Ultramar se situe en 23ᵉ position parmi les meilleurs employeurs au Canada, déterminés par des sondages auprès des employés eux-mêmes, ici visiblement satisfaits.

Rémi Lemée, La Presse

explique Jean-Guy Archambault, responsable du programme linguistique, au service d'Ultramar depuis 29 ans.

Source : Stéphane Champagne, « Il ne suffit pas de le faire, il faut le dire ! », *La Presse Affaires*, 23 décembre 2005, p. 3.

Ultramar, entreprise texane de raffinage de pétrole, mais dont le siège social est au Québec, présente beaucoup de facteurs de satisfaction pour ses employés, comme le montre le reportage ci-dessus.

Une attitude négative : le préjugé

Dans cette section, nous nous attarderons aux préjugés : quels sont les groupes qui en sont victimes et comment gérer la diversité du personnel pour les combattre.

préjugé
Attitude négative envers des groupes de personnes (ou d'institutions), faite d'opinions ou de jugements issus d'analyses peu rigoureuses et sommaires, voire inexistantes.

Définition du préjugé et des groupes qui en sont victimes Bien que l'on puisse parler de préjugés positifs (par exemple de nombreux consommateurs ont un préjugé favorable à l'égard des voitures japonaises pour leur qualité), en général, le préjugé revêt une connotation négative. Le **préjugé** est une attitude négative envers des groupes de personnes (ou d'institutions), faite d'opinions ou de jugements formés d'analyses peu rigoureuses et sommaires, voire inexistantes. Le stéréotype, comme on le verra plus en détail au chapitre 4 avec la perception, est une sorte d'organisation mentale du préjugé de la part du percevant : il attribue à tous les membres d'un groupe de personnes des caractéristiques tranchées du simple fait de leur appartenance à ce groupe, lui-même souvent né d'une catégorisation effectuée par le percevant. Préjugés et stéréotypes s'alimentent mutuellement. Comme toute attitude, le préjugé négatif engendre un type de comportement qui, dans la vie professionnelle, peut parfois conduire à la discrimination. Ainsi, un chef nourri de stéréotypes négatifs envers les femmes (attitudes), peut écarter volontairement celles-ci de postes de cadres (comportement de discrimination).

L'entreprise Procter et Gamble du Canada, la multinationale américaine, travaille beaucoup à ce que son personnel représente bien la diversité de la population canadienne, du point de vue régional, linguistique (par exemple, elle a intensifié son recrutement dans les universités québécoises), racial, des minorités ethniques, du handicap (et du sexe, bien sûr, une de ses premières préoccupations). Plusieurs institutions québécoises se sont engagées dans des programmes visant à combattre l'exclusion en milieu de travail.

Comme nous l'avons vu au chapitre 2, les organisations devront de plus en plus faire face à l'accroissement de l'hétérogénéité de leur personnel. Plusieurs d'entre elles signalent même leurs croyances et leurs pratiques à cet effet dans leurs valeurs officielles ou dans leurs rapports annuels. Elles le font pour des raisons stratégiques (par exemple, étant donné le pouvoir d'achat de plusieurs segments de la population, ou la nécessité de mettre à profit tous les talents), par conformité aux lois, comme nous le verrons plus loin, ou simplement par conviction.

Quels groupes représentant la diversité de la population canadienne sont traditionnellement affectés par les préjugés et la discrimination dans la vie professionnelle ou peuvent l'être? Ce sont les femmes, les minorités visibles et ethniques, les personnes handicapées, les homosexuels, mais aussi les jeunes et les personnes âgées.

Les femmes constituent aujourd'hui près de la moitié de la population active. Malgré cela, très peu de femmes sont représentées dans les conseils d'administration ou dans les hautes sphères de la hiérarchie des entreprises (moins de 1% comme p.-d.g.; voir aussi le chapitre 12 sur les femmes au pouvoir). Les femmes sont victimes de ce que l'on appelle «le plafond de verre», c'est-à-dire la création de barrières invisibles et subtiles dans leur ascension vers les postes de direction. Mais les choses tendent à changer, comme le montre la nomination récente de femmes à la tête de grandes sociétés américaines et européennes: Indra Nooyi chez PepsiCo, Anne Mulcahy chez Xerox, Meg Whitman chez eBay, Irene Rosenfeld chez Kraft Foods, Brenda Barnes chez Sarah Lee, Andrea Jung chez Avon, Patricia Russo chez Alcatel Lucent, Anne-Marie Idrac à la SNCF, Linda Cook chez Shell, Barbara Stymiest à la Banque Royale du Canada, etc. La création de programmes de mentorat structurés peut aider les femmes à accéder à des postes de direction, les introduisant ainsi à des postes de pouvoir d'où elles pourront promouvoir et guider d'autres femmes à leur tour. Un mentor est généralement un cadre expérimenté disposant d'un certain pouvoir, habilité à guider un employé plus jeune ou moins expérimenté et à promouvoir sa carrière. Un mentor se distingue généralement d'un *coach*, non seulement parce qu'il est un modèle qu'on veut imiter, mais aussi parce qu'il transmet le savoir-être (ce qui n'exclut pas le savoir-faire). Le tableau 3.1 de la page suivante donne les grandes lignes de la mise sur pied d'un programme de mentorat structuré.

La race, la nationalité et la langue d'origine (autre que le français ou l'anglais) créent des problèmes de communication avec la société d'accueil. Il faudra pourtant y voir, notamment aux États-Unis où l'on estime qu'en 2040, la moitié de la population sera d'origine latine, africaine et asiatique.

Ici aussi des programmes de mentorat structurés peuvent briser des barrières discriminatoires. Par exemple, Hughes Aircraft Company de Los Angeles ou AT&T Bell Labs au New Jersey ont affecté des mentors à des employés provenant de

TABLEAU 3.1	Comment bâtir un programme de mentorat structuré

1. Clarifier les objectifs de ce programme	■ Vise-t-on une relève des cadres ?
	■ Vise-t-on la promotion de groupes défavorisés en emploi ?
2. S'assurer au préalable de l'existence d'une mission et d'une stratégie d'entreprise claires ainsi que de dispositifs relativement élaborés en matière de ressources humaines qui appuieront ce programme	
3. Former un comité directeur	■ Le comité directeur représente la haute direction, donne le soutien moral et financier aux acteurs du programme, sollicite mentors et parrainés, gère les conflits et évalue le programme.
4. Recruter et sélectionner les mentors et les protégés	■ Les individus sont choisis selon les objectifs du programme ; cela peut se faire par nominations, recommandations des supérieurs ou choix réciproques. Les appariements ne doivent pas être imposés.
	■ Limiter la durée du mentorat à un an au maximum et aviser.
5. Former des participants au programme	■ Expliquer les objectifs du programme, les rôles et les responsabilités des participants au programme ; préparer ou former les mentors à leurs tâches.
6. Évaluer le programme	■ Faire une évaluation plutôt informelle après six mois et une évaluation plus importante après une année, selon les objectifs et les critères de départ.

Source : Benabou, C., « Mentors et protégés dans l'entreprise : vers une gestion de la relation », *Gestion*, 1995, vol. 20, n° 4.

minorités ethniques pour les promouvoir plus rapidement ou pour leur donner les compétences nécessaires à leur succès[43].

À l'heure où, dans diverses provinces canadiennes, l'âge n'est plus une obligation pour prendre sa retraite, et vu le vieillissement de la population (*voir le chapitre 2*), notamment au Québec, des frictions intergénérationnelles peuvent s'intensifier. Elles peuvent être dues aux préjugés selon lesquels les personnes âgées auraient tendance à être plus souvent absentes que les autres ou seraient enclines à avoir plus d'accidents que les plus jeunes. Ces préjugés ne sont pas réellement fondés sur des faits. En réalité, une enquête menée auprès de 400 compagnies montre au contraire que les personnes âgées sont vues comme d'excellents employés, notamment en ce qui concerne la ponctualité, le travail de qualité et les connaissances pratiques. Il y a aussi des préjugés envers les jeunes travailleurs de moins de 30 ans qui entrent sur le marché du travail, davantage formés à contester l'autorité et prêts à quitter une entreprise qui ne peut leur offrir autonomie, formation et qualité de vie, ce qui peut incommoder la façon de gérer de leurs chefs[44].

En ce qui concerne l'incapacité physique ou mentale de certains employés, les employeurs devront trouver les moyens de les satisfaire également s'il est prouvé que ce personnel peut s'acquitter de tâches déterminées. Beaucoup de personnes handicapées ne travaillent pas ou sont victimes de discrimination du fait des attitudes de certains employeurs et de collègues. Souvent, ces attitudes viennent de la méconnaissance de ce groupe de personnes et de la façon dont il faut les traiter. Certaines sociétés font preuve d'avant-gardisme quant à cette gestion. Par exemple, Microsoft, avec son programme « Capable de travailler » intensifie ses activités de recrutement de personnes handicapées. Johnson & Johnson et Caterpillar prévoient des affectations pour le personnel handicapé ou introduisent des technologies ou du matériel propres à les aider.

Les organisations engageant des groupes ayant des pratiques religieuses autres que celles de la société d'accueil devront veiller à ce que ces groupes ne souffrent pas de discrimination fondée sur leurs croyances, leur apparence ou leurs coutumes. Peu d'entreprises ont des politiques claires sur la façon de combattre la discrimination religieuse, soit par ignorance des coutumes des autres, soit parce que ceux qui en sont victimes hésitent à se plaindre malgré les lois qui les protègent. L'accommodement raisonnable est une bonne façon pour les institutions d'éviter que les personnes aux croyances religieuses différentes de celles de la majorité ne soient victimes d'ostracisme au travail (*voir aussi le chapitre 2*).

Il en est de même pour les groupes aux orientations sexuelles différentes envers lesquels les employeurs devront être vigilants quant aux pratiques homophobes. Par exemple, aux États-Unis, une enquête montre que près des deux tiers des p.-d.g. de grandes sociétés admettent leur réticence à inclure un homosexuel dans un comité de direction[45].

En somme, il y a encore beaucoup de travail à faire en entreprise pour gérer toute cette diversité, gestion qui fait l'objet de la prochaine section.

La gestion de la diversité Malheureusement, les préjugés ont la vie dure. Mais si l'on ne peut forcer les gens à les abandonner, on peut par contre les obliger à changer leurs comportements au travail. En effet, des lois protègent les individus appartenant aux groupes traditionnellement visés par la discrimination au travail. Les principes d'égalité à cet effet sont contenus dans les différentes chartes, fédérale et provinciales, des droits et libertés de la personne. Au Québec, la Loi sur l'égalité en emploi dans des organismes publics, entrée en vigueur en avril 2001, impose aux organismes publics et aux entreprises qui emploient plus de 100 personnes et obtiennent des contrats de plus de 100 000 $ du gouvernement la mise en œuvre des programmes d'accès à l'égalité. Ces programmes visent à assurer une représentation équitable de groupes de personnes faisant ou ayant fait historiquement l'objet de discrimination en emploi. Malgré les préjugés entourant ces programmes, il reste qu'ils contribuent à augmenter l'estime de soi des personnes visées, lesquelles ne sont pas moins compétentes que les autres. À l'heure où le salaire des femmes, par exemple, est en moyenne inférieur de 25 % à celui des hommes, ces programmes ont encore leur raison d'être. L'encadré 3.2 de la page suivante décrit les mesures permettant de gérer la diversité.

La gestion de la diversité offre un avantage concurrentiel aux entreprises qui la mettent en œuvre. Des chercheurs américains ont comparé deux groupes de sociétés : dans le premier groupe se trouvaient des entreprises ayant reçu des récompenses de la part du ministère du Travail pour leurs efforts visant la diversité en emploi. Dans l'autre groupe figuraient des entreprises ayant fait l'objet de plaintes pour discrimination. Toutes choses étant égales, les entreprises du premier groupe montraient un rendement nettement supérieur à celui des entreprises du deuxième groupe. Ceci s'explique par la capacité des entreprises efficaces d'attirer et de retenir les employés talentueux, quels qu'ils soient et d'où qu'ils viennent[46].

Mesures permettant de gérer la diversité

■ Suivre les principes des programmes officiels d'égalité en emploi (à ce sujet, les gouvernements disposent de mesures d'aide gratuites aux organisations); vérifier notamment s'il y a sous-représentation des groupes visés par la loi, dans une région donnée, pour un type d'emploi, et, à compétence équivalente, établir un programme d'accès à l'égalité.

■ Former le personnel pour lui faire prendre conscience (aspect cognitif) de l'importance de la question de la diversité en milieu de travail pour l'entreprise, les collègues, les clients et la communauté. Des exercices propres à identifier les stéréotypes de chacun sont ici courants.

■ Former le personnel aux habiletés de gestion de la diversité, autrement dit comment transiger avec des personnes différentes de soi. On développe ici une « intelligence culturelle » par la connaissance de la culture de l'autre, des barrières et des malentendus.

■ Exposer les individus différents à des situations de travail où ils auront à se côtoyer, donc où ils apprendront à mieux se connaître et à se comprendre.

■ Établir des programmes de mentorat (*voir le tableau 3.1*).

■ Chercher les meilleurs talents par des politiques de recrutement et de promotion proactives (par exemple en contactant des organisations représentant des minorités ethniques).

■ Être attentif aux détails. Chercher des accommodements raisonnables dans la vie professionnelle quotidienne (par exemple ne pas servir seulement du porc à la cafétéria de l'entreprise si une bonne partie du personnel est de religion musulmane ou juive).

■ Évaluer régulièrement les efforts et les pratiques relatives à ce sujet.

Revenons maintenant à des attitudes plus positives en examinant l'engagement organisationnel.

L'ENGAGEMENT ORGANISATIONNEL

engagement organisationnel
Attitude qui reflète la force du lien entre l'employé et son organisation.

Vers le milieu des années 1800, Samuel Cunard a fondé Cunard Lines, la meilleure flotte de paquebots ayant jamais sillonné l'océan Atlantique. Ce Néo-Écossais plein d'entrain a réussi à rendre le transport par bateau fiable et sûr, bien avant qu'on ait cru cela possible. Pour ce faire, il a utilisé les meilleurs navires et il a trié sur le volet ses officiers et ses équipages. Il a fait passer la sécurité avant le profit et, en suivant les conseils de ses experts, il a profité des plus récentes innovations. Par-dessus tout, Samuel Cunard s'appuyait sur la conviction, démodée peut-être, que si vous choisissez les bonnes personnes, que vous leur versez un salaire décent et que vous les traitez comme il faut, elles vous le rendront en loyauté et en fierté[47].

engagement affectif
Attachement émotionnel de l'employé et identification de celui-ci à son organisation.

Près de 150 ans plus tard, les hypothèses de Samuel Cunard sur l'**engagement organisationnel** ont été solidement étayées par les recherches sur le comportement organisationnel. L'engagement organisationnel est l'attitude qui reflète la force du lien entre l'employé et son organisation. Il ne s'agit pas d'un état homogène puisqu'il peut revêtir trois formes distinctes. La première forme, l'**engagement affectif,** renvoie à un attachement émotionnel de l'employé envers son organisation, ce qui le porte à s'identifier à elle et à s'y investir[48]. Dans ce cas, les objectifs de l'organisation sont intériorisés par l'employé[49]. La seconde forme,

---

Nos remerciements vont à Kathleen Bentein, professeure au Département ORH de L'École des sciences de la gestion de l'Université du Québec à Montréal, spécialiste du sujet, pour avoir révisé cette partie sur l'engagement organisationnel et y avoir fait des ajouts pertinents.

**engagement
de continuité**

Attachement
instrumental, par
défaut, basé sur
l'évaluation des
coûts liés à un
départ éventuel
de l'organisation.

**engagement
normatif**

Attachement
basé sur un senti-
ment d'obligation
morale à l'égard
de l'organisation.

l'**engagement de continuité,** est une forme d'attachement instrumental, ou par défaut[50]. Elle caractérise les employés qui croient qu'ils ont intérêt à demeurer dans l'organisation parce que le coût lié à leur départ serait trop élevé (perte de salaire ou d'avantages extralégaux, transférabilité limitée de compétences spécifiques, possibilités peu nombreuses de changement d'emploi, etc.)[51]. Enfin, la troisième forme, l'**engagement normatif,** est le propre des employés éprouvant un sentiment d'obligation morale à l'égard de leur organisation. Les trois formes d'engagement sont présentes à des degrés divers chez tous les employés.

Certains sondages indiquent que la loyauté organisationnelle serait en déclin. Les résultats de l'un d'eux révélaient qu'il y a une décennie, 62 % des Canadiens étaient loyaux envers leur employeur. Trois sondages plus tard, ce taux est tombé à 49 %. Une enquête comparant le Canada avec 32 autres pays indique que les Canadiens viennent au seizième rang pour ce qui est de la loyauté, tandis qu'un autre sondage mené auprès de 360 000 personnes dans les 10 pays les plus riches du monde plaçait le Canada au quatrième rang derrière le Brésil, l'Espagne et l'Allemagne[52].

Comment expliquer cette tendance ? Tout d'abord par le fait que la plupart des organisations ont connu des changements majeurs et récurrents tels que des fusions, des rachats, des acquisitions, des restructurations qui rendent leurs valeurs et leurs objectifs lointains aux yeux de bon nombre d'employés. Ensuite, parce que les organisations sont de plus en plus insérées dans des ensembles multinationaux dont les centres de décision semblent s'éloigner de la réalité des salariés. Devant cet état de fait, on peut s'attendre à ce que les employés développent et entretiennent leurs liens d'attachement envers d'autres entités qu'ils ressentent comme plus proches d'eux que l'organisation. On observe en effet que, outre l'engagement organisationnel, les employés manifestent différents degrés d'engagement envers des cibles internes ou externes à l'organisation, comme leur supérieur, les membres de leur équipe, leurs clients, ou encore leur profession.

Les conséquences de l'engagement organisationnel

Les trois formes d'engagement contribuent à réduire le risque de départ volontaire de l'organisation. Autrement dit, un employé qui s'engage sur un plan affectif, normatif, ou de continuité, a plus de chances de rester membre de son organisation. Or, on sait qu'avoir une main-d'œuvre loyale constitue un avantage concurrentiel significatif pour les organisations.

Cependant, les trois formes d'engagement ont des effets différents sur la performance au travail.

Les employés qui sont attachés affectivement à leur entreprise fournissent un rendement légèrement supérieur aux autres, sont plus motivés par leur travail et sont moins susceptibles de s'absenter. Ils présentent également plus de comportements de citoyenneté organisationnelle (concept que nous verrons plus loin), comportements non explicitement requis dans le cadre de leur travail, mais qui contribuent au bon fonctionnement de l'organisation[53].

Les mêmes effets se produisent avec l'engagement normatif, mais leur ampleur est plus limitée, car cette forme d'engagement repose sur une obligation de nature morale, et non sur des émotions positives ressenties à l'égard de l'organisation. En revanche, l'engagement de continuité, bien qu'il diminue l'envie de partir de l'employé, tend aussi à réduire son efficacité professionnelle. Des recherches (pour la plupart effectuées au Canada) ont révélé que les employés qui privilégient fortement l'engagement de continuité donnent un rendement inférieur et sont moins susceptibles d'adopter des comportements associés à la citoyenneté organisationnelle. De plus, les employés syndiqués sont plus enclins à recourir aux griefs, tandis que les employés qui manifestent un solide engagement affectif sont portés à trouver des solutions créatives aux problèmes quand les relations employeur-employé se détériorent. L'art de gérer l'engagement organisationnel de ses employés consistera donc à augmenter leur engagement affectif, à stimuler modérément leur engagement moral et à maintenir leur engagement de continuité à un niveau aussi bas que possible.

On peut se questionner quant à la tendance de certaines entreprises à soutenir par-dessus tout l'engagement de continuité. En effet, de nombreuses entreprises lient leurs employés financièrement à l'organisation en leur offrant des prêts à faible taux d'intérêt et des options d'achat d'actions. Par exemple, quand CIBC a acheté la division canadienne de courtage au détail de Merrill Lynch, les meilleurs conseillers financiers de Merrill ont touché des primes équivalant à une année complète de salaire contre la promesse de demeurer encore un certain temps avec l'entreprise fusionnée. L'Anglo Irish Bank a recours à des « primes de loyauté » substantielles pour diminuer le roulement des nouveaux employés. Les employés qui entrent dans la banque irlandaise touchent la moitié de leur prime après une année d'emploi et l'autre moitié six mois plus tard. « Nous espérons ainsi les garder un peu plus longtemps avec nous », explique un cadre de l'Anglo Irish Bank[54].

Ces « menottes en or » sont efficaces pour diminuer le roulement, mais elles favorisent aussi l'engagement de continuité plutôt que l'engagement affectif[55].

Enfin, l'engagement organisationnel poussé à l'extrême peut avoir certains effets négatifs. En effet, la loyauté organisationnelle entraîne une baisse du roulement de la main-d'œuvre, ce qui limite l'apport de nouvelles connaissances et d'idées originales qui découlent de l'embauche de nouveaux employés. De plus, la loyauté engendre le conformisme et nuit à la créativité. On a également rapporté des cas où des employés dévoués ont transgressé des lois pour défendre l'organisation.

Favoriser l'engagement organisationnel

Il existe de nombreuses manières de construire la loyauté organisationnelle. Néanmoins, les activités énumérées ci-dessous sont les plus souvent mentionnées dans les documents de recherche[56] :

■ *La justice et le soutien organisationnel*   L'engagement affectif est plus fort dans les organisations qui remplissent leurs obligations envers leurs employés et qui respectent des valeurs humanitaires comme l'équité, la courtoisie, la tolérance et l'intégrité morale[57]. Ces valeurs sont liées au concept de justice organisationnelle que nous aborderons ici et dans le chapitre sur la motivation. Les organisations qui soutiennent le bien-être de leurs employés et valorisent leurs contributions obtiennent également une plus grande loyauté en retour[58].

■ *La sécurité d'emploi*   Les menaces de mise à pied portent le plus grand coup à la loyauté des employés, même ceux dont les postes ne sont pas immédiatement menacés[59]. Pour bâtir l'engagement, il n'est pas nécessaire de donner aux employés une garantie à vie. Cependant, les entreprises doivent offrir une sécurité d'emploi assez grande pour que leurs employés éprouvent un certain sentiment de permanence et de réciprocité dans leur relation avec leur employeur. Les employés de SaskTel, d'Alberta Energy Co. et de Magna International sont d'une grande loyauté, en partie parce que ces entreprises n'ont jamais, de toute leur histoire, licencié des employés[60].

■ *La compréhension de l'organisation*   Comme un employé engagé affectivement s'identifie à l'entreprise, il est logique que cette attitude soit renforcée chez les employés qui sont liés aux événements et aux gens de l'organisation. Plus précisément, la loyauté des employés s'accroît si ces derniers sont tenus informés de ce qui se passe dans l'entreprise (*voir le chapitre 11*) et qu'ils ont la possibilité d'interagir avec des collègues de l'ensemble de l'organisation[61].

■ *La participation des employés*   Les employés ont l'impression de faire partie de l'organisation quand ils participent aux décisions qui déterminent l'avenir de celle-ci[62]. De plus, en faisant participer les employés, l'entreprise démontre qu'elle leur fait confiance, et cela a un impact direct sur la loyauté de ces derniers.

■ *Faire confiance aux employés*   Faire **confiance,** c'est être convaincu qu'autrui (organisations ou personnes) ne nuira pas à nos intérêts. Nous avons confiance quand nous avons des attentes positives par rapport aux intentions et aux actions de l'autre partie à notre égard, et plus encore dans des situations menaçantes[63]. Il s'agit aussi d'une relation réciproque. Pour gagner la confiance des autres, il faut leur faire confiance. La confiance joue un rôle crucial dans l'engagement organisationnel parce qu'elle est au cœur de la relation employeur-employé. Les employés s'identifient à une organisation et se sentent tenus de travailler pour elle seulement s'ils font confiance à leurs dirigeants. Des annonces de licenciements massifs sans ménagement, alors que les entreprises font des profits substantiels, sapent la confiance de ceux qui partent, bien sûr, mais aussi de ceux qui restent, appelés ironiquement « les survivants »[64]. Nous étudierons la confiance plus en détail dans le contexte des équipes très performantes (*voir le chapitre 9*).

■ *Le respect du contrat psychologique*   Le contrat psychologique renvoie aux croyances de l'employé concernant les obligations réciproques entre lui et son organisation. S'il y a non-respect ou violation du contrat psychologique, il est clair que l'engagement organisationnel risque d'être fortement touché et de diminuer. Cela est si important que nous nous attarderons un peu plus sur cette notion de contrat psychologique à la section ci-après.

LE CONTRAT PSYCHOLOGIQUE

Certains employés de l'usine de Toyota située à Cambridge, en Ontario, sont contrariés parce que l'entreprise, inopinément, les oblige à faire des heures supplémentaires pour des raisons de productivité, alors que, aux yeux des salariés, c'était un choix volontaire dans le passé. Dorénavant, tout refus peut entraîner une punition. Ce faisant, Toyota se fie au contrat que les employés ont signé quand ils ont été engagés. Et ce contrat lui donne le droit de leur imposer des heures supplémentaires, un droit que la société n'avait jamais fait valoir auparavant[65].

Les employés de Toyota Canada ont ressenti un choc en voyant que leur contrat psychologique avait été transgressé. Ce phénomène n'est pas inhabituel. Selon une recherche, 24 % des employés éprouvent une colère « chronique » au travail, la plupart parce qu'ils ont l'impression que leur employeur ne respecte pas ses promesses et viole leur contrat psychologique[66]. Le **contrat psychologique** désigne les croyances d'une personne en ce qui touche les modalités et les conditions d'une entente réciproque entre elle-même et une autre partie[67]. Comme le contrat psychologique repose surtout sur des perceptions, la compréhension de celui-ci

---

confiance
Conviction qu'un tiers ne nuira pas à nos intérêts en fonction d'accords tacites ou explicites.

contrat psychologique
Croyances d'une personne en ce qui touche les modalités et les conditions d'une entente réciproque entre elle-même et une autre partie.

Faire faux bond à son futur employeur peut coûter cher

Tribospec recherchait un représentant commercial. Elle s'est fait suggérer M. Spensieri par l'un de ses employés. Les deux entreprises n'œuvrent pas dans le même domaine, mais toutes deux ont affaire à la même clientèle.

Après quelques rencontres s'étalant sur plusieurs mois, M. Spensieri accepte le 4 février 2005 de signer un contrat de travail avec Tribospec, pour un salaire de 55 000 $ par année, ce qui constitue une légère augmentation par rapport à ses conditions de travail chez Spartan. L'entrée en fonction est prévue pour le 1er mars 2005, M. Spensieri s'étant engagé à donner un préavis de départ de trois semaines à Spartan.

Spartan réagit en lui faisant une offre qu'il ne pourra pas refuser : une hausse salariale de 22 000 $. Quelques jours avant la date prévue, M. Spensieri informe Tribospec qu'il n'ira pas travailler pour elle.

La cour conclut que M. Spensieri a fait preuve d'imprudence et d'insouciance inacceptable en refusant au dernier moment d'honorer son contrat, alors que Tribospec l'attendait depuis plusieurs mois.

Pour déterminer le montant des dommages-intérêts (7500 $), le juge a tenu compte de diverses considérations :

L'embauche de M. Spensieri avait fait l'objet d'une attention particulière. On comptait beaucoup sur son expérience et ses connaissances du milieu.

Ensuite, il s'agissait d'un emploi clé dans l'entreprise. Finalement, M. Spensieri a profité de la situation puisqu'il a obtenu des conditions de travail plus avantageuses de Spartan.

Finalement, la Cour retient que le seul véritable fautif est M. Spensieri, qui n'a pas appliqué les mesures élémentaires lors de ses négociations pour changer d'emploi, tant avec Tribospec qu'avec Spartan.

Source : Christine Fortin, avocate au cabinet Loranger Marcoux. *La Presse Affaires*, 21 octobre 2006, p. 57.

peut différer d'un individu à l'autre. Par exemple, les employés de Toyota Canada croyaient que leur contrat psychologique leur donnait le droit de refuser de faire des heures supplémentaires, tandis que l'employeur affirme que le contrat de travail lui donne le droit de leur en imposer[68].

Chaque personne a un contrat psychologique unique, mais une étude britannique a mis en lumière certains éléments communs. Du côté des employeurs, on s'attend à ce que les employés effectuent les tâches pour lesquelles ils sont payés et plus, qu'ils respectent les collègues, les clients, les biens et la réputation de l'organisation. Les employés, de leur côté, mettent l'accent sur l'équité dans les pratiques de l'organisation, notamment dans les différentes sortes de rétributions et de récompenses, ainsi que sur une certaine autonomie et une sécurité d'emploi raisonnable[69].

Les types de contrats psychologiques

Les contrats psychologiques varient sur bien des plans. Une différence fondamentale réside dans leur caractère transactionnel ou relationnel[70]. Le contrat transactionnel repose sur des accords à court terme et orientés surtout vers des considérations purement économiques en échange de responsabilités et d'un ensemble d'obligations qui changent peu pendant la durée du contrat (contractuels et consultants relèvent de ce type de contrats). En encadré 3.3, on voit qu'il en coûte parfois de briser le contrat transactionnel.

Le contrat relationnel est une entente à long terme, tacite et explicite qui englobe une vaste gamme d'obligations et d'attentes réciproques, au-delà des considérations économiques. Sous cette forme de contrat, les employés sont disposés à investir du temps et des efforts sans rien attendre de l'organisation à court terme. Les employés démontrent alors un engagement normatif (moral) et des comportements relevant de la citoyenneté organisationnelle.

Le nouveau contrat psychologique du Japon

Le contrat psychologique bien connu des entreprises japonaises — en l'occurrence un emploi à vie, des promotions régulières et des augmentations de salaire basées sur l'ancienneté — commence à s'effriter. Ce phénomène est dû, entre autres, au fait que la longue récession qu'a connue le Japon a forcé Honda, Sony, NEC et d'autres grandes entreprises à introduire des relations fondées sur le rendement, qui menacent la sécurité d'emploi des travailleurs. L'autre raison tient au fait qu'aujourd'hui, un grand nombre de jeunes Japonais veulent un travail stimulant et mieux payé sans devoir attendre une décennie ou plus.

Un sondage récent révélait que 80 % des employés japonais dans la vingtaine sont déterminés à changer d'emploi au cours des 10 prochaines années. Les plus jeunes se contenteraient même d'un emploi à temps partiel, rejetant ainsi la valeur du travail acharné, lui préférant une alternance avec les loisirs.

Sources : J.-I. Lee, « Recent Exodus of Core Human Resources Disturbing Trend for Domestic Companies », *Korea Herald*, 14 mai 2001 ; « Trend of Caring for Employees Waning Among Japan's Companies », *Japan Weekly Monitor*, 7 mai 2001 ; C. Fujioka, « Idle young adults threaten Japan's work force », *Reuters News*, 28 février 2005.

Par ailleurs, les attitudes et les contrats psychologiques s'influencent mutuellement. Selon une étude canadienne, un engagement de continuité de la part des employés, vu précédemment, est lié à la perception d'un contrat transactionnel tandis qu'un engagement de type affectif est associé à un contrat psychologique relationnel[71].

Les contrats psychologiques changent en fonction des cultures nationales et de l'évolution des valeurs de la main-d'œuvre. Par exemple, les travailleurs canadiens s'attendent à beaucoup d'autonomie dans leur travail tandis que ceux de Taïwan ou du Mexique acceptent plus volontiers les ordres de leurs supérieurs. Les jeunes travailleurs canadiens ne s'attendent plus à un contrat à vie avec l'employeur pas plus qu'ils ne veulent donner la leur à l'entreprise[72].

De nombreuses études portent sur la mesure du contrat psychologique, c'est-à-dire sur la définition de sa nature et de son contenu. Beaucoup de ces études sont de nature quantitative, mais d'autres spécialistes suggèrent des méthodologies alternatives comme l'étude de cas ou le suivi de cohortes de salariés[73]. Le respect du contrat psychologique augmente ce que l'on nomme le sentiment de citoyenneté organisationnelle, attitude que nous voyons à la prochaine section.

La citoyenneté organisationnelle

citoyenneté organisationnelle
Attitudes et comportements favorables d'un employé vis-à-vis de son organisation et qui dépassent les exigences normales de son poste.

Une des caractéristiques de l'employé dévoué est qu'il va toujours au-delà de ce qu'on lui demande, autant dans ses comportements que dans sa performance. Il fait alors preuve de **citoyenneté organisationnelle.** Cette expression désigne surtout les comportements qui dépassent ceux que les fonctions normales du poste exigent d'un employé[74]. Voici certains des comportements les plus fréquemment mentionnés dans ce cas : venir en aide à des collègues de façon désintéressée, accepter volontiers des tâches supplémentaires demandées à l'occasion, participer aux activités de l'organisation, éviter les conflits inutiles et exécuter des tâches qui dépassent les exigences normales du poste[75]. Certains traits de personnalité et d'autres comportements et attitudes ont été associés aux comportements « citoyens » : l'altruisme (par exemple aider un collègue dans son travail), le fait d'être responsable (ne pas s'absenter pour des raisons futiles), la participation aux activités de l'organisation, la courtoisie et l'esprit civique (se tenir informé de la vie de son organisation). Les comportements de citoyenneté organisationnelle sont importants, car la recherche montre qu'ils sont associés à la satisfaction au travail et à l'engagement envers l'organisation, facteurs eux-mêmes liés à l'efficacité de l'organisation[76]. Il reste maintenant à mettre en place des mesures de la citoyenneté organisationnelle, mais ce n'est pas facile, ces critères ne faisant pas partie des standards de performance en cours dans les organisations (à part peut-être la dimension du travail en équipe).

Toutes les attitudes que nous avons vues précédemment, si elles sont défavorables, peuvent être à l'origine de hauts taux d'absentéisme.

L'ABSENTÉISME COMME CONSÉQUENCE D'ATTITUDES NÉGATIVES

Statistique Canada rapporte qu'en 2005, chaque semaine, plus de 800 000 employés — soit environ 8,3 % de la main-d'œuvre à temps plein — s'absentent du travail à un moment ou à un autre, en raison de maladie ou d'autres raisons personnelles. Cela représente, par travailleur, 9,2 jours d'absence annuellement. Les employés à temps plein au Québec et en Saskatchewan ont perdu le plus de temps de travail en 2005 (respectivement 11,2 et 11,1 jours). Ceux de l'Île-du-Prince-Édouard, de l'Alberta et de l'Ontario en ont perdu le moins. Les employés à temps plein des professions de la santé et des professions du secteur de la production ont enregistré le plus de jours perdus en 2005 (15,0 et 11,8 respectivement). Les travailleurs dans les postes de gestion et dans les sciences naturelles et appliquées ont affiché le moins de jours perdus (6,1 et 7,2 respectivement) [77].

Ce taux est plus élevé que dans la plupart des autres pays de l'OCDE et il est supérieur de 5,5 % au taux enregistré il y a moins d'une décennie. L'absentéisme coûte environ 10 milliards de dollars chaque année à l'économie canadienne. Par exemple, la Western Health Care Corporation, qui gère les hôpitaux de Cornerbrook et d'autres communautés de Terre-Neuve, consacre environ 5 % de son budget aux congés de maladie. Le taux d'absentéisme est tellement élevé chez les pompiers torontois que les camions sont retirés du service jusqu'à 500 fois par mois à cause d'une pénurie de main-d'œuvre[78].

Qu'est-ce qui pousse les gens à s'absenter du travail[79] ? Il y a plusieurs raisons. On a souvent établi un lien entre l'insatisfaction au travail et l'absentéisme. Mais, cette corrélation n'est pas très élevée. En fait, des études montrent que les facteurs qui prédisent le mieux l'absentéisme sont l'historique des absences des individus et des politiques inexistantes sur cette conduite. Un employé qui a souvent été absent dans le passé le sera dans le futur. La perception que l'entreprise est tolérante, voire laxiste à propos des absences, encourage ce comportement. De plus, le niveau des absences du groupe d'appartenance de l'individu prédit raisonnablement le sien.

Comment réduire l'absentéisme évitable ? Il faut tout d'abord en déterminer les causes et agir en conséquence. Elles peuvent être ramenées à trois groupes : les causes personnelles, les causes conjoncturelles et les causes organisationnelles[80]. Dans le premier cas, il faudra agir sur les variables propres à chaque individu : mauvaises habitudes de travail, manque d'intérêt envers la tâche, responsabilités familiales, état de santé, etc. Des aménagements d'horaires et un contrôle plus serré des absences peuvent résoudre en partie le problème. Les causes conjoncturelles sont celles qui échappent au contrôle des employés et de l'employeur : problèmes de transport, maladies de l'employé ou de ses enfants, situation familiale, etc.

Là encore, des aménagements d'horaire (équitables) et l'établissement de structures communautaires (comme des garderies en milieu de travail) pourraient pallier ces difficultés. Enfin, les causes organisationnelles sont nombreuses. Il faudra agir notamment sur les postes (les rendre plus motivants), le climat et la charge de travail (gérer les conflits, les employés difficiles — nous en parlons en fin de chapitre — et le harcèlement psychologique), et surtout sur le stress (*voir le chapitre 5*) qui découle de conditions de travail physiques ou psychologiques pénibles. Il faut aussi établir des politiques claires sur les absences évitables et récompenser ceux qui s'absentent peu (par exemple offrir de compenser monétairement les jours d'absence permis mais non utilisés). On peut aussi réduire le nombre trop généreux de congés de maladies payés pour une industrie donnée[81].

Une autre forme d'« absence » est le **présentéisme.** L'intérêt pour cette conduite est récent[82]. Elle désigne la présence au travail d'employés peu performants pour cause de maladie ou d'autres conditions médicales. Cet état de choses coûterait plus cher aux entreprises (150 milliards de dollars aux États-Unis) que l'absentéisme proprement dit! Les affections relevées ne sont pas toujours graves, mais elles peuvent réduire passablement la capacité de l'employé de travailler pleinement. Mentionnons les allergies, les rhumes et les grippes, les désordres intestinaux, les maux de dos, la dépression, etc. Les raisons de l'augmentation du présentéisme, du moins en Amérique du Nord et davantage aux États-Unis, seraient liées à la peur de perdre son emploi, à la féroce compétition entre les employés pour l'avancement et à des politiques peu généreuses en matière de jours d'absence. Pour réduire le présentéisme, on peut agir sur plusieurs fronts: 1) être conscient du problème; 2) informer les employés (par l'intermédiaire d'un médecin) sur la nature de leurs maladies et les remèdes préventifs et curatifs possibles; 3) instituer une culture de confiance et de soutien; 4) établir ou financer des programmes d'éducation physique; 5) offrir des programmes d'aide à l'emploi (PAE); 6) améliorer les conditions de travail qui pourraient exacerber les malaises mentionnés.

On disait en début de chapitre qu'attitudes et valeurs sont intimement liées. Aussi aborde-t-on maintenant les valeurs et l'éthique (elle-même un système de valeurs) ainsi qu'un sujet connexe, la responsabilité sociale des entreprises (RSE).

présentéisme
Présence au travail d'employés peu performants pour cause de maladie ou d'autres conditions médicales.

LES VALEURS AU TRAVAIL, L'ÉTHIQUE ET LA RESPONSABILITÉ SOCIALE DES ENTREPRISES

Les valeurs

valeurs
Croyances stables et durables d'un individu (ou d'une société) à propos de ce qui est important pour lui.

Le président Ian Greenberg d'Astral Media de Montréal (photo, radio, publicité) croit en quatre valeurs fondamentales qui selon lui ont assuré la pérennité de la compagnie depuis 40 ans: performance, intégrité, engagement et respect. Dans la littérature administrative ou dans l'histoire des sociétés performantes et durables, on mentionne aujourd'hui de plus en plus l'importance des valeurs comme guides pour la direction des entreprises et pour leurs employés. La responsabilité sociale des organisations, par exemple, est souvent citée comme l'une d'entre elles (ou comme une attitude subséquente). Les **valeurs** sont des croyances stables et durables d'un individu sur ce qui est important pour lui et qui guident jusqu'à ses choix de vie[83]. Elles gouvernent nos perceptions sur ce qui est bien ou mal, bon ou mauvais. Les valeurs ne représentent pas seulement ce que nous voulons; elles indiquent aussi ce que nous « devons » faire.

**système
de valeurs**
Hiérarchie
des croyances
d'un individu.

L'ensemble de nos valeurs forme une hiérarchie de préférences appelée **système de valeurs.** Par exemple, les valeurs familiales peuvent être plus importantes que le travail (autre valeur) acharné chez un employé d'une culture donnée. Chaque individu possède son propre système de valeurs qui est créé ou renforcé par l'éducation, le milieu familial, l'appartenance religieuse, les amis, les expériences personnelles et la société dans laquelle il vit.

La hiérarchie des valeurs d'une personne est stable et permanente. Par exemple, une étude révèle que les systèmes de valeurs d'un échantillon d'adolescents étaient demeurés remarquablement similaires vingt ans plus tard alors qu'ils étaient devenus adultes[84].

Les valeurs sont importantes parce qu'elles exercent une profonde influence sur plusieurs aspects de la vie au sein de l'organisation : les perceptions, la prise de décision, le comportement des dirigeants d'entreprise, la citoyenneté organisationnelle, l'éthique et les transactions avec d'autres cultures (*voir le chapitre 16*), etc.[85].

Les types de valeurs

Les valeurs revêtent de multiples formes, et les chercheurs ont passé beaucoup de temps à essayer de les classer dans des groupes cohérents. Le modèle élaboré et expérimenté par le psychologue social Schwartz (*voir la figure 3.4*) a fait l'objet d'un nombre considérable de recherches dans plus de 40 pays[86].

FIGURE 3.4 Schéma des valeurs de Schwartz

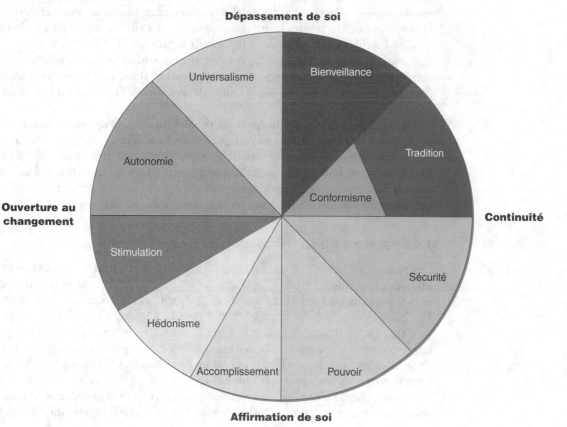

Schwartz a réparti des douzaines de valeurs personnelles dans 10 grandes catégories. De plus, il a classé ces catégories en quatre groupes (cadrans) de valeurs structurés autour de deux dimensions bipolaires.

Sur l'axe horizontal du modèle de Schwartz, on trouve la dimension du changement. À gauche est placée l'ouverture au changement et à droite la continuité. L'ouverture au changement représente la mesure dans laquelle une personne est motivée à innover, ce qui inclut les valeurs de l'autonomie (indépendance d'esprit et d'action) et de la stimulation (excitation et défi). La continuité, située à l'extrémité opposée, est la mesure dans laquelle une personne est motivée à préserver le *statu quo*. Cette dimension est associée au conformisme (adhésion aux normes et aux attentes sociales), à la sécurité (et à la stabilité) et au respect de la tradition.

L'autre dimension bipolaire du modèle de Schwartz représente l'intérêt porté aux personnes. Elle va de l'affirmation de soi au dépassement de soi. L'affirmation de soi est la mesure dans laquelle une personne est motivée par son intérêt personnel ; cette dimension est liée à l'accomplissement (la poursuite du succès personnel) et au pouvoir (la domination d'autrui ou des événements). Le dépassement de soi, l'autre extrême de cette dimension, désigne la motivation à promouvoir le bien-être des autres et de l'environnement ; il fait également référence à la bienveillance (le souci des autres) et à l'universalisme (le souci du bien de tous les êtres humains et de la nature).

Ces valeurs correspondent, pour la grande majorité, à celles d'un autre chercheur connu sur le sujet, Milton Rokeach[87]. Toutefois, Rokeach nomme certaines d'entre elles « valeurs transcendantes » (celles qui sont stables et surpassent toutes les autres dans le système de valeurs de l'individu) et, pour les atteindre, il leur associe des « valeurs instrumentales ». Par exemple, la valeur transcendante qu'est la perpétuation de la famille aurait pour valeur instrumentale le sens de la responsabilité (pour assurer la sécurité de la cellule familiale).

Certaines valeurs sont partagées par presque tous les groupes sociaux d'une même culture, mais leur importance peut varier. Dans une recherche, on a comparé les valeurs de cadres supérieurs, de syndiqués et de membres de groupes communautaires.

Dans les trois groupes émergent les valeurs du respect de soi, de la famille et de la liberté. Alors que cadres et syndiqués valorisent aussi le sens de l'accomplissement et le bonheur, les membres de groupes communautaires mettent de l'avant les valeurs égalitaires et de paix dans le monde[88]. La connaissance des valeurs des parties prenantes d'une organisation est importante quand on sait que ces valeurs déterminent les décisions de ces parties dans la vie en organisation.

Les valeurs de la main-d'œuvre canadienne

Les valeurs de la main-d'œuvre canadienne diffèrent selon les générations. Chez 80 % des travailleurs âgés (au-dessus de 60 ans, 22,2 % de la population québécoise), on valorise l'ordre, la discipline, l'autorité et les préceptes judéo-chrétiens. Les baby-boomers (nés entre 1945 et 1964, 27,4 % de la population québécoise) rejettent l'autorité, doutent des bonnes intentions des entreprises et des gouvernements, se préoccupent de l'environnement et de l'égalité en milieu de travail et dans la société ainsi que de leur avenir professionnel et financier. La génération X (comprenant les individus nés entre 1965 et 1976, 18,4 % de la population québécoise) est friande d'expériences nouvelles, matérialiste et recherche la reconnaissance, le respect et l'admiration en même temps que l'indépendance financière et l'autonomie. Une partie importante des individus de cette génération est concernée par l'écologie et le respect des droits humains. La génération Y (composée des individus nés après 1977, 26,7 % de la population québécoise) est curieuse, flexible, coopérative, optimiste, a l'esprit d'équipe, une estime de soi élevée, est impatiente, jalouse de son autonomie, de sa liberté d'expression et de son bonheur[89].

Toutefois, les valeurs des différentes générations et l'importance respective qui leur est donnée ne sont pas aussi tranchées que l'on pourrait le croire, du moins au Québec, comme le révèle un récent sondage[90]. Il rapporte que la presque totalité des personnes interrogées (96 %) accordent une place importante ou très importante au travail dans leur vie. Mais l'ordonnancement des valeurs surprend : avec 47 % des personnes qui le jugent très important, le travail arrive au cinquième rang derrière la famille (91 %), le sens des responsabilités (84 %), le respect de l'autorité (55 %) et les loisirs (53 %). Le sondage conclut qu'il n'y a pas de différence significative entre les générations, tant du point de vue des valeurs que des attitudes, mais que c'est leur importance qui change.

La convergence des valeurs

convergence des valeurs

Situation dans laquelle deux ou plusieurs entités possèdent des systèmes de valeurs similaires.

La **convergence des valeurs** est une situation dans laquelle deux ou plusieurs entités possèdent des systèmes de valeurs similaires. Pour comprendre cette notion, il faut distinguer entre les valeurs adoptées et les valeurs en usage. Valeurs adoptées et valeurs en usage peuvent coïncider ou pas ; dans le premier cas, elles sont dites convergentes ; dans le second, elles sont divergentes, voire contradictoires (Enron avait un code de conduite exemplaire !). Cela arrive quand on se réclame de valeurs irréprochables pour se donner bonne conscience et présenter une image publique favorable, sans manifester une volonté réelle de les appliquer et en prendre les moyens[91]. Examinons l'exemple suivant.

Il y a quelques années, Peter Pruzan, professeur à la Copenhagen Business School, a donné un séminaire sur les valeurs au travail à l'intention des dirigeants d'une importante multinationale européenne. Regroupés en équipes, les cadres ont dressé la liste des cinq valeurs personnelles les plus importantes à leurs yeux. Cette liste englobait l'honnêteté, l'amour, la beauté, la paix de l'esprit et le bonheur (à la figure 3.4, la plupart de ces valeurs appartiennent aux catégories de l'universalisme et de la bienveillance). Au cours de l'après-midi, les équipes ont établi une liste des valeurs en usage dans leur entreprise. Sur cette liste figuraient le succès, l'efficacité, le pouvoir, la compétition et la productivité (à la figure 3.4, ces valeurs correspondent à celles qui sont dictées par l'intérêt personnel). Autrement dit, les valeurs de l'organisation étaient presque complètement opposées aux valeurs personnelles des cadres[92] ! C'est ici un cas typique de divergence de valeurs.

Malheureusement, la divergence entre les valeurs personnelles et les valeurs organisationnelles semble être courante. Une étude révèle que les valeurs morales de 76 % des gestionnaires interrogés s'opposaient aux valeurs de leur entreprise. Une autre étude indique que les gestionnaires voyaient des différences significatives entre leurs valeurs personnelles et les pratiques de l'organisation[93].

La non-convergence entre les systèmes de valeurs des employés et ceux de l'organisation entraîne un certain nombre de conséquences. Comme les valeurs sont des repères, les employés qui embrassent des valeurs assez différentes de celles de l'organisation ont tendance à prendre des décisions incompatibles avec les objectifs de celle-ci. La non-convergence provoque également une baisse de la satisfaction au travail et de l'engagement envers l'organisation de même qu'un stress et un taux de roulement plus importants au sein du personnel[94]. «Nous avons découvert que plus les valeurs d'un employé s'écartent de celles de l'organisation, plus il risque d'être victime de surmenage professionnel (*burnout*)», commente Jane Hayden, directrice du Career Resource Centre de l'Université de Waterloo[95].

Faut-il comprendre que les organisations les plus prospères font en sorte d'harmoniser parfaitement les valeurs des employés et les leurs? Ce serait souhaitable, mais jusqu'à un certain degré seulement. En effet, comme nous le verrons au chapitre 10, les employés qui nourrissent des valeurs divergentes apportent des points de vue différents, voire des conflits constructifs. De plus, une convergence trop grande risque de créer un «culte d'entreprise» qui peut finir par saper la créativité, la souplesse organisationnelle et même l'éthique[96]. Par ailleurs, la convergence des valeurs ne s'applique pas uniquement dans les entreprises nationales. Elle est aussi souhaitable quand celles-ci font affaire avec des entreprises étrangères, en dehors du pays d'origine, sous peine d'assister à des conflits interculturels coûteux[97]. Par exemple, SC Johnson, le fabricant américain de produits domestiques, était conscient de l'importance de la convergence des valeurs pour sa filiale australienne. SC Johnson est une «entreprise familiale qui embrasse des valeurs familiales». Or, comme les Australiens préfèrent en général séparer leur travail de leur vie personnelle, l'entreprise a dû modifier légèrement son système de valeurs. «Comme notre concept d'entreprise familiale passait mal en Australie, nous avons mis l'accent sur les valeurs familiales en fonction d'un équilibre travail-vie personnelle», explique un cadre de SC Johnson[98].

LE COMPORTEMENT ÉTHIQUE ET L'ENTREPRISE

éthique

Discipline ayant pour objet d'étude les principes moraux ou les valeurs qui déterminent si une action (et ses résultats) est bonne ou mauvaise.

Notre étude des valeurs serait incomplète si nous laissions de côté la question de l'éthique au travail. L'**éthique** est la discipline ayant pour objet l'étude des principes moraux ou les valeurs qui déterminent si une action (et ses résultats) est bonne ou mauvaise. Les valeurs morales permettent de déterminer «la bonne chose à faire».

La question de l'éthique dans les entreprises se pose de façon plus aiguë que jamais dans une période où les groupes économiques et financiers multinationaux traversent une grave crise interne. En témoignent de multiples pratiques «irresponsables» socialement ainsi qu'au regard de l'éthique: faillites frauduleuses, acquisitions douteuses, tricheries dans les comptes, rémunérations très élevées (et injustifiées) de dirigeants, non-respect de valeurs essentielles, etc.[99] (*voir le texte d'introduction du chapitre*). Par ailleurs, les entreprises, pas plus que les individus, n'ont le droit de faire des victimes ou des dommages au bien public et à l'environnement. Pour mémoire, rappelons que plusieurs dizaines de milliers de personnes sont mortes à Bhopal, en décembre 1984, à la suite d'une explosion dans l'usine américaine de pesticides Union Carbide et que 200 travailleurs ont également perdu la vie, en 1993, dans la fabrique de jouets Kader en Thaïlande, et cela, à cause de la négligence d'entreprises irresponsables.

Aujourd'hui, devant l'ampleur des dégâts, fort heureusement médiatisés, et les réactions indignées du public, des citoyens, des gouvernements et même des actionnaires, qui préfèrent des «investissements propres», les entreprises ont été amenées à se pencher davantage sur les principes moraux qui devraient les guider[100] (*voir aussi le chapitre 2*).

Talisman Energy sur la corde raide

Vers la fin des années 1990, Talisman Energy Inc., le deuxième producteur de pétrole en importance au Canada, cherchait de nouvelles sources d'investissement, car ses réserves faiblissaient dans l'Ouest canadien. Une option attrayante s'offrait à elle : acheter une pétrolière du Soudan, un pays africain où les coûts de production sont bas et les réserves de pétrole durables. « Du point de vue des réserves, des coûts d'exploitation et des prix, le Soudan était un choix très attrayant », explique Brian Prokop, un analyste en placements alors au service de Talisman. Or, à l'époque, le Soudan était aux prises avec une guerre civile, et les graves violations commises contre les droits de la personne inquiétaient le monde entier. Cependant, les avantages économiques que présentait l'achat de la pétrolière soudanaise étaient trop importants pour que Talisman laisse passer sa chance.

Moins d'une semaine après l'investissement de Talisman au Soudan, le gouvernement américain prit des sanctions contre le gouvernement soudanais, alléguant que ce dernier finançait le terrorisme à même les profits réalisés grâce à la vente du pétrole. Cette situation plaça les dirigeants de Talisman devant un énorme dilemme d'ordre moral. La société devait-elle se retirer du Soudan et accepter de perdre un investissement important et des bénéfices futurs, ou devait-elle continuer d'investir dans ce pays ?

Les décideurs de Talisman ont choisi la dernière option, mais ils ont également entrepris de travailler avec les habitants du pays déchiré par la guerre afin d'améliorer leur qualité de vie. Ainsi, la société consacra plus de 10 millions de dollars à la construction d'écoles et de cliniques médicales. Entre-temps, le gouvernement canadien fit pression sur Talisman pour qu'elle signe un code de conduite élaboré par l'industrie canadienne du pétrole. Les critiques ont continué de pleuvoir sur Talisman, malgré les tentatives de la société de compenser les dommages moraux par des activités charitables. Deux avocats américains ont poursuivi la société en justice sous prétexte qu'elle avait participé à la violation des droits de la personne au Soudan.

Talisman a défendu son investissement au Soudan pendant près de quatre ans en alléguant qu'elle contribuait au développement de l'un des pays les plus pauvres du monde. Dernièrement, la société a vendu ses intérêts dans l'entreprise, et le chef de la direction a reconnu que le dilemme d'ordre moral avait fait chuter les prix de l'action de Talisman.

Sources : J. Wells, « Talisman Left Few Benefits, Report Says », *Toronto Star*, 16 novembre 2002, p. B10 ; D. Yedlin, « Bottom-Line Focus Doesn't Always Pay », *Calgary Herald*, 14 juin 2002 ; M. Drohan, « Corporations Add Values », *Globe and Mail*, 24 février 2000 ; C. Harrington, « Talisman Says Peacemaking Is the Business of Governments, Not Business », *Vancouver Sun*, 18 février 2000.

www.talisman-energy.com

Plusieurs sociétés sont préoccupées par la question de savoir où commence et où s'arrête leur responsabilité sociale. Par exemple, l'entreprise de textiles canadienne Gildan a fait la manchette des journaux d'abord parce qu'elle n'a pas été un exemple en matière de RSE et ensuite pour ses efforts dans ce sens (adoption de codes de conduite sévères, certifications, compensations à ses employés à l'étranger, etc.)[101].

Malheureusement, il n'est pas toujours facile de déterminer quelle est la bonne chose à faire. Il suffit de voir le problème éthique qu'a connu la société Talisman Energy, décrit en encadré 3.5. Depuis quelques années, cette entreprise de Calgary fait face à un dilemme moral à la suite de son investissement au Soudan. Les dirigeants de l'entreprise soutenaient que la bonne chose à faire étaient de préserver leur investissement dans ce pays parce que celui-ci profitait autant aux actionnaires qu'au peuple soudanais. En revanche, les détracteurs de la société soutenaient que Talisman appuyait un régime qui violait les droits de la personne.

Trois principes éthiques

Pour mieux comprendre les dilemmes moraux auxquels Talisman et d'autres organisations doivent faire face, il faut tenir compte des divers principes éthiques sur lesquels les êtres humains fondent leurs décisions. Les philosophes et d'autres penseurs en ont relevé plusieurs. Toutefois, la plupart de ces principes peuvent être classés en trois grands groupes : l'utilitarisme, les droits individuels et la justice[102]. Notre préférence pour un principe particulier dépend de nos valeurs sous-jacentes et des situations.

■ *L'utilitarisme*   L'**utilitarisme** nous incite à rechercher le plus grand bonheur pour le plus grand nombre. Autrement dit, il faut choisir l'option qui apporte la plus grande satisfaction à toutes les personnes concernées si cela est possible. Les dirigeants de Talisman semblent appliquer le principe de l'utilitarisme. En effet, ils prétendent que les bienfaits de leur investissement au Soudan surpassent les coûts qu'il entraîne pour les actionnaires, les Soudanais et les autres. Le critère d'évaluation de la moralité est l'utilité de l'acte, déterminée par l'ensemble de ses conséquences. L'éthique est vue comme une clé stratégique pour la survie et la rentabilité des firmes et considérée comme « payante ». Le problème, en ce qui touche l'utilitarisme, c'est qu'il est difficile d'évaluer avec clarté les bénéfices ou les coûts de nombreuses décisions, surtout quand un grand nombre d'actionnaires ont des valeurs et des besoins très différents. Un autre problème tient au fait que l'utilitarisme conduit à juger la moralité en fonction des résultats obtenus et non en fonction des moyens pris pour les atteindre.

■ *Les droits individuels*   Le **principe des droits individuels** est un principe moral selon lequel les personnes sont toutes égales en droit. Ces droits (que l'on voudrait universels) sont la liberté de mouvement, la sécurité physique, la liberté d'expression, le droit à un procès équitable et le droit à son intégrité physique[103]. Outre les droits légaux, le principe des droits individuels englobe les droits accordés selon des normes sociétales. Par exemple, le droit à l'éducation et à la connaissance n'est pas un droit légal, mais la plupart d'entre nous le considèrent comme un droit individuel. Certains droits individuels s'opposent malheureusement à d'autres. Le droit des actionnaires d'être informés des activités de l'entreprise peut entrer en conflit avec le droit d'un dirigeant à sa vie privée, par exemple.

■ *Le principe de justice organisationnelle*   La **justice organisationnelle** est un principe moral ayant trait à l'équité, jugée autant par ses résultats que par les moyens pris pour les atteindre.

On peut distinguer trois sortes de justice organisationnelle : la justice distributive, la justice procédurale et la justice « interactionnelle ». La justice distributive est celle qui permet d'atteindre un résultat équitable pour les parties. La justice procédurale (ou contractuelle) est celle qui est équitable autant dans le résultat que dans les procédures entreprises pour l'atteindre. Par exemple, la justice procédurale est en œuvre lorsque l'on respecte les règles, les règlements et les procédures de l'organisation. La justice interactionnelle est celle qui assure que les personnes seront traitées avec respect et dignité. Par exemple, des employés consultés à l'occasion de leur évaluation de la performance ou informés du bien-fondé de la réduction de leurs salaires réagiront plus favorablement que si on ne les avait pas consultés. Ici, c'est la qualité des relations entre les personnes dans un règlement qui prévaut[104].

Pour des spécialistes de la question, l'éthique est plus que la conformité aux lois. On trouvera cette opinion dans l'encadré 3.6.

---

utilitarisme

Principe moral selon lequel les décideurs devraient rechercher le bonheur pour le plus grand nombre.

---

principe des droits individuels

Principe moral selon lequel les personnes sont toutes égales en droit.

---

justice organisationnelle

Principe moral ayant trait à l'équité, jugée autant par ses résultats que par les moyens pris pour les atteindre.

Adhésion à l'éthique en entreprise : acte contraint ou volontaire ?

L'entreprise est généralement forcée de respecter le cadre législatif en vigueur au sein de son industrie. Par contre, rien ne l'empêche d'adhérer à un système de valeurs et, par le fait même, aux normes morales qui en découlent. L'aspect volontaire donne donc tout son sens à la conception que se fait de l'éthique le milieu des affaires. On se conforme aux lois alors qu'on adhère volontairement à l'éthique. Lorsqu'on parle de conformité éthico-légale, il est question des activités internes qu'une entreprise met en œuvre pour se conformer aux lois que l'entreprise s'est volontairement données, lois qui sont en accord avec le système de valeurs auquel ladite entreprise adhère volontairement. L'éthique va donc au-delà de la législation qui a cours dans son environnement.

Source : Séguin, M. (2006). *L'institutionalisation de l'éthique au sein des entreprises*, p. 4. Extrait d'un document soumis à la TELUQ, Université du Québec. Reproduit avec la permission de l'auteur.

L'intensité morale, la sensibilité éthique et les facteurs liés au contexte

Outre les principes éthiques et leurs valeurs sous-jacentes, trois autres facteurs peuvent influer sur le comportement éthique au travail : l'intensité morale du problème, la sensibilité éthique de l'individu et le contexte.

intensité morale
Mesure dans laquelle un problème exige l'application de principes moraux.

L'**intensité morale** est la mesure dans laquelle un problème exige l'application de principes moraux. Plus cette intensité est forte, plus il faut se fier à des principes moraux pour résoudre le problème. Voler son employeur est généralement considéré comme un problème d'une grande intensité morale, tandis qu'utiliser un stylo de la société pour son usage personnel est un acte beaucoup plus bénin. L'intensité morale d'un problème dépend de plusieurs facteurs. Le problème entraîne-t-il clairement des effets positifs ou négatifs ? D'autres membres de la société jugeront-ils ce qui est bon ou mauvais ? Dans quelle mesure le décideur se sent-il concerné par le problème et quel est son degré d'influence sur la situation[105] ?

sensibilité éthique
Caractéristique personnelle qui permet à une personne de reconnaître l'existence et l'importance relative d'un problème d'ordre moral.

Même si un problème possède une forte intensité morale, il est possible que certains employés dotés d'une faible sensibilité éthique ne reconnaissent pas son importance. La **sensibilité éthique** est une caractéristique personnelle qui permet de reconnaître l'existence et l'importance relative d'un problème d'ordre moral[106]. Les personnes pourvues de sensibilité éthique n'ont pas nécessairement un comportement plus responsable. Cependant, elles peuvent déterminer si un problème est d'ordre moral et évaluer avec justesse son intensité morale. En général, elles font preuve d'une plus grande empathie. Dans une situation donnée, elles peuvent également détenir plus d'information sur le sujet. Par exemple, les comptables manifestent une plus grande sensibilité éthique à l'égard des procédés comptables que les gens qui n'appartiennent pas à cette profession.

Le troisième facteur qui explique pourquoi de bonnes personnes commettent des actions répréhensibles est lié aux circonstances dans lesquelles le comportement amoral se produit. Quelques enquêtes récentes ont révélé que les employés se sentaient souvent poussés par leurs employeurs à inciter les clients à acheter sans tenir compte de leurs besoins, à mentir ou à faire des promesses irréalistes. D'autres enquêtes ont indiqué que la plupart des employés ont l'impression de subir une pression suffisante pour compromettre leur comportement éthique. Par exemple, près des deux tiers des gestionnaires interrogés dans le cadre d'une recherche ont affirmé que la pression provenant de la haute direction incitait les employés à renier leurs convictions ; toutefois, 90 % des membres de la haute direction n'étaient évidemment pas d'accord avec cette affirmation[107].

LA RESPONSABILITÉ SOCIALE DES ENTREPRISES

responsabilité sociale des entreprises (RSE)
Concept selon lequel les entreprises décident de leur propre initiative de contribuer à améliorer la société et à rendre plus propre l'environnement. Cette responsabilité s'exprime vis-à-vis des salariés et, plus généralement, de toutes les parties prenantes (*stakeholders*).

La Commission européenne formule ainsi sa définition de la **responsabilité sociale des entreprises (RSE) :** concept selon lequel les entreprises décident de leur propre initiative de contribuer à améliorer la société et à rendre plus propre l'environnement. Cette responsabilité s'exprime vis-à-vis des salariés et, plus généralement, de toutes les parties prenantes (*stakeholders*)[108]. Les parties prenantes sont les employés, les fournisseurs, les consommateurs, les actionnaires de même que le public en général concerné par les activités de l'organisation.

Comme nous le disions précédemment, les sociétés se sont rendu compte que rentabilité et comportement responsable ne sont pas incompatibles, d'autant plus que l'unanimité semble maintenant acquise pour promouvoir la RSE, autant du côté des entreprises et des actionnaires que de la population. Un sondage effectué en 2001 rapporte que 72 % des répondants canadiens affirmaient que l'entreprise devrait assumer des responsabilités sociales, au lieu de se limiter à la recherche de profits[109].

Les entreprises se sont alors dotées de codes de conduite. Un code de conduite est un document écrit, exposant la politique ou les principes que les entreprises s'engagent à suivre. Selon une enquête, 85 % des entreprises canadiennes possèdent un code de conduite. D'après le Center for Business Ethics, 97 % des grandes entreprises américaines de 2000 employés et plus avaient adopté un code d'éthique en 2005, la majorité depuis le milieu des années 1980 seulement. Le code de conduite de McNeil Consumer Healthcare, une entreprise de Guelph, en Ontario, comprend 50 pages ! Chaque année, l'entreprise fait circuler ce document que les gestionnaires doivent signer. Les candidats de UPS Canada doivent lire le code de conduite de l'entreprise avant de décider s'ils veulent travailler pour elle. « Notre but est de signifier d'emblée à nos futurs employés que nous nous attendons à ce qu'ils préservent notre réputation d'honnêteté, d'intégrité et d'éthique », explique un cadre de UPS Canada[110].

Quels sont les droits protégés par ces codes ? Dans son analyse de 239 codes, le Bureau international du travail (BIT) nous informe que les sujets couverts par les codes de conduite se réfèrent, en ce qui concerne les questions liées au travail, aux domaines du travail forcé, du travail des enfants, de la liberté syndicale, de la non-discrimination, de la santé et de la sécurité, des salaires et de la durée du travail. Il faut noter que les dispositions relatives à un contrôle extérieur à l'entreprise sont rares[111].

Toutefois, plusieurs chercheurs s'entendent pour dire que les entreprises ne font pas assez pour améliorer les pratiques éthiques ou pour assumer davantage leurs responsabilités sociales[112]. Malgré cela, quelques mesures sont dignes de mention. Sur le plan gouvernemental, des mesures ont été prises par de nombreux pays pour encourager et protéger les employés qui dénoncent des actes frauduleux (en anglais, on les appelle les *whistleblowers*, littéralement « ceux qui sifflent la faute »). En juillet 2002, le Congrès américain adopte la loi *Sarbanes-Oxley (*dite SOX). Cette loi impose aux sociétés américaines un code d'éthique et un système permettant aux salariés de dénoncer les malversations et les fraudes financières et comptables, et d'être protégés en cas de représailles des gens fautifs.

Dix conseils à l'entreprise socialement responsable

Il y a des mesures et des pratiques évidentes en responsabilité sociale. Voici dix conseils recueillis auprès d'Olivier Boiral et de Corinne Gendron*.

1. Établissez des politiques claires, avec des objectifs mesurables, que ce soit en matière de santé et sécurité, de mises à pied, de diversité ethnique des travailleurs ou de présence des femmes à la direction. Pour y parvenir, consultez les outils qui existent déjà comme ceux du Global Reporting Initiative (GRI), de Global Compact, d'ISO 26000.

2. Inscrivez les initiatives dans des perspectives d'amélioration et de changement. Au lieu de dire : « Voici ce qu'on fait et qu'on a toujours fait », pensez plutôt : « On peut faire mieux, voici ce qu'on vise et comment on se propose d'y arriver. »

3. Faites participer l'ensemble des groupes de l'entreprise. En général, les employés sont enthousiastes devant de tels changements. De plus, intégrez l'atteinte des objectifs de responsabilité sociale dans la formation des employés et dans leur évaluation. On améliore ce qu'on mesure.

4. Dans les grandes entreprises, nommez un responsable de la mesure des résultats (analyste social et environnemental, déontologue ou spécialiste du développement durable). Il doit disposer d'une bonne connaissance de l'entreprise et de pouvoirs décisionnels.

5. Commencez modestement. Attaquez-vous d'abord aux actions peu coûteuses et à celles qui peuvent être accomplies le plus facilement. Un bon truc : faites appel aux conseils et aux suggestions des employés.

6. Prenez en compte le point de vue de toutes les parties prenantes : employés, municipalités et groupes ethniques. Évitez une approche trop élémentaire. La responsabilité sociale et le développement durable peuvent constituer un projet mobilisateur pour l'entreprise.

7. Inscrivez la responsabilité sociale dans la mission de l'entreprise. On montre ainsi que le sujet s'inscrit au cœur même de l'identité.

8. Envisagez un processus d'audit. De plus en plus de firmes de consultants proposent de vérifier si l'entreprise a vraiment mis en œuvre les normes vis-à-vis desquelles elle s'est engagée.

9. Faites une analyse complète de la situation avant d'entreprendre une action. La SAQ a offert il y a peu de temps des sacs en tissu, mais fabriqués en Chine. Tout d'abord, une analyse de cycle de vie aurait sans doute montré que s'approvisionner aussi loin avait un effet environnemental plus négatif que positif. De plus, la Société a été critiquée pour ne pas avoir plutôt contribué au développement local en s'approvisionnant auprès d'une entreprise d'économie sociale, par exemple.

10. Consultez les ONG les plus critiques à l'endroit des entreprises. Ne craignez pas de faire des tables rondes avec ces organismes, car leurs opinions ont souvent de l'impact en société et dans les médias.

* Olivier Boiral, professeur titulaire de la chaire de recherche du Canada sur les normes internationales de gestion et les affaires environnementales à la Faculté des sciences administratives de l'Université Laval. Corinne Gendron, titulaire de la chaire de responsabilité sociale et de développement durable à l'École des sciences de la gestion de l'Université du Québec à Montréal.

Source : Yan Barcelo, « Une vague de fond atteint les entreprises », *Les Affaires*, 9 septembre 2006, p. 53.

Le Canada a légiféré dans le même sens depuis septembre 2004. Ça bouge également du côté des entreprises ; par exemple, Nortel Networks fait régulièrement des présentations de deux heures sur l'éthique des affaires. De plus, elle encourage ses employés à composer un numéro sans frais pour signaler les violations des règles éthiques de l'entreprise ou pour demander des conseils sur des problèmes d'ordre moral. Certaines entreprises ont mis sur pied des programmes de formation poussée (avec beaucoup d'études de cas) en éthique. Quelques rares sociétés ont des conseillers ou des comités d'éthique dont le rôle est d'éclairer les employés sur ces questions et de vérifier l'efficacité des initiatives de l'entreprise en cette matière[113]. L'encadré 3.7 présente les 10 conseils que des spécialistes donnent à l'entreprise qui veut être socialement responsable.

Mais les codes d'éthique ne suffisent pas. Il faut que l'entreprise se dote d'un personnel, notamment de dirigeants, à haute sensibilité éthique, comme nous l'avons déjà vu, car les chefs d'entreprise ont une forte influence sur la fibre morale d'une organisation[114]. Une enquête a démontré que lorsque la haute direction se comportait en conformité avec le code d'éthique, les conduites répréhensibles des employés diminuaient de 50%[115].

Attitudes et valeurs sont des éléments constitutifs et liés de la personnalité[116]. Celle-ci a donné lieu à un grand nombre de recherches portant surtout sur les traits qui distinguent vraiment un individu d'un autre. La description de la personnalité dans cette optique viendra clore ce chapitre.

PERSONNALITÉ ET ORGANISATIONS

Les biographies de gens célèbres jouissent d'une grande popularité auprès des lecteurs. Quand une entreprise connaît un succès ou un échec, nous cherchons toujours à l'expliquer par la personnalité de son fondateur ou du p.-d.g. Par exemple, la presse d'affaires québécoise est friande d'anecdotes au sujet de Jean Coutu (Pharmacies Jean Coutu), de Laurent Beaudoin (Bombardier), de Guy Laliberté (Cirque du Soleil) ou, aux États-Unis, de Carla Fiorina (ex-p.-d.g. de Hewlett-Packard) ou de Bill Gates (Microsoft). Toutefois, les études n'ont jamais trouvé de grandes relations entre des configurations de traits de personnalité et la réussite en affaires ou la performance individuelle. Tout au plus a-t-on établi des liens entre certains traits de personnalité et la satisfaction d'être dans un poste donné ou, avec l'intégration, dans une équipe de travail, bref avec des segments seulement de la vie professionnelle. Il se trouve que trop de facteurs interviennent (la chance, des subordonnés particuliers, la situation, la culture de l'entreprise, etc.) pour que la personnalité seule puisse expliquer la réussite d'un leader. Aussi cette dernière section rapportera les résultats des recherches quant à ces liens segmentaires, mais utiles toutefois pour comprendre comment on peut apparier certaines personnes et certains postes ou comprendre les comportements.

La personnalité, on l'annonçait en tête de chapitre, est la façon d'être unique et relativement stable d'un individu, qui détermine sa manière de réagir à son environnement[117]. La personnalité se compose d'éléments tant internes qu'externes. Les éléments externes sont les comportements observables qui permettent de cerner la personnalité de quelqu'un. Par exemple, il est possible de voir qu'une personne est extravertie ou pas en observant ses interactions avec les autres. Les modes de pensée, la vie affective, émotionnelle et physiologique de l'individu sont aussi des éléments qui composent sa personnalité, mais ils sont généralement moins visibles et moins accessibles aux autres. Ils n'en déterminent pas moins le comportement.

Ainsi, nos traits de personnalité sont moins évidents dans les situations où les normes sociales, les systèmes de récompenses et d'autres conditions restreignent la pleine expression de notre comportement[118]. Par exemple, les personnes loquaces sont relativement silencieuses dans une bibliothèque ou pendant une messe.

Les origines de la personnalité

La personnalité d'un individu est-elle le fruit de facteurs génétiques ou de l'environnement? Cette question n'a jamais cessé de susciter un débat chez les psychologues[119].

Les expressions faciales sont héréditaires

Les chercheurs israéliens, qui publient leurs travaux dans la revue américaine *Proceeding of the National Academy of Sciences*, ont étudié 21 aveugles de naissance et 30 de leurs proches parents. Ils ont analysé les similitudes de leurs expressions faciales montrant de la concentration, de la tristesse, de la colère, du dégoût, de la joie et de la surprise. La convergence entre les aveugles et leurs proches parents oscillait entre 60 % et 80 %, avec des scores particulièrement élevés pour la colère.

« En utilisant des aveugles, nous évitions l'imitation visuelle des rictus des parents », explique M. Nevo [évolutionniste, Université de Haïfa]. Il s'agit donc de mécanismes génétiques, qui n'ont rien à voir avec l'environnement. L'expression des émotions par des expressions faciales est universelle, mais il existe des signatures individuelles.

Selon M. Nevo, l'importance de la convergence liée à la colère montre qu'il s'agit d'un mécanisme important de l'évolution. « On peut imaginer que le bébé, quand il a faim ou froid, pleure et a des rictus de colère. Si sa mère se reconnaît dans ces rictus, elle est plus susceptible de subvenir à ses besoins. »

L'étude consistait en un test de lecture (en braille pour les aveugles). Certains passages du texte étaient dégoûtants, d'autres tristes. Les chercheurs provoquaient aussi des réactions de colère et de surprise en interrompant les cobayes, parfois d'une manière impolie. Ils leur demandaient ensuite quelles émotions les

« Pourquoi papa m'a dit que je ressemblais à maman sur cette photo ? »

avaient habités. Une vidéo relevait la symétrie, l'intensité et la fréquence des rictus.

D'autres études ont comparé l'expression faciale des jumeaux monozygotes et dizygotes (les dizygotes ont moins de similitudes génétiques), et ont trouvé des bases génétiques aux expressions faciales.

Source : Mathieu Perrault, *La Presse,* cahier Actuel, 12 novembre 2006, p. 4.

Certains sont convaincus que notre personnalité dépend uniquement de notre code génétique (donc les traits seraient peu modifiables avec le temps). Dans l'encadré 3.8, on pourra voir quelques résultats de recherche (surprenants) dans ce sens.

Il est vrai que certains résultats de recherche sont troublants. Si l'hérédité ne jouait aucun rôle dans le comportement, on pourrait s'attendre à ce que des jumeaux identiques séparés à la naissance présentent peu de similitude. Des chercheurs ont trouvé que sur 100 paires de jumeaux placés dans ces conditions, la variation entre les traits de personnalité était due aux facteurs génétiques. Par exemple, une paire de jumeaux, séparés pendant 39 ans et élevés à 70 kilomètres de distance, avaient la même marque et la même couleur de voiture, un chien auquel ils avaient donné le même nom et ils allaient en vacances dans le même endroit situé à 2000 kilomètres de leur lieu de résidence[120].

D'autres chercheurs, sans nier l'effet de la génétique, soutiennent que c'est l'environnement dans lequel nous vivons qui influe principalement sur notre personnalité[121]. En réalité, ces deux facteurs façonnent la personnalité.

La personnalité et le comportement organisationnel

Après avoir connu une baisse de popularité comme prédicteurs de la performance, les traits de personnalité semblent connaître maintenant un regain de crédibilité[122, 123]. Des études récentes indiquent que, dans certaines conditions, des traits particuliers permettent de prédire assez précisément plusieurs comportements professionnels, comme nous le verrons[124]. Les tests de personnalité sont encore considérés comme un moyen de sélection douteux, mais cela n'empêche pas de nombreuses entreprises de les utiliser pour embaucher des cadres. Par exemple, Carla Fiorina a dû passer deux heures à remplir un questionnaire de 900 questions sur la personnalité dans le cadre d'un processus de sélection qui l'avait amenée à diriger Hewlett-Packard[125]. Voyons maintenant les traits de personnalité ayant le plus fait l'objet d'études en psychologie des organisations.

LES DIFFÉRENTS TRAITS DE PERSONNALITÉ

Les cinq grandes dimensions de la personnalité (*Big Five*)

**Big Five
(les cinq grandes
dimensions de
la personnalité)**
Ce sont les cinq
éléments abstraits
qui représentent
la plupart des traits
de personnalité :
la fiabilité (*conscientiousness*), l'amabilité, la stabilité
émotive, l'ouverture
à l'expérience
et l'extraversion.

fiabilité
Dimension de la
personnalité qui
caractérise les
individus soigneux,
fiables et disciplinés.

Depuis Platon, les penseurs ont continuellement dressé des listes de traits de personnalité. Il y a environ un siècle, quelques experts de la personnalité ont tenté de cataloguer et de condenser les nombreux traits qui avaient été décrits au fil des ans. Ils ont trouvé des milliers de mots pour les décrire dans les dictionnaires (près de 17 000 !). Ils ont regroupé ces mots en 171 catégories, qu'ils ont réduites à cinq dimensions abstraites de la personnalité.

Récemment, à l'aide de techniques plus perfectionnées, d'autres chercheurs ont identifié ces cinq mêmes dimensions qu'ils ont baptisées les **Big Five**[126].

■ *La fiabilité*   La **fiabilité** caractérise les individus soigneux, fiables et ayant une discipline de vie. Certains chercheurs prétendent que cette dimension englobe aussi le désir d'accomplissement. Les personnes qui présentent un faible degré de fiabilité sont souvent négligentes, peu méthodiques, désorganisées et irresponsables. Un exemple d'item mesurant ce trait s'apparente à l'énoncé suivant : « J'aime planifier les choses que j'entreprends. »

■ *L'amabilité*   Cette dimension caractérise les personnes courtoises, empathiques, chaleureuses et conciliantes. Les individus qui présentent un faible degré d'amabilité sont en général peu coopératifs, colériques et désagréables. Un exemple d'item mesurant ce trait s'apparente à l'énoncé suivant : « Je suis rarement impoli avec les gens. »

■ *La stabilité émotive*   Cette dimension caractérise les personnes posées, confiantes, calmes et de caractère stable. Celles qui sont instables émotivement souffrent de forte anxiété et sont agressives et déprimées. Exemple d'item : « Il n'y a pas beaucoup de raisons de trouver la vie agréable. »

■ *L'ouverture à l'expérience*   Cette dimension est considérée comme la plus complexe par les chercheurs. En général, elle s'applique aux individus ouverts d'esprit, sensibles, flexibles, créatifs et curieux. Les personnes chez qui cette dimension est faible sont plutôt résistantes au changement, moins ouvertes aux idées nouvelles et plus ancrées dans leurs habitudes. Exemple d'item : « J'aime apprendre de nouvelles choses. »

extraversion
Dimension de
la personnalité
qui caractérise les
individus expressifs,
loquaces, sociables
et capables
de s'affirmer.

introversion
Dimension de la
personnalité qui
caractérise les
personnes timides,
réservées et calmes.

▨ *L'extraversion*   L'**extraversion** caractérise les individus expressifs, loquaces, sociables et capables de s'affirmer. Cette dimension s'oppose à l'**introversion,** qui s'applique aux personnes réservées, timides et calmes. Les introvertis ne souffrent pas nécessairement de lacunes sur le plan social, mais ils trouvent davantage leurs ressources en eux-mêmes que dans le monde extérieur. Exemple d'item d'extraversion : « J'aime exprimer mes idées avec conviction à mes interlocuteurs. »

Plusieurs études ont démontré que ces dimensions de la personnalité ont une influence sur le comportement et le rendement au travail[127]. Les personnes qui amorcent le changement en organisation semblent se situer à l'extrémité positive de ces cinq dimensions de la personnalité. Les personnes émotionnellement stables sont à l'aise dans des situations stressantes[128]. Celles qui présentent un degré très élevé d'amabilité excellent dans les relations avec les clients et dans la gestion des conflits.

La fiabilité est, parmi les cinq, le trait de personnalité le plus valide pour prédire la performance des employés dans presque tous les groupes d'emploi. Les employés consciencieux ou fiables se fixent des objectifs de travail supérieurs et sont plus motivés que la moyenne à les atteindre, à condition qu'on leur donne de l'autonomie dans leur travail. Ils sont également de bons « citoyens organisationnels ». Les employés consciencieux, mais aussi aimables et stables sur le plan émotif, sont en général ceux qui donnent le meilleur service à la clientèle[129].

L'indicateur des types de personnalité de Myers-Briggs (MBTI)

Il y a plus d'un demi-siècle, une mère et sa fille, Katherine Briggs et Isabel Briggs-Myers, conçurent l'indicateur des types de personnalité de Myers-Briggs (MBTI). Le MBTI est fondé sur la théorie de la personnalité proposée par le psychiatre suisse Carl Jung, décrite au début du chapitre. Cette théorie définit la manière dont les gens préfèrent appréhender leur environnement. Jung postule que tous les individus peuvent être classés selon quatre dimensions : introversion-extraversion, sensation-intuition, réflexion-sentiment, et jugement-perception[130]. Comme nous avons déjà défini l'extraversion et l'introversion plus tôt, examinons les autres dimensions :

▨ *Sensation et intuition*   Cette dimension fait référence à la façon dont les gens perçoivent leur environnement et traitent l'information. Certaines personnes aiment recueillir de l'information factuelle en utilisant tous leurs sens et la soumettre à l'analyse. Les personnes intuitives, au contraire, recueillent de l'information d'une manière non systématique et se fient à leur inspiration pure et simple dans leurs choix.

▨ *Réflexion et sentiment*   Les personnes qui privilégient la réflexion se fient à la seule logique et à l'analyse pour prendre des décisions. Par contre, celles qui privilégient le sentiment évaluent les différentes options en fonction de leurs valeurs personnelles plutôt que de la logique pure.

▨ *Jugement et perception*   Les personnes qui se basent sur leur jugement préfèrent l'ordre et la structure dans leurs relations avec le monde extérieur. Elles aiment l'autorité liée à la prise de décision et veulent résoudre les problèmes rapidement. Au contraire, les personnes qui privilégient la perception s'adaptent spontanément aux événements et restent ouvertes aux options qui se présentent à elles.

L'indicateur de Myers-Briggs associe les quatre dimensions de manière à obtenir 16 types distincts. Par exemple, les cadres d'entreprise sont souvent des personnes extraverties qui privilégient la sensation, la réflexion et le jugement (ESRJ). Chacun des 16 types a ses forces et ses faiblesses. Ces types indiquent les préférences d'une personne, mais pas nécessairement la manière dont celle-ci se comportera en tout temps.

L'efficacité de l'indicateur de Myers-Briggs   L'indicateur de Myers-Briggs est-il utile aux organisations ? De nombreux chefs d'entreprise le croient. Cet indicateur est l'un des tests de personnalité le plus utilisé dans les milieux de travail[131]. Par exemple, la City Bank & Trust d'Oklahoma (qui fait maintenant partie de BancFirst) a eu recours au MBTI pour aider les cadres à se comprendre mutuellement après la fusion de plusieurs petites banques[132]. Le MBTI est également populaire en orientation et en *coaching* de cadres.

Pourtant, malgré sa popularité, les preuves de l'efficacité de l'indicateur Myers-Briggs et des profils psychologiques de Jung n'abondent pas[133]. Dans l'ensemble, le MBTI semble utile à des fins de développement, de formation et de compréhension entre les employeurs et les employés, mais il ne devrait sans doute pas être utilisé pour sélectionner des candidats à un emploi[134].

Les cinq grandes dimensions de la personnalité et l'indicateur de Myers-Briggs ne tiennent pas compte de tous les traits de personnalité. Nous en examinerons d'autres ici et résumerons ceux que nous verrons plus en détail dans d'autres chapitres. Nous décrirons les traits ou types de personnalité appelés : lieu de contrôle, personnalité adaptative (*self monitoring*), sentiment d'efficacité et estime de soi, prédisposition aux affects positifs, machiavélisme, types A et B, polychronisme et besoin d'accomplissement.

lieu de contrôle
Degré de contrôle qu'une personne croit posséder sur les événements de sa vie.

Le lieu de contrôle   Le **lieu de contrôle** désigne le degré de contrôle qu'une personne croit posséder sur les événements de sa vie. Des personnes qui ont l'impression d'avoir leur destinée bien en main, on dit qu'elles ont un lieu de contrôle interne. Par contre, les personnes qui attribuent la plupart des événements qui surviennent dans leur vie au destin, à la chance ou au pouvoir d'autrui ont un lieu de contrôle externe. Voici un exemple d'item de questionnaire mesurant le lieu de contrôle interne : « Ce qui m'arrive dans la vie est le fruit de mon travail. » Dans la plupart des situations professionnelles, les gens travaillent mieux lorsqu'ils ont un lieu de contrôle interne modéré. Ces personnes ont en général plus de succès dans leur carrière que celles qui ont un lieu de contrôle externe. Elles s'adaptent très bien aux postes de direction et à d'autres emplois qui exigent le sens de l'initiative, une réflexion complexe et une grande motivation. Ces personnes sont aussi plus satisfaites de leur travail, ont plus de facilité à faire face aux situations stressantes et sont plus motivées par les systèmes de récompense basés sur la performance[135].

personnalité adaptative
Trait de personnalité qui désigne la capacité d'un individu de s'adapter rapidement à des situations différentes, souvent pour faire bonne impression sur autrui.

La personnalité adaptative   La **personnalité adaptive** est un trait de personnalité qui désigne la capacité d'un individu de s'adapter rapidement à des situations différentes, souvent pour faire bonne impression sur autrui. Par exemple, un patron peut se comporter tout à fait différemment quand il est en présence de ses subordonnés et quand il se trouve devant son chef. Ces personnes sont donc moins prévisibles et moins stables que celles qui affichent un faible niveau d'adaptation[136]. Ce trait de personnalité permet aux employés qui en sont pourvus de se créer avec facilité un réseau social à l'intérieur et à l'extérieur de l'organisation, de converser aisément avec des personnes qui en intimideraient d'autres et de diriger des gens. De plus, ils sont plus susceptibles que leurs contraires d'être promus au sein de l'organisation et de décrocher de meilleurs emplois dans des entreprises diverses[137]. Mais ces personnalités, malgré leur capacité d'empathie (se mettre à la place des autres), peuvent bâtir des relations superficielles et même passer pour des personnes manipulatrices[138]. Exemple d'item de questionnaire mesurant ce trait : « Je m'adapte facilement et rapidement à mes interlocuteurs. »

sentiment d'efficacité
Confiance que l'on a en ses capacités de mener à bien des tâches avec succès.

Le sentiment d'efficacité   Quand une personne croit régulièrement en ses capacités de mener à bien une action jusqu'au bout, elle possède à un haut niveau ce trait de personnalité qu'est le sentiment d'efficacité. Au contraire, quand une personne a fréquemment de sérieux doutes d'y arriver, elle possède un faible sentiment d'efficacité. Le **sentiment d'efficacité** est donc la confiance que l'on a en ses capacités de mener à bien une tâche avec succès. Le sentiment d'efficacité est fait de trois composantes : l'ampleur (le niveau de performance que l'individu croit atteindre), la force de ce sentiment et sa généralisation (la croyance que ce sentiment peut être transféré d'une situation à une autre).

Ce sentiment d'efficacité est un trait de personnalité stable et général. Des recherches montrent qu'il est lié à la performance au travail et en dehors[139]. Ainsi, les individus qui pensent réussir à accomplir une tâche y réussissent vraiment, alors que ceux qui ont des doutes ne réussissent pas au niveau attendu. Les premiers sont en général plus heureux au travail et dans leur vie et ont également plus de succès dans leurs tentatives d'innovation que les autres. Comment ce sentiment se développe-t-il ? D'abord, par l'expérience directe de tâches menées avec succès et par apprentissage vicariant, c'est-à-dire par l'observation des autres exécutant ces tâches. Ce sentiment peut-il être changé ? Contrairement à d'autres aspects de la personnalité, la réponse est oui, fort heureusement pour ceux qui ont des doutes sur leurs capacités. On peut modifier ce sentiment par des formations spécifiques (par exemple, comment faire une présentation) l'exposition à des « modèles » de comportements réussis par d'autres (en partageant par exemple des anecdotes avec ceux qui ont déjà fait avec succès ces présentations). Il est également possible d'inclure des individus peu sûrs dans des équipes performantes ou de leur assigner des mentors ou des *coachs*. On peut aussi recommander à la personne en apprentissage de faire de la visualisation, c'est-à-dire lui rappeler ses succès passés, même les plus modestes, ou lui donner une rétroaction positive, non destructive.

estime de soi
Confiance et respect que l'on a envers soi-même.

L'estime de soi   Cette particularité d'un individu a fait l'objet de nombreuses études de la part des psychologues, notamment chez les enfants, à partir de l'hypothèse que l'estime de soi est largement déterminée très tôt dans la vie d'un individu et qu'elle explique de nombreux comportements adultes par la suite. Elle offre quelques similitudes avec le trait précédent, plus spécifique, toutefois. L'**estime de soi** est la confiance et le respect que l'on a envers soi. Exemple d'item mesurant ce trait dans les questionnaires : « Ce que je fais, je sais que je le fais bien. » Les individus qui ont une haute estime d'eux-mêmes sont moins dépendants d'autrui pour agir : ils n'ont pas toujours besoin de l'approbation de figures d'autorité ou de celles qu'ils considèrent comme telles, ou de leur faire plaisir. Ils sont en général plus satisfaits au travail que leurs contraires[140].

affects positifs
Sentiment stable qui implique de voir soi-même, la vie et les autres de façon optimiste et favorable.

Les affects positifs ou négatifs   Une bonne ou une mauvaise nouvelle peut affecter notre humeur de façon temporaire. Mais, il est des gens dont l'humeur, bonne ou mauvaise, est constante. Les gens qui ont des **affects positifs** voient généralement la vie et les autres de façon positive, optimiste et se sentent bien intérieurement. Les gens aux **affects négatifs,** au contraire, interprètent souvent les choses de façon pessimiste et ont des perceptions défavorables d'elles-mêmes (sans nécessairement se sous-estimer profondément).

Les recherches montrent que les individus aux affects positifs réussissent mieux que leurs contraires. Ceux-ci présentent par ailleurs des comportements contre-productifs (conflits), peuvent être agressifs ou attirer l'agressivité des autres par leur passivité. Ceci est aussi vrai pour des individus que pour des équipes[141].

Le machiavélisme   Nous verrons plus en détail comment mesurer ce trait dans le chapitre 12 sur le pouvoir, mais disons ici que le **machiavélisme** (du nom de Machiavel, philosophe italien qui, en 1513, a écrit *Le Prince*, livre où abondent les conseils pour acquérir le pouvoir par tous les moyens) se caractérise par la volonté d'un individu de manipuler autrui pour parvenir à ses fins. Les personnes caractérisées par un haut niveau de machiavélisme ne sentent aucune loyauté ni aucune confiance envers autrui et n'éprouvent aucun remords pour leurs actes et leurs mensonges. Elles ont également tendance à être irresponsables et impulsives[142]. Il faut donc surveiller les personnes qui présentent ces caractéristiques, car elles apportent un lot de conflits et de jeux politiques malsains et indésirables en milieu de travail. Elles réussissent moins bien dans des situations professionnelles où les rôles et les attentes sont clairement définis, ce qui ne leur laisse pas beaucoup de marge de manœuvre pour arriver à leurs fins.

Les types de personnalité A et B   Si vous rencontrez une personne agitée, toujours pressée, irritable, voulant accomplir plusieurs choses simultanément dans le minimum de temps, alors vous êtes en face d'une personnalité dite de type A. Une personne aux caractéristiques contraires a une personnalité de type B. La **personnalité de type A** s'applique aux personnes fébriles et irritables, toujours en situation de compétition et d'urgence. La **personnalité de type B,** au contraire, est typique d'une personne détendue, peu compétitive et travaillant à un rythme modéré. Comme nous reparlerons des relations entre le type A et le stress au chapitre 5, nous ne traiterons ici que des liens entre ces deux types de personnalité et le comportement au travail.

Les recherches tendent à montrer qu'en raison de leur nature, que les personnes de type A travaillent plus rapidement que celles qui ont une personnalité de type B, et qu'elles ont plus tendance à rechercher des tâches qui représentent un défi. Mais il n'en est ainsi que dans certaines tâches seulement. Dans celles qui exigent du jugement et de la patience, ces personnes ne sont pas très performantes. De plus, la plupart des cadres de direction sont plutôt de type B, étant donné le jugement posé qu'ils doivent exercer dans leurs décisions. Finalement, précisons qu'il n'y a pas de meilleur type de personnalité (A ou B). En fait, cela dépend de l'adéquation entre le style et les exigences des postes[143].

Le polychronisme   Les recherches sur le polychronisme sont relativement récentes, car il est plutôt rare que la conception du temps chez un individu soit considérée comme un trait déterminant de personnalité. La **personnalité polychronique** caractérise les personnes qui peuvent mener de front plusieurs tâches,

---

affects négatifs
Sentiment stable qui implique de voir soi-même, la vie et les autres de façon pessimiste ou défavorable.

machiavélisme
Trait de personnalité caractérisé par la volonté de manipuler autrui pour parvenir à ses fins.

personnalité de type A
Personne fébrile et irritable, toujours en situation de compétition et d'urgence.

personnalité de type B
Personne détendue, peu compétitive et au rythme modéré.

personnalité polychronique
Personnalité caractérisée par son tempérament qui l'incite à faire plusieurs choses à la fois.

**personnalité
monochronique**

Personnalité carac-
térisée par son tem-
pérament qui l'incite
à ne faire qu'une
chose à la fois.

activités ou projets. Elles peuvent interrompre une tâche pour « socialiser » et la reprendre plus tard. Les **monochroniques,** par contre, veulent d'abord terminer ce qu'ils font avant de passer à autre chose, sans se laisser distraire, et préfèrent ne faire qu'une seule chose à la fois. Ce concept développé par Hall[144], applicable aussi bien aux individus qu'aux cultures nationales, est riche d'applications en milieu de travail. Par exemple, Benabou[145] trouve que le polychronisme est inversement lié aux échéances, à la ponctualité et à la routine dans le travail et qu'il est positivement lié à l'autonomie. Le polychronisme est un concept qui peut trouver beaucoup d'applications en gestion des ressources humaines : par exemple, apparier les employés et les postes selon leur adéquation, eu égard à cette variable, ou faire le diagnostic de la culture temporelle des organisations, etc. Nous reprendrons ce concept au chapitre 16 lorsque nous étudierons les cultures nationales.

**personnalité
à haut besoin
d'accomplis-
sement**

Type de personnalité
qui caractérise
les personnes
cherchant toujours
à exceller et à sur-
passer les autres.

La personnalité à haut besoin d'accomplissement Certaines personnes ont le désir constant de parvenir au sommet dans ce qu'elles font et veulent le faire de façon supérieure aux autres, en un mot, elles veulent toujours gagner. Ce sont des **personnalités à haut besoin d'accomplissement,** caractérisées par un fort besoin d'exceller dans ce qu'elles entreprennent et par celui de surpasser les autres. Dans les années 1960, David McClelland a étudié intensivement ce besoin d'accomplissement au cours de ses recherches sur la motivation[146]. Nous en reparlerons au chapitre 6. Cependant, on examine ici les caractéristiques des personnes motivées par ce besoin.

Généralement, elles choisissent des tâches à difficulté modérée (ni trop faciles, ni trop difficiles ; autrement dit, ces personnes prennent des risques calculés). Elles veulent que les résultats obtenus dans une tâche quelconque soient le fruit de leurs efforts et non celui du hasard ou d'autres personnes. Elles ont donc naturellement une préférence pour la rémunération au mérite et non à l'ancienneté ou à d'autres facteurs qui ne dépendraient pas de leurs propres efforts. Enfin, elles aiment la rétroaction immédiate et précise pour s'améliorer. Mais font-elles pour autant de bons leaders ? Pas nécessairement. Deux éléments les en empêcheraient. Tout d'abord, leur tendance à éviter les tâches trop difficiles. Ensuite, les leaders possédant ce besoin d'accomplissement à un haut niveau ne délégueraient pas facilement leur autorité ou des tâches à leurs subordonnés, se gardant ainsi beaucoup de pouvoir, ce qui n'est pas la marque des leaders d'aujourd'hui chargés de mobiliser leurs troupes[147].

Ces personnalités sont intéressantes, mais elles sont difficiles à satisfaire, car dans une entreprise, ce ne sont pas tous les postes qui présentent toujours des défis. De plus, leur préférence pour la performance individuelle ne sied pas au travail d'équipe si prisé aujourd'hui dans les entreprises. Si ces personnes visent des buts qui représentent pour elles un apprentissage supplémentaire (plutôt que le seul succès), alors elles constituent un atout pour leur organisation par leur énergie et leur recherche de l'excellence.

Un autre élément constitutif de la personnalité : l'intelligence

Les traits de personnalité que nous avons vus sont considérés ainsi parce qu'ils caractérisent un certain nombre de personnes par rapport à l'ensemble. Par contre, un élément comme l'intelligence n'est traditionnellement pas traité comme un trait de personnalité, probablement parce qu'il est largement distribué dans la population. Mais aujourd'hui, avec ce qu'on sait des caractéristiques que nous allons exposer, on peut considérer les diverses formes d'intelligence comme des éléments constitutifs de la personnalité. Ainsi un individu qui a, par exemple, une grande intelligence émotionnelle peut être perçu par les autres comme une personnalité empathique, sensible, ayant la maîtrise de ses émotions, etc. Nous examinerons donc les différentes formes d'intelligence sous cet angle.

On peut considérer qu'il existe quatre grands types d'intelligence :

■ *L'intelligence cognitive* est celle qui permet les opérations mentales comme la compréhension d'idées complexes, le raisonnement, l'analyse, la synthèse, la logique, l'apprentissage et l'adaptation à son environnement. C'est celle que mesure le fameux QI (le quotient intellectuel). Cette intelligence est cruciale dans les postes où il faut jongler avec des idées complexes, comme les postes de direction.

intelligence pratique
Capacité de résoudre des problèmes pratiques.

■ *L'intelligence pratique* est celle qui permet de résoudre des problèmes concrets. Elle est constituée du savoir tacite, celui qu'on met en pratique sans pouvoir l'expliquer d'emblée (les acteurs comiques exceptionnels auraient de la difficulté à expliquer leur talent et leur facilité à improviser). Mais, aujourd'hui, les organisations apprenantes mettent en place des dispositifs pour formaliser le savoir tacite de leur personnel (*voir le chapitre 4 pour le traitement en profondeur de cette question*).

■ *L'intelligence émotionnelle* est celle qui consiste à reconnaître ses propres émotions et celles des autres et à les canaliser positivement. Elle permet également de s'automotiver et de s'entendre avec autrui (*voir le chapitre 5 pour une étude en profondeur de ce concept*).

■ *L'intelligence culturelle* est celle qui constitue la capacité de comprendre sa propre culture et celle des autres et de s'entendre avec des gens de tous horizons sans les juger. Cette intelligence est cruciale à l'heure des échanges commerciaux internationaux et de la diversité en milieu de travail, comme nous l'avons évoqué plus tôt dans ce chapitre (*voir aussi le chapitre 16 sur la culture*).

Pour terminer cette section, il convient de rapporter une autre classification très connue des types de personnalité, celle de Holland. En effet, le mérite de cet auteur est qu'il a relié certains types de personnalité à des catégories d'activités professionnelles.

La personnalité et le choix de carrière : la typologie de Holland

Miriam Goldberger a travaillé tour à tour avec efficacité dans les effets sonores, la gymnastique et l'édition jusqu'à ce qu'elle réalise qu'au fond, ce qu'elle aimait le plus et qui correspondait à sa personnalité profonde était le jardinage. Elle décida donc de transformer son passe-temps favori en travail à plein temps. Aujourd'hui, elle dirige la Wildflower Farm, située dans les douces collines de Schomberg, au nord de Toronto. Elle y fait de l'aménagement paysager. Elle et son mari ont renoncé à la sécurité d'emploi pendant un certain temps, mais aujourd'hui, leurs revenus sont plus élevés que jamais[148].

Miriam Goldberger et bien d'autres gens ont découvert qu'une carrière est bien plus qu'un appariement de compétences avec les exigences d'un emploi. C'est une harmonisation complexe de traits de personnalité, de valeurs et de talents avec les exigences et les caractéristiques du milieu de travail. C'est ce qu'a mis en évidence John Holland, un spécialiste en choix de carrière[149]. Certaines recherches ont démontré qu'une harmonisation de ces facteurs était associée à une meilleure performance, à une plus grande satisfaction de l'individu et à la durée de l'emploi. Toutefois, d'autres études ne corroborent pas parfaitement ce modèle[150].

Les six types de personnalité de John Holland   John Holland classe les personnalités en six catégories : les types réaliste, investigateur, artistique, social, entrepreneur et conventionnel. Le tableau 3.2 présente ces types de personnalités, les groupes d'activités professionnelles qui leur correspondent le mieux ainsi que des exemples de professions.

Rares sont les individus qui correspondent parfaitement à une seule catégorie de Holland. Une personne dite hautement « différenciée » correspond à une seule catégorie, tandis que la plupart des gens appartiennent à deux catégories ou plus.

Les implications pratiques de la théorie de Holland   La théorie de Holland est-elle valide ? Il s'agit certainement du modèle de correspondance psychologique et professionnelle le plus populaire à ce jour, et de nombreux orienteurs y ont recours. Bien que certaines recherches appuient les principes généraux qui soustendent le modèle de Holland, quelques chercheurs émettent des réserves quant à

TABLEAU   3.2   Les six types de personnalité de Holland et les groupes d'activités professionnelles

Type de personnalité	Traits de personnalité	Groupes d'activités professionnelles	Exemples de professions
Réaliste	Pratique, timide, matérialiste, stable	Travaille avec ses mains, des machines ou des outils ; vise des résultats tangibles.	Travailleur à la chaîne, nettoyeur à sec, ingénieur mécanique
Investigateur	Analytique, introverti, réservé, curieux, précis, indépendant	Découvre, recueille et analyse des données ; résout des problèmes.	Biologiste, dentiste, analyste de systèmes
Artiste	Créatif, impulsif, idéaliste, intuitif, émotif	Crée de nouveaux produits ou génère de nouvelles idées, la plupart du temps dans un milieu non structuré.	Journaliste, architecte, directeur de publicité
Social	Sociable, extraverti, consciencieux, besoin d'appartenance	Sert ou aide d'autres personnes ; travaille en équipe.	Travailleur social, infirmière, enseignant, orienteur
Entrepreneur	Confiant, incisif, énergique, besoin de pouvoir	Dirige d'autres personnes ; atteint des objectifs grâce à d'autres personnes dans un milieu orienté vers les résultats.	Vendeur, courtier, politicien
Conventionnel	Fiable, discipliné, ordonné, pratique, efficace	Son travail implique la manipulation systématique de données ou d'informations.	Comptable, banquier, administrateur

Sources : Basé sur les ouvrages de D.H. Montross, Z.B. Leibowitz et C.J. Shinkman, *Real People, Real Jobs*, Californie, Davies-Black, Palo Alto, 1995 ; et de J.H. Greenhaus, *Career Management*, Chicago, Dryden, 1987.

certains points. L'un des problèmes tient au fait que les types de personnalités de Holland représentent seulement deux des cinq grandes dimensions de la personnalité (*Big Five*), soit l'extraversion et l'ouverture à l'expérience, quant on sait qu'elles constituent nos traits fondamentaux. Par contre, les autres dimensions du modèle sont pertinentes en orientation professionnelle et peuvent prédire raisonnablement l'adaptation des individus à leur emploi[151]. Une autre réserve est que le modèle de Holland ne s'applique pas nécessairement à toutes les cultures. Sinon, ce modèle permet d'expliquer raisonnablement les attitudes et les comportements individuels[152].

Comme on le voit avec la théorie de Holland, les personnes peuvent être au bon poste, posséder des traits de personnalité qui leur permettent même d'être efficaces, et pourtant elles peuvent avoir un caractère qui rend leur fréquentation pénible, pour leur entourage et parfois pour elles-mêmes. Ce sont des personnalités difficiles, sujet qui vient clore ce long chapitre.

Les personnalités difficiles

personnalités difficiles
Personnes aux comportements pénibles pour elles-mêmes et leur entourage.

Parfois, on appelle les **personnalités difficiles** des employés « toxiques », car ils empoisonnent le climat de travail et la satisfaction au travail de leurs collègues ainsi que la performance d'équipe[153, 154]. Ils peuvent également provoquer le départ de ceux qui n'arrivent pas à transiger avec eux. Leurs comportements se traduisent par de l'agressivité, des plaintes constantes, du harcèlement psychologique et des tentatives de manipulation, même si leur performance est parfois supérieure à celle de leurs collègues[155].

Les comportements des personnalités difficiles peuvent s'exprimer autant verbalement (paroles blessantes, ton et intensité désagréables, etc.) que non verbalement (gestes, posture, etc.), ou encore par les attitudes (indifférence, mépris, refus de coopérer, propension à violer les normes, les règles ou la culture en place, etc.). Sont exclues de ces comportements les conduites pathologiques.

Plusieurs auteurs ont tenté de circonscrire rigoureusement les types de personnalités et de comportements difficiles[156].

Par exemple, Bramson a travaillé pendant 25 ans sur le sujet, a observé des dirigeants et écouté des employés décrire les personnes les plus difficiles rencontrées dans leur vie[157]. Malgré les différents vocables les désignant, on peut dégager sept types de personnalités caractérisant des employés difficiles : l'agressif ou le compétitif, le geignard, l'apathique, le complaisant, le négatif, le prétentieux et l'indécis.

On trouvera d'autres types de personnalités au chapitre 14, caractérisant, celles-là, des leaders à tendance névrotique, observés à travers les théories psychanalytiques : le théâtral (le narcissique), le schizoïde (l'absent au manque d'intérêt), le compulsif (perfectionniste, dogmatique et indécis), le dépressif (au sentiment d'impuissance) et le paranoïaque (méfiance excessive). Certains de ces traits se trouvent en partie dans les typologies du tableau 3.3.

Maintenant, comment gérer ces employés ? On peut penser à des solutions préventives et curatives. Le tableau 3.3 donne quelques-unes de ces mesures basées essentiellement sur la nature des relations interpersonnelles et l'exemple positif du groupe d'appartenance des personnes difficiles. Si l'attitude de celles-ci porte préjudice à leur performance et nuit à celle des autres, et que cette attitude est elle-même sujette à appréciation dans l'évaluation annuelle (ou semestrielle), alors les supérieurs doivent prendre les mesures habituelles susceptibles de régler

| TABLEAU 3.3 | Les types de personnalités difficiles et leur description |

Types de personnalités difficiles	Comportements typiques	Mesures à prendre
L'agressif ou le compétitif	Arrogant, n'a jamais tort, directif, aime contrôler, dénigre autrui ouvertement ou subtilement, bruyant, impatient, sûr de lui, sarcastique.	Entraîner ces personnes dans des décisions d'équipe, exiger d'eux du respect, interrompre leurs attaques et être ferme.
Le geignard	Toujours de mauvaise humeur, se plaint de situations où il n'apporte par ailleurs pas de solutions, démoralise les autres, blâme autrui indirectement.	Orienter les échanges vers la solution de problèmes.
L'apathique	Se prononce rarement, semble indifférent aux choses et aux autres.	Poser des questions précises et exiger des réponses claires.
Le complaisant	Veut plaire à tout le monde et en toutes choses; évite la confrontation; prend des engagements qu'il ne peut tenir.	Exprimer son appréciation; établir des échéances et des objectifs précis.
Le négatif	Attitude pessimiste envers le travail et l'organisation; décourage les personnes motivées (« ça ne marchera pas »).	Exprimer son optimisme sans leur dire qu'ils ont tort; utiliser leurs ressources.
Le prétentieux	Personne intelligente, mais qui pense avoir toutes les réponses; dédain de l'autorité (considérée comme ignorante); peut être agréable.	Reconnaître leurs qualités; les utiliser là où ils seront les plus efficaces.
L'indécis	A des difficultés à prendre des décisions qu'il peut remettre indéfiniment; appuie celles des autres; peu affirmatif.	Établir un climat de confiance, d'initiative et de soutien.

Source : Adaptation des synthèses de Raynes, B.L. (2001). « Predicting difficult employees : The relationship between vocational interests, self-esteem, and problem communication styles », *Applied H.R.M. Research,* vol. 6, nᵒ 1, p. 33-66.

ce problème de performance. Il faut aussi exercer des sanctions progressives, lesquelles pourraient aller jusqu'aux actions disciplinaires et au congédiement (qui doit être fait bien sûr selon les règles, règlements et lois prévus dans ce cas). Il est possible aussi de prendre des mesures en amont, en ne recrutant pas des personnes difficiles. Mais comment les reconnaître ? Grâce aux références des employeurs, sans doute, mais elles sont difficiles à obtenir, notamment par crainte de poursuites. On peut aussi utiliser des tests de personnalité. On a longuement parlé des traits de personnalité associés à des comportements particuliers au travail. Parmi ces traits, le manque d'estime de soi semble déterminer les comportements difficiles (par exemple, la crainte d'être rejeté peut révéler le style apathique).

On affirmait en début de chapitre que les éléments constitutifs de la personnalité étaient nombreux et l'on en a examiné une partie avec les attitudes, les valeurs et les traits de personnalité particuliers. Ces facteurs sont en symbiose avec la façon dont l'individu perçoit le monde, perception qui utilise tous les sens pour traiter l'information, l'analyser et l'interpréter, bref, pour apprendre. Le prochain chapitre abordera donc deux autres éléments importants de la personnalité : la perception et les modes d'apprentissage individuels et organisationnels.

RÉSUMÉ DU CHAPITRE

La personnalité est une façon d'être unique et stable d'un individu. Les éléments constitutifs de la personnalité sont nombreux, mais les sujets traités dans ce chapitre sont les attitudes et les valeurs, celles-ci constituant les fondements de l'éthique et de la responsabilité sociale des entreprises. Y sont également décrits les traits de personnalité les plus connus en recherche.

Trois grandes écoles de pensée et de recherche expliquent la formation de la personnalité : l'approche dynamique inspirée des théories psychanalytiques, l'approche behaviorale-cognitive et l'approche humaniste-existentielle. Pour Freud, le père de la psychanalyse, la personnalité et l'adaptation de l'individu à son environnement se forment au gré des conflits entre les forces inconscientes, conscientes et morales de l'appareil psychique. D'autres théoriciens, comme Jung (à l'origine de la psychologie analytique) et Erikson, se détachent du déterminisme freudien pour définir la personnalité comme un ensemble d'énergie vitale et de potentialités réalisables à toutes les étapes de la vie. Selon les tenants de l'approche behaviorale-cognitive (Skinner, Bandura, Beck), notre personnalité ne serait que le produit de nos conditionnements successifs, de notre condition présente et d'un répertoire de réponses apprises, médiatisées cependant par quelques processus cognitifs comme la mémoire, l'imitation, etc. D'après l'approche humaniste-existentielle, représentée par des penseurs comme Rogers ou Maslow, la personnalité se développe d'une façon positive, rationnelle et réaliste et tend à vouloir s'autoactualiser.

L'attitude est un ensemble de croyances et de sentiments qui nous prédisposent à agir (intention) dans un sens défini envers des personnes ou des événements. La plus étudiée des attitudes dans les organisations est la satisfaction au travail. Celle-ci dépend de facteurs personnels, organisationnels et culturels, d'où son lien modéré avec la performance. Pour susciter la satisfaction professionnelle, il faut créer des conditions de travail saines, sécuritaires et équitables, rendre les postes motivants et établir un climat de travail agréable. Le préjugé est une attitude négative, en partie responsable de comportements discriminatoires au travail envers plusieurs groupes de la société. Parmi les façons de les combattre, les entreprises peuvent et doivent apprendre à gérer la diversité. Une autre attitude importante est l'engagement organisationnel, composé de l'engagement affectif, de continuité et normatif. L'engagement affectif est généralement lié à une autre attitude, la citoyenneté organisationnelle, où l'employé s'engage dans des activités positives dépassant les exigences de son poste. Le non-respect du contrat psychologique (attentes réciproques) entre l'employé et l'organisation peut altérer cet engagement affectif. Des attitudes négatives affectent à la hausse le taux d'absentéisme et parfois celui du présentéisme des employés.

Les valeurs sont un ensemble de croyances et de convictions qui servent de normes de référence dans nos décisions quotidiennes. Schwartz a dégagé 10 valeurs qui peuvent être placées selon deux ensembles d'axes : ouverture au changement-continuité et affirmation-dépassement de soi. Une convergence modérée entre les valeurs des employés et celles des dirigeants est souhaitable. Les valeurs sous-tendent l'éthique en affaires. Celle-ci est relative aux principes de l'utilitarisme, des droits fondamentaux des individus et de la justice organisationnelle. Le sentiment de responsabilité sociale des entreprises est devenu plus impératif que jamais en raison de son utilité stratégique et des pressions des parties prenantes de l'organisation.

Plusieurs traits de personnalité orientant le comportement en entreprise ont fait l'objet de nombreuses études : l'extraversion, la stabilité émotive, l'amabilité, l'ouverture d'esprit, la fiabilité, le lieu de contrôle, la personnalité adaptative, le sentiment d'efficacité et l'estime de soi, la prédisposition aux affects positifs, le machiavélisme, les types A et B, le polychronisme, le besoin d'accomplissement et diverses formes d'intelligence. L'indicateur de Myers-Briggs mesure des dimensions de la personnalité reflétant la manière préférée des gens de traiter et d'évaluer l'information, et d'appréhender le monde extérieur. John Holland, pour sa part, a conçu un modèle valide de choix de carrière qui comporte six types de personnalité et les milieux de travail qui leur correspondent. Enfin, au moins sept types de personnalité difficiles peuvent empoisonner le climat de travail d'une équipe. Il faut alors utiliser la pression du groupe, des mesures préventives et parfois coercitives pour canaliser positivement le comportement de ces employés.

MOTS CLÉS

QUESTIONS

1. Une compagnie d'assurance enregistre un taux élevé d'absentéisme parmi ses employés. Le service des ressources humaines soutient que les employés font un mauvais usage des congés de maladie que leur accorde l'entreprise. La culture de cette société est plutôt du genre paternaliste et on excuse facilement les absences. En outre, quelques employés, des femmes pour la plupart, ont expliqué que leurs obligations familiales leur permettaient difficilement de s'acquitter de leurs tâches professionnelles. Indiquez quelques causes possibles du taux élevé d'absentéisme dans cette compagnie et indiquez les moyens de le réduire.

2. Quelle différence y a-t-il entre les valeurs adoptées officiellement par l'organisation et les valeurs en usage? Décrivez les avantages et les inconvénients d'une convergence de ces groupes de valeurs. Par ailleurs, quels effets produit la divergence de ces valeurs sur le comportement individuel dans les organisations, autant pour les employés que pour les dirigeants?

3. Le dernier sondage réalisé dans votre entreprise sur la satisfaction au travail indique que les employés sont mécontents par rapport à certains aspects de l'organisation. Toutefois, la direction a tendance à concentrer son attention sur une seule question du sondage, en l'occurrence celle où l'on demande aux employés d'indiquer leur taux de satisfaction générale au travail. Or, les résultats de cette question révèlent que 86% des membres du personnel sont très ou assez satisfaits de leur travail. La direction en a conclu que les autres résultats se rapportent sans doute à des aspects qui ont moins d'importance pour les employés. Expliquez pourquoi cette interprétation des résultats peut être inexacte.

4. Cherchez le site Internet de deux ou trois compagnies que vous connaissez. Constatez en premier lieu si elles affichent un certain nombre de valeurs essentielles. Si c'est le cas, déduisez-en des valeurs intermédiaires (selon la conception de Rokeach vue dans ce chapitre) et les grandes actions cohérentes qui en découlent.

5. Consultez, en premier lieu, le site Internet du Global Reporting Initiative (GRI) ou du Global Compact; ils offrent des outils connus dans le domaine de la responsabilité sociale des entreprises; familiarisez-vous avec leur contenu. On y trouve notamment des normes spécifiques pour ce domaine. Cherchez ensuite le site Internet de deux ou trois compagnies que vous connaissez. Constatez d'abord si elles ont une politique de responsabilité sociale ou un code de conduite. Si c'est le cas, déterminez les cibles visées par ces codes. Enfin, à l'aide des outils susmentionnés, ajoutez les points manquants à ces codes de conduite (buts plus précis? mesures? etc.).

6. Quelle différences y a-t-il entre ces trois types de justice : distributive, procédurale et interactionnelle ? Pensez à une situation où vous vous êtes senti traité injustement dans votre travail. Dans quel type de justice y a-t-il eu manquement dans votre cas ? Quelle est la situation qui vous a laissé le plus de ressentiment ? Comment celle-ci aurait-elle dû être gérée ?

7. Pensez à une entreprise où vous avez déjà travaillé ou à votre présent emploi. Réfléchissez à une politique de cette entreprise qui aujourd'hui ne vous semble pas « juste » (politique concernant les vacances, la santé et la sécurité, l'allocation de bureaux vitrés ou d'un budget de dépenses, l'évaluation de la performance, etc.). Donnez les raisons de votre perception en invoquant les notions de justice distributive, procédurale et interactionnelle. Vous pouvez aussi mettre au point une nouvelle politique en décrivant comment vous la concevriez en tenant compte de ces trois types de justice.

ÉTUDE DE CAS 3.1

À LA RECHERCHE DE MARIANNA

Objectifs 1) Être conscient des « théories » implicites de la personnalité que nous formons à propos des autres ; 2) Comprendre les comportements et les pensées d'un individu à l'aide de deux groupes de théories de la personnalité ; 3) Envisager plusieurs actions à partir de ces théories.

Depuis bientôt deux ans, Marianna, enseignante, devient irritable pendant des périodes clés de l'année scolaire. Elle se déclare malade et est obligée de quitter son travail durant quelques jours. Elle a consulté un médecin, car elle ne se sentait pas bien. Hormis une certaine fatigue, elle ne semblait souffrir d'aucune maladie. Le médecin lui a conseillé de rencontrer un conseiller pour discuter de ses problèmes.

Marianna a décidé de venir en consultation parce que rien ne semblait aller dans sa vie. Fatiguée, elle ne manifeste aucun goût pour quoi que ce soit. Son travail n'est plus aussi intéressant qu'il l'était et la vie perd pour elle tout son sens. Auparavant, Marianna était très entreprenante et faisait mille choses. Il y a quelques années, elle était fière de son travail, mais de plus en plus, il est une source d'insatisfaction.

Marianna a 40 ans et enseigne à l'école primaire depuis 15 ans. Après l'obtention de son baccalauréat en pédagogie, Marianna a commencé à enseigner aux enfants du cycle ordinaire dans une école urbaine. Dans le cadre de son cheminement de carrière, elle n'avait jamais envisagé autre chose que l'enseignement. Elle a toutefois changé d'école et, depuis huit ans, elle travaille maintenant avec des enfants handicapés visuellement. Son travail a toujours été excellent. Marianna aime les enfants et adore se retrouver seule avec eux pour réaliser les tâches qu'elle a préparées la veille.

La nouvelle réorganisation de l'enseignement à l'école primaire (en vigueur depuis trois ans) exige que l'enseignement soit donné par une équipe de trois enseignantes. Auparavant, elles étaient deux et cela fonctionnait assez bien ; à trois, les choses se sont gâtées.

Marianna est disciplinée et organisée : elle prépare ses cours à l'avance et arrive toujours à temps à l'école. L'une de ses collègues, par contre, ne prépare pas toujours les activités de la journée suivante, ne sait jamais où elle met ses choses et arrive souvent en retard. L'autre compagne est comme Marianna, assez organisée. Lorsqu'elles travaillent ensemble, c'est Marianna qui prend l'initiative. Marianna est ingénieuse ; elle aime les arts plastiques et adore changer d'activité pour éviter la routine.

Depuis qu'une troisième personne s'est jointe à l'équipe, rien ne marche. Josette est active comme Marianna et aime jouer avec les enfants, mais elle ne s'en fait pas outre mesure ; elle est mariée et a une fille. Elle trouve le travail à l'école intéressant, mais sans plus. Quant à Gisèle, elle s'est toujours bien entendue avec Marianna ; elle aime son travail, mais laisse Marianna ou Josette décider des activités à organiser. Gisèle reste distante, car elle ne veut pas mêler sa vie professionnelle à sa vie privée.

Depuis que Josette est là, Marianna trouve que rien ne va plus. La réorganisation imposée par l'école est difficile. La situation est pire qu'avant, d'après elle. Elle est persuadée que si une enseignante est absente, les deux autres peuvent poursuivre le programme. Cependant les compromis qu'elle doit faire lui semblent trop pénibles : rencontrer les parents à deux ou trois reprises pendant l'année et décider en groupe comment organiser la progression des activités, la décoration du local, le matériel à utiliser. Elle veut prendre l'initiative, mais doit faire face à Josette, qui a également ses idées. Marianna n'est pas habituée à faire des compromis ni à négocier. Elle aime que ses idées soient acceptées sans discussion.

Dans les réunions, Marianna a de la difficulté à faire part de son point de vue. Parfois elle ne dit rien et, quelques mois après, elle exprime ce qu'elle pense avec violence. Elle a déjà fait plusieurs « déprimes », surtout vers la fin de l'année scolaire. Ses collègues de travail lui ont fait remarquer qu'elle voulait toujours atteindre la perfection. Elle a dirigé le club social pendant quelques années avec beaucoup de succès. Elle est dynamique et fait de son mieux pour bien paraître. Elle aime qu'on la trouve extraordinaire, gentille, disciplinée…

Marianna aime avoir ses choses à elle et n'aime pas perdre du temps dans des discussions inutiles. L'harmonie du groupe de travail est précaire. Elle dit que depuis au moins un an, le climat de travail est tendu. Elles font moins d'activités intéressantes. Heureusement, ses collègues lui ont accordé du temps pour être seule avec les enfants. Malgré cela, elle trouve vraiment que rien ne va plus.

Marianna avait un ami. Il était alcoolique et, un bon jour, elle lui a dit que c'était terminé. Elle ne le voit plus et dit ne pas en souffrir. Marianna voudrait rencontrer quelqu'un d'intéressant. Jusqu'à maintenant, elle n'a rencontré que des gens malades. Ils avaient des problèmes d'alcoolisme ou étaient des « fils à maman ». Enfin, elle dit ne pas avoir été chanceuse. Sa maison l'occupe peu. Depuis la mort de son père par suite d'une maladie, elle n'a personne sur qui veiller.

Excellente couturière, elle fait ses robes pour qu'on remarque ses habiletés. Elle aime qu'on lui dise à quel point elle fait bien les choses. Ce que les autres pensent d'elle est très important pour Marianna. Lorsqu'elle est contrariée, elle s'enferme dans un mutisme prolongé. À quelques reprises, elle a insulté des personnes qui n'étaient pas de son avis ; elle leur a dit des choses blessantes.

Marianna dit que Josette prend la vie comme elle vient, qu'elle ne s'en fait pas et est toujours heureuse ; même si elle n'est pas organisée, elle réussit toujours à faire ce qu'elle a à faire. Marianna trouve cela « épouvantable ». Contraire-

ment à Josette, elle a besoin d'avoir ses choses rangées. Elle s'en fait pour tout, y compris pour la nourriture. Il ne faut pas qu'elle mange de chocolat, autrement elle engraisse. Elle a déjà été grassette et elle se déteste comme ça. Sa sœur est grosse et a beaucoup de problèmes. Marianna vole toujours à son secours.

Josette a compris que Marianna ne l'aime pas et ne lui demande plus de l'accompagner en voiture. À l'école, les relations sont plutôt froides. Josette a appris à vivre avec cela et ne demande plus aucun conseil professionnel à Marianna. De son côté, Marianna trouve que c'est parfait ainsi ; Josette l'irrite et elle ne sait pas pourquoi.

Issue d'une famille peu nombreuse qui habitait dans une région éloignée, Marianna était habituée à vivre dans son univers. Le printemps venu, elle allait ramasser des coquillages toute seule. Bien qu'elle ait eu une sœur, Marianna avait tendance à rester toujours en retrait et à mener sa petite vie. Elle n'a jamais eu beaucoup d'amis et ses parents ne l'ont pas encouragé à en avoir. Sa mère était une femme de devoir pour qui la religion était extrêmement importante. Son père, de nature apparemment plus souple, ne semblait pas avoir un mot à dire sur ce qui se passait dans la maison. Marianna dit que sa mère a toujours été considérée comme une femme forte, religieuse et de devoir.

Elle pleure en racontant son histoire. C'est difficile de dire ces choses-là. Elle n'a jamais fait cela. Elle n'a jamais exprimé ce qu'elle pensait des gens et encore moins les pensées cachées, selon elle, de nature méchante. Elle n'avait jamais dit à personne qu'elle avait honte de sa sœur, ni qu'elle détestait Josette.

« Pour Josette, la vie semble si belle, pourquoi ça ne peut pas être comme ça aussi pour moi ? » dit Marianna. « Ah ! Que la vie est grise et sombre », continue-t-elle. Elle n'a pas d'homme pour s'occuper d'elle, comme c'est le cas pour Josette, et si celle-ci se plaint, Marianna trouve qu'elle agit en femme gâtée.

Marianna n'avait jamais demandé d'aide auparavant. À l'école, le psychologue lui avait dit qu'elle avait des choses à changer, mais Marianna se trouvait au-dessus de tout cela. « Ah ! dit elle, que ça va mal. » La vie lui semble ennuyante et elle pense qu'elle sera obligée de partir si elle n'accepte pas la réorganisation.

Source : Hogue, J.-P., Lévesque, D., Morin, Estelle (1988). « Études de cas : à la recherche de Marianna », *Groupe, pouvoir et communication*, Presses de l'Université du Québec et Presses HEC, p. 203-206.

Questions

1. En groupes, les étudiants décrivent spontanément le ou les problèmes de Marianna et ils énumèrent ensuite les étapes des interventions qu'ils suivraient s'ils étaient le supérieur hiérarchique de Marianna et de ses collègues. Le professeur peut aussi faire passer les étudiants directement à l'étape suivante.

2. Les étudiants font une analyse systématique du cas à l'aide de l'approche psychanalytique et de la perspective cognitivo-behaviorale en suivant les consignes a et b ci-dessous. Ils pourront ensuite comparer leurs travaux.

   a. L'interprétation psychanalytique. À partir des notions de la psychanalyse freudienne et des éléments du cas à l'étude, expliquez les différents comportements et les difficultés de Marianna. Montrez, par exemple, par quels comportements se manifestent le Surmoi et les différents mécanismes de défense. Décrivez comment se manifeste le conflit (ou l'écart) entre le Moi (l'image réelle de ce que Marianna est) et l'Idéal du Moi (ce qu'elle voudrait être), notamment relativement à sa satisfaction au travail.

   En examinant les quatre paires de profils psychologiques de l'indicateur de Myers-Briggs, indiquez à quel type de personnalité (un acronyme de quatre lettres) correspond Marianna.

   b. L'interprétation cognitivo-behaviorale. Ici, les étudiants se centreront sur les comportements manifestes de Marianna, ses pensées et ses sentiments. Dégagez les distorsions de la pensée chez Marianna, sa façon de traiter l'information, ses pensées automatiques, la nature de son dialogue intérieur, et les croyances qui influent sur sa manière de voir et de concevoir le monde.

3. À partir de ces schèmes interprétatifs, proposez quelques conseils ou actions dont Marianna pourrait tirer profit.

4. Quels sont les traits de personnalité décrits dans ce chapitre qui caractérisent Marianna?

ÉTUDE DE CAS | **3.2**

LE TRAVAIL DE BUREAU PEUT-IL ÊTRE AMUSANT?

Le gouvernement d'une grande ville américaine avait organisé une série de séminaires à l'intention des directeurs de divers services municipaux. L'un de ces séminaires portait sur la motivation au travail. L'intervention d'un chef de police devint le point central de la discussion. Il s'exprime en ces termes.

J'ai un vrai problème avec mes jeunes policiers. Quand ils entrent en fonction, nous les envoyons patrouiller dans les rues, en voiture ou à pied. Le contact avec le public leur plaît ainsi que la prévention du crime et l'interpellation des criminels. Ils aiment aussi secourir les gens lors d'un incendie, d'un accident ou dans toute autre situation d'urgence.

Les choses se gâtent à leur retour au poste. Comme ils détestent la paperasserie, ils bâclent leurs rapports ou en remettent la rédaction à plus tard. Or, cette négligence nous nuit par la suite devant le tribunal. En effet, nous avons besoin de rapports clairs, détaillés et sans ambiguïté. Dès qu'une partie du rapport semble inappropriée ou inexacte, le reste devient suspect. Ces rapports bâclés nous font sans doute perdre plus de causes que tout autre facteur.

Je ne sais vraiment pas comment motiver mes jeunes à faire un meilleur boulot. Notre budget a été réduit, et je n'ai donc aucune récompense financière à leur offrir. En fait, nous devrons sans doute licencier des employés très bientôt. J'ai dû mal à rendre le travail intéressant et stimulant parce qu'il ne l'est pas: la paperasserie est ennuyeuse et on ne peut pas y faire grand-chose.

Finalement, je ne peux pas dire à mes employés que leur promotion dépend de l'excellence de leurs rapports. En premier lieu, ils savent que c'est faux. Si leur rendement est adéquat, la plupart obtiendront sans doute une promotion après un certain nombre d'années et sans devoir accomplir un grand exploit. En second lieu, ils sont formés pour travailler dans la rue et non pour remplir des formulaires. Tout au long de leur carrière, ce sont leurs arrestations et leurs interventions qui seront remarquées.

Devant cet état de choses, certains ont suggéré des mesures de rendement liées à une cause perdue ou pas devant la cour, à la suite du traitement des dossiers des prévenus. Cependant, nous savons très bien que cette mesure serait injuste. En effet, un trop grand nombre d'autres facteurs entrent en jeu dans cette perspective. Les mauvais rapports augmentent vos chances de perdre votre cause en cour, mais les bons dossiers ne vous feront pas nécessairement gagner. Nous avons essayé de former des équipes et d'organiser des compétitions axées sur l'excellence des rapports, mais les policiers ont vite compris qu'aucune récompense n'attendait les gagnants. Ils se sont dit : « Pourquoi se forcer s'il n'y a aucun intérêt à le faire ? »

Je ne sais tout simplement pas quoi faire.

Questions

1. Quels problèmes liés au rendement le chef de police essaie-t-il de résoudre ?

2. Le chef a-t-il envisagé toutes les solutions possibles ? Si ce n'est pas le cas, que pourrait-il faire d'autre ?

Source : T.R. Mitchell et J.R. Larson Jr., *People in Organizations*, 3ᵉ éd., New York, McGraw-Hill, 1987, p. 184. Publié avec autorisation.

EXERCICE EN GROUPE | 3.3

COMPARER LES VALEURS CULTURELLES

Objectif Cet exercice vous aidera à déterminer dans quelle mesure les étudiants émettent des hypothèses semblables sur les valeurs dominantes d'autres cultures.

Instructions Dans le cadre d'un important projet de consultation, les qualificatifs inscrits dans la colonne de gauche ont été accolés aux gens d'affaires de divers pays en fonction de leur culture et de leurs valeurs dominantes. Ces qualificatifs sont placés par ordre alphabétique. Dans la colonne de droite figurent des noms de pays, également placés par ordre alphabétique.

■ Étape 1 : Individuellement, les étudiants doivent associer les qualificatifs de gauche aux pays de la colonne de droite en se basant sur leur perception. Chaque qualificatif doit donc être relié à un seul pays (ou inversement). Reliez les paires au moyen d'un trait ou écrivez le numéro du qualificatif à côté du pays.

■ Étape 2 : L'enseignant forme des équipes de quatre ou cinq étudiants. Les membres de chaque équipe comparent leurs résultats et tentent d'atteindre un consensus sur une même série de paires.

■ Étape 3 : Les équipes (ou l'enseignant) affichent les résultats afin de déterminer dans quelle mesure les étudiants ont des opinions similaires (ou dissemblables) sur les gens d'affaires appartenant à d'autres cultures. Discutez des résultats et de leurs implications dans un contexte de travail international ou multiculturel.

Qualificatifs et pays	
Qualificatif (par ordre alphabétique)	**Pays (par ordre alphabétique)**
1. Leaders commerciaux	Allemagne
2. Commerçants serviables	Australie
3. Culture ancienne en voie de modernisation	Brésil
4. Égalitaires informels	Canada
5. Entrepreneurs optimistes	Chine
6. Fabricants efficaces	États-Unis
7. Humanistes affables	France
8. Individualistes farouches	Inde
9. Négociants tolérants	Nouvelle-Zélande
10. Perfectionnistes	Pays-Bas
11. Stratèges « conceptuels »	Royaume-Uni
12. Traditionalistes en voie de modernisation	Singapour
13. Sens politique fondé sur l'éthique	Taïwan

Source : Basé sur l'ouvrage de R. Rosen, P. Digh, M. Singer et C. Phillips, *Global Literacies*, New York, Simon & Schuster, 2000.

VOS CHOIX ÉTHIQUES

Objectif Cet exercice vous permettra d'exercer votre jugement moral dans diverses situations.

Instructions Des petits groupes d'étudiants lisent chacune des situations ci-dessous. Une discussion s'engagera ensuite sur les divers commentaires qu'elles suscitent et devra être centrée sur la déontologie, l'éthique des affaires, la sensibilité éthique et l'intensité morale de chaque cas. Il n'y a pas de grille de correction pour cet exercice.

1. Il y a plusieurs semaines, votre supérieur a commandé pour son équipe de 40 employés un nouveau logiciel de plusieurs milliers de dollars, absolument nécessaire pour augmenter la performance actuelle du groupe, notamment pour trois des employés. Ce supérieur a apporté une copie du logiciel qu'il a réussi à avoir d'un collègue qui travaille dans le même secteur et a permis à ces trois employés de l'utiliser. Or, on sait fort bien que le logiciel est sous licence et qu'il ne doit être installé que dans l'ordinateur de celui qui l'a acheté.

2. Les fabricants d'imprimantes ne font qu'un faible profit sur les ventes de ces appareils, mais par contre la marge bénéficiaire est grande sur les cartouches d'impression. L'un de ces fabricants ne produit maintenant que des imprimantes compatibles avec des cartouches conçues dans la même région. Par exemple, une cartouche achetée au Canada ne fonctionnera pas avec une imprimante du même modèle produite en Europe (sans que cela ait quelque chose à voir avec la performance du modèle). Cette mesure empêche les consommateurs et les détaillants d'acheter ce produit ailleurs. La compagnie allègue que cette mesure lui permet de maintenir des prix dans une même région au lieu de les changer constamment au gré du marché.

3. Hier, vous êtes allée au magasin avec votre voisine et son jeune fils. En remontant dans la voiture, votre voisine constate que son fils a pris un petit jouet, non payé, valant environ cinq dollars. Votre voisine gronde son fils, puis elle se tourne vers vous et vous fait signe de démarrer. Vous lui demandez si elle compte retourner au magasin pour payer l'article. Elle répond que ce n'est pas la peine. Vous acceptez de la conduire chez elle sans qu'elle retourne payer l'article.

4. Un représentant est en voyage d'affaires en dehors de la ville et il dîne avec sa sœur. Sa société rembourse les frais de repas jusqu'à concurrence de 50 $ par repas. L'addition s'élève à 35,70 $, mais son repas seul ne coûte que 16,30 $. Il sait que certains de ses collègues réclament systématiquement les frais de repas des convives qui ne travaillent pas pour la société. Il réclame le montant total de l'addition.

Source: Adapté de l'article de R.R. Radtke, « The Effects of Gender and Setting on Accountants' Ethically Sensitive Decisions », *Journal of Business Ethics*, vol. 24, avril 2000, p. 299-312.

DÉTERMINEZ VOTRE DEGRÉ D'ADAPTATION AUX SITUATIONS

Objectif Cet exercice vous permettra d'évaluer jusqu'à quel point vous avez une personnalité hautement adaptative.

Instructions Les énoncés de cette échelle mettent en valeur des caractéristiques personnelles. Cochez la case pour indiquer dans quelle mesure l'énoncé est vrai ou faux en ce qui vous concerne.

Cet exercice doit être fait individuellement afin que vous puissiez vous autoévaluer honnêtement sans vous comparer à vos camarades. Toutefois, la discussion en classe sera axée sur la pertinence de ces capacités d'adaptation à chaque situation, notamment quand le score obtenu est très haut ou très bas.

Mesure de votre personnalité adaptive						
Indiquez dans quelle mesure les énoncés ci-dessous caractérisent votre personnalité.	Complètement faux ▼	Faux ▼	Plutôt faux ▼	Plutôt vrai ▼	Vrai ▼	Tout à fait vrai ▼
1. Dans les situations sociales, je peux modifier mon comportement si je sens que la situation l'exige.	☐	☐	☐	☐	☐	☐
2. Je détecte souvent les véritables émotions des gens dans leur regard.	☐	☐	☐	☐	☐	☐
3. Je peux modifier l'image que je présente aux autres en fonction de l'impression que je désire leur donner de moi.	☐	☐	☐	☐	☐	☐
4. Dans les conversations, je suis sensible aux changements, même les plus subtils, dans l'expression faciale de mon interlocuteur.	☐	☐	☐	☐	☐	☐
5. Je suis assez intuitif quand il s'agit de comprendre les émotions et les motivations des autres.	☐	☐	☐	☐	☐	☐
6. Je sais presque toujours si mes interlocuteurs considèrent qu'une blague est de mauvais goût, même s'ils rient d'une façon qui a l'air convaincante.	☐	☐	☐	☐	☐	☐
7. Quand je sens que l'image que je présente est inadéquate, je la transforme aussitôt.	☐	☐	☐	☐	☐	☐
8. Je peux presque toujours lire dans le regard de mon interlocuteur si j'ai dit quelque chose d'inapproprié.	☐	☐	☐	☐	☐	☐
9. J'ai de la difficulté à modifier mon comportement en fonction des gens et des situations.	☐	☐	☐	☐	☐	☐
10. J'ai découvert que je peux changer mon comportement pour répondre aux exigences de n'importe quelle situation.	☐	☐	☐	☐	☐	☐
11. La plupart du temps, lorsque quelqu'un me ment, je le vois tout de suite sur son visage.	☐	☐	☐	☐	☐	☐
12. Même si cela me désavantage, j'ai de la difficulté à garder ma contenance.	☐	☐	☐	☐	☐	☐
13. Dès que je sais ce que la situation exige, il est facile pour moi d'adapter mes actions en conséquence.	☐	☐	☐	☐	☐	☐

Source : Adapté de l'article de R.D. Lennox et R.N. Wolfe, « Revision of the Self-Monitoring Scale », *Journal of Personality and Social Psychology*, vol. 46, juin 1984, p. 1348-1364. Les catégories de réponse ont été légèrement modifiées, les réponses originales étant plus limitées.

L'IDENTIFICATION DE VOS VALEURS DOMINANTES

La version électronique de cet exercice est disponible au www.cheneliere.ca/mcshanebenabou.

Objectif Identifiez vos valeurs dominantes à l'aide du modèle de Schwartz.

Instructions L'exercice consiste en l'énumération de phrases ou de mots à propos desquels vous devez indiquer jusqu'à quel point vos propres valeurs leur ressemblent. Vos résultats au questionnaire vous feront connaître à quel groupe de valeurs appartiennent les vôtres, selon la classification de Schwartz vue dans ce chapitre.

L'IDENTIFICATION DE VOTRE LIEU DE CONTRÔLE

La version électronique de cet exercice est disponible au www.cheneliere.ca/mcshanebenabou.

Objectif Cette autoévaluation vous permet d'estimer si votre lieu de contrôle est interne ou externe, tel qu'il est défini dans le présent chapitre.

Instructions Indiquez votre degré d'accord avec les énoncés proposés, en répondant sincèrement aux questions. Vos résultats vous donneront une estimation raisonnable de la nature de votre lieu de contrôle (interne ou externe, ou entre les deux).

L'ENGAGEMENT ORGANISATIONNEL

Objectif Cette autoévaluation devrait vous faciliter la compréhension du concept d'engagement organisationnel et vous permettre d'évaluer votre propre engagement envers votre organisation.

Instructions Encerclez la réponse qui représente le mieux votre conviction. Utilisez la clé de correction disponible au www.cheneliere.ca/mcshanebenabou afin de calculer votre pointage. C'est un exercice individuel à faire en toute sincérité. Par la suite, la discussion entre étudiants tournera autour des types d'engagement organisationnel et des comportements éventuels conséquents.

Échelle de l'engagement organisationnel

Dans quelle mesure les énoncés ci-dessous s'appliquent-ils à vous ? Indiquez votre degré d'accord en cochant la case appropriée.	Tout à fait d'accord ▼	D'accord ▼	Légèrement d'accord ▼	Ni en accord ni en désaccord ▼	Légèrement en désaccord ▼	En désaccord ▼	Tout à fait en désaccord ▼
1. Je serais heureux de travailler ici plusieurs années.	☐	☐	☐	☐	☐	☐	☐
2. J'aurais du mal à quitter cette entreprise, entre autres parce que les choix qui se présentent à moi sont plutôt limités.	☐	☐	☐	☐	☐	☐	☐
3. Je prends à cœur les problèmes de mon entreprise comme s'il s'agissait des miens.	☐	☐	☐	☐	☐	☐	☐
4. En ce moment, continuer de travailler ici est une nécessité autant qu'un choix.	☐	☐	☐	☐	☐	☐	☐
5. Je n'éprouve pas de véritable sentiment d'appartenance envers mon entreprise.	☐	☐	☐	☐	☐	☐	☐
6. J'aurais beaucoup de mal à quitter mon entreprise maintenant, même si je le voulais.	☐	☐	☐	☐	☐	☐	☐
7. Je n'ai aucun lien affectif avec mon entreprise.	☐	☐	☐	☐	☐	☐	☐
8. Ma vie serait trop perturbée si je décidais de changer d'entreprise maintenant.	☐	☐	☐	☐	☐	☐	☐
9. Je n'ai pas l'impression de faire partie de la « famille » dans cette entreprise.	☐	☐	☐	☐	☐	☐	☐
10. J'ai l'impression que les options sont trop limitées pour moi pour que j'envisage de quitter cette organisation.	☐	☐	☐	☐	☐	☐	☐
11. Cette entreprise signifie beaucoup pour moi.	☐	☐	☐	☐	☐	☐	☐
12. Si je ne m'étais pas autant investi dans cette entreprise, j'envisagerais de changer d'emploi.	☐	☐	☐	☐	☐	☐	☐

Source: Adapté de l'article de J.P. Meyer, N.J. Allen et C.A. Smith, « Commitment to Organizations and Occupations : Extension and Test of a Three-Component Conceptualization », *Journal of Applied Psychology*, vol. 78, 1993, p. 538-551.

CHAPITRE 4

La perception et l'apprentissage dans les organisations

Objectifs d'apprentissage

À LA FIN DE CE CHAPITRE, VOUS DEVRIEZ POUVOIR :

- décrire les facteurs qui expliquent le processus perceptuel ;
- expliquer votre perception de vous-même et des autres par le concept d'identité sociale ;
- montrer les effets négatifs des stéréotypes et énoncer les moyens de les éviter ;
- décrire le processus d'attribution et les erreurs en découlant ;
- résumer les erreurs perceptuelles et l'effet Pygmalion ;
- expliquer comment l'empathie et le modèle de la fenêtre de Johari permettent d'améliorer nos perceptions ;
- expliquer les principes et les modalités de la modification du comportement ;
- expliquer les fondements de l'apprentissage social ;
- décrire les principes et les applications de l'apprentissage par l'expérience ;
- énoncer les moyens de bâtir une organisation apprenante et de gérer les savoirs.

« Il faut semer pour récolter ! » Telle est la devise de Marc Poulin, président de Sobeys Québec, lorsqu'il s'agit d'expliquer pourquoi il entend bâtir une épicerie-école sur le campus de l'Université Laval.

Toutefois, à moins que le projet ne déraille pour une raison inattendue, l'épicier qui exploite la bannière IGA pourra bel et bien installer un magasin expérimental sur le campus, probablement dans le secteur Saint-Denys-du-Vallon. Mais pourquoi une épicerie-école ? Afin de permettre aux professeurs et aux étudiants d'approfondir le comportement du consommateur.

« Ce supermarché servira aussi à des fins de recherche et d'enseignement », raconte Marc Poulin. Le concept d'épicerie-école, une première en Amérique du Nord, épousera le mode de fonctionnement de tout autre établissement de ce genre, avec un plus : l'ajout de bureaux pour les étudiants et les professeurs, ainsi que de salles de classes. Les étudiants pourront ainsi profiter de la proximité du magasin dans le cadre de l'enseignement lié au commerce de détail et au marchandisage agroalimentaire.

La différence, cette fois, c'est que professeurs et étudiants mettront la main à la pâte. Ils pourront choisir eux-mêmes les changements à effectuer dans les étalages et observer la réaction de la clientèle.

Des exemples ? « Si un professeur qui travaille avec la Fédération des producteurs de porcs du Québec veut analyser la meilleure façon de mettre ce produit en valeur, il pourra modifier la disposition sur le comptoir des viandes et vérifier si cela a un impact sur le choix de coupes que fera le consommateur.

Les fournisseurs pourront, par exemple, collaborer avec l'Université pour régler des problèmes de conservation. Si la durée de vie des produits sur les tablettes des supermarchés est prolongée, les fournisseurs y gagneront, tout comme nos concurrents, les consommateurs et nous-mêmes.

De plus, notre contact avec les professeurs et avec la chaire nous permettra d'échanger sur les grandes tendances futures et de prévenir les coups.

Et si nous trouvons deux ou trois bonnes idées que nous pouvons mettre en œuvre partout en province, ce sera aussi un avantage. » ■

Construire une épicerie-école est une façon novatrice pour Sobeys et l'Université Laval d'apprendre collectivement, par la recherche sur le terrain.

Marie-Claude Hamel

Source : Michel Munger, « Le laboratoire de Marc Poulin », *Commerce*, août 2006, p. 32-34.

L e texte d'introduction illustre plusieurs éléments du chapitre. Tout d'abord, le type de concept proposé (épicerie-école) rappelle que l'apprentissage peut prendre plusieurs formes, notamment l'observation, la conceptualisation et l'expérimentation, comme on le verra plus loin dans ce chapitre. De plus, par la recherche et la mise à l'épreuve d'hypothèses et de scénarios et par leur application sur le terrain, les institutions deviennent apprenantes, c'est-à-dire qu'elles acquièrent la capacité de s'adapter à leur environnement.

Mais, au cœur de tout apprentissage, il y a le contact à la réalité par nos sens et la perception de notre environnement que nous transformons de manière à nous y adapter et à nous y développer. Perception et apprentissage sont donc des concepts difficilement dissociables et c'est la raison pour laquelle ils sont traités ensemble dans ce chapitre. Le traitement de la perception et de la connaissance ne date pas d'aujourd'hui, les philosophes en ayant fait des sujets de prédilection. Déjà Platon et Aristote nous mettaient en garde contre nos sens et les apparences pour privilégier la raison et la connaissance qui permettent de les organiser intelligemment.

La **perception** est la sélection, l'organisation et l'interprétation des stimulus de l'environnement du percevant (celui ou celle qui perçoit). Ce traitement de la « réalité », le sens que lui donne le percevant lui permet de comprendre le monde qui l'entoure. L'information reçue s'ajoute et s'incorpore à notre propre expérience, ce qui fait que l'image que nous nous faisons du monde n'est jamais identique pour deux personnes. Nous n'avons qu'à constater les façons multiples dont les gens perçoivent un même changement dans l'entreprise ou les divers points de vue s'exprimant à propos d'une décision pour réaliser que chacun a sa vision de la réalité. Les dirigeants et les employés qui sont conscients des facteurs qui déterminent la perception de cette réalité (si tant est qu'elle existe « objectivement ») peuvent ainsi agir plus adéquatement.

Nous commencerons ce chapitre en décrivant le processus de la perception, c'est-à-dire la dynamique du choix, de l'organisation et de l'interprétation des stimulus externes. Ensuite, nous aborderons la théorie de l'identité sociale qui explique bien les phénomènes de catégorisation des autres, dont les stéréotypes en milieu de travail. L'attribution, l'effet Pygmalion et d'autres problèmes de perception seront ensuite abordés et, pour améliorer nos jugements, nous verrons le concept d'empathie et le modèle de la fenêtre de Johari. Dans la dernière section de ce chapitre, nous traiterons de plusieurs thèmes de l'apprentissage individuel et collectif dans les organisations, dont le concept de modification du comportement, la théorie de l'apprentissage social, l'organisation apprenante et la gestion des savoirs.

perception
Processus par lequel une personne sélectionne, organise et interprète l'information afin de comprendre le monde environnant.

LE PROCESSUS DE PERCEPTION

Le processus perceptuel (*voir la figure 4.1*) débute lorsque nous recevons des stimulus émanant de notre environnement. Les stimulus sont reçus par nos cinq sens (parmi les principaux, sinon il faudrait y ajouter, par exemple, l'intuition) et nous ignorons sélectivement la plupart de ces stimulus ; nous prêtons par exemple attention à ce que nous dit notre interlocuteur et nous ignorons les conversations autour de nous. L'information retenue est ensuite organisée et interprétée par le percevant, selon des caractéristiques qui lui sont propres, dont nous reparlerons. Les perceptions résultantes peuvent avoir à leur tour un effet sur nos émotions ou notre comportement[1].

Modèle
du processus
de perception

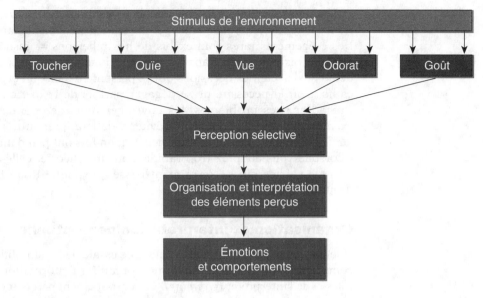

Perception sélective

Nos cinq sens sont constamment bombardés de stimulus que nous filtrons cependant. Un infirmier travaillant dans le service des soins postopératoires peut ignorer l'odeur des instruments récemment désinfectés ou le bavardage de ses collègues. Pourtant, cet infirmier remarquera immédiatement un petit voyant rouge qui clignote sur la console du poste de garde, car ce signal signifie la défaillance des signes vitaux d'un patient. Ce processus de filtrage de l'information reçue par nos sens s'appelle la **perception sélective** et il dépend du stimulus et de son contexte d'apparition, ainsi que du percevant.

Les facteurs qui influencent cette sélectivité sont la taille, l'intensité, le mouvement, la répétition et la nouveauté du stimulus. Le voyant rouge du poste de contrôle de l'infirmier attire son attention, car ce témoin lumineux est bien visible (intensité), il clignote (mouvement) et l'événement est peu fréquent (nouveauté). Il faut noter que le contexte dans lequel le stimulus est perçu agit aussi sur notre attention. On remarque plus facilement l'accent allemand d'une personne durant une réunion à Toronto que si la conversation avait lieu en Allemagne.

Les caractéristiques du percevant La perception sélective ne dépend pas seulement de l'objet perçu et du contexte ; elle dépend aussi des caractéristiques du percevant. La personne tend à se souvenir de l'information qui va dans le sens de ses valeurs et de ses attitudes et à ignorer celle qui ne leur correspond pas. Par exemple, durant un entretien d'embauche, on sait que la personne qui le dirige se forme rapidement une idée positive du candidat et que, par la suite, elle aura tendance à en ignorer les caractéristiques négatives[2]. Dans des cas extrêmes, les émotions filtrent, inhibent ou déforment l'information qui semble représenter une menace pour nos croyances et nos valeurs. Ce phénomène, appelé « défense perceptuelle », protège l'estime de soi et peut être, à court terme, un mécanisme d'adaptation au stress[3].

**perception
sélective**
Processus de filtrage
de l'information
reçue par nos sens.

Les attentes influencent également la perception[4]. En d'autres termes, notre expérience nous conditionne à anticiper la venue d'événements familiers ou routiniers. Des événements rares sont exclus de nos réflexions — jusqu'à ce qu'il soit trop tard parfois pour agir. Dans les organisations, ces attentes empêchent les décideurs de détecter les occasions qui se présentent à eux ou des concurrents menaçants, d'où la nécessité de se dégager parfois de l'expérience immédiate et de « recadrer » les problèmes, les envisager dans des contextes différents. Par exemple, les détectives essaient d'éviter d'élaborer prématurément des hypothèses au début de leurs enquêtes criminelles quand ils ont peu d'indices et de suspects. « Lorsque vous adoptez trop rapidement une théorie, celle-ci peut vous empêcher de voir ce qui s'est vraiment passé », explique Roch Lachance, détective d'Ottawa-Carleton[5].

Organisation et interprétation perceptuelles

Une fois les stimulus perçus, la personne essaie de les simplifier pour arriver à les comprendre. Ce processus implique d'organiser l'information en catégories générales et de l'interpréter (*grouping*). Ce regroupement perceptuel peut se faire de diverses manières. En voici quelques exemples : 1) on forme des hypothèses sur des gens en se basant sur leurs similitudes ou leurs ressemblances ; 2) on essaie de détecter des tendances générales à partir d'un simple fait ; et 3) on complète une information manquante à nos yeux (*closure*), par exemple, dans le cas d'une réunion où nous étions absents, nous cherchons à réunir les pièces manquantes (le nom des participants, le lieu de la rencontre, etc.).

Le regroupement, ou catégorisation perceptuelle, nous aide à comprendre notre environnement de travail, mais il peut également empêcher la créativité et l'ouverture d'esprit en simplifiant la réalité.

Les modèles mentaux Les **modèles mentaux** sont la vision générale du monde, les théories ou les hypothèses personnelles sur lesquelles se basent les gens pour orienter leurs perceptions et leurs comportements[6]. Par exemple, la plupart des gens ont un schéma préconçu (« hypothèse ») de ce qu'est la participation à un cours ou à un séminaire donné dans une université. Chacun possède un ensemble d'idées, d'attentes et de convictions sur la manière dont les personnes agiront : comment elles prendront place dans la salle, poseront des questions, etc.

Les modèles mentaux nous aident à comprendre notre environnement, mais ils nous empêchent aussi parfois de voir le monde différemment[7]. Par exemple, les comptables tendent à voir des problèmes commerciaux sous la forme de solutions chiffrées, tandis que les experts en marketing tendent à considérer les mêmes problèmes du point de vue de leur propre spécialité. Comment peut-on changer nos modèles mentaux ? C'est une tâche difficile, car les gens les ont établis à partir de leur expérience personnelle, mais on peut commencer par remettre en question nos modèles mentaux et nos préjugés. Travailler avec des gens ayant eu des formations et des expériences différentes est une autre manière d'adopter de nouveaux modèles mentaux.

Pour clore cette partie sur le processus perceptuel, dans l'encadré 4.1, nous présentons un cas réel d'introduction d'un changement technologique : on verra que les jugements relatifs à ce changement dépendent de la perception que les trois groupes d'acteurs concernés en ont.

---

modèles mentaux

Vision générale du monde ou « théories » sur lesquelles se basent les personnes pour orienter leurs perceptions et leurs comportements.

Le changement est-il bénéfique ?

La réponse dépend de la perception de chacun. La direction des finances d'une multinationale, dont nous tairons le nom pour des raisons de confidentialité, a décidé de mettre en œuvre un système d'information censé simplifier le rapport de dépenses de ses représentants. Voici des extraits d'entrevues qui montrent bien que les changements sont perçus et vécus différemment par les acteurs de l'entreprise qui en sont affectés.

Le directeur des finances

L'avantage du système est que les représentants peuvent l'utiliser à distance. Maintenant, les représentants saisissent leur données eux-mêmes, c'est plus cohérent avec les politiques de contrôle de la compagnie.

Les représentants

Nous, nous sommes la vache à lait de l'entreprise. Nous, on est là pour vendre notre produit, non pour faire de la saisie de données.

La direction de la formation technique

Ce système demande trop de temps de formation et les représentants sont difficilement disponibles. Il valait mieux que ceux-ci se connectent à leur ordinateur portatif (*laptop*) et, une fois chez eux, qu'ils se connectent au réseau.

Question

Expliquez ces réactions par les éléments théoriques exposés jusqu'ici.

LA THÉORIE DE L'IDENTITÉ SOCIALE

théorie de l'identité sociale

Théorie qui explique la conception de soi par les caractéristiques uniques d'une personne (identité personnelle) et par son appartenance à divers groupes (identité sociale).

Selon la **théorie de l'identité sociale,** une personne développe sa perception et sa conception d'elle-même à partir de son identité personnelle et de son identité sociale[8]. L'identité personnelle inclut les caractéristiques et les expériences uniques d'une personne, telles que son apparence, ses traits de personnalité et ses talents personnels.

L'identité sociale fait référence à notre perception de nous-mêmes en tant que membres de divers groupes sociaux. Une personne possède une identité propre forgée par son appartenance à plusieurs entités sociales : par exemple, elle peut se sentir en même temps québécoise, diplômée d'une université canadienne, mère de famille et employée chez Bombardier (*voir la figure 4.2*).

Une personne adopte ou revendique divers degrés d'identité personnelle et sociale selon les situations[9]. Par exemple, si vous êtes un membre de la haute direction de votre entreprise, dans votre organisation même, vous allez vous définir par rapport à votre appartenance à ce groupe social qu'est l'équipe de cadres supérieurs (attitudes, fréquentations, symboles de pouvoir, etc.) plutôt qu'à travers vos traits de personnalité. Nous nous définissons donc par nos ressemblances avec les autres, mais aussi par ce qui nous en distingue et c'est cela que nous voulons communiquer à ceux qui nous entourent.

L'identité sociale est donc une combinaison complexe de nombreuses appartenances qui sont déterminées par des priorités personnelles. Est-il possible de déterminer les groupes qui forment notre identité sociale ? Puisqu'on tend à rechercher une image positive de soi-même, on s'identifie à des groupes qui contribuent à cette image positive. Ainsi, les médecins se définissent généralement en fonction de leur profession, ce qui n'est pas le cas de personnes qui occupent des emplois correspondant à une position sociale perçue comme inférieure. C'est également ce qui explique pourquoi certaines personnes aiment mentionner leur employeur, alors que d'autres ne disent jamais pour qui elles travaillent[10].

FIGURE   4.2

L'identité
sociale, produit
de nos identités
personnelles et
de groupe

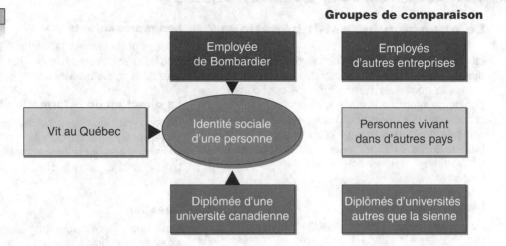

Groupes de comparaison

Percevoir les autres à travers leur identité sociale

L'identité sociale est un processus comparatif, nous l'avons vu. Le problème est que nous exagérons souvent ces différences. Les étudiants d'une université, par exemple, décrivent souvent les étudiants d'une école rivale (surtout avant une compétition sportive) comme s'ils venaient d'une autre planète! En outre, nous cultivons généralement des images positives de notre groupe d'appartenance et quand cette construction est très forte, nous avons tendance à former des images moins favorables des personnes appartenant à d'autres catégories sociales. Ce comportement est particulièrement vrai dans des situations conflictuelles où l'image négative que nous avons, et parfois cultivons, de nos adversaires nous permet de conserver une image positive de nous-mêmes[11].

Pour résumer, le processus d'identité sociale nous positionne dans notre monde social et le rend plus intelligible. Cependant, il devient en même temps le foyer de la formation de stéréotypes. Nous allons maintenant développer ce dernier point.

LES STÉRÉOTYPES EN ENTREPRISE

stéréotype
Attribution de
particularités à
toutes les personnes
appartenant à la
catégorie sociale
dans laquelle nous
les avons classées.

La formation de **stéréotypes** consiste à attribuer des particularités à toutes les personnes appartenant à la catégorie sociale dans laquelle nous les avons classées[12]. En d'autres termes, un stéréotype est la croyance que les membres d'un groupe spécifique partagent tous des caractéristiques et des comportements similaires. Ainsi, le stéréotype commence par la construction de vastes catégories (les Noirs, les femmes, les vieux, les jeunes, etc.). En soi, cela ne devrait pas conduire à des erreurs de jugement, ce qui survient cependant quand on accole à ces catégories des caractéristiques sans nuance dont seront affublés tous les individus d'une même catégorie, sans exception. Autrement dit, le stéréotype est lié aux préjugés et à la généralisation des traits observés ou imaginés (cela n'inclut pas, bien sûr, des traits physiques ou biographiques indiscutables comme la couleur de la peau ou l'âge).

Les expériences personnelles façonnent les stéréotypes dans une certaine mesure, mais nous adoptons surtout les stéréotypes créés par notre culture, notre éducation (et beaucoup, selon certains chercheurs, par les films que nous avons vus plus jeunes[13]).

Pourquoi avoir recours à des stéréotypes?

La catégorisation des gens se fait pour trois raisons[14]. Tout d'abord, par souci de simplification du monde extérieur, nous avons recours à un processus naturel appelé «pensée catégorielle» — c'est-à-dire que nous regroupons les gens et les objets en catégories préconçues qui sont stockées dans notre mémoire à long terme. Ce processus de catégorisation constitue la base des stéréotypes. Ensuite, nous éprouvons un fort besoin de comprendre les autres et d'anticiper leur comportement. Nous disposons de très peu d'éléments lorsque nous rencontrons une personne pour la première fois et nous nous fions donc aux stéréotypes pour obtenir les éléments manquants.

Enfin, la catégorisation rehausse notre perception de nous-mêmes et de notre identité sociale — nous en avons parlé — et la catégorisation n'est pas loin du stéréotype. De plus, comme l'ont récemment découvert des chercheurs canadiens, nous sommes particulièrement motivés à utiliser les stéréotypes négatifs envers des personnes qui portent atteinte à notre estime de nous-mêmes[15].

Les problèmes liés aux stéréotypes

préjugé négatif
Ensemble d'attitudes négatives non fondées envers les personnes appartenant à un groupe victime de stéréotypes.

Bien que les chercheurs admettent aujourd'hui que les stéréotypes puissent contenir une part de vérité[16], cette simplification perceptuelle entraîne d'autres problèmes[17], notamment la formation de préjugés et la discrimination[18], que ces attitudes soient volontaires ou non (*voir le chapitre 3*)[19]. Le **préjugé négatif** est un ensemble d'attitudes défavorables et non fondées envers des personnes appartenant à un groupe victime d'un fort stéréotype. Par exemple, le propriétaire d'un magasin Canadian Tire à Kelowna, en Colombie-Britannique, a engagé un jeune homme relativement inexpérimenté au poste de chef de la section automobile plutôt qu'une femme, en formation à ce poste. Celle-ci avait 20 ans d'expérience chez Canadian Tire, y compris 10 ans d'expérience comme responsable de cette section automobile dans un autre magasin. Toutefois, le propriétaire ne souhaitait pas lui accorder ce poste de cadre. Le tribunal des droits de la personne de la Colombie-Britannique a conclu que le propriétaire du magasin avait fait preuve de discrimination envers cette femme[20]. De toute évidence, ce sont les préjugés et les stéréotypes liés aux femmes («elles ne peuvent être efficaces dans ce métier d'homme») qui motivaient la conduite discriminatoire de ce propriétaire.

Parfois, cette discrimination n'est pas intentionnelle, mais elle a néanmoins des effets pervers. Par exemple, on constate de plus en plus de plaintes concernant des cas de discrimination par rapport à l'âge. Les recruteurs prétendent ne pas avoir de préjugés contre des candidats plus âgés, mais ces derniers, à compétence égale, ont bien plus de mal à trouver un emploi que les jeunes[21].

Comment éviter les effets des stéréotypes

Malheureusement, ce n'est pas si simple. La plupart des experts s'accordent à dire que la formation de stéréotypes est un processus cognitif naturel[22]. Comme on l'a précédemment mentionné, le stéréotype minimise l'effort mental, fournit des informations complémentaires et fait partie du processus d'identité sociale[23]. Toutefois, trois stratégies permettent de minimiser les effets des stéréotypes en milieu de travail: la formation du personnel visant à prendre conscience des avantages de la diversité des employés, l'accroissement des interactions avec les membres

La Ligue nationale de hockey compte 600 joueurs de 18 nationalités. Il s'agit d'un sport agressif et, au cours de sa pratique, les joueurs expriment parfois leurs émotions avec des insultes racistes. « Les gens s'en prennent toujours à votre héritage », commente John Vanbiesbrouck, gardien des Flyers de Philadelphie. « Nous vivons dans un monde de stéréotypes où les sobriquets viennent avant les noms, et cela peut nous mener encore plus loin. » Pour minimiser ces incidents, la LNH demande à tous les joueurs de participer chaque année à une formation visant à prendre conscience de la diversité. Au cours de ces sessions, les joueurs apprennent à apprécier les différences ethniques et à prendre conscience des conséquences négatives liées aux insultes raciales pour la LNH. « Il est évident que le problème s'est infiltré dans notre jeu et dans les autres sports professionnels en général », ajoute un joueur de la LNH après une de ces sessions de prise de conscience. « Il devrait exister un respect professionnel[24]. » Parallèlement à cette formation, comment la LNH pourrait-elle minimiser les stéréotypes ethniques?

Andy Clark, Reuters, TimePix

www.nhl.com

d'autres groupes et notre responsabilisation par rapport à nos décisions.

La formation à l'acceptation de la diversité   Les organisations peuvent minimiser les conséquences négatives des stéréotypes par la formation[25]. Celle-ci porte sur les avantages de la diversité pour l'entreprise (par exemple, elle constitue un réservoir supplémentaire de compétences), sur les problèmes qu'engendrent les stéréotypes, et comprend des simulations sur la façon dont les préjugés et les stéréotypes (conscients ou pas) affectent nos décisions professionnelles[26]. Ces formations ne corrigent probablement pas les préjugés profonds (parfois, dans ce cas, elles créent même, à la suite des connaissances acquises sur autrui, des stéréotypes encore plus « sophistiqués » !) [27], mais elles peuvent susciter sinon les attitudes, du moins des comportements acceptables.

Accroissement des interactions entre les parties   Cette pratique se base sur l'**hypothèse du rapprochement,** selon laquelle plus une personne interagit avec une autre, plus elle apprend à la connaître et moins elle se base sur des stéréotypes pour la comprendre[28]. United Parcel Service (UPS) et Hoechst Celanese, par exemple, ont envoyé leurs cadres supérieurs dans des communautés nettement différentes de leur propre culture pour leur permettre d'acquérir des connaissances au sujet de la diversité[29].

L'hypothèse du rapprochement semble simple, mais elle comporte deux éléments importants. D'abord, ce rapprochement dépend des caractéristiques personnelles. Les personnes extraverties et souples tendent à être plus réceptives lorsqu'elles ont des échanges fréquents avec des personnes d'horizons différents[30]. Le second point est que certaines variables peuvent inhiber ces échanges et, donc, la réduction des stéréotypes. Il en est ainsi si les parties ont des pouvoirs inégaux et ne travaillent pas à un but partagé et motivant.

hypothèse du rapprochement
Théorie selon laquelle des individus qui ont de fréquentes interactions se fient moins à des stéréotypes pour définir les autres.

La responsabilisation   Il existe une troisième manière de minimiser les effets des préjugés dus aux stéréotypes. Elle consiste à rendre les décideurs responsables de l'information et des critères qu'ils utilisent dans les choix qui leur incombent[31]. L'obligation de transparence motive les décideurs à ne pas tenir compte de leurs stéréotypes en utilisant des informations et des critères acceptables pour les parties prenantes.

LA THÉORIE DE L'ATTRIBUTION

processus d'attribution

Mode de perception où un individu utilise plusieurs moyens pour savoir si les causes du comportement observé chez autrui (ou en lui-même) sont dues à des facteurs internes ou externes.

Le processus par lequel on attribue le mérite ou le blâme à une personne pour une action donnée est appelé le **processus d'attribution.** C'est un mode de perception où un individu utilise plusieurs moyens pour savoir si les causes du comportement observé chez autrui (ou en lui-même) sont dues à des facteurs internes ou externes[32].

Les facteurs internes, tels que les capacités ou la motivation, sont des caractéristiques de la personne même. Par exemple, on fait une attribution interne lorsqu'on pense qu'un employé effectue médiocrement son travail parce qu'il manque de compétence ou de motivation. Les facteurs externes, eux, proviennent de l'environnement, par exemple des ressources qui auront manqué à cet employé. Ils peuvent aussi être liés à d'autres personnes ou simplement à la chance. Évoquer ces derniers facteurs est procéder à une attribution externe.

Comment décide-t-on d'effectuer une attribution interne ou externe, par exemple, dans le cas d'excellentes performances professionnelles d'un collègue ou dans celui d'un retard d'expédition d'un fournisseur? Le psychologue Harold Kelley, connu pour ses recherches dans le domaine des attributions, explique que pour ce faire, les individus se basent sur les trois règles présentées à la figure 4.3: la cohérence, la spécificité et le consensus.

FIGURE   4.3

Règles d'attribution

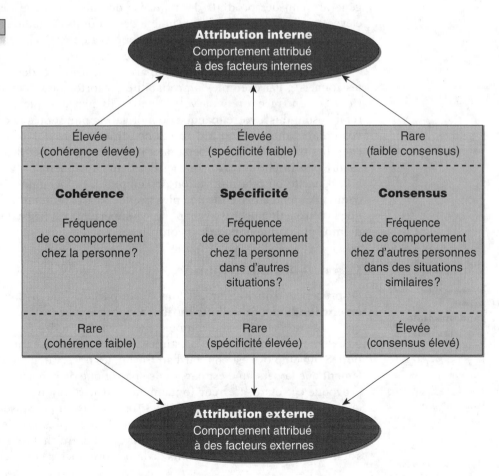

La cohérence exprime jusqu'à quel point la personne observée se conduit de la même manière, en d'autres occasions, dans une situation identique. La spécificité exprime jusqu'à quel point la personne observée agit de manière différente dans des situations différentes. Le consensus réfère à la probabilité que les autres, dans la même situation, agiraient de la même façon que la personne observée.

Cela dit, quand procède-t-on à une attribution interne ou externe? Une attribution interne se produit: 1) si la personne observée s'est déjà comportée par le passé de la même manière qu'elle le fait au moment de son observation (cohérence élevée); 2) si elle s'est comportée ainsi avec d'autres personnes ou dans des situations différentes (spécificité faible); 3) si d'autres personnes ne se comportent pas ainsi dans des situations similaires (faible consensus). En revanche, l'attribution est externe lorsque la situation présente une faible cohérence, une spécificité et un consensus élevés.

L'exemple suivant permettra de clarifier ces trois règles d'attribution. Supposons qu'un jour, un employé fabrique des produits de mauvaise qualité avec une machine donnée. On conclura probablement que la machine fonctionne mal (attribution externe) si l'employé a fabriqué des produits de bonne qualité avec cette machine par le passé (cohérence faible), s'il a fabriqué des produits de qualité avec d'autres machines (spécificité élevée) et si d'autres employés ont récemment eu des problèmes de qualité en se servant de cette machine (consensus élevé). En revanche, on effectuera une attribution interne si l'employé fabrique généralement des produits de mauvaise qualité avec cette machine (cohérence élevée), si d'autres employés fabriquent des produits de qualité avec cette machine (faible consensus) et si l'employé fabrique également des produits de mauvaise qualité avec d'autres machines (faible spécificité)[33].

Les attributions influencent la plupart des décisions et des comportements professionnels[34]. Par exemple, la probabilité est forte que vos collègues et vos supérieurs soient mécontents à votre égard s'ils pensent que vos absences ou vos retards sont dus à votre manque de motivation plutôt qu'à la circulation dense, à vos enfants malades ou à d'autres conditions hors de votre contrôle. Des recherches ont révélé que le personnel reçoit des primes et des augmentations de salaire plus importantes lorsque les décideurs attribuent les bonnes performances à la capacité ou à la motivation de l'employé. Le personnel est également plus confiant et tend à ressentir une plus grande satisfaction au travail lorsqu'il pense que la rétroaction positive venant de ses supérieurs est liée à des événements qu'il domine plutôt que hors de son contrôle[35].

Les erreurs d'attribution

erreur fondamentale d'attribution
Tendance à expliquer le comportement d'autrui par des facteurs internes plutôt qu'externes.

Le processus d'attribution est loin d'être parfait. Une erreur fréquente est dite **erreur fondamentale d'attribution.** Ce phénomène fait référence à la tendance qui consiste à attribuer le comportement d'autrui à des facteurs internes plutôt qu'externes, c'est-à-dire à sous-estimer les effets des causes attribuables à la situation. Si un employé est en retard au travail, les observateurs concluront plus facilement que la personne est paresseuse plutôt que de considérer la situation qui a provoqué ce retard. L'erreur fondamentale d'attribution intervient souvent lorsqu'il existe peu d'information sur les situations ayant pu causer le comportement en question. La personne visée est naturellement plus portée à évoquer les influences externes, d'où les désaccords survenant entre chefs et subalternes lorsqu'il s'agit de procéder aux évaluations de la performance de ces derniers, ou dans les

Quelques exemples de causes d'attributions externes « originales »

Il y a quelques années, plusieurs firmes britanniques évoquèrent l'« effet Diana » pour expliquer la baisse de leurs ventes. Par exemple, un commerçant de meubles déclara que les gens étaient trop bouleversés par la mort de la princesse Diana pour acheter de nouveaux meubles.

Jan Wong, journaliste au *Globe and Mail*, attribue à la Loi 101, entre autres, les motivations du forcené responsable de la fusillade au collège Dawson à Montréal, en septembre 2006.

Comment Michel Leblanc, ex-p.-d.g. de Jetsgo, compagnie montréalaise, explique-t-il la faillite de sa ligne aérienne causée par une gestion inadéquate (prix excessifs, problèmes récurrents de maintenance, plaintes des clients sur le service)? En attribuant à l'ex-vice-président de Westjet, Mark Hill, des activités fatales d'espionnage!

L'ancien ministre libéral Alfonso Gagliano, blâmé dans le scandale des commandites, attribue « au système » et aux fonctionnaires qui administrent les politiques les irrégularités dont il était accusé. Il incrimine aussi ses « origines italiennes » qui ne lui auraient pas facilité la vie au Québec.

---

erreur de complaisance

Tendance d'une personne à attribuer systématiquement ses succès à des facteurs internes et ses échecs à des facteurs externes.

analyses postérieures aux crises ou aux échecs (qui en est responsable?) vécus dans l'entreprise ou dans un service[36].

Une autre erreur d'attribution, appelée l'**erreur de complaisance,** est la tendance d'une personne à attribuer systématiquement ses succès à des facteurs internes et ses échecs à des facteurs externes.

En d'autres termes, il s'agit de la tendance à s'attribuer le mérite de nos réussites et à attribuer aux autres ou à la situation la responsabilité de nos erreurs. La recherche confirme la fréquence de l'erreur de complaisance en entreprise. Voyons une étude relativement récente, menée dans une petite organisation gouvernementale, sur l'introduction d'un système de gestion des performances. L'étude révèle que 90% des employés qui ont reçu une évaluation de la performance inférieure à leurs attentes en attribuaient la faute à leurs chefs, à l'organisation, au système d'évaluation ou à d'autres causes extérieures à eux-mêmes. Seule une poignée d'employés se considéraient comme responsables des résultats[37]. Une autre recherche a aussi relevé la fréquence de l'erreur de complaisance dans les rapports annuels de certaines entreprises[38].

La nature des attributions diffère également selon les personnes, leurs valeurs et leurs expériences personnelles. Par exemple, une étude montre que les femmes ayant des postes d'autorité ont moins tendance que les leaders masculins à effectuer des attributions internes pour leurs performances professionnelles[39]. Globalement donc, il faut prendre garde aux erreurs perceptuelles qui se manifestent au cours du processus d'attribution en entreprise. Parfois, les gens ne sont pas dépourvus d'originalité dans la recherche des causes externes de leurs problèmes, comme le montre le contenu de l'encadré 4.2.

L'EFFET PYGMALION ET L'EFFET GOLEM OU LA PROPHÉTIE QUI SE RÉALISE

Au cours des dernières décennies, David Smith, propriétaire d'un restaurant à Ottawa, a réalisé que les employés atteignaient des niveaux de performance remarquables quand leurs chefs étaient convaincus qu'ils pouvaient le faire. « Lorsque vous montrez aux gens que vous croyez en eux, c'est incroyable ce qui peut se produire », souligne David Smith. En tant que propriétaire du Nate's Deli, David Smith a vu ses attentes élevées rendre le personnel suffisamment confiant pour effectuer des tâches plus difficiles au sein de l'organisation. « J'ai donné à tous les employés quels qu'ils soient des responsabilités uniques dans l'entreprise », a-t-il ajouté[40].

David Smith met ainsi l'**effet Pygmalion** en pratique. Cette expression fait référence au roi légendaire de Chypre. Amoureux d'une statue qu'il avait lui-même sculptée, il obtint d'Aphrodite, déesse de l'amour, qu'elle lui donnât la vie, et il épousa la jeune fille issue de son œuvre. Cet effet se produit lorsque les attentes que l'on a envers une personne l'incitent à agir d'une manière correspondant à ces attentes[41]. Si ces attentes sont positives, l'effet sur le comportement d'autrui le sera d'autant. L'effet est inverse pour des attentes négatives. Nous parlerons alors de l'effet Golem. Dans la mythologie juive, le golem est un personnage plutôt rudimentaire, fait de glaise, plutôt maladroit, voire idiot et qui peut se retourner contre son créateur. Par exemple, une étude montre que des parachutistes dont les instructeurs attendaient une faible performance se comportaient ainsi, tandis que les autres parachutistes pour lesquels les instructeurs n'avaient aucune attente se montraient plus efficaces[42].

Voici les quatre étapes de la formation de l'effet Pygmalion appliquées à une situation fictive entre un chef et son employé[43].

1. *La création des attentes*   Le chef se crée des attentes différentes quant aux performances et aux comportements exigés de ses futurs employés. Ces différences sont simplement le produit de la perception de ce supérieur envers chacun de ses subalternes. Ces perceptions et ces attentes sont parfois inexactes, car les premières impressions se forment généralement à partir d'une information limitée.

2. *Le comportement du chef envers l'employé*   Les attentes d'un chef finissent par influencer la manière dont il traite son personnel[44]. Plus précisément, les employés perçus comme des gens performants reçoivent davantage de soutien, d'encouragement, d'objectifs stimulants et de formation que ceux qui ne bénéficient pas de cette considération. Ces actes peuvent être subtils (des signaux non verbaux, par exemple) ou manifestes.

3. *Les effets des attentes sur l'employé*   Les comportements du superviseur ont plusieurs effets sur l'employé qui reçoit cette considération. Tout d'abord, grâce aux actions du chef décrites plus haut, l'employé acquiert davantage de compétences, devient plus confiant, plus motivé et plus disposé à se fixer des objectifs supérieurs[45].

4. *Le comportement et les performances de l'employé*   À la suite de la situation précédente, l'employé réalise de meilleures performances, se conformant ainsi aux attentes exprimées, ce qui renforce la perception initiale du chef.

L'effet Pygmalion en pratique

Le personnel est plus souvent victime d'un effet Pygmalion négatif (effet Golem) que d'un effet Pygmalion positif[46]. Comment les organisations peuvent-elles exploiter le pouvoir d'un effet Pygmalion positif ? Les chercheurs recommandent d'abord aux leaders de prendre conscience de l'effet Pygmalion et d'apprendre à faire preuve d'un enthousiasme contagieux. Malheureusement, ces programmes de formation ont un succès limité, en partie parce que les leaders ont de la difficulté à entretenir des sentiments positifs envers les employés qui, selon eux, ne sont pas très bons[47].

---

effet Pygmalion
Émergence d'un comportement d'un individu A consécutif et conforme aux attentes et croyances positives d'un individu B vis-à-vis de ce même comportement.

culture d'apprentissage
Dispositif de soutien qu'une organisation ou une personne consacre à la gestion du savoir, notamment aux occasions d'acquérir des connaissances grâce à l'expérience et à l'expérimentation.

Plus récemment, des experts ont recommandé une approche à trois volets pour développer un effet Pygmalion positif[48] : susciter une **culture d'apprentissage** (par exemple en tolérant les erreurs), exercer un style de leadership adapté aux prédispositions du personnel et stimuler le personnel à avoir **confiance en ses propres capacités**[49].

D'AUTRES ERREURS DE PERCEPTION

confiance en ses propres capacités
Croyance positive d'une personne en ses propres capacités, en sa motivation et en ses ressources pour réussir une tâche.

L'effet Pygmalion, l'attribution et les stéréotypes sont des processus qui aident et empêchent à la fois le processus de perception. Six autres erreurs de perception ont fait l'objet de plusieurs études : l'effet de primauté, l'effet de récence, l'erreur de halo, l'erreur de projection, la perception sélective et l'effet du « semblable à moi ».

L'effet de primauté

effet de primauté
Erreur de perception selon laquelle notre opinion sur autrui reste teintée de la première impression que l'on a eue à son sujet.

L'effet de primauté est l'expression utilisée pour décrire l'effet durable de la première impression. Une personne tend à juger autrui en se basant sur la première impression formée à son sujet[50]. Cette organisation perceptuelle rapide correspondrait à notre besoin de comprendre le monde qui nous entoure. De plus, nous tendons à catégoriser rapidement les gens, ce qui est mentalement plus facile que de se souvenir de tous les détails les concernant.

Malheureusement, les premières impressions — surtout les premières mauvaises impressions — sont difficiles à changer. Ceci est problématique en milieu de travail où les patrons doivent évaluer correctement leurs employés. Supposons qu'un chef ait classé son subalterne comme inefficace ou paresseux. Par la suite, il pourrait avoir tendance à sélectionner uniquement l'information qui soutient sa première impression et ignorer celle qui pourrait la démentir. Une impression négative tend à être plus durable qu'une impression positive, car les caractéristiques défavorables sont plus facilement attribuées à la personne même, alors que les caractéristiques positives sont souvent attribuées à la situation[51].

L'effet de récence

effet de récence
Erreur de perception selon laquelle l'information la plus récente influence le plus notre perception des autres.

L'effet de récence agit quand la dernière information reçue influence le plus notre perception des autres[52]. Cette impression remplace la première, une fois qu'elle s'est dissipée avec le temps.

L'effet de récence se manifeste dans les évaluations des performances lorsque les supérieurs doivent se souvenir des réalisations de tout le personnel au cours de l'année précédente. L'information relative à des performances récentes domine l'évaluation, car il est plus facile de s'en souvenir. Certains employés sont tout à fait conscients de l'effet de récence et l'utilisent à leur avantage en produisant leur meilleur travail juste avant l'évaluation des performances.

L'erreur de halo

erreur de halo
Erreur de perception qui consiste à se former une impression globale d'une personne à partir de quelques-unes de ses caractéristiques.

L'erreur de halo se manifeste lorsque notre impression globale d'une personne est fondée sur quelques-unes seulement de ses caractéristiques, lesquelles sont importantes pour le percevant[53]. L'erreur de halo se produit surtout lorsque nous manquons d'informations concrètes sur la personne considérée ou que nous ne sommes pas suffisamment motivés pour les chercher[54].

L'erreur de halo a reçu une attention considérable dans les recherches relatives aux évaluations des performances[55]. Considérons la situation suivante où deux employés réussissent également. Toutefois, l'un tend à arriver en retard au travail, l'autre pas. Ces retards peuvent ne pas être un facteur important en ce qui concerne les résultats considérés, mais le supérieur recevra une impression négative du retardataire. L'erreur de halo se fera sentir quand le supérieur lui donnera une évaluation inférieure concernant tous les aspects de sa tâche. Par contre, l'employé ponctuel, lui, recevra une meilleure évaluation générale. De toute évidence, l'erreur de halo déforme notre jugement et peut engendrer de mauvaises décisions.

Il n'y a pas que les individus qui peuvent être l'objet de l'erreur de halo; les entreprises comme entités peuvent l'être aussi. Par exemple, on peut parler de l'« effet de halo GE » (General Electric). La réputation de cette entreprise est telle que les cadres supérieurs remerciés par d'autres sociétés jouissent d'une réputation d'efficacité également : sur les 20 cadres supérieurs recrutés entre 1989 et 2001, 17 ont fait grimper la valeur en Bourse de leur nouvelle entreprise immédiatement après l'annonce de leur embauche. Mais ceci n'est pas une garantie de leur succès, comme l'a montré l'échec ultérieur de Paolo Fresco chez Fiat ou de Joe Galli chez Amazon.com[56].

L'erreur de projection

L'erreur de projection survient lorsque nous croyons que les autres personnes ont les mêmes sentiments et comportements que nous-mêmes[57]. Si vous souhaitez ardemment une promotion, vous pouvez penser que vos collègues ont la même motivation que vous. L'erreur de projection est également un mécanisme de défense pour protéger notre estime de nous-mêmes. Si nous enfreignons un règlement au travail, le mécanisme de projection justifie l'infraction en considérant que « tout le monde le fait ». La projection est souvent inconsciente.

La perception sélective

Nous avons vu en début de chapitre que la perception sélective était utile, car sans elle, nous serions bombardés de stimulus trop nombreux. Mais, en entreprise, ce processus comporte certains aléas parce qu'il se concentre sur certains aspects de l'environnement et des personnes et en délaisse d'autres, ce qui peut conduire à une myopie stratégique. Par exemple, la déconfiture économique des constructeurs automobiles américains s'explique (les dirigeants eux-mêmes en conviennent) par l'obstination à construire des camionnettes puissantes et énergivores. Obnubilés par le marketing, c'est-à-dire les goûts des consommateurs, ils ignorent l'augmentation possible du baril de pétrole et la force des groupes de pression visant à protéger l'environnement.

L'effet du « semblable à moi »

Cette erreur perceptuelle consiste à avoir un préjugé favorable envers les gens que nous percevons semblables à nous-mêmes. Cela a été démontré dans une étude où des chefs donnaient une évaluation (de la performance) plus élevée aux subordonnés qui leur étaient similaires, lesquels, à leur tour, leur faisaient encore plus confiance[58].

Les 10 entreprises au sommet de l'admiration des Québécois

Rang	Entreprise	Rang	Entreprise
1.	Le Groupe Jean Coutu	6.	Postes Canada
2.	Toyota	7.	Couche-Tard
3.	Le Cirque du Soleil	8.	Metro
4.	Sears	9.	Pharmaprix
5.	Société Radio-Canada	10.	Tim Hortons

Source: Commerce, mars 2006, p. 62. Les 150 entreprises les plus admirées. Martin Jolicœur. Sondage annuel Commerce-Léger Marketing des 150 entreprises les plus admirées des Québécois, fait auprès d'un échantillon représentatif de 500 Québécois adultes.

Les éléments semblables peuvent être autant des variables sociodémographiques (âge, sexe, religion, expérience de travail, etc.) que des facteurs de personnalité (valeurs partagées, habitudes, etc.).

Tous ces phénomènes perceptuels peuvent donc affecter les pratiques et comportements en organisations. Un exemple : la force des premières impressions dans le processus de recrutement. Ainsi, des candidats peuvent se présenter très avantageusement pour faire bonne figure dans une entrevue d'embauche (habillement, rappels de succès personnels, etc.). Les entreprises aussi soignent leur « image » pour attirer des candidats valables, qui ne sont pas insensibles à ces efforts. En encadré 4.3 figure la liste des entreprises les plus admirées au Québec, pour les différentes images qu'elles produisent chez les Québécois (l'engagement communautaire chez Tim Hortons, un Jean Coutu qui sort de sa retraite pour venir à la rescousse de ses fils, les rêves et la jeunesse que symbolise le Cirque du Soleil, les succès de Toyota ou d'Alimentation Couche-Tard).

AMÉLIORER LES PERCEPTIONS

Nous ne pouvons éviter le processus de perception, mais nous devons tout faire pour minimiser les erreurs et les déformations perceptuelles. Nous avons vu plus tôt comment prendre conscience de nos déformations perceptuelles et se familiariser avec les comportements des personnes perçues. D'autres pratiques générales d'amélioration, différentes des perceptions déjà citées, consistent à développer l'empathie et à améliorer la connaissance de soi.

Améliorer les perceptions grâce à l'empathie

empathie
Facilité d'une personne à s'identifier aux autres et à les comprendre de leur propre point de vue.

L'**empathie** est la facilité d'une personne à s'identifier aux autres et à les comprendre de leur propre point de vue. L'empathie présente à la fois un aspect cognitif (réflexion) et un aspect émotionnel[59]. L'aspect cognitif est la compréhension intellectuelle de la perspective d'autrui[60]. L'aspect émotionnel consiste à partager les sentiments de l'autre personne. Nous faisons preuve d'empathie lorsque nous

Accroître l'empathie en faisant comme les autres

Imaginez la scène suivante: vous vous trouvez dans un magasin Safeway lorsqu'un voleur à l'étalage s'enfuit avec le produit de son larcin. Le gérant du magasin part à sa poursuite. Cet incident peut être inhabituel. Mais il l'est encore plus quand on apprend que le responsable du magasin est Simon Laffin, directeur du secteur financier des opérations britanniques de Safeway. Durant quatre mois, Simon Laffin a occupé le poste de gérant de magasin pour mieux comprendre l'entreprise. «La plupart des chefs d'entreprise de distribution pensent bien connaître leur organisation, explique-t-il, mais ils n'ont pas travaillé dans les magasins récemment et ne connaissent donc pas vraiment leur entreprise.»

Simon Laffin et d'autres cadres corrigent leurs perceptions en travaillant avec les employés de première ligne. Annette Verschuren, présidente de Home Depot Canada, reste en contact avec le personnel et la clientèle en travaillant dans les magasins et en participant avec les employés aux événements communautaires. Tom Andruskevich, président-directeur général de la joaillerie Birks, travaille dans le magasin Birks de Montréal trois fins de semaine sur quatre tous les ans pendant la période active de Noël.

L'émission télévisuelle de la BBC, *Back to the Floor*, a encouragé plus de 50 membres de la direction britannique à passer une semaine sur le terrain devant les caméras qui enregistraient l'expérience. La plupart ont vécu un réveil brutal en découvrant que servir des clients ou fabriquer des produits n'est pas une tâche aussi simple qu'il y paraît, vue de leurs bureaux. «Vos chefs peuvent vous expliquer un problème pendant des années», se plaint Tom Riall, qui a passé une semaine à collecter les ordures alors qu'il était chef de la direction d'Onyx UK, entreprise de collecte d'ordures, «vous ne le comprendrez jamais vraiment tant que vous ne l'aurez pas vécu vous-même».

Annette Verschuren, présidente de Home Depot Canada, garde les pieds sur terre en travaillant dans les magasins et en participant aux événements communautaires.

Ken Faught, CP Photo

Sources: D. Penner, «Putting the Boss out Front», *Vancouver Sun*, 7 juin 2002; «Lessons from the Line», *Fast Company*, n° 56, mars 2002, p. 36; C. Hayward, «Back to the Floor», *Financial Management*, novembre 2001, p. 22-23; F. Shalom, «Home Depot Attacks», *Montreal Gazette*, 10 juin 1999, p. C1, C2.

www.homedepot.com

montrons que nous comprenons parfaitement la situation évoquée par autrui et que nous partageons aussi ses sentiments (colère, tristesse, etc.).

Éprouver de l'empathie envers les autres permet d'éviter de nombreuses erreurs perceptuelles: cette attitude minimise l'erreur fondamentale d'attribution décrite plus tôt dans ce chapitre, l'attribution interne des causes des comportements, les stéréotypes (chaque personne devient unique) et la projection.

L'empathie vient naturellement à certaines personnes. Cependant, les autres peuvent développer cette capacité en acceptant les observations de leur entourage. Par exemple, Alain Bellemare, chef de la direction de Pratt & Whitney Canada, se souvient de son premier emploi. À cette époque, alors qu'il était ingénieur récemment diplômé, son chef lui a fourni des conseils précieux sur l'art délicat de l'empathie. « Il était exceptionnel dans sa manière de m'aider à apprendre à parler aux gens et à être sensible à leur situation », se rappelle-t-il[61]. Une autre façon d'accroître l'empathie envers le personnel et les clients est de littéralement « se mettre à leur place ». L'encadré 4.4 décrit comment des leaders apprennent à comprendre ce que ressentent leur personnel et leur clientèle en effectuant certaines de leurs tâches de première ligne.

La fenêtre de Johari : un instrument de connaissance de soi

Se connaître soi-même, c'est-à-dire être plus conscient de ses propres valeurs, de ses croyances et de ses préjugés, est une manière efficace d'améliorer ses perceptions[62].

modèle de la fenêtre de Johari
Modèle de compréhension de soi et de ses interactions avec autrui qui encourage l'ouverture et la rétroaction, réduisant ainsi les aspects méconnus de soi.

Le **modèle de la fenêtre de Johari** est bien connu pour décrire comment les individus peuvent mieux se comprendre[63]. Établi par Joseph Luft et Harry Ingram (d'où le nom Johari), ce modèle divise la connaissance que l'on a de soi en quatre espaces ou « fenêtres » (*voir la figure 4.4*). 1) L'aire ouverte (ce qui est connu de soi et des autres) comprend l'information concernant l'individu lui-même et qu'il communique volontiers aux autres. Par exemple, les collègues d'une personne savent, comme elle-même, qu'elle n'aime pas se trouver près de fumeurs. 2) L'aire secrète (ce qui est connu de soi et inconnu des autres) correspond à ce qu'une personne sait d'elle-même, mais que les autres ne savent pas. Nous avons tous des secrets personnels (préférences, antipathies, aversions, etc.). 3) L'aire aveugle (ce qui est connu des autres et inconnu de soi) fait référence à l'information qui est connue des autres, mais que la personne elle-même ignore. Par exemple, les collègues d'une personne peuvent remarquer qu'elle est mal à l'aise lorsqu'elle rencontre des étrangers, mais la personne elle-même n'en est pas consciente. 4) L'aire inconnue (ce qui est inconnu de soi et inconnu des autres) inclut les valeurs, les croyances et les expériences inconnues de nous-mêmes et des autres.

FIGURE 4.4

Modèle de la fenêtre de Johari

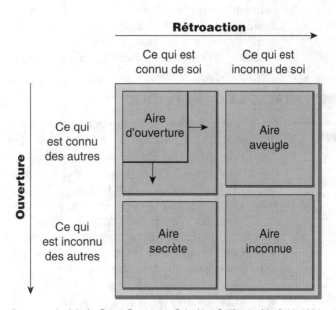

Source : Basé sur l'ouvrage de J. Luft, *Group Processes*, Palo Alto, Californie, Mayfield, 1984.

L'objectif principal du modèle de la fenêtre de Johari est d'augmenter la taille de l'aire ouverte afin que chacun et son entourage connaissent ses limites perceptuelles. Cet objectif peut être partiellement atteint si l'on réduit en premier lieu l'aire secrète, par exemple en informant les autres de ses croyances, de ses sentiments et de ses expériences pouvant influencer ses propres relations professionnelles[64]. L'aire ouverte augmente également par une rétroaction des autres sur ses propres comportements. Cette information aide à réduire l'aire aveugle, car nos collègues voient souvent des choses qui nous échappent. Enfin, la combinaison de l'ouverture aux autres et de la rétroaction engendre parfois des révélations sur l'information contenue dans l'aire inconnue.

Le modèle de la fenêtre de Johari s'applique à de multiples activités au travail. Par exemple, en s'ouvrant aux autres (discuter avec des membres de diverses cultures), en reconnaissant qu'on les connaît peu et en acceptant leur rétroaction sur nos comportements passés envers eux, nous découvrons non seulement nos limites, certes, mais aussi la possibilité d'engager avec autrui des relations fructueuses qu'on ne se pensait pas capable d'expérimenter. Selon Karl Moore, professeur au programme de MBA de l'Université McGill qui a interviewé pendant l'été 2006 huit p.-d.g. de grandes entreprises dont sept de Montréal, c'est la capacité d'empathie qui caractérise les leaders exceptionnels, comme Pierre Beaudoin de Bombardier ou Robert Brown de CAE. Pour Moore, l'empathie est la capacité (où l'émotion n'est pas exclue) pour un leader de comprendre autrui avec ses contraintes et ses demandes, et cela vaut autant pour un employé que pour la famille et la société en général. D'où les activités multiples, variées et équilibrées de ces chefs et leur capacité d'écoute et de patience[65].

Nous avons vu l'importance des phénomènes perceptuels dans la vie des organisations et les erreurs inhérentes à ce que nous voyons à travers nos sens. Mais les sens, heureusement, ne nous trompent pas toujours. Ils sont quelques-uns des éléments importants à l'origine de ce que nous savons. Nous apprenons par ce que nous voyons, ressentons et expérimentons, et c'est pourquoi l'apprentissage fait naturellement partie de ce chapitre. Nous verrons d'abord comment les individus peuvent apprendre dans le cadre des organisations et ensuite comment celles-ci deviennent elles-mêmes des organisations dites apprenantes, c'est-à-dire comment s'y font des apprentissages collectifs.

Ces apprentissages diffèrent malgré quelques ressemblances.

L'APPRENTISSAGE DES INDIVIDUS

apprentissage
Changement relativement permanent d'un comportement qui résulte de l'acquisition de compétences.

L'**apprentissage** est le changement relativement permanent d'un comportement qui résulte de l'acquisition de compétences[66]. Par exemple, une personne a « appris » lorsqu'elle utilise un clavier et des logiciels plus rapidement et plus efficacement qu'auparavant. Il est question d'apprentissage lorsque le changement de comportement est le produit de notre interaction avec l'environnement[67]. Cela signifie que nous apprenons à l'aide de nos sens, par exemple, en observant et en expérimentant. L'apprentissage est une source d'efficacité et de motivation pour les employés. En effet, une recherche rapporte que la possibilité d'acquérir de nouvelles compétences est l'un des cinq principaux facteurs motivant les gens à accepter un poste dans une organisation[68].

Savoirs explicites et tacites

Lorsque le personnel apprend, il acquiert à la fois des connaissances explicites et des connaissances tacites ou implicites. Les connaissances explicites sont celles que l'on reçoit ou transmet de façon claire et organisée. Par exemple, l'information reçue à l'occasion d'un cours est principalement constituée de connaissances explicites. Les connaissances explicites peuvent être consignées par écrit et transférées à d'autres personnes.

Cependant, les connaissances explicites ne constituent que la partie visible de l'iceberg de nos connaissances. La majeure partie de notre savoir est en fait constituée de **connaissances tacites ou implicites**[69]. Vous avez probablement déjà dit à quelqu'un : « Je ne peux pas t'expliquer comment faire, mais je peux te le montrer. » Les connaissances tacites ne sont pas documentées ; elles sont plutôt orientées vers l'action et connues au-delà de la conscience. Par exemple, l'intégration d'une culture donnée ou des normes informelles d'une équipe font partie des connaissances implicites. Les gens savent que ces valeurs et ces règles existent, mais celles-ci sont difficiles à décrire[70]. Les connaissances tacites sont acquises par l'observation et l'expérience directe[71]. Les pilotes de ligne, par exemple, apprennent davantage leur métier en observant des experts, en pratiquant sur des simulateurs de vol ou en accumulant des heures de vol qu'en assistant uniquement à des cours magistraux.

Dans cette section, nous verrons trois modes d'apprentissage des connaissances tacites et explicites : le renforcement, l'apprentissage social et l'expérience directe. Chaque approche donne un angle différent permettant de comprendre la dynamique de l'apprentissage individuel.

connaissances tacites ou implicites
Connaissances intégrées dans nos actions et nos manières de penser et transmises uniquement par l'observation et l'expérience.

LA MODIFICATION DU COMPORTEMENT : APPRENDRE PAR RENFORCEMENT

modification du comportement
Théorie expliquant l'apprentissage en fonction des antécédents et des conséquences d'un comportement.

L'une des plus anciennes approches en matière d'apprentissage, appelée **modification du comportement** (conditionnement opérant ou théorie du renforcement, que l'on doit au psychologue Skinner et popularisée dès les années 1930), part du principe que l'apprentissage dépend entièrement de l'environnement. La modification du comportement ne remet pas en question la notion que la réflexion et les processus mentaux font partie du processus d'apprentissage. Toutefois, ils sont considérés comme secondaires par rapport à l'interaction entre le comportement de l'individu et l'environnement[72]. Pour simplifier, disons que nous apprenons à modifier nos comportements selon les réponses de l'environnement à nos actions. Nous aurions tendance à agir afin de maximiser les conséquences positives de nos actions et à en minimiser les conséquences négatives[73].

Le modèle ABC de la modification du comportement

Le comportement subit l'influence de deux conditions liées à l'environnement : les antécédents (les situations qui précèdent le comportement à l'étude) et les conséquences découlant d'une action particulière. Ces conditions font partie du modèle ABC de la modification du comportement (*voir la figure 4.5*). Ce modèle illustre que l'on change le comportement (B) en « gérant » les antécédents (A) et les conséquences (C)[74].

Les antécédents sont des événements qui précèdent le comportement à l'étude. Par exemple, un antécédent peut être soit un signal sonore de l'ordinateur indiquant la réception d'un courriel, soit la demande du supérieur que vous terminiez une tâche précise aujourd'hui même. Ces antécédents permettent au personnel de savoir qu'une action donnée produira des conséquences particulières. Il faut noter que les antécédents ne provoquent pas nécessairement le comportement attendu.

FIGURE   4.5

Modèle ABC
de la modification
du comportement

Antécédents	Comportement	Conséquences
La situation qui précède un comportement.	Ce qu'une personne fait ou dit.	La situation qui suit un comportement.

Exemple

Un voyant clignote sur la console du téléphoniste.	Le téléphoniste ferme l'alimentation électrique de l'appareil.	Ses collègues remercient le téléphoniste d'avoir arrêté l'appareil.

Sources: Adapté de l'ouvrage de T.K. Connellan, *How to Improve Human Performance*, New York, Harper & Row, 1978, p. 50; et de F. Luthans et R. Kreitner, *Organizational Behavior Modification and Beyond*, Glenview, Illinois, Scott, Foresman, 1985, p. 85-88.

Le signal sonore de l'ordinateur ne nous fait pas ouvrir le courriel. Le son est plutôt un signal indiquant que certaines conséquences suivront probablement les comportements consécutifs au signal.

Bien que les antécédents soient importants, la modification du comportement est principalement centrée sur les conséquences de ce comportement. Des conséquences sont des événements qui suivent un comportement particulier et qui influencent sa probabilité de récurrence. En général, nous tendons à reproduire des comportements qui sont suivis de conséquences agréables et sommes moins enclins à répéter des comportements suivis de conséquences désagréables ou ne prêtant à aucune conséquence.

Les contingences de renforcement

Une contingence de renforcement est la relation entre un comportement et les événements qui, dans l'environnement, l'ont précédé et suivi et qui influence ce comportement.

Le concept de modification du comportement comprend quatre types de contingences. Les contingences renforcent, maintiennent ou affaiblissent le comportement. La figure 4.6 décrit ces contingences : le renforcement positif, le renforcement négatif, la punition et l'extinction[75].

■ *Le renforcement positif* Le **renforcement positif** est l'effet, généralement perçu comme agréable, d'un comportement, lequel effet augmente ou maintient la probabilité de récurrence de ce comportement. Recevoir une prime après avoir terminé un projet important crée généralement un renforcement positif, car cela augmente la probabilité que vous répétiez cette action à l'avenir.

■ *Le renforcement négatif* Le **renforcement négatif** est l'augmentation ou le maintien de la fréquence d'un comportement par l'évitement ou le retrait d'un élément désagréable. Les superviseurs appliquent un renforcement négatif lorsqu'ils cessent de critiquer les employés dont les performances se sont améliorées. En ne recevant plus ces critiques, les employés ont tendance à répéter les comportements ayant permis d'améliorer leurs performances[76]. Le renforcement négatif est parfois appelé l'« apprentissage par évitement », car les employés adoptent les

renforcement positif
Conséquence agréable d'un comportement qui augmente ou maintient la probabilité de récurrence de ce comportement.

renforcement négatif
Augmentation ou maintien de la fréquence d'apparition d'un comportement par l'évitement ou le retrait d'un élément désagréable.

| FIGURE 4.6 | Contingences de renforcement |

	Une conséquence suit l'action	**Aucune conséquence n'est observée**	**La conséquence est retirée**
La fréquence du comportement augmente ou est maintenue	**Renforcement positif** Exemple: Vous recevez une prime après avoir terminé un projet important.		**Renforcement négatif** Exemple: Un superviseur cesse de vous critiquer lorsque vos performances professionnelles s'améliorent.
La fréquence du comportement diminue	**Punition** Exemple: Vous êtes menacé d'une rétrogradation ou d'un renvoi après avoir traité un client de manière peu professionnelle.	**Extinction** Exemple: Vos collègues ne rient pas lorsque vous faites des plaisanteries de mauvais goût.	**Punition** Exemple: Vous devez céder votre emplacement de stationnement attribué à un collègue.

comportements souhaités afin d'éviter les conséquences désagréables (telles qu'être critiqués par leur superviseur ou être licenciés).

■ *La punition* La **punition** est un événement désagréable qui fait suite à un comportement et en diminue la fréquence. Elle peut se produire lorsqu'une conséquence désagréable est introduite ou qu'une conséquence agréable est supprimée. Un exemple du premier cas serait une menace de rétrogradation ou de renvoi adressée à un employé ayant traité un client de manière non professionnelle. La deuxième forme de punition a lieu lorsque le « vendeur du mois » doit, par exemple, céder son emplacement de stationnement préféré à un autre employé ayant présenté une performance supérieure à la sienne.

■ *L'extinction* L'**extinction** a lieu lorsque le comportement diminue parce qu'il ne provoque aucune conséquence. Par exemple, si un employé fait des plaisanteries de mauvais goût ou sexistes, ce comportement peut être éliminé en demandant à ses collègues de ne pas l'encourager en ce sens. Ne pas réagir devant l'agressivité d'un client peut, à la longue, le décourager de continuer d'agir ainsi. Le comportement qui n'est plus renforcé tend à disparaître[77].

Quelle contingence de renforcement devrions-nous utiliser au cours du processus d'apprentissage? Dans la plupart des situations, le renforcement positif devrait suivre des comportements souhaités, et l'extinction (ne rien faire) devrait suivre des comportements indésirables. En effet, il y a moins de conséquences fâcheuses pour ces types de contingences que lorsqu'on a recours à une punition ou à un renforcement négatif. Pourtant, des formes de punition (renvoi, suspension,

punition
Événement désagréable qui fait suite à un comportement et en diminue la fréquence.

extinction
Disparition progressive du comportement parce qu'il ne provoque aucune conséquence.

rétrogradation, etc.) peuvent être nécessaires dans le cas de comportements extrêmes, tels que faire délibérément du mal à des collègues ou voler du matériel appartenant à l'entreprise. En effet, une recherche suggère que, dans certaines conditions, la punition maintient un sentiment d'équité[78]. Cependant, la punition et le renforcement négatif doivent être appliqués avec précaution, car ils suscitent des émotions et des attitudes négatives envers la personne qui les administre (par exemple le supérieur) ainsi qu'envers l'organisation.

Le programme de renforcement

Les recherches montrent que l'intensité de la modification du comportement dépend de l'utilisation, délibérée ou pas, de l'application du renforcement selon une fréquence spécifique[79]. On peut distinguer le renforcement continu et diverses formes de renforcement intermittent.

Le programme de renforcement le plus efficace pour l'apprentissage de nouvelles tâches est le renforcement continu, c'est-à-dire que le comportement souhaitable est « récompensé » chaque fois qu'il se produit, ce qui accélère l'apprentissage des conduites désirables. L'inconvénient est que lorsque le moyen de renforcement est supprimé, l'extinction du comportement est rapide.

Les autres programmes de renforcement sont intermittents. On distingue le programme à intervalles réguliers et variables, ainsi que les programmes de renforcement à rapport variable ou fixe. Les programmes à intervalles se réfèrent au temps écoulé, tandis les programmes à rapports visent la fréquence d'apparition des comportements.

La plupart des gens sont payés selon un programme à intervalles fixes, car ils reçoivent leur renforcement (leur salaire) après une période déterminée, toujours la même (salaires hebdomadaires, mensuels, etc.). Dans un programme à intervalles variables, la durée qui s'écoule entre les renforcements diffère. C'est le cas de l'avancement au mérite où un employé est promu après une période variable. Par ailleurs, si vous obtenez le reste de la journée libre après avoir effectué une certaine quantité de travail déterminée (par exemple garnir les étagères du magasin dans la journée), vous avez fait l'expérience d'un programme à rapport fixe. Dans ce cas, un renforcement est attribué après que le comportement souhaitable, bien précisé et toujours le même, s'est produit un certain nombre de fois. Enfin, les entreprises utilisent souvent un programme à rapport variable. Dans ce cas, le comportement d'un employé est renforcé après un nombre variable, aléatoire d'occurrences, mais ce nombre varie autour d'une moyenne quelconque. Les commerciaux font l'expérience d'un renforcement à rapport variable lorsqu'ils réussissent une transaction après un nombre changeant d'appels aux clients. Ils peuvent effectuer quatre appels infructueux avant d'obtenir une commande au cinquième appel, puis effectuer neuf appels supplémentaires avant de recevoir la commande suivante, etc.

Le programme à rapport variable est une manière « économique » de renforcer les comportements, car le personnel n'est pas systématiquement et fréquemment récompensé. De plus, cette programmation est hautement résistante à l'extinction. Supposons que votre chef entre dans votre bureau à différents moments de la journée. Ne sachant pas quand il viendra, il y a de grandes chances que vos efforts persisteront davantage que s'il apparaissait tous les trois jours à la même heure.

La modification du comportement dans la pratique

Tout le monde utilise d'une manière ou d'une autre le concept de modification du comportement. Nous remercions les gens pour un travail bien fait, nous restons silencieux lorsque nous sommes mécontents et parfois nous essayons de punir ceux qui vont à l'encontre de nos souhaits. Le concept de modification du comportement se manifeste également à travers divers programmes visant à réduire l'absentéisme, à minimiser les accidents et à améliorer les performances. Lorsque ce concept est appliqué correctement, les résultats sont généralement impressionnants[81]. VJS Foods, une entreprise alimentaire britannique, a réduit l'absentéisme en offrant chaque mois au personnel faisant preuve d'une parfaite assiduité deux chances de gagner 800 $. Le chantier naval Electric Boat du Rhode Island a offert 4000 $ à chacun des 20 gagnants tirés au sort parmi 955 employés ne s'étant pas absentés pour raison de maladie depuis deux ans. La présence des étudiants s'est améliorée (surtout dans les dernières heures de cours) lorsque certains établissements scolaires de Los Angeles ont introduit une loterie avec un prix pour les étudiants ayant été présents les dernières semaines de cours[82].

Malgré ces résultats favorables, le concept de modification du comportement présente plusieurs limites[83]. Il s'applique plus difficilement à des activités conceptuelles qu'à des comportements observables. Par exemple, il est plus aisé de récompenser le personnel pour une présence assidue au travail que pour de bonnes aptitudes à la résolution de problèmes. Une deuxième difficulté vient de l'« inflation de la récompense », selon laquelle le renforçateur (la récompense) finit par être considéré comme un droit. Pour cette raison, la plupart des programmes de modification du comportement doivent être proposés peu souvent et pendant de courtes périodes. Un troisième problème est que le programme à rapport variable prend souvent la forme d'une loterie, ce qui entre en conflit avec les valeurs éthiques de certains employés. Enfin, la philosophie essentielle du concept de modification du comportement (que les processus cognitifs sont secondaires pour expliquer l'apprentissage et le comportement) a désormais peu d'adeptes. En effet, il existe des preuves relativement solides que les gens peuvent apprendre au moyen de processus mentaux, par exemple en observant les autres et en réfléchissant logiquement aux conséquences possibles. L'apprentissage peut aussi exister à l'état latent[84]. Ainsi, sans renoncer aux principes de la modification du comportement, la plupart des experts en apprentissage adhèrent plus volontiers aux concepts de la théorie de l'apprentissage social.

Nova Chemicals a introduit un « programme de recrutement et de fidélisation » d'un million de dollars afin de renforcer la présence et l'emploi continu sur son chantier de construction de Joffre en Alberta. L'absentéisme atteignait 20 % certains vendredis, ce qui menaçait le respect des échéances du projet. La solution de Nova Chemicals a été de récompenser les employés présentant une parfaite assiduité en leur donnant la chance de gagner l'un des dix prix hebdomadaires de 2000 $. Un dernier tirage de quatre grands prix de 100 000 $ encourageait les employés à rester jusqu'à la fin de leur contrat. Le programme de modification des comportements de Nova a fait diminuer l'absentéisme et le roulement de personnel de 25 %[80]. Ce type de renforcement fonctionnerait-il aussi efficacement dans le cas d'emplois à long terme, par exemple sur des chaînes de montage ?

Publié avec l'autorisation de Nova Chemicals

www.novachem.com

LA THÉORIE DE L'APPRENTISSAGE SOCIAL : APPRENDRE EN OBSERVANT

théorie de l'apprentissage social
Théorie selon laquelle la majeure partie de l'apprentissage se fait en observant les autres, en imitant les comportements qui mènent à des résultats favorables et en évitant les comportements qui engendrent des conséquences négatives.

Selon la **théorie de l'apprentissage social,** élaborée par Bandura dans sa version finale en 1977, la majeure partie de l'apprentissage se fait en observant les autres, en imitant les comportements qui mènent à des résultats favorables et en évitant les comportements qui engendrent des conséquences négatives[85]. Suivant cette théorie, trois processus reliés sont à l'œuvre : l'imitation du comportement de « modèles », l'apprentissage des conséquences de nos comportements et l'autorenforcement.

L'imitation du comportement de modèles ou l'apprentissage vicariant

Une personne apprend en observant d'abord les comportements d'un modèle (la personne qui maîtrise les compétences convoitées) qui effectue une tâche donnée, en sélectionnant et en mémorisant les éléments importants des comportements observés, puis en mettant en pratique ces comportements[86]. L'imitation du comportement d'un modèle ou l'apprentissage vicariant fonctionne mieux lorsque le modèle est respecté et que ses actions sont suivies de conséquences favorables. Les chefs d'entreprise sont bien placés pour jouer le rôle de modèles pour leurs employés. Les mentors constituent aussi des modèles d'apprentissage. Les modèles peuvent être des personnes, mais aussi des figures symboliques (par exemple, des organisations ou des institutions exemplaires ou, pour les jeunes, des célébrités du spectacle). L'apprentissage vicariant est également une méthode d'apprentissage dynamique dans les formations formelles. Les participants observent d'abord sur vidéo comment « le modèle » agit dans une situation particulière. Ensuite, les participants sont invités à reproduire entre eux ce même modèle de comportement, exercice au cours duquel ils reçoivent une rétroaction constante et constructive, ce qui renforce le sentiment de leur propre efficacité[87].

L'apprentissage vicariant est une forme précieuse d'apprentissage, car c'est ainsi que les connaissances et les compétences tacites sont principalement acquises auprès des autres.

L'imitation du comportement et le sentiment d'efficacité   L'imitation du comportement améliore la confiance en nos propres capacités. En effet, nous sommes plus sûrs que la performance demandée est réalisable après avoir vu une autre personne la réaliser avant nous que si nous avions été seulement exposés à l'explication de la chose. Cet énoncé est particulièrement vrai lorsque l'observateur s'identifie au modèle et que celui-ci a presque le même âge que lui, la même expérience, qu'il est du même sexe et qu'il possède d'autres caractéristiques semblables aux siennes.

L'apprentissage des conséquences d'un comportement

Selon un deuxième aspect de la théorie de l'apprentissage social, nous apprenons ce que seront les conséquences (positives ou négatives) de notre comportement autrement que par l'expérience directe. En particulier, nous anticipons par la réflexion les conséquences de nos actions et apprenons en observant les effets produits par le comportement des autres.

Les sociétés ont suivi ce principe depuis des siècles, notamment lorsqu'elles punissaient publiquement et durement les gens qui contrevenaient aux codes établis, en espérant que cela serve d'exemple[88]. Les ministères du Revenu et des

Finances ne font pas autre chose en publiant les noms de personnes condamnées pour fraude fiscale. En milieu de travail, l'apprentissage des comportements acceptables ou pas se fait aussi par observation des autres. Savoir qu'un collègue a été publiquement et sévèrement réprimandé pour une erreur professionnelle réduira les velléités d'un pair qui serait tenté d'agir de la même façon[89].

L'autorenforcement

Le dernier élément de la théorie de l'apprentissage social est l'autorenforcement, c'est-à-dire la capacité qu'ont les individus de contrôler la programmation du renforcement pour accomplir une tâche. Supposons qu'un employé ait une certaine autonomie quant aux renforçateurs, par exemple le moment où il pourra prendre une pause. Il peut décider de n'utiliser ce renforçateur qu'après avoir atteint un objectif qu'il aurait lui-même défini[90], la pause étant une forme de renforcement positif qu'on administre soi-même[91]. L'autorenforcement est de plus en plus important aujourd'hui, à l'heure où le personnel jouit d'un plus grand contrôle sur sa vie professionnelle et où apparaissent de nouvelles formes d'organisation du travail qui attribuent beaucoup d'autonomie (le télétravail par exemple). De plus, le personnel est moins dépendant de chefs qui donnent un renforcement positif ou des punitions, ce qui est apprécié, mais aussi un peu redouté par certaines personnes qui y perdent leurs repères.

APPRENDRE PAR L'EXPÉRIENCE

Mandy Chooi est sur le point de rencontrer un de ses cadres qui a bâclé un nouveau projet. Elle doit également faire une présentation sur une stratégie d'entreprise à son chef dans trois heures, mais le téléphone ne cesse pas de sonner et elle croule sous un amoncellement de courriels. C'est une situation stressante. Heureusement, cette employée cadre en ressources humaines de Motorola, originaire de Beijing, assistait seulement à une séance de simulation visant à développer et à tester ses compétences en leadership. « C'était difficile. Bien plus difficile que je ne le pensais, commente Mandy Chooi. C'est étonnamment réaliste et exigeant[92]. »

Bon nombre d'organisations changent leurs stratégies d'apprentissage en éloignant les participants des salles de classe et en adoptant des approches davantage basées sur l'observation et l'expérience, qui, nous l'avons dit, sont à l'origine de l'acquisition de la majeure partie des connaissances et des compétences implicites[93]. L'apprentissage par l'expérience a été conceptualisé de nombreuses manières, mais l'une des approches les plus courantes est le modèle d'apprentissage expérientiel de David A. Kolb (*voir la figure 4.7*)[94]. Ce modèle représente l'apprentissage expérientiel comme un processus cyclique en quatre étapes.

L'expérience concrète est l'apprentissage découlant d'un plein engagement sensoriel et émotionnel d'un individu dans une activité. L'intuition, les expériences vécues, la référence au présent et l'apprentissage par essais et erreurs sont ici les modes privilégiés d'acquisition de compétences. Cet engagement est suivi d'une observation réfléchie où prévalent l'écoute, l'observation, la mémorisation et l'extrapolation de l'expérience vécue. L'étape suivante du cycle d'apprentissage est la conceptualisation abstraite. À cette étape, nous formons des concepts et intégrons nos observations dans des théories logiques. La quatrième étape, l'expérimentation active, a lieu lorsque nous testons notre expérience précédente, notre réflexion et notre conceptualisation dans un contexte donné. Ici, l'action prédomine.

Modèle
d'apprentissage
expérientiel de
David A. Kolb

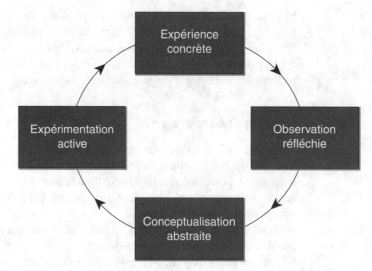

Sources: Basé sur l'ouvrage de J.E. Sharp, « Applying Kolb Learning Style Theory in the Communication Classroom », *Business Communication Quarterly*, vol. 60, juin 1997, p. 129-134 ; et de D.A. Kolb, *Experiential Learning*, Englewood Cliffs, New Jersey, Prentice Hall, 1984.

L'apprentissage expérientiel en pratique

L'apprentissage expérientiel fonctionne mieux lorsqu'il s'effectue dans un contexte fortement orienté vers l'apprentissage[95]. En effet, le modèle de Kolb indique alors ce qu'il faut faire. Voici quelques exemples : accepter que chacun ait un style d'apprentissage différent et qu'il faut cultiver cette variété dans l'organisation et la formation des équipes ; récompenser non seulement les résultats en termes de performance, mais aussi encourager les divers processus d'apprentissage ; donner le temps d'apprendre (par exemple, la formation de concepts ne s'élabore pas du jour au lendemain) ; garder la mémoire des expériences collectives ; être tolérant à l'erreur quand les gens expérimentent, etc.

« Les erreurs sont une source d'apprentissage et permettront d'améliorer les activités à long terme », explique un cadre de Lockheed Martin. « Elles encouragent le concept selon lequel aucune question n'est idiote, aucune idée n'est trop folle et aucune tâche ni activité ne manque de pertinence[96]. »

apprentissage par l'action
Variété d'activités d'apprentissage expérientiel au cours desquelles le personnel fait face, généralement en équipe, à un « problème réel, complexe et stressant » se rapportant directement à l'entreprise.

L'apprentissage par l'action   La forme d'apprentissage expérientiel sur les lieux du travail connaissant l'essor le plus rapide s'appelle l'**apprentissage par l'action**. L'apprentissage par l'action fait référence à une variété d'activités d'apprentissage expérientiel au cours desquelles le personnel fait face, généralement en équipe, à un « problème réel, complexe et stressant » se rapportant directement à l'entreprise. Par exemple, les autorités de la région de York en Ontario ont simulé un accident entre un train et un camion transportant de l'essence. Cinquante volontaires se sont prêtés à cet exercice où l'on crie et l'on « saigne ». Il s'agissait de former les employés à une gestion de crise[97]. Dans une activité d'apprentissage par l'action, la tâche devient la source d'apprentissage[98].

Le modèle d'apprentissage expérientiel (incluant toutes ses étapes) de Kolb, présenté plus tôt, est généralement reconnu comme le modèle principal de l'apprentissage par l'action en entreprise[99]. Par exemple, une équipe d'apprentissage par l'action de Carpenter Technology, un fabricant d'acier, s'est vu assigner le défi d'étudier une stratégie pour pénétrer le marché indien. L'équipe a étudié la situation, a rédigé ses recommandations et a participé à leur mise en œuvre[100]. L'apprentissage par l'action est considéré comme l'une des manières les plus importantes de développer les compétences des cadres[101]. Autre exemple : l'une des équipes d'apprentissage par l'action de Motorola a passé plusieurs mois à apprendre comment créer et gérer une entreprise de création de logiciels[102].

Nous avons vu jusqu'ici les façons dont les individus apprennent, mais les organisations elles-mêmes peuvent être l'objet et la source d'apprentissage. Pour éclairer cette tendance devenue très importante au cours des dernières années, nous aborderons les concepts d'organisation apprenante et de la gestion des savoirs.

L'ORGANISATION APPRENANTE

Nous avons vu au chapitre 2 que, pour survivre, les entreprises doivent résolument affronter une période de changements complexes et continus où l'innovation est la réponse essentielle dans la nouvelle économie. Dans ce contexte, ce n'est plus la production de biens ou de services ou l'acquisition de capitaux qui sont importantes en soi, mais la constitution d'un corps de connaissances qui permettront de dominer ces activités et de promouvoir la créativité. Bref, nous sommes entrés dans une économie du savoir où une gestion bien pensée peut en faire un actif stratégique pour l'entreprise : les savoirs définissent ce qu'une entreprise peut produire ou pas, donc son avantage concurrentiel.

organisation apprenante
Organisation qui sait comment se transformer continuellement pour s'adapter à son environnement, voire le modifier ou le construire.

Supposons qu'Émilie, employée motivée, découvre une nouvelle façon pour ses collègues et elle-même de servir les clients plus rapidement. Elle a donc fait un apprentissage individuel. Supposons qu'elle en fasse part à son patron et que celui-ci, ouvert aux nouvelles idées, applique les conseils de son employée et les transmet à tous ses collègues, qui travailleront dorénavant ainsi. Il s'y prendra soit verbalement, soit par écrit, et communiquera aussi cette nouvelle méthode à d'autres unités de travail semblables à la sienne. En agissant ainsi, ce chef a transformé un apprentissage individuel en un apprentissage collectif et a contribué à faire de son organisation une **organisation apprenante.**

Une organisation apprenante est une organisation qui sait comment se transformer continuellement pour s'adapter à son environnement, voire le modifier ou le construire. Cette notion est apparue dans les années 1970 et c'est le psychologue en organisation Chris Argyris qui a commencé à vraiment populariser ce concept. Il l'a fait à la suite de ses consultations dans l'entreprise Shell, dont le grand patron pressentait l'imminence d'une crise pétrolière. Éclairée par Argyris, l'équipe dirigeante a identifié les « routines défensives » de l'organisation et les faiblesses de sa culture managériale en cas de crise. Des groupes de travail ont imaginé les « scénarios » les plus fous en cas de crise grave. Quand la crise pétrolière de 1973 est survenue, Shell s'est trouvée en meilleure posture que les autres compagnies pétrolières pour y faire face. Shell était une organisation apprenante, car elle avait acquis, en utilisant ses ressources humaines, des capacités d'adaptation et d'anticipation[103].

Argyris et Schon distinguent deux niveaux d'apprentissage, celui dit en *simple boucle* et l'autre dit en *double boucle*. Dans le premier cas, les gens apprennent à détecter des erreurs et à les corriger, mais toujours dans le contexte d'objectifs préétablis et selon les normes et la culture de l'organisation. Par exemple, si un

Les différents obstacles à l'apprentissage selon Peter Senge

- « L'ennemi est au dehors » : trouver chez les autres les causes de nos échecs.
- L'illusion de la proactivité : agir sans diagnostic des problèmes.
- La fixation sur les événements : « ne pas voir plus loin que le bout de son nez ».
- La parabole de la grenouille ébouillantée : l'incapacité de répondre à des menaces graduelles (comme la grenouille qui ne réagit pas dans une eau amenée graduellement à ébullition).

- L'illusoire apprentissage par l'expérience : l'incapacité à prévoir ce qui ne relève pas de notre expérience immédiate.
- Le mythe de l'équipe de direction : l'incapacité des dirigeants à se remettre en question.

Source (pour les titres seulement) : P. Senge, *La cinquième discipline*, Éditions First, 1991.

---

produit X est défectueux, l'apprentissage en simple boucle consistera à corriger cette erreur (par exemple la conception d'une partie d'un véhicule ou d'une gamme de véhicules), c'est-à-dire en agissant sur les opérations. Mais si ce problème est récurrent, coûteux et insoluble à long terme, il faut être capable de remettre en question les hypothèses de base ou les valeurs qui ont présidé au lancement de ce produit X. Cette remise en question et éventuellement la courageuse décision de laisser tomber la production de cette gamme de véhicules relèvent du processus d'apprentissage en double boucle[104].

D'autres consultants célèbres ont travaillé sur les obstacles à l'apprentissage et sur la façon de les contourner. Peter Senge, par exemple, évoque la nécessité de recourir à cinq « disciplines » : le travail en équipe, une vision partagée, le développement de nos capacités (« la maîtrise personnelle »), la remise en question de nos modèles mentaux sclérosés et surtout la pensée systémique, qui permet de comprendre les phénomènes dans leur complexité et leur intégrité. Il relève plusieurs obstacles à la pensée systémique que nous pouvons lire dans l'encadré 4.5.

À la fin des années 1990, la mondialisation brutale et l'essor prodigieux des nouvelles technologies de l'information et de communication (NTIC), après des périodes de licenciements massifs abusifs et de pertes de compétences, ont remis « l'organisation intelligente », donc l'inventivité humaine, au centre des débats stratégiques de l'entreprise et même des nations. Connaissances et compétences ont pris de l'importance sous la forme du capital intellectuel. L'organisation apprenante sortait du concept théorique pour se transformer en une gestion des savoirs à part entière.

La gestion des savoirs

La **gestion des savoirs** est l'activité structurée qui améliore la capacité d'une organisation d'acquérir, de partager et d'utiliser les savoirs de manière à assurer sa survie et son succès[105]. Quatre-vingts pour cent des sociétés multinationales ont déjà un système de gestion des savoirs ou déclarent en avoir un[106].

Chez British Petroleum (BP), la gestion des savoirs prend la forme d'une base de données sur intranet en ce qui concerne l'expertise de 10 000 employés, information

gestion des savoirs
Toute activité structurée qui améliore la capacité d'une organisation d'acquérir, de partager et d'utiliser les savoirs de manière à assurer sa survie et son succès.

que tous peuvent consulter pour résoudre des problèmes, sans compter la mise sur pied d'une structure plate et décentralisée, ce qui facilite le partage des connaissances. Siemens, le conglomérat européen, fait à peu près la même chose avec son système interne *Share Net*, ainsi que IBM ou Xerox avec leur système *Eureka*. Ce partage des connaissances a permis à ces sociétés de faire des gains substantiels dans leurs domaines respectifs (réduction des délais de forage ou d'intervention dans la réparation des équipements, augmentation des ventes, temps de consultation raccourci, etc.). De plus, ces systèmes d'information ne sont pas coûteux à mettre en place.

Le capital intellectuel est la somme des connaissances d'une organisation qui lui donne un avantage concurrentiel. Il englobe son capital humain, structurel et relationnel[107]. Nous en avons déjà parlé au chapitre 2.

■ *Le capital humain* Il s'agit des connaissances que les employés possèdent et produisent, notamment les compétences, l'expérience et la créativité.

■ *Le capital structurel* Il s'agit des connaissances obtenues et conservées dans les systèmes et les structures de l'organisation (comme dans les exemples donnés plus haut). Ce sont les connaissances qui restent, indépendamment des personnes.

■ *Le capital relationnel* Il s'agit de la valeur qui provient des relations de l'organisation avec ses clients, ses fournisseurs et d'autres parties internes ou externes. Par exemple, le capital relationnel englobe la loyauté des employés envers l'organisation ainsi que le respect mutuel qui existe entre l'organisation et ses fournisseurs[108].

Les méthodes de gestion des savoirs

Le capital intellectuel représente donc la somme des connaissances que détient une organisation. Ce capital est si important que certaines entreprises tentent d'en estimer la valeur et de le gérer adéquatement pour le transformer en avantage stratégique[109]. Gérer, cela veut dire pour les entreprises mettre sur pied des systèmes et des structures et promouvoir des valeurs organisationnelles qui soutiendront cet exercice formel[110]. Examinons de plus près quelques stratégies employées par les entreprises pour acquérir, partager et utiliser les savoirs.

L'acquisition de connaissances L'acquisition de connaissances englobe la capacité de l'organisation d'extraire de l'information et des idées de son environnement de même qu'à travers la recherche théorique. L'une des manières les plus rapides et les plus efficaces d'acquérir des connaissances est d'engager du personnel de talent ou de travailler avec d'autres organisations pour leur savoir-faire ou leur capital relationnel. Par exemple, en 2006, chez Ford automobile en difficulté, Alan Mullaly, ex-numéro 2 de Boeing, a été appelé à la rescousse par Bill Ford (dont la famille détient 40 % des droits de vote). Autre exemple : ATI Technologies, une entreprise de graphisme torontoise, a acquis une somme importante de connaissances en embauchant les employés les plus expérimentés de Nortel qui avaient été mis à pied au moment de l'éclatement de la bulle technologique. « Nortel possédait l'ensemble de compétences que nous recherchions », explique un cadre d'ATI[111]. L'organisation acquiert aussi des connaissances quand les employés obtiennent de l'information sur leur environnement extérieur, par exemple par des représentants de commerce, les fournisseurs ou les clients. Les cadres de Wal-Mart agissent ainsi lorsqu'ils font des achats chez leurs concurrents chaque semaine[112]. Mais il est évident que pour tirer avantage de l'acquisition de nouveaux savoirs, l'entreprise doit posséder une certaine capacité d'absorption, c'est-à-dire la capacité de reconnaître la valeur des savoirs qui se présentent et de les assimiler[113], sinon, « la greffe » ne prendra pas.

Le partage des connaissances   Beaucoup d'organisations n'ont pas trop de mal à acquérir des connaissances, mais elles gaspillent cette ressource en ne la diffusant pas suffisamment, comme plusieurs cadres s'en affligent souvent : « Si nous avions su plus tôt ce que nous savons maintenant ! » Des études ont révélé que le partage des connaissances est souvent le maillon le plus faible de la gestion des connaissances[114]. Des idées intéressantes restent dormantes et inexploitées.

Les organisations doivent parfaire leur communication si elles veulent améliorer le partage des connaissances (*voir le chapitre 11*). Certaines entreprises encouragent ce partage à travers les **communautés de pratique.** Il s'agit de groupes informels liés par une expertise et une passion communes pour une activité professionnelle[115]. Par exemple, la Clarica Life Insurance Compagny, de Waterloo, en Ontario, est l'une des 20 meilleures entreprises au monde en ce qui touche la gestion des connaissances. Elle a créé une communauté de pratique qui englobe ses 3000 agents de vente. La compagnie Dofasco, géant de la métallurgie canadienne, soutient également la formation de plusieurs communautés de pratique qui relèvent de coordonnateurs.

Le désir de partager des connaissances n'est pas l'apanage des seules entreprises. Signe des temps, le grand public aussi montre qu'il est motivé par l'apprentissage collectif et, de plus, de façon tout à fait désintéressée, comme le prouve l'émergence de Wikipedia, une encyclopédie participative tout à fait gratuite, où chacun peut ajouter son savoir sur un sujet donné (wikipedia.com).

L'utilisation des connaissances   L'acquisition et le partage des connaissances sont des exercices vains si ces connaissances ne sont pas mises à profit. Pour y parvenir, les employés doivent comprendre que les connaissances sont disponibles et qu'ils disposent d'une liberté assez grande pour les mettre en pratique. C'est le cas lorsqu'une culture d'entreprise soutient l'apprentissage par l'expérience.

La gestion des savoirs est devenue si importante que dans beaucoup de grandes entreprises, on a créé le poste de directeur de la gestion du savoir (*chief knowledge officer*) chargé d'organiser le capital intellectuel de l'entreprise. C'est le cas chez BP ou à la NASA. C'est un nouveau métier appelé à se développer. On trouvera dans l'encadré 4.6 les grandes lignes de ce que font ces directeurs.

La mémoire organisationnelle   Le capital intellectuel peut se perdre aussi rapidement qu'il a été acquis. Les chefs d'entreprise doivent reconnaître qu'ils sont les gardiens de la **mémoire organisationnelle.** Cette métaphore se rapporte à l'emmagasinage et à la conservation du capital intellectuel. Elle désigne tant l'information que détiennent les employés que les connaissances intégrées dans les systèmes et les structures de l'organisation. Elle englobe les documents, les objets et tout ce qui contient de l'information importante sur le fonctionnement de l'organisation.

Des travaux récents dans les sciences cognitives distinguent plusieurs types de mémoire. La mémoire déclarative est la mémoire explicite, c'est-à-dire celle que l'on organise et dont nous sommes conscients. Elle inclut la mémoire épisodique que l'on décrit comme la mémoire des faits et des événements dans leur contexte. Elle comprend également la mémoire sémantique, c'est-à-dire celle qui forme des

communautés de pratique
Groupes informels liés par une expérience et une passion communes pour une activité professionnelle.

mémoire organisationnelle
Emmagasinage et conservation du capital intellectuel.

Que fait un directeur de la gestion du savoir ?

- Il pilote la stratégie du savoir dans l'entreprise en liaison avec les stratégies corporatives (mission, performance, etc.).
- Il définit la politique de gestion des compétences clés.

- Il fait la promotion des projets du savoir à l'intérieur et en dehors de l'entreprise.
- Il participe activement à l'architecture des systèmes et des structures du savoir dans l'entreprise.

Afin d'améliorer sa stratégie de gestion des savoirs, la Clarica Life Insurance (désormais affiliée à la Sun Life au Canada) a créé un groupe de discussion virtuel au sein duquel ses 3000 agents indépendants, disséminés un peu partout au Canada, peuvent partager leurs connaissances. Grâce à l'intranet de l'entreprise (appelé Clarica Connects), l'entreprise de Waterloo, en Ontario, a créé le « Réseau des agents » qui permet aux employés d'approfondir leur expérience et de partager la conception de solutions innovatrices. Un groupe de 150 agents ont participé au projet pilote visant à mettre ce réseau à l'épreuve, aidés par un comité directeur convaincu du bénéfice des communautés de pratique. En fin de compte, l'entreprise veut aller beaucoup plus loin que d'inciter ses agents à partager leurs connaissances : elle veut leur montrer comment former leurs propres communautés de pratique avec leurs clients, afin d'acquérir des connaissances issues de liens solides établis avec ces derniers[116]. Outre les agents de vente indépendants, quels groupes professionnels tireraient profit d'une communauté de pratique reliée grâce à un intranet ?

Masterfile

www.clarica.com

catégories, des concepts et des symboles ; elle est donc liée au langage. À l'inverse, la mémoire procédurale (ou tacite) caractérise les différentes formes d'habiletés et d'automatismes emmagasinés dans notre inconscient (marcher, parler, faire du patin, etc.). La conservation du capital intellectuel de l'entreprise passe, métaphoriquement, par l'exploitation de ces types de mémoire.

Comment les organisations préservent-elles donc leur capital intellectuel ? D'abord en gardant les employés compétents. Quand de nombreuses entreprises de haute technologie ont mis à pied un nombre sans précédent d'employés afin de diminuer leurs coûts, la société Apple Computer s'est accrochée à ses employés talentueux. « Les talents humains constituent notre principal atout, et nous ne pouvons pas nous permettre de le perdre », explique Fred Anderson, directeur des finances de l'entreprise[117]. Une deuxième stratégie consiste à transférer systématiquement les connaissances des employés avant leur départ. Ce transfert a lieu quand les nouveaux venus apprennent le métier avec des employés qualifiés et acquièrent ainsi des connaissances qui ne sont consignées nulle part.

Une troisième stratégie consiste à convertir les connaissances en capital structurel[118]. Il s'agit de mettre au jour les connaissances cachées, de les organiser et de les convertir sous une forme accessible aux autres. C'est ce qu'a fait le comité d'organisation des Jeux olympiques de Sydney, le SOCOG (Sydney Organising Committee for the Olympic Games). Ce dernier avait reçu presque uniquement des renseignements informels et anecdotiques du comité des Jeux olympiques d'Atlanta sur la manière d'organiser ce type d'événement.

Pour faire en sorte que les futurs comités d'organisation des Jeux olympiques soient mieux informés, on a demandé à chaque division et à chaque entité

Des méthodes de gestion des savoirs et d'une organisation apprenante

- L'annuaire d'expériences : base de données interne où sont consignées les connaissances et les expertises des individus ou des groupes de l'entreprise (ex. : ShareNet chez Siemens).

- Les projets et le travail d'équipes locales, transversales ou virtuelles.

- Les communautés de pratique : elles ont déjà été décrites.

- La documentation des connaissances : documents de veille, archivage, normes de qualité (ISO, par exemple), revues de presse, dossiers de fabrication, etc.

- Le retour d'expérience : tirer les enseignements des expériences des employés en les organisant, en les diffusant et en les conservant (par exemple, comment sortir d'une crise).

- Le référentiel des bonnes pratiques (*best practices*) : capitalisation d'expériences de travail dans l'entreprise (ou ailleurs) qui se sont soldées par un succès. Se comparer aux meilleurs dans l'industrie et apprendre d'eux est le *benchmarking* ou le référentiel d'excellence.

- Les récits d'apprenants : narration personnelle d'événements (par exemple, une crise vécue dans une organisation) à partir de laquelle nous pouvons tirer des enseignements ou perpétuer une culture.

- La gestion des processus : elle permet de rendre compte des différents coûts d'une activité et des causes de la non-performance.

- La formalisation des savoirs tacites et des savoir-faire des experts et des anciens (par exemple, Usinor avec le projet Sachem formalisant les savoir-faire de conduite des hauts-fourneaux)[121].

- L'intelligence ou la veille économique : connaissance à tout moment de l'environnement économique et politique externe en vue de son exploitation et de sa diffusion par les décideurs de l'entreprise.

- Les politiques de ressources humaines axées sur les compétences : recrutement, formation, accompagnement individuel (*coaching*), mentorat, apprentissage en ligne (*e-learning*), entrevues de départ, évaluation des performances et universités d'entreprise.

- L'élaboration d'une culture, d'une structure et de politiques explicites favorisant la tolérance à l'erreur, l'innovation, l'autonomie, la collaboration et la fluidité des communications, des partenariats stratégiques et, bien sûr, l'apprentissage individuel et collectif.

Source : Balley, J.F. *Tous managers du savoir ! La seule ressource qui prend de la valeur en la partageant,* Paris, Éditions d'organisation, 2002.

---

fonctionnelle du SOCOG de tracer un schéma complet de la manière dont elles avaient mis sur pied leurs opérations. Cet effort collectif a permis de produire 90 manuels qui décrivent tous les aspects de l'organisation, depuis la structure organisationnelle et les parties prenantes jusqu'à l'engagement de personnel et aux budgets[119].

Conserver la mémoire organisationnelle est devenue si important que quelques entreprises engagent des archivistes pour retracer l'histoire de ces sociétés et s'en servir pour promouvoir leurs stratégies. Au Canada, une vingtaine de ces archivistes sont employés par les grandes sociétés (par exemple Manulife, Bell Canada, Canadien Pacifique, Banque Royale, Sun Life). L'histoire peut servir par exemple au service juridique pour ses besoins d'information ou pour protéger ses brevets ou ses droits d'auteur ; elle peut aussi servir pour bâtir une campagne de publicité, fêter la longévité d'une entreprise, faire comprendre sa culture à ses employés ou encore pénétrer un marché (cela a été le cas de Manulife qui, en fouillant ses archives, a démontré aux autorités chinoises que cette compagnie avait un long passé commercial avec leur pays, soit depuis 1897).

Avant de terminer cette partie sur la mémoire organisationnelle et la gestion des connaissances, il faut savoir que les entreprises prospères ne font pas qu'apprendre, elles désapprennent aussi. En effet, il est parfois approprié pour une organisation d'oublier certaines connaissances précises[120]. Cela l'oblige à abandonner des habitudes et des modèles de comportement qui ne sont plus appropriés. Les employés doivent remodeler leurs perceptions, c'est-à-dire leur manière d'agir avec les clients et la « meilleure façon » d'accomplir telle ou telle tâche. Comme nous le verrons au chapitre 17, désapprendre est un élément essentiel du changement organisationnel.

Pour résumer, dans l'encadré 4.7, on trouve une liste non exhaustive des différentes méthodes et des outils qui permettent de gérer les savoirs et de faire de l'entreprise une organisation apprenante.

Dans ce chapitre, nous avons présenté deux activités fondamentales du comportement humain au travail : la perception et l'apprentissage. Ces activités sont principalement des processus cognitifs (réflexion), mais elles subissent aussi l'influence de l'aspect émotionnel du comportement humain. Dans le prochain chapitre, on abordera les émotions et un des aspects auxquels elles sont liées : le stress en milieu de travail.

RÉSUMÉ DU CHAPITRE

La perception est le processus par lequel une personne sélectionne, organise et interprète les stimulus que son environnement lui transmet afin de comprendre le monde. La perception sélective ou filtrage d'information dépend des caractéristiques de l'objet perçu, du contexte et de la personne qui perçoit. De plus, les émotions, les attentes et les modèles préconçus d'appréhension du monde influencent ce processus.

Selon la théorie de l'identité sociale, une personne se définit par ses caractéristiques uniques et par son appartenance à divers groupes. Ce processus, s'il est essentiel pour la définition de soi, forme aussi des normes de comparaison pouvant entraîner stéréotypes et préjugés.

Les stéréotypes sont une forme simpliste de catégorisation des gens. Ils consistent à attribuer des caractéristiques semblables à tous les membres d'une catégorie sociale, du simple fait qu'ils en font partie. Les stéréotypes permettent une sorte d'« économie » mentale, mais ils jettent également les bases des préjugés et de la discrimination volontaire ou involontaire. On peut minimiser l'influence des stéréotypes négatifs par la formation à la connaissance des autres cultures ou catégories sociales, en augmentant la fréquence des interactions entre les parties qui ne se connaissent pas ou peu et, en milieu de travail, en responsabilisant les gens par rapport à leurs décisions relatives à ces matières.

Le processus d'attribution consiste à voir dans les causes d'un comportement des facteurs dus soit à la situation (attribution externe), soit à des caractéristiques personnelles (attribution interne). Deux erreurs d'attribution communes sont l'erreur d'attribution fondamentale et l'erreur de complaisance. Par ailleurs, l'effet Pygmalion et l'effet Golem se font sentir lorsque nos attentes relativement à une personne l'amènent à agir d'une manière qui correspond à ces attentes. Les leaders peuvent engendrer un effet Pygmalion positif en se montrant flexibles et tolérants face aux erreurs de leurs subordonnés et en renforçant la confiance de l'employé en ses propres capacités.

Six autres erreurs de perception souvent présentes en entreprise sont l'effet de primauté, l'effet de récence, l'erreur de halo, l'erreur de projection, la perception sélective et « le semblable à moi ». On peut minimiser ces problèmes de perception par l'empathie et en prenant conscience de nos valeurs, de nos croyances et de nos préjugés (modèle de la fenêtre de Johari).

L'apprentissage est un changement relativement permanent du comportement à la suite de l'acquisition de compétences.

Selon la conception behavioriste de l'apprentissage, la modification du comportement se produit par des interventions sur la relation entre les antécédents et les conséquences du comportement (contingences). Les antécédents sont les situations qui se produisent avant la manifestation d'un comportement, qu'elles influencent par ailleurs. Les conséquences sont les effets que produit ce comportement, effets dont la nature renforce ou non les probabilités de récurrence. Dans le premier cas, on trouve le renforcement positif et le renforcement négatif. Dans le second, la punition et l'extinction.

D'après la théorie de l'apprentissage social, la majeure partie de nos savoirs se construisent ainsi : la personne en situation d'apprentissage observe les autres (attention), mémorise et imite (si elle est motivée) les comportements qui lui semblent efficaces chez le modèle observé (apprentissage vicariant) et enfin compare ses résultats à ceux du modèle. La plupart des entreprises ont désormais recours à l'apprentissage par l'expérience pour former leurs employés. Le modèle d'apprentissage expérientiel de Kolb est un processus cyclique en quatre étapes qui comprend l'expérience concrète, l'observation réfléchie, la conceptualisation abstraite et l'expérimentation active. L'apprentissage par l'action fait référence à une variété d'activités d'apprentissage expérientiel en rapport direct avec les besoins de l'entreprise.

Aujourd'hui, compte tenu de la nouvelle économie où le savoir est un atout stratégique, le défi des leaders est de transformer leur organisation en une entreprise apprenante et de gérer les savoirs, c'est-à-dire le capital humain, structurel et relationnel. De nombreuses méthodes et approches et de nombreux outils peuvent aider à y parvenir : conserver la mémoire organisationnelle (par la technologie et les gens), instaurer une structure et une culture favorisant l'autonomie, la communication ouverte et la prise de risques, et établir des politiques de ressources humaines liées à l'acquisition, au partage et à l'utilisation des compétences.

MOTS CLÉS

apprentissage, p. 180

apprentissage par l'action, p. 188

communautés de pratique, p. 192

confiance en ses propres capacités, p. 175

connaissances tacites ou implicites, p. 181

culture d'apprentissage, p. 174

effet de primauté, p. 175

effet de récence, p. 175

effet Pygmalion, p. 174

empathie, p. 177

erreur de complaisance, p. 173

erreur de halo, p. 175

erreur de projection, p. 176

erreur fondamentale d'attribution, p. 172

extinction, p. 183

gestion des savoirs, p. 190

hypothèse du rapprochement, p. 170

mémoire organisationnelle, p. 192

modèle de la fenêtre de Johari, p. 179

modèles mentaux, p. 166

modification du comportement, p. 181

organisation apprenante, p. 189

perception, p. 164

perception sélective, p. 165

préjugé négatif, p. 169

processus d'attribution, p. 171

punition, p. 183

renforcement négatif, p. 182

renforcement positif, p. 182

stéréotype, p. 168

théorie de l'apprentissage social, p. 186

théorie de l'identité sociale, p. 167

QUESTIONS

1. Vous faites partie d'un groupe de travail dont l'objectif est d'augmenter la capacité de réaction des travailleurs, en cas d'urgence, dans le secteur de la production. Nommez quatre facteurs qui devraient être considérés pour installer un dispositif susceptible de capter l'attention de tout le personnel dans ces situations d'urgence. Pourquoi ce choix ?

2. Quels modèles mentaux agissent en vous lorsque vous assistez à une réunion au travail ou avec votre équipe à l'université ? Ces modèles mentaux sont-ils utiles ? Certains de ces modèles mentaux pourraient-ils vous empêcher de tirer pleinement avantage de ces réunions ?

3. Rappelez-vous d'une fois où vous avez fait un jugement prématuré sur un collègue, un subalterne, un patron, un autre étudiant ou un professeur avant de le connaître mieux. Essayez de vous souvenir des éléments qui vous avaient mené à ce jugement et expliquez votre attitude à l'aide des erreurs perceptuelles vues dans ce chapitre et de la théorie de l'identité sociale.

4. À la fin d'une partie de hockey de la LNH, on a demandé à l'entraîneur de l'équipe perdante d'expliquer la raison de cette défaite. «Je ne sais pas, nous avons pourtant eu de bons résultats sur cette patinoire ces dernières années. Je pense que notre calendrier chargé a été un peu trop dur pour les gars. Ils sont exténués. Vous avez probablement aussi remarqué que nous avons eu quelques punitions non justifiées ce soir. Nous aurions dû avoir un meilleur résultat, mais la situation ne nous était pas favorable.» Utilisez la théorie de l'attribution pour expliquer cette perception de la défaite de l'équipe.

5. Décrivez comment un leader ou un entraîneur peut utiliser l'effet Pygmalion pour améliorer les performances d'une personne.

6. Décrivez des situations, survenues à votre travail, à l'université ou même dans votre famille, où vous avez acquis des compétences et où s'appliquent bien le modèle d'apprentissage de Kolb ou celui de l'apprentissage social de Bandura. Justifiez.

7. Énoncez les approches, les méthodes et les outils que votre organisation (ou une autre de votre choix) s'efforce de mettre au point pour acquérir, partager et utiliser le savoir utile à ses employés.

8. Après avoir entendu un séminaire sur la gestion des savoirs, un cadre supérieur d'une compagnie de forage de pétrole est d'avis que ce que les gens ont dans leur tête est moins important que le capital physique (pompes, vrilles, etc.) et la terre (là où est le pétrole). Que pensez-vous de cette affirmation?

ÉTUDE DE CAS | 4.1

NUPATH FOODS LTD.

James Ornath a lu les récents résultats de son entreprise avec une grande satisfaction. Le vice-président du marketing de Nupath Foods Ltd. était ravi de constater que la campagne de marketing avait donné de bons résultats. Cette campagne visait à améliorer les ventes, en perte de vitesse, des aliments pour chats Prowess. Le volume de ventes du produit a augmenté de 20 % au cours du dernier trimestre par rapport à l'année précédente, et la part du marché est en progression.

Cette amélioration des ventes de Prowess était l'œuvre de Denise Roberge, chef de marque des aliments pour chats de Nupath. Elle avait occupé un poste similaire dans une entreprise de biens de consommation avant d'être engagée comme assistante de chef de marque. Elle était l'une des rares femmes du service de gestion du marketing de Nupath et sa carrière s'annonçait prometteuse au sein de l'entreprise. James Ornath, satisfait de son travail, a essayé de le lui faire savoir au cours de l'évaluation annuelle de sa performance. Il disposait désormais d'une excellente occasion de la récompenser en lui offrant un poste récemment libéré de coordonnatrice des études de marché. Bien que, techniquement, il ne s'agissait que d'un transfert accompagné d'une modeste augmentation de salaire, le poste offert donnerait à Denise Roberge une expérience plus poussée dans des projets importants, ce qui ferait évoluer sa carrière chez Nupath. Peu de personnes savaient que la propre carrière de James Ornath avait été stimulée en travaillant dans ce même poste chez Nupath, quelques années auparavant, et qu'il en avait été ravi.

Denise Roberge avait également vu les derniers chiffres de Prowess et attendait que James Ornath la convoque ce matin-là. Ce dernier a amorcé la conversation en mentionnant brièvement les bons résultats, puis lui a expliqué qu'il souhaitait qu'elle accepte le poste de coordonnatrice des études de marché. Elle fut surprise de la nouvelle. Elle appréciait le poste de gestion de marque et surtout le défi qui consistait à contrôler un produit influençant directement la rentabilité de l'entreprise. Le poste que Ornath lui offrait était un poste de soutien technique — un poste dans «l'ombre» — éloigné des activités touchant les résultats financiers de l'entreprise. Selon Denise Roberge, la recherche en marketing ne permettait pas de progresser vers la haute direction de la plupart des organisations : elle a donc conclu qu'on la mettait à l'écart.

Après un long silence, Denise Roberge a réussi à exprimer un faible «Merci, M. Ornath». Elle était trop abasourdie pour protester. Elle souhaitait se ressaisir et réfléchir à ce qu'elle avait bien pu mal faire. De plus, elle ne connaissait pas assez bien son chef pour le critiquer ouvertement. James Ornath a noté la surprise de Denise Roberge et l'a interprétée comme une réaction positive à cette excellente opportunité professionnelle. «Ce changement sera aussi bénéfique pour vous que pour Nupath», ajouta James Ornath, alors qu'il raccompagnait Denise Roberge à la porte de son bureau.

Étant l'une des rares femmes à occuper un important poste de gestion des marques chez Nupath, elle a interprété l'offre de son patron comme une volonté délibérée de l'entreprise d'écarter les femmes des postes de haute direction. Son précédent employeur lui avait «expliqué» très clairement que les femmes «ne pourraient pas tenir longtemps» à des postes de gestion en marketing. C'est pourquoi il tendait à placer les femmes à des postes de soutien technique après une brève période à des postes peu élevés de gestion de marque. Il était évident que Nupath suivait la même stratégie. Les commentaires de James Ornath selon lesquels le poste de coordination serait bon pour elle étaient simplement une manière polie de lui dire qu'elle n'avait pas d'avenir dans la gestion de marque chez Nupath. Denise Roberge faisait maintenant face à l'alternative suivante : rencontrer James Ornath à nouveau et essayer de changer ses pratiques sexistes ou remettre sa démission.

Questions

1. Quels symptômes indiquent les perceptions divergentes des personnages ?

2. Quelles en sont les causes ?

3. Quelles mesures l'organisation devrait-elle prendre pour corriger ce genre de problème ?

EXERCICE D'AUTOÉVALUATION 4.2

ÉVALUER LA CONFIANCE GÉNÉRALE EN VOS CAPACITÉS

Objectif Cet exercice est conçu pour vous aider à évaluer jusqu'à quel point vous avez confiance en vos propres capacités.

La confiance en ses capacités et en son efficacité personnelle fait référence au sentiment d'une personne sur ses capacités, sa motivation et ses ressources pour accomplir une tâche. La confiance en nos capacités dépend parfois de la situation et des difficultés éprouvées, mais il existe aussi des preuves indiquant qu'une personne développe un sentiment général de confiance en soi lui permettant de croire qu'elle sera efficace dans de nombreuses situations. Cet exercice vous aidera à évaluer votre confiance générale en vos capacités.

Instructions Lisez chacun des énoncés ci-dessous et cochez la case qui correspond le mieux à votre opinion. Calculez ensuite vos résultats. Cet exercice doit être fait individuellement afin que vous puissiez vous évaluer honnêtement sans vous comparer aux autres étudiants. La discussion en classe sera axée sur la signification de la confiance en ses capacités, la manière dont cette échelle peut être appliquée dans un cadre organisationnel et les limites de cette mesure de la confiance en ses capacités en entreprise.

Échelle de confiance générale en vos capacités					
Dans quelle mesure êtes-vous d'accord ou non avec les points suivants ? Pour indiquer votre opinion, cochez la case appropriée.	Profondément d'accord ▼	D'accord ▼	Pas d'opinion ▼	En désaccord ▼	Profondément en désaccord ▼
1. Je serai capable d'atteindre la plupart des objectifs que je me suis fixés.	☐	☐	☐	☐	☐
2. Lorsque je suis devant des tâches difficiles, je sais que je peux les accomplir.	☐	☐	☐	☐	☐
3. En général, je pense que je peux obtenir des résultats lorsque c'est important pour moi.	☐	☐	☐	☐	☐
4. Je pense que je peux réussir la plupart de mes démarches si je le décide.	☐	☐	☐	☐	☐
5. Je serai capable de relever de nombreux défis.	☐	☐	☐	☐	☐
6. J'ai confiance en ma capacité d'obtenir de bons résultats dans de nombreuses tâches.	☐	☐	☐	☐	☐
7. Je peux effectuer la plupart des tâches mieux que beaucoup d'autres personnes.	☐	☐	☐	☐	☐
8. Même lorsque c'est difficile, je peux réussir relativement bien.	☐	☐	☐	☐	☐

Source : G. Chen, S.M. Gully et D. Eden, « Validation of a New General Self-Efficacy Scale », *Organisational Research Methods*, vol. 4, janvier 2001, p. 62-83.

EXERCICE EN GROUPE   4.3

INVENTAIRE DES STYLES D'APPRENTISSAGE

Objectifs

1. Assurez-vous de bien comprendre le modèle de Kolb (*voir la figure 4.7*).

2. Identifiez votre style d'apprentissage, comparez-le à celui des autres et évaluez son adéquation dans différentes situations.

Après avoir identifié votre style d'apprentissage, procédez aux activités suivantes :

1. Ce style correspond-il à la façon dont vous apprenez ? Qu'ajouteriez-vous ?

2. Si vous êtes dans une équipe de travail, comparez votre style à celui de vos coéquipiers. Y a-t-il un style dominant (faites une moyenne de groupe) ou des styles variés ? En quoi cela est un avantage et en quoi cela pourrait créer des incompréhensions ?

3. Comment envisagez-vous de travailler les styles d'apprentissage moins dominants ? (Vous pouvez faire cet exercice à deux ou trois étudiants pour des suggestions réciproques.)

Cet inventaire vous permettra de reconnaître votre façon d'apprendre. Classifiez les propositions qui suivent par ordre décroissant, en commençant par celle qui caractérise le mieux votre style d'apprentissage.

Vous aurez sans doute quelque difficulté à choisir la proposition qui caractérise le mieux votre manière d'apprendre parce qu'il n'y a ni bonne ni mauvaise réponse. Cet inventaire décrit votre mode d'apprentissage, il n'évalue pas votre facilité à apprendre.

Directives

Voici neuf ensembles de quatre propositions. Ordonnez chaque ensemble (de 4 à 1) en assignant un 4 à la proposition qui caractérise le mieux votre mode d'apprentissage et un 1 à celle qui décrit le moins bien votre style. Assignez un chiffre différent à chacune des quatre propositions de chacun des ensembles. Deux propositions d'une même ligne ne doivent pas avoir le même chiffre.

1. ( ) je fais des choix	( ) j'essaie de comprendre	( ) je me risque	( ) je mets en pratique
2. ( ) je suis réceptif	( ) je m'efforce d'être pertinent	( ) j'analyse	( ) je suis neutre
3. ( ) je ressens	( ) j'observe	( ) je pense	( ) j'agis
4. ( ) j'accepte la situation	( ) je prends des risques	( ) j'évalue la situation	( ) j'ai l'œil ouvert
5. ( ) je procède par intuition	( ) j'obtiens des résultats	( ) je procède par logique	( ) je remets en question
6. ( ) je préfère les théories	( ) je préfère la réflexion	( ) je préfère les choses concrètes	( ) je préfère l'action
7. ( ) je vis le moment présent	( ) je suis patient	( ) je pense à l'avenir	( ) je suis pragmatique
8. ( ) je m'appuie sur l'expérience	( ) je cherche le sens du problème	( ) je cherche un modèle conceptuel	( ) j'expérimente
9. ( ) je me concentre	( ) je demeure sur la réserve	( ) je suis rationnel	( ) je fais ce que je dois faire
EC _____	OR _____	CA _____	EA _____
(2, 3, 4, 5, 7, 8)	(1, 3, 6, 7, 8, 9)	(2, 3, 4, 5, 8, 9)	(1, 3, 6, 7, 8, 9)
Expérience concrète	Observation réfléchie	Conceptualisation abstraite	Expérimentation active

Source : Adapté de Kolb et autres, 1976, p. 35, et tiré de Estelle M. Morin, *Psychologies au travail*, Montréal, Gaëtan Morin éditeur ltée, 1996, p. 196-198.

Pour vous situer globalement par rapport à d'autres, Kolb suggère l'interprétation suivante des résultats : si vous avez obtenu 14 en EC, 14 en OR, 18 en CA et 16 en EA, cela veut dire que vous avez obtenu un pointage plus élevé sur chacune de ces dimensions que 50 % des sujets servant de norme de comparaison (des étudiants de premier cycle de plusieurs disciplines).

Kolb suggère quatre styles personnels d'apprentissage en combinant les axes de son modèle, comme nous l'expliquerons après avoir défini ces styles :

■ Convergence : style orienté vers l'application pratique des idées, le raisonnement hypothético-déductif et vers les choses plutôt que vers les gens.

■ Divergence : style cultivant l'imagination, la créativité, la vie émotive et orienté vers les gens et les arts, mais de façon concrète.

■ Assimilation : style orienté vers la création de modèles théoriques et abstraits, le raisonnement inductif, la recherche et l'intégration d'observations disparates en une seule explication unifiante.

■ Accommodation : style résolument orienté vers l'action, la vie concrète, la réalisation de projets, la prise de risques et aussi les gens, mais parfois avec de l'impatience.

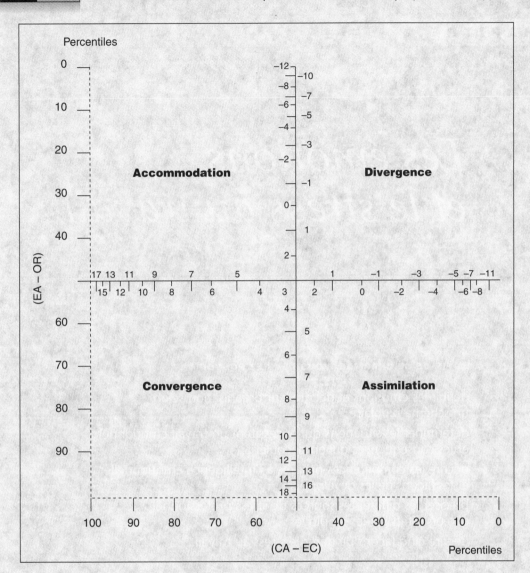

1. Inscrivez vos totaux ici :

   EA =

   OR =

   CA =

   EC =

2. Soustrayez OR de EA (EA – OR) et marquez d'un « X », sur la ligne horizontale du diagramme, le point qui correspond au résultat. Tracez une ligne verticale à partir de ce point.

3. Soustrayez EC de CA (CA – EC) et marquez d'un « X » le point correspondant sur la ligne verticale. Tracez une ligne horizontale à partir de ce point.

   Au point d'intersection des deux droites se trouve votre style d'apprentissage.

Source : Adapté de Kolb, 1984, et tiré de Estelle M. Morin, *Psychologies au travail*, Montréal, Gaëtan Morin éditeur ltée, 1996, p. 196-198.

CHAPITRE 5

Les émotions et le stress au travail

Objectifs d'apprentissage

À LA FIN DE CE CHAPITRE, VOUS DEVRIEZ POUVOIR :

- définir les émotions et décrire leur organisation selon un schéma bipolaire ;
- déterminer les situations qui nécessitent un travail émotionnel et les conséquences qui en découlent ;
- décrire les compétences propres à l'intelligence émotionnelle et les façons de les développer ;
- préciser les différentes sources de stress professionnel et leurs effets sur les employés ;
- décrire cinq façons de gérer le stress au travail.

Une compagnie d'assurance complètement « sautée »

En route vers le sommet, un sherpa dresse un campement de base… au troisième étage d'un immeuble à bureaux de la ville de Québec ! Cet homme déguisé en montagnard, c'est Michel Laurin, président et chef de l'exploitation d'Industrielle Alliance, Assurance auto et habitation. Nous sommes le 1er septembre, et le dirigeant accueille ses employés à la sortie de l'ascenseur. Le motif de tout ce brouhaha ? Instaurer une fête estivale annuelle.

En voyant ainsi leur patron, les employés ne sont certainement pas tombés des nues. En janvier 2002, tous les chefs de direction ont revêtu le tutu, le temps d'une chorégraphie.

« Un directeur avait dit que si nous dépassions notre objectif de 40 millions de dollars en primes pour 2001, nous nous mettrions tous en tutu, explique Michel Laurin, actuaire de formation. Ce n'est pas tombé dans l'oreille d'un sourd ! » Et comment ! Les danseurs ont eu un rappel…

Qui a dit que le monde des assurances est d'un ennui mortel ? Certainement pas Michel Laurin et sa jeune équipe de direction — la moyenne d'âge est d'environ 38 ans. En janvier dernier, à l'occasion de la rencontre annuelle qui avait pour thème l'escalade, les dirigeants se sont encordés pour se transformer en alpinistes. Musique des Andes, casques, mousquetons, boussoles… Tout y était pour simuler la montée au sommet de leur société qui complète cette année son plan quinquennal. L'objectif à atteindre ? Un chiffre d'affaires de 100 millions de dollars pour 2004.

« Ici, c'est bien vu d'avoir du plaisir et de faire des blagues au travail », confirme Claudiane Lachapelle, conseillère en ressources humaines. Selon elle, une ambiance familiale règne dans les bureaux de l'entreprise. C'est que Michel Laurin, un petit homme de 40 ans, fait du bien-être de ses 325 employés l'une de ses priorités. Le bureau de la conseillère en ressources humaines est d'ailleurs voisin du sien. « Quand les gens sont heureux, il sont loyaux, créatifs et engagés », croit le président et chef de l'exploitation.

Il n'empêche que Michel Laurin n'a pas d'autre choix que de se préoccuper de ses ressources humaines. Industrielle Alliance, Assurance auto et habitation a connu toute une croissance depuis cinq ans : entre 1998 et 2003, son volume d'affaires est passé de 18,3 millions à 85,8 millions de dollars en primes et c'est sans compter la pénurie de travailleurs dans le milieu des assurances. D'après la Chambre de l'assurance de dommages, 4600 postes devront être pourvus dans ce secteur d'ici 2006.

L'entreprise se doit donc d'être attrayante. Pour ce faire, Michel Laurin a notamment instauré le « dîner du président » lors de son arrivée à son poste, en 2002. Chaque mois, une dizaine d'employés tirés au sort ont droit à un lunch servi par leur patron, dans une salle de réunion de l'entreprise. C'est l'occasion de formuler des critiques, des demandes ou des recommandations. « Il n'y a pas de directeur, ni de vice-président durant ce repas, précise Michel Laurin. Aucun sujet n'est tabou. On peut autant parler des conditions salariales que de l'éclairage ou des fleurs du tapis qui sont trop sales ! »

Différents comités consultatifs, composés d'employés et de membres de la direction, ont aussi été mis sur pied. L'idée d'offrir aux employés un massage sur chaise tous les vendredis est venue d'une de ces réunions. « Dans le centre d'appels, les employés passent des heures au téléphone, explique Suzanne Michaud, directrice du marketing et des communications. Après un massage, ils partent moins stressés pour leur fin de semaine. » ■

Michel Laurin, président et chef de l'exploitation d'Industrielle Alliance, a permis que son entreprise soit sacrée « Meilleur employeur du Québec » par Affaires plus et Watson Wyatt et qu'elle suscite des émotions et des attitudes positives.

Louise Bilodeau

La vie professionnelle est parsemée d'événements qui soulèvent parfois des émotions fortes. C'est le cas de ceux qui vivent des conflits intenses, du harcèlement psychologique ou sexuel, mais aussi de ceux qui voient leurs projets couronnés de succès. La manifestation des émotions en milieu de travail a toujours été sinon réprimée, du moins mal acceptée dans les entreprises et jugée inadéquate par les théoriciens des organisations. Dans leurs recommandations, ces théoriciens visaient à établir des modes rationnels de gestion où l'expression des émotions était plutôt considérée comme un débordement inefficace. Ainsi, le système bureaucratique conçu par le sociologue allemand Max Weber et l'organisation scientifique du travail de Taylor allaient dans ce sens (*voir le chapitre 1*). Ces auteurs voyaient les organisations comme des institutions dépersonnalisées, où seule la raison devait dicter les comportements souhaités, mais on a peu à peu réalisé qu'utiliser les émotions ne veut pas dire être irrationnel. Par exemple, les émotions sont un des moteurs de la créativité et de la motivation. Certains psychologues (comme Gardner), de leur côté, insistent sur l'insuffisance du quotient intellectuel comme mesure du concept d'intelligence. Enfin, la parution de nombreux ouvrages sur l'intelligence émotionnelle depuis une quinzaine d'années (notamment le phénoménal succès du livre du même nom de Daniel Goleman) a donné ses lettres de noblesse à la reconnaissance et à la canalisation positive des émotions en milieu de travail.

Toutefois, des émotions trop négatives (comme la peur incontrôlable), durables et intenses peuvent apporter leur lot d'insécurité et de stress. Leurs effets, nous le verrons, coûtent très cher aux entreprises, aux employés et à la société. C'est pourquoi, dans ce chapitre, nous aborderons les thèmes de l'émotion et du stress en milieu de travail puisqu'ils sont naturellement liés. Dans un premier temps, nous définirons les émotions et les catégories d'émotions humaines. Nous évoquerons ensuite leur importance en milieu de travail et la façon de les canaliser positivement, notamment par ce qu'on appelle le travail émotionnel et l'application de l'intelligence dite émotionnelle. Enfin, nous traiterons des causes et des effets du stress en milieu de travail ainsi que des façons de le gérer, autant par des mesures institutionnelles qu'individuelles.

LES ÉMOTIONS AU TRAVAIL

Les événements du 11 septembre 2001 aux États-Unis, l'assassinat du président John Kennedy en 1963, le massacre d'étudiantes à l'École polytechnique de Montréal ou celui d'écoliers à l'école Colombine aux États-Unis sont le type même d'événements qui déclenchent de vives émotions partout dans le monde (la surprise, la tristesse, la colère, etc.), voire un trauma collectif comme celui qui a touché un certain temps de nombreux milieux de travail dans la métropole américaine.

Qu'est-ce qu'une émotion ? Comment se différencie-t-elle de l'humeur, notion parente ? Définir ces termes constitue le contenu de la prochaine section.

Photo : Helene Seligman, AFP/Getty Images

Les émotions et l'humeur : définitions

émotions
Réactions psychologiques, physiologiques et physiques, vives et passagères, exprimant un sentiment par rapport à une chose, à une personne ou à un événement et créant un état propice à l'action.

Les **émotions** sont des réactions psychologiques, physiologiques et physiques, vives et passagères, exprimant un sentiment par rapport à une chose, à une personne ou à un événement et créant un état propice à l'action[1]. Cette définition comporte quelques éléments clés. D'abord, les émotions sont de brefs événements ou « épisodes ». Ainsi, un accès de colère envers un collègue de travail ne durera sans doute que quelques minutes (même si le souvenir persiste). Les émotions sont ensuite dirigées vers quelqu'un ou quelque chose. On peut ressentir de la joie, de la peur, de la colère et d'autres émotions envers un travail, des collègues ou des clients.

Les émotions relèvent d'un processus psychologique, puisqu'il se forme tout d'abord une « perception » et une évaluation de la situation soulevant l'émotion, et cette perception dépend bien sûr de chacun (les expériences passées, les valeurs, les attentes, le tempérament, la culture). Par exemple, constater qu'un collègue a perdu des données que vous aviez collectées au prix d'un dur travail peut provoquer de la colère en vous, mais aucune chez un autre. Au point de vue physiologique, l'émotion peut entraîner une hausse de la tension artérielle et une décharge d'adrénaline. Elle est aussi une réaction physique. Elle peut se traduire dans l'expression du visage, par exemple dans celui de ce négociant en Bourse (*voir la photo ci-contre*). Ce métier, comme bien d'autres, suscite des émotions fortes et variées.

À la Bourse, les personnes vivent de nombreuses émotions fortes, comme celles qu'exprime cet employé.

Jonathan Kirn, Getty Images

Enfin, les émotions créent un état propice à l'action. Certaines émotions (comme la colère, la surprise et la peur) sont des signaux particulièrement puissants qui sollicitent l'attention, interrompent le fil des pensées et poussent à agir. Par exemple, la peur déclenchée à la vue d'un incendie au travail peut pousser l'individu à fuir sans réfléchir davantage. Elle constitue ainsi une forme d'adaptation à l'environnement[2]. Ainsi, le centre des émotions de notre système nerveux fait une évaluation grossière et rapide de la situation, mais c'est le côté rationnel du cerveau qui procède à une analyse plus lente de l'information reçue[3], d'où la nécessité de prendre parfois du recul par rapport à nos impulsions. La colère n'est pas bonne conseillère, dit-on.

Les émotions ne doivent pas être confondues avec l'humeur, qui est un ensemble de prédispositions durables d'un individu et qui détermineraient son caractère, même en l'absence de stimulus ou de situations précises (contrairement à l'émotion)[4]. L'humeur, comme les émotions, influence beaucoup les comportements au travail (la performance, la qualité des décisions, la satisfaction, l'efficacité de groupe). Elle ravive la mémoire de situations vécues au travail (par exemple, si vous êtes de bonne humeur, il y a plus de chances qu'il vous vienne à l'esprit des événements agréables comme vos relations amicales avec vos collègues que de mauvais souvenirs). C'est ce qu'on appelle la « congruence de l'humeur »[5].

Les types d'émotions

Chacun ressent une vaste gamme d'émotions au travail et ailleurs. Certains cher-cheurs ont regroupé les émotions en six grandes catégories : la colère, la peur, la joie, l'amour, la tristesse et la surprise. Par exemple, l'inquiétude et l'anxiété entrent dans la catégorie de la peur[6]. Cependant, les émotions sont le plus souvent organisées en deux ou trois dimensions[7]. Le modèle le plus largement reconnu est le schéma bipolaire des affects (*voir la figure 5.1*), dans lequel les émotions sont classées en fonction de leur caractère agréable et du degré d'activation qu'elles suscitent. Le degré d'activation est la mesure dans laquelle les émotions rendent vigilants ou poussent à l'action. Par exemple, dans la figure 5.1, on voit que la peur (au travail) se range dans les émotions déplaisantes et qu'elle pousse à agir (elle peut inciter à démissionner). À l'inverse, le calme est une expérience agréable qui ne suscite pas une action visible.

Les émotions, le comportement au travail et la performance

Plusieurs aspects de la vie au travail suscitent des émotions, et celles-ci consti-tuent une réponse à cet environnement : une surcharge de travail, des exigences contradictoires, de mauvaises nouvelles (un avis de licenciement, par exemple), des conflits, etc., mais aussi de bonnes nouvelles (une promotion, la réussite d'un

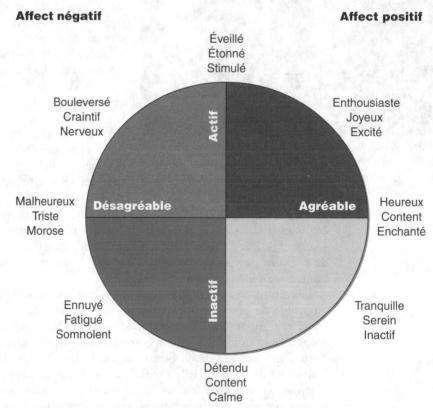

FIGURE 5.1

Schéma bipolaire
des affects

Source : J. Larson, E. Diener et R.E. Lucas, « Emotion : Models, Measures, and Differences », dans R.G. Lord, R.J. Klimoske et R. Kanfer (éd.), *Emotions in the Workplace*, San Francisco, Jossey-Bass, 2002, p. 64-113.

Susciter des émotions positives au travail

À l'occasion d'un récent carnaval d'hiver, les employés de MDS Nordion, une entreprise d'Ottawa, ont eu le plaisir de déguster un chili accompagné d'un cidre chaud près de la patinoire de l'entreprise. Le plus gros fournisseur mondial d'isotopes a ajouté à l'atmosphère de légèreté en organisant des courses de relais, un simulacre de lutte japonaise (sumo) et des promenades en traîneau. « Il y a toujours une activité amusante en cours », a affirmé un cadre de l'entreprise.

Du plaisir au travail ? Cela peut sembler contradictoire, mais pour attirer de précieux talents et les retenir, les entreprises cherchent des manières créatives de susciter des émotions positives dans les organisations. Voyant l'humeur maussade des employés de la mairie de Vancouver, la municipalité a engagé un groupe d'humoristes qui a improvisé des sketches pour les aider à retrouver le sourire. Les employés de Research in Motion, à Waterloo (Ontario), participent à des barbecues, à des journées de « friandises glacées » et à un occasionnel concert rock. DY4 Systems inc., une entreprise d'Ottawa, organise des joutes de curling pour ses employés.

Pour distribuer les chèques de paie, Gary Furst, le chef de la direction de Kryptonite, un fabricant de cadenas de vélos établi à Boston, se déguise en guerrier écossais tout droit sorti du film *Braveheart*. Il revêt un kilt, se peint le visage et joue de la cornemuse. À d'autres occasions, il est arrivé à Gary Furst et à d'autres cadres de l'entreprise de se teindre les cheveux en vert, d'animer des jeux télévisés et d'engager des musiciens afin de divertir le personnel. « Il faut faire preuve d'inventivité et trouver des manières provocatrices et amusantes de motiver les gens », conseille Gary Furst. « Le travail peut être une corvée ou une partie de plaisir. »

Ces jeux peuvent sembler idiots, mais certains chefs d'entreprise leur accordent une grande valeur. « C'est très simple, explique Nathan Rudyk, président de DigIT Interactive inc. (qui fait maintenant partie de Quebecor), à Montréal. Pour faire des profits, il faut attirer les meilleurs employés et pour cela, il faut que le lieu de travail soit plaisant. »

Sources : R. Yerema, *Canada's Top 100 Employers, 2002*, MediaCorp Canada, Toronto, 2002, p. 172-175, 233-234 ; M. Shaw, « A Motivating Example », *Network World Fusion*, 14 mai 2001 ; P. Chisholm, « Redesigning Work », *Maclean's*, 5 mars 2001, p. 34-38 ; J. Elliott, « All Work and No Play can Chase Workers Away », *Edmonton Journal*, 28 février 2000 ; A. Daniels, « Humour Specialists Bring Fun to Workplace », *Vancouver Sun*, 29 janvier 2000.

www.mds.nordion.com

projet), des célébrations d'événements, de l'harmonie au sein des équipes, etc. Bref, la vie professionnelle est semée de sollicitations de nos affects[8].

Les émotions ont-elles un effet sur nos attitudes et sur la performance au travail ? Oui, d'où l'intérêt de les étudier en management. Tout d'abord, les émotions influencent l'attitude au travail. En effet, les attitudes sont formées de croyances, de sentiments et d'une prédisposition à agir d'une certaine manière (aspect comportemental). Par exemple, une personne peut croire qu'une fusion annoncée entraînera des licenciements (croyance). Elle en éprouve une certaine inquiétude (émotion) et elle prévoit quitter l'entreprise avant l'événement (aspect comportemental). On voit donc que les émotions sont intimement liées aux attitudes au travail (la résistance au changement, la loyauté envers l'organisation, le désir de travailler en équipe, etc.). En second lieu, les émotions étant variables en intensité et en durée, elles influencent de manière semblable la satisfaction au travail et la performance, dans un sens ou un autre[9]. Des émotions négatives sont même associées à des comportements déviants comme ralentir la cadence de travail, quitter les lieux plus tôt que prévu de façon régulière, jalouser les collègues, voler, saboter, exercer du harcèlement sexuel et psychologique, entre autres[10].

Il n'est pas étonnant, dans ce cas, que plusieurs employeurs s'efforcent de provoquer une foule d'émotions positives chez leurs employés en organisant des activités axées sur le plaisir au travail (*voir l'encadré 5.1*). Dans chaque cas, le but est de créer des émotions qui susciteront des jugements favorables envers l'organisation.

Les émotions, la personnalité et le sexe des individus

Cette étude de la dynamique des émotions au travail serait incomplète si on omettait de préciser que la personnalité, et pas seulement les expériences au travail, détermine aussi en partie les émotions. L'affectivité positive est la tendance à ressentir des états émotionnels positifs. Elle est très semblable à l'extraversion (*voir le chapitre 3*), qui caractérise les individus expressifs, loquaces, sociables et capables de s'affirmer. Au contraire, certaines personnes affichent plutôt une affectivité négative, soit une tendance à ressentir des états émotionnels négatifs[11].

Les employés qui présentent un degré élevé d'affectivité négative sont souvent plus affligés et malheureux que les autres parce qu'ils s'arrêtent uniquement aux aspects négatifs de la vie.

Dans quelle mesure ces traits de personnalité influencent-ils le comportement au travail? Des chercheurs rapportent que l'assiduité au travail et le degré de satisfaction sont plus élevés chez les personnes aux affects positifs que chez les autres. L'affectivité négative est même associée à divers stades de l'épuisement professionnel[12]. D'autres recherches montrent cependant que le contexte de travail a plus d'influence sur les attitudes et les émotions que ces facteurs personnels[13].

Par ailleurs, le fait d'être un homme ou une femme déterminerait la façon de vivre les émotions. Les recherches montrent clairement que les femmes (du moins dans les pays anglo-saxons et au Canada) expriment davantage leurs émotions (positives ou négatives) que les hommes (sauf pour la colère) et qu'elles en sont moins dérangées que le sexe opposé[14]. Elles sont aussi plus habiles à déchiffrer les messages non verbaux[15]. Les raisons avancées sont l'éducation, la culture, des prédispositions innées et des pressions au travail axées vers la camaraderie, l'amabilité et le besoin d'approbation sociale[16].

CANALISER LES ÉMOTIONS AU TRAVAIL

Des émotions bien contrôlées et bien canalisées permettent de rendre la vie agréable à soi-même et aux autres en milieu de travail (et ailleurs bien sûr). Toutefois, cela demande des efforts de la part des individus et des organisations. Le travail émotionnel est une de ces disciplines. User de son intelligence émotionnelle est une façon de réguler nos émotions et d'en tirer le meilleur parti, mais voyons auparavant cette notion de dissonance émotionnelle qui incite précisément à acquérir les habiletés mentionnées.

La dissonance émotionnelle

dissonance émotionnelle Incohérence entre les émotions ressenties et celles qui sont exprimées.

Souvent, l'organisation exige de ses employés qu'ils montrent des comportements exprimant des sentiments et des émotions contraires à ceux qu'ils ressentent vraiment. On dit alors que l'individu est en état de dissonance émotionnelle. Un agent de bord très fatigué et préoccupé par des problèmes personnels, obligé de se montrer très affable et souriant avec des passagers pas toujours aimables, est en dissonance émotionnelle. On appelle la **dissonance émotionnelle** ce conflit entre l'expression des émotions qu'exige l'organisation et les émotions véritablement ressenties. Malgré cela, nos émotions transparaissent parfois à travers nos intonations, notre posture et autres indices subtils, notamment nos expressions non verbales[17]. Le problème est particulièrement vrai avec la colère, l'une des émotions les plus difficiles à maîtriser. Elle est une cause importante de stress et d'épuisement professionnel (*voir plus loin dans ce chapitre*)[18]. La dissonance émotionnelle est particulièrement présente dans le secteur des services, où le contact avec le public est fréquent (c'est ainsi dans le cas des représentants à la clientèle, des commerciaux, des réceptionnistes, des guichetiers, des enseignants, etc.).

Le travail émotionnel est une des façons de «gérer» cette dissonance et les émotions au travail.

Le travail émotionnel

travail émotionnel

L'effort psychologique que fait un employé pour ne pas montrer ses propres sentiments et qu'il met à exprimer les émotions requises dans son travail.

Nous verrons ici en quoi consiste le **travail émotionnel** et les façons de le faciliter. Arrêtons-nous à l'exemple suivant où le personnel a trouvé un moyen original de transiger avec le travail émotionnel.

L'Elbow Room Café, à Vancouver, est plein à craquer et bruyant en ce samedi matin. Un client au fond de la salle crie pour avoir un autre café. Un serveur lui lance d'un ton moqueur: «Si vous en voulez, allez le chercher vous-même!» Le client pouffe de rire. Un autre client se plaint tout haut que ses convives et lui-même sont en retard et il exige qu'ils soient servis rapidement. Cette fois, le propriétaire du restaurant, Patrick Savoie, élève la voix:

«Si vous êtes si pressés que ça, vous auriez dû aller chez McDonald's.» Le client et ses compagnons s'esclaffent.

Pour les non-initiés, l'Elbow Room Café est un endroit plein de cinglés et de clients irritables servis par les serveurs les plus grossiers à l'ouest des Rocheuses. Bien sûr, tout cela est un jeu. En fait, c'est un endroit où les clients peuvent manger une nourriture savoureuse tout en exprimant bruyamment leurs émotions à propos du service exécrable. «C'est presque comme aller au théâtre», dit Patrick Savoie, qui passe une grande partie de son temps à chercher des manières nouvelles de rebuter les clients[19].

Qu'ils froissent les clients à l'Elbow Room Café ou qu'ils fassent preuve d'amabilité ailleurs, on s'attend généralement à ce que les employés contrôlent leurs émotions au travail. Le travail émotionnel désigne les efforts, la préparation et le contrôle nécessaires pour exprimer les émotions jugées souhaitables par l'organisation[20].

Les emplois ou les situations qui produisent de la dissonance émotionnelle, comme on l'a vu plus haut, requièrent également, par le fait même, un grand travail émotionnel.

«Les employés doivent sourire plus souvent.» Voilà le conseil que Robert Milton, chef de la direction d'Air Canada, leur donnait dans une lettre récente. Il insistait pour que le personnel séduise à nouveau les passagers. «En tant que consommateurs, nous choisissons les endroits où nous obtenons le meilleur rapport qualité-prix, mais, à valeur égale, nous faisons comme tout le monde, nous choisissons l'endroit où les gens sont le plus aimables», explique Robert Milton. Au centre téléphonique The Beer Store, à London, en Ontario, le personnel est également encouragé à parler d'une voix «avenante». «Nous leur disons "Faites entendre votre sourire à vos interlocuteurs"», explique la directrice du centre, Patricia Robertson[21].

Qu'ils travaillent à Air Canada, au Beer Store ou dans toute autre organisation, les employés doivent souvent faire un travail émotionnel. Comme on l'a dit pour la dissonance émotionnelle, les emplois nécessitant des contacts fréquents et de longue durée avec les clients ou d'autres individus, verbalement ou en personne, exigent des employés qu'ils fassent un travail émotionnel plus intense[22]. Par exemple, les gens en contact avec des patients doivent se montrer courtois, encourager les émotions positives et contrôler les débordements des patients tout en cachant leur propre fatigue ou leur colère. Le travail émotionnel est plus difficile quand les employés sont tenus d'afficher à la fois des émotions différentes (la colère comme la joie) et des émotions intenses (se montrer ravis plutôt que simplement satisfaits). C'est le cas des agents de recouvrement qui doivent se montrer chaleureux avec les nouveaux débiteurs et afficher aussi de l'irritation (mais non de la colère) envers les clients qui négligent leurs obligations financières[23].

L'intensité du travail émotionnel varie aussi selon l'interlocuteur (son pouvoir, par exemple) et notre perception du gain ou des pertes que « rapporte » cet effort[24]. Par exemple, vous exhiberez plus volontiers les émotions requises par votre tâche si votre interlocuteur est votre patron ou votre client (autorité dans un cas, crainte de perdre une transaction dans l'autre). Toutefois, vous vous donnerez plus de liberté si vous servez un ami. En outre, il existe des différences interculturelles dans les normes et les valeurs qui régissent l'expression émotionnelle. Un sondage révèle que 83 % des Japonais jugent inapproprié d'afficher leurs émotions au travail comparativement à 40 % d'Américains, à 34 % de Français et à 29 % d'Italiens. Autrement dit, les Italiens sont plus susceptibles d'accepter ou de tolérer les gens qui affichent leurs véritables émotions au travail que les Japonais, pour qui ce comportement serait jugé grossier ou embarrassant[25].

Faciliter le travail émotionnel   La dissonance émotionnelle et le travail du même nom engendrent-ils toujours du stress ? À long terme oui, disent certains chercheurs. Les conséquences d'un travail émotionnel intense et non naturel peuvent entraîner une certaine dépersonnalisation par rapport à son travail et de l'épuisement professionnel[26], ainsi qu'une réduction des canaux de communication[27].

D'autres nuancent ces assertions. Une étude canadienne révèle que les niveaux de stress et d'épuisement professionnel dépendent de la capacité des employés à gérer le travail émotionnel. Comment ? Non pas en refoulant constamment ses vrais sentiments, mais en modifiant les facteurs de dissonance. L'individu et l'organisation peuvent être à la source de cette transformation[28]. En ce qui concerne la contribution personnelle, l'employé, par exemple, peut se montrer empathique et penser à toutes sortes de raisons qui expliquent le comportement d'un client difficile. L'employé, au lieu de subir une situation frustrante, a aussi la possibilité d'en changer les paramètres, par exemple, en utilisant son humour pour calmer le client et en transformant ainsi la situation de départ. L'organisation, de son côté, peut donner de la formation sur le travail émotionnel précisément et sur les relations avec la clientèle difficile en général.

Par ailleurs, les agents de bord et les préposés à l'enregistrement de certaines compagnies aériennes participent à des simulations enregistrées sur vidéo et reçoivent une rétroaction sur leur travail émotionnel. Plus tôt, on a mentionné que les Japonais affichaient une gamme restreinte d'émotions. Or, cette situation est en train de changer. En effet, les entreprises découvrent peu à peu que les employés souriants représentent un avantage en affaires. Dans l'encadré 5.2, on explique comment certaines entreprises japonaises s'assurent que leurs employés, apprennent l'art subtil d'afficher des émotions agréables à l'« école du sourire ».

Outre la formation, certains chefs d'entreprise estiment que la meilleure façon de réduire la dissonance et le travail émotionnels est d'embaucher des employés qui ont déjà les compétences voulues. Isadore Sharp, fondateur et chef de la direction de Four Seasons Hotels and Resorts Inc., une entreprise de Toronto, explique : « on peut former des employés à faire n'importe quel boulot, mais les employés doivent déjà avoir l'attitude appropriée ». Famous Players engage aussi ses

Les employés japonais apprennent à servir la clientèle avec le sourire

Hiroshi Ieyoshi et trois douzaines d'autres préposés de stations-services se réunissent après leur journée de travail pour suivre une formation ardue : ils apprennent à sourire. « Il est facile de dire qu'il faut sourire aux clients », affirme Hiroshi Ieyoshi, gérant d'une station-service âgé de 33 ans, après le séminaire d'une heure et demie. « Mais pour être honnête, cela dépend de ce que je ressens à ce moment-là. »

Hiroshi Ieyoshi n'est pas le seul à avoir de la difficulté à sourire aux clients. Dans la culture japonaise, dissimuler ses émotions est considéré comme une vertu. La société préconise l'harmonie au sein du groupe et tout signe visible d'émotion rompt cette harmonie en attirant l'attention sur les sentiments de l'individu. Aujourd'hui, les entreprises laissent tomber la tradition qui consiste à présenter un visage grave et augmentent leurs ventes grâce au sourire de leurs employés.

À la tête de cette révolution du sourire se trouve Yoshihiko Kadokawa, président du Smile Amenity Institute et auteur de *The Power of a Laughing Face*. L'ancien directeur des ventes au détail a découvert que,

même dans cette société sévère, les commis les plus aimables réalisaient systématiquement plus de ventes. « Grâce à mes enquêtes, j'ai découvert qu'il suffisait que les vendeurs sourient davantage pour augmenter leurs ventes d'au moins 20 % chaque jour », commente Yoshihiko Kadokawa.

McDonald's Corp. accorde tellement d'importance aux mines souriantes de ses employés japonais qu'elle refuse les candidats trop impassibles. Pendant que les candidats parlent d'une expérience agréable, les interviewers évaluent si leur visage reflète bien le plaisir qu'ils décrivent. McDonald's veut que tous ses employés offrent ce service amical au prix annoncé sur le menu : « Sourire : 0 yen. »

Malgré les barrières culturelles, certains employés japonais sont naturellement capables de sourire autant que les Occidentaux. Dans la classe des préposés de stations-services, Kutaro Matsunaga se distingue des autres. Toutefois, il s'exerce depuis longtemps. « Mon nom signifie "homme heureux" et je cherche toujours à rendre mes clients heureux », explique-t-il avec le sourire.

Sources : S. Kakuchi, « Put on a Happy Face », *Asian Business*, n° 36, mars 2000, p. 56 ; V. Reitman, « Learning to Grin — And Bear It », *Los Angeles Times*, 22 février 1999, p. A1.

Les étudiants du Smile Amenity Institute s'exercent à sourire (à droite) avec leur instructeur, Yoshihiko Kadowaka (à gauche).

Ohmori Satoru

employés en fonction de leur attitude. Cette chaîne de cinémas canadienne tient des auditions qui permettent de distinguer les candidats « expressifs et exubérants » pendant que ceux-ci dansent et chantent devant leurs concurrents[29].

L'intelligence dite émotionnelle est un autre atout dont disposent les individus pour bien gérer leurs émotions et celles des autres. C'est l'objet de la prochaine section.

L'intelligence émotionnelle

Nous définirons le concept de l'intelligence émotionnelle et donnerons des moyens d'accroître son usage.

L'intelligence émotionnelle : définition

intelligence émotionnelle (IE)

Capacité de résoudre des problèmes par la maîtrise et l'usage pertinents de ses émotions et de celles des autres.

Considérons ces quelques exemples : un agent de bord réussit, grâce à ses paroles apaisantes et à son attitude sereine, à calmer un passager pris d'un accès de claustrophobie ; un nouvel employé observe ses collègues assez longtemps avant d'intervenir dans leur discussion ; une réceptionniste recourt à son humour pour calmer un client mécontent. Ces personnes ont fait preuve d'**intelligence émotionnelle (IE),** c'est-à-dire de la capacité de résoudre des problèmes en utilisant pertinemment leurs émotions et celles des autres.

Chaque année, l'Armée de l'air américaine engage environ 400 recruteurs et en licencie jusqu'à 100 parce qu'ils n'ont pas réussi à attirer suffisamment de recrues. Or, il en coûte 3 millions de dollars pour choisir et former 100 nouveaux recruteurs, sans parler des coûts qu'entraîne leur rendement médiocre. C'est pourquoi Rich Handley, chef du recrutement, a décidé d'administrer un nouveau test à 1200 recruteurs afin de mesurer leur capacité de gérer leurs émotions et celles des autres. Il a découvert que les meilleurs recruteurs avaient plus de facilité à affirmer leurs sentiments et leurs opinions, à se mettre à la place des autres, à être heureux dans la vie et à prendre conscience de leurs émotions dans une situation particulière. L'année suivante, Rich Handley a sélectionné de nouveaux recruteurs en se fiant partiellement aux pointages obtenus aux tests sur les émotions. Résultat : un an plus tard, huit recruteurs seulement avaient été licenciés ou avaient démissionné[30].

Pour choisir les meilleurs recruteurs, l'Armée de l'air américaine ne s'arrête pas uniquement à l'intelligence cognitive des candidats : elle tient également compte de leur intelligence émotionnelle, c'est-à-dire leur aptitude à intégrer pensée rationnelle et affects[31].

L'intelligence émotionnelle est très vite devenue un sujet populaire parmi les universitaires et les thérapeutes. Malheureusement, elle a aussi fait l'objet d'un énorme battage médiatique qui a engendré des exagérations et de la confusion sur ses caractéristiques et ses effets.

Il existe trois principaux modèles de l'intelligence émotionnelle. Dans celui de Peter Salovey et John Mayer[32], l'IE est considérée comme une forme d'intelligence pure, c'est-à-dire comme une habileté cognitive. Dans le deuxième modèle, celui de Reuven Bar-On[33], l'IE est vue comme une intelligence mixte, c'est-à-dire composée d'habiletés cognitives et de traits de la personnalité. Dans le troisième modèle, le plus populaire auprès du public, Daniel Goleman[34] présente l'IE comme Bar-On, mais en l'appliquant davantage au milieu de travail.

Salovey et Mayer ont été les premiers à utiliser l'expression « intelligence émotionnelle » qu'ils définissent ainsi : capacité à reconnaître nos émotions et à les exprimer correctement aux autres, à les soumettre à notre jugement et à les maîtriser afin de favoriser l'épanouissement personnel. Ces auteurs font partie de ces chercheurs pour qui l'intelligence, telle que mesurée par le quotient intellectuel (QI), n'est qu'une facette de concept[35]. Salovey et Mayer sont d'avis, comme le psychologue Gardner[36], qu'une personne peut posséder plusieurs types d'intelligence, dont l'intelligence émotionnelle.

| TABLEAU 5.1 | Les compétences émotionnelles selon Goleman |

	Soi-même Compétence personnelle	Les autres Compétence sociale
Connaissance des émotions	**Connaissance de soi** ■ Reconnaissance de ses émotions ■ Autoévaluation précise de ses sentiments ■ Confiance en soi	**Conscience sociale** ■ Empathie ■ Compréhension des besoins de l'organisation et des autres
Maîtrise des émotions	**Maîtrise de soi** ■ Contrôle de ses émotions ■ Probité ■ Flexibilité ■ Automotivation ■ Initiative ■ Optimisme	**Gestion des relations** ■ Soutien à la croissance des autres ■ Influence ■ Gestion des conflits ■ Leadership ■ Initiateur de changement ■ Établissement de relations fructueuses ■ Travail d'équipe et collaboration

Source : Goleman, D., Boyatzis, R., McKee, A. *Primal Leadership,* chap. 3. Boston : Harvard Business School Press, 2002.

Les modèles de l'intelligence émotionnelle de Bar-On et de Goleman s'apparentent à celui de Salovey et de Mayer en ce qui concerne les composantes relatives à la conscience des émotions et à leur maîtrise. Ils en diffèrent par leur insistance sur les émotions comme vecteurs de l'intelligence sociale. Plus précisément, le modèle de Goleman repose sur deux dimensions relatives à notre personne et aux autres : la connaissance des émotions et leur maîtrise. À partir de ces axes, Goleman établit une série de compétences qui composent l'intelligence émotionnelle, résumées au tableau 5.1.

La connaissance de nos émotions passe par leur reconnaissance et la compréhension de leurs effets sur soi et les autres. Les maîtriser revient à les canaliser dans des activités constructives, ce qui signifie montrer de la motivation, de l'optimisme, de l'initiative, de la flexibilité et de l'honnêteté pour y parvenir. La conscience sociale est simplement cette intelligence qui permet de vivre en harmonie en société, en montrant de l'empathie envers les autres, c'est-à-dire en comprenant leurs affects et les besoins des différents acteurs dans les organisations (les clients, par exemple). Enfin, une intelligence sociale revient aussi à cultiver des relations positives avec les autres : savoir gérer les conflits, travailler en équipe et montrer du leadership.

Bien qu'ils soient séduisants, il faut dire que les facteurs composant l'intelligence émotionnelle ne sont pas tout à fait nouveaux. Plusieurs de ces composantes, notamment dans le modèle de Bar-On et de Goleman, ressemblent à des domaines déjà examinés dans les théories de la personnalité (*voir le chapitre 3*) : l'affirmation de soi, l'efficacité interpersonnelle, l'empathie, la maîtrise des impulsions et la responsabilité sociale. Par ailleurs, des corrélations significatives ont été observées entre les mesures de l'intelligence émotionnelle et celles des cinq grands facteurs de la personnalité : la stabilité émotionnelle, l'extraversion, l'amabilité, le caractère consciencieux et l'ouverture d'esprit[37].

Comment faciliter l'intelligence émotionnelle au travail   L'intelligence
émotionnelle est-elle un facteur important dans la vie professionnelle? Les
recherches montrent assez clairement que l'intelligence émotionnelle fait une différence dans les organisations. Des études ont révélé que les personnes qui obtiennent un score élevé au chapitre de l'intelligence émotionnelle ont plus de facilité à
établir et à maintenir de solides relations interpersonnelles que les autres. Elles
sont plus performantes dans les emplois qui exigent un travail émotionnel et
obtiennent un score plus élevé en ce qui concerne de nombreux aspects des entrevues d'embauche. De plus, les équipes dont les membres sont doués d'une grande
intelligence émotionnelle donnent un meilleur rendement que les équipes plus
faibles à cet égard[38].

Par ailleurs, les leaders qui font preuve d'intelligence émotionnelle sont généralement aptes à panser les blessures des autres qui sont issues d'émotions dou-
loureuses. On parle alors de compassion organisationnelle, c'est-à-dire la capacité
des dirigeants de soulager la souffrance de leurs employés ou d'autres personnes.
C'est le cas lorsque surviennent des événements traumatisants comme ceux qu'on
a rappelés en début de chapitre. Les experts recommandent alors une grande
compassion de la part des leaders et des autorités officielles, comme cela a été
reconnu pour le maire Giulliani de New York (pour la destruction des tours) ou
pour André Caillé au Québec (pour la crise du verglas). Par contre, certains
médias n'ont pas hésité à reprocher ce manque de compassion de la part du président Bush à l'occasion des inondations en Nouvelle-Orléans en 2005 (le président vaquait à d'autres occupations et a tardé à gérer la crise). De plus, les experts
soulignent que la compassion organisationnelle doit se traduire par les actions
suivantes: 1) offrir le plus de ressources possible (l'argent, l'aide médicale, etc.);
2) réagir rapidement; 3) fournir de l'information constante sur les événements et
sur ce qu'on fait pour remédier à la situation; 4) encourager les interactions
sociales (le contact avec les autres réduit l'anxiété); 5) ne pas faire semblant
d'ignorer la gravité de la situation; et 6) essayer de faire revenir les gens à leurs
activités habituelles tout en continuant de fournir le soutien nécessaire[39].

L'intelligence émotionnelle est-elle innée ou apprise? Le débat est le même que
celui qui faisait rage en psychologie sur l'intelligence en général. Il est vrai que l'IE
est liée à plusieurs traits de personnalité, comme on l'a déjà mentionné, et qu'elle
est donc peu susceptible de changer radicalement[40]. Toutefois, dans une certaine
mesure, il est possible d'acquérir cette faculté. Des organisations prennent des
mesures dans ce sens. Plusieurs d'entre elles offrent des séances de *coaching* et de
formation à leurs employés sur les composantes de l'intelligence émotionnelle.
Dans une étude récente, on demandait à des cadres s'il était important que leurs
employés fassent montre d'intelligence émotionnelle pour grimper dans l'échelle
hiérarchique. À cette question, 40% d'entre eux ont répondu «très important» et
16% que c'était «assez important»[41].

Endpoint Research, une entreprise canadienne spécialisée dans les essais cliniques pharmaceutiques et biotechnologiques, a évalué l'intelligence émotionnelle
de ses 65 employés pour leur permettre ensuite d'améliorer leurs points faibles. Le
Methodist Hospitals de Dallas donne aussi une formation à ses dirigeants. Ces
derniers suivent une formation en intelligence émotionnelle à laquelle le chef de
la direction participe lui-même activement[42].

Bien que l'intelligence émotionnelle soit à plusieurs égards un trait de personnalité, il est possible d'encourager son usage et celle des émotions en général,
d'une part, au moyen d'actions émanant de l'organisation et, d'autre part, par des

Le Dr Hunter, dit Patch Adams, est une figure de proue dans le monde des clowns thérapeutiques.

Ali Burafi, AFP/Getty Images

modifications du comportement individuel. Résumons à cet égard les mesures à la disposition des chefs d'entreprises.

1. Distinguer les postes à haute teneur émotionnelle et les combler en conséquence, par exemple, en choisissant des candidats facilement capables de travail émotionnel. Il convient aussi de prévenir les conséquences néfastes de ces exigences (par exemple, en réduisant les causes de stress dommageable).

2. Créer un climat positif et amical où l'expression des émotions n'est pas réprimée. Le gestionnaire doit donner l'exemple en étant attentif aux émotions de ses employés ou des clients et en étant aussi authentique que possible dans l'expression des siennes. On doit naturellement trouver le juste équilibre entre exprimer sainement ses émotions et les laisser éclater violemment. Par exemple, le docteur Patch Adams (*voir la photo ci-contre*) est célèbre pour utiliser le rire à des fins thérapeutiques auprès des enfants malades.

3. Encourager les émotions constructives en récompensant les comportements désirés. Il peut s'agir d'une simple appréciation ou, de façon plus formelle, d'inclure les comportements souhaités dans le système d'évaluation du personnel. Il faut également sanctionner les émotions non désirables (telles celles qui accompagnent une quelconque forme de violence).

4. Développer l'intelligence émotionnelle des employés et l'expression saine des émotions au moyen de la formation et du *coaching*, sujet qu'on a déjà abordé.

5. Concevoir l'environnement de travail et les tâches d'une nouvelle façon. Cela veut dire, notamment, donner plus d'autonomie et de liberté à l'employé qui doit faire face à une clientèle difficile.

Dans l'ensemble, l'intelligence émotionnelle possède donc un potentiel considérable, mais il reste encore beaucoup à apprendre sur la manière de la mesurer et sur ses effets dans le milieu de travail. Heureusement, l'intelligence émotionnelle s'accroît parfois avec l'âge : elle fait partie de ce processus qu'on appelle la « maturité »[43].

LE STRESS PROFESSIONNEL

Le stress professionnel, qui peut devenir un problème de santé mentale au travail, est devenu une véritable préoccupation dans presque tous les pays industrialisés. Par exemple, l'Institut canadien de l'information sur la santé rapporte que plus d'un quart des employés déclarent ressentir du stress au travail et plus d'un tiers affirment avoir des difficultés à répondre aux exigences de leur emploi. En 2000, 34 % des salariés canadiens ont désigné un excès d'exigences ou d'heures de travail comme principales sources de stress. De plus, ces problèmes d'adaptation à la vie professionnelle ont un coût énorme. Ainsi, le nombre de réclamations acceptées par la Commission de santé et sécurité au travail (CSST) pour des lésions professionnelles dues au stress en milieu de travail et à l'épuisement a plus que doublé entre 1990 et 2001, entraînant une hausse des déboursés de 1,5 à 6,9 millions de dollars par année[44].

Le stress sévit ailleurs aussi. Selon un sondage Gallup, 80 % des Américains disent éprouver trop de stress au travail, et la moitié d'entre eux déclarent avoir besoin d'aide pour le surmonter. L'American Institute of Stress estime à environ 300 milliards de dollars les coûts engendrés par le stress en ce qui a trait à la faible productivité, à l'absentéisme, au roulement du personnel, à l'alcoolisme et aux soins médicaux[45].

Ces constatations valent aussi dans d'autres continents. Par exemple, en Inde, la moitié des employés des centres d'appels, trop stressés par les conditions de travail y sévissant, quittent leur emploi. À l'Escorts Heart Institute de Delhi, en Inde, les examens cardiologiques de routine indiquent que la plupart des cadres affichent des stades avancés de stress. « Les entreprises indiennes commencent à prendre conscience de l'énorme perte de potentiel humain causée par le stress et l'épuisement professionnel », déclare Shekhar Bajaj, chef de la direction de Bajaj Electricals, fabricant indien de produits électroniques[46].

Le gouvernement japonais, dans son enquête quinquennale sur la santé au travail, constate que le pourcentage d'employés disant éprouver du stress et de l'anxiété en milieu de travail s'est accru de 50 à 66 % depuis 1982.

stress
Réponse psychologique et physiologique d'un individu qui tente de s'adapter à une situation perçue comme difficile ou menaçante.

L'intensité des négociations et les enjeux considérables qui sont associés à une mauvaise décision prélèvent un lourd tribut chez les courtiers en produits énergétiques. Bon nombre d'entre eux sont épuisés au bout de 10 ans à peine. « Le salaire est excellent, cela vaut la peine de se consacrer entièrement à son travail et de ne pas prendre de vacances », affirme Robin Conner, 30 ans, courtier à Reliant Energy, une entreprise de Houston (*voir la photo ci-dessus*). « Mais ce travail peut vous user à la longue. » Ken Merideth, courtier à Axia Energy, abonde dans le même sens : « Je suis tellement épuisé à la fin de la journée que je ne veux même pas décider ce que je mangerai pour souper », avoue-t-il[50].

Smiley N. Pool, The Houston Chronicle

www.reliant.com

Le stress : définition

Qu'est-ce que le stress ? Le **stress** est la réaction adaptative d'un individu à une situation perçue comme difficile ou menaçante pour son bien-être[47]. Le stress a une dimension à la fois psychologique et physiologique. Sur le plan psychologique, l'individu perçoit une situation qu'il interprète comme étant difficile ou menaçante. Il s'agit donc ici d'une évaluation personnelle d'un individu concernant la présence et la signification d'une telle situation et de ses capacités à y faire face. Cette évaluation dite cognitive déclenche une série de réactions physiologiques : la tension artérielle monte, les mains deviennent moites et le cœur bat plus vite. Si la situation persiste trop longtemps, l'individu peut manquer de ressources pour l'affronter et sa santé mentale et physique peuvent être grandement touchées. Les maladies cardiovasculaires, l'insomnie et la dépression peuvent être des conséquences extrêmes d'un stress prolongé contre lequel l'individu se sent désarmé[48].

Néanmoins, le stress est aussi une composante essentielle des mécanismes d'adaptation de l'individu à son milieu. Il engendre l'énergie nécessaire à l'action et souvent, à dose modérée, des réactions saines, positives et constructives aux divers stimulus de notre environnement[49].

LES SOURCES DE STRESS

**sources
de stress**

Stimulus émanant
d'un environnement
de travail perçu par
un individu comme
très exigeant sur le
plan physique ou
émotionnel.

Les **sources de stress** sont les stimulus émanant d'un environnement de travail perçu comme très exigeant sur le plan physique ou émotionnel par un individu[51].

Il existe de nombreux facteurs de stress issus du milieu de travail et des sphères d'activités qui y sont liées. La figure 5.2 présente à gauche les quatre principaux facteurs de stress au travail qui émanent : 1) des relations interpersonnelles, 2) des rôles et des fonctions d'un employé, 3) du contrôle qu'on exerce sur nos tâches et 4) des facteurs de l'environnement psychosocial et physique de l'entreprise. On y voit également d'autres sources de stress indirectement liées aux conditions de travail, mais qui influencent cependant l'individu dans ses tâches (par exemple, les soucis familiaux). Nous disions que le stress est une affaire de perception, c'est-à-dire qu'il est lié à la personnalité de chacun, ce qui est représenté au milieu de la figure. À droite sont énumérées les conséquences physiologiques, psycho-logiques et comportementales du stress mal contrôlé (aussi appelées les « signes de détresse »).

L'Institut de recherche Robert-Sauvé en santé et en sécurité du travail a mené une étude qui a été publiée au Québec en 2003. Cette étude, menée auprès de 3142 tra-vailleurs de quatre organisations évoluant dans des secteurs différents (dont celui de l'enseignement et hospitalier), révèle les points suivants[52] :

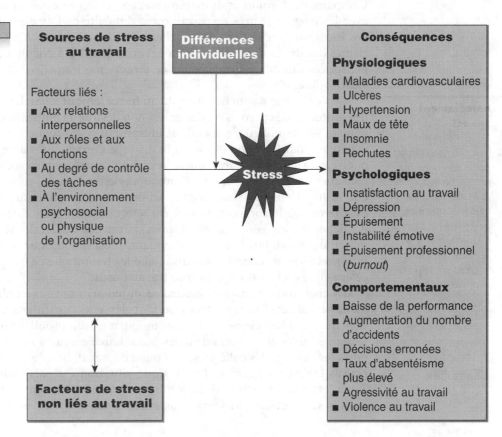

FIGURE 5.2

Sources et
conséquences
du stress

**Sources de stress
au travail**

Facteurs liés :

- Aux relations
  interpersonnelles
- Aux rôles et aux
  fonctions
- Au degré de contrôle
  des tâches
- À l'environnement
  psychosocial
  ou physique
  de l'organisation

**Facteurs de stress
non liés au travail**

**Différences
individuelles**

Stress

Conséquences

Physiologiques

- Maladies cardiovasculaires
- Ulcères
- Hypertension
- Maux de tête
- Insomnie
- Rechutes

Psychologiques

- Insatisfaction au travail
- Dépression
- Épuisement
- Instabilité émotive
- Épuisement professionnel
  (*burnout*)

Comportementaux

- Baisse de la performance
- Augmentation du nombre
  d'accidents
- Décisions erronées
- Taux d'absentéisme
  plus élevé
- Agressivité au travail
- Violence au travail

- Les principaux « stresseurs » sont la surcharge quantitative de travail, le peu de reconnaissance de l'entourage, les piètres relations avec le supérieur ainsi que le peu de participation aux décisions et la faible diffusion de l'information.
- En 2003, 43,4 % des employés présentent un niveau de détresse psychologique élevé, comparativement à 20,09 % dans la population québécoise en 1998 (la détresse psychologique étant appréhendée par des états dépressifs et anxieux et de l'irritabilité).
- Parmi les pratiques de gestion accompagnant ces chiffres, on observe des changements fréquents (des fusions, des abolitions de postes, l'introduction de nouvelles technologies, de nouveaux rôles, etc.), une mauvaise adaptation des outils de gestion traditionnels et un encadrement déficient.

Voyons maintenant de plus près comment agissent ces sources de stress.

Les relations interpersonnelles

Parmi les quatre facteurs de stress en organisation, les variables interpersonnelles sont aujourd'hui les plus fréquentes. La vie de groupe, par exemple, engendre des facteurs de stress supplémentaires : les mauvais patrons, les jeux politiques et divers types de conflits ont des effets néfastes sur les individus[53]. Parmi les autres facteurs interpersonnels, mentionnons le harcèlement sexuel, la violence au travail et le harcèlement psychologique.

Le harcèlement sexuel   Le nouvel emploi de Nicole Curling à la Victoria Tea Company de Toronto était extrêmement stressant. Ce stress n'avait rien à voir avec les longues heures de travail ou la difficulté de la tâche ; il découlait plutôt des incessantes tentatives d'attouchements de son patron. La Commission ontarienne des droits de la personne a accordé 40 000 $ à Nicole Curling pour compenser les dommages causés par ce stress émotionnel. « J'étais complètement vidée », dit-elle[54].

Nicole Curling a subi un stress dû au **harcèlement sexuel.** Celui-ci consiste en des attitudes, des paroles ou des gestes non désirés de nature sexuelle. Il a un effet néfaste sur le milieu de travail et entraîne des conséquences professionnelles négatives pour les victimes. Selon Statistique Canada, près d'une Canadienne sur quatre est victime de harcèlement sexuel au travail, le plus souvent de la part de collègues ou de supérieurs. La Cour suprême du Canada, entre autres, reconnaît que le harcèlement sexuel peut aussi émaner d'un milieu de travail « hostile » : c'est le cas où le comportement à caractère sexuel d'un individu (comme le fait d'afficher des images pornographiques) entrave le travail des victimes ou crée un milieu de travail intimidant ou choquant. Il est à noter que les hommes ont une interprétation beaucoup plus étroite que les femmes de ce qu'on entend par harcèlement sexuel dans un milieu de travail hostile[55].

Les chefs d'entreprises canadiens reconnaissent de plus en plus que le harcèlement sexuel (et d'autres formes de harcèlement) constitue un problème grave. Cependant, le harcèlement n'est pas uniquement un problème juridique : c'est un facteur sérieux de stress et d'anxiété[56]. Le harcèlement sexuel lui-même, les rapports tendus avec les collègues, un milieu de travail hostile et les procédures judiciaires traumatisent les victimes. Cette situation est particulièrement vraie au Japon et dans d'autres pays où les femmes qui se plaignent d'être harcelées sont parfois stigmatisées par leurs amis et leurs collègues. « Les entreprises refusent

harcèlement sexuel
Conduite de nature sexuelle non désirée par la personne qui en fait l'objet. Ce comportement se manifeste dans les gestes ou les paroles de même nature et entraîne des effets négatifs sur le plan personnel et professionnel des victimes.

d'embaucher des "femmes dangereuses" qui font des histoires à propos de harcèlement sexuel», explique Moeko Tanala, le pseudonyme d'une Japonaise qui a remporté sa cause dans un cas de harcèlement sexuel mettant en cause le gouverneur de la préfecture[57].

Ces situations de harcèlement n'empêchent pas, bien sûr, les liaisons sentimentales au travail. La plupart des lieux de travail emploient de nos jours autant de femmes que d'hommes et ils travaillent de longues heures ensemble. Quelques récentes études ont estimé que plus de 40% des employés au Canada et dans d'autres pays ont fréquenté un ou une collègue et qu'un quart des employés canadiens ont eu des relations intimes[58].

Toutefois, le problème lié à cette tendance est que les relations sentimentales au bureau ne se marient pas très bien avec le pouvoir au sein de l'organisation. Le risque de harcèlement sexuel est plus important dans le cas d'une relation entre un(e) supérieur(e) et son employé(e). Outre le fait qu'elles peuvent être perçues comme donnant lieu à du favoritisme[59], elles sont à l'origine d'un quart des cas de harcèlement sexuel lorsqu'elles se dégradent[60]. «Bon nombre de plaintes pour harcèlement sexuel proviennent d'une relation consensuelle ayant mal tourné», explique un avocat spécialisé dans les cas de harcèlement sexuel[61]. Si le subordonné met fin à la relation, son chef peut lui créer un environnement de travail hostile. Même lorsque le patron délaissé agit de manière appropriée, le pouvoir de l'ex-partenaire peut intimider le subordonné.

La violence au travail Le facteur de stress interpersonnel le plus grave est la montée de la violence physique dans le milieu de travail[62]. La violence au travail est tout événement au cours duquel une personne est victime de menaces ou d'agressions représentant un risque pour son bien-être physique et psychologique. On pense aussitôt aux États-Unis, où 1000 employés sont assassinés chaque année au travail, tandis que 2 millions d'autres subissent diverses formes de violence[63]. L'Organisation internationale du travail rapporte que les employés canadiens courent un risque encore plus élevé. Parmi les 32 pays étudiés, ils se classent au quatrième rang pour les cas d'agressivité et de harcèlement sexuel au travail. En effet, le rapport révèle que 1% des États-Uniennes étaient agressées au travail par rapport à 4% de Canadiennes[64]. Une étude relativement récente rapporte que presque tous les employés de l'urgence de l'hôpital St. Paul de Vancouver avaient subi ou avaient été témoins d'une agression physique ou psychologique. Près du tiers de ces employés affirment avoir subi un stress extrême à la suite de ces événements[65].

Les employés victimes de violence présentent habituellement des symptômes de détresse graves longtemps après l'événement traumatisant[66]. Une étude canadienne récente indique que la violence au travail, de même que le harcèlement sexuel, provoque des sentiments durables de peur et d'anxiété. Il n'est pas rare que les victimes prennent un congé d'invalidité de longue durée et que certaines d'entre elles ne retournent jamais travailler. La violence au travail est aussi un facteur de stress pour ceux qui en sont témoins. Les travailleurs les plus exposés à la violence sont les officiers de police, les salariés des soins de santé et les travailleurs sociaux, les chauffeurs de taxi et les conducteurs dans le transport public, les employés d'hôtel et de restaurant, les enseignants, le personnel de sécurité et les vendeurs. La violence, selon une étude européenne, ferait baisser la productivité des entreprises de 1%, ce qui se chiffrerait pour certaines d'entre elles à des milliards d'euros[67].

Les mesures à prendre pour éradiquer la violence au travail ont beaucoup en commun avec le harcèlement psychologique qu'on verra plus loin, mais elles sont aussi assez précises. Une recension des bonnes pratiques européennes permet de dégager plusieurs mesures efficaces. Par exemple, pour contrer les agressions physiques dans des lieux de travail publics, on peut aménager l'environnement de manière à séparer l'agresseur potentiel de sa victime (des guichets protecteurs, des barrières, etc.). On peut aussi prévoir des façons de sonner l'alarme (littéralement), comme dans les banques ou à la Société de transports en commun de Montréal, où le chauffeur d'autobus peut activer le panneau frontal lumineux de son véhicule. Les services conviviaux (savoir faire « patienter les impatients », par exemple), les codes de conduite, les pratiques de travail plus sûres, l'utilisation facile d'un mécanisme de plainte et la culture de non-violence et de non-discrimination sont d'autres mesures permettant de prévenir ou de supprimer la violence au travail[68].

Le harcèlement psychologique   Jusqu'à ce que les propriétaires embauchent un nouveau chef cuisinier, Gus Mellios, Susan Morgan occupait un emploi plutôt tranquille comme directrice du service aux chambres du Marine Pub de Coquitlam, en Colombie-Britannique. Au cours des deux années subséquentes, Susan Morgan et ses collègues ont subi à plusieurs reprises la violence verbale de Gus Mellios, ses propos grossiers, ses cris et ses jurons pour des bagatelles. Les propriétaires étaient au courant de ce comportement, mais ils se taisaient ou encore ils prenaient le parti du chef cuisinier. Susan Morgan a démissionné, elle a poursuivi les propriétaires en justice et a finalement remporté sa cause[69].

En avril 1999, un travailleur victime de **harcèlement psychologique** a abattu cinq de ses collègues dans les garages de la société de transports en commun d'Ottawa. À la suite de cette tragédie, les gouvernements ont été pressés d'adopter un projet de loi visant à prévenir toute sorte de violence physique ou psychologique au travail.

Qu'est-ce que le harcèlement psychologique ? Le 1er juin 2004, le Québec a été la première juridiction en Amérique du Nord à prévoir de nouvelles dispositions à sa Loi sur les normes du travail en matière de harcèlement psychologique. En vertu de ces nouvelles dispositions, la notion de harcèlement au travail se définit comme suit : « Une conduite vexatoire se manifestant par des comportements, des paroles, des actes ou des gestes répétés, hostiles ou non désirés, laquelle conduite porte atteinte à la dignité ou à l'intégrité psychologique ou physique du salarié et qui entraîne pour celui-ci un milieu de travail néfaste. »

Plusieurs autres pays s'attaquent à ce problème, dont la France, l'Allemagne, l'Italie, la Norvège, la Suède, l'Espagne, les Pays-Bas et la Norvège. Selon une étude sur les victimes de harcèlement psychologique réalisée en 2003 par le Workplace Bullying and Trauma Institute[70], les victimes souffraient des effets du stress subséquent au harcèlement : de graves problèmes d'anxiété (76 %), un sommeil perturbé (71 %) ainsi que des troubles de stress posttraumatiques (39 %). Dans 70 % des cas, le harcèlement cesse seulement lorsque la victime quitte son poste ou est congédiée. Le harceleur ne souffre quant à lui des conséquences de ses gestes que dans seulement 13 % des cas.

Deux grandes enquêtes rapportent que 9 % des employés européens (soit 12 millions de personnes) et environ 20 % des salariés britanniques avaient souffert de harcèlement psychologique durant l'année précédant ces sondages. On y constate aussi que les femmes y sont plus exposées que les hommes[71].

En plus des effets notés plus haut, les victimes de harcèlement psychologique s'absentent plus souvent et, lorsqu'elles reviennent au travail, elles ont tendance à

harcèlement psychologique
Le harcèlement psychologique est une conduite répétée, vexatoire et hostile qui finit par rendre la vie au travail extrêmement pénible pour la victime.

prendre des décisions erronées, à donner un rendement inférieur et à multiplier les erreurs[72]. Quant aux organisations, le harcèlement a un coût dont l'origine est l'absentéisme, la rotation du personnel, la réduction de l'efficacité et de la productivité et les poursuites judiciaires[73].

Au Canada, qu'en est-il? Une étude relativement récente révèle que 12% des employés du secteur public ont été victimes de comportements disgracieux sous forme d'impolitesse, d'injures et de cris.

Au Québec, un sondage réalisé en 2004 auprès de 640 Québécois et Québécoises occupant un emploi rémunéré révèle les points suivants[74]:

- entre 7 et 9% des personnes interrogées disent être régulièrement victimes de harcèlement psychologique au travail (la situation la plus répandue est du harcèlement sous forme de propos injurieux, menaçants ou dégradants); pour 27% de ces personnes, le harcèlement se présente régulièrement sous forme de propos ou d'agissements durs, graves et directs;
- les collègues (41% des cas), les supérieurs (32%), les subalternes (30%) et les clients (15%) sont à l'origine du harcèlement.

Quels sont les facteurs déclenchant le harcèlement psychologique? Une culture organisationnelle laxiste, des politiques de gestion du personnel défaillantes, un niveau général de stress élevé, des emplois précaires, des changements radicaux dans l'organisation du travail, de mauvais rapports entre les employés et la hiérarchie et de la confusion dans les rôles de chacun. L'encadré 5.3 décrit les comportements d'un employeur condamné pour harcèlement psychologique.

Certaines organisations ont également pris des mesures pour réduire la fréquence de ces comportements. Ainsi, dans son code de conduite, Quaker Oats conseille explicitement à ses employés de traiter autrui avec considération, respect et dignité. Les entreprises doivent également sélectionner soigneusement leurs candidats en fonction de leurs conduites antérieures au moment de l'embauche. L'information (la diffusion des normes en la matière à tous les niveaux), la formation, le *coaching* et les systèmes d'évaluation des comportements permettent de contrôler ces débordements. Il faut également mettre en place une politique et des procédures (un code de conduite, par exemple) visant à prévenir le harcèlement psychologique et les conflits et organiser le travail de façon à prévenir la confusion des rôles (source de conflits). Enfin, les organisations devraient instaurer une procédure de règlement des griefs, d'arbitrage ou toute autre procédure de résolution de conflits à laquelle les employés pourraient recourir s'ils étaient victimes de harcèlement psychologique[75].

Les sources de stress liées aux rôles et aux fonctions

Les conflits liés aux rôles et la surcharge de travail augmentent le niveau de stress.

conflit lié au rôle
Incompatibilité ou contradiction entre les exigences liées au rôle de l'employé.

Le stress et les conflits liés aux rôles Un employé peut éprouver du stress dans une situation s'il a de la difficulté à comprendre, à concilier ou à assumer les divers rôles (et les tâches subséquentes) qu'on lui attribue[76]. On parle alors de **conflit lié au rôle** (par exemple, les infirmières sont partagées entre leur tâche à vocation humaine et celle qui consiste à procéder de la façon la plus efficace dans un contexte de raréfaction des ressources)[77]. Lorsque les valeurs de l'organisation et les obligations professionnelles de l'individu sont souvent incompatibles avec ses valeurs personnelles, il peut se retrouver devant un dilemme, autre source de stress[78].

Un employeur condamné à verser des dommages pour cause de harcèlement psychologique

Un employeur peut être tenu responsable des dommages moraux subis par un travailleur qui, étant l'objet de harcèlement psychologique, n'a d'autre choix que de quitter son emploi. C'est la conclusion qui se dégage d'une décision récente de la Commission des relations du travail, par laquelle une travailleuse s'est vu octroyer 127 434,79 $ à titre d'indemnité de fin d'emploi, dont 25 000 $ comme dommages moraux et punitifs.

Dans cette affaire, la plaignante, assistante dans une clinique chiropratique depuis plus d'une vingtaine d'années, a déposé une plainte à l'encontre d'un congédiement déguisé après que la détérioration graduelle de ses relations avec son patron eut finalement amené sa démission forcée. Alors que la plaignante et son employeur entretenaient des relations amicales, qui dépassaient même le cadre du travail, une série d'événements, dont une séparation entre l'employeur et sa conjointe, ainsi que des procédures judiciaires entreprises par le conjoint de la plaignante envers l'employeur, ont entraîné un changement radical dans la conduite de l'employeur envers celle-ci.

À la suite de ces événements, la conduite froide, impatiente et injurieuse de l'employeur a amené la plaignante à consulter un médecin pour des problèmes d'insomnie et de stress liés au travail. La travailleuse, en dépression majeure causée par du harcèlement au travail, a été placée en arrêt de travail et devait prendre des médicaments antidépresseurs.

Au moment de son retour au travail, l'employeur, déterminé à tout faire pour ne pas la reprendre à son service, a entrepris de rendre ses conditions de travail intolérables. Notamment, il a été question de ne plus lui verser d'allocation pour l'utilisation de son automobile et pour divers travaux effectués en dehors des heures de travail, en plus de réduire ses heures de travail. La plaignante devait désormais rester à la clinique jusqu'à 22 h, même en l'absence de clients alors qu'auparavant, elle pouvait quitter le travail lorsqu'il n'y avait plus personne. La plaignante a également été informée que les retards ne seraient plus tolérés. Finalement, elle s'est vu retirer la clé de la clinique et devait dès lors attendre son employeur dans le stationnement avant de pouvoir entrer au travail, ainsi que pour partir et revenir à l'heure du dîner.

En plus de ces modifications aux conditions de travail, l'employeur affichait ouvertement une conduite blessante : commentaires négatifs exprimés sur un ton arrogant, langage vulgaire, remarques sarcastiques et mépris envers la plaignante.

Dans ces circonstances, la Commission a conclu que la plaignante n'avait d'autre choix que de déposer une plainte à l'encontre de son congédiement et de quitter son emploi.

L'employeur qui ne déploie aucun effort pour protéger la santé et la dignité de ses employés ne respecte pas ses obligations de fournir des conditions de travail qui respectent les droits prévus à la Charte.

Source : R. Khuong, « Un employeur condamné à verser des dommages pour cause de harcèlement psychologique », *La Presse Affaires,* 12 novembre 2003, p. 10.

---

ambiguïté du rôle
Incertitude ou manque de clarté quant aux fonctions et aux rôles de l'employé.

L'**ambiguïté du rôle,** c'est-à-dire son manque de clarté, peut engendrer chez l'individu un sentiment d'incertitude et d'attente (par exemple la paralysie décisionnelle) qui, s'il est prolongé, peut être source de stress[79].

La surcharge de travail La surcharge de travail, soit le fait de travailler plus longtemps et plus intensément, est un autre facteur de stress lié au rôle[80]. Les Canadiens travaillent un grand nombre d'heures non officielles en plus des heures de travail rémunérées. Un sondage Ipsos-Reid révèle que 81 % des cols blancs canadiens reçoivent des appels de bureau à la maison, que 65 % lisent leurs courriels professionnels après les heures de travail et que 59 % écoutent les messages de leur boîte vocale depuis leur domicile. Une étude récente menée auprès de 31 500 Canadiens indiquait que près du quart des travailleurs font des semaines de plus de 50 heures, comparativement à 10 % seulement il y a une décennie[81]. Cette hausse est encore plus marquée dans le secteur de la santé. Quelle que soit la cause de cette charge de travail supplémentaire, ce phénomène engendre des

Le *karoshi* — au Japon, mort causée par un excès de travail

Nobuo Miruo, spécialiste de design intérieur, subissait une forte pression de la part de son employeur pour terminer les travaux dans un nouveau restaurant. Il travaillait tard, ne quittant parfois les lieux qu'à 4 h 30 du matin. Après son marathon de travail, Nobuo Miuro s'accordait quelques heures de sommeil, puis il retournait faire une autre longue journée. Cependant, il n'a pas réussi à soutenir ce rythme très longtemps. L'homme de 47 ans est brusquement tombé malade et s'est effondré alors qu'il se penchait pour prendre son marteau et ses clous. Il est mort une semaine plus tard. Le verdict du procureur : Nobuo Miuro était mort de *karoshi* ou excès de travail.

Le *karoshi* est responsable de près de 10 000 décès chaque année au Japon. Le ministère de la Santé a découvert que les employés travaillaient en mòyenne 80 heures par semaine pendant les six mois précédant le *karoshi*, allant jusqu'à faire 100 heures par semaine le dernier mois. Les recherches indiquent que ces longues heures de travail sont liées à un mode de vie malsain, dont les caractéristiques sont le tabagisme, une mauvaise alimentation, le manque d'exercice physique et l'insomnie. Ces facteurs entraînent un gain de poids qui, associé aux conditions de travail stressantes, endommagent le système cardiovasculaire et provoque des accidents cérébrovasculaires et des infarctus.

Le phénomène du *karoshi* a été mis en lumière dans les années 1970, alors que l'économie du Japon était florissante. Toutefois, la récession actuelle a empiré les choses. Les entreprises licencient des travailleurs et imposent un surcroît de travail à ceux qui restent. Les attentes en matière de rendement sont en train de supplanter la garantie d'emploi permanent, ce qui met encore plus de pression sur les individus pour allonger leur journée de travail. Beaucoup pointent du doigt la tradition samouraï. Celle-ci imprègne la culture japonaise et idéalise les longues heures de travail en les présentant comme un ultime symbole de la force de l'âme et de loyauté envers l'entreprise. « L'épuisement est considéré comme une vertu », explique un psychiatre japonais.

Jusqu'ici, 17 % seulement des entreprises japonaises offrent une forme de service de consultation aux employés souffrant de stress. Cependant, le gouvernement japonais a lancé une campagne de publicité qui encourage les travailleurs à rechercher de l'aide en appelant une « ligne d'assistance *karoshi* ». De plus, les familles des personnes décédées au travail, y compris celle de Nobuo Miuro, se sont mobilisées afin de poursuivre en justice leurs employeurs pour absence de « diligence raisonnable ».

Sources : Y. Liu, « Overtime Work, Insufficient Sleep, and Risk of Non-Fatal Acute Myocardial Infarction in Japanese Men », *Occupational and Environmental Medicine*, n° 59, juillet 2002, p. 447-451 ; D. Ibison, « Overwork Kills Record Number of Japanese », *Financial Times*, 29 mai 2002, p. 12 ; « Trend of Caring for Employees Waning Among Japan's Companies », *Japan Weekly Monitor*, 14 mai 2001 ; C. Fukushi, « Workplace Stress Taking Toll on Women's Health », *Daily Yomiuri*, 21 avril 2001 ; S. Efron, « Jobs Take a Deadly Toll on Japanese », *Los Angeles Times*, 12 avril 2000, p. A1 ; M. Millett, « Death of Salaryman », *The Age*, Melbourne, 11 avril 2000, p. 15 ; E. Addley et L. Barton, « Who Said Hard Work Never Hurt Anybody ? », *The Guardian*, Royaume-Uni, 13 mars 2001.

www.workhealth.org

niveaux de stress plus élevés[82]. Comme le décrit l'encadré 5.4, la surcharge de travail pose un tel problème au Japon que les Japonais ont donné un nom à la mort due à un excès de travail : le *karoshi*.

Le manque de contrôle sur le travail comme facteur de stress

L'une des découvertes les plus importantes relativement au stress a trait au fait que les employés sont plus anxieux quand ils n'ont aucun contrôle sur la manière d'exécuter leurs tâches, le moment de les faire ou le rythme de travail et qu'ils font l'objet de surveillance excessive[83].

Le travail est plus stressant quand il est régulé par une machine qui exige une surveillance continue ou quand c'est un autre qui gère votre horaire de travail.

Une étude récente de Statistique Canada, menée auprès de 12 000 Canadiens, a révélé que les travailleurs dans les secteurs de la production, de la vente et des services subissaient un grand stress psychologique du fait qu'ils n'ont aucun contrôle, ou presque, sur leur travail[84].

Le stress lié aux conditions de travail

Ces facteurs de stress revêtent de multiples formes, par exemple, lorsque les dirigeants des organisations menacent la sécurité d'emploi des salariés, restructurent l'entreprise et procèdent à des licenciements massifs. Dans ce dernier cas, les « survivants » voient leur charge de travail augmentée et leur lien de confiance avec l'employeur baisser. Ils pensent qu'ils seront peut-être les prochains à subir le même sort, ce qui accroît le niveau d'anxiété et de stress[85]. En Finlande, une étude montre que les congés de maladie prolongés doublaient chez des fonctionnaires après des licenciements massifs[86]. « Certaines conditions de travail, comme un niveau de bruit excessif, un éclairage insuffisant et des risques d'accidents, augmentent le stress professionnel. Une étude menée auprès des travailleurs d'une bruyante usine de textile a révélé que les niveaux de stress déclinaient considérablement lorsqu'on fournissait des protecteurs d'oreilles aux travailleurs. Une autre étude indique que les employés qui travaillent dans des bureaux ouverts et bruyants ou dans un environnement dangereux sont évidemment beaucoup plus stressés que ceux qui travaillent dans des endroits tranquilles et sécuritaires[87].

Plusieurs études ont tenté de relever les emplois qui sont « objectivement » plus stressants que d'autres[88]. Ces listes (*voir la figure 5.3*), bien qu'elles soient imparfaites, fournissent un échantillon représentatif de professions classées en fonction de leurs niveaux de stress relatifs. Il convient néanmoins de lire ces données avec circonspection.

D'autres variables peuvent influencer ce classement (la taille de l'organisation, la ville, le contexte culturel, etc.). Une autre variable importante est la personnalité. Un facteur peut provoquer un stress considérable chez un individu, mais aucune tension chez un autre (question de formation ou de tempérament). Contrairement aux préjugés, une étude (*voir l'encadré 5.5*) montre que nos fonctionnaires éprouvent un niveau élevé de stress, notamment à cause des longues heures de travail et du peu de latitude décisionnelle.

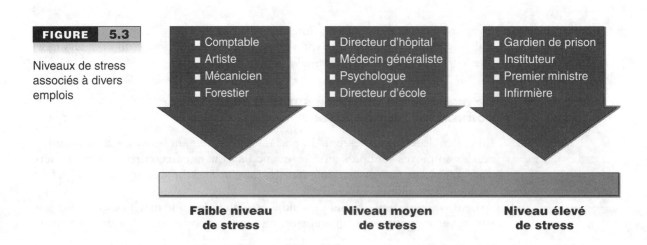

FIGURE 5.3

Niveaux de stress associés à divers emplois

- Comptable
- Artiste
- Mécanicien
- Forestier

- Directeur d'hôpital
- Médecin généraliste
- Psychologue
- Directeur d'école

- Gardien de prison
- Instituteur
- Premier ministre
- Infirmière

Faible niveau de stress **Niveau moyen de stress** **Niveau élevé de stress**

Des fonctionnaires stressés

On pourrait croire que les cadres les plus mal en point se trouvent dans l'entreprise privée, où règne la pression pour un rendement élevé, mais d'après une étude britannique publiée en 1995 dans Human Relations, les fonctionnaires sont moins satisfaits de leur emploi et souffrent davantage de maladies physiques et mentales que leurs homologues du privé. C'est que les cadres du secteur public ont peu de contrôle sur leurs tâches et leur organisation.

Selon une enquête publiée en 2002 par l'Association professionnelle des cadres supérieurs de la fonction publique du Canada (APEX), 52,8 % des cadres au service de l'État rapportent des niveaux élevés de stress psychologique, comparativement à 28,2 % dans l'ensemble de la population canadienne. Or, les auteurs de *The Financial Times Guide to Executive Health* signalent que le stress influence directement ou indirectement les maladies cardiovasculaires, les cancers, les maladies chroniques, l'emphysème, la bronchite chronique, les blessures et le suicide, entre autres.

Toujours d'après l'étude de l'APEX, les cadres de la fonction publique fédérale travaillent de longues heures (près de 53 heures, soit autant que dans le privé) et se privent trop souvent de sommeil. En effet, ils dorment en moyenne 6,6 heures par nuit, alors qu'ils en auraient besoin de 7,8, en moyenne. En outre, pas moins de 32,9 % des cadres souffrent d'obésité, comparativement à 18 % dans la population canadienne. On double les risques de maladies cardiaques lorsqu'on travaille 60 heures par semaine ou plus et qu'on manque régulièrement de sommeil (moins de cinq heures de sommeil, deux fois par semaine), rapporte l'enquête de l'APEX, qui s'appuie sur une récente recherche.

Qu'ils travaillent dans le secteur public ou dans le secteur privé, les cadres qui se trouvent en bas de la pyramide organisationnelle ont une moins bonne santé que ceux qui se trouvent tout en haut. « Cela s'explique notamment par le fait que les hauts dirigeants ont une plus grande latitude décisionnelle », explique Nancy Beauregard, qui fait son doctorat en santé des populations à l'Université d'Ottawa.

Source : Marie-Ève Cousineau, « Des fonctionnaires stressés », *Commerce,* vol. 107, n° 1, janvier 2006, p. 21.

Une initiative des entreprises conciliant le travail et la famillle : permettre d'amener son bébé au bureau.

Kim Eriksen, Zefa/Corbis

Les « stresseurs » extraprofessionnels

Certains facteurs non directement liés à la vie professionnelle finissent par l'influencer et, conséquemment, par induire d'autres facteurs de stress. Ces facteurs se rapportent à la gestion du temps dont dispose au total un individu et à la tension qui provient de problèmes personnels[89]. Quand un individu ne peut plus gérer le temps dont il dispose pour le consacrer harmonieusement à sa vie professionnelle, familiale, sociale et personnelle, il en éprouve un malaise. C'est le cas de beaucoup de cadres aujourd'hui qui travaillent plus de 50 heures par semaine, y compris parfois la fin de semaine, d'où le surmenage et l'épuisement[90]. Par exemple, le Conference Board du Canada a mené une étude signalant que 46% des travailleurs avouaient souffrir d'un stress allant de modéré à élevé en raison d'un conflit entre le travail et leur vie personnelle, comparativement à 27% dans une enquête menée 10 ans plus tôt[91]. Une étude menée en 2003, par deux universitaires canadiens pour Santé Canada, auprès de 6500 personnes dans 40 lieux de travail, estime que c'est près de 60 % des Canadiens travaillant à l'extérieur qui ne peuvent pas concilier exigences professionnelles et familiales[92]. Les horaires de travail rigides, les voyages d'affaires et le travail par équipes (ou par roulement) sont souvent un frein à la conciliation entre la vie au travail et la vie personnelle[93].

Toutefois, en dehors des cadres légaux, de plus en plus d'initiatives sont prises pour parvenir à cette conciliation, comme le montre la photo de la page précédente où on voit un père emmener son bébé au bureau.

Ces difficultés engendrent plus de stress chez les femmes et les employés qui nourrissent de fortes valeurs familiales, et moins de tension évidemment chez les individus qui mêlent aisément le travail et la vie personnelle[94, 95].

Par ailleurs, l'accumulation de problèmes différents, par le fait même, augmente le niveau de stress. Les facteurs suivants font partie des « stresseurs » importants : les difficultés relationnelles et financières, la perte d'un être cher, un divorce et de nouvelles responsabilités familiales[96]. En outre, certains individus ne peuvent plus « décrocher » de leur rôle professionnel qu'ils transposent parfois jusque dans leur vie familiale[97].

LES DIFFÉRENCES INDIVIDUELLES ET LES RÉACTIONS AU STRESS

personnalité de type B
Profil de comportement associé aux individus qui présentent un faible risque de cardiopathie ; les personnes ayant ce profil travaillent avec régularité, elles affichent une attitude détendue et un tempérament égal.

personnalité de type A
Profil de comportement associé aux personnes souffrant de cardiopathie précoce ; les personnes ayant ce profil sont souvent impatientes, ont des accès de colère, parlent vite et interrompent les autres.

Plusieurs études ont mis en relief les types de personnalité réagissant différemment au stress. Les personnes qui ont le sentiment de pouvoir mener à bien une tâche (qui ont un sentiment d'efficacité) sont moins sujettes à ressentir du stress que d'autres. Il en est de même pour les personnalités à tempérament optimiste (elles voient les choses de façon moins négatives que les autres). Le niveau de stress ressenti est également fonction des stratégies personnelles mises en œuvre pour le combattre (par exemple, ignorer les problèmes qui se présentent ou y faire face, trouver du soutien dans l'entourage, etc.). Certaines études montrent que les femmes (mais attention aux généralisations) sont plus résistantes au stress que les hommes.

Parmi les types de personnalité se différenciant au point de vue de la sensibilité au stress, les recherches se sont largement étendues sur les personnalités dites de types A et B. Pendant plusieurs années, les chercheurs ont soutenu que les **personnalités de type B** éprouvaient moins de stress dans une situation donnée que les **personnalités de type A.** Les personnes de type A sont dynamiques ; elles font preuve d'un esprit de compétition et d'un grand sentiment d'urgence. Elles sont souvent impatientes, perdent leur sang-froid, parlent vite et interrompent leurs interlocuteurs[98]. Au contraire, les personnes de type B ont moins l'esprit de compétition et souffrent moins des contraintes de temps. Elles ont tendance à travailler d'une manière constante et elles affichent une attitude détendue et un tempérament égal. Bien que les chercheurs soient désormais moins convaincus de l'influence de ces types de tempérament sur le stress professionnel, certaines recherches continuent d'indiquer que les personnalités de type A sont plus stressées au travail que les autres[99].

Les individus « drogués » au travail (*workaholism*) présenteraient un profil de type A[100]. Ils présentent aussi les caractéristiques suivantes : acharnés au travail, motivés par une pression interne très forte, anxieux et peu satisfaits professionnellement[101]. Cette accoutumance au travail se fait au détriment de la santé personnelle de l'individu, de sa vie familiale et de sa vie privée[102].

LES CONSÉQUENCES PHYSIOLOGIQUES ET PSYCHOLOGIQUES DU STRESS

Les effets du stress professionnel intense et prolongé sur la santé sont maintenant bien connus[103]. Les conséquences physiologiques relativement légères sont des maux de tête et des douleurs musculaires. Plus graves sont les accidents cardiovasculaires et les infarctus qui, rares il y a un siècle, sont désormais l'une des premières causes de décès chez les Canadiens adultes[104]. Il en est de même de l'hypertension[105]. Malheureusement, nous ne sommes pas toujours conscients de notre stress physiologique. Ainsi, les chercheurs ont découvert que certaines personnes se disaient peu stressées alors même qu'elles avaient les paumes moites et présentaient une tension artérielle élevée[106].

Le stress provoque aussi divers effets psychologiques, y compris l'insatisfaction au travail, l'instabilité émotionnelle et la dépression[107].

L'**épuisement professionnel** (ou *burnout*) désigne l'état d'épuisement physique, émotionnel et intellectuel qui résulte du stress. À la suite d'une exposition prolongée au stress, le travailleur devient incapable de répondre aux exigences de sa profession[108]. L'épuisement professionnel est plus fréquent dans des postes où les interactions avec autrui font partie de la fonction, comme dans les professions à vocation sociale (les infirmières, les enseignants, les policiers)[109].

L'épuisement professionnel passe par plusieurs phases. La première est l'étape de l'épuisement émotionnel caractérisée par un manque d'énergie et une fatigue extrême, autant mentale que physique[110]. Dans l'étape suivante dite de « dépersonnalisation », les employés épuisés se détachent exagérément de leurs clients et deviennent cyniques et froids envers l'organisation. La diminution de l'efficacité personnelle (ou le faible sentiment d'accomplissement) est la dernière étape du surmenage professionnel (elle peut aussi survenir en même temps que la précédente)[111]. Ici les employés se sentent impuissants parce qu'ils ne croient plus que leurs efforts donneront des résultats.

Quand le stress se change en détresse, le rendement décline et les accidents de travail deviennent plus fréquents. Un niveau élevé de stress nuit à notre aptitude à mémoriser de l'information et à prendre des décisions efficaces[112].

Les employés surmenés enregistrent aussi des taux élevés d'absentéisme, tout simplement parce que le stress rend malade, on l'a vu[113]. Toutefois, il faut noter que l'absentéisme est aussi une forme de fuite salutaire : il permet de se retirer temporairement de la situation stressante et d'éviter le stade de l'épuisement[114]. L'agressivité au travail, une des formes de violence évoquée plus tôt, peut être aussi l'effet d'un stress intense[115]. Cette agressivité se manifeste par un haut degré d'hostilité et une propension au conflit[116].

À long terme, le « mauvais stress » peut être dommageable pour la santé. Sur les 33 milliards de dollars que coûtent annuellement les problèmes de santé mentale aux sociétés canadiennes, 11 milliards sont attribuables au stress et à l'épuisement professionnel (le reste va à des troubles médicalement reconnus comme la dépression, l'anxiété et l'usage de drogues). C'est ce que rapporte la *Global Business and Economic Roundtable on Addiction and Mental Health*, une table ronde, constituée de gens d'affaires et de scientifiques canadiens, vouée à la recherche sur la santé mentale au travail. Près de 50 % des personnes interrogées dans l'enquête canadienne sur la santé mentale disent que leur milieu de travail est une source majeure de stress, comparativement à 39 % en 1997, et 45 % des employés se disent satisfaits de leur travail comparativement à 62 % en 1991[117].

L'encadré 5.6 donne l'exemple de deux entreprises québécoises qui mettent en place des mesures de prévention et de gestion de problèmes de santé mentale.

épuisement professionnel
État d'épuisement physique, émotionnel et intellectuel qui résulte du stress prolongé au travail.

Comment Alcan et Hydro-Québec affrontent les problèmes de santé mentale au travail

Deux grandes entreprises, Alcan et Hydro-Québec, servent de modèle dans la mise en place de programmes de prévention et de gestion de problèmes de santé mentale.

Alcan a des infirmières et des médecins présents cinq jours par semaine sur les lieux de travail et un centre de conditionnement physique pour ses employés. Elle a aussi mis sur pied un programme de *coaching* pour les employés du siège social de Montréal.

«On commence par aider les cadres supérieurs à réduire le stress qu'ils imposent à leurs subalternes», dit Steve Price, directeur des ressources humaines pour le groupe métal primaire et la Maison Alcan. La société se donne quelques années pour créer un programme de *coaching* adapté pour les 800 autres employés.

De son côté, Hydro-Québec a réglé son problème d'absentéisme en examinant les pratiques qui font qu'un employé a envie d'aller au travail.

À ce jour, 1300 employés ont répondu à un questionnaire sur ce qui les pousse à bien *performer* au travail. «Il n'y aura pas de politique universelle parce que les unités de travail diffèrent, dit Danielle Laurier, directrice du programme de santé et sécurité mentale à Hydro-Québec, mais on s'entend pour dire que l'employé doit sentir que son travail met en valeur ses compétences et que l'ambiance de travail est saine. Il ne faut pas non plus sous-estimer les petits irritants, qui finissent par s'additionner et incommoder les travailleurs : l'imprimante qui ne fonctionne pas, le manque de lumière, etc. »

«La lutte à l'absentéisme, c'est aussi s'occuper de ceux qui sont présents », dit Danielle Laurier.

Source : Suzanne Dansereau, « Alcan et Hydro-Québec en avance », *Les Affaires*, 26 février 2007, p. 7.

COMMENT GÉRER LE STRESS PROFESSIONNEL

Idéalement, il faudrait pouvoir gérer son stress avant que la situation n'empire. Malheureusement, nous avons souvent tendance à nier notre détresse jusqu'à ce qu'il soit trop tard pour y remédier efficacement. Cette stratégie d'évitement crée un cercle vicieux, car l'incapacité de faire face au stress devient un facteur de stress supplémentaire qui s'ajoute à celui qui a provoqué le stress en premier lieu[118]. Nous présentons ici quelques solutions pour éviter ou gérer le stress professionnel. Il faut garder à l'esprit que l'organisation, comme les employés, assument la responsabilité conjointe d'une gestion efficace du stress[119].

Cinq grandes catégories de mesures permettent de gérer le stress professionnel :

- supprimer les sources de stress ;
- se soustraire aux facteurs de stress ;
- changer sa perception de la situation stressante ;
- maîtriser les facteurs de stress ;
- recevoir un soutien social.

La suppression des sources de stress

De toutes les stratégies énoncées ici, certains chercheurs avancent l'idée que la seule façon pour les entreprises de gérer efficacement le stress consiste à supprimer les facteurs de stress qui provoquent des tensions inutiles et mènent au surmenage professionnel. Ce n'est pas toujours possible, évidemment. L'une des façons de gérer le stress organisationnel consiste à en explorer les principales causes et à agir en conséquence[120]. Une autre stratégie consiste à modifier la culture de l'entreprise et les systèmes de récompenses de manière à favoriser un équilibre entre le travail et la vie personnelle. Plus généralement, les recherches ont révélé que l'une des façons les plus efficaces de supprimer les facteurs de stress au travail est de donner aux employés plus de pouvoir et d'autonomie dans leur travail, de façon à réduire leur sentiment d'aliénation et d'impuissance[121]. Formation et amélioration des conditions de travail peuvent également minimiser de manière importante le stress professionnel. Prévenir et sanctionner le harcèlement sexuel et psychologique (les tribunaux et des codes de conduite internes stricts sont d'un précieux renfort ici) ainsi que la violence en milieu de travail réduiront le stress occasionné par ces comportements. Enfin, l'entreprise peut prendre de nombreuses initiatives pour prévenir le stress, notamment en mettant en place des mesures qui favorisent un équilibre entre la vie familiale, professionnelle et personnelle. Le besoin est là, comme le montre une étude récente, menée auprès de 31 500 Canadiens, qui concluait que les horaires de travail se sont dégradés au cours de la dernière décennie[122]. Cinq mesures sont susceptibles de favoriser l'équilibre entre le travail et la vie personnelle[123] : des horaires de travail flexibles (comme chez Kraft Canada[124]), le partage des tâches (par exemple, deux employés se partagent un même poste de travail[125]), le télétravail (qui réduit le stress et le temps liés aux déplacements[126]), des congés pour raisons personnelles (prendre meilleur soin de ses proches, par exemple) et les garderies en milieu de travail (comme à la Banque Nationale du Canada)[127].

Se soustraire aux facteurs de stress

La suppression du facteur de stress est peut-être la solution idéale, mais elle n'est pas souvent réalisable. Une autre option consiste à soustraire les employés au facteur de stress de façon temporaire ou permanente. On parle de retrait permanent quand un employé est muté à un poste qui correspond davantage à ses compétences et à ses valeurs.

Se soustraire temporairement aux facteurs de stress est la façon la plus fréquente pour les employés de gérer leur stress. Par exemple, Nortel Networks met à la disposition de son personnel une salle de détente meublée de fauteuils confortables et de vidéos humoristiques où les employés peuvent échapper temporairement à leurs tracas professionnels[128]. La sieste, en Espagne et dans d'autres pays méditerranéens, donne un moment de répit aux employés. Toutefois, dans l'encadré 5.7, on voit que cette pause, jugée régénératrice par certains, est remise en question en Espagne.

Les jours de congé et les vacances permettent aux employés de se mettre à l'abri plus longtemps des conditions stressantes. Une étude menée auprès des services de police et d'urgence dans l'ouest du Canada a démontré que ces périodes de congé augmentaient de manière significative la capacité des employés à faire face au stress professionnel[129]. Certaines entreprises canadiennes offrent des congés sabbatiques rémunérés à leurs employés plus anciens. C'est le cas de McDonald's du Canada, qui accorde à ses salariés un congé payé de huit semaines après dix ans de service[130]. Deux tiers des salariés australiens peuvent recevoir jusqu'à trois mois de congé payé après 10 à 15 ans de service[131].

Changer sa perception de la situation stressante

Souvent, la situation stressante est, on l'a dit, affaire de perception. Il faut donc essayer d'y travailler. Il ne s'agit pas de nier les risques ou d'autres facteurs de stress, mais plutôt de redéfinir le problème autrement en en changeant les paramètres.

Conserver la sieste « antistress » dans l'Espagne moderne

Maria Jose Mateo, une employée de banque de 29 ans, tente de demeurer éveillée pendant l'après-midi. À l'instar de beaucoup de compatriotes, elle a renoncé à la sieste séculaire en Espagne, cette pause de deux ou trois heures pendant laquelle les employés, de retour chez eux, prennent un repas chaud suivi d'un somme régénérateur.

Les clients européens s'attendent de plus en plus à ce que les employés espagnols répondent au téléphone toute la journée. Les entreprises, soucieuses d'accroître leur productivité, découragent aussi ces longues pauses. TotalFina, la pétrolière française, distribue à ses cadres et à ses représentants espagnols des bons de réduction pour manger dans les restaurants rapides situés à proximité de leur travail, afin de les inciter à troquer la sieste contre un repas énergétique. Le long trajet quotidien est, lui aussi, en train de supplanter la sieste. En effet, les employés n'ont pas le temps d'effectuer le trajet quatre fois par jour dans les villes encombrées de Madrid et de Barcelone.

Fait ironique, la sieste disparaît alors que des études effectuées aux États-Unis révèlent ses bienfaits pour le système nerveux. Un petit nombre de sociétés américaines, comme Burlington Northern Santa Fe Railways, ont instauré une politique permettant la sieste. Kodak, PepsiCo, IBM et Pizza Hut offrent des cours à leurs employés sur la façon de faire de courtes siestes régénératrices au travail. La société Deloite Consulting est allée jusqu'à mettre sur pied des pièces réservées à la sieste.

Fede Busquet, ex-propriétaire d'un salon de bronzage, a peut-être trouvé une solution au problème des Espagnols en ce qui concerne la sieste à laquelle ils restent habitués. Il a mis sur pied deux douzaines de studios où, en échange de 1000 PTA (pesetas), environ 8 $ CA, les clients reçoivent un massage de 10 minutes

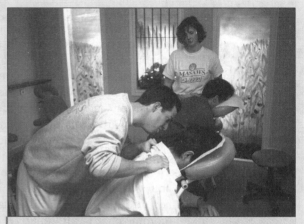

Les massothérapeutes Remco Rafina, à gauche, et Eva Pacheco donnent un massage sur chaise dans un studio nouvellement ouvert à Madrid. Pour 8 $ CA, les clients reçoivent un massage de 10 minutes sur une chaise ergonomique. Ensuite, ils dorment ou se reposent pendant une heure sur cette même chaise.

Paul White, AP Photo

sur une chaise ergonomique, suivi d'un somme ou d'un repos d'une heure ou moins. Les affaires de Busquet sont florissantes. Il semble que les Espagnols aient encore besoin de leur sieste, mais celle-ci doit être plus courte et plus proche de leurs bureaux.

Sources : L. Stevens, « Believers in the Midday Doze Are Stripping Away Stigma of Siestas », *Forth Worth Star-Telegram*, 21 mars 2001 ; R. Hogan, « A Daytime Nap Could Make You More Productive », *Los Angeles Times*, 15 janvier 2001 ; S.M. Handeslblatt, «Stressed Out and Stranded in Barcelona?», *Wall Street Journal Europe*, 4 août 2000, p. 32 ; R. Boudreaux, « Spaniards Are Missing their Naps », *Los Angeles Times*, 28 mars 2000 ; D. Woolls, « Spanish Entrepreneur Finds Market Niche in Siesta Deprived », *Deserted News*, 22 mars 1999.

Par exemple, on peut renforcer sa confiance en soi de manière à percevoir les difficultés professionnelles comme un défi et non comme une menace. L'humour peut aussi améliorer nos perceptions en allégeant la situation.

Des techniques telles que la visualisation (d'images mentales) et l'autopersuasion peuvent atténuer l'inquiétude d'un employé qui fait face aux tâches difficiles à accomplir (il peut par exemple imaginer divers scénarios encourageants, se rappeler ses propres succès, etc.). Une étude menée auprès de comptables a révélé que l'« autorenforcement » et la fixation d'objectifs personnels pouvaient aussi diminuer le stress qui afflige les nouveaux employés[132].

Des présidents en exercice !

Denis Boivin, 56 ans, président de Samson Bélair/Deloitte & Touche

Après que son frère eut succombé à une crise cardiaque à 46 ans, en 2004, Denis Boivin a cessé de fumer, perd du poids, se met à l'exercice quotidien et discipline sa fourchette. Ses péchés mignons d'antan ? Les mets sucrés, les frites, les chips et le fromage en grains (en entrant dans la salle de conférence, il n'a pas résisté à l'envie de piger dans un bol de bonbons). « Je n'ai jamais été malade, dit ce père de trois enfants, mais j'ai un mauvais bagage génétique. »

Ses parents sont décédés de maladies cardiaques à 66 et 69 ans, un de ses frères fait de l'hypertension et un autre a survécu à un malaise cardiaque. « Si je combine mon bagage génétique à de mauvaises habitudes de vie, cela aura un effet explosif », dit-il. Engagé dans certaines activités de la Fondation des maladies du cœur du Québec, il a récemment inscrit son entreprise au programme préventif « Au cœur du travail ». Chez Samson Bélair/Deloitte & Touche, des affiches font la promotion de l'exercice physique. Le personnel peut aussi assister à des conférences sur la santé cardiaque.

Luc Doyon, 45 ans, président et chef de l'exploitation d'Air Liquide Canada

Ne cherchez pas Luc Doyon au siège social d'Air Liquide Canada, entre 12 h et 14 h. Non, il n'est pas en réunion. Ni parti luncher. Il s'entraîne dans un gymnase d'un hôtel du centre-ville de Montréal, dont il préfère garder le nom secret. « Je ne suis pas là pour faire du social ! » dit en riant ce grand homme mince aux cheveux gris. Luc Doyon fait de l'exercice, entre trois et cinq fois par semaine, depuis maintenant 20 ans. Il a débuté « peut-être par vanité », mais il ne cesse aujourd'hui d'en compter les bienfaits. « Ma forme me permet de demeurer alerte jusqu'à 11 heures par jour, dit-il. Lorsque je souffre du décalage horaire, je suis capable d'être actif avec très peu d'heures de sommeil, même si je suis fatigué. » Et il peut suivre ses deux fils adolescents sur les pentes de ski.

À force de voir Luc Doyon traîner son sac d'entraînement au bureau, Charles Roberge, 39 ans, s'est mis à l'activité physique en 2003. « Si le dirigeant de l'entreprise trouve le temps de faire du sport, je ne vois pas pourquoi je ne réussirais pas à en trouver moi aussi », dit le directeur de l'approvisionnement et des services corporatifs.

Source : Marie-Ève Cousineau, « Des fonctionnaires stressés ». *Commerce*, vol. 107, n° 1, janvier 2006, p. 22.

Maîtriser les effets du stress

Les effets du stress nocif peuvent être maîtrisés grâce à des activités physiques[133]. De nombreuses entreprises canadiennes ont mis sur pied des centres de conditionnement physique destinés au personnel. Une étude révèle que 67 % des employeurs canadiens offrent à leurs salariés des programmes de mieux-être axés sur un aspect de la santé (comme les programmes antitabagisme)[134]. Magna International fait partie de ces entreprises. Tous les deux mois, le fabricant torontois de pièces d'automobiles organise des conférences sur un sujet particulier lié à la santé ; le mois suivant, il met sur pied une clinique où les employés peuvent discuter de ce sujet avec un conseiller en santé[135].

La relaxation et la méditation sont deux autres moyens de maîtriser les effets physiologiques du stress. Ces activités ont pour effet de diminuer la fréquence cardiaque, la tension artérielle, la tension musculaire et le rythme respiratoire[136]. Les hauts dirigeants sont grandement susceptibles de développer un stress professionnel, mais certains donnent l'exemple des actions à prendre pour amoindrir ses effets grâce à l'activité physique (*voir l'encadré 5.8*).

Par ailleurs, de nombreuses grandes sociétés offrent des **programmes d'aide aux employés (PAE).** Ces programmes sont en général mis sur pied par le service des ressources humaines et visent à aider les employés en difficulté, que ce soit pour des problèmes personnels (tel l'alcoolisme) ou professionnels. Les problèmes

programmes d'aide aux employés (PAE)
Services en entreprise qui aident les employés à affronter des situations difficiles et à gérer leur stress plus efficacement.

TABLEAU 5.2	Motifs les plus fréquents d'inscription à un programme d'aide aux employés

Surcharge de travail	18,0 %
Problèmes liés au vécu amoureux	16,8 %
Problèmes avec son patron	12,6 %
Difficulté d'adaptation au travail	8,9 %
Problèmes avec les collègues	8,6 %

Source : Ordre des psychologues du Québec, 2003. Tableau rapporté dans le journal *Les Affaires*, 26 février 2005, p. 6.

familiaux représentent souvent le sujet principal des consultations, bien que cela puisse varier selon l'industrie et la région. Par exemple, toutes les grandes banques canadiennes offrent un service de PAE visant à atténuer le stress post-traumatique des employés victimes d'un vol, notamment dans le cas d'un vol à main armée[137]. Les PAE constituent l'un des outils les plus efficaces de gestion du stress[138].

Le tableau 5.2 indique les motifs d'inscription des employés québécois à un PAE.

Recevoir un soutien social

Le soutien que nous offrent les collègues, les supérieurs, la famille, les amis et d'autres personnes est l'un des outils de gestion du stress les plus efficaces[139].

Le soutien social diminue le stress d'au moins trois façons[140]. Tout d'abord, les encouragements reçus d'autrui relèvent l'estime de soi, ce qui donne le regain d'énergie nécessaire pour affronter la situation qui est une source de stress. Ensuite, les conseils d'ordre professionnel permettent d'interpréter différemment la situation stressante et de la dominer (par exemple, quand des collègues s'expliquent comment procéder avec des clients difficiles). Enfin, le soutien émotionnel des autres (grâce à leur capacité d'empathie) allège souvent les inquiétudes[141].

Le soutien social est un outil efficace pour combattre le stress ; tout le monde peut l'utiliser en cultivant des liens d'amitié. Les organisations peuvent favoriser le soutien social en donnant aux employés des occasions de se rencontrer entre eux et avec leurs familles. De plus, les dirigeants et les cadres doivent aussi être des sources de soutien quand les employés travaillent dans des conditions stressantes, par exemple sous forme de *coaching* ou de mentorat.

RÉSUMÉ DU CHAPITRE

Les émotions sont des réactions psychologiques et physiologiques à un objet, à une personne ou à un événement causées par des sentiments vifs tels que la peur, la surprise et la joie. Elles sont souvent catégorisées selon leur caractère agréable et le degré d'activation qu'elles suscitent. De multiples situations au travail peuvent provoquer des réactions ou des émotions vives (conflit, harcèlement sexuel ou psychologique, etc.), lesquelles, avec l'humeur, influencent nos attitudes au travail (loyauté, motivation, etc.) et la performance. Des facteurs de personnalité et le sexe des individus viennent moduler ces réactions. Il en est ainsi des gens aux affects positifs, qui sont bien disposés par rapport à la satisfaction au travail et à l'assiduité. Les femmes expriment davantage leurs émotions que les hommes et lisent mieux qu'eux les expressions non verbales. La dissonance émotionnelle survient lorsqu'il y a un certain conflit entre les émotions que ressent un individu et celles qu'il doit manifester dans son travail par son comportement. Le travail émotionnel devient alors plus intense, voire stressant.

Le travail émotionnel désigne les efforts que déploie une personne pour exprimer les émotions jugées acceptables et souhaitables. C'est le cas pour certains emplois qui comportent des contacts fréquents et de longue durée avec d'autres personnes (clients, fournisseurs, presse, etc.).

L'intelligence émotionnelle est l'aptitude à connaître et à reconnaître ses propres émotions et celles des autres ainsi que l'habileté à les contrôler et à les canaliser afin d'établir des relations sociales fructueuses. La façon de développer son intelligence émotionnelle et de réguler ses émotions en général. Pour un chef, développer celle des autres consiste à faire le bon choix de personnes lors de la sélection du personnel, à les former sur la connaissance de nos affects et sur la façon de les contrôler en milieu de travail et d'instaurer une culture d'expression et de récompense des émotions en accord avec celle de l'entreprise.

Le stress est un mode d'adaptation d'un individu à une situation perçue comme difficile ou menaçante. À un niveau raisonnable, le stress est une source d'énergie qui incite les individus à l'action, mais un stress prolongé et intense peut avoir des conséquences néfastes pour les employés. Toutefois, l'effet ressenti à cause des facteurs de stress dépend du tempérament de chaque individu.

Les sources de stress sont multiples. Elles émanent autant de relations interpersonnelles difficiles (conflits, harcèlement sexuel ou psychologique, violence) que des exigences liées aux rôles et aux fonctions de l'employé. À cela s'ajoute la tension qui émane des difficultés à concilier les obligations professionnelles et familiales.

Un stress intense et prolongé peut engendrer des symptômes physiologiques (comme l'hypertension et la cardiopathie), psychologiques (la dépression, par exemple) et des dysfonctions professionnelles (baisse de la performance, accidents de travail, absentéisme, etc.).

Il existe de nombreuses stratégies qui permettent de mieux gérer le stress professionnel. Certaines consistent à supprimer les facteurs de stress ou à retirer l'employé de l'environnement stressant. D'autres aident l'employé à modifier sa perception de la source de stress et à en maîtriser les conséquences éventuelles grâce à des programmes axés sur la santé mentale et physique.

MOTS CLÉS

ambiguïté du rôle, p. 222

conflit lié au rôle, p. 221

dissonance émotionnelle, p. 208

émotions, p. 205

épuisement professionnel, p. 227

harcèlement psychologique, p. 220

harcèlement sexuel, p. 218

intelligence émotionnelle (IE), p. 212

personnalité de type A, p. 226

personnalité de type B, p. 226

programmes d'aide aux employés (PAE), p. 231

sources de stress, p. 217

stress, p. 216

travail émotionnel, p. 209

QUESTIONS

1. Une étude récente rapporte que les enseignants de niveau secondaire, et parfois collégial, sont souvent obligés de faire beaucoup de travail émotionnel. Décrivez les situations qui exigent un travail émotionnel de leur part. À votre avis, ce genre de travail est-il plus difficile pour un enseignant ou pour un standardiste du service d'urgence 911 ?

2. « L'intelligence émotionnelle joue un rôle plus important dans la réussite d'une personne que l'intelligence cognitive (rationnelle). » Êtes-vous d'accord avec cette affirmation ? Expliquez votre point de vue.

3. Décrivez un moment où vous avez géré efficacement les émotions de quelqu'un. Que s'est-il passé ? Quel en a été le résultat ?

4. Plusieurs sites Internet — dont www.unitedmedia.com/comics/dilbert/ et www.cartoonwork.com — font appel à l'humour pour illustrer les problèmes auxquels les employés se heurtent au travail. Visitez ces sites et d'autres sites semblables et déterminez quels types de facteurs de stress professionnel y sont décrits.

5. Votre situation d'étudiant à temps plein ou à temps partiel au collège ou à l'université est-elle stressante ? Expliquez votre réponse. Comparez votre point de vue avec celui d'autres étudiants.

6. Les professions de policier et de serveur sont souvent citées comme étant très stressantes, tandis que celles de comptable et de forestier le sont moins. Pourquoi devrait-on considérer avec prudence ces observations ?

7. Deux nouveaux diplômés décrochent des postes de journalistes pour le même périodique. Tous deux travaillent de longues heures et doivent respecter des échéances serrées. Ils subissent une pression constante, car ils doivent faire des reportages exclusifs et être les premiers à signaler les nouveaux sujets de controverse. L'un d'eux, de plus en plus épuisé et déprimé, a pris plusieurs jours de congé de maladie. L'autre effectue son travail et prend plaisir à relever les défis du métier. À partir de ce que vous savez sur le stress, donnez des raisons plausibles des réactions différentes de ces deux journalistes par rapport à leur travail.

ÉTUDE DE CAS 5.1

STEVENS COMPUTING SYSTEMS

par James Buchlowsky, Saskatchewan Institute of Applied Science & Technology

Stevens Computing Systems (SCS) est un cabinet d'experts-conseils spécialisé dans la conception de logiciels pour réseaux informatiques. L'un de ses principaux clients est un grossiste qui fait surtout affaire avec un centre d'appels et une entreprise de commandes en ligne.

Pendant que Shane Stevens, fondateur et chef de la direction de SCS, prenait des vacances bien méritées en famille, un problème s'est posé. Au moment précis où Shane Stevens et sa famille s'apprêtaient à monter dans un autocar pour effectuer une visite touristique, il a reçu un appel venant du siège social de l'entreprise. Après quelques instants d'hésitation, il a laissé sa famille et est retourné à l'hôtel pour joindre son bureau.

Au téléphone, Shane Stevens a appris que le système de commandes de leur distributeur avait eu une défaillance. Celle-ci provenait d'une erreur que l'une des meilleures programmeuses de SCS avait commise en mettant à jour un code de logiciel. Apparemment, l'erreur touchait des commandes récentes de plusieurs milliers de dollars et il était impossible de savoir lesquelles avaient été traitées ou non. Naturellement, les gestionnaires de son principal client étaient très mécontents et agitaient toutes sortes de menaces depuis l'annulation de leur contrat avec SCS jusqu'à la poursuite judiciaire.

Shane Stevens a refoulé sa première réaction, qui était de blâmer la programmeuse. Il a plutôt demandé ce qui avait été fait pour régler le problème. On l'a avisé que son gestionnaire le plus ancien n'avait rien tenté pour régler le problème, faute de posséder les connaissances techniques nécessaires. Toutefois, il avait temporairement mis à pied la programmeuse qui avait commis l'erreur et il avait tenté de la dissocier de SCS.

Shane Stevens, après avoir raccroché, a décidé de couper court à ses vacances. Il est rentré chez lui avec la ferme intention de corriger la situation. Son premier geste a été de se rendre au domicile de la programmeuse pour lui dire qu'il comprenait que personne n'était parfait et qu'il la réintégrait dans ses fonctions. Ensuite, il a réuni tous les programmeurs et les concepteurs de logiciels disponibles pour leur demander de chercher des solutions. Finalement, non seulement il a rencontré les gestionnaires de son client, mais il a aussi invité tous les membres de la direction à son club de golf.

En fin de compte, Shane Stevens a offert aux gestionnaires une gamme complète de services informatiques à un prix très attrayant, offre qu'ils ont acceptée. Non seulement cette offre a-t-elle convaincu le grossiste de ne pas annuler son contrat avec SCS, mais elle a permis d'augmenter le nombre de transactions entre les deux entreprises. Bien sûr, la programmeuse de SCS qui avait commis l'erreur initiale a continué de fournir des services informatiques au grossiste.

Question

Décrivez comment Shane Stevens a utilisé les compétences de l'intelligence émotionnelle pour résoudre le problème dans la situation décrite ci-dessus.

EXERCICE EN GROUPE 5.2

LE CLASSEMENT DE DIVERS EMPLOIS EN FONCTION DE LA SOMME DE TRAVAIL ÉMOTIONNEL REQUISE

Objectif Cet exercice vous permettra de comprendre le travail émotionnel vécu dans différents emplois.

Instructions

▪ Étape 1: Évaluez individuellement, sur une échelle de 1 à 10, l'intensité de travail émotionnel que nécessitent les emplois suivants (1 est l'intensité la plus forte et 10 est la moins forte). Écrivez ce chiffre dans la première colonne.

▪ Étape 2: L'enseignant forme des équipes de quatre ou cinq membres. Chaque équipe doit atteindre un consensus (et non faire une moyenne des cotes individuelles) sur le chiffre à attribuer à chaque emploi. Écrivez ces résultats dans la deuxième colonne.

▪ Étape 3: L'enseignant énonce les cotes que des experts ont établies. Ces cotes sont inscrites dans la troisième colonne. Ensuite, les étudiants calculent les différences dans les colonnes 4 et 5.

▪ Étape 4: Tous ensemble, les étudiants comparent les résultats et discutent des caractéristiques des emplois exigeant un intense travail émotionnel.

Grille de pointage du travail émotionnel en fonction des emplois					
Emplois	**1.** Pointage individuel	**2.** Pointage des équipes	**3.** Pointage des experts	**4.** Écart absolu entre les colonnes 1 et 3	**5.** Écart absolu entre les colonnes 2 et 3
Barman					
Caissier					
Hygiéniste dentaire					
Expert en sinistres					
Avocat					
Bibliothécaire					
Préposé au courrier					
Infirmier					
Travailleur social					
Présentateur de télévision					
			Total		
				Votre pointage	Pointage de l'équipe

(Plus bas est le pointage, meilleure est votre performance.)

EXERCICE D'AUTOÉVALUATION 5.3

L'ÉCHELLE DE MESURE DE VOTRE TEMPÉRAMENT ÉMOTIONNEL

La version électronique de cet exercice est disponible au www.cheneliere.ca/mcshanebenabou.

Objectif Comprendre et mesurer votre tempérament « émotionnel ».

Instructions Plusieurs mots représentant diverses émotions que vous avez pu vivre sont présentés.

Pour chacun d'eux, indiquez honnêtement jusqu'à quel point vous vous êtes ainsi senti depuis les derniers six mois. Le résultat présente une estimation de votre tempérament émotionnel sur deux axes. Attention : ceci n'est qu'une approximation de ce trait de personnalité dont l'existence précise est le travail d'un spécialiste.

UNE JOURNÉE TYPIQUE DANS LA VIE DE JOE HANSEN, DIRECTEUR GÉNÉRAL

par Hazel Bothma, Université du Cap, Afrique du Sud

Voici Joe Hansen, directeur général de Magical Connections, une entreprise établie au Cap, en Afrique du Sud. Suivez-le pendant une journée et voyez les difficultés et les facteurs de stress auxquels il fait face dans son travail quotidien.

Le réveil sonne. Il est 6 h et Joe ne sait pas s'il devrait aller courir. Cependant, hier soir, comme bien d'autres soirs, il a travaillé très tard. Il décide donc de remettre son jogging à plus tard et de s'accorder une demi-heure supplémentaire de sommeil. Toutefois, le destin s'en mêle et, moins de cinq minutes plus tard, sa fille de 18 mois commence à pleurer. Il jette un coup d'œil à sa femme et décide de la laisser dormir. Elle s'est occupée de leur fille hier soir alors qu'il travaillait jusqu'à 23 h. Se traînant hors du lit, il prend sa fille dans ses bras et se rend à la cuisine pour lui préparer un biberon. Là, il l'installe sur ses genoux, ouvre son ordinateur portable et fait la grimace en voyant qu'il a 42 nouveaux courriels. Il se souvient du temps où le courrier électronique et les cellulaires n'étaient pas encore populaires. Même s'il est le premier à admettre qu'il ne peut se passer de ces nouvelles technologies, il se rend compte que les frontières entre son travail et sa vie personnelle sont devenues floues. Comme sa fille boit calmement son biberon dans son lit, il en profite pour commencer à répondre à ses courriels et à effacer la majorité de ceux-ci, qui ne sont que des pourriels.

À 6 h 45, il passe sous la douche. Il est encore fatigué et se prépare pour une autre journée de travail. Tout en se coiffant, il remarque ses premières mèches grises : 38 ans, pense-t-il avec ironie et cela commence à paraître. Il se demande si ses heures de travail tardives et la pression subie au travail sont responsables de ces cheveux gris.

Il est 7 h 15, et Joe doit aller au bureau. Pas le temps de déjeuner. Il avale plutôt sa deuxième tasse de café bien corsé en se promettant que demain, il prendra le temps d'avaler un morceau avant d'aller travailler.

Au volant de sa voiture, tandis que la circulation du matin commence à s'alourdir, il se dit qu'au moins, il n'est pas en route vers l'aéroport pour effectuer un de ses fréquents voyages d'affaires dont il revient épuisé et surchargé de travail. Il roule depuis à peine 10 minutes quand son cellulaire sonne. C'est Justin, un de ses chefs d'équipe, qui voudrait le rencontrer aujourd'hui pour discuter des raisons pour lesquelles certaines équipes n'atteignent pas leurs objectifs.

Joe se remémore son premier emploi dans une grande banque. Le travail d'équipe n'existait pas alors et, comme il n'était pas encore cadre, il était rare qu'on le consulte ou qu'on lui demande de prendre des décisions. Tout cela a changé, surtout dans le secteur de la technologie de l'information. Magical Connections, l'entreprise où il travaille, a très peu de cadres et la plupart des 22 employés y travaillent en équipes. Il est maintenant très loin de son emploi à la banque, où il était l'un des 500 employés anonymes au sein d'une entreprise hiérarchisée. Bon nombre des gens avec lesquels Joe a travaillé dans l'industrie bancaire y travaillent toujours. Joe se heurte au défi constant de garder des employés compétents. Ces derniers quittent l'entreprise presque tous les deux ans pour entrer dans d'autres sociétés d'informatique ou même pour chercher du travail dans d'autres villes sud-africaines. Malgré les difficultés causées par le roulement constant du personnel, Joe préfère la manière dont le travail est structuré dans son entreprise à la division hiérarchisée du travail à la banque. En effet, à Magical Connections, la division du travail favorise l'avancement, les tâches sont réparties d'une manière logique et il ne regrette certainement pas les frustrations liées à une lourde bureaucratie.

Au moment d'entrer dans son bureau, il rencontre Alan, qui fait les cent pas à la réception. La société attend de nouvelles pièces de Taiwan. Alan explique que les pièces sont arrivées au port de Durban, mais qu'elles sont retenues aux douanes à cause de l'absence de certains documents. Les entreprises à qui la société a promis de livrer ces pièces ont appelé Alan à plusieurs reprises pour demander où elles étaient. Ce dernier semble au bord de la crise de nerfs lorsqu'il décrit avec véhémence à Joe la pression qu'il subit de la part des clients furieux qui veulent tout, tout de suite. Joe comprend ce qu'Alan ressent, puisque lui-même subit une pression constante de toutes parts. Ayant fait un remue-méninges avec Alan pour trouver des solutions à cette crise, Joe s'empresse de se servir une troisième tasse de café dans l'espoir que la caféine va le stimuler. Bien qu'il soit à peine 10 h, il prend une cigarette dans son tiroir et va la fumer à l'extérieur. Il est très conscient des risques du tabac pour sa santé, sans parler du courroux qu'il provoquerait si sa femme l'apprenait. Cependant, comme d'habitude, sa journée ressemble déjà à une course d'obstacles et Joe profite de ces cinq minutes de solitude.

À 11 h, Joe rencontre les membres d'une des équipes pour discuter de leurs objectifs. Justin, un des membres, amorce la réunion en accusant Sharon de ne pas donner un rendement adéquat et de mettre en péril l'objectif de l'équipe. Justin fulmine parce qu'il en a assez de travailler encore plus pour compenser le rendement médiocre de Sharon. Tout en écoutant Justin, Joe réalise que le caractère difficile de son employé nuit au bon déroulement de la réunion et à l'efficacité de l'équipe. Il veut savoir pourquoi Sharon n'atteint pas ses objectifs. Justin continue de tempêter contre le faible rendement de l'équipe et Joe sait qu'il doit régler ce problème le plus rapidement possible. Joe note mentalement qu'il devra mettre sur pied une sorte de formation en relations humaines pour toutes les équipes. Magical Connections doit à tout prix avoir des équipes efficaces si elle veut demeurer concurrentielle à l'échelle tant nationale que mondiale.

À 13 h, Dan, un ancien camarade d'école de Joe, lui téléphone afin de l'inviter à se joindre à lui pour dîner. Joe rit et rappelle à Dan qu'il n'a pas pris de pause à l'heure du midi depuis deux ans. Il s'attarde à imaginer un dîner tranquille, des mets savoureux et dégustés en agréable compagnie, mais il sait qu'il a beaucoup trop à faire. Dan éclate de rire à son tour et dit à Joe que, à titre de directeur général, il devrait déléguer davantage et s'accorder des moments de loisir. Il a raison, pense Joe. L'autonomie des employés lui donnerait le temps d'élaborer une stratégie à long terme pour l'entreprise. Toutefois, la journée n'est pas propice à une pause-repas et il devra se contenter du hamburger-frites de la cafétéria.

À 14 h 30, Fiona entre dans son bureau pour annoncer à Joe qu'elle a l'intention de démission-ner. Joe est remué. Fiona est l'une des employées les plus brillantes. Cela veut dire que la société devra à nouveau recruter un candidat et, bien sûr, faire tout pour le retenir. Le recrutement et la sélection d'un nouvel employé demandent du temps, et Joe prend note qu'il devra lancer ce processus.

À 16 h, Joe, étendu sur une table spéciale, reçoit un massage dans son bureau. C'est une idée relativement neuve que la société a mise en œuvre il y a un mois sur la recommandation de quelques employés. Tous les employés ont droit à un massage d'une demi-heure par semaine. Sous l'effet de la musique douce et du parfum des huiles qui flottent dans l'air, Joe sent les mains puissantes du massothérapeute dénouer ses muscles et relâcher sa tension. Quelle bonne idée en fin de compte que ce programme de massage !

À 18 h, Joe quitte enfin le bureau avec une serviette bourrée de documents. Il sait que sa femme s'est occupée de leur fille toute la journée et qu'elle est épuisée et souhaite désespérément qu'il rentre à la maison pour l'aider. Joe a six nouvelles revues informatiques à lire et plusieurs sites Internet à explorer. La pression qui l'oblige à se tenir au courant de l'avalanche d'information relative à son domaine de travail est constante et lourde. En outre, Joe se rappelle que, la semaine prochaine, il doit suivre un cours sur la vente par ordinateur et qu'il sera absent de son bureau. Se recycler constamment est une nécessité s'il veut demeurer à la fine pointe de sa technologie.

Joe amorce le trajet de 20 minutes jusque chez lui. Il met un nouveau cédérom dans le lecteur et chantonne sa chanson préférée dont il termine le refrain à tue-tête, tout en battant frénétiquement la mesure sur le volant. Un appel au sujet d'un problème lié au travail interrompt cet interlude agréable. En raccrochant, Joe se dit qu'il emmènera sa fille et son épouse à l'extérieur de la ville pour la fin de semaine. Peut-être qu'à la montagne ils pourront se détendre en famille et qu'il pourra prendre le temps de parler avec sa femme. Il imagine et sourit : pas de cellulaire, pas de portable. Réconforté à cette idée, il songe aux défis qui l'attendent demain. Magical Connections doit rester une entreprise souple, sensible aux besoins du marché, innovatrice et durable et Joe espère bien en être un des artisans. Malgré les difficultés auxquelles il fait face, Joe adore son travail qu'il trouve stimulant et gratifiant.

Questions

1. Relevez les facteurs de stress auxquels Joe Hansen fait face.

2. Que pourrait faire Joe Hansen pour gérer son stress d'une manière plus efficace ?

3. Serait-il juste de dire que les employés dans le domaine de la technologie de l'information doivent affronter des niveaux de stress plus élevés que, par exemple, les employés des secteurs de la banque ou de la fabrication ?

EXERCICE D'AUTOÉVALUATION 5.5

L'ÉCHELLE DE MESURE DE LA PERSONNALITÉ DE TYPE « A »

La version électronique de cet exercice est disponible au www.cheneliere.ca/mcshanebenabou.

Objectif Vérifier vos tendances à adopter un comportement de la personnalité de type A.

Instructions Des paires de phrases ou de mots sont présentées et, dans cet exercice d'autoévaluation, vous devez choisir honnêtement le chiffre qui correspond le mieux à votre façon de voir les choses ou de vous comporter. Les résultats vous indiqueront si vous penchez vers une personnalité de type A ou B.

Tous droits réservés. Michael T. Matteson et John M. Ivanevich. Reproduit avec autorisation.

EXERCICE D'AUTOÉVALUATION 5.6

L'ÉCHELLE DE MESURE DU STRESS RESSENTI

La version électronique de cet exercice est disponible au www.cheneliere.ca/mcshanebenabou.

Objectif Déterminer vous-même votre niveau de stress.

Instructions Les questions de cet exercice font référence à vos réflexions du dernier mois. Indiquez sincèrement quel niveau de stress vous avez atteint dans chaque situation donnée.

Tous droits réservés. Sage Publications. Reproduit avec autorisation.

6

La motivation au travail : les fondements

Objectifs d'apprentissage

À LA FIN DE CE CHAPITRE, VOUS DEVRIEZ POUVOIR :

- comparer les différentes conceptions de la motivation après lecture de l'historique des théories sur le sujet ;

- décrire au moins quatre caractéristiques de la motivation ;

- comparer les théories de la motivation de Maslow, d'Alderfer, de Herzberg et de McClelland ;

- décrire les quatre mobiles innés que proposent Paul Lawrence et Nitin Nohria, et les comparer aux besoins évoqués par les auteurs précédents ;

- discuter des applications pratiques des théories de la motivation basées sur les besoins ;

- représenter graphiquement le modèle de la théorie des attentes en y incluant vos recommandations pour motiver le personnel ;

- décrire les caractéristiques d'une détermination d'objectifs et d'une rétroaction efficaces ;

- comparer la justice distributive, procédurale et interactionnelle et énoncer les conséquences de traitements perçus comme non équitables ;

- déduire des conseils pratiques de la théorie de l'évaluation cognitive.

Chez DGAG, entreprise classée première au Québec et 12e au palmarès canadien des employeurs de choix, le taux de satisfaction envers les cadres atteint 95 %. Selon Yves Bouchard, vice-président principal, Ressources humaines et Communications de DGAG, la première explication du taux d'appréciation élevé des cadres par les 3135 employés est la suivante :

« Les cadres ont des défis très clairs, ils connaissent les orientations de l'entreprise et peuvent donc les transmettre à leur personnel. » Selon M. Bouchard, la communication est un élément-clé de ces relations harmonieuses. De plus, les employés sont associés aux processus de résolution de problèmes.

« Lorsque nous avons réaménagé les horaires de travail pour les rendre plus flexibles, nous devions tenir compte à la fois des besoins de l'organisation, des clients et des employés. Ces derniers ont résolu ce casse-tête avec leur supérieur », poursuit M. Bouchard.

Les cadres sont également invités à créer un consensus au sein de leur équipe avant d'arrêter leurs décisions. DGAG offre de la formation à ses gestionnaires et de l'accompagnement personnalisé (*coaching*), au besoin.

Chez Abbott Canada, 35e au palmarès Hewitt, les 150 gestionnaires sont tenus de rencontrer individuellement tous les membres de leur équipe, au moins deux fois par année, pour une évaluation en profondeur de la performance.

« Nous mettons également beaucoup d'accent sur la reconnaissance », précise Mathieu Alarie, chef du développement et de la planification des ressources humaines d'Abbott.

Au moment des rencontres d'évaluation, l'entreprise pharmaceutique sonde systématiquement l'intention de ses employés de prendre éventuellement la relève des cadres actuels ou d'accéder à des promotions.

Pour Kasimir Olechnowicz, président de CIMA+, la seule façon de rendre un employé heureux est de le responsabiliser dans ses fonctions. « Je délègue beaucoup. Je donne un but à mes employés. Le plus important pour moi, c'est le bien-être de mon équipe. J'aime mieux voir un employé heureux qu'un client heureux, car l'un ne va pas sans l'autre », dit-il.

Photo : Stéphane Champagne

Que des paroles en l'air ? Jugez-en par vous-même. Pour sa toute première participation au palmarès des 50 employeurs de choix au Canada, CIMA+, l'une des plus importantes sociétés d'ingénierie au Québec, se classe en 13e position.

Ce qui distingue principalement la société ? Les horaires flexibles, les occasions de carrière, l'équilibre vie–travail, la bonne réputation de l'entreprise, etc. ■

Sources : Adapté de Jacinthe Tremblay, « Bonne cote d'amour pour les gestionnaires », *La Presse Affaires*, Montréal, 8 janvier 2007, p. 1 et 5 ; Stéphane Champagne, « Employé heureux, client heureux », *La Presse Affaires*, Montréal, 4 janvier 2007, p. 2.

Comme le souligne le texte d'introduction, des entreprises qui travaillent au Québec, comme DGAG, Abbott Canada et Cima+ ont su motiver et mobiliser leurs cadres et leurs employés par des mesures que nous verrons dans les théories du présent chapitre sur ce sujet : communication et adhésion aux objectifs de l'entreprise, travail d'équipe, possibilités d'apprendre (formation et promotions), reconnaissance, responsabilisation, rétroaction et conditions de travail agréables.

Le sujet de la motivation est un thème central dans la littérature en psychologie des organisations et une préoccupation grandissante des dirigeants qui doivent gérer des ressources humaines. À titre d'exemple, dans les années 1980, parmi les thèmes traités dans les revues scientifiques spécialisées dans l'étude du comportement organisationnel centré sur les individus, la motivation était sans aucun doute le sujet qui a reçu le plus d'attention de la part des chercheurs[1].

De leur côté, selon un sondage fait aux États-Unis, 92 % des employeurs consultés s'entendent pour dire que motiver le personnel est de plus en plus difficile[2]. Les raisons sont multiples. En premier lieu, sous l'effet des restructurations des entreprises et des pressions vers la réduction des coûts, les organisations ont procédé à des licenciements massifs, alors même que, parfois, les profits étaient au rendez-vous. Ces mesures ont brisé le lien de confiance qui existait auparavant entre l'employeur et l'employé, entraînant une diminution de l'engagement de ce dernier envers son organisation et de sa motivation[3]. Dans ce contexte, l'aplatissement des niveaux hiérarchiques a laissé les entreprises sans solution de rechange stimulante à la disparition progressive des cadres de premier niveau qui jouaient un rôle non négligeable dans la motivation de leurs subalternes (il est vrai par ailleurs qu'une supervision trop étroite est peu compatible avec les valeurs d'indépendance de la main-d'œuvre éduquée actuelle). La deuxième raison est que, dans un contexte de pénurie croissante de main-d'œuvre, notamment au Canada et au Québec (et dans certains pays d'Europe comme l'Allemagne), les employeurs doivent rivaliser d'imagination pour fidéliser et donc motiver les employés talentueux. Enfin, la diversité de la main-d'œuvre et les valeurs des nouvelles générations d'employés rendent plus complexe la lecture des besoins et des attentes de la force de travail[4].

Mais, fort heureusement, de nombreuses théories et de multiples pratiques apportent un éclairage utile à ceux qui veulent comprendre ce phénomène complexe qu'est la motivation au travail. Le chapitre sera construit de la façon suivante. Dans un premier temps, nous définirons le concept de motivation et ses caractéristiques. Ensuite, pour bien comprendre l'origine des diverses théories présentées, nous ferons un bref historique de la recherche sur ce sujet, depuis le début du siècle dernier. Cet historique permettra de comprendre que les théories sous-tendues par les mêmes postulats ont été regroupées. Nous pouvons ainsi distinguer cinq grandes catégories de théories. Dans la première, la motivation est expliquée par la satisfaction des besoins en général, et en particulier celle des besoins de croissance de l'employé, puisque ce sont eux qui assurent à la fois l'intensité et la permanence de la motivation. Dans la seconde, la motivation est vue comme un processus rationnel et, dans la troisième, elle est suscitée et maintenue par la détermination d'objectifs. Dans la quatrième catégorie, nous traiterons de la motivation par la justice organisationnelle et dans la cinquième, nous verrons l'impact du renforcement et des récompenses intrinsèques et extrinsèques sur les comportements (notamment avec la théorie de l'évaluation cognitive).

LA DÉFINITION DE LA MOTIVATION AU TRAVAIL

motivation
Énergie investie volontairement et de façon durable par un individu et orientée vers un but dont l'atteinte lui procure satisfaction.

La **motivation** fait référence aux forces qui influencent l'orientation, l'intensité et la persistance du comportement volontaire d'une personne[5]. Autrement dit, la motivation est une certaine énergie (intensité) investie volontairement et de façon durable (persistance) par un individu et dirigée vers un but (orientation) dont l'atteinte lui procure satisfaction (gratification). Comme on peut le voir dans cette définition, la motivation au travail présente au moins quatre caractéristiques qui lui sont propres. Tout d'abord, son caractère volontariste. En effet, on ne peut dire d'un employé qui vient à reculons au travail tous les jours qu'il est motivé. La motivation est un investissement volontairement consenti, donc un choix qui n'a pas besoin d'être stimulé constamment par autrui (un supérieur) ou par la contrainte. La seconde propriété de la motivation est sa durée ou son caractère persistant. Un effort qui ne dure pas longtemps ne peut être apparenté à la motivation ; il est alors davantage du ressort de l'enthousiasme du moment, ou de l'effet d'une mode, ou d'une énergie issue de la pression d'événements particuliers ou de groupes sociaux. Cet effort diminue généralement après la disparition de ces éléments. Par exemple, un individu vraiment motivé à gravir les échelons de la hiérarchie ne se découragera pas à la première difficulté et il persistera dans ses efforts des années durant, le cas échéant. La troisième caractéristique est son orientation. Un individu peut être motivé, mais ne pas savoir où ni comment canaliser ses efforts (c'est le cas d'employés qui gaspillent leurs talents à accomplir des tâches mal définies et à remplir des mandats imprécis). En entreprise, la motivation des gens est généralement orientée vers des tâches précises et vers des objectifs à atteindre. Enfin, le dernier caractère de la motivation est son aspect gratifiant. Les gens qui atteignent les buts qu'ils s'étaient fixés sont satisfaits, car ils retirent généralement «une récompense» de leurs efforts, ne serait-ce que le plaisir même d'avoir atteint ces buts. En entreprise, les récompenses de comportements motivés et efficaces sont multiples : félicitations, primes, promotions, etc.

La définition que nous venons de donner pourrait laisser entendre que la motivation donne à l'individu l'assurance que la performance ou les buts visés seront atteints. Mais, cela n'est pas nécessairement vrai, comme nous l'expliquerons plus loin. Aussi, la motivation mérite que nous précisions d'autres points importants.

D'AUTRES CARACTÉRISTIQUES DE LA MOTIVATION

Les relations entre la motivation et la performance ainsi que la dynamique de la motivation permettent de dégager d'autres caractéristiques, différentes des précédentes.

La motivation et la performance

Motivation et performance au travail ne sont pas synonymes. La relation entre ces deux concepts présente quatre cas de figure.

1. *L'employé est motivé et performant.*   C'est évidemment le cas le plus souhaitable s'il satisfait l'employé et l'employeur. Ici, on se trouve devant un employé compétent, intéressé à sa tâche, qui désire atteindre les buts qu'il s'est fixés et qui bénéficie des ressources que l'organisation met à sa disposition.

2. *L'employé est motivé mais non performant.*   Dans ce cas, l'employé désire se rendre utile, mais il peut ne pas avoir les compétences nécessaires ou les

ressources pour mener à bien les tâches qui lui sont assignées. Il peut aussi subir la pression de son groupe d'appartenance qui le contraint à performer en dessous de ce qu'il pourrait accomplir. Une autre cause possible est que l'individu n'est pas au bon poste, ses compétences et ses talents ne correspondant pas à ceux que son poste exige. Enfin, il peut se trouver dans une culture d'entreprise laxiste où on ne lui donne pas grand-chose à faire, ce qui le découragera à la longue, bien sûr.

3. *L'employé n'est pas motivé, mais il est performant.* Ce cas de figure se présente lorsque le travail n'offre aucun d'intérêt à l'individu, ou qu'il ne correspond pas à ses valeurs, ou encore lorsque l'employé est trop qualifié pour son poste, mais qu'il est obligé de performer pour ne pas perdre le revenu que lui apporte son travail, voire son emploi. Cette performance peut aussi être due à des contrôles sévères du rendement de l'employé ou à des pressions à la hausse de son groupe d'appartenance.

4. *L'employé n'est ni motivé ni performant.* C'est évidemment un cas de figure où l'employé et l'organisation auront un prix à payer. L'employé dans ce cas peut manquer de ressources, de compétences et d'intérêt. Il n'est pas non plus au bon poste et sa performance est peu supervisée. Il se peut aussi que cette baisse de régime soit passagère, l'individu éprouvant des problèmes personnels comme un deuil, un divorce ou encore étant complètement épuisé physiquement et mentalement à cause de la nature de son travail (stress, etc.).

Chaque cas de figure sollicite des actions correctives différentes évidentes à la lecture des causes des problèmes relevés. Mais, ces relations complexes entre la motivation et la performance montrent la difficulté de faire un diagnostic direct, car la motivation ne se manifeste pas d'emblée; on ne peut que l'inférer à partir des comportements observés.

La dynamique de la motivation

La motivation ne se présente pas de façon simple à l'individu. Les besoins qui vont la déclencher ainsi que les valeurs et les objectifs de l'individu peuvent entrer en conflit et compliquer ainsi le choix des réponses qui lui sont offertes. D'abord, plusieurs mobiles peuvent se manifester en même temps et compliquer le processus décisionnel de l'individu. Par exemple, valorisant le travail, il peut désirer grandement une promotion, mais en même temps, il sait que s'il l'obtenait, il sacrifierait sa vie familiale, ce qui ne correspondrait ni à son besoin de relations ni à ses autres valeurs. De plus, l'importance des besoins dépend des cultures. Par exemple, la préservation de la qualité de vie et celle de l'environnement sont des besoins et des valeurs bien plus forts chez les Scandinaves que chez les Américains. On voit donc la complexité de ce concept de motivation, processus évoluant lui-même en fonction du contexte ambiant. L'historique qui suit tentera de le montrer.

Un autre aspect de la dynamique de la motivation est qu'elle prend sa source autant à l'intérieur de l'individu que dans les facteurs de son environnement. La contribution de ces facteurs varie selon les individus. Parmi ces facteurs figurent d'abord les caractéristiques individuelles. Nous avons déjà vu au chapitre 3 comment les facteurs de personnalité influaient sur le comportement. Certains de ces traits personnels déterminent une grande motivation chez les individus qui en sont pourvus, sans que des facteurs externes interviennent de façon excessive.

C'est le cas, par exemple, des gens qui ont un grand besoin d'accomplissement et de pouvoir ou un fort sentiment d'efficacité. Par contre, d'autres individus ont besoin de fortes stimulations externes pour se déterminer à agir. C'est le cas des gens qui sont motivés à performer seulement par l'argent. Mais, en général, la motivation naît de la présence conjuguée de caractéristiques personnelles et de certains facteurs externes. Ainsi, une personne qui a un fort besoin d'accomplissement se découragera de faire des efforts si elle perçoit que dans son entreprise les bonnes relations sont plus importantes que la performance. À cet égard, il faut donc connaître son personnel et agir sur les personnes et leur environnement selon la source de motivation.

L'HISTORIQUE DES COURANTS DE RECHERCHE SUR LA MOTIVATION

Le lecteur qui n'est pas familier avec la discipline éprouvera peut-être de la difficulté à comprendre la nature des théories qui seront présentées, s'il est privé du contexte qui accompagnait leur émergence. En fait, la motivation n'a donné lieu à un courant d'étude à part entière qu'à partir de la fin des années 1940. Cependant, des sujets connexes comme les attitudes, dont la satisfaction au travail, sont antérieurs à cette date. Comme ces sujets expliquent progressivement celui de la motivation, il faut donc remonter au début du siècle dernier pour mieux comprendre l'évolution du concept (*voir aussi le chapitre 1*).

Bien sûr, il est ardu de faire des séparations nettes entre les différents courants théoriques de la motivation. Aussi, comme Latham et Budworth[6], on verra ces thèmes de façon chronologique, en distinguant quatre grandes périodes : de 1900 à 1925, de 1925 à 1950, de 1950 à 1975 et de 1975 à 2000.

■ *La période de 1900 à 1925 : la motivation économique*   Dans cette première période, avec la naissance du behaviorisme, la psychologie expérimentale portait davantage sur l'application des renforcements sur l'apprentissage que sur la motivation (*voir le chapitre 4*). Une exception cependant : le travail précurseur sur le terrain du psychologue behavioriste Thorndike[7], qui posait indirectement la question de la relation entre la satisfaction et la productivité. Cette étude est parue dans le premier numéro du *Journal of Applied Psychology* en 1917. Par cette question, Thorndike abordait donc ce qui sera un grand sujet de controverse en psychologie du travail. Dans cette première période, la motivation en entreprise n'était pas le premier intérêt des psychologues (en fait la sélection du personnel et l'ergonomie les intéressaient davantage). Que se passait-il donc du côté des entreprises à ce sujet ? Rappelons qu'elles disposaient d'une main-d'œuvre abondante et peu instruite, issue de la migration d'une grande partie de la population rurale vers les grandes villes. C'était le règne des ingénieurs dans une industrie essentiellement manufacturière. Leurs dirigeants étaient convaincus, dans ce contexte, que les stimulants financiers étaient le seul facteur de motivation des employés auxquels il fallait assigner une tâche spécifique et des objectifs précis à atteindre. Ces principes, précurseurs lointains de la motivation par l'établissement d'objectifs, furent bien établis par Taylor, en 1911, dans ce qu'il appela l'« organisation scientifique du travail », que nous avons vue au chapitre 1.

■ *La période de 1925 à 1950 : la motivation par la satisfaction des besoins*   Cette période a été marquée par la mesure des attitudes pour identifier les sources de motivation. Par conséquent on a mené de nombreuses études sur la satisfaction au travail, fondées sur la croyance qu'une attitude positive conduirait à une performance élevée. En 1932, par exemple, Rensis Likert[8] a mis au point une échelle simple et efficace de mesure des attitudes. Ces études, notamment celle de Hoppock[9] en 1935, ont révélé que, contrairement à ce que pensait Taylor, les employés étaient motivés par autre chose que l'argent, et qu'ils lui préféraient des tâches variées, l'autonomie pour les effectuer, des bonnes relations avec les collègues, de la reconnaissance et de la sécurité (décidément, la redécouverte ultérieure de ces stimulants ne surprendra donc pas).

En 1933, les célèbres recherches sur le terrain de Hawthorne par Mayor[10] seront bien sûr, comme nous l'avons vu au chapitre 1, un point marquant dans la psychologie des organisations. On y découvre que le sentiment d'appartenance au groupe des individus, la considération qu'on leur porte et le type de supervision souple sont des facteurs de motivation importants.

Par la suite, notamment tout de suite après la Seconde Guerre mondiale et probablement en réaction aux régimes totalitaires, les travaux en psychologie des organisations ont eu en commun de prôner la liberté d'expression et un leadership démocratique. On mettait notamment en avant la participation des employés au processus décisionnel, censée motiver leurs comportements professionnels. À ce sujet, citons les travaux de chercheurs comme Maier en 1946, Kurt Lewin en 1951, Ghiselli et Brown en 1948 et surtout les travaux des chercheurs du Survey Research Center de l'Université du Michigan en 1948 (*voir Latham et Budworth*[11]). À partir de 1945, la motivation était entrée pleinement dans la littérature de la psychologie des organisations. En 1943, Maslow publiait sa fameuse théorie sur la hiérarchie des besoins qu'il avait commencé à rédiger durant la crise de 1929, à partir de ses observations cliniques. Il valorisait surtout le besoin de réalisation de soi des individus, facteur inépuisable de motivation intrinsèque. Bien que cette théorie n'ait donné lieu que vingt ans plus tard à des travaux empiriques, elle a inspiré McGregor à formuler ses idées sur la théorie X et Y, appliquée, elle, en milieu de travail.

■ *La période de 1950 à 1975 : l'influence de l'environnement sur la motivation*   À partir de 1950 environ, les études sur la motivation ont changé de cap de façon assez marquante. En effet, les psychologues en organisation ont délaissé les explications internes de la motivation, c'est-à-dire centrées sur l'individu seul, pour s'ouvrir aux réalités de l'entreprise et à l'influence de l'environnement de l'employé sur ses comportements. Ils devenaient en quelque sorte « un peu behavioristes » ! Leurs études étaient de plus en plus utiles aux dirigeants d'entreprise. Les caractéristiques des postes, les politiques favorisant la justice organisationnelle, la gestion des performances et des récompenses attendues et la direction par objectifs sont les éléments motivationnels qui ont marqué cette période fertile pour la compréhension des mobiles humains.

Une parenthèse ici cependant : en 1955, Brayfield et Crokett[12], après avoir passé en revue la littérature sur le sujet, ont finalement conclu qu'il y avait peu ou pas de relation entre la satisfaction et la performance. Cela compromettait de façon draconienne les études sur la satisfaction au travail comme facteur explicatif de la motivation (à part les études de Herzberg mentionnées plus loin et dont on ne sait trop si c'est une théorie de la satisfaction au travail ou de la motivation !). Il fallait donc se tourner vers autre chose.

En 1960, McGregor[13] soutenait que si les employés étaient vus négativement par la direction (théorie X), la faute en revenait aux dirigeants qui n'avaient pas su créer un environnement favorable à l'épanouissement des besoins de croissance des salariés. Pour motiver les employés, il préconisait alors un ensemble de conceptions (théorie Y) où ils devraient être vus comme responsables et actifs de façon naturelle.

Puis vint Herzberg avec son article de janvier 1968 dans la *Harvard Business Review*: «Encore une fois, comment motiver les employés?» Il préconisait l'enrichissement des postes pour motiver les employés, c'est-à-dire concevoir des tâches qui répondaient aux facteurs de motivation qu'il avait découverts dans ses recherches: des tâches représentant un défi, la reconnaissance du travail bien fait, le développement des individus et de l'avancement. Ces principes seront repris avec plus de détails pratiques en 1976 avec Hackman et Oldman[14] et leur modèle des caractéristiques des postes que nous verrons au prochain chapitre.

D'autres auteurs célèbres dans la discipline qui nous préoccupe ont mis l'accent sur certains types de récompenses et leurs modalités d'attribution pour motiver les employés. Par exemple, en 1963, Adams[15], un chercheur d'origine belge, démontrait que la perception d'injustice concernant les rétributions des employés influençait grandement l'intensité de leur motivation au travail. Quant à Vroom[16], avec sa théorie très respectée dite des attentes, il a démontré que les employés feront les efforts attendus d'eux s'ils perçoivent une probabilité raisonnable d'atteindre des résultats qui leur apporteront une récompense qu'ils valorisent. Par conséquent, ce que les dirigeants peuvent faire pour susciter ces efforts au travail, c'est d'appliquer un train de mesures centrées autant sur les perceptions des personnes que sur les politiques de l'entreprise quant à ses ressources, sur la performance et sur les récompenses individuelles. Dans les années 1970, les behavioristes reviennent en force avec l'ouvrage de Luthans et Kreitner[17] publié en 1975. L'intérêt de leurs idées est qu'ils indiquent clairement et pratiquement comment on peut modifier le comportement des employés pour les amener vers des conduites désirables et les motiver à les adopter (par exemple, la réduction de l'absentéisme et des accidents du travail, un meilleur service à la clientèle, une augmentation de la productivité, etc.). Enfin, les travaux d'Edwin Locke[18] (de l'Université Harvard), en 1968 surtout, mettaient l'accent sur la nécessité, généralement exprimée, d'une direction par objectifs et de la rétroaction, puissants facteurs de performance et de motivation.

◼ *De 1975 à 2000: variations sur un même thème*   Le dernier quart du siècle dernier a encore montré de l'intérêt pour les variables de l'environnement organisationnel en approfondissant celles qui prédominaient au quart précédent. Par exemple, le modèle de Hackman et Oldman, inspiré de Herzberg, décrit de façon pratique comment on peut enrichir un poste. L'intérêt pour l'établissement des objectifs ne s'est pas non plus démenti avec les travaux de Locke et de Latham[19] et de leurs collègues, en 1990 surtout. Les néobehavioristes avec des chercheurs connus comme Bandura[20] (présenté au chapitre 4), psychologue social canadien, auteur de la théorie de la cognition sociale, donnèrent une importance supplémentaire à l'apprentissage vicariant (par imitation de modèles) pour susciter de nouveaux comportements motivés. Greenberg[21], en 1987, complète la théorie de l'équité d'Adams en ajoutant que la justice procédurale, à savoir le processus même menant à une décision, était aussi important pour la motivation que le processus d'attribution des récompenses. Nous y reviendrons également.

Que réservent les travaux sur la motivation pour ce début du troisième millénaire ? Beaucoup sont encore en friche, de façon un peu désordonnée. Certains traitent directement de la motivation, d'autres indirectement. Mais, on peut constater l'émergence de quelques thèmes porteurs : l'autonomisation (*empowerment*), l'intelligence émotionnelle qui a une composante motivationnelle (Brief et Weiss[22]), l'organisation apprenante pour la même raison et les idées de chercheurs québécois sur la mobilisation du personnel. Certains de ces thèmes seront vus en détail dans les chapitres ultérieurs. Ils sont intéressants, mais il est encore trop tôt pour se prononcer sur leur validité eu égard à la motivation.

Il est temps maintenant de présenter plus en détail les théories de la motivation considérées comme importantes.

LES THÉORIES DE LA MOTIVATION

besoins
Sensation de manque physique ou psychosocial qui déclenche des comportements visant à le réduire, à le combler ou à le satisfaire.

Cette section traitera de la motivation suscitée par le désir de satisfaire les **besoins** humains, notamment ceux de croissance.

La motivation par la satisfaction des besoins de croissance

Comme nous l'avons vu dans l'historique précédent, la motivation par la satisfaction des besoins a constitué l'essentiel des premières théories sur ce sujet. Cette partie couvre la théorie de la hiérarchie des besoins d'Abraham Maslow, la théorie ERG de Clayton Alderfer, la théorie de deux facteurs de Herzberg, la théorie des mobiles innés de Lawrence et Nohria et la théorie des besoins acquis de David McClelland.

Selon la plupart des théories contemporaines, le point de départ de la motivation s'appuie largement sur les besoins individuels et les pulsions sous-jacentes. Les besoins sont des sensations de manque physique (par exemple, la faim) ou psychosocial (par exemple, le besoin d'être aimé) qui déclenchent des comportements visant à le réduire, à le combler ou à le satisfaire. Plus ces besoins sont forts, plus les gens sont motivés à les satisfaire. Toutefois, un besoin satisfait n'est plus une source de motivation prédominante[23].

théorie de la hiérarchie des besoins
Théorie de la motivation d'Abraham Maslow basée sur cinq besoins. Ces derniers sont organisés de façon hiérarchique, c'est-à-dire que leur satisfaction suit un ordre préétabli d'importance qualitative. La satisfaction d'un besoin « supérieur » à l'autre ne sera recherchée que si le besoin de moindre importance est d'abord raisonnablement satisfait.

La théorie de la hiérarchie des besoins   L'une des premières théories sur les besoins et sans doute la plus connue du public est celle de la hiérarchie des besoins du psychologue Abraham Maslow. Cette théorie résume les nombreux besoins déterminés par les chercheurs en cinq groupes, sous la forme d'une hiérarchie[24]. Au niveau inférieur (car ici se trouvent des besoins que nous partageons avec toute l'espèce animale) se trouvent les besoins physiologiques, par exemple, se nourrir, respirer, boire, se loger, être en bonne santé. Quand ce besoin prédomine, les employés accepteront un travail qui ne les intéresse pas, simplement pour gagner un salaire. Dans la photo prise dans une fabrique de cigares de qualité en République dominicaine, les ouvriers roulent des cigares à longueur de journée et ils sont payés au nombre de cigares qu'ils produisent. Ici, il est clair que ce sont les besoins physiologiques qui dominent (gagner un salaire dans une économie difficile pour des gens peu qualifiés). Il est à noter que les propriétaires de cette entreprise ont bien tenté de rompre la monotonie extrême du travail en faisant lire les nouvelles par ceux qui le peuvent, à tour de rôle, à l'intention de leurs compagnons.

Des ouvriers roulant des cigares toute la journée, en République dominicaine, comblent d'abord leur besoin de subsistance.

Les ouvriers qui savent lire, à tour de rôle, lisent le journal à ceux qui roulent les cigares pour rompre la monotonie du travail.

Par ailleurs, les entreprises, conscientes de la force de ces besoins fondamentaux, vont offrir à leurs employés des facilités leur permettant de garder et de préserver leur santé, comme un gymnase ou des primes aux non-fumeurs. Viennent ensuite les besoins de sécurité physique et psychologique, c'est-à-dire le besoin de trouver un environnement sans risque et stable, ainsi que l'absence de douleur, de menace ou de maladie. Les entreprises peuvent combler ce besoin de sécurité en offrant des assurances de toutes sortes, ou un emploi stable, ou encore un milieu de travail exempt de risques d'accidents. La sécurité psychosociale permet de se prémunir contre le harcèlement psychologique ou la violence au travail. Le besoin d'appartenance qui suit comporte le besoin d'amour, d'affection et d'interaction avec d'autres personnes. Les employés ressentant ce besoin vont chercher à établir des relations amicales avec leurs collègues, par exemple. L'entreprise peut satisfaire ce besoin en offrant des activités familiales à leurs employés, en célébrant ensemble les succès de l'entreprise, etc. Les besoins suivants, dits supérieurs parce qu'ils sont propres à l'être humain et qu'ils trouvent leur satisfaction à l'intérieur de l'individu, sont l'estime et la réalisation de soi. L'estime est de deux natures : la première est l'estime de soi découlant de la réussite personnelle et la seconde est l'estime sociale, c'est-à-dire la reconnaissance et le respect provenant des autres. Au sommet de la hiérarchie se situe le besoin de réalisation de soi, c'est-à-dire le besoin d'exploiter pleinement ses potentialités. L'entreprise peut contribuer à satisfaire ce besoin en offrant aux employés des occasions de se perfectionner et de mettre en valeur leurs compétences, et en leur laissant l'autonomie nécessaire pour accomplir ce qu'ils ont à faire.

Maslow stipule que lorsqu'un besoin est satisfait, le besoin suivant dans sa hiérarchie mobilise l'énergie et le comportement de l'individu, et ainsi de suite jusqu'au sommet de cette échelle symbolique. Autrement dit, un besoin satisfait ne motive plus, bien que cet auteur reconnaisse qu'aucun besoin ne peut être satisfait entièrement. Ce processus est appelé **processus de satisfaction-progression.** L'exception à ce processus est la réalisation de soi, car, prétend Maslow, il n'y a pas de limite aux besoins de croissance.

La hiérarchie des besoins d'Abraham Maslow est l'une des théories les plus connues en comportement organisationnel. Elle est toujours largement citée dans

processus de satisfaction-progression
Processus par lequel une personne est plus motivée à satisfaire un besoin supérieur lorsqu'un besoin inférieur a été satisfait.

théorie X
Postulat selon lequel on présume que les employés sont paresseux et irresponsables de nature, et donc qu'il faut les contrôler et les contraindre.

théorie Y
Postulat selon lequel on présume que les employés sont responsables, travailleurs, créatifs et autonomes de nature.

théorie ERG
Théorie de la motivation de Clayton Alderfer comportant trois besoins ordonnés hiérarchiquement. Selon cette théorie, une personne cherche à satisfaire un besoin supérieur, et à défaut de pouvoir le faire, elle régresse vers le besoin inférieur qui le précède.

besoins de subsistance
Besoins de survie et de sécurité physique et psychologique.

besoins relationnels
Besoins d'appartenance d'une personne à un groupe social lui procurant reconnaissance et sécurité.

les publications professionnelles[25]. Cependant, la majorité des chercheurs en rejettent les postulats, car elle ne rend pas assez compte de la dynamique des besoins, complexe et évolutive[26]. Leurs travaux tendent à démontrer que les besoins ne se regroupent pas de façon claire autour des cinq catégories décrites dans ce modèle. De plus, la satisfaction d'un besoin donné ne mène pas nécessairement à une augmentation de la motivation à satisfaire le besoin suivant. Enfin, l'émergence et l'importance de différents besoins est relative aux cultures nationales. Par exemple, alors que le besoin de réalisation de soi est important dans des cultures individualistes comme aux États-Unis ou au Canada, le besoin d'appartenance l'est davantage dans des pays à culture collectiviste comme certains pays asiatiques (le Japon, par exemple). Outre la culture, nous avons vu également au chapitre 3 que la satisfaction des besoins au travail dépendait de plusieurs facteurs individuels (âge, sexe, niveau hiérarchique, etc.). Toutefois, cette théorie a eu le mérite de stimuler la réflexion d'autres chercheurs en organisation, comme Douglas McGregor.

McGregor[27], diplômé de la Harvard Business School, a été un adepte des idées de Maslow, c'est-à-dire qu'il était convaincu que l'être humain n'exploitait qu'une infime partie de son potentiel et que, pour le libérer, il fallait commencer par changer la conception traditionnelle des dirigeants sur la motivation humaine au travail. Cette conception qu'il a appelée **théorie X** tenait pour acquis que le travailleur, sans l'intervention active des chefs, était naturellement passif et insensible aux besoins de l'organisation. C'est pourquoi le salarié moyen est typiquement indolent, manque d'ambition et recherche seulement son propre intérêt. Ce comportement, soutient McGregor, n'est pas naturel ; il est plutôt un produit de la philosophie de la direction et de ses pratiques. Dans son livre, publié en 1960 et intitulé *La dimension humaine des organisations*, il s'évertue à démontrer que la théorie de Maslow sur la réalisation de soi est incompatible avec cette conception, il faut le dire, plutôt négative des mobiles humains. Il n'est pas étonnant alors, poursuit McGregor, qu'avec une telle attitude les mesures de gestion soient généralement et principalement orientées vers des stimulants financiers et une structure d'entreprise centralisée et axée sur le contrôle. Pour faciliter l'actualisation des besoins de croissance de l'individu, il faut changer radicalement de conception sur la nature humaine et adopter ce qu'il appelle la **théorie Y.** Selon cette théorie, l'employé a un grand potentiel de croissance, une propension à assumer des responsabilités et à canaliser ses efforts pour atteindre les buts de l'organisation et les siens propres. La tâche de la direction est de reconnaître ces caractéristiques et de s'efforcer de les développer. Les pratiques de la direction sont alors tout indiquées : établir des structures décentralisées, développer les compétences des individus et favoriser leur autonomie.

L'accent mis sur la satisfaction des besoins supérieurs pour expliquer la motivation ne s'arrêtera pas avec Maslow et McGregor. Les études d'Alderfer, de Herzberg, de Lawrence et Nohria et de McClelland viendront apporter d'autres perspectives.

La théorie ERG   À la suite des travaux de Maslow dont il voulait vérifier la validité, Clayton Alderfer élabora la **théorie ERG,** acronyme pour existence, relation et croissance (*growth* en anglais)[28]. Selon cette théorie, les besoins humains sont divisés en trois catégories : **besoins de subsistance, besoins relationnels** et **besoins de croissance.** Comme l'illustre la figure 6.1, les besoins de subsistance englobent les besoins physiologiques et de sécurité de Maslow, tandis que les

besoins de croissance

Besoins d'un individu de réaliser son potentiel, de réussir ce qu'il fait et d'élever toujours son estime de soi.

processus de frustration-régression

Processus par lequel une personne, incapable de satisfaire un besoin supérieur, éprouve de la frustration et régresse au niveau du besoin qui le précède.

besoins de relation font principalement référence aux besoins d'appartenance. Enfin, les besoins de croissance correspondent aux besoins d'estime et de réalisation de soi de la théorie de Maslow.

Selon la théorie ERG, plusieurs niveaux de besoins motivent simultanément le comportement d'un employé. Ainsi, une personne peut tenter de satisfaire ses besoins de croissance (par exemple, en réalisant très bien un projet) même si ses besoins relationnels ne sont pas entièrement satisfaits. Cependant, la théorie ERG ne rejette pas le processus de satisfaction-progression décrit dans le modèle de Maslow.

Mais, contrairement au modèle de Maslow, la théorie ERG évoque un **processus de frustration-régression** par lequel une personne incapable de satisfaire un besoin supérieur éprouve de la frustration et régresse au niveau du besoin immédiatement inférieur. Supposons que des employés ne trouvent aucun moyen de satisfaire leur besoin de croissance dans leur organisation, ils peuvent alors « régresser » en cherchant à satisfaire les besoins émergents de relations, par exemple en mettant leur énergie dans la création du club sportif de leur organisation ou en joignant un syndicat, etc. La théorie ERG a reçu un meilleur accueil dans le milieu de la recherche que celle de Maslow. Cette réaction s'explique d'abord parce que les besoins humains se regroupent plus nettement autour des trois catégories proposées par Clayton Alderfer qu'autour des cinq catégories de la hiérarchie initiale de Maslow. Les processus combinés de satisfaction-progression et de frustration-régression permettent aussi de mieux expliquer pourquoi les besoins du personnel changent avec le temps[29]. Cependant, les experts doutent de plus en plus que les besoins des êtres humains soient hiérarchisés[30]. On pense plutôt qu'une personne donne la priorité aux besoins correspondant à ses valeurs personnelles et culturelles et aux changements de son environnement (*voir le chapitre 3*).

FIGURE 6.1

Comparaison de la théorie de la hiérarchie des besoins d'Abraham Maslow et de la théorie ERG de Clayton Alderfer

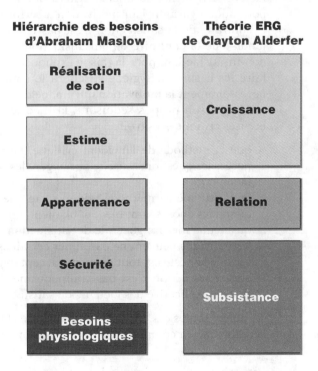

théorie des deux facteurs de Herzberg
Théorie postulant l'existence de deux catégories de facteurs dont seuls ceux qui sont de nature intrinsèquement satis-faisante (facteurs motivateurs) ont la capacité de mobiliser les employés. Les autres facteurs, dits d'hygiène, ont pour fonction de prévenir le mécontentement sans pour autant conduire à performer.

La théorie des deux facteurs de Herzberg   Le psychologue Frederick Herzberg[31] pensait que le travail était dans la nature humaine et que les attitudes d'un individu vis-à-vis de son labeur pouvaient déterminer son adaptation à son poste. Aussi, conformément au courant de son temps, il s'est mis à étudier les facteurs qui apportaient la satisfaction au travail aux individus. En utilisant la technique de l'incident critique de Flanagan, il a demandé à un large échantillon d'employés de lui décrire alternativement des événements professionnels où ils se sont sentis particulièrement satisfaits ou insatisfaits. Les réponses ont été compilées par son équipe et regroupées en plusieurs catégories illustrées à la figure 6.2. Herzberg dégage deux catégories de facteurs. À droite de la figure sont les facteurs de satisfaction: le sentiment d'accomplissement, la reconnaissance du travail bien fait, la nature même du travail (intéressant et présentant un défi), la responsabilisation de l'employé (autonomie), les chances d'avancement et la possibilités d'apprentissage et de croissance. Les facteurs d'insatisfaction à la gauche de la figure comprennent les politiques de l'entreprise et de supervision, les relations avec les collègues et les conditions de travail. Il faut noter ici, car nous verrons ce thème plus loin, que le sentiment d'injustice apporte beaucoup d'insatisfaction. Au vu de ces résultats, selon Herzberg, les facteurs qui créent la satisfaction ne sont pas le contraire de ceux qui créent l'insatisfaction, suggérant ainsi que nous sommes en présence de deux groupes de facteurs relativement indépendants. Les facteurs de droite, qu'il appelle «facteurs de motivation» (d'où la mention de cette théorie dans le présent chapitre), ont un caractère intrinsèque (ils émanent de la personne même), tandis que les facteurs de gauche, qu'il appelle «facteurs d'hygiène» (car leur absence serait dommageable au bien-être de l'employé), sont de nature extrinsèque, c'est-à-dire générés par l'environnement de l'employé.

Le point original apporté par Herzberg est qu'il fait l'hypothèse que pour motiver l'employé, il faut agir sur les facteurs intrinsèques principalement. Agir sur les facteurs d'hygiène, au mieux, évitera que les employés soient mécontents, sans pour autant garantir leur motivation à performer. Ce qui fait dire à Herzberg que le contraire de la satisfaction n'est pas l'insatisfaction, mais la non-satisfaction, tandis que le contraire de l'insatisfaction n'est non pas la satisfaction, mais la non-insatisfaction (pour la raison expliquée précédemment). Autrement dit, satisfaire les besoins d'hygiène suscitera le contentement des employés, mais pas nécessairement la motivation qui émane d'eux-mêmes.

Malgré son propos séduisant, la théorie de Herzberg s'est attirée de nombreuses critiques, à savoir:

- que la méthode de l'incident critique, notamment par la façon dont ont été posées les questions, suscite ou suggère les réponses obtenues (deux groupes de facteurs);
- que cette même méthode fait en sorte que les individus s'attribuent le crédit quand les choses vont bien, et blâment autrui en cas d'échec;
- qu'aucune mesure générale de satisfaction n'a été utilisée; en d'autres termes, les individus peuvent ne pas aimer certaines facettes de leur travail, mais penser que le poste est tout de même acceptable;
- que cette théorie n'est pas vraiment une théorie de la motivation, mais une théorie explicative des facteurs de satisfaction.

Malgré toutes ces critiques, la théorie de Herzberg est un point marquant dans la recherche en comportement organisationnel. Elle a permis de: 1) stimuler des

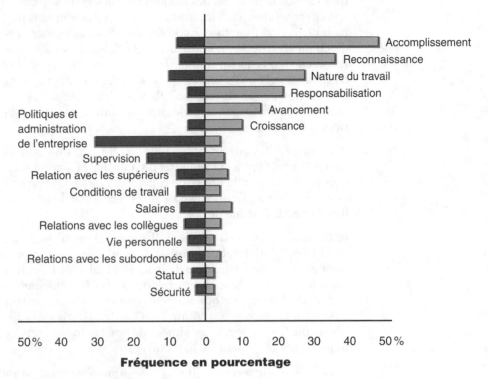

Facteurs de motivation et d'insatisfaction de Herzberg

Source : F. Herzberg, « Une fois de plus : comment motiver vos employés ? », *Harvard Business Review*, janvier-février, version française, nº 916811.

travaux cherchant à clarifier la relation entre la satisfaction et la performance ; 2) concentrer les études sur la motivation non plus sur les seules personnes, mais aussi sur leur environnement, par l'enrichissement des postes dont Herzberg a été le précurseur. Nous reviendrons en détail sur cette façon de concevoir les postes de travail au prochain chapitre.

Jusqu'à présent, avec Maslow et Alderfer, nous avons vu une école de pensée où les besoins sont universels et organisés selon une hiérarchie et déconnectés, il faut le dire, d'autres éléments explicatifs de leur dynamique. Deux autres écoles de pensée apportent un éclairage différent sur les besoins et les mobiles humains. Elles ont en commun de ne pas constituer une hiérarchie. Le premier courant, récent, porté par Lawrence et Nohria, ne parle pas de besoins précisément, mais d'un mot difficile à traduire en français, qui est le « *drive* », équivalent de pulsion (énergie) ou mobile (motif qui fait agir). Nous reviendrons quand même le vocable de besoin (inné) en gardant à l'idée les nuances apportées ici. Par ailleurs, David McClelland, initiateur d'un courant de pensée antérieur, considérera que les besoins ne sont pas innés, mais acquis.

Les quatre besoins humains fondamentaux   De nombreux experts doutent que les besoins d'une personne s'organisent de façon hiérarchique, mais encouragés par les récentes découvertes de la neurologie, ils n'ont pas abandonné l'idée que certains besoins sont innés, d'ordre émotionnel et inhérents à la nature humaine. Toutefois, ces besoins ou mobiles sont évolutifs et peuvent être transformés sous la pression des normes sociales et de la pensée rationnelle[32, 33].

Les recherches dans le domaine des mobiles humains innés n'en sont qu'à leurs balbutiements. Toutefois, les professeurs Paul Lawrence et Nitin Nohria, de l'école de commerce de la Harvard Business School, ont récemment jeté une base de recherche reposant sur quatre types de besoins innés ou de mobiles humains fondamentaux tels qu'ils ont été précisés précédemment: le besoin d'acquérir et de conserver, d'entrer en relation, d'apprendre et de se défendre[34]. Ces besoins sont omniprésents, indépendants les uns des autres, et l'un n'est pas supérieur ou inférieur à l'autre.

■ *Le besoin d'acquérir et de conserver*   Le besoin d'acquérir et de conserver consiste à rechercher, à prendre, à contrôler et à conserver soit des objets matériels pour survivre (la nourriture, par exemple), soit une position dominante dans la société. Ce mobile est à la base de la recherche du pouvoir, de la reconnaissance d'autrui et de l'estime de soi[35].

■ *Le besoin d'entrer en relation*   Il s'agit de l'impulsion qui pousse les individus à établir des relations et des transactions sociales avec les autres, sans autre nécessité que d'être en compagnie de leurs semblables[36]. La confiance et la coopération qui constituent la base de ces relations sont le fondement même de la construction d'une société, ce qui explique que les gens ressentent des émotions fortes lorsque des relations sont rompues. C'est le cas, par exemple, d'ouvriers qui voient leur usine fermer après des années de bons et loyaux services, et dont toute la vie tournait parfois autour de leur entreprise.

■ *Le besoin d'apprendre*   Il s'agit de la motivation d'un individu à satisfaire sa curiosité, autant pour se comprendre lui-même que pour comprendre son environnement. Le besoin d'apprendre est lié aux besoins de croissance et d'accomplissement décrits plus tôt.

■ *Le besoin de défendre*   Ce besoin proche de l'instinct consiste, devant un danger, soit à se défendre, soit à combattre, soit à l'éviter, par la fuite, par exemple. C'est aussi un instinct de protection de ses proches, de ses relations, de ses acquis, de ses valeurs. C'est un besoin toujours réactif, car il est déclenché par une menace. Au contraire, les trois autres besoins sont de nature évolutive et de croissance[37].

Heither Reisman (*voir l'encadré 6.1*) possède certainement en elle cette énergie, s'investissant dans ces trois catégories de mobiles humains de croissance, mais aussi le besoin de se défendre en prohibant la vente de livres qu'elle juge amoraux.

Quel rôle jouent ces mobiles fondamentaux dans le processus de la motivation et plus généralement dans les comportements ? Notre perception du monde extérieur est liée à deux parties du cerveau: le centre émotionnel et le centre rationnel[38]. Les besoins innés en opération transmettraient d'abord des informations rapides et assez grossières (dites « marqueurs ») relatives aux émotions (joie, peur, etc.) au centre du cerveau correspondant. L'information « émotionnelle » codée est alors transmise (le plus souvent inconsciemment) au centre rationnel du cerveau où elle est analysée en fonction de nos expériences passées et de notre logique. Le centre rationnel fait alors des choix conscients et socialement

Les motivations de Mme Reisman

Heather Reisman a un charisme redoutable. Cette femme dégage une énergie contagieuse. Une heure passée en sa compagnie et on en ressort gonflé à bloc.

Heather Reisman, 57 ans, est la présidente-directrice générale et fondatrice de Indigo Books & Music, la plus grande chaîne de librairies au Canada. Après l'avoir rencontrée, on en conclut que la plus grande force de la patronne d'Indigo est certainement cette capacité qu'elle a de communiquer et de faire partager les passions qui l'animent. Elle reconnaît d'ailleurs qu'elle a un côté rassembleur. « J'aime partir d'une idée, la transmettre aux autres et la développer pour créer quelque chose de complètement nouveau. C'est un processus qui m'emballe. »

Psychologue

« Les gens m'intéressent, ils sont d'une richesse incroyable. Le côté affaires (*business*) me passionne, mais c'est le prolongement de mon intérêt pour les individus. »

De Paradigm à Cott

En 1979, un ami et elle fondent Paradigm Consulting, cabinet de gestion stratégique et de gestion du changement.

Cott est l'un des clients de Heather Reisman. En 1992, elle quitte Paradigm pour devenir directrice générale de l'entreprise torontoise de boissons gazeuses. « J'avais envie d'aller vivre une expérience en entreprise. Je voulais tester ce que j'étais capable de faire. »

Sous sa direction, la société connaîtra un essor incroyable. C'est elle qui a piloté l'expansion internationale de Cott.

Cet énorme succès ne l'a pas empêchée de quitter Cott quelques années plus tard. « J'ai réalisé que j'aimais le travail en entreprise, mais que le produit ne me passionnait pas. J'avais fait le tour des boissons gazeuses. »

L'aventure Indigo

L'année 1996 marque l'aboutissement d'un rêve. Elle lance Indigo Books & Music Inc. « J'ai toujours aimé les livres. Lire est une passion. »

Encore une fois, Heather Reisman innove. Indigo a été la première chaîne de librairies canadiennes à proposer à ses clients des sections musique et cadeaux, et à intégrer des cafés titulaires de permis dans ses magasins.

La p.-d.g. et fondatrice d'Indigo Books & Music, Heather Reisman, possède certainement à un haut degré les quatre besoins fondamentaux décrits par Lawrence et Nohria.

André Tremblay, La Presse

En 2001, Indigo fusionne avec Chapters. Aujourd'hui, Indigo compte près de 250 magasins et plus de 6000 employés. Son chiffre d'affaires dépasse 850 millions de dollars.

Œuvres interdites

Malgré le respect qu'elle porte aux créateurs, certaines œuvres sont néanmoins interdites dans ses magasins. La politique d'Indigo proscrit trois types d'ouvrages : ceux qui encouragent la pornographie infantile, ceux qui expliquent comment fabriquer des bombes artisanales et ceux qui font de la propagande haineuse.

Source : Michèle Boisvert, « Une femme d'influence », *La Presse Affaires*, 18 novembre 2006, p. 5.

acceptables qui motivent notre comportement[39]. On parle alors d'intelligence émotionnelle (*voir le chapitre 5*). Plusieurs de ces besoins peuvent absorber notre énergie en même temps. Par exemple, un changement dans votre organisation réveille en même temps le besoin de conservation (de vos acquis, de votre prestige, etc.) et celui d'apprendre (vous voulez comprendre la nature de ce changement, sa raison d'être, etc.).

La théorie des quatre besoins fondamentaux est intéressante, car elle fournit un schème explicatif assez large de la motivation. Tout d'abord, elle exclut l'idée que tout le monde est motivé par la même hiérarchie des besoins (*voir Maslow*). Elle explique l'aspect émotionnel de la motivation et la transformation des mobiles primaires en des comportements sociaux acceptables par l'aspect rationnel de notre personne. Les recherches semblent soutenir l'idée que le cerveau traite l'information de manière émotionnelle et rationnelle. Par contre, nous sommes loin d'être sûrs que les besoins décrits par Paul Lawrence et Nitin Nohria sont réellement naturels chez l'être humain[40]. Les besoins sont aussi le fruit d'un apprentissage; du moins, c'est ce que soutient un autre chercheur, David McClelland.

La théorie des besoins acquis de David McClelland Les modèles basés sur les besoins décrits jusqu'à présent tenaient compte des besoins primaires ou instinctifs de l'individu et de leur importance relative. Toutefois, une personne possède aussi des besoins appris ou renforcés tout au long de son apprentissage, notamment au cours de son enfance. Les comportements parentaux et les normes sociales et culturelles influent également sur ces besoins secondaires. Plusieurs besoins acquis peuvent nous motiver simultanément. Le psychologue David McClelland a consacré sa carrière à l'étude de trois besoins secondaires. Il considérait ces besoins comme étant des sources très importantes de motivation. Ce sont les besoins d'accomplissement, d'affiliation et de pouvoir.

McClelland pense que les motivations sont présentes chez tout un chacun, mais de façon latente, dans la zone préconsciente de notre psychisme. Ce sont donc nos expériences personnelles, la culture et la formation qui les révèlent. À partir de ce postulat, pour mesurer leur intensité, McClelland a utilisé le mécanisme de la projection (*voir le chapitre 3*) avec le Test d'Aperception Thématique (TAT). On soumet au sujet une série de photos de personnages autour desquels, à partir de sa propre perception et imagination, il devra créer sa propre histoire. Ce faisant, le sujet révèle des besoins que le psychologue aura identifiés.

■ *Le besoin d'accomplissement* Ce besoin, présent à un haut degré, constitue un trait de personnalité (*voir le chapitre 3*). Il caractérise les personnes cherchant toujours à exceller et à surpasser les autres.

L'individu qui possède un fort **besoin d'accomplissement** cherche à atteindre, par ses propres efforts, des objectifs raisonnablement difficiles et prend des risques calculés. Il souhaite aussi recevoir une rétroaction non ambiguë et la reconnaissance de sa réussite.

Les entrepreneurs qui ont du succès tendent à posséder un fort besoin d'accomplissement, peut-être parce qu'ils se fixent des objectifs stimulants et qu'ils aiment la compétition[41]. Une étude relativement récente effectuée auprès d'entrepreneurs qui travaillent dans le domaine des hautes technologies, en Colombie-Britannique, appuie ce que l'on savait déjà, à savoir que l'argent est un faible stimulant pour les personnes orientées vers l'accomplissement, sauf lorsqu'il est l'expression d'une reconnaissance du travail accompli[42]. En revanche, les

besoin d'accom-plissement
Besoin qui caractérise les personnes cherchant toujours à exceller et à surpasser les autres.

employés caractérisés par un faible besoin d'accomplissement travaillent mieux avec des stimulants financiers. Les personnes motivées par un fort besoin d'accomplissement s'épanouissent mieux dans de grandes entreprises où elles jouissent de beaucoup d'indépendance — comme si elles possédaient leur propre entreprise[43]. Toutefois, elles ont des difficultés à déléguer, étant donné leur besoin de réussite personnelle. Ce sont des employés ou des entrepreneurs recherchés pour leur énergie, leur volonté à prendre des risques et leur créativité.

besoin d'affiliation

Besoin acquis incitant une personne à rechercher l'approbation des autres, à respecter leurs besoins et leurs attentes, et à éviter les conflits.

■ *Le besoin d'affiliation*   Le **besoin d'affiliation** fait référence au besoin d'un individu de rechercher l'approbation des autres, d'être à l'écoute de leurs besoins, de se conformer à leurs attentes et d'éviter les conflits. Les personnes ressentant un fort besoin d'affiliation souhaitent former des relations positives avec autrui, sont soucieuses de projeter une image favorable d'elles-mêmes et cherchent à être aimées. Les employés éprouvant un fort besoin d'affiliation tendent à être plus efficaces que les autres dans le domaine de la coordination de rôles, par exemple lorsqu'il s'agit d'aider plusieurs services à travailler sur des projets communs. Ils sont également plus performants dans des postes où la principale tâche consiste à cultiver des relations à long terme avec des clients actuels ou potentiels. Ce sont également des employés qui préfèrent travailler en équipe plutôt que seuls, qui ne s'absentent pas souvent et qui ont des talents dans la médiation des conflits.

Par contre, étant donné leur fort besoin d'approbation, ces personnes tendent à être moins portées à prendre des décisions difficiles, ce qui est le lot des cadres[44].

besoin de pouvoir

Besoin acquis incitant une personne à vouloir contrôler son environnement physique et social, pour son propre bénéfice (pouvoir personnel) ou pour le bénéfice des autres (pouvoir social).

■ *Le besoin de pouvoir*   Le **besoin de pouvoir** fait référence au désir d'une personne de contrôler son environnement physique et social, et dans lequel elle exercerait un rôle dominant et de leadership. Certaines personnes ont un besoin élevé de pouvoir personnel, pour leur propre bénéfice. Elles apprécient le pouvoir en lui-même et l'utilisent pour faire progresser leur carrière et satisfaire d'autres intérêts individuels. Le pouvoir devient alors un symbole de statut social et un outil de satisfaction de besoins très personnels. D'autres individus ont un besoin élevé de pouvoir social, c'est-à-dire d'avoir l'influence qui leur permettrait d'agir sur leur communauté, par exemple en aidant les autres, en changeant l'organisation ou en augmentant son efficacité, voire en améliorant la société[45].

Les chefs d'entreprise et les politiques ont un fort besoin de pouvoir, car celui-ci les motive à influencer les autres — notion importante dans le processus de leadership (*voir le chapitre 14*)[46]. Cependant, McClelland considère que les leaders efficaces doivent posséder un fort besoin de pouvoir social plutôt que personnel. Ils doivent avoir un degré élevé d'altruisme, de responsabilité sociale et une grande préoccupation pour les effets de leurs actes sur les autres. En d'autres termes, les leaders doivent exercer leur pouvoir dans le cadre de critères moraux et éthiques[47] (*voir le chapitre 3*).

■ *Les besoins, innés ou acquis ?*   David McClelland suggère que les besoins d'accomplissement, d'affiliation et de pouvoir sont acquis plutôt qu'instinctifs. Il a donc créé des programmes de formation qui éveillent et renforcent le besoin d'accomplissement surtout. Les méthodes utilisées vont des jeux d'entreprise à la réalisation de projets à long terme, renforcées par le groupe de référence des participants[48].

Ces programmes semblent avoir du succès. En Inde et aux États-Unis, des propriétaires de PME y ayant participé ont montré des taux élevés de réussite durable dans la création et la conduite de leurs commerces.

Les implications pratiques des théories de la motivation basées sur les besoins

Les organisations devraient s'assurer que les postes fournissent des occasions de satisfaire les besoins fondamentaux « proactifs » (non défensifs) étant donné leur permanence et leur distribution dans la population. Ces besoins sont, nous l'avons vu, d'établir des liens avec autrui, d'apprendre et de croître. Étant donné que ces besoins peuvent se manifester en même temps, il est donc recommandé que ces postes soient enrichis, c'est-à-dire qu'ils sollicitent des habiletés multiples et donnent l'occasion d'apprendre. Toutefois, il ne faut pas susciter un besoin particulier avec une trop grande intensité aux dépens des autres. Par exemple, si l'entreprise valorise excessivement le besoin d'acquérir, à long terme, elle peut susciter de nombreux conflits et des jeux politiques. Un dosage savant de ces énergies est donc conseillé.

Pour atteindre cet équilibre, Paul Lawrence et Nitin Nohria recommandent, par exemple, des récompenses financières et symboliques qui soulignent à la fois l'accomplissement individuel et le travail en équipe et l'apprentissage de nouvelles compétences (comme le fait la société Telus)[49, 50].

Enfin, les théories basées sur les besoins montrent qu'il ne faut pas compter exclusivement sur les récompenses financières pour motiver le personnel[51]. Il existe des sources de motivation plus puissantes, telles que des projets stimulants, des occasions d'apprendre ou les éloges de la part des collègues ou des supérieurs.

LA MOTIVATION, UN PROCESSUS RATIONNEL

théorie des attentes
Théorie de la motivation selon laquelle les individus croient que leurs efforts les conduiront à atteindre un certain niveau de performance, elle-même source de résultats ou de récompenses qu'ils valorisent.

La plus connue et la plus valide des théories de la motivation comme un processus relationnel est la **théorie des attentes** de Victor Vroom.

Les théories précédentes, fondées sur les besoins, soulignaient le rôle de l'urgence et des émotions dans le processus de la motivation. Mais un raisonnement purement rationnel permet également de diriger les efforts des gens vers des choix volontaires et un but gratifiant. La théorie de la motivation illustrant le mieux cette perspective est la populaire théorie des attentes. C'est Victor Vroom, Montréalais d'origine, diplômé de l'Université McGill et de l'Université du Michigan, qui a conçu cette théorie rédigée en 1964, influencé par les travaux de Lewin et de Tolman. Selon cette théorie appliquée en milieu de travail, les employés ont la conviction que leurs efforts leur permettront d'atteindre la performance qu'ils souhaitent et que cette performance les conduira à obtenir un résultat ou des récompenses qu'ils valorisent[52]. Comme nous le voyons avec cette définition, les efforts qui seront consacrés (ou la motivation) est une question de choix, d'anticipation et de perception. Cette perception est relative, d'une part, aux probabilités (attentes) que j'atteindrai le niveau de performance nécessaire et, d'autre part, à l'instrumentalité de cette performance, c'est-à-dire à la probabilité également qu'elle me conduira aux résultats qui ont de l'importance pour moi. Ces perceptions et ces probabilités estimées sont fonction des personnes et du contexte. Par exemple, une sous-estimation de ses capacités peut décourager un individu à entreprendre un projet.

La théorie des attentes

Le modèle de la théorie des attentes est présenté à la figure 6.3. La variable clé importante de cette théorie est l'effort, c'est-à-dire l'énergie que consent à investir

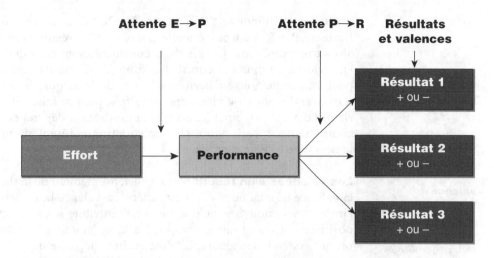

FIGURE 6.3

Théorie
des attentes

un individu pour réaliser un but. La présence au travail, la participation au travail
d'équipe, les lectures, l'imitation de modèles performants, les séminaires de formation, etc., sont des indicateurs de cet effort. Son intensité dépend de trois types
de relations attendues: celle qui unit l'effort à la performance visée (E→P), celle
qui unit la performance à un résultat tangible (P→R) et la relation entre ce résultat et la valence (V), ce dernier terme signifiant la valeur ou l'importance que l'on
donne à ce résultat. Ces trois composantes du modèle de la théorie des attentes
influencent la motivation du personnel. Ce modèle étant multiplicatif, si l'une des
composantes diminue, la motivation décline d'autant. Voyons maintenant ces éléments plus en détail.

L'attente effort à performance (E→P)   L'attente effort à performance (E→P)
est le sentiment d'une personne que ses efforts l'amèneront à atteindre un certain
niveau de performance (ou à manifester les comportements désirés). L'attente
étant définie comme une probabilité de réussite que se donne l'individu, cette probabilité se situe donc entre 0 et 1. Dans certaines situations, l'employé pense qu'il
peut accomplir la tâche sans problème (probabilité de 1). Dans d'autres situations, il s'attend à ce que même son plus haut niveau d'effort n'engendrera pas le
degré souhaité de performance (probabilité 0). Par exemple, à moins d'être un
skieur expérimenté, vous n'êtes probablement pas motivé à descendre l'une des
pistes très difficiles de Whistler. Dans la plupart des cas, l'attente E→P se situe
entre ces deux extrêmes.

L'attente performance à résultat (P→R)   L'attente performance à résultat
(P→R) est la probabilité, perçue par un individu, qu'un comportement précis ou
qu'un niveau de performance mènera à un résultat particulier. Par exemple, les
étudiants s'appuient sur leur propre expérience pour comprendre que le fait de
manquer des cours diminue leurs chances d'obtenir de bons résultats, ou au
contraire que ce comportement ne changera rien à leurs résultats. Dans les cas
extrêmes, un employé peut penser qu'effectuer une tâche particulière (performance) entraînera sans aucun doute un résultat particulier (probabilité 1), ou
qu'une bonne performance n'aura aucun effet sur le résultat (probabilité 0). C'est
le cas, par exemple, d'un employé qui est parvenu à obtenir la rémunération la
plus haute que l'organisation puisse lui accorder. Le plus souvent, l'attente P→R
se situe entre ces deux extrêmes.

Un aspect important de l'attente P→R est la nature du résultat escompté. L'attente P→R n'est pas évaluée pour tous les résultats possibles, qui seraient alors trop nombreux. Les résultats considérés sont ceux qui suscitent l'intérêt de l'individu à un moment donné. Par exemple, la motivation à terminer une tâche peut uniquement être déterminée par le désir de quitter le travail plus tôt pour retrouver des amis, ou alors, une autre fois, pour se faire remarquer par son supérieur. Le point principal ici est que la motivation dépend de la probabilité qu'un comportement précis entraîne des résultats qui présentent un certain intérêt pour la personne à ce moment-là.

Les valences d'un résultat   Le troisième élément de la théorie des attentes est la **valence** de chaque résultat considéré. La valence fait référence à la valeur ou à l'importance anticipée qu'une personne attribue à un résultat ; elle est évaluée positivement quant elle correspond à la satisfaction de nos besoins ou à notre propre système de valeurs. Elle est évaluée négativement dans le cas inverse (la fourchette importe peu et cette évaluation du résultat pourrait tout aussi bien aller de –1 à +1 ou de –100 à +100). Ainsi, si un employé valorise sa qualité de vie, il donnera une valence négative à toute récompense de l'organisation (une promotion, par exemple) qui l'amènerait à travailler pendant de longues heures.

valence
Valeur ou importance anticipée que l'individu donne à un résultat qui découle de son comportement ou de sa performance. Cette valeur est d'autant plus grande qu'elle correspond à la satisfaction possible de ses besoins.

La théorie des attentes en pratique

L'une des caractéristiques intéressantes de la théorie des attentes est qu'elle fournit des indications claires permettant d'accroître la motivation du personnel en modifiant les différentes attentes et les valences des résultats pour une personne en particulier[53]. Plusieurs applications pratiques de la théorie des attentes sont présentées dans le tableau 6.1 et sont décrites ci-dessous.

Accroître les attentes E→P   On voit au tableau 6.1 que pour inciter les individus à faire les efforts nécessaires pour atteindre le niveau de performance désiré, il faut agir à la fois sur les personnes (compétences et confiance en soi) et sur le contexte de travail (rôles, objectifs, ressources, climat d'apprentissage)[54].

Accroître les attentes P→R   Les manières les plus sûres d'améliorer les attentes ou les perceptions relatives au lien entre la performance et les résultats visés se rapportent, d'une part, à la mesure de ces performances et, d'autre part, à la façon claire et équitable avec laquelle elles seront rétribuées ou récompensées. Bon nombre d'organisations ont de la difficulté à mettre cette simple idée en pratique. Certains cadres hésitent à pénaliser les piètres performances pour éviter des conflits avec leur personnel. D'autres ne mesurent pas très bien ces performances. Par exemple, une étude révèle que le ministère des Ressources humaines et du Développement du Canada offre systématiquement des primes de performance à ses cadres, même si elles ne sont pas toujours justifiées[55]. Une autre enquête plus récente montre que près de la moitié des 6000 employés canadiens et américains interrogés ne savent pas comment bonifier leurs salaires ou leurs primes[56]. Cette théorie étant fondée sur des attentes et des perceptions, il est donc important pour l'entreprise de travailler à communiquer ses exigences en matière de performance, à établir les modes de récompenses subséquents et à célébrer fréquemment les succès des uns et des autres.

TABLEAU 6.1	Applications pratiques de la théorie des attentes

Composantes de la théorie des attentes	Objectifs	Exemples d'applications pratiques
Attentes E→P	Augmenter la conviction de l'employé qu'il peut accomplir ses tâches avec succès	■ Choisir des personnes dotées des compétences et des connaissances requises ■ Former et clarifier les exigences de l'emploi ■ Établir des objectifs accessibles ■ Fournir suffisamment de temps et de ressources ■ Clarifier les rôles ■ Attribuer des tâches plus simples ou moins nombreuses jusqu'à ce que le personnel les maîtrise ■ Permettre d'apprendre des autres employés compétents ■ Fournir de l'aide aux employés qui manquent de confiance en eux
Attentes P→R	Augmenter la conviction de l'employé que ses bonnes performances engendreront un certain résultat (souhaité)	■ Établir un système d'évaluation de la performance juste et équitable ■ Établir un contexte d'apprentissage et de libre expression ■ Mesurer précisément les performances professionnelles ■ Établir un système de récompense, s'il n'existe pas ■ Expliquer clairement les résultats ou les récompenses que ces performances permettront d'atteindre et comment y parvenir ■ Donner une rétroaction sur la performance réalisée ■ Donner des exemples d'autres employés dont les bonnes performances leur ont permis d'obtenir des récompenses supérieures
Valences des résultats	Augmenter la valeur des résultats provenant des performances souhaitées	■ Distribuer des récompenses qui intéressent le personnel ■ Personnaliser les récompenses ■ Minimiser la présence de résultats à valence négative

Accroître la valence des résultats Les résultats ou les récompenses des performances influencent les efforts et la motivation uniquement lorsqu'ils sont considérés comme importants par le personnel[57] : les entreprises doivent donc porter attention aux besoins prioritaires de chaque employé, dans la mesure du possible, et élaborer des systèmes de récompenses plus individualisés.

La théorie des attentes insiste également sur le besoin de détecter et de neutraliser les résultats ou les comportements qui ont une valence négative et qui réduisent l'efficacité des systèmes de récompenses en place. Par exemple, il en est ainsi de la pression des pairs qui incitent les individus initialement motivés à effectuer leur travail avec un minimum d'effort. Cette situation peut se produire, même si les récompenses officielles et le travail lui-même sont suffisants pour motiver les employés à atteindre des performances supérieures.

Moins d'un Canadien sur cinq est fortement engagé dans son travail

Les Canadiens sont plus engagés dans leur travail que les Français, mais ils le sont moins que les Mexicains et que les Américains, révèle une étude de la division des ressources humaines de Towers Perrin.

Selon cette étude, moins d'un Canadien sur cinq, soit 17 % de la main-d'œuvre, est fortement engagé dans son travail alors que 66 % des salariés sont modérément engagés. Les autres, soit 17 %, sont désengagés.

Malgré tout, le Canada affiche une performance légèrement supérieure à la moyenne mondiale pour les individus fortement engagés, qui ne sont que 14 %. Il arrive au cinquième rang des pays étudiés, derrière le Mexique, le Brésil, les États-Unis et la Belgique, avec des scores variant de 40 % à 18 %.

Towers Perrin définit l'engagement comme la volonté et la capacité d'un salarié ou d'un cadre à contribuer au succès de l'organisation qui l'emploie.

L'étude de Towers Perrin a été menée en août 2005 auprès de plus de 85 000 salariés travaillant dans de grandes et moyennes entreprises de 16 pays. Au Canada, 5100 personnes ont été interrogées.

Depuis deux ans, le taux de Canadiens fortement engagés dans leur travail a diminué, passant de 21 % à 17 % de la main-d'œuvre. Le pourcentage des individus désengagés a fait un bond de 4 %, pour atteindre 17 %.

« En 2003, le contexte économique était plus difficile et les entreprises se concentraient sur la réduction des coûts. Le taux d'engagement élevé était malgré tout supérieur. Les employés faisaient preuve d'une certaine compréhension. Avec le redressement économique, leurs exigences sont plus grandes », explique Michel Tougas.

Les employés fortement engagés sont-ils plus productifs ? Pas forcément. Ainsi, l'Inde compte seulement 7 % de ces salariés alors qu'elle arrive en tête pour les individus désengagés, à 56 %.

Par contre, l'étude révèle un lien très clair entre le degré d'engagement et la fidélité à l'entreprise. Au Canada, 63 % des salariés fortement engagés envisagent de rester au sein de leur organisation. Chez les désengagés, ils sont seulement 12 %.

La haute direction

L'intérêt des leaders pour le bien-être des employés vient en tête de liste des déterminants de l'engagement au Canada. Or, 61 % des répondants du pays ont une opinion mitigée ou défavorable sur cet aspect du leadership dans leurs organisations.

Par ailleurs, le même pourcentage de répondants s'interroge sur l'équité et la justice dans l'établissement de la rémunération.

Un exemple ? Seulement 36 % des répondants jugent que la haute direction communique efficacement les raisons qui ont motivé les décisions commerciales importantes.

Source : Jacinthe Tremblay, « Il n'y a pas que le boulot… », *La Presse Affaires*, Montréal, 15 novembre 2005, p. 5.

La théorie des attentes rend-elle compte de la réalité ?

La théorie des attentes est l'une des théories les plus difficiles à vérifier, et les méthodes de recherche employées se sont heurtées à de nombreuses difficultés[58]. Malgré ces défis, comme le prouvent de nombreuses recherches, c'est l'une des théories qui permet de prédire le mieux les efforts et la motivation professionnels, comme le roulement du personnel, l'utilisation de systèmes techniques, la contribution au travail d'équipe et l'adoption de comportements de citoyenneté organisationnelle[59, 60, 61].

Une des limites de cette théorie est qu'elle néglige tout l'aspect émotionnel des décisions individuelles et de l'intuition. Ce n'est pas tout le monde qui agit de façon toujours rationnelle et en fonction d'intérêts très précis. C'est pourquoi les théoriciens devront probablement revoir le modèle de la théorie des attentes en fonction de ces critiques et des cultures ambiantes[62]. On a vu que l'application de la théorie des attentes recommandait de fixer des objectifs clairs. Ce processus a fait l'objet de très nombreuses recherches dans le dernier quart du siècle passé.

LA MOTIVATION PAR LA DÉTERMINATION D'OBJECTIFS STIMULANTS ET LA RÉTROACTION

Mitel Corp., fabricant d'équipement de réseau téléphonique canadien, possède « une arme secrète » qui lui permet de respecter les échéances de ses projets. Il s'agit d'une énorme horloge numérique placée à la cafétéria, et qui mesure tout, des dixièmes de seconde aux jours d'une année. Près de l'horloge se trouve un tableau blanc où est inscrite la liste des échéances de tous les principaux projets de l'entreprise de télécommunication. Lorsqu'une équipe dépasse le temps qui lui était assigné, les cadres de Mitel cochent la date en rouge pour que tout le monde remarque le retard. Le personnel s'est d'abord plaint de ce système, mais les résultats ont fait taire les critiques. La durée moyenne du développement d'un produit chez Mitel est en effet passée de 70 à 50 semaines[63].

La détermination des objectifs

Mitel et d'autres organisations ont découvert que la détermination des objectifs et la rétroaction sur la performance en cours est un processus très efficace de motivation du personnel[64]. Entrez dans n'importe quel centre d'appels performant et vous constaterez que les activités sont régies par le temps, les objectifs et la rétroaction. Ainsi, l'efficacité des employés est jugée par leur temps de réponse, la durée des appels, etc. Quelques-uns de ces centres ont même de grands tableaux électroniques affichant le nombre de clients et depuis combien de temps en moyenne ils sont en attente. De leur côté, les superviseurs passent une bonne partie de leur temps à veiller au respect des normes établies par le contrôle (excessif selon certains), la rétroaction et l'accompagnement personnalisé (*coaching*). La **détermination des objectifs** est un processus de motivation du personnel au moyen de l'établissement d'objectifs de performance. Elle peut améliorer les performances des employés en visant les buts suivants : 1) guider de façon intense et durable le comportement des individus ; 2) renforcer la clarté de leurs rôles ; 3) mobiliser les ressources vers les buts essentiels de l'organisation et des employés.

Certaines entreprises définissent les objectifs au moyen d'un processus appelé « direction par objectifs » (DPO). Les programmes de direction par objectifs existent sous différentes formes, mais le principe général est le suivant : les buts de l'organisation sont déclinés en objectifs qui sont ensuite communiqués aux différents services, puis à l'employé. La DPO consiste aussi à discuter régulièrement avec le personnel du travail en cours[65]. Bien que la direction par objectifs ait été critiquée pour sa lourdeur administrative, cette méthode peut s'avérer efficace.

Les artisans de la théorie de la détermination des objectifs comme facteur de motivation sont Edward Locke et Gary Latham, qui y ont travaillé depuis près de 25 ans, mais dont la description accomplie de leur modèle a été publiée en 1990[66].

Les caractéristiques des objectifs efficaces   La détermination des objectifs en ce qui concerne l'accomplissement d'une tâche va au-delà de l'expression « fais de ton mieux ». Elle est bien plus complexe. En effet, les experts dans le domaine ont établi six caractéristiques assurant le succès du processus. Ainsi, les objectifs établis doivent répondre aux exigences suivantes : 1) être précis ; 2) être pertinents ; 3) être stimulants ; 4) susciter l'engagement ; 5) favoriser la participation à leur détermination, dans certains cas ; 6) donner lieu à une rétroaction.

détermination des objectifs
Processus de motivation du personnel au moyen de l'établissement d'objectifs de performance.

■ *Des objectifs précis*   Les employés font davantage d'efforts dans leurs tâches lorsqu'ils cherchent à atteindre des objectifs précis plutôt que des cibles approximatives[67]. Des objectifs précis comportent des aspects mesurables sur une durée bien déterminée et relativement courte, comme «réduire la quantité de rejets du produit de 7% au cours des six prochains mois». Les objectifs bien formulés communiquent des attentes plus précises en matière de performance, en plus de donner une orientation aux efforts des employés.

■ *Des objectifs pertinents*   Les objectifs doivent bien sûr être liés aux aspects du travail de l'employé sur lesquels il peut agir. Par exemple, un objectif stipulant la réduction des rejets a peu de valeur si l'employé a peu de contrôle sur le processus même de production d'un bien.

■ *Des objectifs stimulants*   Les objectifs qui représentent un défi ont plus de chances de motiver l'employé à les atteindre que des objectifs trop faciles ou trop ennuyeux, car, lorsque l'employé les réalise, ils satisfont alors son besoin d'accomplissement ou de croissance[68]. Cisco Systems, General Electric et bien d'autres organisations ont établi des objectifs de performance qui augmentent les capacités et la motivation de l'employé. Toutefois, ces objectifs «extensibles» sont efficaces si le personnel peut accéder aux ressources nécessaires et que le processus n'est pas trop contraignant[69].

■ *L'engagement relatif à l'objectif*   S'il est important que les objectifs soient stimulants, le personnel doit aussi s'engager à les atteindre. Il convient donc d'établir des objectifs réalistes et qui ont suffisamment de sens pour susciter l'engagement[70]. Les recherches montrent que cette adhésion aux objectifs est plus susceptible de se produire quand ceux-ci sont publics, fixés par l'employé lui-même et que celui-ci a un sentiment de contrôle interne (*voir le chapitre 3*)[71].

■ *La participation à la détermination des objectifs*   La détermination des objectifs est généralement (mais pas toujours) plus efficace lorsque le personnel y participe[72]. Le personnel s'identifie davantage à des objectifs qu'il a contribué à définir qu'à des objectifs qu'un supérieur lui impose, et ceci est encore plus vrai pour la main-d'œuvre actuelle friande d'autonomie. Cette participation peut aussi améliorer la qualité des objectifs. En effet, le personnel détient un savoir précieux que n'ont pas nécessairement les personnes chargées de déterminer les objectifs.

■ *La rétroaction sur les objectifs*   La rétroaction est une autre condition nécessaire pour que la détermination des objectifs soit efficace[73]. La rétroaction est toute information qu'une personne reçoit quant aux résultats de son travail et à ses comportements. La rétroaction permet de savoir si on a atteint un objectif et si on oriente ses efforts dans la bonne direction. La rétroaction est également un élément essentiel de la motivation, car elle joue le rôle de renforçateur de notre besoin de croissance quand elle est source d'apprentissage et de reconnaissance du travail bien fait. La rétroaction est un aspect tellement central de la détermination des objectifs que nous en discuterons davantage un peu plus loin.

La détermination des objectifs n'entraîne pas automatiquement la performance. Outre les facteurs mentionnés précédemment, d'autres variables, dites modératrices, viennent conditionner le processus. Ce sont le sentiment d'efficacité des individus, la complexité de la tâche et la culture nationale. Nous avons déjà décrit en quoi consistait le sentiment d'efficacité comme trait de personnalité au chapitre 3. Dans l'adversité, les individus ayant une forte conviction de leur efficacité personnelle tenteront d'atteindre leurs objectifs avec une détermination et une persistance plus élevées que les individus qui ont ce sentiment à un moindre degré[74]. Par ailleurs, les recherches montrent également que la détermination d'objectifs est plus efficace pour des tâches simples et indépendantes des autres que pour celles qui sont complexes et interdépendantes[75]. Ces caractéristiques montrent enfin que ce processus de détermination d'objectifs est nécessairement lié à la culture nationale : il ne faut pas s'attendre aux résultats escomptés dans des cultures où l'autonomie n'est pas valorisée (cultures à forte distance hiérarchique, *voir le chapitre 16*) et où la prise de risques n'est pas encouragée (culture à faible tolérance à l'incertitude). Ce processus est plutôt bien adapté à des pays comme le Canada ou les États-Unis qui présentent des cultures nationales inverses.

Voyons maintenant la rétroaction, élément essentiel de la réussite de la détermination des objectifs.

LA RÉTROACTION

Les caractéristiques d'une rétroaction efficace

rétroaction
Toute information qu'une personne reçoit quant aux résultats de son travail et à ses comportements.

En plus d'être un élément clé de la détermination des objectifs et de l'amélioration des performances, la **rétroaction** permet de clarifier les tâches et les rôles de chacun en signalant les comportements appropriés ou nécessaires dans une situation donnée[76]. La rétroaction améliore également les compétences des employés lorsqu'elle contribue à corriger les problèmes de performances[77].

La rétroaction partage presque les mêmes caractéristiques que doit posséder un objectif efficace (*voir la figure 6.4*). Premièrement, la rétroaction doit être précise. Par exemple, il est préférable de dire « vous avez dépassé vos quotas de vente de 5 % le mois dernier » plutôt que de passer des remarques subjectives et générales comme « le montant de vos ventes est très bon ». Il faut noter que la rétroaction doit porter sur la tâche et non sur la personne, ce qui a pour effet de réduire ses réactions de défense dans le cas d'objectifs non atteints.

Deuxièmement, la rétroaction doit être pertinente, c'est-à-dire qu'elle doit porter sur les actes de l'employé plutôt que sur des conditions hors de son contrôle, pour éviter toute « contamination » du jugement[78]. Troisièmement, la rétroaction

FIGURE   6.4

Caractéristiques d'une rétroaction efficace

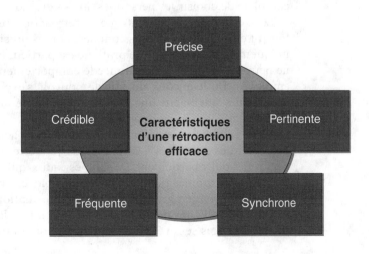

doit être donnée de manière synchrone, c'est-à-dire au moment précis où elle peut avoir le plus d'effets sur les comportements futurs de l'employé. Par exemple, elle est plus utile quant elle suit de près la manifestation d'un comportement professionnel ou l'obtention de résultats que si elle était donnée tardivement. Ainsi, il sera plus aisé pour les personnes concernées d'associer un comportement particulier avec les conséquences qui en découlent.

Quatrièmement, la rétroaction doit être suffisamment fréquente. Cette fréquence dépend d'au moins deux facteurs. L'un de ces facteurs est le savoir ou l'expérience de l'employé. L'employé qui effectue de nouvelles tâches doit recevoir une rétroaction plus fréquente, car il a davantage besoin de directives et de conseils, en même temps que d'un renforcement positif. Les tâches familières et routinières requièrent moins de rétroaction. Le deuxième facteur est le cycle de la tâche, c'est-à-dire le temps nécessaire pour accomplir entièrement chaque tâche. La rétroaction est nécessairement moins fréquente pour les individus dont les tâches ont un cycle long (par exemple, des scientifiques) que pour ceux dont les tâches ont un cycle court (par exemple, les caissiers d'une épicerie).

Enfin, la rétroaction doit être crédible. La personne acceptera volontiers une rétroaction (surtout une rétroaction corrective) d'une source digne de confiance[79]. Une manière de plus en plus populaire d'augmenter la fiabilité et l'acceptation d'une rétroaction est d'en multiplier les sources, lesquelles sont décrites dans la prochaine section.

Les différentes sources de rétroaction

Nous décrirons deux sources de rétroaction, la rétroaction à 360 degrés et l'accompagnement personnalisé (*coaching*) de cadres.

rétroaction à 360 degrés
Rétroaction sur les performances d'un employé provenant des multiples personnes concernées par son travail.

La rétroaction à 360 degrés Telus Corporation et de nombreuses autres entreprises canadiennes ont essayé d'améliorer la crédibilité de leur rétroaction en introduisant un processus provenant de sources multiples, souvent appelé **rétroaction à 360 degrés.** Cette appellation illustre le grand nombre de personnes qui gravitent autour d'un employé et qui commentent sa performance ou ses comportements[80, 81]. Une étude rapporte que 43 % des plus grandes entreprises canadiennes recourent à ce type de rétroaction pour évaluer leurs cadres. Par ailleurs, la plupart de ces programmes (87 %) donnent aux employés la liberté complète de choisir les personnes qui les évalueront[82].

Les recherches indiquent que la rétroaction provenant de sources multiples fournit de l'information plus complète et plus précise que l'information provenant uniquement d'un chef. Cette pratique est particulièrement utile lorsque les cadres ne peuvent observer toute l'année le comportement ou les performances de leurs employés. De leur côté, du fait de pouvoir s'exprimer sur leurs supérieurs, les subalternes attribuent une grande impartialité au processus d'évaluation de la performance ou des comportements[83].

Mais, l'établissement d'un processus de rétroaction à 360 degrés n'est pas sans présenter des difficultés[84]. Ce processus peut être coûteux et long, vu le nombre de personnes qui y participent. Ce sont les cadres qui sont le plus souvent préoccupés par ces programmes de rétroaction multiple, car ce sont surtout eux qui produisent et reçoivent en grand nombre ces informations (il n'est pas rare de voir des cadres être sollicités des centaines de fois!). De plus, les multiples commentaires peuvent parfois se révéler contradictoires ou ambigus. Dans ce cas, le personnel

Les rétroactions sur les performances : des cadres trop timides ?

L'évaluation de la performance constitue l'une des principales responsabilités des cadres. Dans ce contexte, la rétroaction donnée par le supérieur à l'employé sur sa performance et ses comportements, quand elle est bien transmise, constitue un outil essentiel de communication, de motivation et d'amélioration de la productivité. Malgré ces avantages, de nombreux cadres éprouvent des difficultés à communiquer une rétroaction efficace à leurs subalternes dont la performance est insatisfaisante ou médiocre. L'inconfort ressenti devant l'éventualité d'exprimer des commentaires négatifs peut expliquer en partie ces réticences. La documentation scientifique montre que, dans ce cas, plusieurs chefs choisissent carrément de ne pas exprimer ces commentaires défavorables ou qu'ils optent pour des opinions complaisantes et un jugement indulgent. Ce comportement a pour effet de réduire l'anxiété liée à la transmission de la rétroaction négative. Il est aussi motivé par le désir d'éviter un mauvais climat de travail et les conflits avec un employé peu réceptif.

Par une étude empirique menée auprès de 214 cadres québécois provenant de plusieurs organisations, Denis Morin montre en effet que plus les gestionnaires doivent donner une rétroaction négative, plus ils ressentent de l'inconfort et une propension à se montrer indulgents dans leurs jugements de la performance de leurs subordonnés (corrélation hautement significative de .41). La méthode utilisée comportait des questionnaires à la validité établie et mesurant la difficulté à émettre la rétroaction (le *Performance Appraisal Discomfort Scale* de Villanova et coll. 1993). Un exemple d'énoncé : « J'ai de la difficulté à affronter un employé sur la défensive. » Sans donner le nom du subordonné, les cadres qui ont participé à l'étude ont communiqué au chercheur son niveau de performance. D'autres énoncés ont mesuré le niveau d'indulgence des cadres, invoquant des raisons du type de celles qui ont déjà été mentionnées. L'auteur recommande aux cadres dans cette situation une formation visant un renforcement de leur sentiment d'efficacité.

Source : Denis Morin, *L'inconfort des gestionnaires dans le cadre du processus d'évaluation de la performance : une étude empirique*, 2007. Communication personnelle. M. Morin est professeur au département Organisation et ressources humaines, École des sciences de la gestion, Université du Québec à Montréal.

---

accompagnement personnalisé (*coaching*) de cadres
Relation entre un cadre et un conseiller expérimenté (*coach*), généralement un consultant, dans laquelle ce dernier, à partir de méthodes empruntées aux sciences du comportement, facilite la réalisation des objectifs et l'adoption d'attitudes appropriées de son client.

peut avoir besoin d'aide pour interpréter les résultats. Une autre préoccupation est que les individus dont on sollicite la rétroaction peuvent formuler des commentaires qui ne correspondent pas à la réalité pour éviter les conflits avec leurs collègues ou leurs supérieurs (*voir l'encadré 6.3*). Le fait que le processus soit souvent anonyme encourage ce genre de réactions, comme il peut encourager les comportements inverses, c'est-à-dire un dénigrement systématique des personnes visées par l'information. Ces exagérations affectent émotionnellement les personnes qui reçoivent les commentaires négatifs[85]. C'est pourquoi des entreprises comme Rogers Communications engagent des consultants externes pour gérer ces programmes.

L'accompagnement personnalisé (*coaching*) de cadres Une autre méthode faisant usage des principes de rétroaction et en plein essor est l'**accompagnement personnalisé (*coaching*) de cadres.** Il s'agit d'une relation entre un cadre et un conseiller expérimenté (*coach*), généralement un consultant, dans laquelle ce dernier, à partir de méthodes empruntées aux sciences du comportement, facilite la réalisation des objectifs et l'adoption d'attitudes appropriées de son client, et par conséquent sa satisfaction[86]. Le conseiller (*coach*) ne donne pas de réponses toutes faites aux problèmes de l'employé, il est plutôt un « partenaire de réflexion » qui offre des occasions de dialogue. Il pose des questions provocantes, donne son avis et aide les clients à clarifier les choix disponibles.

Un accompagnateur (*coach*) personnel pour les cadres

Greg Ball a de très bonnes idées, mais il admet qu'il a des lacunes sur le plan interpersonnel. « En stratégie d'entreprise, je suis bon et en logique, je suis très bon », ajoute le directeur des communications des bureaux torontois de l'entreprise de vaccins pharmaceutiques Aventis Pasteur. « L'aspect humain du travail est un domaine qui m'échappe. » Alors, Aventis lui a offert les services d'un accompagnateur (*coach*) pour cadres qui l'aidera à voir les situations d'un point de vue différent. L'accompagnement de dirigeants est très logique, comme ça l'est pour les athlètes professionnels.

Aventis Pasteur, BC Hydro, la Ville de Richmond en Colombie-Britannique, Ryzex, Nesbitt Burns, Providence Health Care, Great Pacific Management et de nombreuses autres entreprises canadiennes ont fait de l'accompagnement (*coaching*) de cadres un outil de prédilection de développement personnel. « Les clients recherchent un partenaire silencieux qui les aide à rester motivés, quelqu'un avec qui ils peuvent réfléchir et concevoir des stratégies », explique Teresia LaRocque, accompagnatrice (*coach*) pour cadres à Vancouver. Selon Nancy Gerber, une autre spécialiste : « L'accompagnement de cadres est simplement une relation avec quelqu'un qui est payé pour vous dire l'absolue vérité. »

Michael Nott, cadre à la Great Pacific Management, entreprise de services financiers située à Vancouver, s'exprime ainsi sur le sujet : « À la fin d'une année, l'amélioration était étonnante. Grâce à ce genre d'accompagnement, on réussit mieux avec moins d'efforts, car on travaille plus intelligemment. »

Sources: C. Adams, « Coaches Offer More than Game Plan », *Globe and Mail*, 8 juillet 2002, p. C1; A. Ferris, « Business Coach Helps Companies Get Most Out of People », *Guelph Mercury*, 22 novembre 2001, p. A1; P. Withers, « Bigger and Better », *BC Business*, avril 2001, p. 50; K. Kicklighter, « Put Me In, Coach », *The Atlanta Journal-Constitution*, 12 janvier 2001, p. E1.

www.coachingcircles.com

Dans l'encadré 6.4, figurent quelques témoignages de cadres ayant bénéficié de ce type d'accompagnement, apparemment efficace pour développer l'intelligence émotionnelle, les compétences interpersonnelles et d'autres compétences nécessitant une rétroaction précise et un soutien dans un environnement de travail en temps réel[87]. Cependant, certains auteurs émettent des réserves quant à cette technique, notamment en ce qui concerne la facilité avec laquelle certains consultants se proclament accompagnateurs de cadres, quant à la dépendance possible envers l'accompagnateur (*coach*) et parfois, le traitement des symptômes des problèmes plutôt que les causes[88].

Le choix des sources de la rétroaction   La rétroaction peut émaner de sources matérielles ou sociales[89]. Les sources matérielles peuvent être des informations électroniques (par exemple dans les centres d'appels, l'affichage des mesures du temps de réponses et autres); de nombreux professionnels peuvent afficher sur leur écran d'ordinateur et le plus souvent en temps réel les dernières statistiques sur les ventes, les inventaires et d'autres mesures de productivité[90, 91]. Par ailleurs, l'exécution même de tâches peut être source de rétroaction; c'est le cas, par exemple, de situations de résolution de problèmes où les résultats sont évidents (des remerciements de clients satisfaits, le fonctionnement d'un appareil qui vient d'être réparé, la participation active d'étudiants dans un cours, etc.).

La rétroaction sociale implique l'intervention de personnes, qui peuvent être le supérieur hiérarchique, les collègues, les clients, les fournisseurs, en somme tous les individus ou les groupes d'individus qui peuvent communiquer de l'information sur les comportements professionnels de l'employé ou sur sa performance. Cette communication peut être officielle ou non, fréquente ou sporadique.

L'information provenant de sources matérielles est généralement considérée comme plus exacte que celle qui provient de sources sociales. En outre, la rétroaction corrective de sources matérielles touche moins l'amour-propre des individus concernés, et elle est plus rapide et plus objective[92].

Par contre, lorsque les employés cherchent la reconnaissance, ils préfèrent une rétroaction positive auprès de sources sociales, moins impersonnelles qu'un écran d'ordinateur[93] ! De plus, ces sources sociales viennent combler les besoins relationnels ainsi que le besoin personnel de croissance.

Les limites de la détermination d'objectifs et de la rétroaction

Le processus de la détermination d'objectifs est, assurément, parmi les théories en cours en comportement organisationnel, l'une des théories les plus valides, utiles et applicables dans plusieurs contextes. Conjuguée à la détermination d'objectifs, la rétroaction est également connue pour son pouvoir de motiver et pour son influence sur la performance. Malgré tout, ces méthodes appellent quelques réserves. Ainsi, lorsque l'atteinte des objectifs est liée à des incitations financières, de nombreux employés tendent à choisir des objectifs plutôt faciles[94, 95]. Dans certains cas, on a déjà vu des employés négocier avec leurs supérieurs des objectifs qu'ils avaient déjà atteints ! Par ailleurs, on concentre la détermination d'objectifs sur des performances mesurables, et on néglige d'autres aspects du travail qui s'y prêtent moins, alors qu'il faudrait aussi envisager, le cas échéant, des mesures qualitatives. Enfin, la détermination des objectifs se prête davantage à un horizon temporel à court terme qu'à une perspective à long terme (sinon on parlerait de buts plutôt que d'objectifs), ce qui limite les indicateurs de performance.

Malgré ces inquiétudes, la détermination d'objectifs présente des avantages certains, bien documentés[96]. Le caractère objectif du processus est particulièrement apprécié. Par exemple, Payless Shoe Source a remplacé son système traditionnel d'évaluation des performances par un simple processus de détermination d'objectifs. Ce processus permet d'évaluer le personnel qui atteint ou non ses objectifs. Ce changement a amélioré les performances et a minimisé les comportements politiques en entreprise ainsi que certains sentiments d'injustice qui accompagnent souvent les activités d'évaluation des performances du personnel[97]. À ce sujet, la justice organisationnelle, traitée à la prochaine section est un élément important en matière de motivation en milieu de travail.

LA MOTIVATION PAR LA JUSTICE DANS LES ORGANISATIONS

justice distributive

Principe de justice basé sur la façon dont les ressources sont distribuées entre les employés.

Parmi les sources de mécontentement relevées par Herzberg et son équipe figure en bonne place le sentiment d'injustice, notamment en ce qui concerne les politiques de l'entreprise. L'équité et la justice en organisation, et plus récemment des concepts qui leur sont associés comme l'éthique (*voir le chapitre 3*), ont fait l'objet de nombreuses recherches. Trois concepts, rappelons-le, expliquent les sources diverses des sentiments de justice ou d'injustice que l'on peut ressentir : la justice distributive, la justice procédurale et la justice interactionnelle[98]. La **justice distributive** est un principe de justice régissant la distribution équitable des ressources entre les gens. Par exemple, en me comparant aux autres, je peux être satisfait de la répartition des salaires dans mon entreprise. La **justice procédurale,** de son côté, fait référence à l'impartialité des procédures utilisées pour décider de la distribution des ressources. Par exemple, une personne peut être insatisfaite si une autre est promue à un poste qu'elle convoitait, mais ce sentiment peut être tempéré en sachant que les politiques de l'entreprise ont été scrupuleusement suivies dans cette décision. La **justice interactionnelle** est celle qui assure l'impartialité des rapports avec les personnes dans le processus de distribution des ressources. Par exemple, une personne aura le sentiment d'avoir été victime d'injustice (et plus) si son patron lui dit qu'elle a été promue surtout parce qu'elle est une femme.

La justice distributive et la théorie de l'équité

Barb Nuttall considérait qu'elle n'était pas payée justement en tant que caissière d'un Canada Safeway de Regina, en Saskatchewan. Elle avait remarqué que la plupart des personnes travaillant aux caisses des magasins d'alimentation étaient des femmes et que leur salaire horaire était inférieur d'environ 50 cents à celui de la plupart des commis masculins du service de l'alimentation. Les deux emplois présentaient des aspects similaires et nécessitaient de soulever des articles parfois très lourds. En outre, les caissières, manipulant de l'argent, considéraient que cette responsabilité, entre autres, valait une révision de leurs salaires. Réagissant à ces considérations, Barb Nuttall et d'autres caissières de Safeway se sont battues pour obtenir une augmentation de salaire et être rémunérées comme leurs homologues masculins du service de l'alimentation. La Commission des droits de la personne de la Saskatchewan a été interpellée, et Canada Safeway a été contrainte de négocier une convention collective instituant la parité salariale entre les deux corps de métier[99].

Les caissières de Canada Safeway ont eu un sentiment d'injustice distributive, ce qui les a motivées à agir. On applique différentes règles ou divers critères pour déterminer ce qu'est une « juste » distribution des ressources. Certains appliquent un principe d'égalité selon lequel tout le monde doit obtenir une part égale des ressources. D'autres appliquent le principe du besoin selon lequel les personnes les moins nanties devraient faire l'objet d'ententes ou de traitements particuliers (c'est le principe de la taxation des particuliers). Le personnel et les organisations utilisent généralement une combinaison de ces principes, en fonction des situations[100]. Par exemple, les entreprises donnent généralement les mêmes avantages sociaux à tous les employés (principe d'égalité) et offrent davantage de congés aux employés qui doivent subvenir aux besoins d'une famille (principe du besoin). Barb Nuttall et les autres caissières de Safeway ont appliqué une autre règle de justice distributive, la plus courante dans un cadre organisationnel, le principe d'équité. Suivant ce principe, les rétributions doivent être proportionnelles aux contributions des individus ou des groupes.

La théorie de l'équité   Depuis plusieurs décennies, les chercheurs ont élaboré le principe de justice au moyen de la **théorie de l'équité.** Ce modèle a été bien documenté par Jean Adams, chercheur d'origine belge diplômé de l'Université de Caroline du Nord. Adams a été influencé par la théorie de la dissonance cognitive élaborée par Festinger en 1957. Nous avons déjà vu ce processus au chapitre 3, avec les attitudes. Adams part de deux hypothèses. La première est que les êtres humains recherchent leur propre intérêt en premier lieu et qu'ils voient les rapports sociaux comme un échange où, en fonction de leurs investissements, ils s'attendent à recevoir un quelconque bénéfice. La seconde hypothèse est que, vivant en société, nous nous comparons naturellement aux autres. En fonction de la théorie de la dissonance cognitive adoptée par Adams, si nous avons l'impression que nous avons été traités de façon injuste, nous aurons tendance à vouloir rétablir l'équité.

La théorie de l'équité tient compte de deux facteurs : la contribution (ou apport) de l'individu à son organisation et la rétribution (tangible ou intangible) qu'il en reçoit. Les contributions (C) de l'employé et les rétributions (R) possibles sont multiples et le tableau 6.2 en donne quelques exemples (il n'y a pas de nécessaire correspondance entre les paires de C et de R).

TABLEAU 6.2 Exemples de contributions et de rétributions en entreprise

Contributions (C)	Rétributions (R)
Scolarité	Salaire
Expérience	Primes et autres récompenses financières
Compétences	Prestige
Présence au travail	Promotions
Énergie	Perfectionnement
Formation et apprentissage	Avantages sociaux
Productivité	Conditions de travail avantageuses
Engagement	Sécurité d'emploi
Sentiment d'appartenance	Reconnaissance
Heures supplémentaires	Privilèges (garderies, voiture de fonction)
Attitudes positives	Autres

Selon cette théorie de l'équité, l'individu détermine s'il a été traité de façon juste en comparant son propre rapport rétribution-contribution (R/C) à celui d'autres personnes[101]. Le rapport R/C est la valeur des rétributions obtenues divisées par la valeur des contributions. Dans le cas des caissières de Safeway, les principales rétributions attendues sont le salaire et la reconnaissance du travail accompli.

Selon la théorie de l'équité, il faut insister sur le fait que l'individu compare son rapport R/C avec celui d'un groupe, d'autres individus, etc. Ces éléments de comparaison constituent ce que nous appellerons l'objet de référence[102]. Dans l'exemple précité, les caissières de Canada Safeway, en Saskatchewan, se sont comparées aux employés du service d'alimentation. En effet, il était sans doute plus simple d'obtenir de l'information sur des collègues que sur des personnes travaillant ailleurs. Cependant, l'objet de référence peut être, outre les catégories mentionnées, soi-même dans une situation passée, voire le taux d'inflation ! Puisque les chefs d'entreprise ne disposent pas d'objet de référence dans leur entreprise, ils tendent donc à se comparer à des personnes ayant le même poste dans d'autres organisations. Cependant, l'objet de référence varie généralement d'une personne à l'autre et il reste difficile de déterminer ce choix. Il ne faut pas oublier que les sentiments d'équité relèvent d'abord des perceptions, qu'elles correspondent à une réalité ou pas[103].

L'évaluation de l'équité   Quand le rapport R/C personnel est perçu comme inférieur à celui de l'objet de référence, la personne ressent alors un sentiment d'injustice. C'est le cas des caissières de Canada Safeway qui sentaient qu'elles devaient être payées comme les commis, leurs responsabilités s'équivalant. Quand ce rapport est égal, la personne a le sentiment d'avoir été traitée avec équité. Quant le rapport de la personne est supérieur à celui de l'objet de référence, elle peut ressentir également un sentiment d'injustice (mais il faut dire que ce n'est pas fréquent!). Est-ce cela qui a motivé les patrons de la chaîne d'alimentation Loblaw à refuser leurs primes annuelles? (*Voir l'encadré 6.5.*) Ces différents cas sont illustrés à la figure 6.5.

Les réactions au sentiment d'injustice   Une personne ressent une tension émotionnelle qui la met mal à l'aise lorsqu'elle se sent victime d'une injustice. Une tension suffisamment forte motive les employés à la réduire en prenant les décisions suivantes[104]:

■ Réduire leurs contributions en diminuant leurs efforts, leurs performances et leur engagement envers l'organisation, lorsque ces actions n'ont pas d'incidences négatives sur leur salaire[105].

■ Essayer d'augmenter leurs rétributions en demandant une augmentation de salaire ou en adhérant à un syndicat qui leur permettrait de l'obtenir sans changer leurs contributions[106]. Les caissières de Safeway ont augmenté leurs salaires en réussissant à obtenir l'intervention de la Commission des droits de la personne de la Saskatchewan. Certaines personnes qui croient recevoir des récompenses insuffisantes augmentent également leurs avantages en utilisant les ressources de l'entreprise à des fins personnelles.

■ Agir sur l'objet de référence. Par exemple, les employés qui se croient mal récompensés peuvent suggérer que les collègues bien rétribués travaillent plus, ou encore demander au supérieur de donner un traitement égal.

■ Changer sa perception de la situation. L'évaluation de l'équité étant un processus subjectif, l'employé peut de façon consciente ou non déformer sa perception de ses contributions et de ses rétributions ainsi que celles de l'objet de

FIGURE   6.5   Illustration de la théorie de l'équité

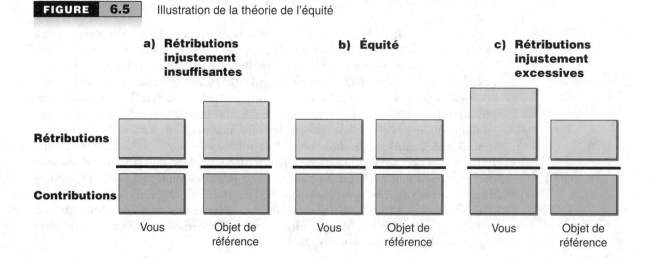

Non merci !

Les patrons de Loblaw refusent leurs primes : sentiment d'injustice ?

Galen Weston, président du conseil d'administration, et John Lederer, président de Loblaw, ont refusé leurs primes pour 2005 après que les bénéfices de la chaîne canadienne de supermarchés eurent baissé pour la première fois en 13 ans.

M. Weston, 65 ans, et M. Lederer, « ont choisi de refuser leurs primes respectives » qui ont été de 500 000 $ et de 997 900 $ en 2004, a indiqué Loblaw jeudi dans une déposition aux autorités réglementaires. Leur refus a été motivé « par la performance de la compagnie », a souligné hier Geoffrey Wilson, porte-parole de Loblaw. Il a refusé d'élaborer davantage.

« Je serais bien plus content s'ils avaient redressé leurs opérations plutôt que de sabrer leurs primes », lance Jim Hall, qui possède environ 200 000 actions de Loblaw parmi les actifs de 3,2 milliards de dollars qu'il contribue à gérer au sein de Mawer Investment Management, à Calgary.

Il a toutefois indiqué que la décision des patrons avait été « la bonne chose à faire ».

Les salaires de MM. Weston et Lederer, qui sont de 800 000 $ et 1,35 M$, n'ont pas été modifiés par rapport à l'année précédente. Les deux hommes avaient droit à une prime cette année en vertu des politiques de rémunération de la compagnie, a dit M. Wilson.

Source : La Presse Affaires, 18 mars 2006, p. 1 et 4.

---

référence, quant il ne veut pas ou ne peut pas les changer. Par exemple, il peut vouloir penser que le collègue mieux rétribué que lui travaille vraiment plus, ou qu'après tout la différence de rémunération est minime, ou encore trouver des avantages (le prestige, par exemple) à son travail que le collègue mieux rétribué n'a pas[107].

- Changer l'objet de comparaison qui aurait un rapport R/C plus proche de celui qui ressent ce sentiment d'injustice.
- Enfin, s'absenter ou, en dernier ressort, quitter l'entreprise.

Les employés surpayés ou qui reçoivent des avantages que les autres n'ont pas pour le même effort peuvent aussi invoquer de nombreuses raisons pour justifier leurs rétributions. Comme le dit l'auteur Pierre Berton : « J'ai été sous-payé pendant la première moitié de ma vie. Cela ne me dérange pas d'être surpayé pendant la seconde[108]. » Sous la pression sociale ou la culpabilité, ces employés peuvent aussi être amenés à augmenter leur contribution (c'est plus facile que d'accepter une réduction de salaire !) sous plusieurs formes : travailler davantage, faire du bénévolat ou des dons généreux. Dans le cas de revenus gigantesques, on peut voir les gens d'affaires richissimes s'engager dans des œuvres caritatives (Bill Gates, Warren Buffet, etc.).

Les actions précédentes sont raisonnables. Mais parfois, le sentiment très élevé d'injustice, couplé à des personnalités particulières ou à des pressions de groupe, peut mener à des comportements carrément illégaux, comme le vol ou le sabotage.

sensibilité à l'équité
Susceptibilité d'un individu quant à sa perception des rapports entre les contributions et les rétributions des personnes.

Les différences individuelles et la sensibilité à l'équité Jusqu'à présent, nous avons décrit la théorie de l'équité comme si tout le monde avait le même sentiment d'injustice devant une situation. En réalité, les personnes n'ont pas la même sensibilité devant l'équité et l'injustice[109]. À l'une des extrémités du spectre de la **sensibilité à l'équité** se trouvent les personnes « accommodantes », c'est-à-dire celles qui tolèrent des situations où elles reçoivent des récompenses qu'elles peuvent juger insuffisantes pour elles-mêmes ou excessives pour les autres. Au centre se trouvent les personnes qui correspondent au modèle classique de la théorie de l'équité. Ces personnes, « sensibles à l'équité », souhaitent des rapports rétribution-contribution égaux, et lorsqu'ils ne le sont pas, elles ressentent une tension désagréable. À l'autre extrémité du spectre se trouvent les personnes « exigeantes ». Celles-ci acceptent aisément de recevoir plus que les autres pour le même travail[110].

La valeur de la théorie de l'équité   La théorie de l'équité a fait l'objet de nombreuses recherches en comportement organisationnel. Elle a aussi une certaine valeur prédictive dans les situations d'injustice (par exemple, dernièrement, on a constaté beaucoup d'indignation à propos de gestionnaires gagnant des salaires mirobolants en dépit de leurs piètres performances, ou du manque d'éthique de certains d'entre eux — *voir le chapitre 4*). Mais cette théorie présente plusieurs limites[111]. L'une d'entre elles est qu'elle n'est pas assez précise pour prédire la motivation du personnel eu égard au thème de l'équité. Cela tient au fait qu'elle n'indique pas clairement les contributions et les rétributions les plus recherchées par les individus et les critères sur lesquels les gens se basent dans leur choix de l'objet de référence. Un problème d'une autre nature est que la théorie de l'équité part de la fausse prémisse selon laquelle les gens sont individualistes, rationnels et égoïstes. En réalité, les gens sont des créatures sociales qui se définissent comme membres de divers groupes dont ils partagent les objectifs et les normes. Enfin, la théorie de l'équité met exclusivement l'accent sur l'attribution des rétributions ou des récompenses (notamment leur nature, leur quantité et leurs bénéficiaires). Elle néglige les sentiments relatifs aux processus mêmes qui conduisent à ces rétributions, autrement dit, la justice procédurale et interactionnelle, thème qui fait l'objet de la prochaine section.

La justice procédurale

Pour expliquer la motivation, les attitudes et le comportement du personnel, les experts en comportement organisationnel ont longtemps considéré que la justice distributive était plus importante que la justice procédurale (rappelons que celle-ci concerne l'équité et le respect des règles et des procédures) et la justice interactionnelle ou sociale (c'est-à-dire l'équité dans le traitement des personnes eu égard au respect qui leur est dû). Ce n'est plus le cas[112]. Par exemple, les employés seront plus satisfaits de l'augmentation de leurs émoluments s'ils jugent que la méthode qui y a conduit est équitable que s'ils la perçoivent comme injuste. C'était une croyance basée sur l'hypothèse que les personnes sont principalement motivées par leur intérêt personnel, et qu'elles essaient donc de maximiser leurs gains propres exclusivement. Aujourd'hui, on sait que les personnes recherchent la justice pour elle-même, et pas seulement comme un moyen d'améliorer leurs avantages.

Voyons maintenant les règles structurelles qui favorisent la perception de justice procédurale.

La justice procédurale dépend du respect d'un certain nombre de règles structurelles (*voir la figure 6.6*)[113]. Celles-ci sont les règlements et les pratiques organisationnels que les décideurs doivent respecter. Dans les recherches en justice procédurale, la règle structurelle la plus fréquemment relevée est le droit de s'exprimer et de se faire entendre quant au processus de décision[114]. Le décideur doit également être impartial et se baser sur une information complète et exacte. Il doit aussi appliquer les règlements existants de manière cohérente, écouter tous les points de vue et permettre que la décision puisse être contestée auprès d'une autorité supérieure[115].

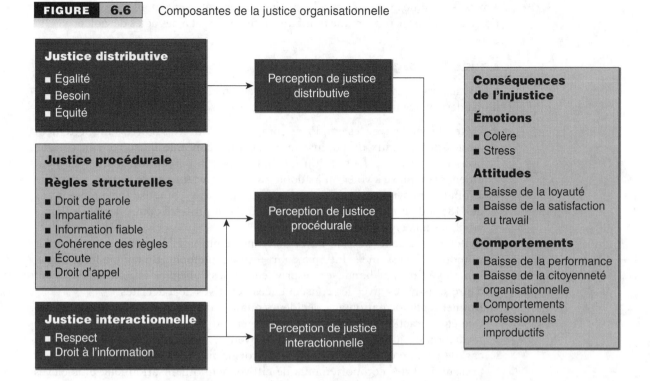

FIGURE 6.6 Composantes de la justice organisationnelle

La justice interactionnelle

Parallèlement aux règles structurelles, la justice procédurale subit aussi l'influence de la justice interactionnelle, c'est-à-dire du respect des règles sociales régulant les critères de bienséance entre le personnel et les décideurs. En ce qui concerne le respect, le personnel perçoit une plus grande justice lorsqu'il est traité avec dignité. À ce sujet, selon une récente étude canadienne, le personnel infirmier de couleur, dans les situations de racisme, tendait à porter plainte uniquement après avoir été traité de manière irrespectueuse au cours de ses tentatives pour résoudre la situation discriminatoire. Une autre étude montre que le personnel souffrant de blessures causées par des mouvements répétitifs était plus enclin à demander un dédommagement après avoir fait l'expérience d'un comportement également irrespectueux de la part de la direction[116]. L'autre règle importante de justice interactionnelle est de traiter les employés comme des gens adultes et responsables. Les gens considèrent être en droit de recevoir des explications sur les décisions qui les concernent, et davantage lorsque l'issue a des conséquences négatives pour eux.

Les conséquences de la justice procédurale et interactionnelle

Ces deux formes de justice influent considérablement sur les émotions et les attitudes, c'est-à-dire sur l'engagement organisationnel et la confiance en la hiérarchie. La perception d'injustice engendre la colère et divers comportements que les experts classent dans les catégories de « retrait » ou d'« agression »[117]. Ces réactions, non exhaustives, sont indiquées à droite de la figure 6.6. Les comportements agressifs, comme les réactions à l'injustice en général, peuvent aller de la dénonciation du décideur perçu comme fautif au conflit ouvert et à des actes de violence[118, 119].

La justice organisationnelle en pratique

La justice organisationnelle met en évidence un certain nombre de mesures que les leaders peuvent adopter pour motiver leur personnel.

- Éviter de sous-payer les employés compétents dont les salaires sont nettement en-dessous de ceux de l'industrie. C'est une économie illusoire, car, comme nous l'avons vu, la frustration engendrée par la perception d'injustice peut amener l'employé à voler ou à adopter des comportements de retrait, ou encore à joindre un syndicat qui, peut-être, fera une grève coûteuse (cela a été le cas des 185 000 employés de UPS, en 1997, qui ont protesté contre les bas salaires attribués aux employés à temps partiel).
- Éviter le paiement excessif. Payer un employé plus qu'il le mérite pour stimuler sa motivation est une solution à court terme seulement. En effet, à long terme, l'employé finit par banaliser ce privilège et ses collègues auront le sentiment d'être sous-payés, avec les conséquences négatives déjà décrites.
- Donner de la formation aux décideurs quant aux principes de justice procédurale et interactionnelle. Selon une étude canadienne, des cadres ont reçu une formation en justice procédurale au moyen de cours magistraux, d'études de cas, de jeux de rôle et de discussions. Trois mois plus tard, leurs subordonnés présentaient des comportements de citoyenneté organisationnelle plus élevés que les subordonnés des cadres qui n'avaient pas eu cette formation[120].
- Enfin, nous l'avons mentionné, donner l'occasion à l'employé concerné de s'exprimer sur les décisions sensibles en matière de rétribution relative, communiquer clairement l'information sur les systèmes de récompenses en place et traiter l'employé avec respect. Les recherches sont unanimes sur ces points : les décisions, même celles dont les conséquences sont difficiles pour les personnes concernées (licenciements, réduction de primes, gel des salaires, évaluations de la performance insatisfaisante, etc.) ont moins de chances d'être rejetées et de provoquer des comportement hostiles envers les décideurs quand elles suivent les principes de la justice procédurale et interactionnelle.

La motivation par le renforcement et les récompenses

Dans cette partie, nous aborderons l'impact du renforcement et des récompenses intrinsèques et extrinsèques sur le comportement. Sur ce dernier sujet, nous évoquerons la théorie de l'évaluation cognitive.

La modification des comportements en entreprise   Au chapitre 4, nous avons décrit en détail le lien entre l'apprentissage, divers comportements et le renforcement. Rappelons que la notion de renforcement est issue de l'école behavioriste en psychologie. Ce mouvement, sous l'impulsion de B.F. Skinner, postule que les comportements des individus peuvent être modifiés en agissant seulement sur les variables de leur environnement, et qu'il n'est pas nécessaire, pour ce faire, de considérer l'univers cognitif des personnes (c'est-à-dire, comme nous l'avons vu, les perceptions, les besoins, les valeurs, les attitudes et les pensées). Les behavioristes avancent l'idée simple que les gens apprennent à obtenir ce qu'ils veulent et à éviter ce qu'ils ne veulent pas par les conséquences de leurs actes. C'est l'idée du conditionnement dit opérant. Dans ce mécanisme, des conséquences positives (comme des récompenses en milieu de travail) qui suivent de près un comportement particulier (par exemple, servir courtoisement un client) renforcent la probabilité d'occurrence de ce comportement (être courtois). À l'inverse, des comportements non suivis de récompenses ou punis ne se reproduiront probablement pas.

En fait, la **motivation par renforcement** est partout en organisation. Des félicitations, une plaque qui montre «l'employé du mois», de bonnes notes dans un cours, les commissions gagnées sur les ventes, etc., sont des renforcements positifs. Le renforcement négatif permet aussi de modifier les comportements afin qu'ils suscitent la motivation ou les conduites désirées d'un employé.

L'objectif est la durée des comportements motivés ou des performances. Le conditionnement opérant préconise une planification des renforcements, qui aura pour effet de maintenir variablement les comportements désirés. Ces renforcements sont faits de deux façons: en continu ou de façon intermittente. Quand il est intermittent, le renforcement est fait selon une séquence fixe ou aléatoire. Le lecteur peut se reporter au chapitre 4 où ces notions ont été décrites en détail.

Une application forte des notions de renforcement se trouve dans les systèmes de rémunération qui seront présentés dans le prochain chapitre. Par exemple, certains systèmes de paie, comme les primes et les commissions données selon la performance, ou l'augmentation du salaire selon les compétences acquises, etc., sont des applications directes de la distribution variable des renforcements.

La motivation par renforcement utilise principalement des récompenses extrinsèques, c'est-à-dire provenant de la manipulation de variables externes à la personne. Cependant, une autre théorie sur le conflit entre récompenses extrinsèques et extrinsèques attire également notre attention. C'est la théorie de l'évaluation cognitive qui complétera le présent chapitre.

La théorie de l'évaluation cognitive   Une théorie de la motivation intéressante postule que l'attribution de récompenses extrinsèques, comme la paie, pour un travail qui était déjà intrinsèquement motivant (c'est-à-dire qui apportait satisfaction à l'individu), aurait tendance à diminuer l'intensité de la motivation de la personne. Au mieux, les récompenses extrinsèques stimuleraient la motivation à accomplir des tâches assez répétitives. Cette hypothèse forme la théorie dite de l'évaluation cognitive, assez largement appuyée par de nombreuses études depuis les années 1960, notamment celles de Charms et Deci[121, 122].

Historiquement, les chercheurs présumaient que les facteurs de motivation intrinsèques et extrinsèques étaient relativement indépendants, c'est-à-dire que la stimulation des uns n'affectait pas l'intensité des autres. Mais, la théorie de l'évaluation cognitive est plus nuancée. Quand on donne des récompenses extrinsèques à quelqu'un qui exécute une tâche qui l'intéresse, avec le temps, celles-ci font décroître précisément cet intérêt. La caricature du journal *La Presse* ci-contre ne semble pas contredire cette théorie, à un moment où les salaires des joueurs de hockey atteignaient des sommets vertigineux!

---

motivation par renforcement
Processus visant à augmenter la probabilité de répétition d'un comportement (motivé) en le faisant suivre de conséquences agréables pour l'individu.

Les récompenses extrinsèques et la motivation chez les Canadiens de Montréal.

Serge Chapleau, Musée McCord d'histoire canadienne

Quelles explications donnent les chercheurs de ces réactions ? En premier lieu, l'individu expérimente un sentiment de perte de contrôle de ses actions quand il est récompensé par une source externe, ce qui diminue plusieurs éléments motivationnels comme l'autonomie et la responsabilisation. En deuxième lieu, l'individu fait en quelque sorte un transfert d'objectifs : il passe de la poursuite de quelque chose qui l'intéressait à la poursuite toujours plus grande des stimulants externes, car chaque niveau atteint se banalise nécessairement au fil du temps. Mais, cette théorie a eu sa part de critiques. Un employé qui trouve sa tâche extrêmement valorisante ne baissera probablement pas sa motivation devant des récompenses extrinsèques. Il semble donc que cette théorie s'appliquerait mieux aux tâches peu intéressantes en soi[123].

Si cette théorie est valide, elle est alors riche d'enseignements pratiques pour la direction d'entreprise. Par exemple, il faudra que la paie ou des récompenses extrinsèques qui sortent des avantages normaux ne soient pas reliées à la performance dans des tâches intrinsèquement motivantes pour l'individu. En revanche, les responsables pourraient récompenser son assiduité au travail (présence) ou sa collaboration à des équipes de travail et continuer de rétribuer équitablement la performance proprement dite. Chez Apple Computers ou chez Microsoft, au début, les employés ne travaillaient pas de 70 à 80 heures par semaine pour se créer une petite fortune ou celle des actionnaires, mais parce qu'ils avaient « le feu sacré », que leur travail était passionnant et agréable et parce qu'ils étaient en train de changer la façon dont le monde utiliserait les ordinateurs. Beaucoup de personnes retraitées font du bénévolat, évidemment pas pour un salaire, mais pour avoir encore du plaisir à travailler et se rendre utiles, donc par motivation intrinsèque.

La motivation intrinsèque   D'autres auteurs, dans le prolongement du courant humaniste de Rogers et Maslow, et d'autres adeptes de la psychologie positive décrivent les états et la satisfaction qu'entraîne une motivation extrême à accomplir une tâche pour le plaisir de la faire uniquement. Parmi les plus connus de ces chercheurs figure Mihaly Csikszentmihaly, Hongrois d'origine, qui a été professeur de psychologie à l'Université de Chicago pendant 30 ans[124]. À partir des études qu'il a menées pendant 20 ans dans de nombreux pays et auprès de milliers de personnes, il a conclu que les moments de joie et de satisfaction extrêmes, curieusement, ne sont pas associés aux loisirs, mais à l'accomplissement de tâches réalisables et exigeantes qui mobilisent toute notre concentration et toutes nos compétences, ce que l'auteur appelle un « flux », une expérience dite optimale. L'engagement de l'individu est profond et il fait disparaître toute distraction jusqu'à une altération même de la perception de la durée. Ne vous est-il pas déjà arrivé d'être si absorbé par une tâche que vous trouviez si passionnante que vous en avez perdu la notion du temps ?

Comment développer la motivation intrinsèque ? Le professeur Kenneth Thomas de l'École navale de Monterey en Californie suggère d'agir sur plusieurs variables spécifiques de différentes façons[125] :

■ *Le sentiment de compétence*   C'est le sentiment d'avoir réussi à accomplir des tâches qui représentent un défi. Rétroaction, reconnaissance des compétences et attribution de tâches intéressantes sont des interventions administratives pertinentes ici.

■ *Le sentiment de progresser*   Ce sentiment reflète la satisfaction d'utiliser utilement son temps en accomplissant une tâche. Les chefs doivent mettre en œuvre ici des outils de mesure de la performance et un climat de collaboration.

Chauffeur de charme : atteint du « flux » ?

Attablé devant la journaliste, Jacques Roy fredonne doucement les paroles qu'il montre du doigt sur des cartons tachés de café. Enthousiaste et juvénile, il en oublie son repas qui attend depuis un bon moment devant lui. Les Piaf, Dassin et Brel font partie de son répertoire tout comme quelques chansons de son propre cru. Un chansonnier, pensez-vous ? Un chanteur de métro ? Ni l'un ni l'autre. L'homme à la voix de velours et au trémolo approximatif chante pour les passagers de son autobus depuis maintenant 10 ans.

Les Montréalais qui utilisent régulièrement les lignes 129 et 80 de la STM ont probablement déjà eu droit au chant glorieux de ce drôle d'oiseau.

« Une fois, un client m'a offert une bonne bouteille de vin à Noël pour me remercier de l'avoir fait sourire toute l'année. C'est stimulant de recevoir toute cette attention ! » s'exclame le chauffeur d'autobus.

« Je me suis battu fort pour continuer de chanter. C'est ce que je suis, c'est ma façon de vivre ! Quand je chante, je pars en voyage. C'est une sensation extraordinaire ! »

En se remémorant ses plus beaux souvenirs, depuis son premier trajet pour la STM, Jacques Roy insiste sur la magie qui s'est emparée de son véhicule maintes fois, lors de moments de belle complicité avec ses clients.

Interrogé sur une possible réorientation de carrière impliquant le chant, Jacques Roy répond négativement.

Photo : Robert Skinner, La Presse

« Je ne veux pas être payé pour chanter. Je veux continuer à le faire pour le plaisir, pour accrocher des sourires aux visages des gens. De toute façon, j'aime être chauffeur d'autobus. Je suis à ma place ! » Une place que ses fidèles passagers ne lui enlèveraient pour rien au monde.

Source : Mali Ilse Paquin, « Chauffeur de charme », *La Presse*, cahier Actuel, Montréal, 3 février 2004, p. 5.

■ *Le sentiment d'être utile*   C'est la conviction que son travail est important pour l'organisation et la société. Ici, il faut instaurer une vision partagée et stimulante, un climat de travail sans conflits destructeurs et des ensembles de tâches qui permettent à la personne de comprendre mieux les tenants et les aboutissants de son travail.

■ *Le sentiment de pouvoir choisir*   C'est la possibilité de sélectionner les activités que la personne fait le mieux. Les gestionnaires doivent ici instaurer la délégation des tâches et favoriser l'autonomisation des employés.

mobilisation du personnel
Série de comportements adoptés volontairement par une masse critique d'employés et orientés vers la collaboration, l'innovation et le succès de leurs collègues et de l'organisation.

Avant de clore ce chapitre, un mot sur un concept connexe à la motivation : la **mobilisation du personnel.** Ce sont des chercheurs francophones qui ont travaillé récemment sur ce thème, notamment des professeurs de l'école des HEC Montréal et de l'Université du Québec à Montréal[126]. La définition de ce concept est intéressante car, d'une part, elle différencie la motivation individuelle de la mobilisation, qui est un levier collectif et, d'autre part, elle englobe aussi bien des caractéristiques personnelles qu'organisationnelles pour la réaliser.

Une forte mobilisation est une série de comportements qu'une masse critique d'employés décide d'adopter volontairement. Il s'agit de comportements prescrits ou non par le rôle de l'employé et qui dépassent les exigences normalement requises par le contrat de travail. Ce sont surtout des conduites généralisées orientées vers la collaboration et la collectivité (les collègues, l'organisation et ses parties prenantes), l'amélioration continue et l'innovation, et la citoyenneté organisationnelle, notions vues au chapitre 3. Six conditions psychologiques favorisent la mobilisation : des pratiques perçues comme équitables, la confiance réciproque, le soutien, la reconnaissance, l'autonomisation et l'attachement affectif des individus envers l'organisation. Plusieurs leviers sont à la disposition du gestionnaire : une vision, une mission et des valeurs partagées, des objectifs clairs et stimulants, une organisation du travail favorisant la satisfaction des besoins de croissance et un leadership transformationnel (*voir le chapitre 14*).

Évidemment, ce tableau idyllique de la mobilisation du personnel est plus facile à décrire qu'à réaliser. Il néglige tous les aspects politiques et de pouvoir régissant les comportements dans les organisations ainsi que les facteurs externes à l'entreprise. Bien qu'il reste beaucoup de travail à faire pour valider ce concept, il demeure un schéma d'action à suivre.

RÉSUMÉ DU CHAPITRE

La motivation au travail est une énergie investie de façon volontaire et durable par un individu et orientée vers un but dont l'atteinte lui procure satisfaction. Alors qu'une nouvelle génération d'employés entre dans la population active et que la mondialisation crée une main-d'œuvre plus diversifiée, plus instruite et plus rare, les entreprises doivent repenser leurs pratiques pour motiver le personnel. La motivation appelle plusieurs remarques importantes. Tout d'abord, elle est fonction des caractéristiques des individus et de leur environnement organisationnel et social. Ensuite, elle n'est pas nécessairement synonyme de performance ou de productivité. De plus, plusieurs facteurs de motivation peuvent se manifester en même temps et entrer en conflit. Enfin, les facteurs et les besoins qui stimulent la motivation dépendent des cultures nationales. Un historique des travaux sur la motivation montre qu'au début du siècle dernier, les employeurs pensaient que celle-ci n'était sensible qu'à des stimulants financiers. Peu à peu, les recherches ont montré que la motivation dépendait aussi de la satisfaction des besoins de relation et de croissance. À partir de la moitié du siècle passé, les travaux se sont concentrés sur l'importance de l'environnement de l'employé pour susciter sa motivation : l'enrichissement des postes, les politiques d'attribution des récompenses, la gestion des ressources et des performances, l'établissement d'objectifs et la justice organisationnelle.

Nous pouvons distinguer cinq grandes catégories de théories. Dans la première, la motivation est expliquée par la satisfaction des besoins, notamment ceux de croissance de l'employé, puisque ce sont eux qui assurent à la fois l'intensité et la permanence de la motivation. Dans la deuxième, la motivation est vue comme un processus rationnel, et dans la troisième, elle est suscitée et maintenue par la détermination d'objectifs. Dans la quatrième catégorie entre la motivation par la justice organisationnelle, et dans la cinquième, les théories du renforcement et de l'évaluation cognitive.

Dans les théories de la motivation par la satisfaction des besoins figurent celles de la hiérarchie des besoins d'Abraham Maslow et la théorie ERG de Clayton Alderfer. La théorie de Maslow regroupe les besoins en une hiérarchie à cinq niveaux. On y apprend que les besoins inférieurs sont initialement les plus importants, et les besoins supérieurs gagnent en importance à mesure que les besoins inférieurs sont satisfaits. La théorie d'Alderfer englobe les besoins en une hiérarchie en trois niveaux : la subsistance, les relations et la croissance. Suivant cette théorie, les personnes qui ne peuvent satisfaire un besoin supérieur éprouvent de la frustration et régressent au besoin de niveau immédiatement inférieur. Les théories de Maslow et d'Alderfer sont populaires, mais de nombreux experts doutent que les besoins soient organisés selon une hiérarchie.

Herzberg, quant à lui, fait l'hypothèse que pour motiver l'employé, il faut agir sur les facteurs intrinsèques (ceux qui favorisent ses besoins de croissance principalement). Agir sur les facteurs que Herzberg appelle facteurs « d'hygiène » (c'est-à-dire ceux qui constituent son environnement de travail), au mieux, évitera que les employés soient mécontents, sans pour autant garantir leur motivation à performer. Herzberg a eu le mérite de susciter une série de travaux sur la façon d'enrichir un poste.

D'après la théorie des besoins acquis de David McClelland, une personne présente des besoins secondaires qui sont acquis plutôt qu'innés. Il a contribué à éclaircir la nature des besoins d'accomplissement, de pouvoir et d'affiliation.

À l'opposé, plus récemment, Paul Lawrence et Nitin Nohria ont proposé une théorie évolutionniste faisant intervenir quatre besoins innés ou mobiles: le besoin d'acquérir, d'entrer en relation, d'apprendre et de se défendre. Ces mobiles ne sont pas régis par une hiérarchie, peuvent apparaître en même temps et ont une composante émotionnelle. Selon la théorie des attentes de Vroom, un individu fera des efforts s'il a la conviction raisonnable qu'ils conduiront à des résultats qui lui apporteront des récompenses qu'il valorise. La validité de cette théorie rend fiables les recommandations suivantes pour motiver les employés: améliorer leurs compétences et la confiance en eux-mêmes, mesurer les performances avec exactitude, distribuer des récompenses au mérite et qui sont importantes pour eux.

La détermination d'objectifs de performance est une autre façon de susciter la motivation du personnel et de clarifier la perception de ses rôles. Les objectifs et la rétroaction sur leur niveau de réalisation sont plus efficaces lorsqu'ils sont précis, pertinents, stimulants, et qu'ils incitent le personnel à s'engager dans leurs tâches. La participation des employés à ce processus, quand le contexte s'y prête, accélère le processus d'appropriation des objectifs. La fréquence utile de rétroaction efficace dépend des compétences de l'employé dans sa tâche ainsi que du cycle de son exécution. Deux formes de plus en plus populaires de rétroaction sont l'évaluation provenant de sources multiples (rétroaction à 360 degrés) et l'accompagnement (*coaching*) de cadres. Le choix d'une rétroaction mécanique ou sociale dépend des circonstances.

La justice organisationnelle fait référence à trois types de traitements dont les personnes perçoivent l'impartialité. Dans le cas contraire, la motivation des employés décroît, la plupart du temps. Ce sont la justice distributive, la justice procédurale et la justice interactionnelle. La justice distributive porte sur une distribution équitable des ressources (quantité et destinataires). La théorie de l'équité, qui traite du principe de justice distributive le plus courant, explique qu'un sentiment d'injustice peut naître chez un employé qui, selon ses normes de comparaison, estime que le rapport entre ses contributions et ses rétributions ne lui sont pas favorables (ou, moins souvent, trop favorables). La théorie permet de prédire les diverses réactions possibles à ce sentiment d'injustice. La justice procédurale fait référence à l'équitable utilisation des procédures menant à la distribution des ressources. La justice interactionnelle est le traitement équitable des personnes dans le processus de distribution des ressources, notamment par le respect qui leur est dû. La sensibilité à l'équité est une caractéristique personnelle qui explique pourquoi les gens réagissent différemment à divers degrés d'injustice.

Le respect d'un certain nombre de règles et de principes en organisation facilitent la justice procédurale autant que la justice interactionnelle, notamment le droit à la libre expression des individus. La justice procédurale et interactionnelle sont aussi importantes que la justice distributive et influent sur l'engagement des individus envers l'organisation, la confiance envers les dirigeants. L'injustice peut causer des comportements déviants.

Enfin, la motivation par renforcement positif est partout en organisation (des félicitations, des primes, etc.). Il y a deux façons d'appliquer des renforcements permettant la persistance de comportements motivés: le renforcement continu ou le renforcement intermittent. Cependant, la théorie de l'évaluation cognitive postule qu'attribuer des récompenses extrinsèques pour des comportements déjà intrinsèquement motivants aura pour effet de faire décroître ces derniers. Pratiquement, il faut donc continuer à être équitable dans la distribution des récompenses et laisser la motivation intrinsèque guider les individus. La motivation intrinsèque peut mener à un état de satisfaction extrême que peuvent provoquer un certain nombre de conditions axées sur le sentiment de croissance, d'autonomie et de convivialité. La mobilisation du personnel est une motivation collective supérieure d'employés ayant à cœur le succès de leurs collègues et de l'organisation.

MOTS CLÉS

QUESTIONS

1. Indiquez au moins trois raisons expliquant pourquoi il est de plus en plus difficile de motiver le personnel.

2. Des professeurs de l'école de commerce Harvard Business School ont récemment proposé quatre besoins humains fondamentaux. Établissez le lien entre ces besoins, la théorie de la hiérarchie des besoins d'Abraham Maslow, la théorie ERG de Clayton Alderfer et les besoins de McClelland. Quelles sont leurs similitudes? Qu'est-ce qui les différencie?

3. À l'aide des trois composantes de la théorie des attentes, expliquez pourquoi certains employés sont motivés à aller au travail pendant une tempête de neige alors que d'autres ne font aucun effort pour quitter leur domicile.

4. Donnez des raisons qui expliquent qu'un employé peu motivé puisse être performant.

5. Plusieurs représentants du service à la clientèle sont mécontents par suite de l'engagement d'un nouveau représentant. Bien que ce dernier ne possède aucune expérience préalable, il reçoit un salaire supérieur au salaire de base habituel de 3000$ pour les nouvelles recrues. Le responsable du service explique que le nouvel employé n'aurait pas accepté le tarif d'embauche, aussi, l'entreprise a augmenté l'offre habituelle de 3000$. Les cinq représentants reçoivent actuellement des salaires proches du maximum de leur échelle de salaires (15000$ de plus que la recrue), tout en ayant débuté au salaire de base quelques années plus tôt. À l'aide de la théorie de l'équité et de la justice procédurale, expliquez pourquoi les cinq représentants du service à la clientèle trouvent que cette situation est injuste. Si la situation reste inchangée, à quelles actions ou attitudes peut-on s'attendre de leur part?

6. Dans la théorie de Herzberg, l'argent est autant un facteur d'hygiène qu'un facteur de motivation. Comment expliquez-vous ce résultat.

7. La motivation trouve-t-elle sa source en l'individu ou dans le contexte dans lequel il vit? Élargissez la discussion sur la question de savoir si la motivation est innée ou apprise.

8. Expliquez la théorie de l'évaluation cognitive. Quelles en sont les applications pratiques?

PAS DE TRAITEMENT ÉQUITABLE DANS CETTE ENTREPRISE

par Susan Meredith, Collège Selkirk

Ce qui a séduit M. James lorsqu'il m'a confié la gestion de sa succursale en Colombie-Britannique a été mon diplôme en administration des affaires. La majeure partie de mon travail consistait à faire de la planification, à résoudre les problèmes dont se plaignaient les clients et à intervenir occasionnellement en cas d'urgence. J'étais également responsable de la supervision de plusieurs employés, dont notre représentant des relations publiques, Dan Donaldson. Son travail consistait à rédiger les communiqués de presse et à organiser les rencontres et les visites de M. James lorsque celui-ci était en déplacement. Dan était doublement diplômé, en journalisme et en sciences politiques. Je m'étais souvent demandé si sa formation l'avait préparé aux aspects politiques qui deviendraient une part importante de notre travail, ici, à l'autre bout du pays, si loin de Toronto où se trouvait le siège social.

Je n'ai jamais bien compris pourquoi notre siège social était situé à Toronto, car aucun produit n'y était fabriqué et pratiquement aucun service n'y était offert. L'essentiel de notre travail se trouvait en Colombie-Britannique, où la majeure partie de notre clientèle était concentrée et pourtant, notre travail était considéré comme peu important. Était-ce parce que notre travail ne générait pas de revenus directs? Nous étions persuadés que notre travail était fondamental pour l'organisation, puisque nous la représentions bien en région. En fait, sans nous, plus de clientèle, plus de contrats!

Un jour, au cours d'une pause rare mais bienvenue entre les appels téléphoniques incessants, les télécopies et les visites, Dan et moi nous plaignions de notre situation. Nous avons commencé à comparer nos postes avec celui d'Helen, notre collègue du siège social. Que faisait-elle donc de ses journées? Nous nous demandions comment se passeraient nos journées si nous n'avions pas à affronter tous ces clients mécontents, leurs demandes urgentes, et surtout tout ce stress.

Tout en préparant la visite à notre bureau que M. James venait de nous annoncer, Dan et moi avons continué de parler d'Helen. Inévitablement, nous en sommes venus à parler d'une manière peu flatteuse des compétences interpersonnelles d'Helen, ou plutôt de leur absence! Dan m'a demandé si je savais combien Helen gagnait.

Comment aurais-je pu le savoir? Ce sujet de discussion avait toujours été tabou dans l'entreprise, sur ordre de M. James. Discrétion oblige.

Malgré cela, je n'ai pas hésité à dire à Dan que je gagnais 30 000 $ par année, ce qui était plutôt décevant après 20 années d'expérience dans les relations avec la clientèle et en supervision. De plus, avec mon récent diplôme spécialisé, j'avais espéré un salaire plus élevé que celui que j'avais avant d'amorcer quatre années laborieuses à l'université.

Dan n'en revenait pas que je ne reçoive que 30 000 $. Il pensait que je gagnais autant que l'horrible Helen, qui ne gérait ni la clientèle ni les employés, et qui de plus n'avait ni formation universitaire, ni ancienneté. Dan était certain qu'Helen gagnait 40 000 $ après 10 mois, alors que je travaillais ici depuis 12 mois, ce qui équivalait pour moi à un salaire annuel de 48 000 $. La colère m'a bien vite envahie!

D'une part, je devais décider si je devais croire Dan (difficile de savoir dans cet environnement où l'on cultive le secret!) et, d'autre part, de ce que je devais faire dans ce cas. J'ai donc pris le parti d'attendre et d'essayer de trouver la preuve du salaire d'Helen. La semaine suivante, Dan devait se rendre à Toronto et se sentant responsable de la situation, il m'a promis de trouver une copie du contrat d'Helen et de me la faire parvenir.

Mais finalement, dans tous mes états et sans plus réfléchir, j'ai demandé un rendez-vous avec le patron au cours de sa prochaine visite chez nous. J'étais déterminée à le convaincre de la supériorité de mes contributions dans l'entreprise.

Quand est venu le moment de la rencontre, j'étais prête. J'étais tellement prête que j'ai à peine attendu que M. James s'assoie pour étaler mon propos. Mais M. James a si rapidement semblé comprendre mes arguments que, abasourdie, j'ai arrêté de parler. Il m'a dit alors, d'un air tranquille et en terminant la discussion: «Personne ne dit que c'est juste, mais c'est ce que gagne le personnel à Toronto et c'est ce que vous valez ici. » Tout ce qu'il souhaitait savoir était comment j'avais eu connaissance du salaire d'Helen.

La discussion a pris fin abruptement ainsi. Visiblement, M. James ne se souciait aucunement de ce que j'éprouvais. Il m'a ignorée et, pour moi, cela signifiait qu'il ignorait également l'investissement qu'il avait fait en m'engageant. Je savais que je ne travaillerais plus jamais aussi dur pour lui que par le passé. En fait, je voulais tout, sauf travailler pour lui.

J'avoue, un peu honteusement, que mon attitude au travail a complètement changé. En quelques semaines, ma performance à la baisse devait valoir environ 18 000 $ de moins pour l'entreprise. Il m'était très difficile aussi de répondre aux appels d'Helen. J'avais juste envie de lui exprimer ma colère, si je le pouvais. Ce qui m'offusquait n'était pas simplement lié à l'argent. En réalité, si M. James avait fait des commentaires sur mon dévouement, mon ardeur au travail, la réputation acquise par notre entreprise avec mon labeur, j'aurais pu accepter cet état de choses. Or, puisque rien de tout cela ne s'est produit, j'ai quitté mon poste avant l'évaluation suivante de ma performance. Et, cette fois encore, mon employeur n'a fait aucun commentaire.

Note de l'auteur : Ce cas est principalement conçu pour illustrer la théorie de l'équité et de l'insatisfaction au travail, ainsi que les perceptions, le stress et la dissonance cognitive.

Questions

1. Expliquez le cas à l'aide des trois types de justice organisationnelle vus dans ce chapitre.

2. Pourquoi Helen, l'employée de Toronto, était-elle considérée comme le cadre de référence de la narratrice et non comme simple collègue ?

3. Quels autres facteurs ont peut-être contribué à l'insatisfaction professionnelle de Dan et de la narratrice ?

ÉTUDE DE CAS 6.2

LES DÉFIS D'UNE NOUVELLE SUPERVISEURE

Monique, une femme dans la trentaine, vient de commencer son nouvel emploi comme chef de section d'une quarantaine d'employés de bureau dans une entreprise parapublique. Avant d'occuper ce poste, elle était directrice dans une institution financière et elle avait supervisé une soixantaine d'employés durant trois ans. Elle avait aussi été en charge de 40 employés lorsqu'elle était directrice des opérations dans une autre entreprise privée. Comme elle gère du personnel depuis plusieurs années, elle se sentait donc assez à l'aise dans le rôle de superviseure. Monique possède les titres de comptable agréée et de planificatrice financière et elle suit régulièrement des cours sur la gestion du personnel offerts par l'entreprise. Elle porte donc un intérêt majeur à la gestion des ressources humaines.

Malgré tout cela, la situation en cours inquiétait Monique, car c'est toujours un défi de commencer un nouvel emploi, surtout dans le rôle de superviseure. De plus, le service avait un passé plutôt instable. À l'arrivée de Monique, la première réaction des employés a été un soulagement. « Enfin on a maintenant quelqu'un », ont dit la plupart des employés. Selon sa première impression, un tiers des gens étaient très heureux, un tiers semblaient indifférents, et l'autre tiers avaient un sentiment de crainte ou de doute. Son patron lui avait mentionné au moment de son embauche qu'il s'agissait d'un service à problèmes et que les griefs et les conflits étaient devenus une habitude.

Lorsque Monique est entrée en fonction, cela faisait un an et demi que le service était privé d'un chef de section. En effet, le chef précédent avait été victime d'un épuisement professionnel. Durant son arrêt de travail, trois personnes ont occupé ce poste pendant quelques mois chacune, en attendant le retour au travail du chef en congé de maladie. Comme le chef ne devait pas revenir, la compagnie a entrepris des démarches pour le remplacer de façon permanente. C'était une décision importante, car la section est responsable de l'encaissement des chèques des clients, de tout le travail administratif relatif à cette tâche, de la vérification et du suivi de tous les comptes des clients.

Ce sont principalement des femmes qui occupent les emplois dans ce service et elles ont en moyenne 45 ans, avec 15 ans d'ancienneté dans l'entreprise, et en moyenne 10 ans de présence dans le service même. Au fil des mois, et malgré la présence de chefs intérimaires, des groupes informels s'étaient formés et cinq ou six leaders naturels assuraient un certain contrôle. Des méthodes de travail avaient été créées dans le but de répondre le mieux possible au bon fonctionnement du service. Même si les employés remplissaient assez bien les tâches dévolues à ce service, il n'en restait pas moins que les méthodes utilisées ne pouvaient pas, malgré la bonne volonté de tous, donner le rendement recherché pour ce service qui occupe une place stratégique dans l'organisation. En fait, n'ayant pas de direction précise, chaque personne pensait que sa méthode de travail était la meilleure, et on répondait aux questions des clients en fonction d'informations recueillies à droite et à gauche. Il y avait donc beaucoup de disparité dans les méthodes de travail et dans les discours tenus aux clients. Ces derniers étaient souvent mécontents des services rendus et pour lesquels ils avaient déboursé de l'argent. Quand un client avait besoin d'aide, la première personne disponible assurait le service. On répondait à ses questions et on le guidait dans ses démarches. Mais, si le client téléphonait à nouveau pour obtenir d'autres informations, souvent un autre agent prenait l'appel. Cela occasionnait des malentendus de part et d'autre, car il y avait 26 000 clients pour 13 agents.

Monique est une personne créative, observatrice, ayant une vision d'ensemble des choses ; mais elle peut aussi être colérique, surtout devant la paresse des gens et leurs méthodes de travail déficientes. Sa philosophie de direction est simple : « J'utilise les utilisateurs », dit-elle. Effectivement, Monique demande conseil aux personnes qui effectuent le travail de terrain avant de prendre une décision quelconque, mais elle admet qu'elle est plutôt du genre autocratique lorsqu'elle juge qu'une situation n'est pas très importante.

Ce que veut Monique maintenant est un service efficace et des employés motivés et satisfaits.

Questions

1. Dans une perspective de diagnostic, décrivez la situation que trouve Monique à son arrivée et les principaux défis qui l'attendent ?

2. Quelles sont les actions et les mesures qu'elle doit mettre en œuvre pour rendre son service efficace et son personnel motivé et satisfait ?

3. Décrivez les théories de la motivation (ou d'autres déjà vues) auxquelles vous vous référez implicitement ou explicitement pour justifier ces actions.

Source : Cas aimablement proposé par Dominique Sigouin, étudiante, et Céleste M. Brotheridge, professeure au département Organisation et ressources humaines, École des sciences de la gestion, Université du Québec à Montréal. Cas préalablement présenté au congrès de l'ASAC à Banff, Alberta, 2006.

EXERCICE D'AUTOÉVALUATION 6.3

L'ÉVALUATION DE VOTRE SENSIBILITÉ À L'ÉQUITÉ

Objectif Estimer votre degré de sensibilité à l'équité.

Instructions Lisez chacun des énoncés présentés à la page suivante et encerclez, pour chacun d'eux, l'énoncé qui correspond le mieux à votre opinion. Ensuite, utilisez la clé de correction disponible au www.cheneliere.ca/mcshanebenabou. Pour qu'il ait plus de valeur, cet exercice doit être fait individuellement et avec honnêteté. Cependant, la discussion en classe pourra se faire sur les théories de la justice organisationnelle et de la sensibilité à l'équité.

Questionnaire de sensibilité à l'équité

Jusqu'à quel point êtes-vous d'accord avec les énoncés suivants?	Fortement d'accord ▼	D'accord ▼	Indifférent ▼	En désaccord ▼	Fortement en désaccord ▼
1. Je préfère en faire le moins possible au travail, mais en retirer tous les avantages.	1	2	3	4	5
2. Je suis satisfait au travail quand j'en fais le moins possible.	1	2	3	4	5
3. Quand je suis au travail, je ne pense qu'à en sortir.	1	2	3	4	5
4. Si je pouvais, je travaillerais un peu moins que ce que mon patron exige.	1	2	3	4	5
5. Il est vraiment satisfaisant pour moi de pouvoir retirer des avantages de mon emploi qui ne me coûtent rien.	1	2	3	4	5
6. Un employé intelligent est celui qui obtient le plus qu'il peut tout en ne donnant pas grand-chose en retour.	1	2	3	4	5
7. Les employés qui pensent à retirer de leur employeur plus qu'ils ne donnent sont les plus intelligents.	1	2	3	4	5
8. Quand j'ai terminé mon travail, j'aide mes collègues qui n'ont pas achevé le leur.	1	2	3	4	5
9. Même si je recevais un salaire modeste et peu d'avantages de mon employeur, je ferais quand même de mon mieux dans mon travail.	1	2	3	4	5
10. Si je devais travailler excessivement toute la journée, je laisserais probablement mon emploi.	1	2	3	4	5
11. Je me sens obligé moralement de travailler plus que ce pour quoi je suis rétribué.	1	2	3	4	5
12. Ma plus grande préoccupation est de savoir si je fais le meilleur travail possible.	1	2	3	4	5
13. Un travail qui m'occupe toute la journée est mieux qu'un travail où je n'ai pas grand-chose à faire.	1	2	3	4	5
14. Au travail, je suis embarrassé quand j'ai peu de choses à faire.	1	2	3	4	5
15. Je serais très insatisfait si je n'étais pas occupé au travail.	1	2	3	4	5
16. Un travail accaparant et avec des responsabilités vaut mieux qu'un travail sans cela.	1	2	3	4	5

Source: K.S. Sauleya et A.G. Bedeian, « Equity Sensitivity: Construction of a Measure and Examination of its Psychometric Properties », *Journal of Management*, n° 26, septembre 2000, p. 885-910. Reproduit avec la permission de Elsevier Science.

LES POSTULATS SUR LA NATURE HUMAINE ET LA MOTIVATION

Objectif Comprendre la relation entre les attitudes, la motivation humaine et les actions des dirigeants.

Instructions

■ Étape 1 : Faites l'exercice intitulé « Nos conceptions de la nature humaine » et compilez les résultats tel qu'il est indiqué.

■ Étape 2 : Lisez ensuite de façon individuelle le document où sont exposés les postulats (extrêmes) de la théorie X et de la théorie Y.

■ Étape 3 : L'enseignant forme des petits groupes ayant la même conception (X ou Y) qui reçoivent les directives suivantes : « Selon que vous ayez tendance à partager les postulats X ou Y (d'après le questionnaire précédemment rempli), décrivez de la façon la plus conséquente avec votre conception de la nature humaine, les actions que vous engageriez si vous étiez en charge du fonctionnement d'une organisation du point de vue des éléments suivants :

– l'énoncé de mission (au chapitre des ressources humaines) ;
– le type de supervision ;
– le type de structure et d'organisation du travail ;

– le type de contrat de travail ;
– le type de récompenses ;
– le type de politiques de ressources humaines (par exemple, celles concernant la formation ou la sélection).

■ Étape 4 : Les groupes décrivent les résultats de leurs travaux.

Notes :

1. Étant donné « la désirabilité sociale » de cet exercice, il se peut qu'il n'y ait pas suffisamment de personnes « X ». Il faut alors demander à des groupes d'étudiants choisis arbitrairement de décrire de façon plausible ces actions s'ils étaient de cette tendance.

2. L'instructeur peut diriger la discussion sur les points suivants : a) la relation entre les attitudes et les valeurs (théorie X ou théorie Y) et les actions de la direction ; b) les raisons qui peuvent expliquer pourquoi on note un écart, le cas échéant, entre les postulats et ces actions ; c) l'importance des valeurs des dirigeants ; d) l'effet Pygmalion ; e) les conditions d'application de ces actions selon le contexte.

Partie A : Nos conceptions de la nature humaine

Cet outil vise à clarifier la conception que l'on se fait de la nature humaine. Il y a dix groupes comportant chacun deux affirmations. Vous devez pondérer de 0 à 10 chacune des affirmations par paire. Le total des points pour chaque paire selon votre degré d'accord doit être égal à dix. Répondez franchement, décrivez l'être humain tel que vous le voyez et non pas tel que vous *souhaitez* qu'il soit. C'est un outil de réflexion et de discussion et non un test pour évaluer vos connaissances.

1. L'être humain a une tendance naturelle à faire le moins d'efforts possible. (a)

   Ce n'est que lorsqu'un travail est vide de sens que les gens l'évitent. (b)

   10

2. Si les employés ont accès à toute l'information désirée, ils manifestent une meilleure attitude
   et ont un comportement plus responsable vis-à-vis du travail. (c)

   Si les employés ont accès à plus de renseignements que ce dont ils ont besoin pour accomplir
   la tâche immédiate, ils ont tendance à mal les utiliser. (d)

   10

3. Lorsqu'on demande l'avis des employés, l'étroitesse de leur perspective rend leurs suggestions
   peu pratiques. (e)

   L'implication des employés élargit leur perspective et amène ces derniers à présenter
   des suggestions fort utiles. (f)

   10

4. L'imagination et l'ingéniosité sont des éléments peu caractéristiques de la masse des travailleurs. (g)

   Les gens sont généralement imaginatifs et ingénieux, mais ils ne peuvent le démontrer, à cause
   des contraintes imposées par leurs supérieurs et leur travail. (h)

   10

5. Les gens s'imposent un contrôle plus serré s'ils sont responsables de leur comportement
   et de la correction de leurs erreurs. (i)

   Les gens ont tendance à être négligents s'ils ne sont pas punis pour leur inconduite et leurs erreurs. (j)

   10

6. Il est préférable de faire connaître aux gens les bons et les mauvais côtés des choses en général,
   c'est ce qu'ils désirent même si c'est difficile à supporter. (k)

   Il est préférable de ne pas ébruiter les mauvaises nouvelles au sujet de l'entreprise,
   car les employés ne désirent connaître que les bonnes nouvelles. (l)

   10

7. Parce qu'un supérieur a droit à un plus grand respect que ses subalternes, il ne faut jamais admettre
   qu'il est dans l'erreur et qu'un subalterne a raison. (m)

   Tous, dans la hiérarchie administrative, méritent également le respect. Un supérieur y gagne donc
   en prestige lorsqu'il admet ses erreurs et les raisons d'un subalterne. (n)

   10

8. Si la rémunération est satisfaisante, les gens auront moins tendance à s'intéresser aux éléments
   tangibles du travail tels que la responsabilité, la reconnaissance, etc. (o)

   Si le travail est intéressant et représente un défi, les gens seront moins portés à exiger
   une augmentation de salaire et d'avantages sociaux. (p)

   10

9. Si les gens ont la liberté d'établir leurs propres buts et normes, ils seront plus exigeants
   que ne le serait leur supérieur. (q)

   Si les gens ont la liberté d'établir leurs propres buts et normes, ils seront moins exigeants
   que ne le serait leur supérieur. (r)

   10

10. Plus une personne connaît son travail et plus la liberté dont elle jouit est grande, plus les contrôles
    doivent être stricts. (s)

    Plus une personne connaît son travail et plus la liberté dont elle jouit est grande, moins les contrôles
    doivent être stricts. (t)

    10

Adapté de M. Scott Myers, *Every Employee a Manager,* New York, McGraw-Hill Book Company, 1970.

Compilation

Théorie X: Faites la somme des a, d, e, g, j, l, m, o, r et s. Si elle est supérieure à 55, vous vous orientez vers un postulat X.

Théorie Y: Faites la somme de b, c, f, h, i, k, n, p, q et t. Si elle est supérieure à 55, vous vous orientez vers un postulat Y.

Vous êtes dans une position médiane si ces sommes sont comprises entre 45 et 55.

La théorie sous-jacente à ce questionnaire fait l'objet d'une présentation dans le chapitre (*voir McGregor*).

Partie B : Postulats

Théorie X (traditionnelle)	Théorie Y (émergente)
1. Les gens sont paresseux de nature ; ils préfèrent ne rien faire.	Les gens sont actifs de nature, ils aiment établir des objectifs et s'efforcer de les atteindre.
2. Les gens travaillent surtout pour de l'argent et pour un statut.	Les gens recherchent plusieurs satisfactions dans leur travail : fierté de la réalisation, plaisir d'exécuter un travail, sens de la contribution, plaisir du travail en équipe, stimulation des nouveaux défis, etc.
3. Ce qui maintient les gens productifs, c'est la crainte de la rétrogradation et du congédiement.	Les gens sont productifs s'ils peuvent réaliser leurs objectifs personnels et sociaux.
4. Les gens sont d'éternels enfants toujours dépendants d'un dirigeant.	Normalement, les gens dépassent le stade de l'enfance, ils aspirent à l'indépendance, à la réalisation de soi et aux responsabilités.
5. Les gens se reposent sur les directives de leur supérieur et ne désirent pas avoir à penser.	Les gens impliqués dans une situation sont capables de prendre eux-mêmes les décisions qui s'imposent.
6. Les gens ont besoin qu'on leur dise quoi faire et comment le faire.	Ceux qui comprennent ce qu'ils font et s'y intéressent peuvent eux-mêmes établir leurs propres méthodes de travail.
7. Les gens ont besoin d'un supérieur qui les surveille de près, qui leur offre félicitations ou critiques.	Les gens ont besoin de sentir qu'ils sont considérés comme étant capables d'assumer leurs responsabilités et de s'autocontrôler.
8. Les gens ont peu d'intérêts autres que leurs besoins matériels immédiats.	Les gens cherchent à donner un sens à leur vie en s'identifiant à une nation, à une communauté, à une église, à un syndicat, à une entreprise ou à une cause.
9. Les gens ont besoin d'être renseignés précisément sur ce qu'ils doivent faire et comment ils doivent le faire ; toute politique plus générale ne les concerne pas.	Les gens ont des besoins croissants de comprendre. Ils veulent connaître le sens du travail dans lequel ils sont engagés. Leur soif de connaître s'étend à l'Univers.
10. Les gens apprécient d'être traités avec courtoisie.	Les gens désirent surtout le respect authentique de leurs confrères.
11. Les gens vivent cloisonnés ; le travail est entièrement différent des loisirs.	Les gens ont tendance à tout intégrer ; si la division entre leur travail et leurs loisirs est trop tranchée, les deux se détérioreront. « Un sage préfère les loisirs au travail uniquement parce que pendant ces loisirs il peut accomplir un meilleur travail. »
12. Les gens ont une tendance naturelle à résister aux changements ; ils préfèrent la routine.	Les gens fuient la monotonie et s'enthousiasment devant toute nouvelle expérience ; jusqu'à un certain point, tous sont créatifs.
13. La tâche prime et doit être accomplie ; on choisit les gens, on les forme en fonction d'un travail déjà structuré.	C'est la personne qui prime ; elle cherche à se réaliser. La tâche doit être définie, modifiée et structurée en fonction des travailleurs.
14. L'hérédité, l'enfance et l'adolescence moulent l'homme ; une fois adulte il demeure statique ; on ne montre pas à un vieux singe à faire des grimaces.	Les gens sont en perpétuel développement ; on apprend à tout âge. Ils aiment apprendre et accroître leur compréhension et leur capacité.
15. On doit ragaillardir les travailleurs, les pousser dans le dos.	Les gens ont besoin de liberté, d'encouragement, et d'assistance.

Source du questionnaire et des postulats : D.A. Kolb, I.M., Rubin et J.M. McIntyre, *Comportement organisationnel. Une démarche expérientielle,* traduit par Guy Marion et Robert Prévost, Montréal, Guérin Éditeur, 1976, p. 247-248 et p. 250-251. Exercice : Charles Benabou.

L'IDENTIFICATION DES BESOINS

Objectif Connaître votre opinion sur ce qui motive les gens au travail.

Instructions

■ Étape 1: Les étudiants répondent au questionnaire d'identification des besoins et compilent les résultats tel qu'il est indiqué.

■ Étape 2: L'instructeur peut ensuite orienter la discussion sur l'importance des besoins selon Maslow ou l'importance relative des facteurs de motivation et des facteurs d'hygiène.

■ Étape 3: On peut aussi relier sa conception des motivations en fonction de l'exercice précédent. (Par exemple, ceux qui se disaient Y ont insisté sur quels types de besoins? Et les X?)

Questionnaire d'identification des besoins						
+3	+2	+1	0	−1	−2	−3
Fortement d'accord ▼	**D'accord** ▼	**Légèrement d'accord** ▼	**Ne sais pas** ▼	**Légèrement en désaccord** ▼	**En désaccord** ▼	**Fortement en désaccord** ▼

Encerclez le chiffre qui reflète le mieux votre opinion pour chaque énoncé.

	+3	+2	+1	0	−1	−2	−3
1. Des augmentations de salaire devraient être accordées aux employés qui excellent dans leur travail.	+3	+2	+1	0	−1	−2	−3
2. Pour que les employés sachent exactement ce qu'on attend d'eux, il serait préférable d'avoir de meilleures descriptions de fonctions.	+3	+2	+1	0	−1	−2	−3
3. On doit rappeler aux employés que leur emploi dépend de la capacité de l'organisation de soutenir la concurrence.	+3	+2	+1	0	−1	−2	−3
4. Un surveillant doit accorder beaucoup d'attention aux conditions physiques de travail de ses employés.	+3	+2	+1	0	−1	−2	−3
5. Un surveillant doit «travailler dur» en vue d'établir un climat de travail où règne l'amitié entre ses employés.	+3	+2	+1	0	−1	−2	−3

►

Questionnaire d'identification des besoins (*suite*)							
Encerclez le chiffre qui reflète le mieux votre opinion pour chaque énoncé.	+3 Fortement d'accord ▼	+2 D'accord ▼	+1 Légèrement d'accord ▼	0 Ne sais pas ▼	−1 Légèrement en désaccord ▼	−2 En désaccord ▼	−3 Fortement en désaccord ▼
6. Une reconnaissance individuelle pour un rendement au-delà de la norme comporte beaucoup de « signification » pour les employés.	+3	+2	+1	0	−1	−2	−3
7. Une supervision indifférente peut souvent froisser les sentiments.	+3	+2	+1	0	−1	−2	−3
8. Les employés aiment réaliser que leurs habiletés et leurs capacités sont pleinement utilisées dans leur travail.	+3	+2	+1	0	−1	−2	−3
9. Les plans de pension et les programmes d'achat d'actions offerts par l'entreprise incitent fortement les individus à demeurer dans leur emploi.	+3	+2	+1	0	−1	−2	−3
10. Tout poste de travail peut être structuré de façon attrayante et présenter un défi.	+3	+2	+1	0	−1	−2	−3
11. Beaucoup d'employés sont prêts à donner le meilleur d'eux-mêmes dans ce qu'ils font.	+3	+2	+1	0	−1	−2	−3
12. La direction devrait démontrer plus d'intérêt à l'endroit des employés en organisant des rencontres sociales après les heures de travail.	+3	+2	+1	0	−1	−2	−3
13. La fierté qu'on éprouve à l'endroit de son travail constitue actuellement une récompense importante.	+3	+2	+1	0	−1	−2	−3
14. Les employés aiment se croire « les meilleurs » à faire le type de travail qu'on leur confie.	+3	+2	+1	0	−1	−2	−3 ▶

Questionnaire d'identification des besoins (*suite*)							
Encerclez le chiffre qui reflète le mieux votre opinion pour chaque énoncé.	+3 Fortement d'accord ▼	+2 D'accord ▼	+1 Légèrement d'accord ▼	0 Ne sais pas ▼	−1 Légèrement en désaccord ▼	−2 En désaccord ▼	−3 Fortement en désaccord ▼
15. La qualité des rapports sociaux au sein des groupes de travail est un élément important.	+3	+2	+1	0	−1	−2	−3
16. Des incitations sous forme de bonis améliorent le rendement des employés.	+3	+2	+1	0	−1	−2	−3
17. Il est important pour les employés de connaître les membres de la haute direction.	+3	+2	+1	0	−1	−2	−3
18. Les employés aiment généralement établir leurs horaires de travail et prendre des décisions liées à leur tâches en s'accommodant d'un minimum de supervision.	+3	+2	+1	0	−1	−2	−3
19. La sécurité d'emploi constitue un élément important pour les employés.	+3	+2	+1	0	−1	−2	−3
20. Un équipement adéquat et en bon ordre est un élément important pour les employés.	+3	+2	+1	0	−1	−2	−3

Source : John E. Jones et J. William, *The 1973 Annual Handbook for Group Facilitators,* University Associates, 1973.

Calcul des notes et interprétations

1. Transposez dans les espaces appropriés les chiffres que vous venez d'encercler.

Énoncé	Note	Énoncé	Note	Énoncé	Note
10		6		5	
11		8		7	
13		14		12	
18		17		17	
Total		Total		Total	
Besoin d'actualisation de soi		Besoins d'estime de soi		Besoins d'appartenance	

Énoncé	Note	Énoncé	Note
2		1	
3		4	
9		16	
19		20	
Total		Total	
Besoins de sécurité		Besoins de base	

2. Reportez vos notes totales dans la grille en plaçant des « X » dans les cases correspondant à vos résultats.

	–12	–10	–8	–6	–4	–2	0	+2	+4	+6	+8	+10	+12
Actualisation													
Estime													
Appartenance													
Sécurité													
Besoins de base													

Usage faible   Usage élevé

3. En reliant les « X » par une ligne, vous obtenez un profil de ce que vous pensez de la motivation des gens au travail. Il n'y a pas de bonnes ni de mauvaises réponses, vous faites ou vous ferez appel à l'une ou l'autre de ces catégories de besoins. Cependant, les « experts » prétendent qu'il faut faire appel aux besoins d'estime et d'actualisation de soi si l'on veut motiver les gens.

La motivation par les rétributions et l'organisation du travail

Objectifs d'apprentissage

À LA FIN DE CE CHAPITRE, VOUS DEVRIEZ POUVOIR :

- expliquer comment l'argent représente autre chose qu'une simple rémunération ;
- expliquer et montrer l'importance de la reconnaissance comme facteur de motivation ;
- comparer les avantages et les inconvénients des quatre modalités des systèmes de rétribution financière ;
- classer les récompenses financières selon leur lien avec la performance des individus, des équipes ou de l'organisation ;
- décrire cinq manières d'améliorer l'efficacité des systèmes de récompenses ;
- discuter des avantages et des inconvénients de la division du travail ;
- faire le lien entre les trois stratégies de conception des postes et le modèle des caractéristiques du poste ;
- expliquer l'approche sociotechnique et ses applications modernes ;
- décrire les conditions qui favorisent l'autonomisation des employés ;
- décrire trois façons motivantes d'aménager le temps de travail ;
- relier les théories principales de la motivation aux pratiques vues dans ce chapitre.

L'entreprise sherbrookoise Teknika HBA inc., la deuxième entreprise de génie-conseil fondée au Québec, a remporté de très nombreux prix au Québec et au Canada aussi bien pour ses réalisations techniques que pour la qualité de sa gestion des ressources humaines.

Entrevue de Laurent Fontaine et Thierry Pauchant avec Wilfrid Morin, p.-d.g. de Teknika HBA inc.

Q À quoi attribuez-vous vos prix et vos succès ?

R C'est le reflet du dynamisme de notre personnel. Nous avons fondé la coopérative des employés en 1998, et elle regroupe aujourd'hui environ 300 des 700 membres du personnel. La coopérative est ouverte à tous sans discrimination de sexe, d'origine ou de poste. Le président de la coopérative siège au conseil d'administration de l'entreprise. C'est lui qui détient le plus fort volume d'actions — son vote a beaucoup de poids.

Le reste de l'actionnariat est entre les mains de quelque 80 professionnels. Cette structure est née de notre désir d'accroître l'éthique, l'équité et la transparence dans l'entreprise. Tous les trois mois, comme une entreprise publique, nous communiquons à nos actionnaires nos états financiers comparés à notre budget annuel et au trimestre de l'année précédente.

Les employés sont donc copropriétaires de l'entreprise grâce à la coopérative, et cela ajoute beaucoup à leur sentiment d'appartenance. Cette organisation oblige à une gestion plus collégiale.

Q Qu'est-ce qui vous a amené à opter pour ce mode de gestion ?

R J'attache une extrême importance à la qualité des relations interpersonnelles. On ne peut l'accroître que si l'on développe des valeurs de haut niveau. Or tout commence par le respect des personnes.

Q Ces valeurs de haut niveau, comment les transmettez-vous dans une entreprise de 700 personnes, avec une vingtaine d'établissements différents ?

R Nous avons des programmes de formation et de suivi, ainsi qu'un programme de qualité de vie au travail. Mais l'exemple doit d'abord venir d'en haut. Prêcher par des actes, c'est la clef du succès pour un gestionnaire.

Le président-directeur général de Teknika HBA inc., Wilfrid Morin, a su motiver ses employés en reconnaissant leurs contributions par des moyens tangibles et intangibles.

Lorraine Laliberté, La Tribune

Nous avons aussi instauré les dîners avec le président. J'essaie de rencontrer tout le personnel trois ou quatre fois par année, parce que la communication régulière et continue, c'est 80 % du succès d'une organisation.

Q En quoi consiste votre programme de qualité de vie au travail ?

R En 2003, nous avons adopté un plan en quatre axes pour approfondir les valeurs de l'entreprise. Le premier, c'est de travailler à la qualité du milieu physique de travail.

Le deuxième axe, c'est d'améliorer les relations interpersonnelles. Le troisième est la valorisation et le développement de l'employé.

Enfin, le dernier axe, c'est l'équilibre travail-famille. Nous visons à éviter les heures supplémentaires abusives qui empêchent une vie de famille saine.

Q Teknika HBA s'implique aussi beaucoup dans sa communauté. Par exemple, vous avez présidé le comité des dons majeurs de l'Université de Sherbrooke.

R Dans notre organisation, nous savons que l'argent n'est pas une fin, il y a des choses plus importantes.

Q On imagine souvent, à tort, que les ingénieurs ne font que calculer… Comment faites-vous pour équilibrer la calculette et le cœur ?

R C'est passionnant d'amalgamer une forte compétence technique avec des valeurs humaines exigeantes. Soigner le milieu et la vie de travail s'avère même un avantage concurrentiel, surtout avec la pénurie de main-d'œuvre qualifiée que l'on connaît. Parce que du personnel motivé qui fonctionne bien en équipe et qui communique bien est beaucoup plus performant.

D'après une entrevue radiophonique avec Thierry Pauchant, professeur titulaire, Chaire de management éthique, HEC Montréal. ■

Source : Laurent Fontaine et Thierry Pauchant. « Chercher la progression plus que la perfection », *La Presse Affaires*, 15 janvier 2007, p. 5.

Le cas de Teknica HBA de Sherbrooke, au Québec, pourrait constituer un résumé presque complet de la façon dont il faut gérer et motiver des ressources humaines. Presque toutes les initiatives dans ce sens y sont présentes : motivation par valeurs, transparence, communication, disponibilité de la direction, engagement de l'entreprise dans sa communauté, équité et éthique. Il faut également noter que s'y ajoutent deux autres facteurs de motivation : les rétributions tangibles, comme l'actionnariat, et les rétributions non monétaires (la formation, l'aménagement du temps de travail et du temps personnel). Précisément, la description des types de rémunération financière (les primes, par exemple) et les éléments qu'ils visent à stimuler et à récompenser (la performance est l'un d'eux) constituent le premier volet de ce chapitre. Mais, on peut aussi atteindre ces mêmes objectifs indirectement, c'est-à-dire en concevant une organisation du travail stimulante. Nous verrons donc à ce sujet, dans le deuxième volet du présent chapitre, des stratégies pour concevoir des postes motivants (par exemple, l'enrichissement des tâches), notamment dans un contexte de changements technologiques. Participation et autonomisation des employés sont les ingrédients essentiels qui conditionnent le succès de la vie au travail repensée et améliorée. Nous en discuterons aussi. Dans le prolongement de ces modifications au contexte de travail, un troisième volet traitera des diverses manières d'aménager le temps de travail qui peuvent satisfaire le personnel (par exemple, les horaires variables). Nous conclurons en rapprochant les théories vues au chapitre précédent avec les pratiques décrites ici. Nous avons vu au chapitre 2 que, étant donné les pénuries de main-d'œuvre qualifiée annoncées, les entreprises rivalisent d'imagination pour motiver et fidéliser leurs employés compétents. Ceci est d'autant plus pertinent que, selon une recherche de Hewitt et associés, le fait de miser sur le capital humain est profitable à l'entreprise. Cette firme privée de consultants internationaux a mené en 2006 une recherche auprès de 1000 grandes compagnies et de 20 millions d'employés aux États-Unis. Cette enquête cherchait à déterminer l'impact financier du capital humain. La firme a classé les employés selon les résultats qu'ils obtenaient sur une échelle de mesure du talent que la firme a appelée le QT (le quotient du talent). Les résultats montrent que des mesures élevées au QT étaient des « prédicteurs » fiables de l'augmentation de la valeur de l'action des organisations, objets de l'étude. Les chercheurs ont établi qu'un taux d'accroissement de 10 % au QT augmentait la santé financière de l'entreprise de 70 millions à 160 millions dans les années subséquentes[1].

Quels sont précisément les moyens de motivation et de fidélisation des employés ?

UN APERÇU GÉNÉRAL DES PRATIQUES DE MOTIVATION

Les employeurs disposent de nombreux dispositifs pour motiver leur personnel. On peut distinguer trois grands groupes de stimulations : les rétributions tangibles comme la rémunération et les divers avantages matériels, les « récompenses » d'ordre symbolique et social et l'organisation du travail. Le tableau 7.1, à la page suivante, présente ces divers éléments de motivation. Comme nous l'avons mentionné, dans le présent chapitre, nous nous attarderons surtout aux stimulants financiers et à l'organisation du travail aptes à combler les besoins de croissance des individus, moteurs de la motivation intrinsèque.

Il est vrai que la première chose que les employés reçoivent pour leur peine est la rémunération monétaire. Cependant, il est vrai aussi que l'argent n'a ni la

TABLEAU 7.1	Facteurs tangibles et intangibles de motivation

1. Les rétributions tangibles	
A. Les différentes formes de rémunération	■ Selon l'importance du poste
	■ À la pièce
	■ Primes de rendement individuelles ou de groupe
	■ Partage des gains de productivité
	■ À la commission
	■ Selon les compétences
	■ Actionnariat, options d'achat d'actions, etc.
	■ Participation aux bénéfices
B. Les « récompenses » matérielles	■ Cadeaux, voyages, prêts avantageux, etc.
C. Les conditions de travail	■ Promotions, perfectionnement, congés spéciaux, etc.
	■ Garderies, gymnase, assurances, avantages sociaux
2. Les reconnaissances d'ordre social et symbolique	■ Par des gestes (par exemple, une poignée de main)
	■ Par des paroles (par exemple, remercier, féliciter, etc.)
	■ Par des comportements (appuyer, défendre, donner de la rétroaction, sourire, respecter, etc.)
	■ Par des symboles (trophées, activités sociales, etc.)
	■ Par la diffusion de la performance
3. L'organisation du travail stimulante	■ Conception des postes (élargissement, rotation, enrichissement, approche sociotechnique, etc.)
	■ Aménagement du temps de travail (horaires variables, réduction du temps de travail, travail à distance, temps partagé, etc.)
	■ Participation
	■ Autonomisation
	■ Autogestion

Source : Adapté d'un tableau original de Sylvie St-Onge, *Reconnaître les performances*, coll. Racines du savoir, Montréal, Gestion, 2000.

même importance, ni la même signification pour tout le monde, ni le même attrait. Par exemple, pour la plupart des gens, il est indispensable lorsqu'il s'agit de combler nos besoins de base. Mais, une fois ces besoins satisfaits, pour beaucoup de personnes, l'argent devient plutôt le symbole de quelque chose d'autre, celui de la réussite, par exemple. De plus, l'argent ne suffit pas à motiver les employés tout le temps, loin de là. Ceux-ci sont aussi et surtout sensibles aux marques de reconnaissance non monétaires, symboliques, comme les félicitations de leur supérieur. Arrêtons-nous donc un moment sur la reconnaissance sociale ou symbolique au travail comme facteur de motivation.

Souvenons-nous que dans sa théorie, vue au chapitre précédent, Herzberg mettait la reconnaissance des contributions de l'employé comme un facteur puissant de motivation. Les enquêtes subséquentes ne démentent pas cette conclusion et cette pratique. Une étude de Mercer Human Resource Consulting en 2005 montre que 38 % des organisations participant à cette enquête avaient l'intention d'investir davantage de moyens dans les systèmes de reconnaissance non pécuniaire au cours de l'année qui a suivi la recherche. Par ailleurs, selon une étude menée conjointement par la National Association for Employee Recognition et Worldatwork, 87 % des 413 grandes sociétés sollicitées avaient un programme de reconnaissance pour souligner le travail exceptionnel des employés, créer un climat positif et fidéliser le personnel. Enfin, une étude canadienne menée par la société Mercer Consultation en 2004 révèle que les deux contributions les plus reconnues, les années de service et l'excellence, sont récompensées essentiellement sous forme non pécuniaire[2]. La reconnaissance est à ce point importante qu'elle fait l'objet de politiques officielles dans plusieurs établissements publics. L'Université du Québec à Montréal a adopté une telle politique le 9 mars 2004. En voici un extrait : « De façon générale, l'Université veut, par cette politique, veiller à ce que l'apport des personnes et des équipes qui travaillent dans l'établissement soit reconnu et à ce que cette reconnaissance s'appuie sur sa culture et ses valeurs. » Agriculture Canada, le ministère de la Défense nationale, Développement des ressources humaines Canada, Pêches et Océans Canada, etc., ont tous élaboré un programme de reconnaissance des années de service, de comportements exemplaires, de performance exceptionnelle ou d'autres contributions.

La reconnaissance du travail de l'employé autrement que par des récompenses monétaires couvre un large spectre d'activités, de comportements et de rétributions, autant matérielles que psychologiques, comme nous l'avons vu au tableau 7.1. Cela peut aller du simple merci de la part du patron ou des collègues à une cérémonie officielle devant tout le personnel pour féliciter des employés méritants. Il y a quelques années, une enquête auprès de 1500 employés états-uniens demandait quel était le facteur de motivation le plus puissant pour eux. La réponse était invariablement la reconnaissance. L'avantage des facteurs de reconnaissance est que, contrairement à d'autres avantages financiers, ils ne sont pas coûteux[3].

Hewitt Associates mène annuellement des enquêtes sur les employeurs de choix au Canada. Selon celle de 2007, bien que l'attribution de salaires concurrentiels soit importante, d'autres facteurs non financiers ont un effet plus marqué sur la mobilisation des employés, notamment le soutien du gestionnaire, la reconnaissance, les processus de travail et les possibilité d'apprentissage et de développement ainsi que les mesures qui favorisent l'équilibre entre la vie privée et le travail. À titre indicatif, dans l'encadré 7.1 à la page suivante, nous rapportons les 15 premières entreprises choisies comme employeurs de choix au Canada (notamment pour les raisons déjà exposées) sur les 50 mentionnées. On remarquera que Desjardins Groupe d'assurances générales, Cima+ et Ultramar, entreprises sises au Québec, en font partie.

Voyons maintenant le premier grand volet de ce chapitre : les stimulants financiers.

LES STIMULANTS FINANCIERS DE LA MOTIVATION

Avant d'entrer dans le détail de ces stimulants financiers, examinons auparavant le sens que revêt l'argent pour les gens.

La signification de l'argent et des stimulants financiers au travail

L'argent et d'autres stimulants financiers font partie intégrante de la relation des individus avec le travail. Les organisations donnent une rétribution monétaire et

Les 15 premiers employeurs canadiens choisis pour leurs pratiques de ressources humaines en 2007

Rang	Entreprise	
1.	Wellington West Capital	Winnipeg
2.	EllisDon Corporation	London
3.	Edward Jones Canada	Mississauga
4.	Bennett Jones LLP	Calgary
5.	PCL Constructors	Edmonton
6.	Sleep Country Canada	Toronto
7.	Envision Financial	Langlay
8.	Financement agricole Canada	Regina
9.	JTI-Macdonald Corp.	Mississauga
10.	GlaxoSmithKline	Mississauga
11.	Intuit Canada	Edmonton
12.	**Desjardins Groupe d'assurances générales**	**Lévis**
13.	**CIMA+**	**Montréal**
14.	DaimlerChrysler Financial Services	Windsor
15.	**Ultramar**	**Montréal**

Source : Hewitt Associates, *The 50 best companies to work for in Canada*, 2007.

d'autres avantages en échange de la force de travail des employés et de leurs contributions multiples. Ce concept d'échange économique est vieux comme le monde et se retrouve dans toutes les cultures. En malais et en slovaque, le mot *payer* signifie « remplacer une perte » ; en hébreu et en suédois, il veut dire « rendre égal[4] ».

Toutefois, l'argent n'est pas uniquement un moyen d'échange économique. Il est aussi porteur de symboles et de significations plus profondes et plus complexes[5]. Les revenus économiques sont liés aux besoins humains, au statut de l'individu dans sa société et dans son groupe d'appartenance, ainsi qu'aux émotions (par exemple, l'argent est une forme de reconnaissance du travail bien fait, source de satisfaction)[6].

Les personnes qui ont un fort besoin d'accomplissement ne sont pas principalement motivées par l'argent, mais elles le considèrent comme une source de rétroaction et comme une marque que leurs objectifs ont été atteints. L'argent est alors une manière d'« évaluer » une réussite[7]. Il semble donc avoir une grande place dans la vie des gens pour toutes ces raisons. Un important sondage rapporte que la rémunération est l'un des trois premiers facteurs motivant les personnes à travailler pour une entreprise[8].

Mais l'argent génère aussi des réactions déplaisantes pour les individus concernés. Une vaste étude révèle que l'argent suscite diverses émotions, la plupart négatives, telles que l'anxiété, la dépression, la colère et le sentiment d'impuissance[9]. L'argent est associé à la cupidité, à l'avarice, mais aussi parfois à la générosité (manifeste). Ainsi, des patrons richissimes comme Bill Gates, Warren Buffet,

Anita Roddick (fondatrice de Body Shop International) et, plus « modestement », au Québec, André Chagnon (qui a érigé l'empire Vidéotron), ont fait don ces dernières années d'une bonne partie de leur fortune à des œuvres caritatives.

Par ailleurs, les valeurs culturelles semblent influencer les attitudes envers l'argent[10]. Une étude récente montre que la « foi envers les bienfaits de l'argent » était plus élevée chez les étudiants d'universités canadiennes que chez les étudiants de Singapour, de Hong-Kong ou d'Hawaï. Contrairement au dicton qui dit que l'argent ne fait pas le bonheur, une autre étude montre que les Canadiens nantis étaient plus heureux que les moins fortunés, principalement parce que l'argent permet plus de liberté[11]. Une autre recherche indique que les ressortissants de pays qui ont un horizon temporel à long terme (tels que la Chine, Hong-Kong et le Japon) donnent une grande priorité à l'argent dans leur vie[12]. Au contraire, les Scandinaves, les Australiens et les Néo-Zélandais possèdent des valeurs égalitaires fortes qui n'encouragent pas à parler ouvertement de l'argent ou à afficher une richesse personnelle[13].

Le rapport à l'argent est également différent selon les sexes. Les hommes sont plus enclins que les femmes à donner un rôle important à l'argent. Une autre enquête à grande échelle, menée dans 43 pays, révèle que les hommes attachent davantage d'importance à l'argent que les femmes, dans tous les pays objets de la recherche, sauf l'Inde, la Norvège et le Transkei[14]. Pourquoi les hommes s'identifient-ils plus à l'argent ? Certains auteurs suggèrent que les hommes l'associent au pouvoir et que celui-ci permet d'obtenir le respect d'autrui[15].

Le point important ici est que l'argent et les autres récompenses financières signifient plus qu'une rétribution pour le travail des employés. Ils permettent de satisfaire différents besoins, influencent les émotions et façonnent ou représentent l'image de chacun. Il est donc important de se souvenir de ces aspects dans les systèmes de rétribution. Dans les prochaines pages, nous exposerons les différents systèmes de rémunération financière, leurs objectifs et leurs effets sur la motivation des employés.

Les modalités des systèmes de rétributions financières

Les organisations utilisent différents systèmes de récompenses pour attirer, motiver et garder leur personnel. Chaque système de rétribution est établi selon différentes modalités : 1) l'appartenance à l'organisation et l'ancienneté de l'employé ; 2) le type de poste ; 3) les compétences ; 4) la performance. Chacune de ces modalités présente des avantages et des inconvénients (*voir le tableau 7.2 à la page suivante*).

Voyons maintenant chacune de ces modalités en détail.

Les récompenses basées sur le lien d'emploi et l'ancienneté

La rémunération basée sur l'appartenance à l'entreprise et l'ancienneté représente la plus grande partie des dépenses salariales. Les employés reçoivent un salaire horaire fixe, et la plupart des avantages sociaux sont les mêmes pour tout le monde ou ils croissent avec l'ancienneté. Les grandes entreprises japonaises augmentent généralement le taux de rémunération de leurs employés pour chaque année passée à un même poste ou en fonction de l'âge. Les récompenses basées sur l'appartenance et l'ancienneté tendent à attirer les candidats qui recherchent la sécurité d'emploi. Elles réduisent le stress et augmentent parfois la loyauté[16].

TABLEAU 7.2	Modalités des systèmes de récompenses financières, avantages et inconvénients

Modalités des systèmes de récompenses	Exemples de rétribution	Avantages	Inconvénients
Selon le lien d'emploi et l'ancienneté	■ Rémunération fixe ■ Avantages sociaux ■ Congés payés	■ Peut attirer des candidats talentueux ■ Réduit le stress lié à l'insécurité ■ Réduit la rotation du personnel	■ N'encourage pas directement la performance ■ Peut inciter les personnes inefficaces à rester dans l'entreprise
Selon le type de poste	■ Salaire basé sur les promotions ■ Salaire basé sur la valeur du poste	■ Vise l'équité interne ■ Motive les employés à rechercher de l'avancement	■ Encourage les jeux politiques visant à augmenter la valeur du poste ■ Crée une distance psychologique entre le personnel et les cadres
Selon les compétences	■ Augmentation de la rémunération basée sur les compétences applicables ■ Rémunération basée sur la nature et le nombre de compétences acquises	■ Améliore la souplesse de la main-d'œuvre ■ Tend à améliorer la qualité ■ Assure une certaine employabilité	■ Encourage la compétition ■ Mesure subjectivement les compétences ■ Système coûteux
Selon la performance	■ Commissions et primes ■ Salaire au mérite ■ Partage des gains de productivité ■ Intéressement ■ Option d'achat d'actions	■ Motive l'exécution des tâches ■ Attire les personnes aimant la performance ■ Renforce le sentiment d'appartenance à l'entreprise ■ Permet à l'entreprise de s'adapter à la conjoncture économique	■ Peut affaiblir la motivation envers le travail même ■ Peut créer un écart entre la personne qui donne et celle qui reçoit la récompense ■ Peut décourager la créativité ■ Ne résout pas toujours les problèmes réels

évaluation des emplois

Processus d'évaluation systématique de la valeur d'une classe d'emplois en mesurant les compétences requises, les responsabilités et les conditions de travail qui s'y rattachent.

Cependant, de telles rémunérations fixes et assurées ne motivent pas toujours directement la performance professionnelle et découragent les employés talentueux qui n'ont pas d'ancienneté. Elles ne favorisent pas non plus un sain roulement du personnel.

Les rétributions basées sur la valeur du poste

Presque toutes les organisations récompensent partiellement leurs employés en fonction de la classe d'emploi qu'ils occupent. Selon une estimation, 73 % des entreprises canadiennes se basent sur l'**évaluation des emplois** pour déterminer (ou justifier) la valeur de chaque poste dans l'organisation[17]. Plus les postes nécessitent de compétences, comportent de responsabilités et se situent dans un environnement de travail difficile, et plus ils ont de la valeur. Les organisations qui n'ont pas procédé à une évaluation des emplois utilisent des études salariales comparatives provenant du marché du travail. Les personnes ayant une classe d'emploi supérieure bénéficient également, la plupart du temps, d'autres marques matérielles liées à leur statut : grands bureaux, usage de véhicules de fonction ou salles à manger privées.

Les rémunérations basées sur la classe d'emploi motivent les salariés à se distinguer pour obtenir des promotions. Elles sont aussi utilisées pour rendre les niveaux de rémunération équitables entre différents postes (c'est ce qu'on appelle l'« équité interne »). Le gouvernement de Hong-Kong, par exemple, a récemment invité des experts canadiens en évaluation d'emploi. Leur rôle consistait à déterminer si les postes de la fonction publique, occupés principalement par des femmes, étaient rétribués au même niveau que les postes de valeur similaire occupés par des hommes (comme le mesure l'échelle d'évaluation des emplois). Malgré leurs avantages (équité et motivation à gravir les échelons), ces types de rétribution ne sont pas sans inconvénients[18]. L'une des critiques est que ce type de rémunération favorise la multiplication de paliers hiérarchiques, alors que le modèle des organisations adaptées au marché appelle plutôt la réduction de ces niveaux. De plus, ce type de rétribution incite les employés à entrer en concurrence les uns avec les autres, plutôt que de concentrer leur énergie sur le service à la clientèle et les autres besoins de l'entreprise. Il tend également à récompenser la spécialisation fonctionnelle (par exemple, le marketing, les finances) plutôt que les objectifs essentiels de l'organisation, c'est-à-dire l'anticipation et la réponse aux besoins du marché. Enfin, les systèmes d'évaluation des emplois incitent les employés à renchérir la valeur de leur poste.

Les rétributions selon les compétences

Les organisations délaissent de plus en plus les systèmes de rétribution basés sur la valeur des postes pour adopter des systèmes fondés sur les compétences (connaissances et savoir-faire) qui permettent aux employés d'atteindre un meilleur niveau de performance[19]. La progression des salaires est alors fonction du nombre et du niveau des compétences applicables, notamment par la formation professionnelle ou universitaire. Par exemple, l'augmentation des salaires des professeurs est traditionnellement déterminée par leur expérience et les diplômes acquis au moment de leur entrée en fonction ou en cours d'exercice.

La Banque Nationale du Canada a effectué cette transition en réduisant le nombre de types de postes et en récompensant davantage le personnel capable d'évoluer dans des classes d'emploi plus larges. Dans cette banque montréalaise, chaque classe d'emplois est divisée en segments allant de la phase dite d'apprentissage à celle dite de l'excellence. Pour chaque segment sont déterminés les ensembles de compétences qu'il faut maîtriser et la rémunération correspondante. Bien que la classe d'emploi soit toujours la base d'une grande partie de la rémunération, le personnel de cet établissement est désormais plus motivé à améliorer ses compétences au sein de chaque classe plutôt que d'attendre des promotions de plus en plus rares[20]. La rémunération basée sur les habiletés (*skill based pay*) est une variation des récompenses fondées sur les compétences[21]. Elle dépend alors du nombre de « blocs » d'habiletés maîtrisées par l'employé, indépendamment de son travail quotidien ou de leurs applications immédiates.

Les récompenses basées sur les compétences améliorent la souplesse de la main-d'œuvre parce qu'elles motivent le personnel à acquérir diverses habiletés pouvant être utilisées dans différents emplois en fonction de la demande. La qualité des produits ou des services tend alors à s'améliorer, car les employés qui ont diverses compétences comprennent mieux le processus de travail[22]. Les rétributions basées sur les compétences rendent justice aux employés qui veulent s'améliorer et qui, ainsi, assurent leur « employabilité ». Au Canada, l'étude de Long, menée en 1993 auprès de 114 grandes organisations, montre que les employés payés selon les compétences étaient plus productifs que ceux qui étaient exempts de ce mode de rémunération[23]. Le problème consécutif à la rémunération selon les compétences est que les méthodes pour l'établir sont difficiles, notamment dans la sphère des emplois de professionnels où souvent les attitudes, les valeurs et les traits de personnalité sont importants dans l'accomplissement des tâches[24]. Un autre inconvénient majeur est la tendance au plafonnement après que les employés ont atteint toutes les compétences disponibles exigées. Ceci peut avoir pour effet de faire baisser la motivation. Certaines sociétés comme GE ont remédié à ce problème en instituant un programme de partage des gains de productivité, concept qui sera défini plus loin. Il est possible aussi de mettre au point un nouveau système de compétences plus exigeant que le précédent pour augmenter la motivation et le niveau de qualification des employés. Aussi, est-il recommandé de s'assurer des mesures suivantes si on veut établir un système de rémunération selon les compétences : 1) établir précisément la liste des compétences stratégiques pour l'entreprise ; 2) donner la formation nécessaire aux employés, qui leur permettra de gravir rapidement l'échelle de salaires ; 3) accorder les augmentations de salaires sur la foi de certifications fiables ; 4) mettre en œuvre ce système dans une culture d'entreprise favorisant la responsabilisation et l'engagement des employés.

Les rétributions basées sur la performance

Ces types de rétribution sont accordés en fonction de la performance des individus, des groupes et de l'organisation. Ils sont résumés dans la figure 7.1.

La popularité de la rémunération selon la performance s'est accrue de façon spectaculaire au Canada et dans d'autres pays au cours des quinze dernières années[25]. Selon une récente enquête de Mercer Human Resource Consulting, environ 80 % des entreprises payent leurs professionnels selon une forme quelconque de prime rattachée à leur performance. En moyenne, les professionnels ont gagné 7200 $ en primes en 2006, ce qui représente environ 10 % de leur salaire. Les cadres supérieurs ont reçu 65 000 $ en primes, soit 34 % de leur salaire. Selon Mercer, le p.-d.g. moyen canadien recevra environ 179 500 $ de primes en 2006, soit 52 % de son salaire de base. Les primes de performance sont un mélange des résultats individuels et de ceux de l'entreprise. Il faut dire toutefois que selon une étude récente de Hewitt, seulement 28 % des entreprises interrogées sont certaines que ces primes améliorent leur santé financière[26].

Les récompenses individuelles   Les récompenses individuelles se présentent sous de nombreuses formes, mais Statistique Canada estime que les formes les plus courantes au pays sont les primes et les commissions[27]. Les primes sont des montants forfaitaires qui s'ajoutent au salaire de l'individu. Différentes sortes de primes récompensent l'accomplissement d'une tâche donnée ou l'atteinte d'un objectif de performance. Ce peut être de l'argent directement ou un avantage

FIGURE 7.1

Types de récompenses basées sur la performance

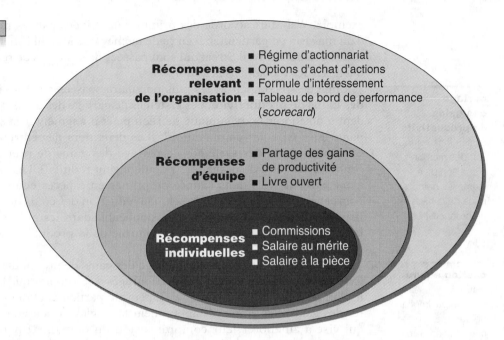

quelconque. Par exemple, les employés d'A.L.I. Technologies à Richmond, en Colombie-Britannique, ont droit à des séjours de ski gratuits à Whistler pour les récompenser lorsqu'ils ont terminé des projets importants.

Les commissions sont des rétributions qui varient en fonction du montant des ventes d'un produit ou d'un service. Le revenu des agents immobiliers provient partiellement ou entièrement de commissions. La compagnie Best Buy à Montréal a éliminé les commissions pour les vendeurs de produits tels que des imprimantes ou des caméras. Ils sont à salaire fixe. L'idée est de se tailler une position concurrentielle en permettant que le vendeur serve le client en prenant le temps de bien l'informer sur la marchandise, donc de le fidéliser. Pour cette entreprise, la commission sur les ventes détournait les employés de cet objectif, préoccupés qu'ils étaient de travailler sur la quantité de produits achetés. Bien qu'elle soit moins courante au Canada, une troisième incitation individuelle est le salaire à la pièce, qui récompense l'employé en fonction du nombre d'unités produites. Ce mode de rémunération se fait plus rare au Canada étant donné l'opposition traditionnelle des syndicats à ce mode de rémunération lié aux exigences toujours plus élevées des « patrons », à l'affaiblissement des emplois du secteur manufacturier et à l'automatisation des tâches (mais elle existe encore, notamment dans le secteur du textile).

Le salaire au mérite est une augmentation du salaire annuel des individus en fonction de leur performance. Cette rémunération ainsi majorée n'est généralement pas réversible. C'est un type de rémunération très courant, mais onéreux pour l'entreprise. Malgré cela, souvent, l'augmentation du salaire n'est pas assez substantielle pour que l'employé la voie comme une reconnaissance adéquate de sa performance.

Les récompenses d'équipe Ici, les rétributions visent la performance de groupe plutôt que la performance individuelle, en partie ou en totalité. Par exemple, Wal-Mart accorde des primes déterminées par les résultats des ventes d'un magasin en particulier. Il en va de même pour Merrill Lynch et d'autres entreprises évoluant à Wall Street qui sont passées de systèmes de récompenses individuelles à des récompenses d'équipe[28].

L'une des récompenses les plus populaires basées sur l'équipe est le **partage des gains de productivité.** Les systèmes de partage des gains de productivité tendent à améliorer la dynamique de l'équipe et à augmenter la satisfaction provenant de ce type de rémunération[29]. Les deux tiers des entreprises minières du Canada utilisent des systèmes de partage des gains de productivité quand les coûts d'extraction de la matière première sont réduits[30]. Les salariés bénéficient alors plusieurs fois dans l'année de primes en espèces équivalant à un certain pourcentage du salaire de base selon la réduction des coûts ou l'accroissement de la productivité. Ce système est plus applicable dans les petites industries manufacturières où les employés ont le contrôle de la production et sont techniquement compétents.

Une variation du système de partage des gains de productivité est la **gestion à livre ouvert.** Les employés y sont encouragés à considérer que la performance sur le plan financier est un jeu auquel ils peuvent participer et duquel ils peuvent retirer des gains. Les employés apprennent les règles du jeu grâce à une formation qui vise à améliorer leur compréhension du domaine financier. De plus, les employés reçoivent des données financières mensuelles et trimestrielles ainsi que les résultats d'exploitation afin de pouvoir suivre la performance de l'organisation. Le personnel s'implique en recommandant des manières de réduire les coûts et d'améliorer les résultats financiers de l'unité de travail (ou de l'organisation), ce qui se répercute sur leur rémunération[31].

Un palmarès des entreprises « où il fait bon vivre » a été établi par l'Institut Great Place to Work dans 26 pays de par le monde. En France, avec le concours de la revue *Management*, 58 compagnies ont accepté d'y participer. Les réponses des employés ont compté pour deux tiers de l'évaluation et celles des dirigeants pour un tiers. Notons, d'une part, aux fins de comparaison, que dans la première entreprise française Leroy Merlin (*voir l'encadré 7.2*), les facteurs de motivation et de satisfaction ne sont pas différents de ceux qu'on relève aux États-Unis ou au Canada, et d'autre part, que cette entreprise illustre bien l'usage de récompenses monétaires (entre autres) découlant de la performance organisationnelle.

La rémunération liée à la performance de l'organisation   Certaines entreprises utilisent deux types de rétribution qui dépendent de la performance globale de l'entreprise pour motiver et fidéliser le personnel : l'intéressement et le régime d'actionnariat du personnel. C'est le cas, par exemple, de la compagnie WestJet Airlines. Chaque employé y reçoit jusqu'à 20 % des profits de la compagnie, en proportion de son salaire. Par ailleurs, plus de 80 % des salariés de cette compagnie avant-gardiste dans sa gestion des ressources humaines détiennent des actions de leur employeur. Les systèmes d'**intéressement** permettent d'accorder des primes au personnel en fonction des bénéfices de l'organisation. Ces systèmes se trouvent souvent dans des entreprises qui encouragent le travail d'équipe et font face à une concurrence élevée[32]. Les **régimes d'actionnariat du personnel** encouragent le personnel à acheter des actions de l'entreprise, souvent à prix réduit. Ensuite, les dividendes et l'augmentation du prix de ces actions sur le marché permettent de récompenser le personnel.

partage des gains de productivité
Système de rétribution des membres d'une équipe à même les gains issus de la hausse de productivité.

gestion à livre ouvert
Gestion qui implique de partager l'information financière avec le personnel et de l'encourager à faire des suggestions permettant d'améliorer les résultats financiers.

intéressement
Système de récompenses grâce auquel des primes sont accordées au personnel en fonction des bénéfices de l'organisation de l'année précédant cette distribution.

régimes d'actionnariat du personnel
Systèmes de rémunération qui encouragent le personnel à acheter des actions de l'entreprise.

Leroy Merlin — Le roi du bricolage a parfaitement huilé l'ascenseur social

Chez Leroy Merlin, on ne bricole pas avec les outils de motivation. Notamment en matière de politique salariale : la première entreprise française du palmarès 2006 se distingue en faisant de la quasi-totalité de ses 15 000 salariés des actionnaires. Propriétaire de l'enseigne, la famille Mulliez a en effet cédé 16 % de ses parts à son personnel par l'entremise d'un fonds commun de placement qui a progressé de 14 % en 2005. Un bonus non négligeable, auquel s'ajoute l'intéressement au chiffre d'affaires (environ 20 % du salaire de base) et la participation au résultat de l'entreprise (+11 % en 2005). « En cumulant ces avantages, ma rémunération a doublé en treize ans », se réjouit Alain Geeraert, 38 ans, vendeur dans le magasin de Tourcoing.

Leroy Merlin a aussi à cœur de faire fonctionner l'ascenseur social en se préoccupant peu des diplômes dans ses recrutements. « Pour un magasinier ou une hôtesse, le niveau va de bac – 3 à bac + 2, explique le DRH Stéphane Calmes. Seules les compétences et la motivation nous importent. » Autre effort réalisé par l'enseigne, la formation : grâce à un budget conséquent (6 % de la masse salariale), huit salariés sur dix passent chaque année par l'un des instituts maison. Une manière de donner à chacun sa chance de progresser dans la hiérarchie. Le DG, Régis Degelcque, en est la meilleure illustration : il a commencé il y a vingt ans comme stagiaire. Enfin, les salariés apprécient d'être associés aux décisions importantes au cours de réunions de réflexion.

Source : « Les 25 gagnants du classement général », *Management,* n° 130, avril 2006, p. 95.

---

options d'achat d'actions
Système de rétribution qui donne au personnel le droit (option) d'acheter des actions de l'entreprise à un prix prédéterminé. Il y a gain lorsque la valeur des actions sur le marché boursier est supérieure au prix d'achat de ces actions.

tableau de bord de performance
Système de récompenses accordant des primes aux cadres lorsque ces derniers améliorent leurs résultats pour un ensemble de facteurs tels que les résultats financiers, la satisfaction de la clientèle, les processus internes et la satisfaction du personnel.

Un troisième type de récompenses ayant reçu beaucoup d'attention des médias est le système d'**options d'achat d'actions.** Ce système donne au personnel le droit d'acheter des actions de l'entreprise à une date et à un prix prédéterminés[33]. Par exemple, Telus Corporation à Burnaby, en Colombie-Britannique a accordé 100 options d'achat d'actions à chacun de ses employés à un prix de 34,88 $, à acquérir deux ans plus tard. Le Conference Board du Canada estime que moins de 10 % des entreprises canadiennes, grandes et moyennes, offrent actuellement des options d'achat d'actions à leur personnel non cadre[34]. C'est toutefois un système de rémunération controversé. Un expert en donne sa propre opinion (*voir l'encadré 7.3 à la page suivante*).

Une autre stratégie de récompenses de l'organisation est le **tableau de bord de performance** ou carte stratégique[35]. Ce système de mesure de performance récompense les personnes (généralement les cadres) lorsqu'ils améliorent leurs résultats pour un ensemble de facteurs tels que les résultats financiers, la satisfaction de la clientèle, les processus internes et la satisfaction du personnel. Quand l'amélioration est importante, la prime accordée l'est aussi. Nova Scotia Power, par exemple, a mis sur pied un tableau de performance destiné aux cadres. Ce tableau permet de calculer les améliorations en matière de coûts internes, de loyauté de la clientèle, de revenus et d'engagement du personnel[36]. Ces systèmes globaux de rétribution sont-ils efficaces en termes de motivation du personnel et de productivité ? Selon une étude, la productivité augmente de 4 % par année dans les entreprises ayant recours à un régime d'actionnariat, par rapport à seulement 1,5 % pour les autres entreprises, en plus de créer un sentiment d'appartenance chez les employés. Les tableaux de bord de performance présentent l'avantage supplémentaire d'associer clairement les rétributions à plusieurs mesures précises de la prestation de l'entreprise. L'intéressement consenti permet une certaine flexibilité dans les politiques de ressources humaines, par exemple en

À bas les options!

À moins d'être extrêmement bien conçues, les options sur actions donnent aux cadres supérieurs accès non pas à un programme d'encouragement à long terme (pendant dix ans ou pendant toute une carrière), mais à un programme relativement court, de deux à cinq ans. Étant donné qu'il est possible de bénéficier des options dès leur acquisition, les actions sont habituellement vendues le lendemain même*. Ainsi, le dirigeant a tout intérêt à faire grimper l'action le plus rapidement possible afin de pouvoir exercer son droit de bénéficier des options et de vendre ses actions; par contre, il n'a aucun intérêt à conserver les actions acquises jusqu'à la fin de sa carrière dans la société.

Nous connaissons tous les conséquences de cette situation. On a modifié les normes comptables pour favoriser le cours des actions, et non pour être en mesure de présenter des résultats financiers fiables.

De plus, il faut compter les fusions aberrantes ou les aliénations inutiles visant à faire grimper les bénéfices, toujours pour gonfler le cours de l'action et s'enrichir en exerçant son droit sur ses options le plus tôt possible.

Les options entretiennent l'appât du gain, au détriment d'une gestion prudente et à long terme. Elles entraînent des rachats d'actions qui augmentent l'endettement de la société et, en réduisant la valeur de l'action à long terme, elles diluent directement l'avoir à long terme des actionnaires qui ont payé leurs actions en espèces. En outre, les bénéficiaires de ces options n'ont couru aucun risque, puisqu'ils n'ont pas déboursé un sou.

Elles n'ont pas non plus stimulé l'esprit d'équipe, car seuls quelques dirigeants bénéficient de la majeure partie des options accordées, ce qui suscite jalousie et ressentiment à l'endroit du chef de la direction, dès lors perçu comme un mercenaire égoïste.

Comment donc harmoniser la rémunération des actionnaires avec celle des dirigeants? On pourrait assurément verser des primes dûment méritées sous forme d'actions, en insistant pour que le dirigeant les conserve jusqu'à la fin de sa carrière dans la société.

Heureusement, de nombreux conseils d'administration commencent à ouvrir les yeux.

---

* Ce n'est plus vrai partout aujourd'hui.

Source: Stephen Jarislowsky, président du conseil Jarislowsky Fraser. «À bas les options!», *Affaires Plus*, 8 septembre 2005.

---

adaptant la rémunération du personnel en fonction de la prospérité de l'entreprise. Ainsi, ce système permet parfois d'éviter des licenciements en négociant avec le personnel en cas de récession[37].

Le principal inconvénient du régime d'actionnariat du personnel, du système d'options d'achat d'actions et de l'intéressement (et, dans une moindre mesure, des tableaux de bord de performance) est que le personnel perçoit souvent mal la relation entre l'effort individuel ou d'équipe et les gains ou la valeur des actions de l'entreprise. Des facteurs étrangers à l'effort des employés influencent le prix des actions de la compagnie ou sur sa rentabilité. C'est le cas de la conjoncture économique, de la concurrence et d'autres éléments échappant au contrôle immédiat des individus. Il en résulte une attente effort-performance plus faible (*voir le chapitre 6*), ce qui peut réduire la motivation du personnel. Ces types de rétribution ne réussissent pas non plus à motiver le personnel lorsque les gains sont négligeables ou lorsque le marché est à la baisse.

Comment améliorer l'efficacité des systèmes de récompenses

Les rétributions financières, notamment celles qui relèvent de la performance générale de l'entreprise, pour de multiples raisons, parfois non liées à la productivité, ont essuyé de nombreuses critiques, car elles affectent la motivation intrinsèque, celle qui pousse l'individu à réaliser ses objectifs au travail (ce qui confirmerait la théorie de l'évaluation cognitive vue au chapitre 6). De nombreux leaders utilisent systématiquement des incitations monétaires ou autres stimulants financiers comme solution de fortune à un manque de performance, au lieu d'en diagnostiquer attentivement les causes[38].

Ces inquiétudes ne signifient pas nécessairement qu'il faille abandonner la rémunération basée sur la performance en particulier. Au contraire, les entreprises qui atteignent les meilleurs résultats dans le monde ont adopté cette modalité de rétribution[39]. Les systèmes de récompenses, en général, motivent vraiment la plupart des employés, mais seulement dans certaines conditions. Voici quelques-unes des plus importantes stratégies qui permettent d'améliorer l'efficacité des systèmes de rétribution.

Établir les objectifs du système de récompenses Avant toute chose, il faudra définir les objectifs de la mise sur pied d'un système de récompenses. Par exemple, est-ce précisément pour motiver les troupes ? pour renforcer la culture de l'entreprise ? pour fidéliser les employés ? pour appuyer les stratégies corporatives ou pour appuyer une politique d'équité en emploi ? Il est évident que la nature des objectifs conditionne celle du système de récompense.

Établir un lien évident entre les rétributions et la performance Ce principe simple est une conclusion logique de l'étude de la modification du comportement et de la théorie des attentes (*voir le chapitre 6*). Pourtant, il semble connaître des difficultés d'application. Selon un sondage relativement récent, seulement 27 % des employés canadiens interrogés disaient voir un lien clair entre la performance au travail et la paie[40]. Une autre enquête importante menée auprès d'entreprises des États-Unis et du Canada rapporte qu'un tiers des établissements offraient des récompenses à des personnes ne satisfaisant pas aux critères de performance minimaux établis. Ces résultats peuvent s'expliquer en partie par les difficultés de mesure de la performance et par la diversité des programmes d'évaluation de la productivité des entreprises. Ainsi, on a récemment découvert que les chefs canadiens basaient l'évaluation de la performance de leur personnel sur des critères totalement différents. Certains mettent l'accent sur l'exécution des tâches, d'autres sur la citoyenneté organisationnelle (*voir le chapitre 3*) et d'autres encore soulignent l'importance de combattre d'abord les comportements improductifs. Il en résulte alors une évaluation incohérente de la performance[41].

Comment peut-on donc améliorer le lien entre la rémunération et la performance ? Tout d'abord, en liant la rémunération à des mesures objectives de la performance. Ensuite, lorsque des mesures subjectives de la performance sont nécessaires, les entreprises doivent avoir recours à des sources multiples d'information. Par exemple, elles peuvent utiliser la rétroaction à 360 degrés afin d'équilibrer les diverses opinions sur la performance d'un employé. Par ailleurs, les entreprises doivent appliquer la récompense aussi vite que possible après la performance. Pour être satisfaisante, la rétribution doit également être assez importante aux yeux de celui qui la reçoit (se rappeler la notion de valence dans la théorie des attentes)[42]. La solution, bien sûr, consiste à demander aux membres du personnel ce qui a de la valeur pour eux. Le centre de distribution canadien des soupes Campbell a procédé ainsi il y a quelques années. Dans le cadre d'un programme spécial de récompenses d'équipe, les cadres pensaient que le personnel demanderait davantage d'argent. Au lieu de cela, il a exprimé son désir de recevoir une veste en cuir portant le logo Soupe Campbell à l'endos[43].

Enfin, il faut s'assurer que la rétribution récompense ou sanctionne une performance sur laquelle l'employé a un certain contrôle, ou dont il est responsable[44]. Par exemple, si une région attribuée à des représentants commerciaux est plus prospère que celles attribuées à d'autres, il faudra en tenir compte dans l'évaluation de la performance et des rétributions qui s'ensuivent selon le cas.

Utiliser des rétributions d'équipe pour des projets interdépendants   Les organisations devraient accorder des récompenses au groupe dans son ensemble plutôt que des récompenses individuelles lorsque le personnel travaille à des tâches hautement interdépendantes[45]. En effet, la performance individuelle est difficile à mesurer dans ces situations. Par exemple, il est ardu de déterminer dans quelle mesure un employé d'une usine de traitement chimique contribue seul à la qualité du produit fini. Il s'agit d'un effort collectif. Une deuxième raison est que les récompenses d'équipe tendent à augmenter la coopération entre les employés et à diminuer l'esprit de compétition au sein du groupe.

La preuve en a été faite à l'occasion d'une étude effectuée auprès des représentants du service à la clientèle de Xerox. D'un côté, les membres d'équipe qui recevaient des primes collectives ont finalement accepté et préféré cette structure de travail. Par contre, le personnel travaillant en équipe sans rétribution de groupe s'est mal adapté à ce genre de structure[46]. En général, les employés de pays à culture nationale individualiste préfèrent, on s'en doute, des rétributions personnelles[47].

Évaluer les conséquences inattendues des systèmes de rétribution   Les systèmes de récompenses basés sur la performance ont parfois un effet inattendu — et indésirable — sur le comportement du personnel[48]. Examinons le cas d'un propriétaire de pizzeria ayant décidé de récompenser ses livreurs lorsqu'ils arrivent rapidement chez le client. Le projet a permis d'augmenter le nombre de pizzas chaudes livrées aux clients au bon moment, mais il a provoqué une augmentation du nombre d'accidents de la route. En effet, les stimulants financiers ont incité les chauffeurs à conduire de façon plus imprudente[49]. Les systèmes de récompenses doivent donc être cohérents avec d'autres systèmes de l'entreprise.

Il faut également veiller à ce que l'arrêt de récompenses ne soit pas perçu en fait comme une punition (donc l'expliquer), ou s'assurer que ces récompenses ne favorisent pas une compétition malsaine entre les membres d'une équipe ou entre les équipes d'une même entreprise. Une exagération des récompenses peut aussi diminuer l'envie de prendre des risques chez les dirigeants de manière à ne pas menacer leurs avantages, ce qui réduit les efforts d'innovation et de changement.

L'encadré 7.4 donne quelques exemples concrets de ces conséquences perverses de systèmes de rétribution. En résumé donc, il faut déterminer les objectifs du système de récompense et sa nature subséquente, établir et communiquer les critères d'obtention des rétributions, veiller à mettre en œuvre un système de reconnaissance équitable et cohérent avec les autres systèmes de fonctionnement de l'entreprise et qui entretient un climat sain. Ce sont là quelques règles à suivre pour stimuler la motivation et la fidélisation des employés.

Au début de ce chapitre, nous avons mentionné que l'argent et d'autres stimulants financiers avaient un effet complexe sur les besoins, les émotions et l'identité sociale du personnel. Pourtant, l'argent n'est pas le seul aspect qui motive les gens à se joindre à une organisation et à bien travailler. « La récompense vient du travail accompli », commente Richard Currie, président de l'entreprise George Weston Ltd., située à Toronto. « L'argent n'est qu'un élément secondaire. » Rafik O. Loutfy,

Lorsque les récompenses échouent

On dit parfois que les rémunérations contribuent à ce que le travail soit bien fait. Pourtant, les conséquences des récompenses offertes par les entreprises n'atteignent pas toujours les objectifs. Quelques exemples marquants sont décrits ci-après.

- Toyota récompense ses concessionnaires en se basant sur des sondages de satisfaction de la clientèle et pas seulement sur le volume des ventes. Dans ce contexte, Toyota a découvert que cette stratégie motivait plus les vendeurs à obtenir des opinions satisfaisantes de la clientèle à leur égard plutôt qu'à la satisfaire réellement. Un concessionnaire Toyota atteignait ainsi un classement élevé, car il offrait des brochures gratuites à chaque client qui retournait un sondage lui accordant la note « Très satisfaisant ». Le concessionnaire disposait même d'un exemplaire spécial du sondage indiquant aux clients les cases qu'ils devaient cocher. Cette tactique augmentait son classement, mais non la satisfaction des clients.

- Une entreprise de design a mis en place un programme d'incitation pour encourager les ingénieurs à concevoir des bâtiments originaux tout en demeurant en-deçà du budget prévu. Un employé créatif a atteint cette performance en réduisant simplement les mesures des murs et des plafonds de quelques centimètres. Ainsi, l'entreprise a économisé des milliers de dollars, et l'ingénieur a obtenu une prime substantielle, jusqu'à ce que l'entreprise et le client insatisfaits en trouvent les causes !

- Nous avons vu dans l'encadré précédent les effets négatifs des systèmes d'options d'achat d'actions. Les scandales spectaculaires d'Enron et de Worldcom se sont produits en partie parce que ce système de rétribution motivait les cadres à cacher les mauvaises nouvelles concernant le chiffre d'affaires en baisse, jusqu'à ce qu'il soit trop tard pour corriger le problème.

- Donnelly Mirrors, qui fait désormais partie de l'empire canadien Magna International, a mis en place un système de partage des gains de productivité. Ce système visait à motiver le personnel à réduire les frais de main-d'œuvre, mais pas les frais matériels. Les employés de ce fabricant de pièces automobiles savaient qu'ils travaillaient plus vite avec des meules neuves. Ils ont donc remplacé plus souvent qu'autrement les meules habituelles par des meules plus coûteuses. Cette action a permis de réduire les coûts de main-d'œuvre et les employés ont eu droit à la prime du partage des gains de productivité. Mais ces économies ont été annulées par les coûts plus élevés occasionnés par l'achat de matériel non nécessaire.

Le type d'incitations financières en matière de service à la clientèle a peut-être provoqué des comportements indésirables de la part des concessionnaires Toyota.

John Thoeming

www.toyota.com

Sources : D. Wessel, « Boardroom Sins Continue to Emerge — Stock Options Gave Executives Incentives to Boost Near-Term Share Prices », *Wall Street Journal,* 21 juin 2002, p. A1 ; J.A. Byrne, « How to Fix Corporate Governance », *Business Week,* 6 mai 2002, p. 68 ; D.S. Hilzenrath, « Financial "Performance" Options Getting a Second Look », *Washington Post,* 1er avril 2001, p. H1 ; C. Teasdale, « Not All Firms Find Variable Pay Plans Pay Off », *St. Louis Business Journal,* 28 septembre 1998 ; F.F. Reichheld, *The Loyalty Effect,* Boston, Massachusetts, Harvard University Press, 1996, p. 236 ; D.R. Spitzer, « Power Rewards : Rewards That Really Motivate », *Management Review,* mai 1996, p. 45-50.

directeur d'un centre de recherche de Xerox, partage cette opinion. « Nos meilleurs employés précisent qu'ils souhaitent laisser leur empreinte dans l'entreprise — que c'est ce qui importe le plus. Le sentiment qu'ils contribuent à réaliser quelque chose et qu'ils font la différence est une grande motivation pour eux[50]. »

En d'autres termes, George Weston, Xerox et d'autres entreprises motivent leur personnel principalement en concevant des emplois intéressants et stimulants. Ce sujet sera traité dans les prochaines pages.

L'influence des cultures nationales sur les types de rétributions

Les gestionnaires devraient être prudents quand ils administrent un système de rétribution dans des pays où la culture diffère de la leur. En effet, certaines recherches montrent que les réactions des employés à leurs rétributions reflètent leur culture nationale.

Prenons les résultats d'une étude faite auprès de commerciaux états-uniens et japonais. Alors que les employés performants nord-américains étaient sensibles à des cadeaux tels que des montres Rolex ou des vacances supplémentaires, ceux du Japon l'étaient davantage à une partie de bowling pour toute l'équipe. Ceci est conforme à la culture dite collectiviste du Japon (*voir le chapitre 16*) où la vie et le succès de groupe sont plus importants que le succès individuel valorisé aux États-Unis, entre autres[51].

En Chine, depuis 1978 environ, il y a une ouverture à la rémunération selon la productivité. Toutefois, il y a encore des entreprises qui donnent des primes indépendamment de la performance (probablement un réflexe égalitaire issu de la Révolution culturelle de 1966 à 1976)[52]. Quand la compagnie Dell s'est installée à Xiemen en Chine, en 1998, pour faire fabriquer des ordinateurs pour le marché de ce pays, elle a distribué à chaque employé des actions de la firme d'une valeur de 60 $, lesquelles montèrent à 110 $ trois ans plus tard. Mais les employés n'avaient aucune idée de ce que représentaient ces actions et encore moins qu'elles étaient liées à la performance. Ils ont pris du temps à réaliser que l'emploi à vie n'était plus garanti dans cette organisation. Il a donc fallu leur expliquer tout cela[53].

Une autre étude menée auprès de travailleurs d'une usine de fabrication de coton située près de Moscou montre que ceux-ci sont sensibles autant aux stimulants financiers qu'à la reconnaissance symbolique. Toutefois, la productivité chutait quelque peu pour les travailleurs assignés à travailler le samedi[54].

Enfin, une étude menée auprès de travailleurs mexicains montre que ceux-ci ont une préférence marquée pour les effets immédiats de leur travail (*voir l'orientation à court terme de Hofstede au chapitre 16*). Aussi, dans ce cas, une rémunération basée sur une prime versée quotidiennement selon la productivité serait efficace. Les travailleurs mexicains sont également sensibles à des avantages non financiers comme la participation à des événements familiaux ou un service d'autobus gratuit[55].

Pour généraliser davantage ces recherches, référons-nous à une étude liant les dimensions culturelles aux préférences de rétributions. À gauche du tableau 7.3 figurent des dimensions classiques de la culture nationale et au centre, les rétributions privilégiées. Les cultures caractérisées par un haut degré de réduction de l'incertitude (c'est-à-dire des cultures à forte tradition et réglementation) préfèrent des rétributions fixes et certaines. Les cultures valorisant l'individualisme se tournent davantage vers la performance personnelle, tandis que les cultures à orientation humaniste choisissent des récompenses orientées vers une meilleure qualité de vie.

Certes, les stimulants financiers sont des facteurs de motivation en certaines circonstances, comme nous l'avons vu précédemment. Mais, en général, la source de motivation se trouve ailleurs. Comme nous l'avons mentionné au chapitre

TABLEAU 7.3	Cultures nationales et rétributions valorisées	

Cultures nationales	Types de rétribution	Exemples
Haut degré de réduction de l'incertitude	**Fixe ou stable** ■ Basée sur l'ancienneté ■ Basée sur les compétences	Grèce, Italie, Japon
Individualisme	**Basée sur la performance** ■ Actionnariat ■ Primes ■ Commissions	Australie, États-Unis, Canada
Humanisme	**Avantages sociaux** ■ Garderies, plans de carrière ■ Longs congés de maternité ■ Autres	Pays scandinaves

Source : R.S. Schuler et N. Rogovsky, « Understanding compensation practices variations across firms : The impact of national cultures », *Journal of International Business Studies,* vol. 29, n⁰ 1, p. 159-177. Rapporté par Robbins et Langton[56].

précédent, les dirigeants d'entreprise peuvent aussi agir sur l'environnement de l'employé, notamment en pensant précisément le travail différemment. Une organisation du travail stimulante contribue grandement à agir sur la motivation des personnes.

L'ORGANISATION DU TRAVAIL ET LA MOTIVATION

Nous verrons dans cette section deux façons d'agir sur l'organisation du travail en général. Les dirigeants peuvent, d'une part, intervenir sur la conception même des postes et, d'autre part, sur l'aménagement du temps de travail.

La conception des postes

Modifier les postes pour les rendre stimulants et intéressants en soi est une des façons d'agir sur la motivation de façon durable.

La **conception des postes** consiste en une restructuration de groupes de tâches à des fins d'efficience et d'efficacité de l'entreprise et de motivation des titulaires des postes concernés. Un poste correspond à une série de tâches effectuées par une personne. Certains postes comportent très peu de tâches, chacune nécessitant peu de compétences ou d'efforts. D'autres postes comprennent des tâches très complexes faisant intervenir des spécialistes hautement qualifiés. Un poste appelle des contributions majoritairement individuelles (professeur, par exemple) ou collectives (pompiers). La conception des tâches évolue constamment, du fait des nouvelles technologies et des tendances en matière de relations contractuelles (polyvalence, diverses organisations du travail, etc.). Autant dire que les postes et les tâches ont des caractéristiques qui peuvent ou non soulever l'intérêt et la motivation[57].

Avant d'aborder l'aménagement des postes propres à susciter la motivation, et pour bien le comprendre, arrêtons-nous sur les premiers efforts de conception des postes visant l'efficience, à savoir la division du travail et la spécialisation des emplois.

conception des postes
Restructuration de groupes de tâches à des fins d'efficience et d'efficacité de l'entreprise et de motivation des titulaires des postes concernés.

La conception des postes et la productivité

**spécialisation
des emplois**
Résultat de la
division du travail
par laquelle chaque
poste inclut un
ensemble de tâches
prédéterminées, très
spécifiques et répar-
ties entre plusieurs
employés.

Cindy Vang est assise sur une chaise en vinyle bleu devant la chaîne de montage de Medtronic à Minneapolis, au Minnesota. Avec une pince à épiler, elle insère 275 minuscules composants ressemblant à des aiguilles, utilisés pour les stimulateurs cardiaques et les neurostimulateurs, dans une pièce de métal perforée pour recevoir ces composants. Elle remplit une pièce de métal en 15 minutes, la place ensuite sur une étagère et passe à la pièce de métal suivante[58]. Cindy Vang effectue un travail caractérisé par un haut degré de spécialisation. Il y a **spécialisation des emplois** lorsque le travail nécessaire pour fabriquer un stimulateur cardiaque — ou tout autre produit ou service — est subdivisé en tâches ou sous-tâches distinctes réparties entre plusieurs travailleurs. Ces tâches ont généralement un cycle court. Le cycle est le temps nécessaire pour effectuer la tâche assignée.

Les bénéfices économiques de cette division du travail en travaux spécialisés ont été décrits et appliqués depuis au moins deux millénaires. Plus « proche » de nous, en 1436, les canaux de Venise étaient une chaîne de montage flottante pouvant charger 10 galions en seulement 6 heures. Il y a plus de 200 ans, l'économiste Adam Smith décrivait une petite fabrique où 10 fabricants d'épingles pouvaient produire collectivement 48 000 épingles par jour en effectuant des taches spécialisées telles que l'affilage ou le polissage de ces épingles. Adam Smith précisait que si ces 10 personnes travaillaient seules, elles ne produiraient ensemble pas plus de 200 épingles par jour[59].

Pourquoi la spécialisation des emplois augmente-t-elle l'efficacité du travail ? L'une des raisons est que les employés jonglent avec peu de tâches à la fois et perdent ainsi moins de temps à passer d'une activité à une autre. Ils ont également besoin de moins d'habiletés physiques et mentales pour effectuer le travail donné, qui nécessite ainsi peu de temps, de ressources et de formation. Une troisième raison est que l'employé qui effectue ces mêmes tâches fréquemment, maîtrise son travail plus rapidement. Enfin, l'efficacité du travail augmente, car les employés qui ont des aptitudes et des habiletés particulières peuvent être assignés précisément au travail qui leur correspond le mieux[60].

**organisation
scientifique
du travail**
Division du travail
en ses plus petits
éléments standar-
disés pour atteindre
un rendement élevé.

L'organisation scientifique du travail   Nous l'avons vu en détail au premier chapitre, l'un des défenseurs les plus influents de la spécialisation des tâches et de la division du travail était Frederick Winslow Taylor. Cet ingénieur industriel a énoncé les principes de l'**organisation scientifique du travail** au début du XXᵉ siècle[61]. Elle consiste à diviser le travail en ses plus petits éléments standardisés pour atteindre un rendement élevé.

Selon Taylor, les entreprises les plus efficaces utilisent des procédures et des normes de travail détaillées ; leur élaboration est confiée aux ingénieurs, l'application aux superviseurs et l'exécution aux employés. Même les tâches des superviseurs doivent être divisées : une personne doit gérer l'efficacité des opérations, une autre doit se charger de l'inspection et une troisième, de la discipline. Grâce à l'organisation scientifique du travail, Taylor a aussi popularisé de nombreuses pratiques organisationnelles couramment utilisées encore de nos jours, telles que la définition d'objectifs, la formation du personnel et les systèmes de récompenses.

Il est évident que l'organisation scientifique du travail améliore l'efficacité dans de nombreux contextes professionnels. L'une des premières interventions de Taylor s'est déroulée dans une usine de roulement à billes où 120 femmes travaillaient chacune 55 heures par semaine. Grâce à la division des tâches et à l'analyse du travail, Taylor a réussi à augmenter la production de deux tiers à l'aide d'une main-d'œuvre de 35 femmes travaillant moins de 45 heures par semaine, tout en permettant de doubler le salaire des employées. Une partie de cette meilleure productivité peut sans doute être attribuée à une meilleure formation, à une définition précise des objectifs et à des stimulants monétaires récompensant la performance.

Les problèmes de la division du travail   La division du travail a souvent connu le succès, mais elle n'améliore pas toujours la performance professionnelle, en raison de ses effets sur les attitudes et la motivation des travailleurs[62]. Certains travaux — la tâche d'insertion de composants de Cindy Vang, par exemple — sont si spécialisés qu'ils sont ennuyeux, sans intérêt, et qu'ils isolent socialement le salarié qui ne voit qu'une partie du processus de travail. La spécialisation des tâches devait permettre aux entreprises d'employer une main-d'œuvre bon marché et non qualifiée. Mais maintenant, bon nombre d'entre elles doivent proposer (du moins dans les pays industrialisés) des salaires plus élevés — parfois appelés « salaires de mécontentement » — pour compenser l'insatisfaction liée à des emplois étroitement définis[63]. La division du travail coûte également plus cher du fait de la rotation plus élevée du personnel, de l'absentéisme, des sabotages et des troubles psychologiques qu'elle entraîne. Comme le précise un observateur d'une chaîne de montage automobile : « Souvent, le personnel ne connaît pas le lien entre sa tâche et le travail final. Dans ces conditions, il n'existe aucune motivation à atteindre une qualité élevée. La notion de qualité n'a même aucune signification puisqu'elle se rapporte à une console dont le travailleur ignore la fonction[64]. »

Ces dysfonctions de la division du travail montrent clairement qu'il faut se tourner vers d'autres façons de concevoir le travail pour satisfaire les besoins de la main-d'œuvre et de l'organisation, dans le sens d'une plus grande motivation. Herzberg, que nous avons vu au chapitre précédent, a pavé la voie dans les années 1960. À partir de son travail, d'autres chercheurs ont proposé dans les années 1980 une façon de rendre les postes plus motivants par leur modèle très pratique dit des *caractéristiques du poste*.

La conception des postes et la motivation

Le modèle des caractéristiques d'un poste motivant   Les ingénieurs industriels comme Taylor ont peut-être ignoré les effets motivationnels des caractéristiques des postes, mais ces effets sont désormais le centre d'intérêt de nombreux changements dans le domaine de la conception des tâches. Rappelons-nous que Frederick Herzberg, avec sa théorie bifactorielle de la motivation[65], postulait que les membres du personnel sont satisfaits de leur emploi seulement lorsque leurs besoins de croissance et de considération (appelés « motivateurs ») sont comblés. Et seules certaines caractéristiques de leur poste permettent cela, alors que les facteurs liés à leur environnement de travail leur évitent tout au plus le mécontentement, et ont peu d'effets sur la performance.

Peu de recherches ont étayé la théorie bifactorielle de la motivation. Toutefois, les hypothèses de Frederick Herzberg ont permis l'émergence de nouvelles idées relativement au potentiel motivationnel du poste de travail lui-même[66]. C'est ainsi que le **modèle des caractéristiques du poste,** de Hackman et Oldham, a vu le jour (*voir la figure 7.2 à la page suivante*)[67]. Ce modèle distingue cinq dimensions fondamentales d'un poste qui engendrent trois états psychologiques, lesquels donnent naissance à leur tour à des niveaux plus élevés de motivation, de satisfaction au travail (surtout un contentement dû à la nature même du travail) et d'efficacité.

modèle des caractéristiques du poste
Modèle de conception des postes visant à augmenter à la fois la motivation de leurs titulaires et l'efficacité de l'organisation.

Modèle des
caractéristiques
du poste

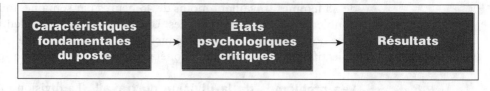

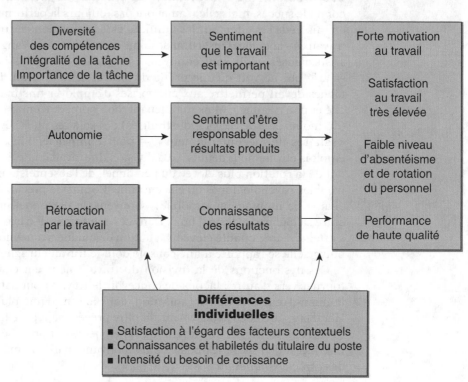

Source : J.R. Hackman et G. Oldman, *Work Redesign*, Reading, Massachusetts, Addison-Wesley, 1980, p. 90.
Publié avec l'autorisation des auteurs.

**diversité des
compétences**

Cette caractéristique
du poste, quand elle
est présente, décrit
l'éventail des compé-
tences et des talents
du titulaire du poste
nécessaires à l'exé-
cution de son travail.

Les caractéristiques fondamentales d'un poste

Selon le modèle, un poste possède cinq caractéristiques fondamentales (*voir à
gauche de la figure 7.2*). Dans de bonnes conditions, le personnel est plus motivé et
satisfait lorsque les postes possèdent ces caractéristiques à un niveau élevé.

■ *La diversité des compétences*   La **diversité des compétences** fait référence à
l'utilisation effective et fréquente des différentes compétences du titulaire du
poste. Par exemple, des vendeurs limités à servir des clients, en modifiant leur poste,
pourraient effectuer d'autres tâches faisant appel à d'autres habiletés comme garnir les étagères, changer la vitrine ou participer à la commande du produit.

**intégralité
de la tâche**

Mesure dans laquelle
un employé a la pos-
sibilité d'effectuer
une tâche significa-
tive complète, du
début à la fin, avec
un résultat évident.

■ *L'intégralité de la tâche*   L'**intégralité de la tâche** détermine la mesure dans
laquelle un employé a la possibilité d'effectuer une tâche significative complète,
intégralement, du début à la fin, avec un résultat évident. L'employé qui effectue
un travail du début à la fin, ou en participant à plusieurs étapes du processus visé,
comprendra mieux son travail que s'il n'en faisait qu'une petite partie. Un employé

CHAPITRE **7** La motivation par les rétributions et l'organisation du travail **317**

qui assemble un modem entier plutôt que de souder uniquement les circuits électroniques acquerra un plus grand sentiment d'appropriation du produit final.

■ *L'importance de la tâche* **L'importance de la tâche** est le degré auquel le travail a un effet substantiel sur l'organisation ou, dans un sens plus large, sur la société. Les cadres de Medtronic, par exemple, sont conscients que Cindy Vang (mentionnée plus tôt) et de nombreux autres employés effectuent peu de tâches variées. En conséquence, ces employés ont droit à des sessions spéciales durant lesquelles des patients viennent témoigner de leur vécu, ce qui confirme la valeur de leur tâche. « Les patients qui se présentent seraient morts sans nous », explique un superviseur de la production à Medtronic. Ce n'est donc pas une surprise que 86 % des membres du personnel de cette entreprise déclarent que leur travail a une signification particulière et que 94 % sont fiers de ce qu'ils font[67].

■ *L'autonomie* Les postes à haut niveau d'**autonomie** donnent à l'individu la liberté, l'indépendance et le choix d'organiser son travail et de déterminer les procédures permettant de l'exécuter. Lorsqu'ils sont autonomes, les employés prennent leurs propres décisions au lieu de se fier à des instructions détaillées provenant de leurs supérieurs ou des manuels du service des procédés et méthodes.

■ *La rétroaction par le travail* Il y a deux types de rétroaction : celle qui vient d'autres personnes que l'employé (supérieur, etc.) et la rétroaction qui découle des résultats directs et visibles de son travail. Les auteurs du modèle décrit ici privilégient la **rétroaction par le travail,** car elle est directe, objective et rapide. Les pilotes d'avion savent immédiatement s'ils ont bien atterri, et les chirurgiens savent si leurs opérations ont amélioré la santé des patients. Certaines recherches suggèrent que la rétroaction par les tâches mêmes influence considérablement la réduction de l'ambiguïté des rôles et sur l'amélioration de la satisfaction au travail[68].

Les états psychologiques critiques

Les cinq caractéristiques fondamentales du poste influencent la motivation et la satisfaction du personnel à travers trois états psychologiques critiques[69]. Si elles sont présentes à un haut degré, la variété des compétences, l'intégrité et l'importance de la tâche contribuent directement au sentiment que le travail est utile et a un sens.

La motivation, la satisfaction et la performance des employés augmentent lorsqu'ils se sentent personnellement responsables des résultats de leurs efforts. L'autonomie contribue directement à ce sentiment de responsabilité. Le troisième état psychologique critique est la connaissance des résultats. Le personnel souhaite obtenir de l'information sur les conséquences de ses efforts au travail. La connaissance des résultats peut provenir de collègues, de superviseurs ou de clients. Mais le modèle présenté ici, nous l'avons vu, met surtout l'accent sur la connaissance des résultats fournie par l'exécution même du travail.

Les différences individuelles

La restructuration des postes n'accroît pas automatiquement la motivation de tous les employés dans tous les cas. Le processus est conditionné d'abord par le fait que le personnel doit disposer des compétences nécessaires pour maîtriser des tâches nouvelles ou plus difficiles. Sinon, la restructuration du travail tend à

importance de la tâche
Degré auquel le travail a un effet substantiel sur l'organisation ou, dans un sens plus large, sur la société.

autonomie
Degré de liberté, d'initiative et d'indépendance dont dispose un employé dans son poste pour organiser son travail et déterminer les procédures lui permettant de l'accomplir.

rétroaction par le travail
Degré auquel l'accomplissement même des tâches fournit une indication claire et directe de la performance de l'individu.

augmenter le stress et à réduire la performance professionnelle. Une deuxième condition pour que la restructuration des postes influence la motivation est que le personnel doit être raisonnablement satisfait de son environnement de travail (c'est-à-dire des conditions de travail, de la sécurité d'emploi et des salaires). Une troisième condition est que le personnel doit manifester un fort besoin de croissance. Sinon, l'amélioration des caractéristiques fondamentales d'un emploi aura peu d'effet sur les personnes seulement centrées sur leurs besoins de subsistance et relationnels[70].

Dans le prolongement de leurs travaux, Hackman et Oldham ont établi une façon pratique et relativement facile de diagnostiquer le potentiel de motivation d'un poste. Ils nomment leur méthode « l'enquête en vue du diagnostic du poste (EDP) », où ils se servent principalement d'un questionnaire avec une échelle de Likert graduée de 1 à 7, où la personne est invitée à se prononcer sur le degré de présence de chacune des cinq caractéristiques fondamentales dans son poste de travail. D'autres analystes peuvent aussi remplir ce questionnaire. La formule qui suit permet de calculer ce que les auteurs appellent « l'indice potentiel de motivation (IPM) ».

$$IPM = \frac{\text{diversité des compétences} + \text{intégralité de la tâche} + \text{importance de la tâche}}{3} \times \text{autonomie} \times \text{rétroaction}$$

La formule IPM est la somme des scores obtenus pour la diversité des compétences, l'intégralité et l'importance de la tâche, laquelle somme est ensuite divisée par 3 ; le total obtenu est multiplié par les scores de l'autonomie et de la rétroaction. Ces deux caractéristiques sont multiplicatives pour souligner leur importance quant à leur pouvoir de susciter une forte motivation intérieure.

D'autres méthodes de conception des postes motivants

Nous avons vu dans le modèle des caractéristiques du poste que l'on pouvait agir sur la diversité des compétences et l'autonomie pour accroître le potentiel d'un poste à motiver son titulaire. Concrètement, dans le cas de la variété des compétences, on y parvient par deux autres modifications aux postes : la rotation des postes et l'élargissement des tâches. Quant à l'autonomie, l'enrichissement des tâches est une autre modification du poste propre à la susciter.

rotation des postes
Méthode consistant à déplacer les employés d'un poste à un autre.

La rotation des postes   La **rotation des postes** est la méthode consistant à déplacer les employés d'un poste à un autre. Il n'est pas nécessaire d'être une grande entreprise pour l'appliquer. Par exemple, c'est ce qu'a fait avec succès le petit commerce Opticien Albert, à Ottawa, en tête de liste du prix du consommateur dans sa catégorie. Cela n'explique pas tout son succès, mais aux dires des employés interviewés, leur motivation est au beau fixe. Ainsi, tous les employés peuvent tour à tour choisir d'occuper le poste de styliste (les employés faisant directement affaire avec les clients pour leurs lunettes et leurs lentilles), de technicien au laboratoire, d'acheteur de montures, de comptable (petites opérations). Pour un aperçu des notions suivantes, mentionnons qu'en ce qui concerne l'élargissement du poste, les employés sont aussi affectés à la disposition de la marchandise sur les étagères et à l'inventaire. Une partie de l'enrichissement des tâches est comblée quand le styliste suit le même client du début à la fin du service. Évidemment, seuls les actes relevant de la Corporation des opticiens ne sont pas partagés.

Chez Opticien Albert, petit commerce installé à Ottawa, les employés font de la rotation de postes, ce qui les satisfait pleinement. Ils sont tour à tour stylistes, techniciens de laboratoire, acheteurs et comptables pour les opérations courantes. Ce commerce figurait en tête de liste en 2006 pour le prix du consommateur dans sa catégorie.

La rotation des postes implique que les employés effectuent les différentes tâches des divers postes à tour de rôle au cours de la journée ou de la semaine.

L'affectation du personnel à différents postes permet de réduire l'ennui au travail. Toutefois, la plupart des organisations conçoivent de telles tâches surtout pour former une main-d'œuvre souple. La rotation fournit au personnel une polyvalence des compétences lui permettant de pouvoir changer d'activité facilement, en fonction des besoins et de la demande. Par exemple, les bibliothécaires de l'Université de Ryerson ont dû faire face à des compressions de personnel et à des augmentations de la charge de travail. Ils se sont donc réorganisés en transformant leurs postes spécialisés en des postes plus génériques, et ils ont mis en place un système de rotation entre quatre domaines de travail[71]. Une troisième raison justifiant la mise en place d'une rotation des postes est de réduire les risques de blessures musculaires liées à des mouvements répétitifs. Carrier Corp. a utilisé la rotation des postes pour cette raison. Ce fabricant de climatiseurs a déterminé des postes complémentaires afin que le personnel change d'activités et utilise différents muscles, et ce, dans le but de réduire les risques de blessures physiques[72].

élargissement des tâches

Augmentation du nombre de tâches qu'effectue le personnel dans son travail.

L'élargissement des tâches   Plutôt que d'effectuer une rotation du personnel à différents postes, l'**élargissement des tâches** consiste à combiner plusieurs tâches au sein d'un même poste. Cette méthode peut nécessiter la combinaison de plusieurs postes complets en un seul ou l'ajout d'une ou de plusieurs tâches à un poste existant. Cela exigera donc une plus grande variété des compétences pour le poste (à condition que les tâches soient un tant soit peu différentes). Le personnel de bord de WestJet, par exemple, a utilisé cette stratégie afin d'effectuer des tâches variées plutôt que des tâches définies étroitement comme chez le concurrent Air Canada. Ainsi les agents de bord peuvent travailler à la réservation des sièges et les pilotes mettent la main à la pâte pour nettoyer l'avion entre deux vols.

Le domaine du journalisme vidéo offre un exemple récent d'élargissement des tâches. Comme l'illustre la figure 7.3 à la page suivante, une équipe de journalistes traditionnelle est constituée d'un caméraman, d'un spécialiste du son et de l'éclairage et d'un journaliste qui rédige et présente l'information. Un journaliste effectue maintenant seul toutes ces tâches, comme c'est le cas à CBET (filiale de Radio-Canada à Windsor, en Ontario), à CBC Newsworld et à CNN. « CNN récompensera toujours les capacités exceptionnelles, mais plus un journaliste sera polyvalent, plus le News Group pourra lui offrir de possibilités[73]. »

L'élargissement des tâches améliore considérablement l'efficacité et la souplesse du travail. Pourtant, des recherches suggèrent que le seul fait d'attribuer davantage de tâches au personnel n'influence pas sa motivation (au contraire, il peut se sentir trop surchargé), sa performance ou sa satisfaction au travail. Ces bénéfices sont uniquement obtenus lorsque la variété des compétences est combinée à l'augmentation de l'autonomie et des compétences, ce que l'on trouve dans l'enrichissement des tâches[74].

Élargissement
des tâches en
journalisme vidéo

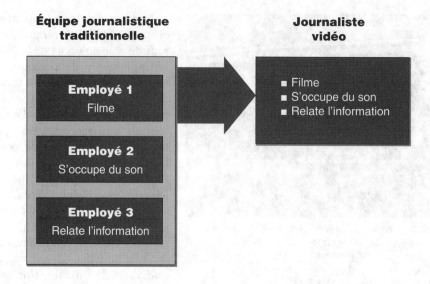

**enrichissement
des tâches**

Responsabilité
accrue, pour
l'employé, en ce qui
concerne la planifi-
cation, la coordina-
tion et l'organisation
de son propre travail.

L'enrichissement des tâches   Il y a **enrichissement des tâches** lorsque le personnel acquiert plus de responsabilité en ce qui concerne la planification, la coordination et l'organisation de son propre travail. L'adoption avec succès de cette méthode, dans les années 1960, par des entreprises telles que Texas Instruments ou AT&T, a popularisé son emploi par la suite. Généralement, cette méthode permet d'augmenter la motivation et la satisfaction au travail, la réduction de l'absentéisme et du roulement du personnel. Produits et services de qualité augmentent également chez l'individu responsabilisé et bénéficiant d'une rétroaction pertinente[75]. Il existe plusieurs façons de procéder à un enrichissement du poste, outre l'attribution d'un produit complet et la rétroaction directe, caractéristiques que nous avons déjà vues dans le modèle des caractéristiques du poste : regrouper des tâches en groupes naturels, établir des relations avec les clients et programmer son propre travail.

Regrouper des tâches en groupes naturels signifie rassembler des tâches hautement interdépendantes en un seul poste. Un exemple de formation d'une unité de travail naturelle serait d'assembler un modem entier plutôt que certains de ses composants. Le poste de journaliste vidéo a été décrit plus tôt comme exemple d'élargissement des tâches, car il combine plusieurs tâches. Cet exemple illustre également l'enrichissement des tâches, car le journalisme vidéo regroupe naturellement des activités permettant d'élaborer un produit complet (c'est-à-dire une séquence vidéo d'information). En créant des unités de travail naturelles, le titulaire du poste se sent davantage responsable d'un travail complet, intégral. Il sent du même coup que son poste est plus important.

Une deuxième stratégie d'enrichissement des tâches est l'établissement de relations avec les clients. Cette stratégie signifie que les membres du personnel sont mis directement en contact avec les clients plutôt que d'avoir recours à des intermédiaires comme le chef. L'élément clé est la communication directe avec les clients, qui deviennent une source fiable de rétroaction[76]. Nova Scotia Power applique cette forme d'enrichissement des tâches dans ses divisions rurales. Auparavant, les tâches qui consistaient à installer et à désinstaller un service, à relever les compteurs et à recouvrer les paiements en retard étaient attribuées à différents postes. Désormais, un seul employé effectue toutes ces tâches pour un même client et travaille directement avec celui-ci. En étant personnellement responsables de certains clients, les employés reçoivent davantage d'information et peuvent prendre des décisions pertinentes[77].

Une troisième stratégie consiste à laisser aux employés la liberté d'organiser leur propre travail. Ils peuvent, par exemple, déterminer eux-mêmes les séquences de travail, leurs propres horaires. Dans la majorité des enquêtes des dernières années, la présence d'une politique d'horaires flexibles propres à faciliter le temps de travail et le temps personnel arrive dans les premières places comme facteur de satisfaction des employés. Nous y reviendrons plus loin.

Des recherches semblent indiquer que de telles interventions d'enrichissement des tâches sont généralement efficaces[78].

La création de groupes de tâches naturels et l'établissement de relations avec les clients sont des manières courantes d'enrichir les tâches, nous l'avons vu. Cependant, le noyau de la philosophie de l'enrichissement des tâches consiste à favoriser l'autonomie dans le travail. Cette idée fondamentale s'est développée surtout avec le courant dit sociotechnique des années 1950, qui a révolutionné l'organisation du travail par ses prolongements pratiques contemporains, en intégrant à l'aspect humain de la motivation une variable oubliée jusque-là : la technologie.

L'organisation du travail et la technologie

Deux méthodes liées à la présence ou à l'introduction de nouvelles technologies obligent à repenser l'organisation du travail en fonction de l'efficacité de ces technologies et de l'aspect humain : l'approche sociotechnique et la gestion par processus.

approche socio-technique des organisations
Optimisation conjointe des systèmes sociaux et techniques de l'entreprise par la création de petites équipes autonomes et polyvalentes et un aménagement des processus de travail propre à favoriser cette synergie.

L'approche sociotechnique : les besoins technologiques et humains réconciliés Comment les entreprises mettent-elles en place des équipes de travail autonomes, motivées et efficaces dans un contexte où la technologie est omniprésente ? Pour répondre à cette question, il faut revenir à l'**approche sociotechnique des organisations,** inspiratrice des pratiques actuelles de la formation d'équipes de travail autonomes, motivées et polyvalentes appliquant diverses technologies. L'approche sociotechnique des organisations a été établie au cours des années 1950 à l'institut britannique Tavistock, où Eric Trist, Fred Emery et leurs collègues étudiaient les effets de la technologie sur les activités charbonnières au Royaume-Uni[79].

Les chercheurs de Tavistock ont constaté que la nouvelle technologie pour extraire le charbon (appelée « méthode des longs fronts de taille », *longwall*) entraînait des rendements médiocres, alors qu'on en espérait l'inverse (*voir l'encadré 7.5 à la page suivante*).

L'analyse des causes du problème a mené les chercheurs à exprimer l'idée que les organisations avaient besoin d'une « optimisation conjointe » de leurs systèmes sociaux et techniques. En d'autres termes, la technologie doit être introduite de manière à créer la meilleure intégration possible entre l'aspect social (humain) et la technologie. De plus, le groupe Tavistock a conclu que, pour ce faire, il fallait créer des équipes suffisamment autonomes pour pouvoir contrôler les principales « variations » du système. Ainsi, l'équipe doit contrôler les facteurs ayant le plus d'effets sur la qualité, la quantité et le coût du produit ou du service. À partir de l'approche sociotechnique des organisations, il est possible de dégager quatre conditions principales pour que des équipes de travail autonomes soient hautement performantes (*voir la figure 7.4 à la page 323*)[80].

Les longs fronts de taille dans l'extraction du charbon (Trist et Bamforth, 1951)

Trist et Bamforth, de l'école sociotechnique anglaise, ont attiré l'attention sur les conséquences économiques, sociales et psychologiques d'un modèle d'organisation relevant du taylorisme. Le mode de travail traditionnel dans la mine était le suivant : de petits groupes stables de trois à cinq personnes exploitaient chacun une portion de front de taille relativement courte, en extrayant le charbon manuellement. Ces petits groupes s'auto-organisaient et passaient des contrats avec la direction. Après la guerre, quand les directions se sont avisées de mécaniser la production, espérant ainsi augmenter la productivité, elles ont modifié du même coup l'organisation du travail. Les machines permettaient d'attaquer de longs fronts de taille et des équipes d'environ quarante personnes ont été formées. Les résultats furent médiocres. Les mineurs éprouvèrent de grandes difficultés morales dans cette nouvelle organisation. L'individualisme, l'absentéisme et les conflits se développèrent. On comprit alors que l'ancienne organisation avait des vertus psychologiques importantes. La cohésion du petit groupe permettait aussi d'échapper à l'anonymat d'une grande collectivité. Leur autonomie de manœuvre leur laissait la possibilité d'adapter leur rythme de travail aux conditions existantes et à leur fatigue du moment. Enfin, le petit groupe menait une tâche de A à Z, alors que les roulements établis dans la nouvelle organisation conduisaient les mineurs à effectuer des morceaux de tâche. Ayant perdu tous ces avantages, les mineurs s'étaient retrouvés sans moyens d'atténuer les désagréments d'un travail très dur. Ensuite, des innovations organisationnelles ont permis de revenir à des équipes de plus petite taille, plus autonomes et plus polyvalentes, ce qui a accru la variété des tâches et la solidarité entre mineurs. D'où des résultats meilleurs tant sur le plan de la satisfaction que sur celui de la productivité.

Source : F. Alexandre-Bailly et coll., *Comportements humains et management,* Pearson Éducation, 2003, p. 350[81].

L'équipe de travail autonome est la cellule de travail principale L'approche sociotechnique des organisations suggère qu'une équipe de travail autonome fonctionne mieux lorsqu'elle effectue un processus complet de travail (notion d'intégralité de la tâche déjà vue dans les caractéristiques des postes). De plus, cela permet à l'équipe d'être suffisamment indépendante des autres équipes de travail pour pouvoir apporter des corrections sans qu'elles se gênent mutuellement[82].

L'équipe de travail autonome fonctionne par autorégulation collective
L'approche sociotechnique des organisations prévoit une structure basée sur l'équipe possédant suffisamment d'autonomie pour gérer le processus de travail entier, ou comme disent les experts dans ce domaine, un fonctionnement d'**autorégulation collective** (autrement dit, la capacité de se gérer). Ainsi, l'équipe peut déterminer la répartition et la coordination du travail entre ses membres. Cette condition fournit à l'équipe de travail autonome la liberté de répondre de façon plus rapide et efficace à son environnement. Elle motive aussi les membres de l'équipe en leur donnant un sentiment de liberté et de responsabilisation.

L'équipe de travail autonome contrôle les « variations clés » L'approche sociotechnique des organisations implique que les équipes de travail autonomes hautement performantes contrôlent les « variations clés » dans le travail, c'est-à-dire les perturbations ou les interruptions se produisant lors de l'accomplissement des tâches. Par exemple, à l'usine de Kraft General Foods de Ville de Mont-Royal, les opérateurs sont totalement responsables du mélange des ingrédients dans la préparation d'une vinaigrette, par exemple. Ils ont la possibilité d'arrêter le processus de mélange en cas de variation dans la formule de fabrication et de solutionner eux-mêmes le problème. En contrôlant ces facteurs, les

autorégulation collective
Structure d'équipe au sein de laquelle les membres disposent de suffisamment d'autonomie pour gérer le processus de travail entier.

FIGURE **7.4**

Caractéristiques
des équipes
de travail
autonomes (ETA)
dans un système
sociotechnique

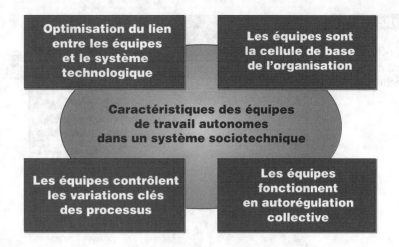

équipes de travail autonomes gèrent la quantité et la qualité des extrants du processus de travail. En revanche, l'approche sociotechnique des organisations fournit peu d'avantages lorsque la performance est principalement attribuable à la technologie ou à d'autres facteurs que l'équipe ne contrôle pas.

**optimisation
conjointe**
Équilibre entre
l'aspect social et
l'aspect technique
d'un système afin
d'optimiser l'effica-
cité du processus
de travail.

Les équipes de travail autonomes fonctionnent dans un cadre d'optimisation conjointe L'**optimisation conjointe** est l'équilibre entre l'aspect social et l'aspect technique d'un système pour une plus grande efficacité dans le processus de travail. Cette notion est sans doute l'élément le plus important de l'approche sociotechnique des organisations[83]. En effet, les exigences en matière de production et de la dynamique sociale doivent être compatibles. Le système sociotechnique nécessite particulièrement des caractéristiques propres à encourager ou à soutenir la dynamique d'équipe, comme l'enrichissement des tâches, la rétroaction constructive et bien sûr l'autonomie.

L'idée d'optimisation conjointe était une notion plutôt radicale dans les années 1950. À l'époque, on considérait habituellement que la technologie ne pouvait être implantée sur les lieux de travail que d'une seule manière et que les emplois devaient être conçus uniquement autour d'une structure inspirée du taylorisme. L'approche sociotechnique moderne des organisations, au contraire, suggère que les entreprises disposent d'une latitude considérable pour introduire la technologie. Selon cette théorie, la technologie est généralement assez souple pour soutenir une structure basée sur des équipes semi-autonomes.

La figure 7.5, à la page suivante, montre les trois facteurs dont il faut tenir compte pour mettre en œuvre une approche sociotechnique : le système humain, le système technique et les variables dites modératrices, c'est-à-dire celles qui conditionnent le succès d'une telle approche. Dans le système social, on trouve des facteurs qui commencent à être familiers ou que nous verrons en détail dans les chapitres ultérieurs. Ces variables mettent l'accent sur les individus et surtout sur les groupes de travail, leurs attitudes et leur application à l'ouvrage (*voir aussi les chapitres 8 et 9* sur les groupes et les équipes). Le rôle de la supervision est à examiner de près (Faut-il garder les superviseurs ? Quelles tâches devraient-ils accomplir dans ce nouveau contexte ? etc.). La culture facilite-t-elle une nouvelle organisation du travail fondée sur la coopération et l'autonomie ? Les autres politiques de l'organisation (rémunération, ressources, etc.) vont-elles également dans ce sens ?

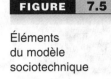

FIGURE   7.5

Éléments
du modèle
sociotechnique

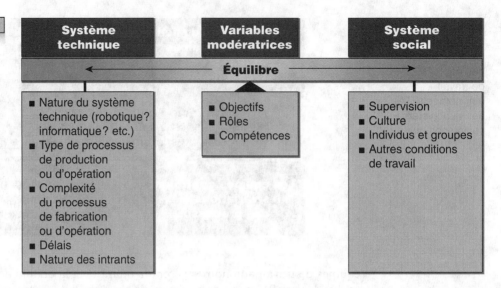

Dans le système technique, on doit considérer des facteurs qui lui sont propres et faire des choix en termes d'efficacité et de ses effets sur la satisfaction de la main-d'œuvre : le type de processus de production (travail à la chaîne ? à la pièce ? artisanal ?) et sa complexité, les aspects physiques du lieu de travail (luminosité, bruit, etc.), la nature des matières premières (ou tout autre type d'intrants) et les délais permis par le processus de production ou de distribution des services. Une remarque ici : l'approche sociotechnique se prête mieux à l'application lorsque de nouvelles usines sont construites. On peut alors concevoir plus facilement les aménagements prévus dans cette approche.

Enfin, les variables modératrices conditionnent le succès de tout ce modèle, notamment une main-d'œuvre qualifiée et compétente, la compatibilité des objectifs des groupes avec les stratégies et les politiques de l'entreprise, et la répartition de rôles produisant les comportements attendus.

De nombreuses organisations, en Europe et en Amérique du Nord, ont appliqué, il y a quelques années et récemment, des programmes inspirés par le système sociotechnique, notamment General Foods, GM, Volvo, Canon et, plus près de nous, Lingerie Claudel à Montréal et GE à Bromont, Shell Canada, Pratt & Whitney Canada, Nortel Networks et plusieurs autres organisations canadiennes[84]. L'objectif est de mettre en place un environnement mieux adapté au travail en équipe et au type de technologie visé. Pour certaines des entreprises précitées ainsi que pour d'autres, l'approche sociotechnique des organisations a permis d'améliorer la qualité des produits et d'obtenir une plus grande satisfaction de la main-d'œuvre. Malheureusement, selon Statistique Canada, moins de 10 % des firmes canadiennes ont utilisé les équipes de travail autonomes selon l'approche sociotechnique, pourtant porteuse de progrès. Par exemple, Canon, il y a près d'une décennie, introduisit l'approche sociotechnique dans ses 29 usines. La compagnie de caméras et de photocopieurs déclarait qu'une équipe d'une demi-douzaine d'employés pouvait produire autant d'éléments que 30 employés travaillant dans les conditions précédant ce changement[85].

Malgré sa réussite durable, l'approche sociotechnique des organisations n'est pas toujours facile à mettre en œuvre. Mais l'usine Volvo d'Uddevalla, en Suède, a peut-être montré le chemin[86]. Dans cette usine, des postes de travail fixes avaient remplacé la chaîne de montage traditionnelle. À l'intérieur de ces postes, chaque équipe comptait environ 20 employés qui assemblaient et installaient les composants sur un châssis d'automobile inachevé. L'éclairage y était naturel et l'architecture des parties de l'usine permettait les contacts sociaux entre ouvriers. Les tâches étaient interchangeables et les salariés fixaient eux-mêmes leur rythme de production, toutefois à l'aide d'un ordinateur qui leur fournissait une rétroaction immédiate portant sur leur efficacité. La supervision était quasi inexistante. Cette structure a engendré un fort esprit d'équipe. Toutefois, la productivité était parmi les plus basses de l'industrie automobile, car l'aspect technologique n'était pas assez souple (il faut 50 heures pour produire une automobile à Uddevalla, 25 heures dans une usine Volvo traditionnelle et 13 heures dans une usine Toyota). La chaîne de montage de Uddevalla a fermé ses portes en 1993 et les a réouvertes deux ans plus tard, toujours avec un personnel très qualifié, mais cette fois avec un système de production à la japonaise.

Une autre forme moderne d'organisation du travail liée à la technologie est la gestion par processus.

gestion par processus
Mode d'organisation du travail visant l'optimisation des activités de production et l'augmentation de la motivation des employés.

La gestion par processus   Un autre mode d'organisation récent est la **gestion par processus,** expérimentée aux États-Unis et dans une dizaine de pays européens. C'est un mélange de *lean management* et d'amélioration continue. Le principe est de réduire les cycles de production, en éliminant les activités qui n'apportent pas de valeur ajoutée, que ce soit dans les usines ou dans les bureaux. L'objectif est de faire en sorte que de 60 % à 70 % du temps consacré soit vraiment utile. Cela se traduit d'abord par une optimisation des lignes de production et une réduction des stocks. La fabrication se gère en flux tendus, en fonction des besoins des clients. Mais là encore, il s'agit de repenser l'organisation du travail, en passant d'une structure verticale, par silos, à un fonctionnement horizontal et transversal. Le changement est radical. Les services traditionnels (marketing, achats, etc.) et organisés sous forme pyramidale disparaissent au profit de l'organisation d'unités correspondant à des processus clés et centrés sur le client (réalisation des commandes, développement des produits, stratégies). Un chef dirige chacune des unités. Excepté pour les fonctions de soutien (juridiques, finances, informatiques), l'entreprise est organisée par équipes qui travaillent en espaces ouverts et qui sont composées d'un spécialiste du marketing, d'un expert en finance, d'un spécialiste de fabrication. Ils ont à leur tête un responsable de processus disposant d'un budget autonome et fixant lui-même ses objectifs. Cela permet d'aborder tous les problèmes en même temps et de limiter les risques d'erreurs. Expérimentée chez American Standard, au début des années 1990, par Emmanuel Kampouris, en 10 ans, cette méthode a donné des résultats stupéfiants : pour concevoir un simple robinet, les matériaux parcouraient trois kilomètres dans l'usine. En reconfigurant les lignes de production, ce cheminement se limite à 100 mètres. Côté bureaux, le traitement des commandes qui nécessitait 62 jours n'en prend plus que 22. En trois ans, American Standard a diminué ses coûts de 295 millions de dollars. Ce nouveau mode d'organisation nécessite un grand effort de communication. Il faut expliquer au directeur d'usine et aux cadres comment on veut travailler et comment cela fonctionne. Les résultats ne sont pas encore très connus mais chez American Standard ou General Electric, qui ont adopté ce processus, l'adhésion des travailleurs est forte parce qu'ils voient l'impact de leur travail sur l'entreprise, qu'ils ont plus de responsabilités, mais aussi et surtout plus d'autonomie[87].

Jusque-là, nous avons traité de participation et d'autonomie dans le cadre assez limitatif, il faut le dire, des postes de travail. Mais la littérature et les pratiques sur le terrain montrent que ces deux éléments et d'autres peuvent s'étendre à la vie entière de l'entreprise, ou à tout le moins, à un milieu qui dépasse de près ou de loin les tâches des employés. C'est dans cette optique qu'il faut mentionner les diverses modalités de participation des salariés à leur vie en entreprise ainsi que leur autonomie. Cette participation peut être modeste, ou aller jusqu'à la démocratie industrielle ou à la cogestion. Ces formules ont pu motiver et intéresser les employés à leur vie de travail (mais pas toujours). Aussi, sont-elles dignes de mention.

LA PARTICIPATION DES EMPLOYÉS À LA VIE DE LEUR ENTREPRISE

Essentiellement, nous traiterons ici de la participation des salariés aux décisions qui touchent leur travail, celui de leur équipe et plus généralement la vie de leur entreprise. Ce sujet n'est pas nouveau. Au XIXᵉ siècle, des patrons accordaient déjà aux travailleurs davantage d'initiative dans l'organisation de leur ouvrage. Dans les années 1950 se développe le mouvement de la direction par objectifs (MBO) donnant plus d'autonomie aux cadres pour atteindre les buts déterminés en grande partie par eux-mêmes. Likert étend cette participation à tous les acteurs de l'entreprise dans son fameux livre *New Patterns of Management*, écrit en 1961[88]. Mais ce concept a vraiment fait l'objet de théorisation systématique et d'applications pratiques avec le mouvement du développement organisationnel (DO) des années 1960 que nous avons vu au chapitre 1. Cette école de pensée fait de la participation et de l'autonomie des préalables à tout changement durable et productif des organisations. Dans la foulée des événements de contestation des années 1960, plusieurs entreprises européennes se laissent séduire par les expériences scandinaves dites de démocratisation industrielle et de qualité de vie au travail (nous avons vu, par exemple, les usines Volvo en Suède). D'ailleurs, dans la plupart des pays européens de l'époque, on a légiféré sur cette participation qui est devenue obligatoire, notamment dans la constitution des comités d'entreprises censés instaurer le dialogue entre salariés et employeurs. Ces comités disposaient d'une influence variant selon le pays et la force des syndicats. La notion de participation est très élastique : elle peut aller de la simple boîte à suggestions de l'employé à une codirection de l'entreprise (syndicat-patronat) comme on l'a vu dans les années 1980 dans les pays scandinaves. Il faut souligner l'approche de la Norvège dans ces années-là où le modèle sociotechnique et la démocratie industrielle ont connu des applications poussées. En 1977, la Norvège a adopté une loi visant à proscrire le travail aliénant et déshumanisant en améliorant les conditions de travail (la qualité de vie) permettant l'épanouissement physique et psychologique des travailleurs. Mais, en ce qui nous concerne ici, il faut noter que ce sont les travailleurs eux-mêmes qui étaient les maîtres d'œuvre de cette politique (donc faisant de l'autogestion et, dans une certaine mesure, de la cogestion). Syndicats, employeurs et gouvernements signaient des ententes (aux applications dûment surveillées) et libéraient des fonds visant en général à permettre au travailleur d'organiser son travail de manière autonome, de participer aux grandes décisions touchant l'entreprise et de favoriser la satisfaction de ses besoins de relations et de croissance.

Finalement, la participation des employés au processus décisionnel a-t-elle le pouvoir de les motiver ? Des études menées en Amérique du Nord, au Japon et en Suède sont unanimes sur ce point : toutes choses étant égales, les programmes de participation à la vie de l'entreprise influencent favorablement la productivité, la motivation et la citoyenneté organisationnelle des employés, et ce, quel que soit le type d'emploi[89]. Il faut préciser que, dans ces études, la participation porte sur le sentiment qu'elle influence significativement les décisions qui affectent le travail des individus ou la vie de l'organisation. Dans le cas contraire et dans celui où l'intensité de la participation était faible, le processus de consultation était jugé négativement[90]. Mais il est probable que la nature des postes et de l'organisation du travail affecte le recours à la participation et son efficacité. Par exemple, dans des tâches requérant peu d'interdépendance et où l'incertitude technique est basse (comme dans les chaînes de montage), la nécessité ou l'intensité de la participation sont limitées. C'est peut-être en partie la raison pour laquelle le Conference Board du Canada découvre que moins de 25 % des emplois dans les entreprises sujettes à son étude sont de type participatif[91].

L'autonomie dont dispose un employé pour effectuer son travail, à différents degrés, est un concept clé de tous ces programmes de restructuration des postes. La création d'équipes autonomes ou semi-autonomes (ou d'autres groupes jouissant d'une grande marge décisionnelle) en est une application concrète. Nous l'étudierons en détail au chapitre 9. Par ailleurs, ce mouvement vers la responsabilisation des employés s'est amplifié ces dernières années, en raison de l'éducation plus poussée de la main-d'œuvre, de ses exigences en matière de démocratie en milieu de travail et des moyens informatiques et de communication toujours plus sophistiqués. Aussi, nous verrons dans les prochaines sections, deux concepts et pratiques fondés sur la responsabilisation : l'autonomisation (*empowerment*) des employés et l'autogestion individuelle.

LES PRATIQUES D'AUTONOMISATION DU PERSONNEL

Clive Beddoe est le cofondateur de WestJet Airlines Ltd. Il a toujours souhaité créer une organisation au sein de laquelle le personnel aurait la liberté de servir les clients à leur guise plutôt que de suivre des règles strictes. Clive Beddoe explique que la plupart des autres compagnies aériennes dans le monde ont une mentalité militaire. « Cela se voit même dans les uniformes et leur comportement autocratique. Les employés doivent suivre exactement les instructions du manuel ainsi que les règlements. Bien que ces exigences soient nécessaires dans le poste de pilotage, ce n'est pas la meilleure manière d'agir dans le secteur du service à la clientèle. » Clive Beddoe souligne que WestJet fonctionne de façon totalement différente. « Nous responsabilisons notre personnel et l'encourageons à penser librement et à faire ce qu'il faut, de la manière qu'il estime la plus appropriée, pour résoudre les problèmes des clients[92]. »

Le succès de WestJet est partiellement dû au fait que l'entreprise responsabilise pleinement son personnel. L'**autonomisation** est un terme qui a été utilisé à tort et à travers dans les milieux académiques, et dont la définition ne fait pas encore l'objet d'un consensus. Mais on s'entend pour reconnaître les quatre caractéristiques suivantes de l'autonomisation : le pouvoir décisionnel de l'employé de résoudre les problèmes qui touchent son travail ; le sentiment de l'importance de son ouvrage ; la conviction qu'il a les talents pour accomplir ses tâches et grandir dans l'entreprise ; le sentiment que sa contribution a un impact significatif sur le succès et la vie de son organisation[93].

L'autonomisation englobe ces quatre dimensions. Si l'une de ces dimensions faiblit, le sentiment de responsabilisation de l'employé diminue d'autant. La compagnie

autonomisation
Concept selon lequel un employé qui reçoit de la direction un pouvoir décisionnel sent que son travail est important, qu'il a les compétences pour l'accomplir et contribue au succès de son organisation.

brésilienne Semco Corporation, s'adonnant à plusieurs activités dont les techno-logies de pointe, la gestion des ressources environnementales, pour n'en citer que quelques-unes, regroupe 3000 employés et génère 160 millions de dollars de reve-nus. Son président, Ricardo Semler, qui est un mystère pour les gourous de la ges-tion, applique le concept d'autonomisation des employés à son plus haut degré. Organisés en groupes de 6 à 10 personnes, les employés choisissent leurs objectifs tous les 6 mois, recrutent leurs collègues, travaillent leurs propres budgets, fixent leurs propres salaires, décident quand venir au travail, et sélectionnent même leurs chefs.

Comment favoriser l'autonomisation

Peut-être avez-vous déjà entendu des dirigeants dire qu'ils « responsabilisaient » leur personnel. Ce qu'ils veulent vraiment dire est qu'ils modifient l'environne-ment de travail afin d'encourager l'autonomisation des employés[94, 95]. Cela peut se faire sur plusieurs plans : celui de l'individu, du poste de travail et de l'organisa-tion. Au point de vue individuel, le personnel doit posséder les compétences nécessaires pour effectuer le travail et être capable de prendre des décisions cou-rageuses et responsables. Il faudra donc lui donner la formation et l'accompagne-ment (*coaching*) nécessaires[96].

La modification des postes, notamment dans le sens d'un enrichissement des tâches, ou des politiques favorisant la participation, comme nous l'avons vu dans les sections précédentes, favorisent nécessairement cette autonomisation[97].

Des facteurs organisationnels ont également une influence sur le sentiment de responsabilisation. D'abord, un employé se sent davantage responsabilisé dans une organisation où l'information et d'autres ressources sont facilement acces-sibles. Il a également ce sentiment dans une culture d'entreprise orientée vers l'apprentissage (*voir le chapitre 4*). Enfin, l'autonomisation nécessite surtout des leaders qui font confiance aux employés et qui sont prêts à prendre les risques qui en découlent. « Parfois vous vous brûlez en faisant confiance aux autres, admet Clive Beddoe, chef de la direction de WestJet, mais la plupart du temps, ce n'est pas le cas[98]. »

Lorsque sont réunies toutes ces conditions, l'autonomisation peut avoir des effets remarquables sur la motivation et la performance. Par exemple, une étude effectuée auprès du personnel bancaire canadien a conclu que l'autonomisation des employés améliore le service à la clientèle et tend à réduire les conflits entre les salariés et leurs chefs. Selon une autre étude, effectuée auprès du personnel infirmier canadien, la responsabilisation est associée à une plus grande confiance envers la direction. Cette confiance influence la satisfaction au travail, la confiance en l'organisation, l'acceptation de ses objectifs et de ses valeurs ainsi que l'engagement affectif envers elle[99].

Alain Bouchard, président et chef de la direction d'Alimentation Couche-Tard, mise sur la responsabilisation de son personnel pour gérer efficacement ses maga-sins. Il s'exprime à ce sujet dans l'encadré 7.6.

L'AUTOGESTION ET LA MOTIVATION

Nous avons mentionné WestJet Airlines plusieurs fois dans ce chapitre. En effet, cette entreprise illustre la façon d'améliorer la performance du personnel au moyen de récompenses, de conception des tâches et de pratiques de responsabilisation.

Parole de chef — Diriger par la responsabilisation du personnel

La structure organisationnelle est décentralisée. Chaque gérant de magasin, chaque directeur de région et chaque vice-président de division a toute la latitude voulue pour prendre les décisions, selon le contexte, dans les meilleurs intérêts de Couche-Tard.

Comme l'explique Alain Bouchard, les défis de gestion de Couche-Tard sont liés à la « décentralisation des opérations ». Mais ce ne sont pas seulement les opérations qui sont décentralisées, ce sont surtout les compétences et les différenciations des marchés, que l'on unit par la standardisation de certaines pratiques typiques de l'entreprise.

La décentralisation des compétences donne d'excellents résultats parce qu'elle est basée sur la confiance. Avant de donner des promotions à des gestionnaires qu'on a reconnus comme compétents, on les soumet à une sorte de formation en continu en leur confiant des responsabilités progressivement accrues. S'ils relèvent bien les défis qu'on leur propose, ils peuvent accéder à des postes supérieurs.

Toute la structure hiérarchique est donc composée de personnes qu'on sait compétentes, en qui on peut avoir pleinement confiance parce qu'elles sont bien au fait de l'approche Couche-Tard et qu'elles ont réussi à franchir le cap des différentes étapes de leur formation graduée de gestion.

« La plus grande faiblesse d'un gestionnaire, c'est de ne pas savoir bien s'entourer par crainte d'avoir des gens plus forts que lui dans certains domaines. »

Entrepreneur dans l'âme, Alain Bouchard a ouvert son premier dépanneur en 1980. Quelques années plus tard, il en avait 30. Aujourd'hui, Alimentation Couche-Tard est une société inscrite en Bourse et quelque 36 000 personnes travaillent dans les 4800 établissements de son réseau, au Canada et aux États-Unis. Et maintenant, l'entreprise vise la Chine.

André Forget, CP Photo

« Quand j'arrêterai de rêver, je vais donner ma place, parce que ce sera pour moi le signal que je suis dépassé, que ça prend quelqu'un d'autre qui va avoir d'autres rêves pour que Couche-Tard continue d'avancer. »

Source : Jacqueline Cardinal et Laurent Lapierre. « Diriger, c'est enseigner en allant voir », *La Presse Affaires*, lundi 20 juin 2005, p. 6.

---

autogestion personnelle

Processus par lequel l'employé travaille sur lui-même pour acquérir l'autonomie et la motivation nécessaires pour effectuer une tâche.

WestJet est également le symbole de la confiance en une autre pratique, en plein essor : l'**autogestion personnelle** ou l'autodétermination (*self-leadership*). « Ce qui m'est venu en tête, explique Clive Beddoe, chef de la direction de WestJet, est que nous devions surmonter la difficulté inhérente à la gestion du personnel en orientant celle-ci de telle manière que les gens puissent s'autodéterminer[100]. » Autrement dit, nous revenons en quelque sorte à l'importance de la motivation intrinsèque abordée au chapitre précédent, attribut que les dirigeants d'entreprise considèrent comme la particularité la plus importante chez leurs employés[101].

L'autogestion est le processus par lequel l'employé travaille sur lui-même pour acquérir l'autonomie et la motivation nécessaires pour effectuer une tâche. Ce concept a été abordé et développé surtout par Manz, Neck, Sacks et Sims vers la fin des années 1980[102]. Ce processus comprend des objectifs que l'on s'impose, un « autorenforcement », une pensée constructive et d'autres activités influençant la motivation et les comportements d'une personne. Alors que le personnel devient de plus en plus compétent à s'autogérer, il nécessite probablement moins de direction externe pour rester motivé et concentré sur les objectifs organisationnels.

Ce concept comprend un ensemble d'activités empruntées à la théorie de l'apprentissage social (*voir le chapitre 4*) et à la définition des objectifs (*voir le chapitre 6*). Il comporte également des processus de pensée constructive qui ont été fréquemment étudiés en psychologie sportive.

Bien qu'une véritable compréhension de la dynamique de l'autogestion n'en est qu'à ses débuts, la figure 7.6 présente les cinq principaux aspects de ce processus. Ces aspects, qui se suivent généralement (mais pas nécessairement) de façon séquentielle, incluent la définition d'objectifs personnels, des pensées constructives, la conception de récompenses naturelles, l'autocontrôle et l'autorenforcement[103].

FIGURE   7.6

Aspects de
l'autogestion

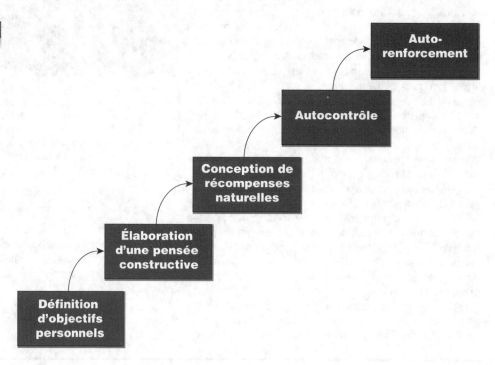

La définition d'objectifs personnels

La première étape de l'autogestion consiste à définir soi-même (et non le chef) des objectifs de travail, selon les principes abordés au chapitre 6 sur cette matière. Ainsi, les objectifs que l'on s'impose doivent être précis et stimulants. Des recherches rapportent que des étudiants ayant défini eux-mêmes leurs objectifs semblent utiliser des stratégies d'apprentissage efficaces[104].

L'élaboration d'une pensée constructive

La pensée positive facilite certainement l'atteinte de nos buts. Comment ? En établissant un dialogue interne (soliloquer) et une imagerie mentale encourageants.

Le soliloque positif   Parlez-vous parfois tout seul ? La plupart des gens le font, selon une étude effectuée auprès des étudiants de l'Université de Waterloo[105]. Le **soliloque** est un dialogue interne avec soi-même qui vise à clarifier nos pensées, à prendre de meilleures décisions et à nous encourager. Le problème est que la plupart de ces dialogues internes sont plutôt négatifs ; souvent, on se critique soi-même

soliloque
Un dialogue interne
avec soi-même
pour mieux réfléchir
et s'encourager.

bien plus qu'on ne s'encourage ou se félicite. Les soliloques négatifs empêchent la connaissance de ses propres capacités, ce qui mine le potentiel à effectuer une tâche donnée[106]. Au contraire, les soliloques positifs stimulent la confiance en soi et accroissent la motivation en élevant nos attentes. On entend souvent dire que les athlètes professionnels se «motivent» eux-mêmes avant un événement important. Ils se disent qu'ils peuvent atteindre leur objectif et qu'ils se sont suffisamment entraînés pour y arriver.

L'imagerie mentale Le concept d'autogestion suggère qu'il faut effectuer mentalement plusieurs fois la tâche visée et imaginer sa réussite avant de l'entreprendre de fait. Ce processus s'appelle l'**imagerie mentale**[107]. Les activités de l'imagerie mentale portent sur deux aspects. Dans le premier, on anticipe les obstacles à l'accomplissement de l'objectif et les solutions permettant de les surmonter[108]. L'autre aspect consiste à visualiser la réussite de la tâche et le succès ou la récompense subséquente (une promotion, par exemple). Bref, il n'est pas interdit de rêver! Comme le dit Guy Laliberté, l'homme qui a réinventé son secteur en fondant le fameux Cirque du Soleil, triomphant du Chili à la Chine : «La journée où je cesserai de rêver, je serai mort[109]!»

Concevoir des récompenses naturelles

L'autogestion implique que l'employé crée lui-même son poste en quelque sorte (à moins d'être dans une situation aliénante). Il peut souvent modifier ses tâches et ses relations professionnelles, même modestement, afin de rendre son travail plus motivant[110].

L'autocontrôle

L'autocontrôle est le processus qui consiste à effectuer le suivi et la correction de nos actions vers l'accomplissement d'un but. S'il n'existe pas de balises naturelles ou officielles (rapports, systèmes informatisés de gestion, etc.), l'individu doit les inventer. Par exemple, il peut se mettre d'accord avec des collègues ou des amis pour qu'ils l'appellent régulièrement afin de discuter de sa progression vers son objectif. Les recherches montrent que ce processus d'autocontrôle accélère en général efficacement la réalisation d'une tâche[111].

L'autorenforcement

L'autogestion introduit le concept de renforcement emprunté aux théories behavioristes vues aux chapitres 4 et 6[112]. L'idée est simple : on se donne une récompense après l'effort, pas avant! Un exemple courant est de faire une pause après avoir atteint une phase prédéterminée d'un travail. La pause est une forme de renforcement positif qu'on crée soi-même. L'autorenforcement consiste aussi à décider soi-même d'effectuer une tâche agréable après avoir effectué une tâche qui l'était moins.

L'autogestion en pratique

Il est trop tôt pour savoir si chaque composante de l'autogestion est utile, mais les faits suggèrent que ces pratiques améliorent généralement la connaissance de ses propres compétences, de sa motivation et de sa performance. Les études en psychologie sportive indiquent que les objectifs qu'on se fixe soi-même et les processus de pensée constructive améliorent la performance individuelle. Par exemple, de jeunes patineurs ayant suivi une formation en soliloque ont amélioré leur performance l'année suivante. Le soliloque et l'imagerie mentale ont également amélioré la performance de joueurs de tennis et de nageuses. En effet, les études montrent que presque tous les athlètes olympiques se basent sur des répétitions mentales et des soliloques positifs pour atteindre leurs objectifs de performance[113].

Une autre étude rapporte que les nouveaux employés d'une organisation canadienne ayant pratiqué la définition autonome d'objectifs et l'autorenforcement ont acquis une motivation interne plus élevée. Par ailleurs, une enquête trouve que les employés d'une compagnie aérienne ayant reçu une formation en pensée constructive atteignaient un meilleur niveau de performance, un plus grand enthousiasme et une satisfaction au travail plus élevée que leurs collègues n'ayant pas reçu cette formation. Une troisième étude indique que l'imagerie mentale a joué un rôle déterminant, dans une papeterie, pour des superviseurs et des ingénieurs qui étaient responsables des méthodes. Ceux-ci ont transféré les connaissances acquises durant les cours sur les habiletés de communication interpersonnelles dans le contexte de leur travail[114].

Les personnes ayant un degré élevé de fiabilité et d'autodiscipline et un lieu de contrôle interne (*voir ces traits de personnalité au chapitre 3*) sont plus enclines à appliquer des stratégies d'autogestion que les autres. L'un des avantages de l'autogestion est que celle-ci peut s'apprendre ou être facilitée de plusieurs façons: par la formation, mais aussi par l'établissement de politiques de gestion favorisant l'autonomie, la reconnaissance des efforts et par la mesure continue de la performance[115]. Louis Garneau, champion cycliste québécois et hommes d'affaires, est un exemple de personnes capables d'autogestion. Dans l'encadré 7.7, l'entrevue qu'il donne contient de nombreux éléments de ce processus.

La restructuration des tâches stimulantes, des récompenses bien pensées, la participation, l'autonomisation et l'autogestion sont des approches précieuses permettant d'améliorer la performance des employés. Toutefois, pour compléter cette partie sur l'organisation du travail en général, il faut évoquer une autre de ses facettes, à savoir l'aménagement du temps de travail, qui suscite ces dernières années, quand il est bien conçu, beaucoup de satisfaction et de motivation chez toutes les catégories d'employés.

L'AMÉNAGEMENT DU TEMPS DE TRAVAIL

travail à distance ou télétravail
Accomplissement de tâches professionnelles effectuées par des personnes en dehors de l'endroit où ce travail est attendu; ce travail s'effectue à l'aide de l'outil informatique et de moyens de télécommunication.

L'aménagement du temps de travail peut présenter de multiples modalités, mais nous ne verrons que les principales: le **travail à distance** ou **télétravail,** les horaires variables et la réduction du temps de travail.

Le travail à distance   Au Laboratoire médical Biron, entreprise sise dans la grande région montréalaise, les rendez-vous seront de plus en plus gérés par des téléphonistes installées à la maison. «Le télétravail permettra de répondre à des périodes de pointe en proposant des horaires fractionnés», dit Stephan Lessard, vice-président, Ventes et marketing. Il ajoute: «Les communications de nos téléphonistes seront visibles sur l'écran de la centrale et les administrateurs pourront effectuer le contrôle de la qualité… Elles auront en outre la possibilité de se mettre en disponibilité, c'est-à-dire qu'elles seront appelées à se connecter si la charge de travail l'impose. Cela va nous procurer une grande flexibilité[116].»

Louis Garneau : ne jamais abandonner

De la motivation, de la détermination, Louis Garneau en a à revendre. Depuis ses expériences sportives en cyclisme, qui l'ont fait monter sur de nombreux podiums entre 1972 et 1984, depuis la création (à la fois audacieuse et timide) de Vêtements Louis Garneau inc. en 1983, les réussites se multiplient.

Au seuil de la cinquantaine, Louis Garneau incarne un certain idéal : l'image même du jeune entrepreneur ambitieux mais réaliste, rigoureux mais sensible, aventureux mais non téméraire. Rien n'est laissé au hasard, sinon l'afflux constant de nouvelles idées, où l'intuition et l'intelligence s'allient pour former une équipe gagnante.

La Presse et Radio-Canada nomment Louis Garneau Personnalité de la semaine pour sa contribution unique à l'économie, pour son engagement social et pour le message de persévérance qui fait de lui un modèle auprès des jeunes qui voudraient suivre ses traces.

L'homme a un agenda chargé. Louis Garneau Sports a des points de vente dans 33 pays et de nombreuses usines de sous-traitants dans le monde. Agrandissements d'usines, licences dans de nombreux pays, acquisitions de l'entreprise Chlorophylle en 2003, une présence et un engagement là où on le requiert, une présence et un engagement à la maison, dans la famille, pour assurer là aussi la pérennité.

Il joue au hockey le plus souvent possible et reconnaît que sa forme physique n'est plus celle de ses 25 ans. Habitué à la rigueur de l'entraînement, à la discipline des compétitions, Louis Garneau garde encore au fond de lui le réflexe de la bonne santé et sait reconnaître les signes de défaillance ou de fatigue. « Le sport est la meilleure thérapie », assure-t-il. Et c'est aussi un outil de formation. « Je me sers du vélo avec

Photo : Jocelyn Bernier, Le Soleil

mes enfants pour qu'ils apprennent à se battre, à tomber, à se relever. Ce ne sont pas des vertus ni une culture qui s'apprennent à l'école : se déniaiser, voyager, aiguiser son sens de la stratégie, travailler en équipe, apprendre à se protéger, prendre des risques calculés. »

La famille, le calme : pour Louis Garneau le battant, le guerrier, c'est sur ce terrain qu'il dépose les armes, se ressource et rêve. Il savoure aussi sa fidélité à ses valeurs : « Au moins, j'ai essayé. Je ne dirai pas j'aurais donc dû. »

Il retrouvera aussi le fil conducteur de sa vie : l'art. « Je voudrais devenir peintre. » C'est par le geste, la couleur, la forme et l'émotion qu'il a toujours cherché à se dépasser.

Quels sont les éléments d'autogestion que l'on trouve dans le caractère de Louis Garneau ?

Source : Anne Richer, « Louis Garneau », *La Presse Affaires*, 14 janvier 2007, p. 8.

Les téléphonistes du Laboratoire médical Biron rejoindront le million et demi de personnes recensées en 2004 qui travaillent de chez elles ou d'ailleurs au Canada, au moins deux fois par semaine. Aux États-Unis, ce chiffre est estimé à 44,4 millions de personnes privilégiant ce type d'arrangement qui permet aux employés de travailler à la maison ou ailleurs, près ou très loin du bureau[117]. Les professions où les individus effectuent leur travail essentiellement avec les ordinateurs ou le téléphone sont propices au travail à distance. Certains télétravailleurs concluent des ententes officielles avec leurs employeurs pour travailler ainsi ; d'autres le font en prenant des ententes personnelles avec leur supérieur. De grandes entreprises comme AT&T, IBM, Merrill Lynch, American Express, Hewlett Packard ont instauré cette formule du travail à distance pour certains de leurs employés. Au Canada aussi, la formule est appliquée chez Xerox, Bell Canada, CIBC, la fonction publique fédérale et québécoise, etc. En Europe, cette pratique gagne en popularité : le travail à distance représente 17 %, 15 %, 8 % et 6 % de la main-d'œuvre pour la Finlande, la Suède, la Grande-Bretagne et l'Allemagne respectivement[118].

Le géant des télécommunications AT&T estime que ses télétravailleurs, en n'ayant plus à se déplacer pour se rendre au travail, ont plus de facilité à concilier leurs obligations professionnelles et familiales. De plus, leur rendement s'est amélioré d'environ 10 % par rapport au temps où ils travaillaient au bureau. Selon un sondage Ipsos-Reid relativement récent, la plupart des télétravailleurs canadiens affirment que cet aménagement du temps augmente leur satisfaction au travail et leur permet de mieux équilibrer le travail et la vie de famille. « J'aime tellement travailler à la maison que je ne veux plus jamais faire autre chose », déclare Mary Ellen Newell. Après avoir travaillé à la Banque Royale du Canada pendant des années, Mary Ellen Newell travaille aujourd'hui pour la même banque, mais depuis sa résidence de Mississauga, en Ontario. Son travail consiste à vendre des services de carte de crédit et des guichets automatiques à des petites et moyennes entreprises[119].

Le télétravail peut prendre d'autres formes que le travail à domicile. Il y a le travail « nomade », c'est-à-dire celui qui concerne le personnel qui se déplace souvent et qui exerce son métier de différents lieux ; il existe aussi des télécentres, qui sont des lieux équipés de ressources informatiques et de moyens de communication mis à la disposition de travailleurs appartenant à une entreprise dont les bureaux centraux se trouvent ainsi dégagés. C'est ce qu'avait mis en œuvre IBM avec son programme Flexiplace en 1992 ou le ministère du Revenu du Canada à Mississauga en Ontario (mais là c'était la formule « premier arrivé, premier servi », qui a d'ailleurs entraîné de nombreux griefs de la part des vérificateurs comptables).

La technologie Internet permet aussi maintenant de faire du télétravail virtuel. C'est ce qu'offre la technologie Second Life appelée à connaître une utilisation accrue dans ce sens. Pour le moment toutefois, elle est plus une vitrine d'exposition de produits et de démonstration. L'encadré 7.8 décrit davantage cette technologie.

Alain McKenna du journal *La Presse Affaires* de Montréal (31 janvier 2007, p. 6) rapporte comment le Collège LaSalle a ouvert un campus virtuel dans Second Life.

Le travail à distance présente plusieurs avantages pour l'entreprise et l'employé : avoir une main-d'œuvre souple (notamment utile pour maintenir les opérations en cas de problèmes au siège social, ou pour éviter les risques de pandémie), offrir un accommodement raisonnable aux personnes handicapées ou à mobilité réduite, offrir le service dans des régions éloignées, attirer ou conserver un personnel très compétent qui ne peut se déplacer, contribuer à la préservation de l'environnement en réduisant le déplacement du personnel en voiture, réduire l'espace des locaux et les frais afférents, faciliter le partage équilibré du temps personnel et du temps de travail, etc.

Le télétravail suscite-t-il la motivation et la productivité ? Selon de récentes recherches de EKOS, 55 % des travailleurs canadiens aimeraient faire du télétravail et 43 % quitteraient leur présent emploi si un autre employeur leur offrait cette option. Par ailleurs, 33,5 % d'entre eux disent préférer la possibilité de faire du télétravail que d'avoir 10 % d'augmentation de salaire. D'autres recherches montrent qu'au Canada le travail à distance augmente la productivité, réduit le stress, l'absentéisme, la rotation du personnel et permet d'offrir un meilleur service à la clientèle[120]. Enfin, une étude menée récemment au Québec a révélé que les entreprises attendent des télétravailleurs une hausse de rendement d'environ 10 % et que les employés sont plutôt heureux de satisfaire ces normes élevées[121].

Commerce et télétravail virtuel dans Second Life

Pour les géants de l'informatique, Second Life n'est plus un jeu. IBM, Sun, Cisco, Dell… Toutes ces grandes entreprises de haute technologie se retrouvent dans l'univers persistant de Second Life. Rencontres avec les clients, présentations de produits, démonstrations, réunions : cela n'a plus rien à voir avec le jeu en ligne.

Pour y entrer, télécharger le module client (secondlife.com) et créer un avatar (personnage virtuel) suffit. L'aventure virtuelle peut commencer. Près de 2 millions d'humains l'expérimentent déjà. Ils étaient à peine 1 million il y a un mois. De quoi attirer les entreprises. D'autant que Second Life se distingue par une économie digne du monde réel. Cet univers dispose de sa propre monnaie, le Linden dollar, convertible en dollars. On peut y créer ses propres produits et les vendre ! Les entreprises qui utilisent déjà Second Life : IBM, Dell, Dassault Systèmes, Cisco, Sun Microsystems, Adidas, Reebock, Nike, Toyota, Nissan, etc.

IBM possède plusieurs îles — l'unité géographique de base de Second Life (il y en a 3000) — dont une publique. L'entreprise y organise des réunions, des présentations, des formations. Sept cents de ses employés, résidents de Second Life, préfèrent s'y retrouver pour collaborer plutôt que de se connecter à une classique visioconférence ou de faire des milliers de kilomètres pour se rendre à une formation ou à une réunion, d'autant plus qu'un avatar est très animé et que le tout ressemble beaucoup à la réalité. Second Life possède 3000 îles virtuelles sur quelque 250 kilomètres carrés.

Pour la plupart des industriels de la haute technologie, Second Life est d'ailleurs devenu le lieu de rencontre idéal avec leur clientèle. Sun a ouvert son bureau virtuel. Les développeurs qu'il courtise assistent à loisir à des démonstrations de produits, et se forment. Même démarche chez Dell. Sa toute dernière usine trône sur sa Dell Island depuis le début de décembre 2006. Tout avatar intéressé peut la visiter, et surtout se promener au cœur même d'un PC XPS 700.

En ouvrant un pavillon dans Second Life, le Collège LaSalle fait office de pionner au Québec. Il joint le club sélect des entreprises qui ont acheté un terrain virtuel, au même titre qu'American Apparel, Toyoto, Telus et Harvard.

Jean-François Comeau, ilasallecampus

Source : Adapté d'un article d'Emmanuelle Delsol et de Philippe Davy, site Web de 01 Informatique (http://www.01net.com/article/336439.html), 21 décembre 2006.

Au Québec, une autre étude du Centre francophone d'informatisation des organisations (CEFRIO) rapporte des gains de productivité allant de 10 à 30 % pour les entreprises qui ont adopté ce mode de travail[122].

Au-delà de ces avantages, le télétravail engendre un certain nombre de problèmes pour les organisations et les employés. Outre le fait qu'ils doivent pouvoir se débrouiller seuls avec la technologie, les télétravailleurs doivent être motivés, bien organisés et pouvoir combler leurs besoins de contacts sociaux d'une autre façon que par le milieu de travail. En raison du caractère « invisible » du télétravail, les employeurs doivent modifier leurs critères traditionnels d'évaluation du rendement fondés sur la présence physique des employés au bureau pour en adopter d'autres basés essentiellement sur les résultats. De plus, les télétravailleurs peuvent, à la longue, être mis à l'écart des politiques de développement de la carrière, quand on sait que le contact social y est souvent déterminant.

Enfin, l'absence de soutien social prolongé peut ne pas jouer son rôle de réducteur de stress (*voir le chapitre 5*).

Pour mettre en œuvre une politique de travail à distance, il faut s'assurer d'appliquer les mesures suivantes: en clarifier les objectifs, les tâches visées et les résultats attendus; ne pas l'imposer (dans la mesure du possible); mettre à contribution les acteurs nécessaires (le service informatique, celui des immobilisations et des ressources humaines principalement); gérer ce changement (Qui part? Qui reste? À quelles conditions? Quelle formation? etc.).

Une variante du travail à distance sont les équipes virtuelles. Dans ce cas, des sociétés et des partenaires différents se regroupent au moyen des technologies de l'information et de communication, le temps d'un projet. On trouve beaucoup ce type de coopération dans le secteur artistique, par exemple quand il faut monter un film ou un spectacle de grande envergure: c'est le cas du Cirque du Soleil présent dans le monde entier et travaillant avec des personnes et des ressources différentes; ou encore de Lucas Films requérant des sociétés de juristes, des techniciens, des maquilleurs, etc.). Nous reparlerons des équipes virtuelles au chapitre 9 et des entreprises de la même nature au chapitre 15.

■ *Les horaires variables*   Certaines entreprises font preuve de souplesse en ce qui concerne les heures, les jours et le temps de travail. Les employés sont généralement tous tenus de travailler selon une plage fixe d'horaires (par exemple, de 9 h à 15 h) et sont libres de choisir le temps de travail avec les heures restantes. Par exemple, le programme Harmonie travail, vie personnelle et mieux-être, chez Kraft Canada, permet aux employés d'adapter leur horaire de travail aux événements familiaux, depuis les activités sportives des enfants jusqu'aux soins apportés aux parents âgés. La Banque Royale, la Banque de Montréal, Levi Strauss & Co. Canada ou l'Université du Québec à Montréal, entre autres, ont des politiques d'horaires variables. Au Canada, les femmes bénéficient de moins d'heures flexibles que les hommes (30% contre 40%), et les employés moins que les cadres (23,3% contre 42,4%)[123]. Les avantages de cet aménagement du temps de travail sont nombreux, comme tendent à le démontrer les recherches sur les sujets suivants: réduction de l'absentéisme, augmentation de la productivité, meilleure relation entre les employeurs et les employés, augmentation de la satisfaction au travail[124]. Toutefois, cet aménagement est plus difficile à appliquer dans les emplois requérant une présence continue ou avec un personnel réduit.

■ *La réduction du temps de travail (RTT) et le partage des tâches*   En Europe, la semaine de travail réduite est connue sous le vocable de réduction du temps de travail (RTT). La RTT a eu un succès mitigé, notamment en France, où elle a fait l'objet d'une législation à partir de 1998, selon laquelle les employés travaillent 35 heures, sans réduction de salaires (l'objectif étant la création d'emplois). La réduction de la semaine de travail peut être suivie ou non d'un partage des tâches, ou de l'instauration du travail à temps partiel. Le partage des tâches consiste à attribuer à plusieurs employés une portion du temps total de travail pour un même poste ou des postes semblables. Les employés peuvent soit se succéder à un poste de travail, soit prévoir une période de travail commune afin de coordonner leurs tâches[125]. L'alternance peut porter sur les jours de la semaine ou sur la semaine entière. Évidement, la succession à un poste pose plus de problèmes de coordination et de coopération que dans le cas où les tâches sont communes pendant un moment. L'avantage pour l'entreprise est qu'elle emploie un personnel plus flexible et à compétences variées. Cela lui permet également de rentabiliser ses investissements matériels en fonctionnant en continu, si elle le désire. Les mesures de réduction du temps de travail (avec réduction de salaire) et du travail partagé permettent aussi de réduire les licenciements massifs dans les périodes économiques difficiles pour les entreprises (Volkswagen a expérimenté la RTT au cours des années 1990 et cela lui a permis d'éviter la perte de milliers d'emplois). C'est aussi une formule pratique pour les employés qui ne désirent pas s'investir 40 heures par semaine au travail. Au Canada, 48 % des grandes entreprises offrent l'option du travail partagé qui semble donner satisfaction aux employeurs et aux employés[126].

CONCLUSION

En guise de conclusion, il convient de rappeler que les pratiques de motivation du personnel sont des applications directes ou indirectes des théories vues au chapitre précédent : théorie du renforcement, de la satisfaction des besoins et de l'évaluation cognitive, théorie des attentes et des objectifs. Nous évoquerons aussi une autre théorie empruntée aux sciences sociales, celle de l'échange.

La théorie du renforcement

Bien sûr, les rémunérations et les pratiques de reconnaissance jouent un rôle de renforcement positif sur le comportement. On sait qu'un renforcement positif augmente la probabilité d'occurrence des attitudes désirées (comme la motivation), et encore plus avec des rétributions variables (primes, commissions, etc.) qui jouent le rôle de renforcement intermittent.

La théorie des deux facteurs de Herzberg et la théorie des besoins

Les pratiques d'enrichissement des tâches sont une application directe de l'importance que cet auteur accordait aux facteurs de motivation : la reconnaissance, le travail lui-même, la responsabilisation. Quant aux théories de la satisfaction des besoins, nous avons noté la force des besoins de croissance chers à Maslow, Alderfer, McClelland, Lawrence et Nohria : besoins d'accomplissement, de pouvoir et d'autonomie (*voir les pratiques de responsabilisation et d'autogestion*).

La théorie de l'évaluation cognitive

Nous avons vu que cette théorie insistait sur la dynamique entre la motivation intrinsèque et extrinsèque. Les exagérations des récompenses monétaires des dirigeants, par exemple, ou des stimulants non connectés à la performance soutiennent l'idée que récompenser outre mesure des activités où l'individu trouvait un plaisir à les accomplir peut réduire cette motivation.

La théorie des attentes et des objectifs

Les pratiques constatées sont conformes à la théorie des attentes selon laquelle l'individu consentira à faire des efforts s'il perçoit qu'il peut atteindre des objectifs dont la réalisation lui apportera des récompenses qu'il valorise. Tous les programmes de rémunération au rendement ou selon la performance sont basés sur la réalisation d'objectifs établis. La diversité des types de récompenses offertes (tangibles, intangibles, aménagement du temps de travail, etc.) témoignent de cette volonté des entreprises d'harmoniser les systèmes de récompenses aux besoins actuels de la main-d'œuvre (notion de valence). Les divers systèmes de rétribution liés directement au rendement confirment le lien effort-performance-récompense de Vroom.

La théorie de l'échange

Blau[127] distingue deux types de relations dans les échanges humains : l'échange économique et l'échange social. Dans le premier, la nature de l'échange est officielle, précisée, et on s'assure que chaque partie remplit ses obligations. Dans le second, « les obligations » ne sont pas spécifiées et sont laissées à la discrétion des partenaires. La confiance joue donc ici un rôle important. De façon générale, dans ce chapitre (et au chapitre précédent), nous avons vu que les employés s'attendent à des rétributions justes pour leurs contributions. Cela peut être des rémunérations fondées sur les compétences, l'expérience, l'ancienneté, etc. (échange économique). Mais, nous l'avons vu, les récompenses d'ordre symboliques (félicitations, soutien, possibilités de participation, etc.) relèvent de l'échange social et sont aussi puissantes que les stimulants économiques.

Ce chapitre clôt l'étude des notions relatives au comportement individuel. Mais les gens ne vivent pas seuls dans les entreprises. Nous appartenons à des groupes divers, nous travaillons souvent en équipe et dépendons d'autres personnes (collègues, subordonnés, supérieurs, etc.). Les échanges avec les autres ont une vie propre et ils déterminent le comportement et la performance individuelle et de groupe. Les deux prochains chapitres seront donc consacrés aux phénomènes de groupes en organisation.

RÉSUMÉ DU CHAPITRE

L'argent et d'autres récompenses financières font partie intégrante des relations contractuelles. Ils permettent de répondre aux besoins de subsistance, d'établir des relations interpersonnelles et de croissance. L'argent suscite diverses émotions et attitudes qui varient en fonction des sexes et des cultures.

Il y a plusieurs façons de motiver les individus. On peut les classer en trois grands groupes : les récompenses tangibles (argent, avantages matériels, etc.), les récompenses intangibles (reconnaissance symbolique, par exemple) et l'organisation du travail. En ce qui concerne les stimulants financiers, les organisations récompensent leurs employés en fonction de plusieurs modalités : l'ancienneté, le poste, les compétences et la performance. Chacun de ces systèmes présente des avantages et des inconvénients. Les récompenses basées sur les compétences sont de plus en plus populaires, malgré leur coût, car elles améliorent la souplesse de la main-d'œuvre et correspondent à la notion de plus en plus répandue d'employabilité.

Les systèmes de rétribution valorisent la performance individuelle (primes, commissions, etc.), la performance d'équipe (par exemple, par le partage des gains de productivité), la performance de l'entreprise dans son ensemble (par exemple, par des régimes d'actionnariat du personnel, des options d'achat d'actions, etc.). Toutefois, le personnel ne perçoit pas toujours très bien la relation entre la performance individuelle et les récompenses organisationnelles.

Les récompenses financières présentent plusieurs limites, mais il existe diverses manières d'améliorer l'efficacité de ces récompenses. Ainsi, les leaders d'entreprise doivent s'assurer des éléments suivants : les récompenses sont liées à la performance professionnelle ; elles correspondent à la performance que les employés peuvent contrôler ; elles intéressent les employés; elles n'ont pas de conséquences inattendues. Les récompenses d'équipe devraient être utilisées lorsque les postes sont interdépendants.

L'organisation du travail (au sens général) présente deux types d'intervention : une conception des postes stimulante et l'aménagement du temps de travail. La division du travail a été parmi les premières tentatives de restructuration des tâches. Bien qu'elle soit encore présente dans de nombreuses industries, elle perd en importance à cause de son côté aliénant et de l'automatisation. Les stratégies contemporaines de conception de tâches visent à réduire les inconvénients de la spécialisation professionnelle et de la division du travail. On y parvient par la rotation des postes et l'élargissement ou l'enrichissement des tâches. Ces stratégies sont des applications concrètes du modèle des caractéristiques du poste dont l'ensemble des cinq dimensions fondamentales (par exemple, l'autonomie) permettait d'induire certains états psychologiques chez l'individu (le sentiment d'être responsable, par exemple), le conduisant à se motiver ainsi qu'à être satisfait et performant.

L'introduction massive des technologies oblige également à repenser le travail. L'approche sociotechnique préconise une harmonisation des besoins techniques de l'entreprise avec les besoins de croissance des employés. L'autonomie des équipes de travail est la clé de voûte de la réussite de cette approche. Plus près de nous, la gestion par processus est une organisation de la production visant à éliminer les opérations n'ayant aucune valeur ajoutée. La motivation est créée en travaillant en équipes transverses avec beaucoup d'autonomie.

Les formes modernes d'organisation du travail, comme on le voit, impliquent que la main-d'œuvre soit de plus en plus responsabilisée et qu'elle participe activement à la vie de son entreprise. La responsabilisation ou autonomisation du personnel, précisément, est un concept psychologique dont les quatre aspects sont le pouvoir de décider de l'individu, le sentiment qu'il est efficace et que ce qu'il fait est important et la conviction qu'il est « un citoyen » à part entière de son entreprise.

L'autogestion est le processus par lequel on s'influence soi-même afin d'acquérir l'autonomie et la motivation intrinsèque nécessaires pour effectuer une tâche. Ce processus comprend la définition d'objectifs personnels, des pensées constructives, la conception de récompenses naturelles, l'autocontrôle et l'autorenforcement. L'aménagement du temps de travail est une autre façon de satisfaire et de motiver les employés. Il peut prendre trois formes : le travail à distance, la réduction du temps de travail et les horaires variables. Enfin, les pratiques présentées dans le présent chapitre trouvent un écho dans les théories de la motivation du précédent chapitre. Les théories du renforcement, des attentes et de la fixation d'objectifs, de l'évaluation cognitive, de la satisfaction des besoins de croissance et, par ailleurs, celle de l'échange suscitent des applications intéressantes dans les façons de motiver les employés, présentées ici.

MOTS CLÉS

approche sociotechnique
    des organisations, p. 321

autogestion personnelle, p. 329

autonomie, p. 317

autonomisation, p. 327

autorégulation collective, p. 322

conception des postes, p. 313

diversité des compétences, p. 316

élargissement des tâches, p. 319

enrichissement des tâches, p. 320

évaluation des emplois, p. 302

gestion à livre ouvert, p. 306

gestion par processus, p. 325

imagerie mentale, p. 331

importance de la tâche, p. 317

intégralité de la tâche, p. 316

intéressement, p. 306

modèle des caractéristiques
    du poste, p. 315

optimisation conjointe, p. 323

options d'achat d'actions, p. 307

organisation scientifique
    du travail, p. 314

partage des gains de productivité,
    p. 306

régimes d'actionnariat
    du personnel, p. 306

rétroaction par le travail, p. 317

rotation des postes, p. 318

soliloque, p. 330

spécialisation des emplois,
    p. 314

tableau de bord de performance,
    p. 307

travail à distance ou télétravail,
    p. 332

QUESTIONS

1. Vous travaillez pour une grande entreprise de distribution. En tant que consultant, vous devez recommander un système de partage des gains de productivité ou un régime d'intéressement pour le personnel des quatre installations régionales de distribution et d'entreposage. Quel système de récompenses recommanderiez-vous ? Expliquez votre réponse.

2. Vous êtes membre d'une équipe responsable de la création de mesures de performance pour votre service ou unité dans votre entreprise. Ces mesures sont basées sur une approche liée à l'utilisation du tableau de bord de performance (aussi appelée carte stratégique). Nommez une mesure de performance pour chacun des secteurs suivants : finance, clientèle, processus internes et ressources humaines.

3. Inuvik Tire Corp. a modifié ses installations de production et instauré un système basé sur l'équipe. Cependant, le président de l'entreprise pense que le personnel ne sera pas motivé sans une incitation basée sur la performance personnelle. À l'aide de trois arguments, expliquez pourquoi Inuvik Tire devrait introduire, dans ce contexte, des récompenses d'équipe plutôt que des récompenses individuelles.

4. Que peuvent faire les organisations pour augmenter l'efficacité des récompenses financières ?

5. Comment peut-on concevoir les postes pour qu'ils suscitent la motivation ? Quelles sont les conditions de réussite pour chacune des façons déterminées ?

6. Un cadre supérieur décide de responsabiliser (ou d'autonomiser) le personnel de production. Comment devra-t-il s'y prendre ? Quels sont les avantages et les difficultés prévisibles ?

7. Quels sont les avantages et les inconvénients du travail à distance pour l'employeur et l'employé ?

ÉTUDE DE CAS   7.1

LE REGENCY GRAND HOTEL

par Lisa Ho, sous la supervision de Steven L. McShane

Le Regency Grand Hotel est un établissement cinq étoiles, situé à Bangkok. Il a été fondé par un consortium d'investisseurs locaux, il y a 15 ans, et il est géré depuis toujours par un directeur thaïlandais. Cet hôtel est l'un des plus prestigieux de Bangkok, et ses 700 employés sont fiers d'y travailler. Ils reçoivent des avantages sociaux appréciables, un salaire supérieur au taux du marché et bénéficient de la sécurité d'emploi. Une substantielle prime de fin d'année est aussi accordée à tout le personnel, quelle que soit la performance globale de l'hôtel.

Le Regency a récemment été vendu à une importante chaîne hôtelière américaine qui souhaitait étendre ses activités en Thaïlande. À l'annonce de cette acquisition, le directeur a décidé de prendre une retraite anticipée. La chaîne hôtelière a conservé tout le personnel du Regency, même si quelques personnes ont été mutées à d'autres postes. John Becker, un Américain ayant 10 ans d'expérience au sein de la chaîne hôtelière acquéreuse, est devenu le nouveau directeur du Regency Grand Hotel. John Becker avait été choisi pour son savoir-faire, aux États-Unis, dans l'intégration d'hôtels récemment acquis, généralement peu rentables et avec un personnel au moral particulièrement bas.

John Becker croit fermement aux bienfaits de la responsabilisation. Il attend de ses employés qu'ils aillent au-delà des directives et des normes pour répondre aux besoins des clients selon la situation. Il souhaite en effet que le personnel donne en tout temps un service irréprochable à sa clientèle. John Becker estime que la responsabilisation augmente la motivation du personnel, sa performance et sa satisfaction au travail. De plus, il croit que tous ces aspects contribuent à la rentabilité de l'hôtel et à la qualité du service. C'est ce que ses expériences antérieures lui ont enseigné. Tout de suite après son entrée en fonction, John Becker a introduit la pratique de responsabilisation du personnel afin de voir se répéter le succès qu'il avait connu au cours de sa carrière aux États-Unis.

Le Regency Grand Hotel est très rentable depuis son ouverture, il y a 15 ans. Le personnel a toujours travaillé en respectant scrupuleusement et rapidement les instructions de la direction, qui en fait, décourageait et réprimait toute initiative de la part du personnel. Celui-ci, puni pour ses erreurs, a finalement eu peur d'innover et de prendre des risques.

John Becker a rencontré les cadres du Regency et les chefs de service afin de leur expliquer le principe de responsabilisation qu'il voulait introduire dans l'établissement. Il leur a d'abord indiqué que les employés auraient la responsabilité de prendre leurs propres décisions et qu'ils pourraient recourir à leur sens de l'initiative, à leur créativité et à leur propre jugement pour répondre aux besoins des clients et résoudre des problèmes diligemment. Il a ajouté que les problèmes et les décisions plus complexes devaient être rapportés aux supérieurs, qui assisteraient alors leurs employés plutôt que de leur donner des ordres. De plus, John Becker a insisté sur le fait que les erreurs étaient autorisées, mais que la même erreur ne pouvait être tolérée plus de deux fois. Il a conseillé à ses responsables et à ses chefs de service d'éviter de lui présenter des problèmes peu importants ou de le consulter au sujet de décisions mineures. Toutefois, il les a avisés qu'ils devaient lui soumettre les problèmes majeurs et les décisions importantes. John Becker a terminé la réunion en leur demandant leurs impressions. Plusieurs cadres et chefs de service lui ont dit qu'ils appréciaient cette nouvelle approche et qu'ils l'encourageraient ; tandis que d'autres ont hoché simplement la tête. John Becker, satisfait de cette réponse, était impatient de voir son projet mis en œuvre.

Par le passé, le Regency avait mis l'accent sur le contrôle administratif, créant de nombreuses procédures bureaucratiques dans toute l'organisation. Par exemple, le personnel de la réception devait recevoir l'approbation du chef avant de placer des clients dans une catégorie de chambre supérieure, le cas échéant. Pour justifier ce geste, le responsable de la réception devait alors rédiger un rapport et le soumettre au directeur. Peu de temps après la réunion avec les cadres, John Becker a réduit le nombre de règles bureaucratiques du Regency et il a accordé davantage de pouvoir décisionnel au personnel de première ligne. Cette initiative a déplu à ceux auxquels ce pouvoir était retiré. Plusieurs d'entre eux ont même quitté l'hôtel.

John Becker a mis beaucoup de temps à observer et à s'entretenir avec le personnel de la réception, des restaurants et des divers services. Cette interaction directe avec le patron a permis à de nombreux employés de comprendre ce qu'il souhaitait et ce qu'il attendait d'eux. Pourtant, le personnel avait de la difficulté à déterminer l'importance des problèmes et des décisions, d'autant plus que, fréquemment, les superviseurs refusaient les décisions des employés en déclarant qu'il s'agissait de problèmes majeurs nécessitant l'approbation de la direction. Les employés qui faisaient preuve d'initiative et qui prenaient de bonnes décisions recevaient rarement des commentaires positifs de la part de leurs supérieurs. Finalement, la plupart des employés ont perdu confiance en eux et ont recommencé à laisser aux superviseurs la tâche de décider.

Peu après ses initiatives, John Becker a remarqué que ses subordonnés le consultaient plus souvent qu'avant, et la plupart du temps, au sujet de problèmes mineurs et de décisions peu importantes. Finalement, insatisfait et fatigué, il demandait de plus en plus souvent à sa secrétaire de « ne pas le déranger, sauf si l'hôtel prenait feu ! »

John Becker pensait que la pratique de responsabilisation qu'il avait souhaitée serait profitable pour l'hôtel. Pourtant, contrairement à ses attentes, les résultats et la performance globale de l'établissement ont commencé à décliner. Les plaintes des clients se sont multipliées. De nombreux clients exprimaient aussi leur mécontentement directement au personnel, qui faisait de plus en plus d'erreurs. John Becker a été très mécontent de lire des commentaires négatifs sur son hôtel dans deux journaux locaux, ainsi que dans un journal étranger. Il a encore été plus affligé de lire qu'un magazine touristique international avait jugé l'hôtel comme « l'un des hôtels les plus cauchemardesques d'Asie ».

Le niveau de stress du personnel s'est accru graduellement depuis l'introduction de la pratique de responsabilisation. L'absentéisme pour cause de maladie a augmenté à une vitesse alarmante ainsi que la rotation du personnel. Les bonnes relations de travail établies sous la précédente direction ont été sévèrement ébranlées. Le personnel a perdu sa solidarité et ses habitudes de coopération. Quand un problème surgissait, les employés rejetaient rapidement les fautes sur leurs collègues, en leur présence ou non.

1. Résumez les problèmes entraînés par les initiatives du nouveau directeur.

2. Pourquoi, selon vous, les tentatives du directeur visant à mettre en œuvre des pratiques d'autonomisation et de responsabilisation du personnel n'ont pas eu le succès espéré?

3. Comment John Becker aurait-il dû s'y prendre pour s'assurer du succès de son approche? Inspirez-vous pour cela des principes et des précautions propres au processus d'autonomisation, ainsi que de quelques approches d'organisation du travail vues dans ce chapitre.

Votre enseignant peut soit limiter cette analyse de cas aux concepts traités dans ce chapitre, soit vous demander d'analyser ce cas en considérant les autres notions du manuel, notamment en soulignant comment les théories de la motivation vues au précédent chapitre s'appliquent ici.

Remarque: Ce cas est basé sur des événements réels, mais le secteur et les noms ont été changés.

ÉTUDE DE CAS 7.2

DES CHANGEMENTS INSPIRÉS DE L'APPROCHE SOCIOTECHNIQUE CHEZ ABITIBI CONSOLIDATED

À l'approche de l'an 2000, l'usine de Champneuf de la compagnie forestière Abitibi Consolidated, spécialisée dans la coupe de bois, était menacée de fermeture, étant donné les dangers qui commençaient à poindre pour toutes les compagnies forestières et papetières québécoises à ce moment-là (crise du bois d'œuvre avec les Américains, début de la hausse du coût de l'énergie, nouveaux concurrents comme le Brésil ou la Chine, etc.). Mais, étant donné la demande de bois pour la construction résidentielle qui recommençait à augmenter à cette époque, Abitibi Consolidated a choisi comme stratégie de hausser la productivité de ses usines, de réduire ses coûts et d'accroître la qualité de ses produits. C'est dans ce contexte que la direction a décidé de repenser le fonctionnement de son usine de Champneuf au Québec, rachetée à Donohue qui l'avait modernisée, notamment en raison de sa vétusté, mais aussi du changement de la nature de la matière première. En effet, les pièces de bois qui devaient alimenter la scierie étaient maintenant de plus grandes dimensions que celles qu'on avait l'habitude de traiter. Elle a alors engagé M. Pierre Beaudoin comme directeur. Il devait relever un défi de taille, notamment devant les attitudes des employés plutôt désabusés par les multiples changements précédents de propriétaires de l'usine (à laquelle ils étaient toutefois attachés) de qui ils espéraient chaque fois des initiatives valorisantes, mais en vain. Les travailleurs,

Photo: photos.com

peu scolarisés en général, travaillaient là depuis des années, représentés par un syndicat traditionnellement combatif, mais un peu sur la défensive à cause des menaces de fermeture et ensuite de l'arrivée d'un nouveau patron. Le syndicat était affilié au SCEP, le Syndicat canadien des communications, de l'énergie et du papier.

Cette usine débitait le bois et fabriquait des pièces de dimensions industrielles comme des «2 × 4», ou des «1 × 3», etc. Elle expédiait ensuite le bois ainsi traité à des compagnies qui avaient leur propre réseau de distribution. De grandes quincailleries constituaient les clients. Une centaine de travailleurs se répartissaient deux quarts de travail affectés à la coupe ou «sciage» (60 salariés), au rabotage (12 salariés) et au séchage (12 salariés). Quatre employés travaillaient dans la « cour à bois » et cinq d'entre eux, à l'expédition. Les salariés de l'usine étaient tous syndiqués, à part les 13 qui occupaient des postes de supervision, de cadres ou d'administration. Les travailleurs avaient participé à l'amélioration profonde de l'usine et formulé de nombreuses suggestions à cet effet. Les opérations étaient presque toutes automatisées, sauf à l'expédition. La plupart des travailleurs de l'usine pouvaient suivre sur leurs consoles le processus de transformation de la matière première (coupe, rabotage, séchage). Le produit fini était ensuite entreposé dans la cour à bois pour expédition. Appuyé par un accompagnateur (*coach*) pour cadres, M. Beaudoin a décidé de créer un comité de gestion comprenant des membres de la direction et du syndicat qui, contrairement à ce qui se faisait auparavant, était consulté pour des décisions importantes. M. Beaudoin a ouvert les livres, c'est-à-dire que les résultats ou les difficultés et « les bons coups » de l'usine étaient accessibles à tous. Mais cela incluait également de l'information sur la productivité des concurrents. Il a amené les travailleurs à se fixer des objectifs de production en fonction des critères de qualité de l'industrie, objectifs qui ont été adoptés par toutes les parties. Ces critères portaient autant sur la réduction des accidents de travail que sur la qualité et la quantité (des pertes de bois, par exemple) du produit. Les résultats étaient disponibles rapidement.

L'amélioration physique des lieux a été la première cible des efforts des salariés. Le service de l'atelier mécanique a été un terrain fertile dans ce sens. La première activité des employés a été de se débarrasser de tous les objets et du matériel inutiles qui encombraient ce service, dans un désordre indescriptible. La deuxième décision a été de classer et de ranger systématiquement tout le matériel et les outils de façon à permettre une recherche et une utilisation plus rapides. Le nettoyage aussi a été à l'ordre du jour. Tous ont participé à cet effort de création d'un environnement de travail salubre et agréable.

Les employés ont décidé qu'ils pourraient changer de postes à l'intérieur de chaque service. Par exemple, ils pouvaient choisir de travailler, à partir de leur console, à la surveillance de différentes parties de la chaîne de production. Cela a été facilité grâce à une formation adéquate qui a entraîné une certaine polyvalence des compétences. Cette formation a été donnée sur le terrain par les compagnons de travail expérimentés. Les travailleurs ne se contentaient plus de regarder passivement leurs consoles. En plus de pouvoir arrêter la chaîne en cas de problèmes (ce qu'ils faisaient déjà), ils pouvaient maintenant décider d'y apporter eux-mêmes les solutions qu'ils jugeaient pertinentes, au lieu de recourir « au patron » pour qu'il résolve le problème. Au cours des six années suivantes, les employés ont pris de plus en plus de responsabilités. Par exemple, les équipes disposaient maintenant d'un budget, elles pouvaient décider d'établir des modifications sur la ligne de production et même de confier certains travaux en sous-traitance. Tout d'abord, les superviseurs ont été déstabilisés par la perte de ces prérogatives, mais la plupart se sont adaptés à leur nouveau rôle de soutien, de formation et de motivation. L'usine a vu sa productivité augmenter et ses employés extrêmement satisfaits, d'autant plus qu'un système de rémunération au rendement d'équipe a été instauré.

Questions

1. Quelle était la situation avant la venue de M. Beaudoin ?

2. En vous inspirant de la figure 7.5, décrivez en quoi les actions entreprises dans cette usine relèvent d'une approche sociotechnique.

3. Quels éléments de motivation pouvez-vous reconnaître dans ce cas ?

4. Quels éléments de théorie vus au chapitre précédent sont évidents dans ce cas ?

Note : Malgré cette excellente gestion, l'usine a été fermée en octobre 2006, au grand regret, bien sûr, du directeur et surtout de ses employés qui, selon leurs propres commentaires, avaient vécu une « aventure extraordinaire ». Les raisons de la fermeture sont étrangères à la gestion de l'usine. Le contexte extérieur d'ensemble était toujours celui qui a été exposé au début du cas en plus de causes plus globales qui affectent toutes les papetières, autant Tembec que Domtar et, bien sûr, Abitibi Consolidated : approvisionnement de matière première plus difficile (par exemple, à cause de normes environnementales plus sévères), diminution de la forêt, plus grande valeur du dollar canadien, coûts plus élevés (par exemple, l'obligation pour les entreprises dans ce secteur de construire des chemins), mauvaise utilisation finale des types de bois (certains bois peuvent générer davantage de revenus s'ils sont destinés à d'autres fins que la construction), baisse de la demande de papier journal, etc. Mais le cas valait la peine d'être rapporté, nous semble-t-il, à des fins pédagogiques.

Source : Cas aimablement soumis par M. Claude Lamontagne, enseignant à l'École des sciences de la gestion de l'Université du Québec à Montréal.

QUELLE EST VOTRE ATTITUDE PAR RAPPORT À L'ARGENT?

Objectif Cet exercice est conçu pour vous aider à comprendre les différentes attitudes qui existent par rapport à l'argent et à déterminer les vôtres.

Instructions Lisez chacun des énoncés ci-dessous, encerclez la réponse qui se rapproche le plus de votre opinion et calculez vos résultats. Les étudiants doivent faire cet exercice seuls afin de s'évaluer honnêtement sans se comparer à leurs camarades. Toutefois, la discussion en classe doit être axée sur la signification de l'argent, c'est-à-dire les aspects mesurés ici et d'autres aspects pouvant influencer les comportements au travail.

Échelle de l'attitude par rapport à l'argent					
Dans quelle mesure êtes-vous d'accord ou non avec les points suivants?	Profondément en désaccord ▼	Relativement en désaccord ▼	Pas d'opinion ▼	Relativement d'accord ▼	Profondément d'accord ▼
1. J'achète parfois des choses parce que je sais qu'elles impressionneront les autres.	1	2	3	4	5
2. Je mets régulièrement de l'argent de côté pour l'avenir.	1	2	3	4	5
3. Je tends à m'inquiéter au moment de prendre des décisions financières.	1	2	3	4	5
4. Je pense que la richesse financière est l'un des signes les plus importants indiquant la réussite d'une personne.	1	2	3	4	5
5. Je vérifie régulièrement combien il me reste d'argent.	1	2	3	4	5
6. Je me sens nerveux lorsque je n'ai pas assez d'argent.	1	2	3	4	5
7. Je tends à respecter davantage les gens qui sont plus riches que moi.	1	2	3	4	5
8. Je respecte un budget strict.	1	2	3	4	5
9. Je m'inquiète de ne pas être financièrement à l'aise.	1	2	3	4	5
10. Je me vante parfois d'être riche ou de l'argent que je possède.	1	2	3	4	5
11. Je garde un œil sur mes investissements et mes biens financiers.	1	2	3	4	5
12. Je déclare généralement que quelque chose « est trop cher pour moi », même si ce n'est pas le cas.	1	2	3	4	5

Sources: Adapté de l'article de J.A. Roberts et C.J. Sepulveda, « Demographics and Money Attitudes : A Test of Yamauchi and Templer's (1982) Money Attitude Scale in Mexico », *Personality and Individual Differences*, vol. 27, juillet 1999, p. 19-35 ; et de l'article de K. Yamauchi et D. Templer, « The Development of a Money Attitudes Scale », *Journal of Personality Assessment*, vol. 46, 1982, p. 522-528.

COMMENT ENRICHIR UN POSTE

Objectif   Apprendre à enrichir un poste selon le modèle des caractéristiques du poste.

Instructions   Diviser la classe en cinq à six groupes de cinq à six personnes. Chaque membre d'un groupe pense à un emploi très ennuyant qu'il ou elle a déjà occupé dans le passé. Éviter d'en choisir un qu'on peut aisément automatiser complètement.

■ **Étape 1:** Après un tour de table assez rapide, chaque groupe écoute un membre volontaire. Le groupe doit déterminer jusqu'à quel point le poste ainsi décrit présente les cinq caractéristiques du modèle des caractéristiques du poste décrit dans le chapitre. Pour ce faire, le groupe utilise les questions et l'échelle qui figurent ci-dessous pour déterminer par consensus la présence de ces cinq caractéristiques. On calcule ensuite l'IPM avec la formule utilisée dans le texte.

■ **Étape 2:** Cette partie est la plus importante de l'exercice. Le groupe imagine ensuite comment il pourrait «enrichir» ce poste, c'est-à-dire en agissant sur les cinq caractéristiques, dans le sens d'une augmentation de leur intensité (par exemple, pour l'autonomie, donner la possibilité de contacter directement le client). Si des barrières étaient insurmontables au moment de l'exercice du poste (par exemple, un patron réfractaire à tout changement), les mettre de côté aux fins de l'exercice.

À la fin de cette réflexion, on recalcule l'IPM, qui devrait être supérieur à l'IPM précédant ces modifications.

Note: Ce n'est pas tant le chiffre absolu qui est important que l'accroissement relatif de l'IPM. Un IPM supérieur à 100 est signe d'un enrichissement intéressant de la tâche.

■ **Étape 3:** La classe entière partage l'expérience de chacun des groupes. La discussion peut porter sur les caractéristiques les plus importantes, le lien entre elles, le coût de cet enrichissement, le rapport avec la rotation ou l'élargissement des postes, la qualification du titulaire du poste, etc.

	Très peu			Modérément		Beaucoup	
1. Jusqu'à quel point votre travail vous permettait-il de faire des choses différentes et d'exploiter vos talents?	1	2	3	4	5	6	7
2. Jusqu'à quel point pouviez-vous réaliser un produit fini ou donner le service du début à la fin?	1	2	3	4	5	6	7
3. Ce travail était-il important? Le produit de ce travail avait-il des répercussions sur d'autres personnes ou sur l'organisation?	1	2	3	4	5	6	7
4. Disposiez-vous d'autonomie pour faire votre travail? Pouviez-vous utiliser votre propre jugement pour décider d'agir?	1	2	3	4	5	6	7
5. L'exécution même de votre travail vous permettait-elle de savoir si vous le faisiez correctement? Autrement dit, aviez-vous une rétroaction régulière et rapide de vos actions?	1	2	3	4	5	6	7

CHAPITRE 8

La dynamique des groupes

Objectifs d'apprentissage

À LA FIN DE CE CHAPITRE, VOUS DEVRIEZ POUVOIR :

- différencier une équipe d'un groupe ;
- comparer les différents types d'équipes de travail ;
- décrire les facteurs externes et internes au groupe qui influencent son efficacité ;
- comparer les deux modèles de l'évolution d'un groupe de travail ;
- expliquer les facteurs qui déterminent et renforcent les normes d'une équipe ;
- énumérer six facteurs qui influencent la cohésion de groupe ;
- décrire les mécanismes collectifs qui agissent sur la performance d'une équipe.

De 1995 à 2000, la part du marché que détient Outboard Marine Corp. (OMC) dans les moteurs hors-bord est passée de 55 % à seulement 23 %. OMC est le fabricant des moteurs Evinrude et Johnson. Cette forte baisse a résulté de problèmes relatifs à la qualité des moteurs et à des méthodes de production inefficaces. Bombardier inc., une entreprise montréalaise, a acheté la société américaine. Elle a étonné ses concurrents comme ses partenaires en instaurant systématiquement le travail d'équipe.

Roch Lambert, le chef de fabrication de Bombardier, a été chargé de diriger une nouvelle équipe censée apporter de profondes transformations dans la façon de travailler. Cette équipe comptait d'anciens experts de fabrication d'OMC ainsi que des employés de la division canadienne de Bombardier qui étaient spécialisés dans la maintenance, les finances, le marketing et le contrôle de la qualité. Elle a visé le projet audacieux de reconfigurer en entier le processus de fabrication d'OMC. Moins d'une année plus tard, Bombardier fabriquait les moteurs Evinrude et Johnson de la plus haute qualité qui soit.

Bombardier inc., une entreprise montréalaise, a mis sur pied des équipes de travail efficaces pour transformer Outboard Marine Corp., société peu rentable, en un fabricant de moteurs hors-bord Johnson et Evinrude de haute qualité.

Jack Orton, Journal Sentinel Inc., reproduit avec autorisation

Procédant avec rapidité, la nouvelle équipe a examiné les dessins des moteurs, le système d'inventaire et les processus de fabrication afin d'en relever les failles et d'effectuer les changements nécessaires. Les opérations d'OMC étaient disséminées dans quatre usines aux États-Unis, ce qui occasionnait des coûts additionnels et des délais de production. L'équipe de Roch Lambert a donc fermé deux de ces usines et transféré la production dans un nouveau bâtiment situé à Sturtevant, au Wisconsin. L'équipement était installé dans le nouveau bâtiment quelques heures seulement après le départ de l'ancien propriétaire.

Pour commencer, Bombardier a choisi 300 candidats parmi les 6000 qui postulaient pour un emploi à l'usine de Sturtevant. Plutôt que de s'arrêter à l'expérience technique des candidats (par exemple, dans le montage de moteurs), la société a cherché avant tout des « joueurs d'équipe » capables de résoudre efficacement des problèmes. La tâche du contrôle de la qualité a été intégrée aux fonctions des employés. Par exemple, chaque monteur devait s'assurer que le travail de celui qui le précédait était conforme aux normes de qualité établies. L'approche axée sur le travail d'équipe de Bombardier semble efficace puisque les concessionnaires qui avaient délaissé les marques Johnson et Evinrude y reviennent maintenant en grand nombre[1]. ■

L es équipes remplacent de plus en plus les individus en tant que cellules de base de l'organisation. Dans l'introduction du chapitre, nous avons vu que Bombardier a eu recours à la formation de plusieurs équipes pour transformer Outboard Motor Corporation et améliorer la qualité de ses procédés de fabrication. Le Groupe TVA, le plus important producteur et distributeur d'émissions de télévision en français au Québec, confie aussi désormais ses projets à des équipes plutôt qu'à des individus. Dofasco, un fabricant d'acier établi à Hamilton, en Ontario, ne choisit que des candidats qui travaillent bien en équipe. « Nous ne regardons pas seulement les compétences techniques », explique un cadre de l'entreprise. « Nous cherchons des gens capables de travailler et de résoudre des problèmes en équipe[2]. »

Si vous consultez n'importe quelle revue commerciale, vous trouverez sûrement un article vantant les mérites du travail en équipe. Des organisations aussi connues que Zellers, Sears Canada, Bell Helicopter, General Electric, AT&T, Hewlett-Packard, Motorola, Apple Computer, DaimlerChrysler, London Life (compagnie d'assurance), etc., ont fait des équipes de travail un élément indispensable de leur structure et de leur fonctionnement. Une étude du Conference Board du Canada rapporte que plus de 80 % des entreprises consultées travaillaient en équipe d'une façon ou d'une autre[3]. C'est également ce que remarque le magazine *Fortune*, aux États-Unis, dans ses enquêtes sur les 500 meilleures entreprises états-uniennes. Cet usage est encore plus marqué dans le secteur de la production.

Dans ce chapitre, nous nous pencherons sur les conditions complexes qui déterminent l'efficacité d'une équipe de travail, c'est-à-dire le contexte organisationnel à l'intérieur duquel elle s'insère et les éléments qui caractérisent la vie d'un groupe. Nous terminerons en évoquant les facteurs propres à la dynamique collective qui influencent la performance d'une équipe. Mais voyons auparavant ce qui différencie une équipe d'un groupe quelconque et les différents types d'équipes qui existent en entreprise.

La division Chrysler de DaimlerChrysler a créé plusieurs sortes d'équipes formées de cadres et de spécialistes dans le but de répondre rapidement et efficacement aux nouveaux besoins de la clientèle. L'équipe responsable de la stratégie — sous la direction du président du Groupe Chrysler — analyse les tendances de la clientèle, les nouveaux modèles, les innovations technologiques et la conjoncture économique. Ensuite, elle détermine la nouvelle gamme de voitures que l'entreprise doit créer et fabriquer. Les six équipes responsables de l'innovation se chargent de la conception, de la fabrication et de la commercialisation des cinq groupes de produits Chrysler. Les 50 équipes responsables des composants font en sorte que les groupes de véhicules soient dotés des mêmes éléments. Par exemple, une équipe prévoit délaisser les 27 modèles de batteries existantes pour n'en utiliser que 5 sur tous les modèles Chrysler[4]. À votre avis, pourquoi le Groupe Chrysler confie-t-il ces activités à des équipes différentes ?

Alan Levenson, Getty Images

www.daimlerchrysler.com

équipe
Groupe de deux ou de plusieurs individus interdépendants qui visent à atteindre des objectifs communs et ont un sentiment élevé d'appartenance envers leur groupe et leur organisation.

LES DIFFÉRENTS TYPES D'ÉQUIPES EN ENTREPRISE

Une **équipe** est un groupe de deux ou de plusieurs individus interdépendants qui visent à atteindre des objectifs communs et ont développé un sentiment d'appartenance élevé envers leur groupe et leur organisation[5].

Toutes les équipes sont formées dans un but précis : assembler un produit, fournir un service, concevoir une nouvelle usine ou prendre une décision importante. Cela dit, le lecteur peut aisément se perdre dans le vocabulaire multiple (et parfois redondant, il est vrai) destiné à décrire les différents groupes : groupes autonomes et semi-autonomes, groupes autogérés ou autodirigés, groupes de projet, groupes de résolution de problèmes, cercles de qualité, etc. Nous clarifierons plus loin ces termes. Une autre confusion réside dans la distinction entre une équipe et un **groupe.** Toutes les équipes sont des groupes, mais tous les groupes ne sont pas des équipes[6]. Un groupe est un ensemble d'individus qui présentent une ou plusieurs caractéristiques communes : on parle, par exemple, du groupe de cadres que lie le niveau hiérarchique, le groupe de mécaniciens qui ont le même type d'emploi, les syndiqués qui appartiennent à un syndicat, etc. Mais pour qu'un groupe devienne une équipe, il doit posséder les caractéristiques suivantes : 1) les membres ont un projet et des intérêts communs ; 2) par conséquent, ils travaillent ensemble pour les concrétiser ; 3) leurs interactions sont fréquentes et leurs activités, interdépendantes ; 4) les membres ont le sentiment d'appartenir à la même équipe ; 5) les membres ont des rôles bien définis et bien acceptés à l'intérieur du groupe, lequel a donc une structure stable ; 6) l'équipe est cohésive ; 7) les membres se connaissent soit professionnellement, soit personnellement ; 8) le projet qui les unit a une certaine durée.

Dans la littérature administrative, les groupes et les équipes sont maintenant souvent confondus[7]. Aussi utiliserons-nous ces termes indifféremment en faisant toujours allusion, toutefois, au travail d'équipe.

Il existe plusieurs catégories d'équipes et de groupes dans les organisations. Dans la figure 8.1, les groupes sont classés en fonction de leur durée d'existence et de leur statut au sein de l'organisation.

groupe
Ensemble d'individus liés par une ou plusieurs caractéristiques.

FIGURE 8.1

Catégories d'équipes et de groupes

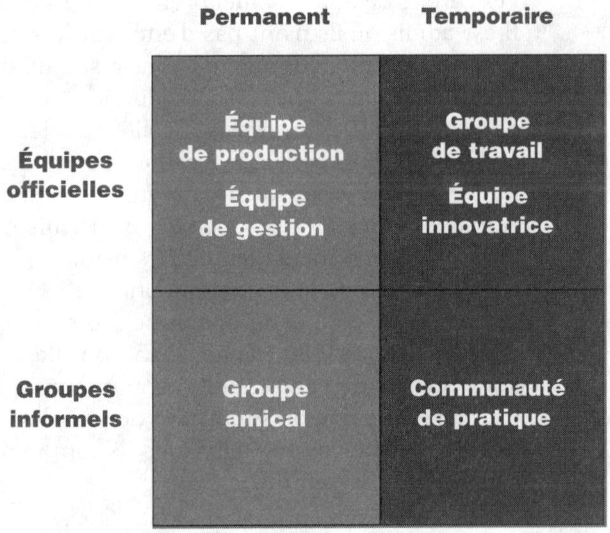

	Permanent	Temporaire
Équipes officielles	Équipe de production / Équipe de gestion	Groupe de travail / Équipe innovatrice
Groupes informels	Groupe amical	Communauté de pratique

Les équipes permanentes et les équipes temporaires

Les équipes permanentes sont responsables d'un ensemble précis de tâches fondamentales dans l'organisation. La plupart des services ont des équipes relativement permanentes parce que les employés sont interdépendants, travaillent ensemble et doivent coordonner ces tâches[8]. Dans l'exemple donné au début du chapitre, Bombardier a regroupé les employés de Outboard Motor Corporation dans des équipes permanentes qui étaient responsables des différentes étapes du processus de fabrication. On appelle aussi ces groupes des « équipes de résolution de problèmes » (ou d'amélioration) : c'est le cas de l'équipe de production ou de gestion.

Un autre type de groupe peut être constitué formellement avec des caractéristiques particulières : il s'agit de groupes que nous réunirons sous le terme « groupes autonomes ». Ces derniers se caractérisent par la liberté dont ils jouissent dans leurs activités et la haute performance qu'on attend d'eux. Nous reviendrons plus en détail sur ces groupes dans le prochain chapitre.

Outre les équipes permanentes, les organisations ont parfois recours à des équipes temporaires pour prendre des décisions sensibles et réaliser des projets à court terme. C'est le cas des groupes de travail ou de projet (*task force*) appelés à étudier un problème particulier et à être dissous une fois le problème résolu. Par exemple, Reko Automation & Machine Tools Inc., une entreprise de Windsor, en Ontario, a constitué 35 équipes pour réviser chacune de ses normes de qualité. Ces équipes ont été démantelées une fois la tâche achevée, et la société a atteint ces normes en moins de 10 mois[9].

Le cas particulier des cercles de qualité   Un **cercle de qualité** est un groupe de 8 à 10 employés, parfois multidisciplinaire, établi de façon temporaire. Ce groupe se réunit régulièrement (en général une fois par semaine) sur le lieu de travail pour améliorer la qualité du produit ou du service destiné à des clients internes ou externes. Mais c'est leur supérieur hiérarchique qui, le plus souvent, prend la décision finale sur la mise en œuvre des recommandations du groupe. Les cercles de qualité améliorent-ils la productivité ? Les opinions sont partagées. Il est admis qu'ils n'ont pas d'effet sur la satisfaction au travail, mais qu'ils peuvent effectivement donner de bons résultats si la direction de l'entreprise organise le contexte entourant leur introduction (les ressources, le soutien, le changement de structure). Des entreprises, telle la société montréalaise CAE, ont expérimenté avec succès les cercles de qualité, malgré les échecs du début de leur implantation. Une réduction du temps mis à résoudre le problème et l'affectation des employés à des tâches précises ont permis d'améliorer le processus et, ainsi, de faire une économie de 650 000 $ sur une période de 18 mois, notamment dans la correction des défauts de production[10].

La résistance à cette approche (voire son échec en plusieurs lieux), apparue dans les années 1980, venait du fait qu'elle était vue (notamment, au Canada, par les syndicats de l'automobile) comme un « gadget » supplémentaire qui permettrait à la direction de supprimer des emplois. Les cercles de qualité ont perdu de leur popularité comme tels, mais ils sont maintenant intégrés dans les processus d'amélioration continue.

Les équipes transverses (ou interfonctionnelles)   Ce sont des équipes formées d'experts dans différents domaines qui proviennent de plusieurs services de l'organisation pour travailler sur des problématiques concernant l'entreprise dans son ensemble.

Les **équipes transverses** travaillent dans une perspective systémique, c'est-à-dire de façon à éviter le cloisonnement des activités (dit « travail en silos » ou « travail compartimenté »), et à favoriser leur intégration et leur coordination. Beaucoup de grandes entreprises utilisent cette nouvelle forme d'organisation du travail pour mener à bien des projets complexes ; c'est le cas de presque tous les

---

cercle de qualité
Groupe de 8 à 10 employés constitué de façon temporaire pour améliorer la qualité d'un produit destiné à des clients internes ou externes.

équipe transverse
Équipe formée d'experts différents venant de plusieurs services de l'organisation pour travailler sur des problématiques concernant l'entreprise dans son ensemble.

Renault met le cap sur la transversalité

« Développement du business », « maîtrise de la complexité produit », « efficacité des services », « maximalisation du résultat net au-delà de la marge opérationnelle »… Voici l'intitulé de quelques-unes des onze équipes transverses que Renault a mises en place (sept depuis juillet 2005 et quatre autres depuis le début de l'année). Chacune d'elles comprend une dizaine de salariés, un leader (membre du comité exécutif) et un pilote nommé par le président du groupe en personne, Carlos Ghosn. Leur mission : identifier les risques, les opportunités et les gisements de performance.

L'équipementier automobile avait déjà mené une expérience similaire en 1997. Des équipes transverses avaient travaillé pendant dix-huit mois sur la réduction des coûts, ce qui avait permis de générer 3 milliards d'économie en trois ans. Les sept équipes qui ont démarré en juillet dernier ont identifié, cette fois-ci, un potentiel de plus de 1 milliard d'euros. Un tiers a été intégré dans le plan Contrat 2009, présenté en février dernier et qui fixe les objectifs de Renault pour les trois prochaines années. À la différence du mode de management du « tout processus », ces équipes transverses ne sont pas destinées à durer dans le temps. Leur champ d'action concerne davantage l'entreprise et son fonctionnement sur des axes stratégiques que des processus métiers à proprement parler.

Source : www.Lesechos.fr, 5 mai 2006, p. 1-3.

constructeurs d'automobiles : Toyota, Honda, Nissan, BMW, GM, Ford et Daimler-Chrysler. La société de chemin de fer Canadien Pacifique utilise cette formule pour trouver des façons de réduire les coûts d'exploitation. Renault a récemment remis sur pied des équipes transverses qui avaient déjà permis des réductions de coûts (*voir l'encadré 8.1*). La voiture Neon a ainsi été créée chez Chrysler par des équipes transverses (ainsi que le Boeing 777) en un temps record. Mais il est vrai que l'harmonisation de toutes les différences apportées par des groupes divers n'est pas facile.

Les équipes innovatrices Les **équipes innovatrices,** comme les groupes transverses, sont habituellement constituées (mais pas toujours) d'employés provenant de divers services de l'entreprise. Quelques différences cependant : 1) les équipes innovatrices ont surtout pour mission d'élaborer de nouveaux produits ou de résoudre des problèmes originaux et très complexes ; 2) un employé aux talents de leader (dit « champion ») les met sur pied en « empruntant » les individus et les ressources là où il peut les trouver[11] ; 3) certaines de ces équipes sont isolées du reste de l'organisation et peuvent passer outre aux règles auxquelles sont soumis les autres services de l'entreprise. Les premiers outils intranet ont été le produit de ces équipes innovatrices. Elles étaient formées d'employés équipés d'un ordinateur UNIX et de logiciels gratuits provenant des universités. Elles sont également à l'origine de plusieurs innovations à la société 3M Corp. Celle-ci leur doit, par exemple, l'invention d'un tapis pour souris d'ordinateur, doté d'une microsurface, qui a connu un grand succès commercial. « La direction ne se doutait pas que nous travaillions sur ce projet jusqu'à ce que le produit soit prêt à être lancé », explique un cadre de 3M. « Une équipe informelle composée d'employés de laboratoire, de la fabrication et du marketing a élaboré le produit[12]. »

Une équipe innovatrice a également contribué à faire de Ballard Power Systems, une société de Vancouver, un chef de file mondial en ce qui concerne la technologie de la pile à combustible. Geoffrey Ballard, le fondateur de la société, a voulu lancer un projet qui mettrait en valeur la technologie de la pile à combustible

équipe innovatrice
Équipe indépendante constituée d'employés empruntés à plusieurs services, qui a pour mission de concevoir des produits ou des services originaux et de travailler sur des problèmes complexes.

dans les autobus. Malheureusement, Geoffrey Ballard ayant été démis de son poste de chef de la direction, les dirigeants et le conseil d'administration ont rejeté son idée. Sans se laisser démonter, Geoffrey Ballard a poursuivi son projet en travaillant avec des gens et des ressources qui provenaient de tous les services de l'entreprise. La réussite du projet a permis à Ballard Power d'attirer plusieurs partenaires commerciaux dans le domaine de l'automobile[13].

Le magasin de vêtements Simons met également à contribution des types d'équipes innovatrices pour stimuler la créativité (*voir l'encadré 8.2*).

Les groupes informels

groupe informel
Groupe qui se constitue en dehors de ceux qui sont officiellement reconnus par l'organisation.

communauté de pratique
Groupe informel et spontané réunissant des gens ayant les mêmes intérêts et qui sont motivés par le désir de partager leurs connaissances.

En dehors des équipes de travail officielles, les organisations comportent aussi des **groupes informels.** En général, ce n'est pas l'organisation qui les constitue. Ces groupes peuvent partager autant des objectifs de travail que personnels et ils existent surtout pour le bénéfice de leurs membres. Certains groupes informels, comme le groupe avec qui vous prenez votre repas du midi, répondent surtout au besoin de nouer des liens. Les groupes amicaux ou les groupes d'intérêt (par exemple, dans ce dernier cas, des groupes qui se forment spontanément pour revendiquer des changements auprès de la direction en ce qui concerne ses politiques commerciales) sont des exemples de groupes informels.

Les **communautés de pratique** sont des groupes informels et spontanés réunissant des gens aux mêmes intérêts et motivés par le désir de partager leurs connaissances[14]. Nous avons déjà vu ce concept dans le chapitre 4 sur l'apprentissage. Par exemple, Schlumberger Ltd a des communautés de pratique dans différents secteurs : le forage en eau profonde, le forage horizontal, le sondage dévié et dans d'autres domaines spécialisés. Les employés, grâce à un portail Internet, partagent leurs expériences quotidiennes de travail[15]. Ailleurs, les gens ayant une passion professionnelle commune peuvent se rencontrer de temps à autre, par exemple deux fois par mois, le midi, pour faire un apprentissage collectif de leur savoir-faire. D'autres communautés de pratique interagissent uniquement par l'entremise de serveurs et de sites Internet sur lesquels les participants échangent de l'information au sujet de problèmes techniques précis. Les gens viennent généralement d'organisations différentes, mais le plus souvent du même secteur d'activité. Par exemple, au Québec, dans le secteur de l'industrie pharmaceutique, les employés qui travaillent en ressources humaines ont formé une communauté de pratique dont les membres proviennent de plusieurs sociétés de ce secteur.

Les **équipes virtuelles** sont des groupes qui travaillent essentiellement avec des technologies de l'information et qui ne se rencontrent quasiment jamais physiquement. Nous nous étendrons sur ce sujet dans le prochain chapitre.

La raison d'être des groupes informels C'est souvent le besoin inné et naturel de créer des liens qui pousse les gens à adhérer à des groupes informels[16]. Comme nous l'avons appris au chapitre 6 sur la motivation, les gens consacrent beaucoup de temps et d'efforts à nouer et à entretenir des relations sans que les circonstances ou des arrière-pensées les y obligent. Nous nous définissons simplement à travers nos affiliations à des groupes dans la société[17].

Enfin, nous avons tendance à former des groupes informels dans les situations stressantes parce que la présence des autres nous réconforte, ce qui nous incite à rechercher leur proximité[18]. Par exemple, cette explication permet de comprendre que les soldats se serrent les uns contre les autres pendant un bombardement, même s'ils savent que dans ces cas-là il est nécessaire de se disperser sous le feu ennemi. De même, les employés ont tendance à se rassembler spontanément quand la rumeur de la vente de leur entreprise court et que les licenciements menacent.

UN MODÈLE EXPLICATIF DE L'EFFICACITÉ D'ÉQUIPE

Pourquoi certaines équipes sont-elles plus efficaces que d'autres? Cette question a toujours préoccupé les experts en organisations et, comme on peut s'y attendre, de nombreux modèles d'efficacité ont été proposés au fil des ans[19]. L'**effacité de l'équipe** se traduit par sa capacité de réaliser les objectifs de l'organisation et les siens, et de satisfaire les besoins de ses membres[20]. En effet, la plupart des équipes remplissent une fonction précise liée aux buts de l'organisation, eux-mêmes déclinés en objectifs d'équipes. Ainsi, dans l'introduction de ce chapitre, l'équipe de Roch Lambert était chargée de créer et de mettre sur pied une nouvelle usine pour Outboard Motor Corporation, la nouvelle acquisition de Bombardier.

> **efficacité de l'équipe**
> Capacité d'une équipe de réaliser durablement ses objectifs et ceux de ses membres.

En outre, l'efficacité d'une équipe dépend de la satisfaction et du bien-être de ses membres. Enfin, elle peut aussi se mesurer à sa stabilité, soit sa capacité à « survivre » aux difficultés. Le groupe doit pouvoir renforcer l'engagement de ses membres envers lui-même, surtout dans les périodes turbulentes de son évolution. Sans cet engagement, les gens partent et l'équipe se démantèle.

La figure 8.2 présente un modèle explicatif de l'efficacité d'une équipe dont nous examinerons en détail les éléments dans le reste du chapitre. Nous étudierons d'abord les caractéristiques de l'environnement organisationnel à l'intérieur duquel s'insère une équipe. Nous verrons ensuite l'effet de ce contexte sur la conception et l'organisation du groupe de travail et, enfin, les conditions de son efficacité.

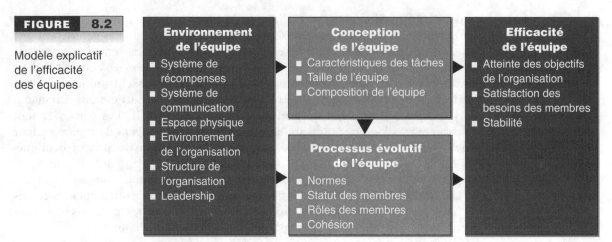

FIGURE 8.2

Modèle explicatif de l'efficacité des équipes

L'ENVIRONNEMENT DE L'ÉQUIPE

Une foule d'éléments présents dans l'organisation a des répercussions sur l'efficacité d'une équipe[21]. Six d'entre eux ont retenu notre attention: le système de récompenses et de communication, l'espace physique, l'environnement même dans lequel opère l'entreprise, la structure organisationnelle et la présence d'un leadership fort.

■ *Le système de récompenses*   Les recherches montrent que les membres d'une équipe travaillent plus efficacement quand ils sont récompensés, du moins en partie, pour la performance du groupe entier[22]. Toutefois, dans les sociétés occidentales, quand le salaire de l'individu est basé sur une combinaison du rendement individuel et de celui de l'équipe, les employés sont satisfaits. C'est le cas chez American Skandia, une division américaine d'une compagnie d'assurances suisse[23].

■ *Le système de communication*   L'efficacité d'un groupe peut être compromise par un système de communication qui empêcherait une circulation fluide de l'information dont a besoin une équipe pour atteindre ses buts, qu'elle soit ascendante, descendante ou latérale[24]. Le chapitre 11, dédié à la communication en entreprise, traitera plus en détail de ce sujet. Comme nous le verrons, les systèmes de communication sont particulièrement importants quand les membres de l'équipe sont dispersés d'un point de vue géographique.

■ *L'espace physique*   L'aménagement physique (par exemple, les aires ouvertes) d'un lieu de travail comme un bureau ou une usine doit être conçu pour un accès rapide aux personnes et aux ressources pertinentes. Il devrait également favoriser un échange d'information direct, par exemple de personne à personne. De plus, le fait de se retrouver dans un même espace physique (vivable) accentue le sentiment d'appartenance à une même équipe. C'est pourquoi Trojan Technologies Inc., une entreprise de London, en Ontario, a choisi un édifice et un ameublement qui permettent aux équipes de s'organiser rapidement et de communiquer avec efficacité. «On ne construit rien sans équipe, et l'aménagement des bureaux doit favoriser le travail d'équipe», explique Hank Vander Laan, le président de Trojan[25].

■ *L'environnement de l'organisation*   Les éléments suivants peuvent accroître l'esprit d'équipe: la bonne réputation d'une organisation et conséquemment de ses

New Balance Athletic Shoe Inc. fait concurrence aux usines à bas salaires de l'Asie grâce à sa technologie et à son organisation basée sur le travail d'équipe. Les employés chevronnés des cinq usines de New Balance, situées au Massachusetts et au Maine, utilisent un équipement informatique qui contrôle jusqu'à 20 têtes de machine à coudre à la fois. Chaque employé travaille au sein d'une équipe de cinq ou six personnes et accomplit une demi-douzaine de tâches différentes. Les nouvelles recrues reçoivent 22 heures de cours sur le travail d'équipe et d'autres techniques, et une formation continue à l'usine même. Cette combinaison de travail d'équipe et de technologie avancée permet à New Balance de produire une paire de chaussures en 24 minutes, le temps nécessaire étant de presque trois heures dans les usines asiatiques[28]. Quel degré d'interdépendance des tâches existe-t-il entre les membres d'équipe de New Balance?

Mark Garfinkel, Boston Herald

www.newbalance.com

groupes de travail, une concurrence vive, la présence d'un « ennemi commun » extérieur à l'organisation et la facilité à se procurer des ressources.

■ *La structure de l'organisation*   Structure décentralisée, équipes autonomes ou semi-autonomes et pouvoirs décisionnels délégués là où l'action l'exige permettent des interactions fréquentes entre les équipes[26] (nous y reviendrons plus loin dans ce chapitre).

■ *Le leadership*   Les équipes ont besoin d'un soutien constant de la part des cadres supérieurs, ceux-ci ayant le pouvoir d'organiser l'attribution des récompenses, la structure organisationnelle, le système de communication, etc. Elles ont également besoin des conseils et de l'appui d'un chef (ou d'un *coach*) afin de résoudre les problèmes et de se procurer les ressources indispensables pour exécuter leurs tâches[27]. Le chef doit en outre encourager un système de valeurs qui incite au travail d'équipe.

LA CONCEPTION D'UNE ÉQUIPE

Pour former une équipe, il faut tenir compte de trois éléments: les caractéristiques de la tâche qui lui incombe, la taille du groupe et la composition de ses membres.

Les caractéristiques de la tâche

Une équipe est généralement plus efficace quand ses tâches sont claires et faciles à réaliser[29]. Les tâches interdépendantes peuvent favoriser cette efficacité ou l'entraver.

---

interdépendance des tâches

Caractéristique d'un processus de travail où l'accomplissement d'une tâche exige celui d'une autre.

L'interdépendance des tâches   C'est ce qui caractérise un processus de travail où l'accomplissement d'une tâche exige celui d'une autre. Il y a **interdépendance des tâches** en général quand les membres d'une équipe doivent échanger des idées ou partager des ressources pour accomplir leur travail, ou encore quand leurs résultats (par exemple, ceux donnant lieu à des récompenses) dépendent partiellement du rendement des autres[30]. Plus le degré d'interdépendance des tâches est élevé, plus celles-ci doivent être exécutées en équipe plutôt qu'individuellement. De plus, des recherches récentes révèlent que l'interdépendance des tâches crée un sentiment accru de responsabilité qui pousse les membres de l'équipe à travailler ensemble[31].

La figure 8.3 illustre les trois niveaux d'interdépendance des tâches[32]. L'*interdépendance* dite *groupée* est le plus bas niveau d'interdépendance: les membres travaillent d'une manière relativement autonome tout en dépendant d'une ressource ou d'une autorité commune. Par exemple, les employés partagent la même masse salariale, la même cafétéria ou d'autres ressources de l'entreprise.

FIGURE   8.3

Niveaux
d'interdépendance
des tâches

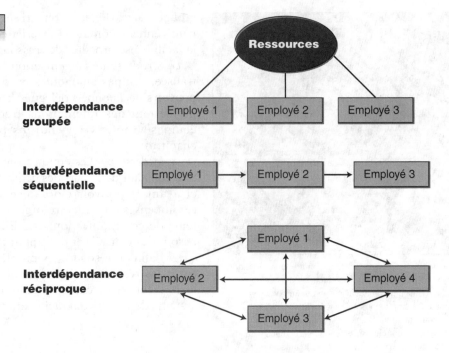

On parle d'*interdépendance séquentielle* quand une personne ou un service B dépendent directement du produit d'une activité d'autres personnes ou d'un autre service A. Généralement, le mouvement va de A vers B seulement. On trouve ce lien d'interdépendance notamment dans les usines de transformation du poisson. Les poissons passent d'un employé spécialisé à l'autre : ils sont d'abord découpés, puis éviscérés, lavés et enfin triés[33]. L'*interdépendance réciproque* est le plus haut niveau d'interaction : les individus partagent continuellement de nombreuses activités.

La taille de l'équipe

St. Luke's est une agence de publicité britannique très prospère qui a recours à des équipes de travail autonomes pour servir sa clientèle. L'agence londonienne est tellement orientée vers le travail d'équipe qu'elle refuse de participer aux récompenses de l'industrie qui soulignent les réalisations individuelles. L'une des règles adoptées par St. Luke's pour soutenir la dynamique d'équipe est la « règle des 35 », qui précise qu'aucune équipe ne doit compter plus de 35 membres. « Si une équipe dépasse ce nombre, elle doit se diviser, comme une cellule », explique Andy Law, le chef de la direction et cofondateur de St. Luke's[34].

Les dirigeants de St. Luke's attachent beaucoup d'importance à la taille de l'équipe. Certains chercheurs affirment que celle-ci devrait être limitée à 10 membres ou moins, ce qui fait paraître la règle des 35, observée à St. Luke's, beaucoup trop élevée. En réalité, la taille optimale d'une équipe dépend de plusieurs facteurs, comme le nombre de personnes requises pour faire le travail et le niveau de coordination nécessaire pour qu'elles puissent travailler ensemble. En règle générale, une équipe doit être assez grande pour inclure une large gamme de compétences dont elle a besoin, et assez restreinte pour permettre une coordination efficace et favoriser l'engagement de ses membres[35].

Habituellement, les grands groupes sont moins efficaces que les groupes restreints parce que leurs membres consacrent plus de temps et d'efforts à coordonner leurs rôles et à résoudre leurs différends. La participation individuelle s'en trouve amoindrie et, de ce fait, les employés ont souvent l'impression de ne pas contribuer au succès de l'équipe. Les équipes de grande taille ont tendance à se diviser en sous-groupes informels unis par des tâches et des centres d'intérêt communs. À la longue, les individus ressentent un engagement plus intense envers leur sous-groupe qu'envers l'équipe au complet. Le géant pharmaceutique Pfizer Inc. évite le plus possible de créer des équipes de grande taille dans ses centres de recherche. Il constitue plutôt des « familles » de 5 à 7 scientifiques et des « tribus » de 70 membres environ composées de 10 familles[36].

La composition de l'équipe

Steve Currie se rappelle très bien l'entrevue qu'il a passée à l'agence de voyages torontoise Flight Centres. Après une première entrevue téléphonique, Steve Currie et une trentaine d'autres candidats ont été choisis pour participer à une séance durant laquelle ils devaient relever plusieurs défis en groupes de quatre. L'un de ces défis consistait à trouver comment survivre sur une île déserte après un naufrage. Dans l'après-midi, les candidats qui s'étaient bien défendus dans les jeux de rôle étaient invités à passer une entrevue officielle[37].

Comme l'agence Flight Centres est fortement orientée vers le travail d'équipe, elle choisit soigneusement des candidats qui ont la motivation et les compétences nécessaires pour travailler ensemble.

En général, les employés à orientation « collectiviste » — c'est-à-dire qui privilégient la loyauté envers leur groupe et l'harmonie de l'équipe (*voir le chapitre 16*) — donnent une meilleure performance en équipe, tandis que les candidats individualistes travaillent mieux tout seuls[38].

Outre le désir de travailler en équipe, les employés doivent posséder les aptitudes et les connaissances nécessaires pour atteindre les objectifs du groupe[39]. Chaque candidat peut ne posséder que quelques-uns des talents nécessaires, mais le groupe entier doit détenir la totalité des compétences requises. Ces compétences relèvent de trois catégories: techniques (par exemple, certains membres doivent avoir de l'expertise dans le domaine à l'étude), décisionnelles (capacité de résoudre des problèmes et de faire les choix pertinents) et humaines (capacité de mobiliser les troupes et de régler les conflits internes). Quant aux types de personnalité recherchée, les travaux montrent que les individus qui donnent le meilleur rendement en équipe sont en général plus enclins à collaborer avec leurs collègues et font preuve d'intelligence émotionnelle (*voir le chapitre 5*). Plusieurs dimensions de la personnalité mentionnées dans le modèle des cinq grands facteurs (*voir le chapitre 3*) jouent un rôle non négligeable dans l'efficacité de l'équipe: on pense à l'extraversion ou à la stabilité émotionnelle. Par ailleurs, les chercheurs soulignent également l'importance d'enseigner aux employés comment communiquer entre eux et coordonner leur travail au sein d'une équipe[40]. L'encadré 8.3 décrit comment Sean Loutitt, le chef pilote de Kenn Borek Air Ltd., une entreprise de Calgary, a tenu compte des compétences de chacun quand il a été question de choisir les membres de son équipage. Celui-ci avait pour tâche d'aller chercher un médecin américain malade dans l'Antarctique en plein hiver.

Grâce à sa composition judicieuse, une équipe de Calgary accomplit avec succès une mission de sauvetage audacieuse dans l'Antarctique

À titre de chef pilote de Kenn Borek Air Ltd, une entreprise de Calgary, Sean Loutitt avait déjà transporté des gens et des vivres dans l'Antarctique à plusieurs reprises durant l'été. Cependant, quand on lui a demandé de s'y rendre à la fin d'avril pour sauver un médecin malade qui travaillait à la station de recherche Amundsen-Scott, Sean Loutitt savait fort bien que le succès de cette mission risquée serait tributaire du choix de l'équipage. « Chaque candidat devait être un joueur d'équipe », se rappelle avoir pensé Sean Loutitt en choisissant Marc Carey comme copilote et Norm Wong comme ingénieur de vol. « Nous devions tous unir nos efforts et travailler ensemble. » Trois autres membres du personnel de Kenn Borek Air suivraient dans un second avion pour servir d'équipage de remplacement.

Personne n'avait jamais volé dans l'hémisphère Sud aussi tard en hiver, alors que le continent Antarctique est plongé dans une obscurité totale et que les températures y sont extrêmement froides. L'armée de l'air américaine avait bien tenté d'y organiser un sauvetage, mais elle avait dû y renoncer parce que ses trois avions cargo Hercules ne pouvaient pas voler à une température inférieure à –55 °C et qu'ils auraient eu besoin de plus de carburant que la station de recherche pouvait leur en fournir. À la station de recherche Amundsen-Scott, le thermomètre descend régulièrement sous les –70 °C. Or, à cette température, le métal casse comme un fétu de paille, et le carburant se transforme en gelée.

À bord de deux solides Twin Otter construits pour voler dans l'Arctique canadien, les deux équipages ont mis cinq jours pour se rendre de Calgary jusqu'au Chili, puis jusqu'à la station britannique Rothera, située sur la côte de l'Antarctique. Pendant que l'équipage de remplacement attendait à Rothera, Sean Loutitt, son équipage et un médecin remplaçant ont parcouru, à bord d'un avion chargé à pleine capacité et dans une obscurité totale, les 2500 km qui séparaient Rothera de la station de recherche du pôle Sud.

Le personnel de la station de recherche a bravé des températures de –71 °C pour nettoyer la piste enneigée et accueillir le Twin Otter au moment de son atterrissage. Des radiateurs chauffants empêchaient l'avion de geler pendant que l'équipe de sauvetage dormait. Malgré cela, le froid a occasionné des ennuis au matériel volant, mais l'équipe d'entretien, aguerrie à la « mécanique de brousse », a réussi à libérer l'avion des glaces, mais sans savoir si les instruments fonctionnaient encore. C'est seulement plusieurs heures plus tard, au moment où une mince ligne rose est apparue à l'horizon, que l'équipage a compris qu'il se dirigeait dans la bonne direction, celle de la station Rothera. « Nous étions tous très fiers », dit Sean Loutitt en parlant de la mission de sauvetage. « Notre réussite était le fruit d'un grand effort d'équipe. »

Sources : Adapté de T. Clark, « Flight Into Darkness », *W-Five* (CTV Television), 2 décembre 2001 ; L. Abraham, « Teamwork Key in South Pole Rescue », *Regina Leader-Post*, 28 avril 2001, p. D13 ; M. Reid, « Tired Rescue Team Finally Flying Home », *Calgary-Herald*, 26 avril 2001.

www.borekair.com

équipe homogène

Groupe dont les membres possèdent une même expérience technique, des caractéristiques sociodémographiques (l'âge, le sexe) et ethniques semblables ainsi que des valeurs communes.

La diversité de l'équipe Une autre dimension importante de la composition de l'équipe est la diversité de ses membres[41]. Une **équipe homogène** est un groupe dont les membres possèdent une même expérience technique, des caractéristiques sociodémographiques (l'âge, le sexe) et ethniques semblables ainsi que des valeurs communes. À l'inverse, les membres d'une **équipe hétérogène** possèdent des caractéristiques personnelles et des expériences professionnelles différentes. Une équipe doit-elle être homogène ou hétérogène pour être efficace ? Cela dépend. Les équipes hétérogènes sont souvent en butte aux conflits, et leur évolution est plus lente. Elles sont susceptibles de se diviser en sous-groupes fondés sur le sexe, l'ethnie, l'expérience professionnelle ou d'autres dimensions. Dans certaines situations, ces divisions peuvent même provoquer la dissolution de l'équipe[42]. Au contraire, les membres d'une équipe homogène éprouvent un plus haut degré de satisfaction, sont moins tiraillés par les conflits et leurs rapports sont plus harmonieux. Par conséquent, les équipes homogènes sont en général

équipe hétérogène
Groupe dont les membres possèdent des caractéristiques personnelles et des expériences professionnelles différentes.

plus efficaces lorsque la tâche exige un degré élevé de collaboration et de coordination, comme c'est le cas pour les équipes d'urgence ou les quatuors à cordes.

Même s'il est plus difficile de constituer des équipes hétérogènes, celles-ci sont en général plus efficaces que les équipes homogènes en ce qui a trait aux tâches dévolues à la haute direction et dans d'autres situations où des problèmes complexes exigent des solutions créatives[43]. Cela s'explique par la diversité des compétences et des points de vue. Par exemple, une étude montre que les équipes composées uniquement d'hommes étaient moins efficaces que les équipes composées des deux sexes : les décisions prises par les hommes seulement n'étaient pas assez nuancées[44].

Enfin, les avantages de la diversité se font surtout sentir quand l'équipe s'efforce d'atteindre un consensus (au lieu de voter) et que chaque membre tente activement de comprendre et d'intégrer les points de vue de ses coéquipiers. Un cadre supérieur de Monsanto Corp. résume ainsi cette vision : « Chaque fois que j'ai constitué une équipe diversifiée, celle-ci a trouvé une solution plus créative qu'une équipe homogène travaillant sur le même problème[45]. »

LA DYNAMIQUE D'UNE ÉQUIPE

Jusqu'ici, nous avons examiné deux ensembles d'éléments qui font partie du modèle de l'efficacité de l'équipe : 1) l'environnement organisationnel du groupe, et 2) les conditions de sa conception. Dans les pages suivantes, nous présenterons la troisième série d'éléments qui favorisent l'efficacité d'une équipe et qui forment ce qui se passe à l'intérieur du groupe, autrement dit, sa dynamique. Ces éléments sont le processus évolutif du groupe, les normes qui régissent l'équipe, le statut et les rôles de chacun et la cohésion.

LE PROCESSUS ÉVOLUTIF DE L'ÉQUIPE

Il y a quelques années, le National Transportation Safety Board (NTSB) américain étudiait les circonstances dans lesquelles les équipages étaient le plus susceptibles d'avoir des accidents. Ses découvertes ont été surprenantes : 73 % des accidents se produisaient le premier jour de travail de l'équipage et 44 %, durant le premier vol. Il ne s'agit pas là d'un cas isolé. La NASA s'est intéressée aussi à la fatigue des pilotes qui effectuent des trajets de plusieurs jours. Il n'est pas étonnant d'apprendre que les pilotes fatigués ont commis un plus grand nombre d'erreurs dans les simulateurs de vol de la NASA. Cependant, les chercheurs de la NASA ont fait une autre découverte : les équipages fatigués qui avaient déjà travaillé ensemble commettaient moins d'erreurs que ceux qui n'avaient jamais volé ensemble[46].

Les études du NTSB et de la NASA ont à nouveau mis en lumière le fait que les membres d'une équipe doivent résoudre plusieurs problèmes ensemble et traverser plusieurs stades d'évolution avant de former une unité de travail efficace. Plus les membres d'une équipe travaillent ensemble, plus ils développent des modèles mentaux communs, une compréhension mutuelle et une routine efficace dans l'exécution de leur travail. C'est pour cette raison que Budd Canada a résisté aux demandes du syndicat de concevoir un nouvel horaire de travail qui l'obligerait à former de nouvelles équipes. « Même si le niveau de compétences individuel est bon, les gens qui travaillent régulièrement dans la même équipe sont toujours un peu plus efficaces qu'une équipe constituée sur une base empirique », explique Winston Wong, un cadre de Budd Canada[47].

Le schéma présenté à la figure 8.4 présente les cinq étapes que franchit un groupe avant de devenir une équipe : la formation (ou la constitution du groupe), le conflit, la régulation, la coopération et finalement la dissolution[48]. Ce schéma montre ces étapes de façon séquentielle, mais les lignes pointillées indiquent que les équipes peuvent aussi revenir à un stade antérieur à celui qu'elles avaient atteint : par exemple, lorsque de nouveaux membres s'y ajoutent ou quand certaines circonstances affaiblissent la maturité de l'équipe.

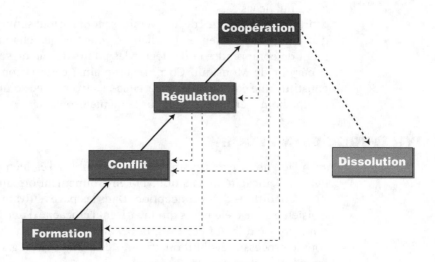

FIGURE 8.4

Étapes de l'évolution d'une équipe

1. *La formation du groupe* La formation du groupe est le premier stade de la constitution d'une équipe. Il s'agit d'une période d'essai et d'orientation au cours de laquelle les membres apprennent à se connaître et soupèsent les avantages et les inconvénients liés à leur adhésion à l'équipe. Les membres sont plutôt polis et peuvent s'en remettre à l'autorité d'un chef officiel ou informel qui leur fournit une première structure de fonctionnement. On essaie ici de déterminer les objectifs et les rôles de chacun : les membres subissent une sorte de socialisation alors qu'ils essaient de deviner ce qu'on attend d'eux et quelle sera leur place au sein de l'équipe.

2. *Le conflit* Cette étape tumultueuse est ponctuée de conflits interpersonnels. En effet, les membres deviennent plus actifs, sortent de leur réserve et rivalisent pour endosser les divers rôles requis dans l'équipe. Des alliances peuvent se former au moment de déterminer les objectifs de l'équipe et les moyens de les atteindre. Les membres tentent de se fixer des normes de conduite et de rendement appropriées. Il s'agit d'une étape délicate, surtout si le chef est autocratique et ne possède pas les compétences nécessaires pour gérer les conflits.

3. *La régulation ou normalisation* À l'étape de la régulation, les membres du groupe éprouvent pour la première fois un sentiment de cohésion. Ils se donnent des règles de fonctionnement, acceptent leurs rôles respectifs et s'entendent sur les objectifs du groupe et la manière de les atteindre. Comme ils ont développé des modèles mentaux assez similaires, ils partagent les mêmes attentes, se rapprochent davantage les uns des autres et deviennent plus efficaces. Ils peuvent alors passer à l'étape suivante, celle de la coopération[49].

4. *La coopération* À l'étape de la coopération, l'équipe est plus orientée vers la tâche à accomplir. Les membres ont appris à coordonner leurs efforts et à régler leurs conflits plus efficacement. À l'occasion, ils doivent améliorer leur coordination, mais leurs efforts sont surtout concentrés sur l'exécution des tâches. Dans les équipes très performantes, les membres collaborent étroitement, se font mutuellement confiance, s'engagent à atteindre les objectifs du groupe et s'identifient à l'équipe. Il y règne un climat de soutien mutuel grâce auquel les membres ne craignent pas de courir des risques, de commettre des erreurs ou de demander de l'aide[50].

5. *La dissolution* La plupart des équipes de travail et des groupes informels finissent par se dissoudre. Les équipes se démantèlent une fois leur projet réalisé. Parfois, les groupes informels atteignent aussi cette étape quand plusieurs membres quittent l'organisation ou sont mutés. Certaines équipes se dissolvent à la suite de licenciements ou de la fermeture d'une usine. Quelle que soit la cause de la dissolution, les membres détournent leur attention de la tâche pour la diriger vers la sphère des émotions quand ils réalisent que la relation va se terminer.

Ce modèle d'évolution de l'équipe est un cadre utile qui permet de réfléchir à la manière dont les équipes se transforment. En même temps, il faut garder à l'esprit que ce modèle n'est pas parfait[51]. Par exemple, il n'explique pas clairement comment certaines équipes passent plus de temps à une étape plutôt qu'à une autre ou que l'évolution de l'équipe peut être un processus continu. Lorsque les membres ou les circonstances changent, l'équipe revient aux premières étapes de son évolution afin de retrouver l'équilibre perdu au moment du changement (comme l'illustrent les lignes pointillées de la figure 8.4). Ce modèle fait aussi abstraction du contexte qui peut modifier bien de choses, par exemple accélérer les étapes en imposant des échéances ou en définissant à l'avance des règles et des tâches précises, ou encore en fournissant les ressources dont le groupe a besoin pour performer. Le modèle dit de l'« équilibre rompu » (*ponctuated equilibrium model*) apporte quelques réponses aux réserves précédentes.

Le modèle de l'équilibre rompu

modèle de l'équilibre rompu
Modèle selon lequel, généralement, face à des échéances, le groupe planifie ses activités durant la première moitié du temps qui lui est imparti, mais les révise et les met en œuvre dans la deuxième partie.

Le **modèle de l'équilibre rompu**, qu'on doit à Gersick[52, 53], postule qu'en général un groupe, face à des échéances, planifie ses activités durant la première moitié du temps qui lui est imparti, mais qu'il les révise et les met en œuvre dans la deuxième partie.

Le groupe se comporte d'une manière différente selon qu'il se situe dans la première moitié du temps (phase 1) qui lui est imparti ou dans la deuxième partie (phase 2). À la phase 1, le groupe établit ses objectifs et ses tâches qui ne changeront presque pas jusqu'à la moitié environ du temps attribué (ce peut être quelques heures seulement ou des mois), même si le groupe a de nouvelles idées (qui ne seront habituellement pas suivies). Mais aussitôt que le groupe atteint le milieu du temps imparti, une réaction curieuse se produit alors. Il semble que le groupe réagisse à une sorte de sonnette d'alarme lui indiquant qu'il doit revoir sa façon de fonctionner s'il veut atteindre ses objectifs. C'est alors que la phase 2 commence, là où le groupe adopte un rythme énergique qui lui permettra de réaliser sa tâche. Autrement dit, après une période de quasi-inertie qui permet au groupe de maintenir un certain équilibre, celui-ci est rompu au milieu du temps imparti pour laisser la place à de nouvelles perspectives.

Même si cela n'est pas évident de prime abord, ce modèle n'est pas incompatible avec celui des cinq phases de développement précédent. En effet, on y retrouve, dans la première partie du temps, la phase de formation et de régulation et, dans la deuxième, les phases de conflit et de coopération. On peut considérer que le modèle des cinq phases met l'accent sur la perspective interpersonnelle, tandis que celui de l'équilibre rompu est centré sur le contexte de la tâche (principalement les échéances). Ces modèles sont d'une portée pratique intéressante car, si on connaît ces phénomènes de groupe, il est possible d'intervenir à un moment ou à un autre de la vie de l'équipe. On peut, par exemple, accélérer une phase en octroyant plus de ressources au groupe ou en créant un sentiment d'urgence, ou encore en choisissant des membres qui joueront un rôle positif dans une phase ou une autre (par exemple, un « pacificateur » durant la phase de conflit).

LES NORMES DE L'ÉQUIPE

norme
Règle formelle
et informelle qui
régit la conduite
des membres
d'une équipe.

Les **normes** sont des règles formelles et informelles qui régissent la conduite des membres d'une équipe. Le groupe partage ces normes et les tient pour acceptables[54].

Les normes déterminent l'attitude et les comportements des employés envers les clients, la manière dont ils doivent partager les ressources, la façon de se comporter en groupe et bien d'autres comportements de la vie organisationnelle (l'éthique, la performance, etc.). Certaines normes ont pour but d'inciter les employés à appuyer les objectifs de l'organisation et d'autres, non. Par exemple, le niveau tolérable d'absentéisme des employés est parfois en partie déterminé par les normes correspondantes qui régissent un groupe particulier[55].

La conformité aux normes de l'équipe

Nous avons tous subi la pression de nos pairs à un moment ou à un autre. Nous avons droit aux grimaces et aux commentaires sarcastiques de nos collègues de travail lorsque nous arrivons en retard à une réunion ou quand nous ne terminons pas à temps un projet. Dans des cas plus extrêmes, les membres peuvent tenter de faire appliquer les normes de l'équipe en ostracisant temporairement le collègue déviant ou en menaçant de mettre fin à son appartenance à l'équipe. Cette lourde pression des pairs n'est pas aussi rare qu'on puisse le croire. Selon un sondage, 20 % des employés d'une entreprise ont subi des pressions de la part de leurs collègues pour qu'ils tempèrent leur ardeur au travail. Dans la moitié des cas étudiés, les collègues exerçaient cette pression parce qu'ils ne voulaient pas être considérés comme médiocres en présence d'employés plus productifs[56].

D'autres éléments renforcent les normes de l'équipe, par exemple: les éloges que dispensent les membres jouissant d'un grand prestige, un meilleur accès à de précieuses ressources ou l'attribution de récompenses[57]. Cependant, les membres de l'équipe obéissent souvent aux normes dominantes sans avoir besoin de renforcement ou de punition, car ils s'identifient au groupe et veulent avoir des comportements conformes à ses valeurs. Ce phénomène est très présent chez les nouveaux membres au statut encore incertain dans le groupe et qui veulent montrer leur loyauté envers l'équipe.

Comment l'équipe adopte des normes

L'équipe adopte de nouvelles normes dans plusieurs circonstances, notamment lorsque les individus découvrent que certains comportements permettent d'être plus efficaces ou quand un chef respecté renforce l'adoption de certaines pratiques[58]. Par exemple, un chef d'équipe peut fréquemment souligner l'importance de traiter les clients avec respect et courtoisie. Tout événement critique survenant dans l'histoire de l'équipe est un deuxième facteur qui contribue à l'adoption d'une nouvelle norme. Par exemple, une équipe se dotera de règles solides sur le nettoyage du lieu de travail après qu'un collègue aura glissé sur des débris de métal et se sera gravement blessé.

Certains comportements marquants qui se sont manifestés au début de la formation de l'équipe peuvent ultérieurement servir de normes. Par exemple, il peut s'agir de la manière dont les membres d'une équipe nouvellement formée sont accueillis, de la place qu'ils occupent aux réunions[59], etc.

Enfin, les croyances et les valeurs du groupe influencent ses normes. C'est le cas, par exemple, pour les normes en matière d'éthique[60].

Détecter et traiter les normes dysfonctionnelles

Bien que de nombreuses normes d'équipe soient profondément ancrées dans l'esprit des membres, plusieurs stratégies permettent de les modifier si elles semblent contre-productives. L'une d'elles consiste à imposer des normes de rendement à l'équipe dès sa formation. Des mesures prises tôt marquent durablement le comportement ultérieur. Une autre stratégie consiste à sélectionner des employés qui cultiveront les normes souhaitées dans une équipe. Ainsi, si l'organisation veut mettre l'accent sur la sécurité, elle doit choisir des membres qui la privilégient. Toutefois, des normes établies depuis longtemps dans une équipe sont plus difficiles à changer. L'introduction d'un nouveau membre (à moins qu'il soit doté d'un grand pouvoir) les modifiera peu. On peut aussi discuter ouvertement de la norme qui pose problème avec les membres de l'équipe en recourant à des tactiques de communication persuasives[61]. Par exemple, l'équipe de chirurgie d'un petit hôpital d'Ontario avait pris l'habitude d'arriver en retard à la salle d'opération. Les patients et le personnel de l'hôpital attendaient souvent une demi-heure ou plus l'arrivée de l'équipe. Le chef de la direction de l'hôpital a finalement abordé le sujet avec les chirurgiens et les a convaincus de limiter leur retard à un maximum de cinq minutes[62].

Certains systèmes qui récompensent l'équipe entière peuvent aussi réduire les normes improductives. Mais la pression visant à se conformer à la norme dominante est parfois plus forte que le stimulant financier[63]. Par exemple, les employés d'une usine de pyjamas étaient rémunérés à la pièce. Certains employés arrivaient à produire jusqu'à 100 pyjamas à l'heure et, de ce fait, à gagner plus d'argent. Néanmoins, tous les employés ont choisi de se conformer à la norme du groupe, qui était de 50 pyjamas à l'heure[64].

Enfin, une norme inefficace peut être si profondément gravée dans l'esprit des employés que la meilleure stratégie consiste alors à démanteler l'équipe et à la remplacer par des salariés qui appliquent des normes plus adéquates.

LE STATUT

statut

Rang ou position relative donné à un groupe ou à des individus dans l'entreprise.

Le **statut** est le rang ou la position relative donné à un groupe ou à des individus dans l'entreprise. Le statut d'un individu peut être élevé (la considération, le prestige) dans un groupe donné, ou faible (aucune importance). Dans le langage courant, on pense plutôt au premier cas lorsqu'on dit que quelqu'un a un certain statut. Dans la plupart des sociétés, les représentants de certains corps de métier bénéficient d'un statut élevé : les juges, le président d'un pays ou d'une entreprise prestigieuse, les médecins, les professeurs, etc. Le statut d'un individu dans le groupe peut être de nature formelle ou informelle. Il est formel quand son rang est le produit d'une position officielle, comme le niveau hiérarchique. Dans le cas où ce niveau est élevé, il confère à l'individu pouvoir et autorité. Si celui-ci est bien vu, il peut aussi hériter du prestige rattaché à son poste. Généralement, le statut élevé d'un individu est accompagné de symboles qui reflètent cette importance : un bureau très grand, une voiture de fonction, une place privée de stationnement, etc. Dans l'encadré 8.4, on verra quelques marques de privilèges dont jouissent encore les grands patrons de Ford, le géant de l'automobile.

Le statut informel est l'importance que donnent les autres à un individu pour des caractéristiques non reconnues officiellement par l'organisation. Ce peut être le respect porté aux « anciens » de l'entreprise, l'admiration pour un subalterne ayant un grand charisme, etc. Il faut savoir que dans un groupe les individus au statut élevé ont plus d'influence que les individus à bas statut. Dans une étude classique sur des équipages de bombardiers, on a présenté à ces groupes une série de problèmes. Les mêmes solutions ont été soumises par des pilotes (donc à statut élevé) et par des mitrailleurs (donc à plus bas statut). Dans la majorité des cas, les sujets ont choisi les solutions proposées par les pilotes[65] !

LES RÔLES DANS UNE ÉQUIPE

rôle
Ensemble de comportements que les employés sont censés observer parce qu'ils occupent une position particulière au sein d'une équipe ou d'une organisation.

Un **rôle** est un ensemble de comportements que les employés sont censés observer parce qu'ils occupent une position particulière dans une équipe ou une organisation[66]. Les groupes en organisation manifestent trois sortes de rôles. Le premier ensemble de rôles inclut des comportements qui permettent à l'équipe d'accomplir la tâche qui lui est dévolue : donner et recueillir de l'information, développer des idées, coordonner des activités et résumer des discussions ou des événements passés (*voir le tableau 8.1*). Le deuxième ensemble de rôles vise à préserver de saines relations de travail entre les membres de l'équipe. Ces rôles sont dits « socioémotifs ». Les comportements qu'ils engendrent englobent la résolution des conflits entre les membres de l'équipe, le maintien des voies de communication, le renforcement des comportements positifs des autres et tout autre comportement encourageant la participation de tous. Enfin, il n'est pas rare d'observer des rôles personnels, c'est-à-dire centrés sur le seul intérêt de l'individu et non sur celui du groupe : le dominateur est autoritaire et veut manipuler le groupe, le narcissique attire constamment l'attention sur ses seules contributions, le résistant fait obstacle aux progrès du groupe et le fuyard se distancie de l'équipe[67].

Certains rôles sont officiellement attribués à des membres particuliers. Par exemple, on s'attend en général à ce qu'un chef d'équipe amorce les discussions, qu'il veille à ce que chaque membre exprime son opinion et qu'il aide l'équipe à atteindre un consensus sur les questions débattues. Toutefois, les membres de l'équipe endossent souvent divers rôles d'une manière informelle. Certains aiment encourager leurs collègues à participer d'une manière plus active. D'autres préfèrent arbitrer les conflits qui opposent des membres de l'équipe. Comme nous l'avons mentionné plus tôt, ces préférences apparaissent en général à l'étape des conflits dans l'évolution d'un groupe.

Évidemment, plus un individu accumule les rôles, plus il acquiert du pouvoir et plus il est puissant, plus il a la possibilité d'investir d'autres rôles. Le pouvoir décisionnel des groupes qui dépendent de lui s'en trouve alors nécessairement

TABLEAU 8.1 Rôles des participants et efficacité de l'équipe

Activités liées aux rôles	Description	Exemples
Rôles orientés vers la tâche		
Initiateur	Détermine les objectifs de la réunion et propose des moyens de les atteindre	« Le principal objectif de cette réunion est de régler le problème de notre client en ce qui concerne ce produit. »
Demandeur d'information	Demande l'éclaircissement de certaines idées ou des preuves à l'appui d'une opinion	« Jules, pourquoi pensez-vous que le client utilise ce produit d'une manière incorrecte ? »
Transmetteur d'information	Donne de l'information et ses opinions sur la tâche et les objectifs de l'équipe	« Voici ce que certains de mes clients ont fait pour régler ce problème. »
Coordonnateur	Coordonne les sous-groupes et rassemble les idées	« Suzanne, pourriez-vous rencontrer l'équipe de Jasmine cette semaine pour relever les problèmes que nous avons avec ce client ? »
Évaluateur	Évalue le fonctionnement de l'équipe en le comparant à une norme établie	« Jusqu'ici, nous avons résolu trois des préoccupations de notre client, mais il reste un problème ardu sur lequel nous devons nous pencher. »
Secrétaire	Agit comme la mémoire de l'équipe	Prend des notes pendant les réunions et résume les débats au besoin.
Orienteur	Garde l'équipe concentrée sur ses objectifs	« Nous nous éloignons du sujet. Concentrons-nous sur la raison pour laquelle le produit ne donne pas satisfaction à notre client. »
Rôles orientés vers les relations interpersonnelles		
Pacificateur	Arbitre les conflits entre les membres du groupe et apaise les tensions	« Claude et Alexandre, pourquoi ne comparez-vous pas vos points de vue sur cette question ? Ils ne sont pas aussi divergents qu'ils en ont l'air. »
Animateur	Encourage et facilite la participation de tous les membres de l'équipe	« Jocelyn, que penses-tu de cette question ? »
Motivateur	Approuve et appuie les idées de ses coéquipiers, manifestant ainsi sa sympathie et sa solidarité envers l'équipe	« France, voilà une suggestion formidable. Je pense que nous réglerons le problème de notre client plus tôt que nous le pensions. »

Source: Adapté de K.D. Benne et P. Sheats, « Functional Roles of Group Members », *Journal of Social Issues,* n° 4, 1948, p. 41-49.

amoindri. Jouer plusieurs rôles à la fois au sommet est la décision de Bill Ford, descendant du fameux constructeur automobile. Seul l'avenir dira si cette décision rendra l'entreprise plus performante (*voir l'encadré 8.4*).

Encore déficitaire,
Ford doit se restructurer

Ford a de nouveau essuyé une perte au deuxième trimestre et indiqué hier qu'il allait accélérer la restructuration de ses activités en Amérique du Nord, confronté aux mêmes maux que son grand rival General Motors.

Ford a accusé une perte nette de 123 millions US au cours du trimestre, soit une perte cumulée de 1,3 milliard US depuis le début de l'année. Une fois encore, ce sont les activités automobiles en Amérique du Nord qui ont plombé les résultats, avec une perte trimestrielle avant impôts de 797 millions US (1,25 milliard US pour le semestre).

À titre de comparaison, le groupe était parvenu à dégager 2 milliards US de bénéfices en 2005, malgré des pertes de 1,6 milliard US en Amérique du Nord.

Aussi, le p.-d.g., Bill Ford, a voulu faire passer un message de confiance et d'urgence mélangées quant à la situation du groupe, alors que certains analystes se demandent si la faillite ne se profile pas à l'horizon.

« Nous avons la bonne stratégie, et les progrès depuis le lancement de la restructuration en janvier sont remarquables », a-t-il affirmé en téléconférence.

Toutefois, « le changement des habitudes des consommateurs, par son ampleur, nous coûte beaucoup d'argent », a-t-il ajouté, en référence à la désaffection des Américains pour les 4 × 4, des véhicules trop gourmands en carburant alors que les prix à la pompe restent élevés.

« Nous avons besoin d'aller plus loin et plus vite par rapport à ce que nous avions envisagé, et nous ferons un [sic] point d'ici à deux mois sur des mesures additionnelles », a annoncé Bill Ford.

[...] À peu près tout ce qui entoure le bureau de Bill Ford projette l'image d'une entreprise d'élite, depuis le siège social du géant de l'automobile, construit en 1956 et connu ici sous le nom de Maison de verre, jusqu'aux couloirs ornés de photos stylisées en noir et blanc, témoins des jours glorieux de la compagnie il y a plusieurs décennies. Dans la salle à manger des patrons, la dernière du genre parmi les gros constructeurs d'automobiles de Detroit, des serveuses prennent les commandes de repas de plusieurs services et apportent des rince-doigts entre le plat principal et le dessert.

Bill Ford, p.-d.g. du géant de l'automobile en difficulté.
Paul Sancya, AP Photo

M. Ford dit que son plus grand défi est la gestion du temps de même que la nécessité de passer constamment d'un rôle à l'autre. Pendant un moment, il joue un rôle conceptuel à titre de président du conseil ; l'instant suivant, il doit jouer les stratèges comme chef de la direction ; et tout de suite après, passer à la dure réalité du rôle de gestionnaire de la production quotidienne. « Je ne peux pas déléguer à qui que ce soit », confie-t-il.

Mais pourquoi porter toutes ces casquettes ? Parce qu'en contrôlant ces postes, Bill Ford croit être en mesure de mener sa barque comme il l'entend à l'intérieur d'une bureaucratie d'entreprise rigide, ce qu'il n'avait pas réussi à faire avant, dit-il, malgré son nom et son pouvoir apparent.

Source : La Presse Affaires, Montréal, 21 juillet 2006, p. 1 et 2.

LA COHÉSION DE L'ÉQUIPE

cohésion de l'équipe

Force qui unit les membres d'une équipe et qui les motive à y demeurer.

La **cohésion de l'équipe** est la force qui unit ses membres et les motive à y demeurer. Elle joue un rôle important dans la réussite de l'équipe. Elle est plus forte quand les employés croient que le groupe les aidera à atteindre leurs objectifs personnels ou répondra à leur besoin d'affiliation ou d'estime, ou encore qu'il leur apportera un soutien dans les moments difficiles[68]. La cohésion est surtout une expérience émotive, le «ciment» ou l'esprit de corps qui unifie le groupe et le motive à remplir ses obligations[69].

Les facteurs qui influencent la cohésion

Plusieurs facteurs influencent la cohésion de l'équipe : la similitude des membres et la fréquence de leurs interactions, la taille et les succès du groupe ainsi que les critères d'adhésion à l'équipe, la concurrence ou les défis extérieurs[70]. En général, les équipes deviennent plus cohésives à mesure qu'elles avancent dans les étapes de leur évolution, étapes que nous avons vues précédemment.

La similitude des membres   Les équipes homogènes (par l'expérience, le sexe, les valeurs, etc.) sont plus susceptibles de devenir cohésives que les équipes hétérogènes. De ce fait, la confiance augmente, et les conflits au sein de l'équipe diminuent[71]. Le dilemme ici est que les groupes hétérogènes se prêtent mieux que les autres à l'exécution de tâches requérant une certaine créativité.

La taille de l'équipe   Les équipes restreintes sont en général plus cohésives que les grandes, les interactions y étant plus nombreuses. Il devient alors plus facile de s'entendre sur des objectifs et de coordonner les activités.

Les interactions entre les membres   Les équipes sont généralement plus cohésives quand leurs membres ont des interactions assez fréquentes. Cela se produit lorsqu'ils exécutent des tâches très interdépendantes et travaillent dans le même lieu physique, comme nous l'avons déjà vu[72]. Par exemple, les bureaux de Chatelain Architects n'ont pas de nettes séparations. «Nous nous déplaçons constamment pour travailler en équipe et utiliser les bureaux de nos collègues», explique Jill Miernicki, un cadre de Chatelain. «C'est un environnement très dynamique[73].»

La difficulté d'adhérer à l'équipe   Les équipes ont tendance à être plus cohésives quand il est difficile d'y adhérer. Plus une équipe est prestigieuse, plus les membres sont fiers d'en faire partie. Les recherches indiquent que les initiations trop sévères peuvent humilier les candidats potentiels et les inciter à se distancier du groupe, même s'ils ont surmonté l'épreuve avec succès[74].

Le succès de l'équipe   La cohésion augmente en fonction du succès de l'équipe[75]. Les individus s'identifient davantage à une équipe gagnante qu'à une équipe qui essuie échec après échec. La perception qu'une équipe performante permettra aux membres d'atteindre durablement leurs objectifs personnels (emploi continu, primes, etc.) augmente la loyauté envers elle et conséquemment la cohésion. Un chef peut accroître celle-ci en mentionnant et en célébrant régulièrement les succès de l'équipe.

Trevor Pound, ingénieur en informatique, se réjouissait à l'idée de fêter son trentième anniversaire allongé sur une plage mexicaine en plein mois de février. Toutefois, sa participation à un projet d'envergure de Mitel, une société de haute technologie établie à Ottawa, était cruciale. Il a donc mis ses projets de vacances en veilleuse. Trevor Pound a caché sa déception, mais ses coéquipiers n'étaient pas dupes. Durant la fin de semaine précédant son anniversaire, près d'une douzaine d'entre eux ont métamorphosé son terne bureau gris en une oasis colorée. Ils ont installé un parasol de 1,5 m de largeur, une chaise de plage, une lampe solaire, une guitare hawaïenne, des jouets de plage, une douzaine de plantes tropicales et ils y ont transporté plus de 100 kg de sable. Ses collègues ont achevé le tableau en y déposant un short aux couleurs vives et une chemise de style hawaïen. Résultat : Trevor Pound a célébré son anniversaire dans un lieu quasi tropical par une froide journée d'hiver. Le plus important était qu'à travers cette mise en scène, l'équipe puisse exprimer à son patron à quel point elle était désolée qu'il ait raté ses vacances[81]. De quelles autres façons les membres d'une équipe se soutiennent-ils mutuellement ?

John Major, Ottawa Citizen

www.mitel.com

La concurrence et les défis extérieurs   La cohésion de l'équipe tend à augmenter quand les membres doivent tout mettre en œuvre pour atteindre un objectif difficile ou entrer en concurrence avec un autre groupe[76]. Il peut s'agir d'un concurrent extérieur à l'organisation ou de la concurrence amicale avec d'autres équipes. Les employés ont alors à cœur de voir leur équipe triompher de la menace ou de vaincre leurs adversaires. Les interactions et le soutien mutuel augmentent, ce qui accroît la cohésion. Cependant, en ce qui concerne l'intensité de la menace extérieure, les recherches indiquent que les équipes semblent moins efficaces lorsqu'elles sont soumises à une menace trop forte. Bien qu'elles aient tendance à accroître la cohésion de l'équipe, les menaces extérieures créent un stress qui pousse les membres à prendre des décisions moins éclairées[77].

Les effets de la cohésion

Chaque équipe doit maintenir un niveau minimal de cohésion pour continuer d'exister[78]. Les membres d'une équipe très cohésive, nous l'avons vu, sont motivés à y demeurer et à contribuer à son efficacité, outre le fait de se soutenir mutuellement dans les situations stressantes[79].

En cas de conflit, les équipes cohésives ont tendance à résoudre leurs différends rapidement et efficacement. Par exemple, une étude canadienne récente révélait que le mode de résolution des conflits dans des équipes de hockey amateur très cohésives est plus constructif (c'est-à-dire que les membres tentent de régler sans agressivité leurs différends) que le mode de résolution adopté par des équipes moins cohésives[80].

La cohésion et la performance de l'équipe   Les équipes très cohésives sont en général plus efficaces que les autres[82]. Toutefois, le rapport entre la performance et la cohésion est un peu plus complexe. La figure 8.5 montre que ce rapport est positif quand les normes de l'équipe et les objectifs de l'organisation convergent. Les équipes très cohésives ont un rendement inférieur quand elles privilégient leurs propres normes en premier lieu et que celles-ci s'opposent quelque peu aux objectifs de l'organisation[83].

Pour terminer cette partie sur la dynamique d'un groupe, rappelons qu'il est pertinent de traiter aussi de la communication entre les membres et de la

Effet de la cohésion
de l'équipe sur la
performance

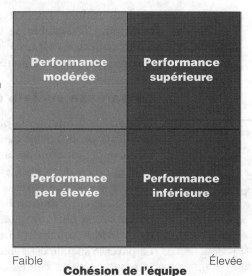

	Cohésion de l'équipe	
	Faible	**Élevée**
Les normes de l'équipe sont cohérentes avec les buts de l'organisation	Performance modérée	Performance supérieure
Les normes de l'équipe s'opposent aux objectifs de l'organisation	Performance peu élevée	Performance inférieure

nature de la prise de décision collective. Toutefois, ces sujets demandant une grande élaboration, ils feront l'objet de chapitres distincts : le chapitre 10 traitera de la prise de décision et le chapitre 11, de la communication.

LES AVANTAGES ET LES INCONVÉNIENTS DES ÉQUIPES

Les chercheurs et les chefs d'entreprise savent depuis longtemps que les équipes peuvent donner à une organisation un avantage sur ses concurrents. Pourtant, on oublie facilement que les équipes ne sont pas toujours nécessaires[84]. Parfois, il est plus approprié qu'une personne mène seule une action rapide et décisive. « Les équipes sont surutilisées », reconnaît Philip Condit, chef de la direction de Boeing Inc. Le constructeur d'avions recourt fortement aux équipes, mais il sait bien qu'elles ne sont pas nécessaires pour accomplir toutes les tâches dans une organisation. Le gourou du management, Peter Drucker (décédé en 2005), est d'accord avec ce point de vue. « La mode du travail d'équipe qui veut que tout le monde fasse tout avec tout le monde tout le temps donne des résultats de plus en plus décevants », affirme-t-il[85].

Un deuxième problème tient au fait que les équipes perdent trop de temps, de ressources et d'énergie à se constituer et à se maintenir avant même de se consacrer à leurs tâches proprement dites. Les chercheurs nomment cette déperdition les **pertes dues au processus**[86]. L'ajout de nouveaux membres dans une équipe alourdit aussi parfois la tâche à accomplir. Par exemple, l'industrie informatique a baptisé ce phénomène la « loi de Brooks » pour indiquer que l'ajout de nouveaux membres à un projet en retard ne fait que le retarder davantage. Les chercheurs soulignent que le coût des pertes liées au processus est parfois compensé par les avantages du travail d'équipe. Malheureusement, rares sont les entreprises qui effectuent une analyse coûts-avantages de leurs activités de groupe[87].

Une troisième difficulté, avec la constitution d'équipes, est qu'elle nécessite des coûts supplémentaires attribués à l'aménagement d'un environnement propice à leur existence et à leur efficacité : les espaces physiques, les systèmes de récompenses et de communication, un leadership adéquat et bien d'autres conditions. Il

**pertes dues
au processus**
Pertes de temps,
de ressources et
d'énergie consacrées
à former un groupe
avant que celui-ci
se mette à sa tâche
proprement dite.

faudrait évaluer si ces efforts n'entraînent pas des coûts supérieurs à leurs avantages pour l'ensemble de l'organisation[88]. La « paresse sociale » que nous expliquons ci-dessous est un autre phénomène de groupe qui, une fois bien identifié et corrigé, permettrait d'agir sur l'efficacité de l'équipe.

La paresse sociale ou collective

paresse sociale ou collective
Tendance des individus à fournir moins d'efforts (et à donner un rendement inférieur) quand ils travaillent en groupe que lorsqu'ils travaillent seuls.

Peut-être la limitation la plus connue de l'efficacité du travail en équipe est-elle la baisse de productivité causée par la **paresse sociale ou collective.** Ce phénomène se définit comme la tendance des individus à fournir moins d'efforts (et à donner un rendement inférieur) quand ils travaillent en groupe que lorsqu'ils travaillent seuls[89]. La paresse sociale est plus fréquente dans les équipes de grande taille où la contribution de chaque individu est difficile à déterminer. La paresse collective est plus rare quand la tâche est intéressante et l'objectif important, car les individus subissent une plus grande pression de la part des autres membres. La paresse sociale est également moins courante chez les membres à orientation très collectiviste, car ils croient aux efforts et à l'objectif communs[90]. Une recherche menée aux États-Unis et en Chine confirme cette observation. Des cadres ont eu à faire un exercice individuellement et en groupe. Les sujets états-uniens (de culture individualiste) ont atteint les performances les plus basses dans le cas du travail en groupe, contrairement aux participants chinois (de culture collectiviste) qui ont obtenu le meilleur score.

Comment réduire la paresse collective   Les stratégies énumérées ci-dessous peuvent diminuer la paresse collective en responsabilisant davantage chaque individu à l'égard de son travail et de ses résultats[91].

■ *Former des équipes plus petites*   Diviser un grand groupe en plusieurs équipes restreintes diminue la paresse collective parce que le rendement de chaque individu devient alors plus perceptible. Il est alors possible d'agir précisément sur les personnes et les causes à l'origine de cet état de choses.

■ *Spécialiser les tâches*   Il est plus facile de constater la contribution de chacun des individus quand ceux-ci exécutent des tâches différentes. Par exemple, au lieu d'unir leurs efforts pour répondre à toutes les demandes de la clientèle, on peut assigner un type particulier de client à chaque préposé.

■ *Évaluer le rendement individuel*   Conséquemment à ce qui précède, la paresse sociale diminue quand on évalue la contribution de chaque individu à une tâche précise donnée. Mais il est vrai que le rendement individuel n'est pas toujours facile à mesurer dans certains projets collectifs.

■ *Enrichir les tâches*   La paresse collective est minimisée quand les membres de l'équipe ont des tâches plus valorisantes et plus motivantes, ce qui donne envie de les accomplir.

■ *Choisir des employés motivés*   On peut atténuer la paresse collective en choisissant soigneusement des candidats motivés par la tâche et qui manifestent un esprit d'équipe.

Les groupes et la performance individuelle : la facilitation sociale

Le groupe accroît-il la performance individuelle ou l'inhibe-t-elle ? Supposons que vous ayez à faire une présentation importante devant vos collègues et vos

facilitation sociale

Tendance des individus à performer différemment en présence d'autres personnes.

supérieurs. Donnerez-vous une meilleure prestation en leur présence ou en leur absence ? Cela dépend, disent les experts[92]. L'influence de la simple présence des autres sur la performance individuelle se nomme le phénomène de **facilitation sociale** (même si elle cause de l'inhibition !). En bref, la présence des autres stimule votre performance si vous avez été bien préparé pour la donner. Dans le cas contraire, elle la fait décroître, et ce, davantage, dans les deux cas, que si vous aviez été seul. Ces études sont importantes à l'heure où les technologies de l'information permettent des contrôles quasi permanents et en temps réel (ce qui explique d'ailleurs en partie la résistance à ces changements technologiques, qui n'ont pas toujours ce but de surveillance — on peut vouloir savoir où se trouvent des chauffeurs-livreurs pour modifier à profit leur itinéraire, par exemple). À ce propos, quel est l'impact de cette « surveillance » électronique sur la performance ? Voici une étude intéressante pleine d'enseignement pour la gestion des ressources humaines en ce qui a trait à la supervision[93].

Des chercheurs ont donné des anagrammes à résoudre à des collégiens états-uniens qui devaient enregistrer leurs réponses dans un ordinateur. Le protocole expérimental était le suivant : un groupe de participants, le groupe témoin, exécutait la tâche sans aucune surveillance d'un tiers. Le deuxième groupe était « surveillé » par deux personnes postées derrière les sujets. On a dit au troisième groupe que son travail serait contrôlé à distance à l'aide d'un autre ordinateur qui enregistrerait aussi ses réponses. Les résultats ont montré que les groupes sans aucune surveillance ont eu de meilleurs performances que les autres groupes. Ceci confirme la théorie de la facilitation sociale voulant que la réussite de l'exécution d'une tâche complexe subit l'influence de la présence d'un tiers (personne ou substitut électronique), aussi discrète soit-elle.

L'encadré 8.5 ne dit pas si la présence du patron a déclenché ce phénomène de facilitation sociale (en ce qui concerne la performance), mais il est certain qu'elle modifie les comportements des subalternes !

En conclusion, on ne peut ignorer les résultats impressionnants obtenus grâce aux équipes en entreprise, dans des sphères telles que l'amélioration de la qualité, le service à la clientèle et la productivité en général. Le tableau 8.2 résume les succès obtenus par de grandes entreprises travaillant en équipes.

TABLEAU 8.2 Quelques succès du travail en équipe

Organisation	Résultats
Federal Express	Jusqu'à 13 % par année de réduction de colis perdus et de factures impayées
Sherwin-Williams Richmond	Réduction des coûts jusqu'à 45 % ; baisse de retours de marchandises de 75 %
AT&t Credit Corp.	Augmentation du traitement de demandes de crédit de 400 à 800 par jour
General Electric Salisbury	Productivité accrue de 250 %
Xerox	Équipes 30 % plus productives que les groupes conventionnels
Volvo Kalmar	Coûts de production 25 % plus bas que les usines conventionnelles
Ford Hermosillo	Dans la première année d'exploitation, moins de défauts que dans n'importe quelle usine japonaise
Northern Telecom	Doublement des profits

Source : Adapté de K. Fisher, *Leading Self-Directed Teams*, 1993, New York, McGraw-Hill.

La présence physique du patron, facteur de facilitation sociale ?

Lorsqu'on a les deux pieds sur terre comme Joe Mansueto, chef de la direction de l'agence de cotation Morningstar, on préfère s'asseoir avec nos troupes.

Les grands patrons qui font ce choix s'humanisent et deviennent plus accessibles, même si peu de gens osent entrer en contact avec eux. Mais il y a un hic : travailler à deux pas de son patron — même le plus décontracté de tous — peut parfois s'avérer gênant, voire angoissant.

Mais demandons aux employés ce qu'ils pensent de l'idée de travailler à côté de leur patron.

Haywood Kelly, analyste principal en valeurs mobilières chez Morningstar, partage le mur de son cubicule avec son patron, M. Mansueto. Cela ne m'a pas tellement décontenancé, dit-il. Je sais que c'est un gars accommodant. »

Et parce que le bureau à cloisons de M. Mansueto est bien rangé, « cela m'incite certainement à faire le ménage », dit M. Kelly, qui ne jetait jamais rien et qui n'avait pas déballé ses cartons depuis qu'on lui avait attribué ce bureau à cloisons. « On finit par marcher un peu plus droit. »

Rachel Barnard, analyste boursière principale, est installée juste de l'autre côté de la rangée. « Je suis certaine qu'il peut entendre tout ce que je dis », confie-t-elle.

Communication

Chez Intel, les grands patrons travaillent depuis longtemps aux côtés des employés. Mais même si l'objectif est évidemment de favoriser la communication, on se contente de murmurer autour du chef de la direction Paul Otellini, ses compagnons de bureau à cloisons préférant utiliser leur système de messagerie instantanée et leurs courriels pour converser.

Déménager dans un cubicule peut permettre à un patron de remédier à l'isolement physique, mais cela ne lui permet pas nécessairement de mieux prendre le pouls de ses troupes.

Source : « Quand le patron s'installe à côté… », *Le Journal de Montréal*, 15 août 2005, p. 36.

Illustration : Michael Witte

Résumons : Pour former une équipe efficace, il faut prendre plusieurs mesures : 1) évaluer le besoin de former une équipe ; si cela s'avère nécessaire, fixer les objectifs et les responsabilités du groupe et insuffler un sentiment d'urgence ; 2) fournir les ressources nécessaires (humaines et matérielles) ; 3) sélectionner attentivement les membres (ayant les attitudes et les diverses compétences pertinentes) ; 4) veiller à ce que la direction apporte un soutien continu ; 5) former les individus aux compétences nécessaires pour travailler en équipe (nous verrons au chapitre 9 les principes de constitution d'équipes performantes) ; 6) récompenser l'équipe pour sa performance.

RÉSUMÉ DU CHAPITRE

Une équipe est un groupe d'au moins deux individus qui se sentent responsables d'atteindre des objectifs communs. Toutes les équipes sont des groupes parce qu'elles sont formées d'individus unis par une relation quelconque, mais tous les groupes ne sont pas des équipes parce que leurs interactions ne visent pas toujours un projet collectif.

La plupart des services sont formés d'équipes relativement permanentes. Toutefois, dans les organisations, on trouve aussi des équipes temporaires pour prendre des décisions sensibles ou réaliser des projets à court terme.

Les groupes informels se forment en dehors de l'organisation officielle. Les communautés de pratique sont des équipes ou des groupes informels liés par la même expérience et une passion commune pour une activité.

L'efficacité de l'équipe se mesure à sa stabilité et à sa capacité d'atteindre les objectifs de l'organisation et de ses membres. L'efficacité d'une équipe dépend de l'environnement organisationnel, des caractéristiques de la conception du groupe et de sa dynamique interne.

La vie d'une équipe suit un cycle d'évolution comportant cinq étapes, pas toujours dans la séquence suivante : la formation, le conflit, la régulation, la coopération et la dissolution. Toutefois, face à des échéances, l'équipe peut fonctionner en deux temps selon le modèle de l'équilibre rompu : par une période d'inertie allant jusqu'à la moitié du temps qui lui est imparti et, dans l'autre moitié, par une période très active jusqu'à l'atteinte du but. Les équipes régulent leurs rapports en établissant des normes qui régissent et guident les comportements des membres. Ces normes subissent l'influence d'une socialisation précoce des nouveaux membres ou des valeurs dominantes du groupe. Les membres d'une équipe se partagent différents rôles qu'on peut classer en trois catégories : les rôles liés aux tâches à accomplir, les rôles liés au maintien des bonnes relations entre les membres du groupe et les rôles visant à satisfaire des intérêts personnels. La cohésion est le ciment qui unit les membres. Divers facteurs contribuent à augmenter la cohésion de l'équipe : la similitude des individus, la taille restreinte du groupe, le grand nombre d'interactions, la fierté d'appartenir à un groupe donné et les menaces extérieures. Les groupes très cohésifs donnent un meilleur rendement seulement quand leurs normes sont en accord avec les objectifs de l'organisation.

Les équipes ne sont pas toujours bénéfiques ou nécessaires. Elles entraînent des « pertes dues au processus » et, pour réussir, elles exigent un aménagement particulier des structures de l'entreprise. La paresse sociale ou collective est la tendance des individus à fournir moins d'efforts en groupe que seuls. Pour l'atténuer, il faut en général motiver l'individu et le rendre responsable de ses propres résultats. La facilitation sociale améliore ou inhibe la performance de l'individu et suscite des questions quant aux modalités de contrôle des employés.

MOTS CLÉS

cercle de qualité, p. 350
cohésion de l'équipe, p. 367
communauté de pratique, p. 352
efficacité de l'équipe, p. 353
équipe, p. 348
équipe hétérogène, p. 359

équipe homogène, p. 358
équipe innovatrice, p. 351
équipe transverse, p. 350
facilitation sociale, p. 371
groupe, p. 349
groupe informel, p. 352
interdépendance des tâches, p. 355

modèle de l'équilibre rompu, p. 361
norme, p. 362
paresse sociale ou collective, p. 370
pertes dues au processus, p. 369
rôle, p. 364
statut, p. 363

QUESTIONS

1. On trouve des groupes informels dans chaque forme ou presque d'organisation sociale. Quels types de groupes informels existent dans votre classe ou dans l'entreprise où vous travaillez ? Pourquoi vous-même ou certains de vos collègues êtes motivés à en faire partie ?

2. Qu'est-ce qu'une communauté de pratique ? Comment ces communautés peuvent-elles améliorer la performance de l'organisation ? le rendement individuel ? les risques éventuels de leur expansion pour l'entreprise ?

3. On vous a demandé de diriger un projet informatique complexe au cours de l'année qui vient. Ce projet exige la participation à temps plein d'une centaine de personnes ayant des compétences et des expériences variées. Sachant que la taille d'une équipe influence son rendement, comment procéderiez-vous pour constituer une équipe efficace?

4. Vous avez été nommé chef d'un groupe de travail chargé de mettre sur pied des services bancaires améliorés par Internet pour les clients de la vente au détail. Votre équipe comprend des représentants de différents services (marketing, information, comptabilité et service à la clientèle) qui travailleront ensemble au siège social pendant trois mois. Décrivez les comportements que vous pourriez observer à chaque étape de l'évolution de l'équipe.

5. Vous venez d'être muté du bureau de Montréal au bureau de Saskatoon de votre entreprise. Celle-ci vend des produits électriques aux promoteurs et aux entrepreneurs du secteur immobilier dans tout le Canada. À Montréal, le personnel appelle régulièrement les clients après une vente pour leur demander si les produits sont arrivés à temps et s'ils sont satisfaits. Une fois arrivé au bureau de Saskatoon, vous remarquez que personne ne fait ce genre de suivi. Une collègue récemment embauchée vous explique que les autres employés l'ont dissuadée de faire ce genre d'appels. Plus tard, un autre collègue vous laisse entendre que vos appels de suivi font paraître tous les autres employés paresseux. Donnez trois raisons pour lesquelles les normes du bureau de Saskatoon diffèrent de celles du bureau de Montréal alors que le type de clientèle, les produits, les commissions sur les ventes et d'autres caractéristiques sont presque identiques.

6. Pensez à une équipe dont vous faites partie. Décrivez comment le modèle des cinq étapes de l'évolution d'un groupe et celui de l'équilibre rompu peuvent s'appliquer aux différents événements vécus et aux comportements observés.

7. Quels sont les obstacles majeurs qui peuvent altérer le succès d'une équipe?

8. Comparez les avantages et les inconvénients de travailler en groupe plutôt que seul.

TREETOP FOREST PRODUCTS

Treetop Forest Products Ltd est une scierie de la Colombie-Britannique qui appartient à une grande entreprise forestière et fonctionne d'une manière autonome. Construite il y a 30 ans, elle a été entièrement équipée de nouvelles machines il y a cinq ans. Treetop reçoit des rondins provenant de la région, les scie et les rabote pour en faire surtout des planches de longueur standard. Les rondins de qualité supérieure quittent la scierie de Treetop sous une forme finie et sont directement expédiés au service de l'emballage. Les 40% de produits restants sont sciés dans des rondins de qualité inférieure et exigent un rabotage plus long.

Treetop emploie 1 chef de la direction, 16 superviseurs et employés de bureau et 180 employés syndiqués. Ces derniers sont rémunérés à l'heure selon un taux précisé dans la convention collective, tandis que le personnel de direction et de bureau est payé au mois. La scierie comporte six divisions en charge de l'estacade, du sciage, du rabotage, de l'emballage, de l'expédition et de la maintenance. Les divisions s'occupant de l'estacade, du sciage et de l'emballage fonctionnent selon deux quarts de travail: le premier commence à 6 h et le second, à 14 h. Les divisions du rabotage et de l'expédition sont en activité uniquement le matin. Les employés affectés à la maintenance travaillent de nuit, à partir de 22 h.

Un superviseur est affecté à chaque quart de travail dans toutes les divisions, sauf dans celle de l'emballage. C'est le superviseur de la division de rabotage qui surveille celle de l'emballage pendant le quart du matin et celui de la division du sciage, pendant le deuxième quart. L'atelier d'emballage se trouve dans un bâtiment séparé. De ce fait, les superviseurs se rendent rarement jusque-là, d'autant plus que pour le quart de l'après-midi, le superviseur du sciage doit franchir une plus longue distance pour atteindre l'atelier d'emballage.

La qualité de l'emballage

Quatre-vingt-dix pour cent des produits fabriqués par Treetop sont vendus sur le marché international par l'entremise de Westboard Co., une grande agence de marketing. Westboard représente toutes les scieries appartenant à la société mère de Treetop ainsi que plusieurs autres clients de la région. Le marché du bois d'œuvre est très concurrentiel parce que de nombreuses scieries vendent les mêmes produits. Cependant, il existe certaines différences en ce qui concerne l'emballage et la présentation des produits, et les acheteurs examinent attentivement l'emballage quand ils décident d'acheter un produit de Treetop ou d'une autre scierie.

Pour encourager ses clients à soigner l'emballage de leurs produits, Westboard offre une récompense mensuelle pour la qualité du travail. L'agence de marketing prélève et évalue chaque jour un échantillon d'emballage de chacun de ses clients, et la scierie qui a obtenu le pointage le plus élevé à la fin du mois reçoit une plaquette de félicitations. La qualité de l'emballage dépend d'une combinaison de facteurs : la manière dont le bois est empilé (par exemple, le bois présentant des défauts à l'intérieur ne devrait pas être visible), l'emplacement des courroies et des accessoires d'arrimage, la netteté et la précision du sceau au pochoir, et la façon dont l'emballage de plastique est posé.

Treetop Forest Product a mérité la récompense de Westboard à plusieurs reprises au cours des ans et a obtenu un pointage élevé les autres fois. Toutefois, les bonnes évaluations de la scierie déclinent depuis quelques années, et plusieurs clients se sont plaints de l'apparence du produit fini. Quelques clients très importants ont délaissé la scierie pour une de ses concurrentes en alléguant que l'emballage des produits Treetop était inférieur aux normes attendues.

Un goulot d'étranglement à l'atelier d'emballage

Depuis quelques années, les divisions du rabotage et du sciage ont augmenté leur productivité d'une manière significative. Dernièrement, la scierie a établi un nouveau record de productivité en une seule journée. La productivité de la division du rabotage a tellement augmenté que l'année dernière, elle a réduit ses opérations pour conserver seulement un quart de travail par jour au lieu de deux. Ces améliorations sont dues à plusieurs facteurs : une meilleure formation des opérateurs de machinerie, la diminution des pannes et une meilleure sélection des rondins (la plupart des coupes effectuées dans des rondins de bonne qualité ne nécessitent pas de rabotage).

Les niveaux de productivité des divisions de l'estacade, de l'expédition et de la maintenance sont demeurés constants. Toutefois, la division de l'emballage a enregistré une baisse de productivité depuis quelques années. Ainsi, une grande quantité de produits finis est constamment empilée à l'extérieur de l'atelier d'emballage. Comme le premier quart de la division de l'emballage est incapable de suivre le rythme de la production combinée de la scierie et de l'atelier de rabotage, les produits non emballés sont laissés aux soins des employés du quart de l'après-midi. Malheureusement, ces derniers emballent encore moins de produits que les employés du quart du matin, de sorte que le travail en retard continue de s'accumuler. De ce fait, les coûts de stockage et le risque de dommages causés aux produits augmentent.

Treetop a ajouté des quarts de travail en heures supplémentaires le samedi, ainsi que d'autres heures avant et après les quarts habituels, afin de permettre à la division de l'emballage de rattraper le travail en retard. Le mois dernier, la division a utilisé 10% de la main-d'œuvre seulement, mais elle est celle qui effectue 85% des heures supplémentaires. La direction de Treetop est contrariée, car des études menées sur le temps et les déplacements ont confirmé que l'atelier d'emballage est capable de traiter toute la production quotidienne de la scierie et de l'atelier de rabotage sans faire d'heures supplémentaires. De plus, comme elle doit payer ses employés qui font des heures supplémentaires beaucoup plus cher qu'en temps normal, la compétitivité des coûts de Treetop en souffre.

Les employés et les superviseurs de Treetop savent fort bien que les employés de la division de l'emballage ont tendance à prolonger la pause du midi de 10 minutes et la pause-café de 5 minutes. De plus, ils partent souvent quelques minutes avant la fin de leur quart. Dernièrement, ce laisser-aller s'est accru, surtout de la part des employés qui travaillent l'après-midi. Les employés affectés temporairement à l'emballage semblent eux aussi, après quelques jours, contribuer à cette perte de temps. Même s'ils sont ponctuels et productifs dans d'autres divisions, ces employés temporaires ont vite fait d'adopter l'horaire flou de l'équipe de l'emballage quand ils travaillent dans cette division.

Questions

1. En vous basant sur votre connaissance de la dynamique de groupe, expliquez pourquoi la division de l'emballage est moins productive que les autres divisions de Treetop.

2. Que devrait faire Treetop pour changer les normes contre-productives de l'équipe de l'emballage ?

3. Quels changements structurels et quelles autres mesures recommanderiez-vous pour améliorer la situation à long terme ?

EXERCICE D'AUTOÉVALUATION 8.2

ÉCHELLE DES PRÉFÉRENCES CONCERNANT LES RÔLES DANS L'ÉQUIPE

Objectif Cet exercice d'autoévaluation vous aidera à découvrir vos rôles préférés durant des réunions et d'autres activités de groupe.

Instructions Lisez chacun des énoncés de la page suivante et encerclez le chiffre qui correspond le mieux aux comportements qui vous décrivent. Utilisez ensuite la grille de notation disponible au www.cheneliere.ca/mcshanebenabou afin de calculer vos résultats pour chaque rôle. Les étudiants doivent faire cet exercice seuls afin de s'évaluer honnêtement, sans se comparer à leurs camarades. Toutefois, la discussion en classe doit être axée sur la question des rôles dans les équipes. L'échelle qui suit permet d'évaluer quelques rôles seulement.

Échelle des préférences concernant les rôles dans une équipe

Encerclez le chiffre qui reflète le mieux votre opinion pour chaque énoncé.	Ne me décrit pas du tout ▼	Ne me décrit pas très bien ▼	Me décrit un peu ▼	Me décrit bien ▼	Me décrit très bien ▼
1. La plupart du temps, c'est moi qui amène l'équipe à s'entendre sur les objectifs de la réunion.	1	2	3	4	5
2. J'ai tendance à résumer pour les autres membres ce que l'équipe a accompli jusque-là.	1	2	3	4	5
3. La plupart du temps, c'est moi qui aide les autres membres de l'équipe à régler leurs désaccords.	1	2	3	4	5
4. J'essaie de faire en sorte que chaque membre puisse exprimer son opinion sur la question.	1	2	3	4	5
5. La plupart du temps, je suis celui qui aide les autres membres de l'équipe à décider comment il faut organiser la discussion.	1	2	3	4	5
6. Pendant les réunions, j'approuve les idées de mes coéquipiers plus souvent que les autres.	1	2	3	4	5
7. Les autres ont tendance à compter sur moi pour enregistrer ce qui a été dit pendant les réunions.	1	2	3	4	5
8. Mes coéquipiers comptent presque toujours sur moi pour empêcher les discussions de s'envenimer.	1	2	3	4	5
9. J'ai tendance à tenir des propos encourageants qui font que le groupe se sent optimiste à propos de ses réalisations.	1	2	3	4	5
10. Mes coéquipiers comptent habituellement sur moi pour donner la chance à chacun de parler.	1	2	3	4	5
11. Dans la plupart des réunions, je suis moins porté que les autres à dénigrer les idées de mes coéquipiers.	1	2	3	4	5
12. Je fais tout pour aider mes coéquipiers à résoudre leurs différends pendant les réunions.	1	2	3	4	5
13. J'encourage activement les membres plus silencieux de l'équipe à exposer leurs idées sur chaque question.	1	2	3	4	5
14. Les autres ont tendance à compter sur moi pour clarifier les objectifs de la réunion.	1	2	3	4	5
15. J'aime être celui qui prend des notes ou qui dresse le procès-verbal de la réunion.	1	2	3	4	5

CHAPITRE 9

Le travail d'équipe et la performance

Objectifs d'apprentissage

À LA FIN DE CE CHAPITRE, VOUS DEVRIEZ POUVOIR :

- décrire les caractéristiques d'une équipe de travail autonome et les défis que celle-ci doit relever ;
- distinguer les équipes virtuelles des équipes conventionnelles ;
- expliquer les trois fondements de la confiance au sein d'une équipe ;
- exposer les techniques de construction d'équipe.

Quand, en 1988, Philippe Simonato se présente à l'usine GE de Bromont, au Québec, pour une entrevue de sélection, il arbore son plus bel ensemble veston-cravate. Après tout, ce comptable agréé convoite le poste de directeur des finances de l'une des plus importantes entreprises de l'Estrie.

À l'entrevue, un membre du comité de sélection lui demande : « Comment réagirais-tu si je coupais ta cravate ? » La question avait été posée par un employé occupant une fonction subalterne au poste qu'il convoitait.

Chez GE à Bromont, toutes les décisions d'embauche sont prises par des comités de sélection formés d'ouvriers de production, de superviseurs et de membres de la direction. Pour qu'un candidat soit retenu, quel que soit le poste, le comité de sélection doit parvenir à un consensus.

L'automne dernier, c'était au tour de Normand Charron de faire face à un comité de dix membres du personnel pour les convaincre qu'il était le candidat rêvé au poste de directeur des ressources humaines de l'usine.

« Les orientations et la gestion de la majorité des pratiques de ressources humaines, soit la dotation, la rémunération, les allocations de vacances, les mouvements de personnel et la formation, sont déterminées par des comités qui incluent toujours des ouvriers de production », explique M. Charron.

De plus, les quelque 650 employés de l'usine sont membres d'équipes de travail qui déterminent la planification de la production, le développement de procédés et les travaux de maintenance préventive.

Au sein du personnel de production, la flexibilité, la polyvalence et le travail d'équipe sont rois.

Normand Charron plaide lui aussi en faveur des avantages, très « capitalistes » de la formule. « Entre 1996 et 2004, les coûts de production ont baissé d'environ 50 % et les accidents du travail ont diminué de 80 %. L'usine de Bromont est la plus performante des installations de GE au Canada », donne-t-il en exemple.

C'est sans doute ce qui explique que la gestion participative à Bromont dure maintenant depuis plus de 25 ans. ■

La majorité des employés souhaitent avoir leur mot à dire dans les décisions qui les concernent. GE moteurs d'avions, à Bromont, concrétise ce rêve jusqu'à associer les ouvriers à l'embauche de leurs patrons.

Stéphane Champagne

Source : « Les petits miracles de la gestion participative », *La Presse Affaires,* 24 avril 2006, p. 4.

Dans le chapitre précédent, nous avons vu les facteurs qui influençaient la vie d'un groupe et les conditions du fonctionnement harmonieux d'une équipe. La prolifération des équipes de travail dans les organisations et le développement des technologies de l'information nous incitent à nous arrêter ici sur deux formes d'équipe très contemporaines : les équipes autonomes (dites aussi autodirigées ou autogérées ; les équipes semi-autonomes en sont une variante) et les équipes virtuelles.

Une équipe n'est vraiment viable que si la confiance y règne et que la direction des organisations fait un effort volontaire pour bâtir des équipes efficaces. Aussi nous attarderons-nous, à la fin de ce court chapitre, sur la notion de confiance dans un groupe et sur les techniques de construction d'équipes solides.

L'approche sociotechnique des organisations (*voir le chapitre 7*), établie au cours des années 1950 à l'institut Tavistock par Eric Trist, Fred Emery et leurs collègues, a inspiré les pratiques actuelles de formation d'équipes de travail autonomes dans un contexte hautement technologique. La création de ces équipes dépend de la façon dont la technologie est introduite dans les organisations, celle-ci devant favoriser la dynamique constructive des équipes et l'enrichissement des tâches.

LES ÉQUIPES DE TRAVAIL AUTONOMES

**équipes
de travail
hautement
performantes**
Équipes autonomes
et équipes virtuelles
constituées de
manière à être
performantes
et adaptées à leur
environnement.

TRW Canada est une entreprise de fabrication de pièces de suspension située à Tillsonburg, petite ville ontarienne tranquille. Cette entreprise est un modèle d'organisation fondée sur des équipes autonomes. Celles-ci sont considérées comme des petites entreprises en soi, et leurs membres sont responsables de la planification de la production, de la certification des compétences, de l'attribution quotidienne des tâches, de l'embauche ainsi que de la formation et du matériel[1].

Un autre exemple : Bayer Inc. est une entreprise spécialisée dans les soins de santé et les produits chimiques. Après avoir absorbé cinq entreprises en quatre ans, elle a entrepris de restructurer les activités de son entrepôt canadien en recourant à des équipes de travail autonomes. Tous les postes du personnel de l'entrepôt n'ont désormais qu'un seul et même titre : employés d'entrepôt. Mais ceux-ci se partagent maintenant toutes les tâches qui relevaient des précédentes catégories d'emploi et ont appris toutes les habiletés qu'elles exigeaient (par exemple, emballeur ou conducteur de chariot élévateur). « Concevoir et mettre en place cette transformation a nécessité presque deux ans, mais cela en valait la peine », commente un cadre de Bayer. « Depuis le début, les employés ont assumé leurs tâches et ont soutenu le concept d'équipe dans l'entrepôt[2]. »

**équipes
de travail
autonomes**
Groupes de travail
polyvalents qui sont
organisés pour
effectuer un travail
complet et qui
jouissent d'une
grande autonomie
dans l'exécution
de leurs tâches.

Bayer Inc. et de nombreuses autres organisations modernes penchent vers la mise en place d'**équipes de travail autonomes.** On estime que plus des deux tiers des grandes et moyennes organisations d'Amérique du Nord ont recours à des structures s'apparentant à celles d'équipes autonomes[3]. Ces équipes sont organisées pour effectuer un travail complet comprenant plusieurs tâches interdépendantes et jouissent d'une grande autonomie dans l'exécution de leur travail.

Avant de décrire plus précisément ces équipes autonomes, voyons celles qui leur ont donné naissance : les équipes semi-autonomes. Celles-ci sont également responsables de la séquence complète d'un processus de travail et sont relativement redevables de leurs résultats. Leur autonomie décisionnelle varie selon les équipes et les entreprises, et ce qui les différencie des équipes autonomes est que la décision finale de la mise en œuvre de leurs décisions est souvent la responsabilité des cadres. Au Québec, de nombreuses entreprises, dans le contexte de réorganisation du travail, ont instauré des équipes semi-autonomes. Elles sont également applicables aux entreprises de services. Un exemple de cette mise en œuvre est présenté dans le tableau 9.1.

| TABLEAU 9.1 | Exemple de mise en œuvre d'équipes semi-autonomes dans une aluminerie québécoise |

Entreprise	Aluminerie Deschambault de la multinationale Alcoa : production d'aluminium
Raisons du changement	■ Fabriquer selon les besoins de la clientèle ■ Éliminer le gaspillage
Description du changement	■ Formation d'équipes semi-autonomes constituées de 10 à 15 membres par équipe ■ Trois niveaux décisionnels interactifs établis : les équipes d'opérateurs, les chefs de section et la direction ■ Création de comités de salariés et de cadres ■ De nombreux comités inter-équipes libres d'accès à tout employé ■ Formation (420 000 heures depuis 1992) ■ Plusieurs moyens de communication (réunions, courriels, intranets, etc.) ■ Participation des employés à la résolution de problèmes et à la mise en place de nouveaux procédés ■ Amélioration continue des processus de production ■ Les équipes prennent des décisions relatives à la sécurité, aux horaires de travail, à la formation, à la qualité des produits, au respect du budget
Résultats	■ Amélioration de la production de 20 % ■ Augmentation du respect des délais de livraison (25 %) ■ Certification ISO 9002 et 14 001 ■ Réduction du gaspillage ■ Capacité maximale de production atteinte en peu d'années

Source : Adapté de *Travail Québec, 2005 : Changements organisationnels pour améliorer la productivité et l'emploi*, ministère du Travail. p. 27-31, cas étudié par Pascal-André Dessureault.

Voyons maintenant plus précisément les caractéristiques des équipes autonomes. Les équipes de travail autonomes varient quelque peu d'une entreprise à l'autre, mais sont généralement dotées des caractéristiques présentées à la figure 9.1[4].

| FIGURE 9.1 |

Caractéristiques des équipes de travail autonomes

Caractéristiques des équipes de travail autonomes

- Elles effectuent un travail complet
- Elles reçoivent des évaluations et des récompenses pour l'équipe entière
- Elles se répartissent les tâches
- Elles ont la responsabilité de régler elles-mêmes les problèmes
- Elles contrôlent les intrants au processus de production, le flux de travail et les extrants

Les caractéristiques des équipes de travail autonomes

Tout d'abord, une équipe de travail autonome effectue un travail complet en soi. Par exemple, une équipe de travail autonome de TRW Canada est responsable du processus entier de fabrication. Ensuite, l'équipe — et non les supérieurs hiérarchiques — répartit les tâches entre les différents membres du groupe. En d'autres termes, c'est l'équipe qui planifie, organise et contrôle les activités de travail, avec un minimum d'interventions de la part des cadres.

En outre, l'équipe de travail autonome contrôle la majeure partie des intrants, du processus de production et des extrants. « Les équipes ont une totale autorité en matière de décision et j'insiste sur le terme "totale" ; elles ont une autorité complète sur tous les aspects d'une activité », explique Dennis W. Bakke, chef de la direction et cofondateur de l'entreprise d'alimentation électrique AES Corp.[5] L'équipe de travail autonome est aussi responsable de la correction des problèmes à mesure qu'ils surviennent. Cela signifie qu'elle est responsable de la qualité de son travail et de sa logistique. Finalement, l'équipe reçoit une évaluation, une rétroaction et des récompenses de groupe dans son ensemble (ce qui n'exclut pas, dans certains cas, des récompenses individuelles)[6].

Selon la description qui précède, on voit que les membres d'une équipe de travail autonome enrichissent et élargissent leurs activités (*voir le chapitre* 7). En effet, le travail de l'équipe inclut toutes les tâches nécessaires à la confection d'un produit complet ou à la prestation d'un service intégral. L'équipe est également responsable en grande partie du calendrier, de la coordination et de la planification des tâches[7]. Les équipes de travail autonomes sont d'abord conçues autour de processus de production. Toutefois, on les trouve aussi dans plusieurs activités de services comme les administrations municipales ou les services de messagerie[8]. Les équipes de travail autonomes sont tout indiquées pour les tâches du secteur tertiaire, car ces tâches sont interdépendantes et les décisions à prendre nécessitent les connaissances et l'expérience de diverses personnes[9].

Les défis posés par les équipes de travail autonomes

Les équipes de travail autonomes ne s'introduisent pas aisément dans les organisations, et leur viabilité reste fragile. Les chefs d'entreprise doivent reconnaître et surmonter au moins trois difficultés, voire obstacles, pour parvenir à établir avec succès des équipes autonomes : les problèmes interculturels, la réticence des cadres à cette forme de structure et la résistance du personnel et des syndicats.

Les problèmes interculturels   Les équipes de travail autonomes sont plus difficiles à mettre en place au sein des cultures à distance hiérarchique élevée (c'est-à-dire où on accepte les différences de pouvoir). Dans ces cultures, le personnel conçoit, sans jamais contester, que ce sont les chefs qui doivent donner des ordres et des directives. Par contre, dans les cultures à faible distance hiérarchique, le personnel souhaite prendre part aux décisions. Le Mexique présente des valeurs de distance hiérarchique très élevée, ce qui explique pourquoi les entreprises étrangères éprouvent parfois des difficultés à y mettre en place des équipes de travail autonomes. Selon certains auteurs, celles-ci peuvent être plus difficiles à constituer dans un pays comme la Chine, où les valeurs culturelles traditionnelles tendent à soutenir une hiérarchie sociale rigide[10]. Les équipes de travail autonomes peuvent également être plus difficiles à implanter dans des cultures à fort individualisme et à faible collectivisme (donc où l'individu prime sur le groupe). Dans de telles cultures, le personnel est moins enclin à collaborer[11].

La réticence des cadres   Le poète Robert Frost a écrit : « Le cerveau est un organe merveilleux : il commence à fonctionner dès notre réveil et s'arrête de le faire à notre arrivée au bureau[12] ». L'humour de Robert Frost souligne le fait que de nombreuses organisations attendent de leurs employés qu'ils oublient de réfléchir une fois qu'ils sont au travail. Il n'est donc pas surprenant d'apprendre que les cadres et la haute direction sont souvent la principale source de résistance à la transition vers des équipes de travail autonomes[13]. Leur principale inquiétude est de perdre leur pouvoir au profit de leurs subalternes. Certains cadres s'inquiètent que leur emploi ne perde de la valeur, et d'autres pensent même qu'ils vont le perdre.

Un autre problème est que les superviseurs ne sont pas formés pour animer plusieurs équipes de travail devenues autonomes[14]. Celles de TRW Canada ont dû faire face à ce problème majeur. En effet, de nombreux superviseurs retournaient souvent à leur vieux style de supervision directif. Comme l'explique un employé de TRW : « L'un des aspects les plus difficiles pour certains d'entre eux était de passer du rôle de chef à celui de *coach*, et de ne plus dire "Je sais ce qu'il vous faut", mais d'apprendre à dire "Comment puis-je vous aider ?"[15] ». Les recherches suggèrent que les superviseurs résistent peut-être moins aux équipes de travail autonomes lorsqu'ils travaillent dans des entreprises avec une culture de participation élevée et qu'ils reçoivent une solide formation pour leurs nouveaux rôles[16].

La résistance du personnel et des syndicats   Le personnel s'oppose parfois aux équipes de travail autonomes, car il lui paraît difficile d'adopter de nouveaux rôles et d'acquérir de nouvelles compétences. Les syndicats ont soutenu les premières expériences de changement de structure basée sur des équipes autonomes, notamment en Europe et en Inde. Toutefois, certains syndicats nord-américains expriment des réserves à ce sujet[17]. L'une de leurs inquiétudes est que les équipes autonomes améliorent la productivité tout en augmentant le niveau de stress du personnel ; ce qui est parfois vrai. Une autre de leurs craintes est que les équipes de travail autonomes, nécessitant une plus grande souplesse, bouleversent les règles de travail auxquelles ils sont habitués et suppriment des catégories d'emploi qui ont été négociées au cours des années. Les responsables syndicaux s'inquiètent alors de la difficulté de leurs membres à regagner des droits acquis.

Malgré ces défis, les équipes de travail autonomes présentent un énorme potentiel pour les organisations lorsqu'elles sont mises en place dans de bonnes conditions (par exemple, avec des structures, des technologies et des ressources adéquates). Par ailleurs, les technologies de l'information et les industries du savoir ont accru la popularité des équipes virtuelles, qui sont décrites dans la section suivante.

LES ÉQUIPES VIRTUELLES

Gordon Currie ne laisse pas la distance géographique limiter ses activités. Il vit à Dawson Creek, en Colombie-Britannique, mais les clients de son entreprise de conception de sites Web sont tous situés aux États-Unis. Ce que Gordon Currie avait commencé comme un passe-temps il y a 12 ans est désormais une entreprise mondiale dont la clientèle a compté Virgin Records et Hitachi. Les membres de son équipe sont encore plus dispersés géographiquement que ses clients. « Je travaille actuellement avec quatre personnes et je ne les ai jamais rencontrées, confie-t-il. L'une vit en Suède, deux autres en Californie et la dernière en Australie. Je les ai découvertes et je les ai engagées par Internet[18]. »

**équipes
virtuelles**
Équipes dont la
coopération, grâce à
l'usage des technolo-
gies de l'information,
est indépendante
des limites spatio-
temporelles.

Gordon Currie et ses collègues reflètent bien la tendance croissante du développement d'équipes virtuelles. Les **équipes virtuelles** sont des équipes dont les
membres fonctionnent indépendamment des frontières spatiales, temporelles et
organisationnelles, et qui font un grand usage des technologies de l'information
dans leur travail[19]. Comme toute autre équipe, les équipes virtuelles collaborent
en vue d'atteindre un but commun.

Cependant, les équipes virtuelles présentent deux caractéristiques qui les distinguent des équipes conventionnelles. Alors que dans ces dernières les membres
travaillent plus ou moins en un même lieu géographique, ceux des équipes
virtuelles sont dispersés physiquement, n'importe où sur la planète. En outre, leur
mode de communication et de coordination est essentiellement basé sur les technologies de l'information et de communication[20].

Les équipes virtuelles, comme les autres groupes de travail, peuvent être permanentes ou temporaires, selon leur raison d'être. Certaines équipes virtuelles
peuvent travailler pour plusieurs entreprises dans une même ville, alors que
d'autres travaillent pour une même entreprise dans plusieurs pays[21].

Pourquoi les entreprises forment-elles des équipes virtuelles?

Les équipes virtuelles ont connu un développement fulgurant dans le monde des
affaires (et ailleurs) au cours de la dernière décennie. « Les équipes virtuelles sont
désormais bien réelles! », commente Frank Waltmann, chef de la formation dans
l'entreprise pharmaceutique Novartis[22]. Les nouvelles technologies de l'information expliquent en partie pourquoi les équipes virtuelles sont devenues courantes.
Internet, les intranets, la messagerie instantanée et d'autres produits ont facilité
la communication et la coordination à distance (*voir le chapitre 11*). Ces outils
permettent de créer des liens entre des gens éloignés qui finissent par se sentir
membres d'une équipe[23].

Le passage d'activités basées sur la production à des activités fondées sur le
savoir et l'intangible (logiciels, idées, etc.) a également permis le développement
du travail en équipe virtuelle. Cependant, dans le cas de la création de biens
physiques, il est plus difficile (mais pas impossible) de fonder le travail de production sur des équipes virtuelles[24]. Celles-ci permettent par ailleurs de partager le
savoir collectif, rapidement et pour un grand nombre de personnes en même
temps, ce qui augmente l'apprentissage organisationnel, donc la compétitivité
des entreprises.

La mondialisation des échanges est une autre raison qui explique le besoin
croissant d'équipes virtuelles. Les entreprises ouvrent des filiales à l'étranger, forment des alliances avec d'autres sociétés étrangères et servent une clientèle
souhaitant une assistance partout sur la planète[25]. La constitution d'équipes
virtuelles est une réponse à ces nouvelles conditions grâce à leur rapidité de coordination et de réponse[26].

La constitution d'équipes virtuelles hautement performantes

L'équipe virtuelle est une forme particulière des équipes de travail. Ainsi, les facteurs à l'origine du succès des équipes en général et mentionnés au chapitre précédent valent également pour les équipes virtuelles[27]. Le tableau 9.2 résume les

TABLEAU 9.2	Conception d'équipes virtuelles hautement performantes

Facteurs de conception d'équipes	Besoins particuliers des équipes virtuelles
Environnement de l'équipe	Les équipes virtuelles ont besoin de plusieurs canaux de communication afin de compenser le manque d'interactions en personne
Tâches de l'équipe	Les équipes virtuelles fonctionnent mieux lorsque les tâches sont claires plutôt que complexes et ambiguës
Taille et composition de l'équipe	■ Les équipes virtuelles doivent généralement être plus petites que les équipes conventionnelles ■ Les membres d'équipes virtuelles doivent savoir communiquer au moyen des technologies de l'information et traiter plusieurs échanges à la fois ■ Les membres d'équipes virtuelles doivent être très sensibles aux différences culturelles et développer des compétences permettant de les gérer
Dynamique de l'équipe	L'évolution et la cohésion d'une équipe virtuelle nécessitent parfois des rencontres en personne, surtout lors de la formation de l'équipe

éléments principaux dont il faut tenir compte dans la formation d'une équipe virtuelle et que nous clarifierons dans la section suivante.

L'environnement d'une équipe virtuelle   Le système de récompenses, la structure organisationnelle, l'environnement externe de l'entreprise et un leadership fort influencent l'efficacité de toute équipe, y compris des équipes virtuelles[28]. Dans ce dernier cas, les communications sont particulièrement importantes. En effet, contrairement aux équipes conventionnelles, les équipes virtuelles ne peuvent tenir de rencontres chaque fois qu'elles le souhaitent. Comme nous le verrons au chapitre 11, la communication de personne à personne est la forme de communication la plus efficace quand les données sont complexes ou sensibles. « Il est difficile d'organiser une discussion de quatre ou cinq heures au téléphone, surtout lorsque le langage corporel est important », commente un cadre du géant de la comptabilité PricewaterhouseCoopers[29]. Même les vidéoconférences, qui semblent similaires à la communication en personne, sont beaucoup plus limitées que nous ne le pensons[30].

Mais l'absence de communication en personne ne représente pas qu'un désavantage pour les équipes virtuelles. Le fait de travailler par l'entremise de courriels ou d'intranets peut minimiser les différences de statut ou langagières, les personnes disposant d'un certain recul pour élaborer des messages persuasifs[31].

Les tâches des équipes virtuelles   Certaines études suggèrent que les équipes virtuelles fonctionnent mieux lorsqu'elles effectuent des tâches bien structurées et peu interdépendantes[32]. Voyons ce qui se passe au service à la clientèle de BakBone Software. Chaque jour, les ingénieurs de BakBone, à San Diego, prennent connaissance des problèmes techniques de clients que leurs collègues du Maryland et de Grande-Bretagne leur ont transmis. À la fin de leur journée de travail, ils soumettent certains de ces projets à leurs collègues de Tokyo. Les cas envoyés à Tokyo doivent être expliqués clairement, car les collègues japonais ne peuvent poser de questions aux employés de San Diego au milieu de la nuit.

Cette organisation structurée des tâches, appliquée à BakBone, fonctionne bien avec des équipes virtuelles. À l'opposé, des tâches complexes et ambiguës nécessitent de nombreuses consultations et une importante coordination en temps réel, ce qui n'est pas aisé pour des équipes virtuelles. « [Dans une équipe virtuelle], nous n'avons pas le temps pour des conversations ouvertes, admet Roger Rodriguez, ingénieur chez BakBone. Il est impossible de faire un remue-méninges entre collègues[33]. »

La taille et la composition des équipes virtuelles   Les problèmes liés à la taille d'une équipe sont amplifiés dans les équipes virtuelles à cause des occasions limitées de communiquer en personne et de l'absence de liens sociaux.

Les problèmes de composition d'équipe de travail traditionnelle s'appliquent aussi aux équipes virtuelles hautement performantes. De plus, les membres de ces dernières nécessitent des compétences dans les systèmes de communication virtuelle et doivent être aptes à coordonner plusieurs flots d'information en même temps.

Les équipes virtuelles étant plus susceptibles que les équipes conventionnelles d'être composées de cultures différentes, leurs membres doivent y être sensibles et être capables de composer avec des collègues différents. Par exemple, une étude rapporte que des équipes virtuelles d'étudiants américains et belges avaient des difficultés à se comprendre à cause de l'usage différent des points et des virgules dans l'écriture des nombres (par exemple, 2,953 millions de dollars et 2.953 millions de dollars). Des différences culturelles ressortaient également sur le plan social. Les étudiants américains étaient intéressés à rencontrer leurs correspondants une fois le projet terminé, alors que les étudiants belges souhaitaient tisser une relation avec leurs partenaires avant de le commencer[34].

La dynamique de l'équipe   La cohésion de l'équipe est un point particulièrement délicat dans les équipes virtuelles, car l'absence de rencontres physiques et de partage de l'expression d'émotions fortes ne contribue pas à renforcer cette cohésion[35]. Il n'existe pas de solution « virtuelle » à ce dilemme, et de nombreux praticiens recommandent donc que les membres organisent des rencontres. « Même si le travail des équipes internationales est principalement virtuel, nous commençons généralement notre collaboration par une réunion en personne », explique un cadre du fabricant de microprocesseurs Advanced Micro Devices[36].

Siemens, l'entreprise allemande de haute technologie, a découvert l'importance du contact en personne pour les équipes virtuelles lorsque les 70 employés du groupe Enterprise Networks, situé aux États-Unis, ont commencé à travailler depuis leur domicile. La productivité a chuté, et la rotation du personnel a augmenté, jusqu'à ce que la direction de Siemens diagnostique le problème et trouve une solution. Bien qu'ils soient encore dispersés dans tout le pays, les employés d'Enterprise Networks de Siemens se retrouvent désormais tous les ans à l'occasion d'une rencontre de quatre jours de travail et de détente. Cette session annuelle a permis de tisser des liens, ce qui a contribué à limiter la rotation du personnel et à accroître la cohésion de l'équipe. « Nous sentons que la réunion annuelle est essentielle, explique un cadre de Siemens. Elle permet de garder à l'esprit l'aspect humain. Des groupes se forment, et des personnes se lient d'amitié, malgré les kilomètres qui les séparent[37]. »

La confiance dans une équipe

confiance

Sentiment bien assuré que les intentions et les actions d'un tiers ne nous porteront pas préjudice.

Notre discussion sur les équipes virtuelles ne serait pas complète sans mettre l'accent sur l'importance de la confiance dans la dynamique d'une équipe. Toute relation — y compris les relations entre les membres d'une équipe virtuelle — dépend d'un certain degré de confiance entre les parties[38]. La **confiance** existe lorsque vous avez le sentiment bien assuré que les intentions et les actions d'autrui ne porteront pas préjudice à ce que vous valorisez.

La confiance trouve sa source dans plusieurs situations qui en déterminent l'intensité (*voir la figure 9.2*).

FIGURE 9.2   Sources et niveaux de confiance dans les équipes de travail

Source de la confiance	Description
(Plus élevée) **Confiance basée sur l'identification à autrui**	■ Basée sur une compréhension mutuelle et des valeurs communes
Confiance basée sur la connaissance d'autrui	■ Basée sur la prévisibilité des comportements ■ Confiance assez forte
(Plus basse) **Confiance basée sur le calcul**	■ Basée sur la dissuasion ■ La confiance repose seulement sur la peur de sanctions

■ *La confiance basée sur le calcul*   Ce niveau minimal de confiance se rapporte à des comportements fondés sur la dissuasion. Chaque partie pense que l'autre respectera ses promesses parce qu'elle sera sanctionnée en cas de manquement à cet égard. Par exemple, la plupart des employés se font confiance, car ils savent que les collègues pourraient être licenciés s'ils tentaient de saboter le travail d'autrui. Cette confiance est donc de type logico-rationnelle.

La confiance basée sur le calcul est la forme la plus faible des trois types de confiance. En effet, elle est facilement brisée lorsque les attentes ne sont pas respectées et que, par conséquent, des sanctions sont imposées à la partie fautive. En général, la confiance uniquement basée sur le calcul ne réussit pas à maintenir longtemps les bonnes relations entre tous les membres d'une équipe, surtout si elle est virtuelle[39]. « La confiance est un aspect fondamental des relations professionnelles, déclare un cadre de PricewaterhouseCoopers. Si vous dirigez en surveillant les gens lorsqu'ils travaillent, l'option d'une équipe virtuelle n'est pas un bon choix[40]. »

■ *La confiance basée sur la connaissance d'autrui*   Ce type de confiance repose sur la connaissance de l'autre, donc sur la capacité, fondée sur l'expérience antérieure, de prédire son comportement. Plus vous connaissez les autres membres de l'équipe, et mieux vous pouvez prévoir ce qu'ils feront. Plus le comportement d'un leader est cohérent, plus le personnel est enclin à lui faire confiance. La confiance basée sur la connaissance d'autrui est plus solide que la confiance basée sur le calcul, car elle se construit avec le temps.

■ *La confiance basée sur l'identification à autrui*   Le troisième type de confiance repose sur une compréhension mutuelle et les liens émotionnels qui existent entre les parties. La similitude de pensées entre les parties, de sentiments et de réactions accroît ce phénomène d'identification. Les équipes hautement performantes atteignent ce niveau de confiance. En partageant les mêmes valeurs, le personnel sait ce qu'il peut attendre des autres.

La dynamique de la confiance dans les équipes   Un malentendu courant est de croire que des membres se joignent à une équipe avec un faible niveau de confiance. Selon de récentes études, le cas contraire est en fait plus probable. Les gens se joignent généralement à une équipe virtuelle ou conventionnelle avec un niveau élevé de confiance envers les autres membres[41]. Cette confiance est en revanche fragile, car elle est basée sur des suppositions plutôt que sur une expérience bien établie. Par conséquent, une déception influencera le niveau de confiance qui aura tendance alors à décroître rapidement. Les employés qui se joignent à des équipes avec une confiance basée sur l'identification peuvent alors se rabattre sur une confiance basée sur la connaissance d'autrui, voire sur le calcul seulement. Une baisse de confiance est particulièrement problématique pour les équipes virtuelles, étant donné le fort besoin de communication.

LA CONSTRUCTION D'UNE ÉQUIPE

L'Union Canadienne (au Québec) et la Sovereign General (à Calgary) évoluent dans différents domaines du secteur des assurances. Lorsqu'elles ont décidé de fusionner, la préoccupation importante était de s'assurer que les cadres supérieurs de la nouvelle entité formeraient une équipe hautement performante. Outre le fait d'étudier attentivement la manière de créer une culture intégrée, les cadres ont participé à un exercice de construction d'équipe au cours duquel ils ont assumé différents rôles : « provocateurs », collaborateurs ou communicateurs. « L'aspect important est que les gens soient conscients du rôle qu'ils jouent et de la manière dont ils fonctionneront dans la nouvelle équipe », explique Hugh Mitchell, partenaire chez Universalia. Cette agence de conseil en gestion, située à Montréal, avait organisé les sessions de constitution d'équipe[42].

Les cadres de L'Union Canadienne et de la Sovereign General ont ainsi participé à l'une des nombreuses formes de **construction d'équipe** — toute activité formelle et planifiée conçue pour améliorer le fonctionnement et l'efficacité d'un groupe. Cet exercice est parfois appliqué à des équipes nouvellement établies, mais il est plus couramment utilisé pour des équipes peu cohésives, connaissant une rotation élevée de leurs membres ou lorsque ceux-ci ont perdu de vue leurs rôles respectifs et les objectifs du groupe[43].

construction d'équipe
Toute activité formelle conçue pour améliorer le fonctionnement et l'efficacité d'une équipe.

Les techniques de construction d'équipe

On bâtit une équipe en réalisant les quatre activités suivantes : la définition des rôles, l'établissement des objectifs, la résolution des problèmes et l'amélioration des relations interpersonnelles[44]. En ce qui concerne les rôles, les membres de l'équipe sont encouragés à décrire la perception qu'ils ont de leurs propres rôles et de leurs attentes quant aux rôles des autres membres. Après discussion, les participants peuvent modifier leurs rôles, les accepter, connaître et accepter ceux des autres. Ainsi, ils sont amenés à se rapporter à un modèle mental commun de leurs responsabilités[45].

Quant aux objectifs, l'équipe est encouragée à les clarifier et à stimuler sa motivation afin de les atteindre. Elle établit également un mécanisme de rétroaction systématique sur les performances de l'équipe. Cette approche est très similaire à la définition des objectifs individuels (*voir le chapitre 6*), même si ces objectifs s'appliquent ici à une équipe. Les recherches suggèrent que la définition ces objectifs est une dimension importante de l'exercice de consolidation d'équipe[46].

La technique de résolution de problèmes permet essentiellement d'améliorer le processus décisionnel en groupe[47]. Pour améliorer leur aptitude à résoudre les problèmes, certaines équipes participent à des simulations sous forme de jeux nécessitant des décisions de groupe dans des situations hypothétiques[48]. Outre le fait d'aider les membres d'une équipe à prendre de meilleures décisions, ces activités de construction d'équipe tendent à améliorer leurs relations.

La quatrième technique de construction d'équipe vise à améliorer les échanges entre les membres en instaurant la confiance et une franche communication qui permettront de dissiper les malentendus et les préjugés. Ces sessions incluent des moments de **dialogue** au cours desquels les membres de l'équipe commencent à former un modèle commun de pensée[49]. Le dialogue est un échange ouvert et honnête d'idées et de sentiments entre les membres d'une équipe, propice à développer un sentiment de confiance. Pour améliorer les processus interpersonnels, la plupart des organisations recourent souvent à des jeux (les jeux de guerre, les courses d'obstacles) ou à des activités dans la nature (par exemple, un safari). La plupart de ces activités ludiques viennent des États-Unis, et il n'est pas évident qu'elles soient efficaces dans d'autres cultures. Cependant, comme le montre l'encadré 9.1, elles sont de plus en plus acceptées en Asie.

dialogue
Échange ouvert et honnête d'idées et de sentiments entre les membres d'une équipe, propice à développer un sentiment de confiance.

Les activités de construction d'équipe sont-elles efficaces?

Les activités de construction d'équipe sont de plus en plus populaires et parfois originales. Par exemple, des cadres de Coca-Cola, en Chine, ont participé à un programme de consolidation d'équipe exigeant de marcher sur des braises. Deloitte Consulting a envoyé certains de ses employés de Californie à l'aventure pendant trois jours. Entre autres activités, cette expérience exigeait de dormir dans des sacs à ordures sur un sol humide et de devoir se serrer les uns contre les autres pour se réchauffer. Staffordshire County Council, au Royaume-Uni, a envoyé une équipe pendant une journée auprès d'une brigade de pompiers pour apprendre à évoluer dans une salle enfumée et à combattre un brasier (contrôlé). «Face au danger, il faut travailler ensemble, explique un employé de Staffordshire, on n'a pas le choix[50].»

Ces activités originales ou plus traditionnelles de construction d'équipe sont-elles efficaces? S'agit-il d'un bon investissement? Probablement si, au préalable, elles sont liées précisément à un diagnostic solide des problèmes du groupe (définition des rôles, des objectifs, etc.), sinon elles ne réussiront pas à créer des équipes hautement performantes[51]. La construction d'équipe n'est pas une approche globale. Elle vise des besoins précis dont la réponse nécessitera des techniques appropriées[52].

La construction d'équipe « extrême » en Asie

Perchée sur une poutre étroite à 8 m du sol, Wu Xi n'a jamais cessé de penser à la possibilité de tomber. Cette ingénieure de recherche de 30 ans travaillant à Ericsson Cyberlab, une entreprise suédoise de communication à Singapour, était encordée à cinq collègues dans leur ascension d'une pyramide de 25 mètres. « J'avais très peur, mais je ne pouvais pas abandonner, raconte Wu Xi. Les membres de mon équipe s'accrochaient fermement à moi et m'encourageaient. »

Partout en Asie, les entreprises découvrent les bienfaits d'activités inhabituelles de construction d'équipe hors du bureau. Wu Xi et ses collègues ont escaladé des murs de pierre, évolué sur des planches ou des filets et effectué d'autres activités éprouvantes afin de bâtir un esprit d'équipe. « Nous avons tous atteint le sommet malgré les nombreuses difficultés », commente Andreas Fasbender, directeur d'Ericsson Cyberlab. « Mais le meilleur aspect de l'expérience est que nous avons réussi grâce à l'équipe. »

Anker Bir a adopté une approche différente pour consolider ses équipes. Les employés de cette brasserie indonésienne ont passé une journée dans une tenue sophistiquée à traquer leurs collègues avec des fusils laser, au Laser Quest de Surabaya. Les membres de l'équipe ont collaboré pour protéger un roi ou une reine ou pour combattre un vampire puissant disposant de vies et de munitions illimitées.

Des employés de Ericsson Cyberlab à Singapour font ensemble de l'escalade pour bâtir un esprit d'équipe.

H-Y How, Straits Times (Singapour)

Endro Hariyadi, représentant commercial à Anker Bir, commente : « Nous sommes tous amis ici, même si nous ne nous entendons pas bien au bureau », plaisante-t-il.

Sources : D. Goh, « Firms Strike Out for Adventure Learning », *Sunday Times*, Singapour, 8 avril 2001, p. 7, 29 ; F. Whaley, « Shooting for Success », *Asian Business,* février 2000, p. 48.

De plus, la construction d'équipe est un processus continu et non un exercice ponctuel. Par exemple, certains experts suggèrent que les expériences en pleine nature échouent souvent parce qu'elles sont rarement suivies de mesures permettant le transfert en milieu de travail de l'apprentissage réalisé au cours de l'expérience vécue[53].

RÉSUMÉ DU CHAPITRE

Les équipes de travail autonomes effectuent un travail complet qui exige d'accomplir plusieurs tâches interdépendantes; elles jouissent d'une grande latitude dans l'exécution de leur travail. Elles sont plus faciles à instaurer dans des cultures à faible distance hiérarchique et à collectivisme élevé. Le déploiement d'équipes autonomes cause toutefois quelques difficultés, par exemple la crainte des cadres de perdre du pouvoir, le manque de formation des superviseurs et des employés de l'équipe, le bouleversement des structures traditionnelles et la résistance de certains syndicats.

Les équipes virtuelles sont des équipes qui, au moyen des technologies de l'information, coopèrent au-delà des frontières spatio-temporelles. Elles contribuent à former des organisations apprenantes grâce à la diffusion facile et rapide des connaissances. Les équipes virtuelles fonctionnent mieux lorsque les tâches sont structurées plutôt que complexes et ambiguës et quand leurs effectifs sont modestes.

La confiance est essentielle pour bâtir une équipe, surtout dans le cas des équipes virtuelles où la nécessité de communiquer est cruciale. La confiance qu'on a envers les autres membres d'une équipe est fondée sur une analyse rationnelle des intentions d'autrui, sur la connaissance qu'on en a ou sur la similitude de vues et de valeurs. La construction d'une équipe est une activité planifiée conçue pour améliorer le fonctionnement et l'efficacité d'un groupe. Les quatre stratégies de construction d'équipe sont la définition des rôles, la définition des objectifs, la résolution des problèmes et l'intervention sur les processus interpersonnels. Certaines activités de construction d'équipe réussissent bien, mais d'autres échouent faute d'un diagnostic préalable des problèmes à résoudre dans un groupe.

MOTS CLÉS

confiance, p. 387

construction d'équipe, p. 388

dialogue, p. 389

équipes de travail autonomes, p. 380

équipes de travail hautement performantes, p. 380

équipes virtuelles, p. 384

QUESTIONS

1. En quoi les équipes de travail autonomes diffèrent-elles des équipes traditionnelles?

2. Advanced Telecom Ltd a mis sur pied avec succès des équipes de travail autonomes dans tout le Canada. L'entreprise souhaite désormais adopter cette approche pour ses usines de Singapour et du Mexique. Quels défis interculturels Advanced Telecom pourrait-elle alors devoir relever?

3. Une entreprise de traitement du poulet souhaite établir une usine fonctionnant avec des équipes autonomes. Dans une usine de traitement du poulet traditionnelle, les employés travaillent dans des services séparés — nettoyage et découpage, cuisson, emballage, entreposage — et les processus de cuisson et d'emballage sont contrôlés dans des postes de travail distincts. Comment l'entreprise pourrait-elle changer son fonctionnement si elle adoptait le concept d'équipes autonomes ou semi-autonomes?

4. Que peuvent faire les organisations pour réduire la résistance de la direction envers les équipes de travail autonomes?

5. Pourquoi les équipes virtuelles sont-elles de plus en plus courantes et nécessaires?

6. Supposez que l'enseignant qui donne ce cours vous associe à une équipe de projet constituée de trois autres étudiants suivant le même cours en Irlande, à Singapour et au Brésil. Tous les étudiants parlent anglais et ont le même niveau de connaissances sur le sujet. À partir de ce que vous avez appris au sujet des équipes virtuelles, comparez les problèmes auxquels votre équipe devrait faire face avec ceux d'une équipe d'étudiants locaux qui peuvent se rencontrer en personne.

7. Que font les équipes virtuelles pour que la confiance entre les membres de l'équipe reste intacte?

8. Les activités de consolidation d'équipe sont de plus en plus populaires à mesure que les entreprises se basent sur des groupes pour effectuer le travail. Quelles sont les difficultés qui peuvent faire échouer une consolidation d'équipe?

L'ÉQUIPE COMPTABLE DU SECTEUR DE L'EXPÉDITION

Depuis cinq ans, je travaille à McKay, Sanderson, and Smith Associates, un cabinet d'experts-comptables de taille moyenne situé à Halifax. Ce cabinet est spécialisé dans les comptes commerciaux et leur vérification. Pour ma part, je suis spécialisé dans les méthodes comptables pour les entreprises d'expédition maritime ; celles-ci vont de petites flottes de pêche à quelques grandes entreprises d'expédition empruntant le Saint-Laurent.

Il y a 18 mois, McKay, Sanderson, and Smith Associates a fusionné avec deux autres cabinets d'experts-comptables canadiens. Ces cabinets possèdent des bureaux à Montréal, à Ottawa, à Toronto, à Calgary et à Vancouver. Même si les deux autres cabinets étaient beaucoup plus importants que McKay, les trois cabinets ont décidé d'éviter de centraliser leurs activités autour d'un bureau situé à Toronto. À la place, la nouvelle entreprise — Goldberg, Choo, and McKay Associates — s'organiserait autour d'équipes réparties dans tout le pays afin de « tirer avantage de la synergie de nos connaissances collectives » (citation que l'associé directeur répétait souvent après la fusion).

Il y a un an, l'effet de la fusion est devenu réel pour moi lorsque mon chef (associé principal et vice-président de l'entreprise fusionnée) m'a annoncé que je travaillerais désormais plus étroitement avec trois personnes des deux autres cabinets pour former la nouvelle équipe comptable de l'industrie de l'expédition pour l'entreprise. Les autres « membres de l'équipe » étaient Rochelle à Montréal, Thomas à Toronto et Brad à Vancouver. J'avais déjà brièvement rencontré Rochelle à l'occasion d'une réunion à Montréal au moment de la fusion, mais je n'avais jamais rencontré ni Thomas ni Brad. Je savais tout de même qu'ils étaient les comptables professionnels du secteur de l'expédition des autres cabinets.

Au début, les activités de « l'équipe » d'expédition se résumaient à s'envoyer des courriels relativement à de nouveaux contrats et à des clients potentiels. Plus tard, la direction nous a demandé de soumettre des rapports mensuels conjoints présentant les relevés de comptes et décrivant les problèmes éprouvés. Normalement, je soumettais mes propres rapports tous les mois en y résumant les activités concernant mes propres clients.

La coordination du rapport mensuel avec trois autres personnes prenait beaucoup plus de temps, d'autant plus que les différents processus de documentation comptable utilisés dans les trois cabinets n'étaient pas encore compatibles. De nombreux appels téléphoniques et courriels ont été nécessaires pour se mettre d'accord sur un style de rapport mensuel acceptable.

Au cours de ce processus irritant, il est devenu évident — en tout cas pour moi — que cette affaire d'« équipe » me faisait perdre du temps tout en m'apportant peu. De plus, Brad de Vancouver était incapable de communiquer correctement avec les membres de l'équipe. Il répondait rarement aux courriels, utilisait plutôt le système de messagerie vocale, ce qui engendrait une grande quantité d'appels tous azimuts. Par ailleurs, Brad arrive au travail à 9 h à Vancouver (et souvent en retard !), ce qui correspond au début de l'après-midi à Halifax. Je travaille de 8 h à 16 h, arrangement souple destiné à me permettre d'amener mes enfants, après l'école, à leurs activités sportives ou à leurs cours de musique. Ainsi, Brad et moi disposons de moins de trois heures en commun pour partager l'information.

Il y a deux semaines, l'entreprise nous a demandé de formuler une nouvelle stratégie permettant d'attirer davantage de contrats dans le secteur de l'expédition. Cette nouvelle demande est bientôt devenue l'activité la plus agaçante de l'équipe comptable de spécialistes en expédition. Ce nouveau projet stratégique est très complexe. D'une manière ou d'une autre, nous devons partager nos idées au sujet de plusieurs approches, nous mettre d'accord sur un nouveau projet et rédiger un rapport unique et conjoint à l'attention du directeur-adjoint. Ce projet seul consume presque tout le temps que je passe à écrire des courriels, à répondre à ceux des autres et à participer à des conférences téléphoniques (ce qu'aucun d'entre nous n'avait vraiment fait auparavant).

À l'occasion d'échanges de courriels, Thomas et Rochelle se sont déjà « mal compris » à deux ou trois reprises sur des aspects délicats du plan stratégique. Le désaccord le plus important a nécessité une conférence téléphonique à laquelle nous avons tous dû participer. Sauf en ce qui concerne les aspects les plus courants, il semble que nous soyons incapables de nous comprendre et encore moins de nous mettre d'accord sur les points clés. J'ai fini par conclure que je ne voudrais jamais avoir Brad comme collègue dans mon bureau d'Halifax (heureusement qu'il est à l'autre bout du pays!). Alors que Rochelle et moi semblons être d'accord sur la plupart des points, l'équipe ne parvient pas à former une vision ou une stratégie commune. J'ignore ce qu'en pensent Rochelle, Thomas et Brad, mais je serais ravi de travailler là où ces maux de tête provoqués par des équipes à distance n'existent pas.

Questions

1. Quel type d'équipe a été formé ici? Selon vous, cette initiative était-elle nécessaire?

2. Quelles sont les forces et les faiblesses de la conception de cette équipe?

3. En considérant que ces quatre personnes doivent continuer à travailler dans cette équipe, énoncez quelques suggestions qui permettraient d'en améliorer l'efficacité.

EXERCICE EN GROUPE 9.2

UN DISPOSITIF DE PROTECTION

Objectif Cet exercice est conçu pour vous aider à comprendre la dynamique d'équipes hautement performantes.

Le matériel pour chaque équipe: 1 œuf, 7 pailles de plastique, 4 ballons mous, 1 grand bocal de plastique, 1 mètre de ruban isolant, 4 verres de plastique, du papier collant et 5 serviettes de papier.

La tâche de l'équipe L'équipe doit concevoir et fabriquer un dispositif de protection qui permettra de laisser tomber un œuf cru (fourni par l'instructeur) d'une hauteur de 2,5 mètres sans se briser. Le groupe gagnant sera celui qui réussira à ne pas briser l'œuf dans le temps donné.

Instructions

■ Étape 1: L'instructeur forme des équipes d'environ six personnes. L'objectif est de faire tomber l'œuf dans le bocal d'une hauteur de 2,5 mètres sans qu'il se brise. L'équipe a 10 minutes pour observer le matériel et élaborer une solution (avant de manipuler le matériel). Elle a ensuite 10 minutes pour exécuter la tâche.

■ Étape 2: Après l'exercice, les équipes amorcent une discussion sur la dynamique de l'équipe, à savoir la répartition des rôles, l'évolution du groupe, les conflits éventuels, les facteurs de cohésion, le statut des membres, l'apparition de normes, etc.

Source: Cet exercice, qui est largement disponible sous de nombreuses formes, ne semble pas avoir d'origine connue.

EXERCICE D'AUTOÉVALUATION 9.3

LES QUALITÉS D'UN MEMBRE À L'ESPRIT D'ÉQUIPE

par Theresa Kline, Université de Calgary

Objectif Cet exercice est conçu pour vous aider à évaluer votre prédisposition à travailler en équipe.

Instructions Lisez chacun des énoncés de la page suivante et cochez la réponse qui correspond le mieux à votre opinion. Utilisez ensuite la grille de notation disponible au www.cheneliere.ca/mcshanebenabou afin de calculer vos résultats.

Les étudiants doivent faire cet exercice seuls afin de s'évaluer sans se comparer à leurs camarades. Toutefois, la discussion en classe doit être axée sur les caractéristiques des personnes étant plus ou moins disposées à travailler dans des équipes de travail autonomes.

Les qualités d'un membre à l'esprit d'équipe					
Dans quelle mesure êtes-vous d'accord sur les points suivants?	Profondément en désaccord ▼	Relativement en désaccord ▼	Pas d'opinion ▼	Relativement d'accord ▼	Profondément d'accord ▼
1. J'aime travailler sur des projets de groupe.	☐	☐	☐	☐	☐
2. Le travail de groupe permet aux autres d'éviter plus facilement de faire leur part.	☐	☐	☐	☐	☐
3. Le travail effectué en équipe est de meilleure qualité que le travail effectué seul.	☐	☐	☐	☐	☐
4. Je travaille mieux seul qu'en groupe.	☐	☐	☐	☐	☐
5. Les résultats réels obtenus dans un travail en groupe sont surestimés.	☐	☐	☐	☐	☐
6. Travailler en groupe m'aide à avoir des idées plus créatives.	☐	☐	☐	☐	☐
7. Les équipes sont utilisées trop souvent alors qu'un travail individuel serait plus efficace.	☐	☐	☐	☐	☐
8. Mon propre travail est meilleur lorsque je travaille en groupe.	☐	☐	☐	☐	☐
9. Mes expériences de travail en équipe ont principalement été négatives.	☐	☐	☐	☐	☐
10. Plus de solutions et d'idées émergent dans un travail de groupe que dans un travail solitaire.	☐	☐	☐	☐	☐

Source: T.J. Kline, « The Team Player Inventory: Reliability and Validity of a Measure of Predisposition Towards Organizational Team Working Environments », Journal for Specialists in Group Work, vol. 24, n° 1, 1999, p. 102-112.

CHAPITRE 10

La prise de décision et la créativité

Objectifs d'apprentissage

À LA FIN DE CE CHAPITRE, VOUS DEVRIEZ POUVOIR :

- décrire les étapes du modèle rationnel de prise de décision ;
- expliquer la difficulté de définir le problème et les opportunités dans le processus décisionnel classique ;
- décrire les mécanismes qui peuvent limiter les choix éclairés ;
- expliquer comment les émotions et l'intuition influencent nos choix ;
- déterminer les causes de l'intensification d'un engagement envers une décision discutable ;
- décrire les différents styles individuels de prise de décision ;
- distinguer les heuristiques qui simplifient le processus décisionnel ;
- décrire les avantages de la participation du personnel aux prises de décision et les conditions qui la favorisent ;
- décrire les caractéristiques des personnes créatives et des lieux de travail favorisant la créativité ;
- décrire les cinq entraves au processus décisionnel et à la créativité de groupe ;
- comparer les méthodes de groupe favorisant la créativité ;
- expliquer en quoi le processus de remue-méninges peut être plus efficace que ne le pensaient les spécialistes.

Il est 11 h 38 au Centre spatial Kennedy, le 28 janvier 1986. La navette *Challenger* décolle et, une minute et demie plus tard, elle se désintègre en plein vol, entraînant la mort de sept astronautes.

L'examen des causes ayant provoqué cette catastrophe a d'abord mis en évidence un défaut technique. On a dénoncé le manque d'élasticité des joints placés à la jonction des différents propulseurs (*boosters*) qui composent les deux fusées et permettent à la navette de s'arracher du sol. Ainsi, sur le propulseur droit, une ouverture s'est produite, laissant s'échapper les gaz brûlants qui ont fait exploser le réservoir externe de la navette. Néanmoins, le processus décisionnel des responsables du vol de la navette a aussi été mis en cause. Des facteurs cognitifs et collectifs auraient mené à la décision erronée d'autoriser le vol du véhicule spatial.

Durant les cinq années précédant le lancement, à l'issue de la plupart des vols, on a constaté que les joints des propulseurs étaient excessivement fragiles au froid. Ces joints ont pourtant été maintenus tels quels au cours des différents vols. Or, il a fait exceptionnellement froid en Floride la nuit précédant le vol. De plus, un mois avant le lancement, le fabricant des propulseurs, Morton Thiokol, a demandé à la NASA d'enlever les joints de sa liste de pièces critiques, c'est-à-dire qui nécessitaient plus d'attention. Étrangement, la NASA a accepté. Il y a donc eu ici une sorte de persévérance dans l'erreur (travailler longtemps avec des joints douteux et soustraire ces mêmes joints à des analyses plus approfondies).

Par ailleurs, des raisonnements simples et erronés font partie des autres explications d'ordre cognitif. Les ingénieurs ont exclu de leurs études les importantes chutes de température en Floride, faisant preuve d'un *a priori*, c'est-à-dire d'une supposition non scientifique. Par exemple, les ingénieurs croyaient qu'il y avait très peu de chances qu'il fasse très froid en Floride le jour du lancement, puisque ce phénomène se produisait très rarement !

Des erreurs collectives apportent également quelques explications. D'un côté, les dirigeants ont fait une erreur d'appréciation très grave en jugeant que ce risque était peu élevé. D'un autre côté, les ingénieurs sur le terrain considéraient le risque comme étant élevé et réaliste. Ce risque portait sur la probabilité d'échec d'une fusée spatiale entraînant la perte du véhicule. Il semble que l'optimisme des dirigeants soit l'une des causes de leur erreur d'appréciation. En outre, les dirigeants ont complètement négligé l'intuition des ingénieurs au sujet de la fragilité des joints. Ces spécialistes ne pouvaient pas prouver hors de tout doute que les joints étaient peu fiables (les essais n'ayant pas été réalisés dans des conditions de très basses températures), ce qui a renforcé l'optimisme des dirigeants.

Photo : Gracieuseté de la NASA

Voici un autre exemple de phénomène collectif : dans certaines circonstances, ceux qui peuvent s'exprimer sur une décision décident de se taire. La veille du lancement, deux ingénieurs de Morton Thiokol, informés de cette basse température, se sont opposés au lancement ; les autres sont demeurés silencieux. Dans ce cas précis, la pression du groupe a joué un rôle non négligeable dans la nature des décisions. Les dirigeants se sont isolés avec le directeur des études et lui ont demandé « d'enlever son chapeau d'ingénieur et de mettre sa casquette de dirigeant ». Chez Morton Thiokol, on a finalement soumis la décision du lancement à un vote à main levée, en commençant par le chef de la direction. Celui-ci s'étant exprimé en faveur du lancement, les ingénieurs présents ont subi la pression et ont décidé de s'y conformer. Ainsi, Morton Thiokol a donné son accord au lancement. ■

Source : Adapté de l'ouvrage de Christian Morel, *Les décisions absurdes. Sociologie des erreurs radicales et persistantes*, Paris, Gallimard, 2002.

Comme nous venons de le voir dans le texte qui précède, il incombe aux dirigeants d'entreprise, tout comme ceux de la NASA, de prendre des déci-sions qui auront un impact important sur la vie de leur organisation. La **prise de décision** est un processus conscient qui consiste à faire un choix parmi plusieurs options dans l'intention de résoudre une problématique donnée[1]. Ce chapitre débute par la présentation du modèle «rationnel» de prise de décision. Ensuite, nous examinerons ce modèle de manière plus critique en étudiant la façon de déterminer des problèmes et des opportunités, de choisir parmi diverses options et d'évaluer la portée des décisions prises. La section suivante portera sur les conditions de participation du personnel au processus de prise de décision. Cette section sera suivie de l'examen précis des facteurs favorisant la créativité au cours du processus décisionnel, comme les caractéristiques particulières des per-sonnes et de l'environnement de travail. La dernière partie de ce chapitre portera sur la créativité dans les équipes de travail. Nous étudierons plus précisément les divers facteurs qui limitent la prise de décision et la créativité en équipe, puis nous examinerons les structures et les méthodes qui permettent de les dépasser.

LE MODÈLE « RATIONNEL » DE PRISE DE DÉCISION

Comment prend-on des décisions dans un cadre organisationnel? On peut com-mencer à répondre à cette question en étudiant le modèle «rationnel» tradition-nel de prise de décision (*voir la figure 10.1*)[2]. Tout au long de ce chapitre, on réalisera que ce modèle rationnel *ne* représente *pas* la manière dont les décisions sont réellement prises. Cependant, il s'agit d'un modèle utile permettant d'exami-ner les divers éléments du processus de prise de décision.

Selon le modèle rationnel, la première étape du processus de prise de décision consiste à circonscrire un problème ou à reconnaître une opportunité. Un *pro-blème* est l'écart existant entre la situation actuelle et la situation souhaitée — l'écart entre «ce qui est» et «ce qui devrait être»[3]. Cet écart est un *symptôme* de causes plus fondamentales qui doivent être corrigées[4]. Une *opportunité* est un écart entre les attentes actuelles et les possibilités supérieures qu'offre une nou-velle situation à exploiter. En d'autres termes, les décideurs prennent conscience

FIGURE 10.1

Modèle rationnel du processus de prise de décision

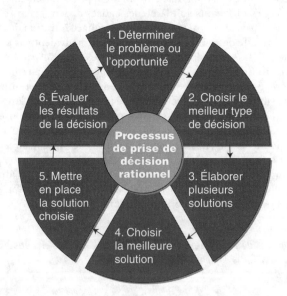

que certaines décisions peuvent engendrer des résultats dépassant les objectifs ou les attentes initiales.

La deuxième étape consiste à déterminer le type de décision le plus approprié[5]. Doit-il s'agir d'une **décision programmée** ou d'une **décision non programmée**[6]? Une décision programmée respecte les directives d'exploitation habituelles. Il est alors inutile d'explorer les autres solutions, car la solution optimale a déjà été déterminée et décrite. Dans de nombreux centres d'appels, par exemple, le personnel se base sur les décisions programmées contenues dans la base de données d'un ordinateur. Cette base de données permet de synthétiser le problème du client grâce à une série de questions et de présenter une solution toute faite. À l'opposé, des décisions non programmées comportent toutes les étapes du modèle de prise de décision pour les problèmes nouveaux, complexes ou mal définis. Dans ces cas-là, les décideurs doivent rechercher diverses solutions et peut-être même concevoir des solutions uniques. En général, on préfère les décisions programmées aux décisions non programmées, car il est possible de se fier à des solutions antérieures lorsque des problèmes apparaissent.

La troisième étape du modèle rationnel de prise de décision est de dresser une liste de solutions possibles[7]. Elle débute généralement par la recherche de solutions toutes faites, telles des pratiques ayant bien fonctionné dans des cas similaires. Si une solution acceptable ne peut être trouvée, les décideurs créent alors une solution faite « sur mesure » ou modifient une solution existante. La quatrième étape consiste à choisir la meilleure solution. Dans une démarche purement rationnelle, il s'agirait de relever tous les facteurs permettant de juger les diverses solutions, d'attribuer des pondérations exprimant l'importance des facteurs, et d'évaluer chaque solution en fonction de ces facteurs[8]. La cinquième étape du modèle rationnel est de mettre en place la solution choisie. La sixième étape consiste à évaluer si l'écart a été réduit entre « ce qui est » et « ce qui devrait être ». Idéalement, cette information devrait provenir de repères systématiques, objectifs et facilement observables.

Les inconvénients du modèle rationnel de prise de décision

Le modèle rationnel semble très logique; pourtant, il est rarement utilisé. L'une des raisons est que ce modèle part du principe que l'être humain est une machine de traitement de l'information efficace et logique. Toutefois, comme le révéleront les prochaines pages, les gens ont de la difficulté à reconnaître les problèmes, ne peuvent (ou ne veulent pas) traiter simultanément le gros volume d'information nécessaire à la détermination de la meilleure solution et reconnaissent difficilement qu'ils ont fait un mauvais choix. La deuxième raison expliquant que ce modèle rationnel n'est pas adapté à la réalité est qu'il se base sur une pensée logique. Il ne tient pas compte du fait que les émotions influencent le processus de prise de décision et le guident parfois entièrement. Comme nous le verrons dans ce chapitre, les émotions aident et brouillent à la fois le processus décisionnel[9]. En gardant ces aspects en mémoire, nous étudierons à nouveau chacune des étapes du processus de prise de décision, mais en nous attardant plus en détail sur leur contenu.

LA DÉTERMINATION DES PROBLÈMES ET DES OPPORTUNITÉS

Lorsqu'on a demandé à Albert Einstein ce qu'il ferait pour sauver le monde en une heure, il a répondu qu'il passerait les 55 premières minutes à définir le problème

décision programmée
Processus grâce auquel les décideurs suivent des procédures de fonctionnement standards afin de choisir la meilleure solution sans devoir chercher ou évaluer d'autres solutions.

décision non programmée
Processus appliqué à des situations uniques, complexes ou mal définies pour lesquelles les décideurs suivent le processus complet de prise de décision, y compris la recherche de solutions uniques.

et les cinq dernières minutes à le résoudre[10]. La détermination du problème est la première étape, et sans doute la plus importante, du processus décisionnel. Cependant, les problèmes et les opportunités ne se présentent pas sur nos bureaux comme des objets bien étiquetés. Les décideurs doivent au contraire traduire d'une manière ou d'une autre un grand volume d'informations en preuves que quelque chose ne fonctionne pas ou qu'une opportunité existe. Cette traduction s'effectue à la fois dans les centres rationnels et émotionnels du cerveau[11].

Au chapitre 5, nous avons vu que l'information perçue est traitée de manière à la fois logique et émotive. En une fraction de seconde, le centre émotionnel classe les situations dans les catégories « bonne » ou « mauvaise » et leur attribue les signes émotifs (marqueurs) correspondants (la colère, la surprise, le plaisir, etc.). Les marqueurs émotionnels sont ensuite envoyés au centre rationnel où ils influencent l'analyse logique, plus lente, de la situation. Les marqueurs émotionnels et l'analyse logique déterminent donc, ensemble, si quelque chose est perçu comme un problème, une opportunité ou quelque chose sans importance. Notre réaction émotionnelle et notre analyse rationnelle d'une situation dépendent également de l'information reçue et de la manière dont elle est traitée.

Supposons qu'un collègue inquiet vous annonce que la représentante de l'entreprise dans la région est du Canada vient de donner sa démission. Peut-être vous inquiéterez-vous immédiatement ou ressentirez-vous de la frustration, probablement en réaction à l'émotion de ce collègue. En d'autres termes, le centre émotionnel de votre cerveau a rapidement attribué des marqueurs émotionnels à la nouvelle de la démission de la représentante. Pendant ce temps, la partie rationnelle de votre cerveau étudie la situation et conclut finalement que cet événement n'est pas si catastrophique. Les performances de cette représentante étaient médiocres, et vous connaissez déjà une excellente représentante travaillant pour une autre entreprise, qui serait intéressée par ce poste. Ce qui semblait initialement être un problème apparaît en fait comme une bonne occasion, une fois l'analyse rationnelle de la situation effectuée. Les émotions initiales d'inquiétude ou de frustration n'étaient peut-être pas pertinentes dans cette situation. Pourtant, nos émotions sont parfois de bons indicateurs de problèmes ou d'opportunités. Nous verrons plus tard comment les émotions peuvent être des alliées précieuses dans nos efforts de détermination des problèmes et des choix de la meilleure solution.

Les erreurs de perception et les échecs de diagnostic

En plus d'avoir à pondérer les évaluations émotionnelles et rationnelles d'une situation, les décideurs doivent aussi composer avec l'imperfection des perceptions. Comme nous l'avons vu au chapitre 4, on ignore de l'information importante à cause des mécanismes d'attention sélective. En outre, le personnel, la clientèle et d'autres personnes ayant des intérêts dans la situation essaient d'influencer les perceptions des décideurs afin que l'information soit perçue comme un problème ou une opportunité[12]. Un autre défi perceptuel, également mentionné au chapitre 4, est que les personnes considèrent les problèmes ou les opportunités à travers leurs *modèles mentaux*. Ces modèles nous aident à comprendre notre environnement, mais ils perpétuent également la formation d'hypothèses qui nous empêchent de percevoir de nouvelles réalités (*voir l'encadré 10.1*).

Un autre obstacle à la détermination efficace d'un problème est que les décideurs font des diagnostics erronés[13]. Une erreur de diagnostic habituelle est la

Des décisions coûteuses

Le Polaroïd

En 1950, l'inventeur du Polaroïd, Edwin Land, proposait sa trouvaille au géant Kodak. On lui a répondu que le procédé de la photo instantanée était certes intéressant, mais que le marché était limité. On a ajouté que les gens n'étaient pas si pressés de voir leurs photos! Vingt-deux ans plus tard, quand Edwin Land a lancé la marque Polaroïd et connu le succès que l'on sait, on riait jaune chez Kodak.

Le Concorde

Le fameux avion supersonique franco-anglais (aujourd'hui retiré du ciel après son accident tragique en 2000 près de Paris) a été le fiasco le plus retentissant de l'aviation civile. Le 29 novembre 1962, la France et la Grande-Bretagne signaient un protocole d'accord pour la construction d'un avion civil supersonique. Toutefois, nulle étude de marché auprès des transporteurs et du public n'était venue appuyer le projet. En 1963, on ne connaissait toujours rien au sujet de l'avion: son prix, ses performances et les délais de livraison. Les coûts de fabrication n'ont cessé d'augmenter. Les choix technologiques l'ont rendu extrêmement coûteux en carburant et, plus tard, les lobbies américains lui ont mis des bâtons dans les roues. Toutes les compagnies aériennes étrangères qui avaient passé une commande pour cet avion se sont retirées une à une. Le Concorde a coûté des milliards aux contribuables français et anglais. Malgré tous les problèmes soulevés, les deux pays se sont entêtés à le mettre en service. Finalement, en dépit de sa conception avant-gardiste, le Concorde n'a jamais vraiment été rentable.

Source: Adapté de l'ouvrage de Christine Kerdellant, *Le prix de l'incompétence,* Paris, Denoël, coll. «Impacts», 2000, p. 123, 188-191.

---

tendance à définir un problème à l'aide de ses solutions. La personne qui annonce ceci: «le problème est que nous avons besoin de mieux contrôler nos fournisseurs» est tombée dans ce piège. Il faut noter que la déclaration de cette personne se concentre sur une solution (contrôler les fournisseurs), alors qu'un bon diagnostic serait de déterminer d'abord la cause des symptômes avant de passer aux solutions. La tendance qui consiste à se concentrer sur les solutions se base sur l'inclination humaine à l'action et au besoin de réduire les incertitudes[14].

De plus, les décideurs disposent d'un ensemble de solutions qu'ils préfèrent parce que celles-ci ont bien fonctionné par le passé. Certains cadres sont connus pour réduire trop rapidement le personnel, quel que soit le problème de gestion; d'autres introduisent un nouveau programme de service à la clientèle comme solution toute faite à divers problèmes. Le point important ici est que les décideurs tendent à considérer un problème nouveau avec des solutions anciennes.

L'éditorial d'André Pratte du journal *La Presse* au sujet du choix entre deux sites (Saint-Denis et Outremont) de la construction future du centre hospitalier universitaire de Montréal (CHUM), au-delà de la propre opinion du journaliste (qui n'engage que lui) sur le sujet, met en évidence les nombreux facteurs qui influencent les choix des décideurs: l'ambiguïté des buts du projet, les pressions des différentes parties prenantes, les choix implicites, les justifications qui semblent rationnelles (coûts, par exemple), l'urgence de décider rapidement et les aspects émotifs (on sait que le choix du premier ministre du Québec, M. Jean Charest, se porta sur le site de Saint-Denis) (*voir l'encadré 10.2*).

La caricature de *La Presse* illustre la difficulté de décider de grands projets. *La Presse, 7 février 2005*

Deux grands projets

La consultation parlementaire sur l'emplacement du futur CHUM a donné lieu à la mise à mort du projet d'Outremont, conçu par l'Université de Montréal. Déjà vilipendé depuis plusieurs semaines pour des motifs essentiellement idéologiques, le projet n'a pas résisté aux habiles manœuvres du ministre de la Santé, Philippe Couillard. L'ancien premier ministre, Daniel Johnson, a asséné le coup de grâce.

Ce qui est triste dans cette affaire, c'est que le site Outremont soit écarté non pas à la suite d'une évaluation objective et sereine des deux projets concurrents, mais sur la base d'arguments souvent faussés, voire carrément démagogiques. Ainsi, en ce qui a trait aux risques posés par le transport ferroviaire, on a balayé du revers de la main l'étude fouillée de SNC-Lavalin, de même que les assurances données par les spécialistes de Transport Canada. Ces derniers sont pourtant catégoriques: les risques d'accidents sont infinitésimaux et, si accident il y avait, compte tenu des produits transportés, des mesures de mitigation et de la vitesse réduite des trains, il ne nécessiterait en aucun cas l'évacuation de l'hôpital. Enfin, les représentants du Canadien Pacifique ont soutenu que le transport par trains à Outremont serait «très, très, très sécuritaire». Qu'importe: il a suffi à M. Couillard d'invoquer à répétition le «principe de précaution», principe qui, si on l'interprétait à l'extrême comme l'a fait le ministre, découragerait quiconque de conduire une voiture ou d'utiliser un barbecue au gaz.

Pour ce qui est des coûts, M. Couillard a manifesté un préjugé tout aussi évident, qui pourrait se résumer ainsi: il y aura certainement d'énormes dépassements de coûts sur le site Outremont, tandis que les budgets seront respectés au cent près au 1000, rue Saint-Denis. Le ministre n'a tenu aucun compte de l'opinion des ingénieurs Couture et St-Pierre, qui s'y connaissent en grands projets, selon qui «les risques de dépassement de coûts sont plus élevés au 1000 Saint-Denis compte tenu de la dimension du site, des risques en sous-sol et du maintien des opérations hospitalières durant la construction».

Pour leur part, en commission parlementaire comme depuis plusieurs semaines, les promoteurs de la technopole ne sont pas parvenus à répondre de façon convaincante aux inquiétudes, légitimes par ailleurs, soulevées par leur projet. Pendant des mois, les gens de l'Université de Montréal ne s'étaient absolument pas préoccupés de l'opinion publique. Lorsqu'ils ont commencé à le faire, la bataille de l'opinion était déjà perdue.

Un projet aussi ambitieux ne peut être mené à bien que si tous les intervenants partagent une volonté ferme d'y arriver. «Autant le concept d'une technopole de la santé est très attrayant, s'il y a la moindre difficulté de mettre ensemble les partenaires, je serais le premier à ne pas le recommander», disait d'ailleurs Guy St-Pierre la semaine dernière.

Or, l'opposition au CHUM Outremont est virulente et imposante: le ministre de la Santé est contre, ses fonctionnaires sont contre, l'agence régionale est contre, les syndicats sont contre, les arrondissements concernés sont contre, l'opposition officielle est contre, les médias sont contre. Un récent sondage indiquait que plus de 60 % des Québécois préfèrent le site Saint-Luc. Même hors de la région de Montréal, les Québécois expriment sans hésiter une préférence entre les deux emplacements, ce qui confirme à quel point ce débat est devenu beaucoup plus politique que technique, émotif que rationnel.

Comme une décision doit être prise rapidement, même les plus chauds partisans du site Outremont doivent se rendre à l'évidence: ils ne parviendront pas à renverser la vapeur. Il est donc plus que probable que le gouvernement du Québec va choisir d'installer le nouveau CHUM au 1000, rue Saint-Denis. Il reste à espérer que le premier ministre et son ministre de la Santé auront la clairvoyance de préserver les deux grands acquis résultant du travail de Robert Lacroix et de l'Université: le concept de technopole, qui a séduit tout le monde, et l'achat du site du CP à Outremont pour le développement de l'Université de Montréal.

Source: André Pratte, «Deux grands projets», *La Presse,* 7 mars 2005, p. A10.

Déterminer des problèmes et des opportunités avec plus d'efficacité

La détermination des problèmes et des opportunités sera toujours un défi. Toutefois, le processus peut être amélioré si on reste conscient de ces limites dans la perception et le diagnostic. En reconnaissant que les modèles mentaux peuvent réduire la manière dont une personne comprend le monde, les décideurs apprennent à s'ouvrir à d'autres façons de concevoir la réalité. Les faiblesses de peception et de diagnostic peuvent également être minimisées en discutant de la situation avec des collègues. Les décideurs découvrent des aspects ignorés au cours de la détermination d'un problème lorsqu'ils écoutent comment d'autres personnes perçoivent l'information et posent un diagnostic[15]. Les opportunités deviennent aussi plus évidentes si des personnes extérieures explorent cette information en se référant à leurs modèles mentaux différents.

L'ÉVALUATION ET LE CHOIX DE SOLUTIONS

Selon le modèle rationnel de prise de décision, les personnes se basent sur la logique pour évaluer et choisir des options. Ce processus rationnel laisse supposer que les décideurs disposent d'objectifs organisationnels précis et partagés, qu'ils traitent les faits de manière efficace et simultanée en considérant toutes les options présentes ainsi que leurs conséquences, et qu'ils choisissent l'option qui produira le meilleur résultat.

rationalité limitée
Traitement limité et imparfait de l'information.

Herbert Simon, théoricien des organisations (*voir le chapitre 1*) et gagnant du prix Nobel en 1978, a remis ces hypothèses en question il y a 50 ans. Il a soutenu que l'être humain fait preuve de **rationalité limitée,** car ce dernier traite l'information de manière limitée et imparfaite et choisit rarement la meilleure option[16]. Depuis, Herbert Simon et d'autres chercheurs en comportement organisationnel ont démontré que la façon dont les personnes évaluent et choisissent des options diffère du modèle rationnel de plusieurs manières (*voir la figure 10.2*). Ces différences sont si importantes que même les économistes s'éloignent désormais du modèle rationnel pour tenir compte du modèle de rationalité limitée dans leurs théories et leurs hypothèses[17]. Considérons maintenant ces différences du point de vue des objectifs, du traitement de l'information et de la maximisation des gains.

Les problèmes liés aux objectifs

Nous avons besoin d'objectifs pour choisir la meilleure solution. Les objectifs permettent de savoir « ce qui devrait être » et, par conséquent, ils constituent une norme en fonction de laquelle nous pouvons évaluer chaque option. Pourtant, la réalité est que les objectifs organisationnels sont souvent ambigus ou contradictoires. Par exemple, un récent sondage a révélé que 25 % des cadres et des employés trouvent que des décisions sont retardées par la difficulté à se mettre d'accord sur l'objectif lié à la décision[18].

Les problèmes liés au traitement de l'information

Si on ne prend pas de meilleures décisions rationnelles, c'est parce qu'on ne traite pas assez bien l'information. L'une des difficultés auxquelles font face les décideurs est qu'ils ne peuvent considérer toutes les options à la fois ainsi que leurs conséquences. De ce fait, seules émergent quelques options et quelques-unes de leurs principales conséquences[19]. Par exemple, même si nous disposons de douzaines de marques d'ordinateurs et de multiples fonctionnalités, nous n'en évaluons généralement que quelques-unes.

Un problème lié au problème précédent est que le décideur considère généralement les options de manière séquentielle plutôt que simultanée. De plus,

FIGURE 10.2 Comparaison entre les hypothèses du modèle rationnel et les découvertes sur les comportements organisationnels dans le choix de diverses solutions

Hypothèses liées au modèle de prise de décision rationnel	Observations des comportements dans les organisations
Les décideurs fixent des objectifs clairs, conciliables et acceptés	Les décideurs fixent des objectifs ambigus, contradictoires et qui ne recueillent pas l'adhésion de tous
Les décideurs peuvent traiter l'information relative à toutes les options et à leurs conséquences	Les décideurs ont des capacités de traitement de l'information limitées
Les décideurs évaluent toutes les options simultanément	Les décideurs évaluent les options l'une après l'autre
Les décideurs évaluent les options en fonction d'un ensemble de normes absolues	Les décideurs évaluent implicitement les options par rapport à celle qu'ils préfèrent
Les décideurs traitent des informations factuelles	Les décideurs traitent des informations déformées par la perception
Les décideurs choisissent la meilleure option, celle ayant engendré le résultat le plus efficace (maximisation)	Les décideurs choisissent l'option la plus acceptable (selon les exigences minimales)

préférence implicite
Toutes les options sont évaluées à partir du choix préféré du décideur.

lorsqu'une nouvelle option est considérée, elle est immédiatement comparée à une **préférence implicite.** Une préférence implicite est le choix que privilégie un décideur et par lequel toutes les autres options sont jugées. Deux problèmes se posent alors. Tout d'abord, les personnes ont souvent une préférence implicite basée sur une information limitée, bien avant que le processus formel d'évaluation d'options ne commence. Ensuite, les personnes essaient plus ou moins consciemment de favoriser leur préférence implicite dans la plupart des comparaisons[20] en déformant l'information et en modifiant l'importance des critères de décision.

Une récente étude effectuée auprès des étudiants en vérification comptable illustre comment des informations et des critères de décision sont déformés afin de favoriser une préférence implicite[21]. Un cas détaillé a été distribué aux étudiants à qui on a demandé de déterminer si les problèmes financiers d'une entreprise étaient suffisamment « importants » pour être mentionnés dans la vérification. Les étudiants ayant décidé que l'entreprise connaissait des difficultés financières ont déformé l'information disponible pour que les problèmes financiers semblent plus graves, alors que les étudiants ayant décidé de ne pas mentionner ces problèmes ont minimisé toute référence à une information négative. En bref, ces étudiants ont privilégié de rapporter ou non les problèmes de l'entreprise, puis ils ont déformé l'information et leurs critères de décision afin de favoriser leur préférence.

Les problèmes liés à la maximisation des gains

se satisfaire (d'un choix)
Choisir une solution satisfaisante ou « suffisamment bonne » plutôt que la meilleure option.

Les décideurs tendent à choisir l'option acceptable ou « suffisamment bonne » plutôt que la meilleure solution possible ; c'est-à-dire qu'ils choisissent de **se satisfaire** d'exigences minimales plutôt que de maximiser le processus de sélection. Ce phénomène se produit lorsqu'il est impossible de relever toutes les options possibles et que l'information relative aux choix disponibles est imparfaite ou ambiguë. De plus, les décideurs sont enclins à se satisfaire de peu car, comme on l'a déjà mentionné, ils tendent à évaluer les options de manière séquentielle et sont victimes de leurs préférences personnelles implicites[22].

Les émotions et les choix

Herbert Simon et d'autres experts en comportement organisationnel ont démontré que le centre rationnel du cerveau n'évalue pas les options aussi bien que le suggère le modèle rationnel de prise de décision. Cependant, ils ont négligé de mentionner une autre variable évidente : ce modèle ignore complètement l'effet des émotions sur la prise de décision humaine[23].

Les experts commencent seulement à comprendre les effets des émotions sur la prise de décision. On sait que, pendant que le centre rationnel du cerveau traite (de manière imparfaite, comme on vient de le voir) l'information relative aux diverses options disponibles, le centre émotionnel crée plus rapidement des marqueurs émotifs qui rendent certaines options attirantes et d'autres non. Des experts suggèrent qu'un décideur se fie à la logique ou aux affects selon que l'objet choisi est censé produire ou non des émotions. Par exemple, une étude récente montre que les sujets se fient plus à leurs émotions pour évaluer des logiciels de jeux vidéo (censés produire de l'excitation et d'autres émotions), mais davantage aux perceptions et à une analyse logique pour évaluer un logiciel de vérification orthographique (qui n'est pas censé engendrer d'émotions). D'autres recherches suggèrent que notre humeur générale peut aider ou empêcher le processus de prise de décision. Plus précisément, on effectue davantage d'erreurs de perception (telles que l'erreur de halo et l'erreur d'attribution fondamentale [*voir le chapitre 4*]) lorsque notre humeur est positive, alors qu'on tend à évaluer les options avec plus de précision lorsque notre humeur est neutre ou négative[24]. Globalement, nous devons prendre conscience que les émotions et l'analyse logique agissent parallèlement et simultanément pour influencer nos choix.

L'intuition et les choix

Greg McDonald, mineur expérimenté de Potash Corp., en Saskatchewan, était inquiet à cause d'une fissure suspecte dans la paroi de la roche. Il a donc conseillé à son collègue d'éviter cette zone. « Rien n'indiquait que quelque chose n'allait pas, simplement une petite fissure », se souvient le mineur. Quelques minutes plus tard, le plafond de ce puits de mine à 1000 m de profondeur s'est affaissé. Heureusement, le collègue avait suivi le conseil de Greg McDonald. « S'il s'était trouvé là, il serait mort », confiait Greg McDonald au cours d'une entrevue ayant suivi une nuit presque sans sommeil après cet événement[25].

L'instinct, qui a permis à Greg McDonald de sauver la vie de son collègue, fait l'objet de nombreuses discussions dans le domaine du comportement organisationnel. La plupart des gens — qu'ils soient mineurs en Saskatchewan ou chefs d'entreprise à Toronto ou à Montréal — confieraient volontiers qu'ils prêtent attention à leur intuition lorsqu'ils prennent des décisions. L'**intuition** est la capacité de percevoir un problème ou une opportunité, puis de choisir la meilleure ligne de conduite sans se baser sur un raisonnement conscient[26]. Certains experts nous mettent en garde en avançant que l'intuition consiste simplement en des vœux pieux qui peuvent avoir des conséquences désastreuses. Malgré ces avertissements, la plupart des spécialistes et des cadres avouent faire confiance à leur intuition, surtout lorsque celle-ci intervient au cours d'un processus de prise de décision plus rationnel[27]. Il faut noter que l'intuition intervient rarement seule. Les décideurs analysent l'information disponible, puis ils se tournent vers leur intuition pour terminer le processus.

Doit-on se fier à l'intuition ou s'en méfier? Les deux à la fois. Il est vrai qu'on justifie parfois une prise de décision non objective et non systématique avec son intuition. Lorsqu'ils décident, par exemple, d'investir dans une nouvelle entreprise, les décideurs courent le risque de suivre leurs émotions plutôt que de considérer les faits. Pourtant, de plus en plus de recherches démontrent que l'intuition est l'expression des connaissances tacites d'une personne. Les connaissances tacites sont constituées d'apprentissages acquis par l'observation et l'expérience, et sont difficilement verbalisées; de ce fait, elles ne peuvent être explicitement communiquées (*voir le chapitre 4*). Cette connaissance inclut un raisonnement logique devenu une habitude avec le temps. Ainsi, l'intuition permet de puiser dans notre vaste réservoir de connaissances inconscientes[28].

Choisir des solutions de manière plus efficace

Il est très difficile de contourner totalement les limites humaines empêchant de faire de bons choix, mais quelques stratégies peuvent améliorer le processus décisionnel. Certaines entreprises évaluent systématiquement les options en déterminant les facteurs pertinents et en pondérant chaque option selon ces critères. Par exemple, un comité interfonctionnel de Dow Chemical se base sur un processus systématique d'évaluation afin de choisir les projets de technologie de l'information qui seront adoptés[29]. Ce processus minimise potentiellement les problèmes de préférence implicite et de satisfaction minimale inhérents aux jugements subjectifs. Cependant, il existe toujours le risque que les décideurs déforment les critères pour que l'option préférée obtienne finalement le résultat le plus élevé. L'intuition doit également être prise en compte dans le cadre de ce processus rationnel[30]. Mais nous devons être constamment conscients que nos décisions subissent l'influence des processus émotionnels. Ainsi, certains décideurs réexaminent délibérément des problèmes importants quand ils sont d'une humeur différente, ce qui permet à leurs émotions initiales de se dissiper. D'autres utilisent la méthode de **planification de scénarios,** qui leur permet d'anticiper les situations de crise bien avant qu'elles ne se produisent. De cette façon, ils peuvent évaluer des lignes de conduite différentes sans la pression et les émotions intervenant dans de réelles situations d'urgence[31]. Par exemple en 1998, la société d'État Hydro-Québec, échaudée par la crise du verglas, a créé le poste de cadre responsable à temps plein de la gestion des risques. En anticipant les pires catastrophes (verglas, inondations, etc.), Hydro-Québec estime qu'elle pourra prendre des décisions plus efficaces pour remédier à de telles situations.

ÉVALUER LES CONSÉQUENCES D'UNE DÉCISION

justification postdécisionnelle
Action de justifier des choix en exagérant inconsciemment la qualité d'une option choisie et en minimisant la qualité des options rejetées.

Contrairement au modèle rationnel, les décideurs ne sont pas entièrement de bonne foi lorsqu'ils évaluent l'efficacité de leurs décisions. Après avoir fait leur choix, les décideurs peuvent tendre, par exemple, à le justifier en oubliant ou en minimisant les aspects négatifs de l'option choisie pour en accentuer les aspects positifs. Cette déformation de la perception, appelée **justification postdécisionnelle,** vient du besoin de maintenir une image de soi positive[32]. La justification postdécisionnelle mène à une évaluation excessivement optimiste d'une décision, jusqu'à la réception d'information très claire et incontestable prouvant le contraire. Malheureusement, cette attitude déforme aussi l'évaluation initiale des choix faits par le décideur; le choc n'en est que plus douloureux face à la réalité.

L'intensification d'un engagement

intensification d'un engagement
Tendance à répéter une décision apparemment mauvaise ou à attribuer davantage de ressources à une activité vouée à l'échec.

Un autre problème intervenant lors de l'évaluation du résultat d'une décision est l'**intensification d'un engagement,** soit la tendance à répéter une décision apparemment mauvaise ou à attribuer davantage de ressources à une activité vouée à l'échec[33]. Il existe de nombreux exemples de l'intensification d'un engagement de par le monde. Le bureau du transport métropolitain de Tokyo promettait de construire une boucle de métro à haute vitesse de 29 km au-dessous de la ville dans un temps record tout en effectuant un énorme profit. Au lieu de cela, ce projet de plusieurs milliards de dollars a largement dépassé le budget prévu; il est en retard de plus de trois ans et ne sera pas rentable avant 2040, s'il l'est un jour. L'aéroport international de Denver devait inclure un système automatisé ultramoderne de gestion des bagages. Finalement, le projet a été abandonné, retardant l'ouverture de l'aéroport de 16 mois et provoquant un dépassement du budget de 2 milliards de dollars. Un cas d'intensification d'engagement s'est également produit il y a plusieurs années lorsque le gouvernement britannique a continué de financer l'avion supersonique Concorde bien après sa perte évidente de viabilité commerciale. Certains experts font même référence à l'intensification d'un engagement en le nommant l'« illusion Concorde[34] ».

Les causes d'une intensification d'engagement   Pourquoi s'engage-t-on de plus en plus profondément dans des projets voués à l'échec? Les experts en comportement organisationnel ont mis en relief plusieurs raisons, par exemple l'autojustification, l'« illusion du joueur », les « œillères » de perception et les coûts d'abandon du projet.

■ *L'autojustification*   L'intensification d'un engagement a souvent lieu parce que les personnes concernées essaient de sauver la face en polissant leur image pour donner l'impression d'avoir réussi (*voir le chapitre 12*)[35]. Les personnes responsables de la décision tendent à persister dans leur choix afin d'afficher leur confiance dans leur propre jugement. Le projet de traversiers PacifiCat, en Colombie-Britannique (dans les années 1990), s'est probablement enlisé parce qu'il s'agissait du projet préféré du premier ministre de l'époque. Il lui était difficile de renoncer à un symbole de son succès personnel en tant que responsable politique. Ce projet a connu plusieurs problèmes, dont un gonflement énorme des coûts, un échéancier en retard de deux ans et des erreurs de conception. Le projet fut annulé six ans après son démarrage.

■ *L'illusion du joueur*   De nombreux projets se caractérisent par une intensification de l'engagement envers une décision douteuse, car les décideurs sous-estiment les risques et surestiment les probabilités de réussite. Ils sont alors victimes de ce qu'on appelle l'«illusion du joueur»: ils surestiment leur capacité à contrôler les problèmes potentiels. En d'autres termes, les décideurs croient à tort que la chance est de leur côté, et ils investissent encore plus dans une ligne de conduite vouée à l'échec.

■ *Les œillères de perception*   Une intensification de l'engagement survient quand les décideurs ne prennent pas conscience du problème suffisamment tôt. Du fait d'un mécanisme de défense de perception (*voir le chapitre 4*), ils ignorent inconsciemment ou consciemment l'information négative. Des problèmes sérieux initiaux sont alors perçus comme des erreurs aléatoires au fur et à mesure de la progression vers la «réussite». Même lorsqu'ils se doutent que quelque chose ne va pas, l'information est alors suffisamment ambiguë pour qu'ils l'interprètent mal ou qu'ils la justifient à leur façon.

■ *Les coûts de clôture du projet*   Même lorsque la réussite d'un projet est mise en doute, les décideurs persisteront dans leurs erreurs, car les coûts liés à la clôture du projet sont trop élevés ou inconnus. Clore un important projet peut provoquer d'importantes pénalités financières, une mauvaise réputation ou nuire à une carrière politique personnelle. Cela explique probablement aussi pourquoi le programme des traversiers PacifiCat, en Colombie-Britannique, s'est intensifié. Garder les trois traversiers en entrepôt aurait coûté 9 millions de dollars et aurait continué à rappeler l'erreur du gouvernement. L'exemple de la voiture Pinto (*voir l'encadré 10.3*) montre également (contre l'éthique) l'influence du facteur des coûts.

Évaluer les conséquences d'une décision avec plus d'efficacité

Une manière efficace de minimiser l'intensification d'un engagement et la justification postdécisionnelle est de faire en sorte que les personnes prenant les décisions ne soient pas celles qui les évaluent. Cette mesure permet d'éviter le désir de sauver la face, car la personne responsable de l'évaluation de la décision n'est pas liée à la décision initiale. Par exemple, une étude a démontré que les banques tendent à agir plus rapidement, dans le cas d'un mauvais prêt, après le transfert de la personne responsable de la signature du prêt initial[36]. En d'autres termes, la banque réagit pour régler la situation uniquement lorsque le dossier du prêt est attribué à une autre personne. De même, le projet des traversiers PacifiCat, en Colombie-Britannique, a été abandonné uniquement après le départ du premier ministre ayant lancé le projet.

Une autre stratégie consiste à établir publiquement un seuil préétabli au-delà duquel la décision sera abandonnée ou réévaluée[37]. Cela équivaut à un ordre d'arrêt en Bourse, lorsque l'action est vendue si elle tombe au-dessous d'un certain prix. L'inconvénient de cette solution est que les situations sont souvent complexes, ce qui rend difficile la détermination du seuil d'abandon du projet[38]. Finalement, les projets courent moins de risque d'intensification d'engagement si plusieurs personnes sont concernées. Par exemple, les membres d'une équipe, étant fréquemment en contact, peuvent déceler les problèmes plus tôt qu'une personne travaillant seule. La participation du personnel au processus de prise de décision offre, entre autres, de tels avantages, comme nous le verrons plus loin dans ce chapitre.

Décision et éthique

La voiture Pinto de la société Ford, mise en marché au début des années 1970, présentait un dangereux défaut de conception. En effet, la voiture pouvait prendre feu facilement lors d'une collision à l'arrière, et ce, à cause d'une rupture du réservoir d'essence qui était mal placé. À deux reprises, Ford a refusé de rappeler les véhicules défectueux. Elle a fait le froid calcul selon lequel il serait moins coûteux pour l'entreprise d'indemniser les victimes de ce type d'accident que de procéder au rappel. Finalement, sous la pression des médias alertés, elle s'est résignée à procéder au rappel des voitures, mais trop tard pour sa réputation. Mis à part le côté immoral de la mise en danger de vies humaines, la décision de refuser de régler le problème illustre bien la persévérance dans une décision erronée. Ce genre d'erreur a pour origine l'illusion du joueur, les œillères d'une mauvaise perception et les frais de clôture d'un projet.

La voiture Pinto de la société Ford
Bettmann/CORBIS/Magma photos

LES AUTRES FACTEURS CARACTÉRISANT LE PROCESSUS DÉCISIONNEL

Les styles individuels de prise de décision

Chacun diffère dans sa façon d'aborder le processus décisionnel. Supposons que Raphaël, Émilie et Alain, étudiants au MBA, forment une équipe pour réaliser un projet. Dans ce contexte, un conflit a vu le jour parce que Raphaël, considéré comme plus lent que les autres, n'arrive pas à respecter les échéanciers fixés. Cet exemple permettra d'illustrer le fait que la façon de diagnostiquer les problèmes et de prendre une décision dépend fortement de la manière personnelle d'aborder une situation.

La recherche a dégagé quatre approches significativement différentes qui caractérisent le processus décisionnel. On peut classer les individus selon deux dimensions : la tolérance à l'ambiguïté (l'acceptation de situations relativement peu définies) et la façon de raisonner. La figure 10.3 illustre les quatre approches en question.

Les personnes ayant un style directif sont peu tolérantes face à l'ambiguïté. Elles sont logiques, rationnelles et visent essentiellement l'efficacité. En général, elles procèdent en tenant compte de moins d'information et d'options que les autres. De plus, elles prennent des décisions rapidement et à court terme. Le style de décision de Paul Tellier, durant son passage à la direction de Bombardier, s'apparente au style directif.

Les personnes ayant un style analytique sont plus prudentes. Elles analysent plusieurs options et peuvent s'adapter aux nouvelles situations. Le style de John Kennedy, au cours de la crise des missiles en 1962, oscille entre un mode analytique et un mode conceptuel, décrit ci-après.

FIGURE 10.3

Styles personnels caractérisant le processus décisionnel

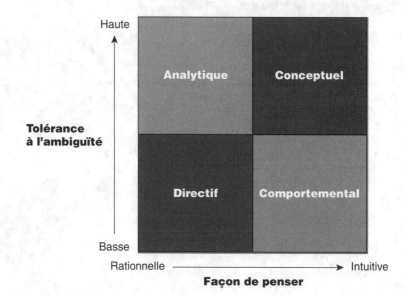

Source : Adapté de l'ouvrage de A.J. Rowe et J.D. Boulgarides, *Managerial Decision Making,* Upper Saddle River, New Jersey, Prentice Hall, 1992, p. 29.

Les personnes ayant un style conceptuel essaient de trouver des solutions créatives à long terme ; elles font aussi preuve de sociabilité.

Les personnes ayant un style comportemental travaillent en groupe, sollicitent l'opinion des autres et tentent d'éviter les conflits. Elles ont tendance à attendre avant de prendre une décision. Toutefois, lorsque celle-ci est prise, elle est conforme aux convictions du décideur. Ce style caractérise le processus décisionnel de l'ex-premier ministre du Québec, Robert Bourassa.

La plupart des gestionnaires oscillent généralement entre un style prédominant et un autre style, à un moindre degré. L'éducation et les expériences de travail tendent à accentuer l'analyse rationnelle dans la prise de décision bien que, dans certains cas, la pression du temps, du groupe et les intérêts personnels viennent la limiter. Ainsi, dans l'exemple précédent, Raphaël avait fait des études en philosophie, tandis que ses trois collègues étaient dans le domaine de la vente. Le conflit s'était focalisé sur la « lenteur » de Raphaël alors qu'en fait, il s'agissait simplement d'approches différentes devant un problème (Raphaël était nettement plus analytique que ses camarades).

LES SOURCES DE JUGEMENT

Devant des situations incertaines, les gens prennent parfois des décisions sans en examiner toutes les possibilités. Bien que ces décisions soient souvent liées à un contexte particulier, le cadrage et les heuristiques permettent d'expliquer certaines de ces décisions.

cadrage
Façon dont une problématique est présentée et qui, par le fait même, influence les modes de réponses.

Le cadrage

Deux éminents psychologues, Daniel Kahneman et Amos Tversky[39] ont constaté que les gens prennent des décisions différentes pour résoudre un même problème selon la façon dont celui-ci leur est présenté. Ce phénomène est connu sous le nom de **cadrage** (*framing*). En voici un exemple :

Scénario A   Menacé par un ennemi, un général fait face au dilemme suivant : on lui dit que ses 600 soldats mourront tous dans une embuscade, à moins qu'il ne les engage dans une des deux voies décrites ci-après. S'il prend la première route, 200 soldats seront saufs. S'il opte pour la seconde route, il y a une chance sur trois pour que ses 600 soldats soient saufs et deux chances sur trois de ne sauver personne.

Scénario B   Le général, encore une fois, est placé devant le choix des deux routes. Cette fois, on lui dit que sur la première route, 400 soldats mourront. S'il prend la seconde route, il y a une chance sur trois que personne ne meure et deux chances sur trois que les 600 soldats meurent.

Quel scénario choisiriez-vous ? La plupart des personnes interrogées par les deux psychologues choisissent le scénario A, alors qu'il s'agit du même problème, exposé différemment. Le scénario A est rédigé positivement (vies sauvées), alors que le scénario B est écrit sous une forme négative (vies perdues).

LES HEURISTIQUES

heuristique
Méthode ou règle simplifiant le processus décisionnel.

Que ce soit pour évaluer différentes options ou pour interpréter une situation, les gens ont tendance à recourir à des heuristiques. Les **heuristiques** sont des méthodes de résolution de problème qui simplifient le processus décisionnel, mais sans faire appel à une analyse systématique des jugements portés. On distingue généralement deux grandes heuristiques. La première est l'**heuristique de l'accessibilité cognitive,** soit la tendance des gens à émettre un jugement basé sur ce qu'ils connaissent, ce qui n'est pas nécessairement précis. Par exemple, si un recruteur veut évaluer combien il doit payer un jeune avocat et qu'il ne prend pas le temps de vérifier les taux liés à ce genre d'emploi, il voudra se baser sur le salaire que lui et ses amis ont reçu dans la même situation. Bien sûr, fonder une décision à l'aide de cette heuristique accroît les possibilités d'erreurs.

heuristique de l'accessibilité cognitive
Tendance à émettre un jugement basé sur ce qu'on connaît.

La deuxième méthode est l'**heuristique de la représentativité.** Cette dernière est la tendance des décideurs à évaluer la probabilité de l'occurrence d'une situation en essayant de la lier à des catégories de situations préexistantes. Or, cette association étant rarement parfaite, les risques d'erreurs sont présents. Supposons que vous croyiez que les diplomates sont des gens rationnels, prudents et généralement habillés de façon très classique. Supposons aussi que vous croyiez que les artistes sont des personnes extraverties et expressives, habillées de façon peu conventionnelle. Au cours d'une soirée réunissant deux fois plus d'artistes que de diplomates, vous rencontrez une personne peu loquace et habillée de manière classique. Vous aurez tendance à croire qu'il s'agit d'un diplomate alors que, mathématiquement, il y a plus de chances que cette personne soit un artiste. Autrement dit, vous avez privilégié votre jugement aux dépens des probabilités. La recherche montre que les gens ont souvent recours à cette heuristique lorsqu'ils prennent une décision.

heuristique de la représentativité
Tendance à évaluer la probabilité de l'occurrence d'une situation en la liant à des catégories préexistantes.

LA PARTICIPATION DU PERSONNEL

Dans ce monde de rapides changements et de complexité toujours plus grande, les personnes occupant les fonctions clés de prise de décision sont rarement capables de déterminer seules les problèmes ou les opportunités, ou de faire des choix judicieux. Comme l'écrivait récemment un expert reconnu, « les nouvelles réalités organisationnelles font que la prise de décision descendante n'est pas suffisamment

participation du personnel

Degré d'influence dont dispose le personnel sur l'organisation ou l'exécution de son travail.

cogestion

Forme de participation du personnel requise par certains gouvernements, qui fonctionne généralement sur le lieu de travail par l'intermédiaire de conseils d'entreprise et, au point de vue de la société, par l'intermédiaire de conseils de surveillance.

sensible à l'environnement dynamique d'une organisation. Le personnel doit être activement engagé dans les décisions — ou doit en prendre la responsabilité ». La **participation du personnel** (qu'on appelle parfois « gestion participative ») fait référence au degré d'influence dont dispose le personnel sur l'organisation ou l'exécution de son travail[40]. Un niveau modeste de participation consiste à simplement demander de l'information au personnel. Ce dernier ne propose donc pas de recommandations et peut même ne pas connaître le contenu du problème. Au niveau moyen de participation, le problème est signalé au personnel à qui l'on demande de formuler des recommandations. Au niveau le plus élevé de participation, le processus complet de prise de décision est confié au personnel. Celui-ci doit alors déterminer le problème, choisir la meilleure solution et la mettre en œuvre[41].

Divers niveaux et différentes formes de participation du personnel existent dans les organisations canadiennes. Tous les ans, un échantillon du personnel québécois de MAC Closures participe à un séminaire de deux jours afin de rédiger le plan stratégique de l'entreprise pour l'année suivante. Chez Zenon Environmental Inc., le personnel décide des changements le touchant par l'intermédiaire du « parlement du personnel » de l'entreprise. À Brossard, au Québec, lorsque l'entreprise Enerfin Inc., œuvrant dans les systèmes de refroidissement, a connu des difficultés financières, le personnel a établi puis mis en place des améliorations de la productivité et de la qualité qui ont évité à l'entreprise de fermer[42].

Certains pays, au moyen d'un processus de **cogestion,** requièrent la participation du personnel en ce qui concerne le lieu de travail et les affaires de l'entreprise. En Suède, en Norvège et dans d'autres pays européens, par exemple, les représentants du personnel assistent aux conseils de surveillance, prennent des décisions relatives aux salaires des cadres et font des recommandations au sujet de la direction de l'entreprise. Parallèlement, les employeurs doivent consulter les comités représentant le personnel (appelés « conseils d'entreprise ») dans les cas d'affectation du personnel, d'organisation du travail et de renvois[43].

Les avantages de la participation du personnel

Au cours des 50 dernières années, les experts en comportement organisationnel ont déterminé que la participation du personnel dans le processus de prise de décision pouvait potentiellement en améliorer la qualité et renforcer l'engagement des employés[44]. Susciter l'engagement du personnel peut améliorer la qualité des décisions en permettant de déceler les problèmes plus rapidement et en les définissant plus précisément. Les employés sont, à bien des points de vue, les « détecteurs » de l'environnement de l'organisation. Lorsque les activités de l'organisation ne correspondent pas aux attentes des clients, les employés sont souvent les premiers à le savoir. La participation du personnel assure que toutes les personnes concernées dans l'organisation sont rapidement alertées lorsque ces problèmes surviennent.

La participation du personnel peut également améliorer le nombre de solutions générées et leur qualité. Au cours d'une réunion bien gérée, les membres d'une équipe créent une *synergie* en mettant en commun leurs connaissances pour formuler de nouvelles options. En d'autres termes, plusieurs personnes travaillant ensemble peuvent concevoir un plus grand nombre de solutions de meilleure qualité que si ces personnes travaillaient seules. Un troisième avantage est que la participation des employés augmente souvent la probabilité de choisir la meilleure solution. En effet, la décision est alors passée en revue par des personnes ayant des perspectives et des valeurs différentes.

La participation du personnel augmente également les perceptions d'équité, car les employés participent ainsi à l'attribution des ressources et des récompenses dans le cadre d'un projet[45]. Par conséquent, les employés sont plus motivés à appliquer la décision et risquent moins de résister aux changements[46].

Les variables affectant la participation du personnel

Si la participation du personnel produit de si bons résultats, pourquoi les entreprises ne laissent-elles pas le personnel prendre toutes les décisions? La réponse est que la pertinence et l'efficacité d'une participation du personnel dépendent de la situation. Le modèle de participation du personnel (*voir la figure 10.4*) indique que le niveau optimal de participation du personnel dépend de la structure décisionnelle, de la source des connaissances nécessaires à cette décision, de l'engagement par rapport à la décision et des risques de conflit pouvant intervenir dans le processus de décision.

■ *La structure décisionnelle* Au début de ce chapitre, nous avons vu que certaines décisions sont programmées alors que d'autres ne le sont pas. Les décisions programmées requièrent probablement moins la participation du personnel, car elles découlent d'expériences passées. En d'autres termes, les avantages de la participation du personnel augmentent en même temps que la nouveauté et la complexité du problème.

■ *La source des connaissances nécessaires à la décision* Les subordonnés devraient être engagés dans la prise de décision lorsque le chef ne dispose pas de toutes les connaissances nécessaires et que les subordonnés peuvent les lui fournir pour l'aider à améliorer la qualité de la décision. Souvent, les employés sont plus

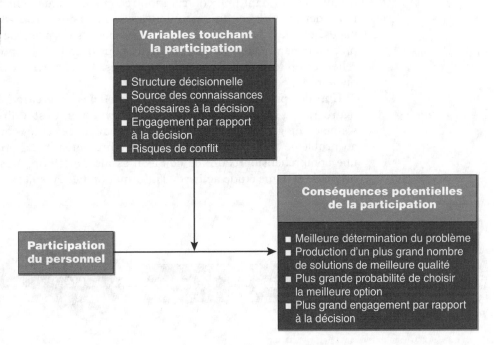

FIGURE 10.4

Modèle
de la participation
du personnel
dans la prise
de décision

Variables touchant la participation

■ Structure décisionnelle
■ Source des connaissances nécessaires à la décision
■ Engagement par rapport à la décision
■ Risques de conflit

Participation du personnel

Conséquences potentielles de la participation

■ Meilleure détermination du problème
■ Production d'un plus grand nombre de solutions de meilleure qualité
■ Plus grande probabilité de choisir la meilleure option
■ Plus grand engagement par rapport à la décision

proches des clients et des activités de production; ils savent donc mieux comment l'entreprise pourrait faire des économies, améliorer la qualité d'un produit ou d'un service et saisir les opportunités. C'est surtout le cas lorsque, à l'occasion de décisions complexes, le personnel détient l'information pertinente[47].

■ *L'engagement par rapport à la décision*   La participation tend à améliorer l'engagement du personnel par rapport à la décision. Lorsqu'il est peu probable que le personnel accepte une décision prise sans consultation, celle-ci est généralement nécessaire.

■ *Les risques de conflit*   Deux types de conflit peuvent miner les avantages de la participation du personnel. Tout d'abord, si les objectifs et les normes du personnel entrent en conflit avec les objectifs de l'organisation, alors un niveau peu élevé de participation du personnel est conseillé. Ensuite, le niveau de participation dépend du degré d'accord du personnel quant au choix de la solution. S'il y a conflit sur ce point, alors une participation élevée (c'est-à-dire qui implique que le personnel prenne seul la décision) est probablement inefficace.

La participation du personnel est une composante importante du processus de prise de décision. Afin de prendre les meilleures décisions, il est nécessaire de faire en sorte que s'investissent les personnes qui disposent de l'information la plus pertinente et qui auront la charge d'appliquer la décision. Une autre composante importante dans la prise de décision est la créativité, sujet dont nous allons maintenant traiter.

LA CRÉATIVITÉ

créativité
Capacité à concevoir une idée, un produit ou un service original constituant une contribution reconnue socialement.

Les entreprises ne considèrent pas la participation du personnel uniquement pour prendre de bonnes décisions, mais aussi parce qu'elle encourage la créativité. La **créativité** fait référence à l'élaboration d'une idée, d'un produit ou d'un service original constituant une contribution reconnue socialement[48]. Bien que la créativité dépend de conditions uniques que nous étudierons dans les prochaines pages, elle fait partie intégrante du processus de prise de décision présenté précédemment. On se fie à la créativité pour découvrir les problèmes, mettre en relief les options et appliquer les solutions. La créativité n'est pas une activité qu'on réserve pour des occasions spéciales.

L'un des premiers et plus influents modèles de créativité est présenté à la figure 10.5[49]. La première étape est la *préparation*, c'est-à-dire l'effort de la personne ou du groupe pour acquérir les connaissances et les compétences relatives au problème ou aux opportunités qui se présentent[50]. La préparation implique une compréhension claire de ce qu'on essaie d'atteindre à l'aide d'une solution originale et d'une étude active de l'information liée au sujet.

FIGURE   10.5

Modèle
du processus
créatif

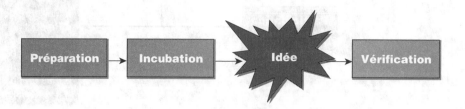

La deuxième étape, l'*incubation*, est l'étape de réflexion. On met le problème de côté, mais l'esprit continue à y travailler[51]. L'incubation ne signifie pas qu'on oublie le problème. Elle favorise le processus de **pensée divergente.** Celle-ci consiste à recadrer un problème d'une manière unique et à concevoir diverses approches pour appréhender le problème. La pensée divergente diffère de la *pensée convergente*. Cette dernière fait référence à l'évaluation de la « bonne réponse » conventionnellement acceptée pour un problème logique[52]. La pensée divergente permet de s'éloigner des modèles mentaux existants afin d'appliquer des concepts ou processus appartenant à d'autres sphères d'activité. On peut considérer l'exemple classique suivant: Il y a des années, l'ampoule expérimentale du laboratoire de Thomas Edison tombait systématiquement de son support jusqu'à ce qu'un technicien se demande si le principe des bouchons filetés qui se vissaient fermement sur les bouteilles de kérosène pouvait s'appliquer au cas des ampoules. Cette solution a fonctionné, et le dispositif est toujours utilisé aujourd'hui[53].

L'*idée*, la troisième étape de la créativité, fait référence à l'expérience de la soudaine prise de conscience d'une idée unique[54]. Ces inspirations subites ne s'inscrivent pas dans un emploi du temps précis; elles peuvent survenir à toute heure du jour ou de la nuit. En outre, elles sont volatiles et peuvent rapidement être perdues si elles ne sont pas inscrites d'une manière ou d'une autre. C'est pour cette raison que de nombreuses personnes créatives ont toujours un agenda ou un bloc-notes à portée de main[55]. Ces idées sont souvent imprécises. Il faut alors procéder à l'étape de *vérification* afin de connaître leur utilité au moyen d'une évaluation et d'une expérimentation rigoureuses. L'étape de la vérification ne clôt pas le processus de créativité. Elle peut en susciter d'autres.

Les personnes créatives et leur environnement de travail

Minnesota Mining & Manufacturing Co. (3M) introduit 10 nouveaux produits par semaine en moyenne, et 30 % de son revenu annuel provient des produits développés au cours des quatre années précédentes[56]. L'entreprise atteint ces objectifs impressionnants en engageant des personnes créatives et en les plaçant dans un environnement qui favorise les nouvelles idées. En d'autres termes, les cadres de 3M ont compris que la créativité dépend à la fois de la personne et du contexte.

Les caractéristiques des personnes créatives   Tout le monde est créatif, mais certaines personnes semblent l'être plus que d'autres. Quatre des principales caractéristiques des personnes créatives sont l'intelligence, la connaissance et l'expérience du sujet, la persévérance et un style de pensée inventif. Tout d'abord, les personnes créatives ont une intelligence supérieure à la moyenne pour synthétiser l'information, analyser les idées et les appliquer[57]. Comme le détective imaginaire Sherlock Holmes, les personnes créatives reconnaissent l'importance de petites portions d'information et sont capables de les mettre en relation de façon imaginative. De plus, elles ont la capacité d'évaluer l'utilité potentielle de leurs idées.

La persévérance est la deuxième caractéristique des personnes créatives. En effet, les innovations dérivent davantage d'un processus d'essais et d'erreurs que de l'intelligence et de l'expérience. La persévérance conduit les personnes créatives à poursuivre leur raisonnement et leurs expériences bien après que d'autres ont abdiqué[58]. En d'autres termes, les personnes qui conçoivent davantage de produits et de services créatifs sont celles qui ont davantage d'idées ne fonctionnant pas! Thomas Edison soulignait ce point dans sa célèbre déclaration, à savoir que le génie est constitué de 1% d'inspiration et de 99% de transpiration. Thomas Edison et son personnel ont découvert des centaines de manières de *ne pas* fabriquer une ampoule avant de réussir! Cette persévérance se base sur un besoin élevé de réussite et un degré modéré ou élevé de confiance en soi[59].

Une troisième caractéristique des personnes créatives est qu'elles doivent posséder une connaissance et une expérience suffisantes du sujet. Les experts en créativité expliquent que découvrir de nouvelles idées nécessite la connaissance des notions fondamentales dans le domaine en question. Par exemple, les Beatles ont créé la plupart de leurs succès après avoir joué ensemble pendant plusieurs années. Ils ont acquis une grande expérience d'interprétation et d'adaptation de la musique d'autres artistes avant que leur talent créatif ne prenne son envol[60].

Bien que la connaissance et l'expérience soient importantes dans une certaine mesure, elles peuvent également freiner la créativité lorsque des modèles mentaux bien ancrés mènent à un «comportement simpliste», c'est-à-dire quand on cesse de remettre en question les hypothèses établies[61]. Cela explique pourquoi certains dirigeants d'entreprise aiment engager des personnes provenant d'autres secteurs et domaines d'expertise que le leur. Par exemple, Geoffrey Ballard, fondateur de la société Ballard Power Systems située à Vancouver, a engagé un chimiste pour concevoir une meilleure batterie. Lorsque le chimiste a protesté en disant qu'il n'y connaissait rien en batterie, Geoffrey Ballard a répliqué: «Aucun problème. Je ne veux pas engager quelqu'un qui s'y connaisse en batterie. Ceux qui s'y connaissent savent ce qui ne fonctionne pas[62].» Il a ensuite expliqué qu'il souhaitait engager des personnes qui pourraient remettre en question et étudier ce que les experts avaient cessé de considérer.

La quatrième caractéristique des personnes créatives est leur style de pensée inventif. Les personnes créatives sont des penseurs divergents et des preneurs de risques, et il leur est égal de faire des erreurs et de travailler avec de l'information ambiguë. Elles considèrent un problème de manière large, n'aiment pas respecter les règles ou les situations et sont moins préoccupées que d'autres par l'approbation sociale de leurs actions[63].

Les conditions organisationnelles favorisant la créativité   Engager des personnes créatives n'est qu'une partie de l'équation définissant la créativité. Les organisations doivent également assurer un environnement de travail propice au processus créatif[64], c'est-à-dire qu'elles doivent avoir une *orientation vers l'apprentissage*. Les chefs doivent alors reconnaître que les employés puissent faire des erreurs raisonnables dans ce contexte[65]. «Dans notre nouveau service de développement de produits, l'aspect le plus néfaste pour la créativité est qu'une personne ait peur de l'échec», explique Jim Pratt, président-directeur général de Sepp's Gourmet Foods à Vancouver. «Il faut donc supprimer cet aspect de la culture de l'entreprise. Nous essayons de créer une culture qui exprime ceci: ce n'est pas grave d'échouer[66].»

La motivation intrinsèque liée à emploi, dont il a été question au chapitre 6, est une autre condition importante pour favoriser la créativité[67]. Les employés tendent à être plus créatifs lorsqu'ils pensent que leur travail influencera de manière substantielle l'organisation ou sur la société. La créativité augmente également avec l'autonomie — la liberté de développer des idées originales sans être retardé par la bureaucratie. La créativité est synonyme de changement, et les changements sont possibles seulement lorsque les employés ont le pouvoir d'expérimenter leurs idées. Par ailleurs, la créativité est un processus d'apprentissage continu.

Les employés doivent donc bénéficier d'une rétroaction relativement constante provenant de leur milieu de travail et d'autres sources. Plus généralement, un emploi encourage la créativité lorsqu'il est stimulant et qu'il correspond aux compétences de l'employé[68]. Un travail stimulant encourage l'employé à actualiser son potentiel.

Outre le fait d'adopter une orientation vers l'apprentissage et de proposer des emplois intrinsèquement motivants, les entreprises créatives favorisent la communication ouverte et fournissent des ressources suffisantes. Elles proposent également un niveau raisonnable de sécurité d'emploi. En effet, la créativité diminue dans des périodes de réduction du personnel et de restructuration[69]. Le soutien organisationnel vient du responsable de projet et des collègues[70]. Le responsable de projet doit exercer suffisamment de pression pour que le projet soit terminé à temps, tout en donnant aux personnes et aux équipes assez de liberté et de temps, et le soutien nécessaire. Des pressions temporelles extrêmes, des objectifs irréalistes et des interruptions incessantes sont des inhibiteurs connus de la créativité[71]. Les membres d'une équipe et les collègues favorisent également la créativité lorsqu'ils se font confiance, communiquent bien et se dévouent au projet attribué. Au contraire, la créativité est inhibée lorsque les collègues critiquent négativement les idées, qu'ils entrent en compétition malsaine et qu'ils adoptent des tactiques politiques pour atteindre leurs objectifs personnels.

Les activités favorisant la créativité

Outre le fait d'engager des personnes créatives et de leur fournir un environnement de travail favorable, les organisations ont introduit de nombreuses activités dans le but de stimuler le potentiel créatif. Une manière de faire est de redéfinir des problèmes anciens ou de reconsidérer des projets abandonnés. Après avoir été ignorés pendant quelques mois, ces projets peuvent être abordés sous un nouveau jour[72]. Une autre stratégie consiste à demander à des personnes non familières avec ces problèmes de les explorer avec vous. On énonce d'abord les objectifs et on fournit certains faits. Ensuite, on laisse les autres personnes poser les questions qui leur permettent de mieux comprendre la situation. Le fait de verbaliser le problème, d'écouter les questions et d'entendre ce qu'en pensent les autres aide à adopter de nouveaux points de vue[73].

Une deuxième série d'activités créatives, connue sous le nom de *jeux associatifs*, peut comporter des cours artistiques ou même des récits impromptus. Par exemple Wedgwood, une entreprise de vaisselle située en Irlande, a rassemblé ses cadres dans un atelier. Ces derniers ont déchiré des magazines, assemblé des images et sélectionné des musiques représentant leur vision de l'avenir de la marque Wedgwood. Un autre exemple est celui des employés de Telus Corp. de Burnaby, fournisseur de télécommunications en Colombie-Britannique. Ces employés ont travaillé avec une troupe de théâtre improvisée pour interpréter des rôles comiques de machines, d'animaux et d'autres personnages. « Une des nécessités des organisations est de permettre aux gens de prendre des risques », explique Jay Ono, responsable du programme d'improvisation de Telus. « Pour favoriser la prise de risques, il faut fournir un environnement favorable où les personnes n'ont pas peur de s'exprimer[74]. »

Dans une autre activité de jeux associatifs, appelée *analyse morphologique*, il faut dresser la liste des diverses dimensions d'un système et les éléments de chacune d'elles, puis considérer chaque combinaison possible. Cette activité encourage les gens à examiner avec attention les combinaisons qui semblaient initialement absurdes. Tyson Foods, le plus gros producteur de volaille au monde, a choisi cette activité afin de trouver de nouvelles manières de servir du poulet le midi. L'équipe de marketing et de recherche chargée de cette tâche s'est intéressée à trois catégories : l'occasion (de consommation), l'emballage et le goût. Ensuite, l'équipe a passé en revue de nombreuses combinaisons des éléments de ces trois catégories. Ainsi ont émergé des idées inhabituelles, par exemple des pâtes aromatisées au poulet et au fromage (goût) dans des boîtes à pizza (emballage) pour des concessions durant des matchs de baseball (occasion). Plus tard, l'équipe a examiné plus attentivement la faisabilité de ces combinaisons et les a fait parvenir à des groupes de discussion pour leur faire subir d'autres tests[75].

Une troisième série d'activités favorisant la créativité dans les organisations est connue sous le nom de *pollinisation croisée*[76]. De nombreuses entreprises créatives regroupent des employés de divers projets anciens afin qu'ils partagent leurs connaissances. La pollinisation croisée a également lieu durant des sessions d'information formelles au cours desquelles des personnes de divers secteurs de l'organisation partagent leurs connaissances. Mitel, concepteur de systèmes de communication à Ottawa, organise des journées de démonstration — des salons commerciaux internes où des équipes de la société exposent leurs projets et sont encouragées à voler les idées d'autres groupes de l'organisation[77].

LES ENTRAVES À LA PRISE DE DÉCISION EN ÉQUIPE ET À LA CRÉATIVITÉ

Les activités de *pollinisation croisée* font ressortir le fait que la créativité et la prise de décision sont rarement des activités solitaires. Dans certaines conditions, les équipes sont plus efficaces que les individus pour déterminer des problèmes, choisir des options et évaluer leurs décisions. « Les équipes sont au cœur de la méthode IDEO », explique Tom Kelley, directeur d'IDEO, entreprise de conception industrielle californienne renommée pour ses pratiques créatives, dont l'invention, entre autres, du tube de dentifrice tenant verticalement. « Nous sommes convaincus que c'est ainsi que l'innovation et la plupart des affaires se passent dans le monde[78]. » Malgré les avantages potentiels des équipes, la dynamique de l'équipe peut interférer avec la créativité et la prise de décision. Dans cette partie, nous allons étudier les principaux facteurs restreignant la créativité et la prise de décision en groupe. Dans la dernière partie de ce chapitre, nous considérerons les structures particulières des groupes et les méthodes qui permettent de surmonter ces contraintes.

Les contraintes temporelles

On dit souvent que « les comités prennent quelques minutes et font perdre des heures ». Cet énoncé reflète le fait que les équipes prennent plus de temps que les individus à prendre des décisions[79]. Contrairement aux individus, un groupe a besoin de temps supplémentaire à des fins d'organisation, de coordination et de socialisation. Plus le groupe est grand, plus il lui faut de temps pour prendre une décision. Dans une équipe, les membres ont besoin de temps pour mieux se connaître et rédiger des rapports. Ils doivent gérer un processus de communication imparfait pour comprendre les idées de chacun. Ils doivent également coordonner les rôles ainsi que les règles de procédures décisionnelles.

Une autre contrainte de temps intervenant dans la plupart des structures d'équipe est qu'une seule personne à la fois est autorisée à parler[80]. Ce problème, qu'on appelle le **blocage au processus de production,** fait en sorte que les participants oublient des idées potentiellement créatives en attendant que vienne leur tour de parler. Les membres de l'équipe qui se concentrent pour se souvenir d'idées fugaces finissent par ignorer ce que les autres disent, alors que ces paroles pourraient déclencher d'autres idées créatives.

blocage au processus de production

Contrainte de temps, au cours d'une prise de décision en équipe, due à la norme imposée voulant qu'une seule personne prenne la parole à la fois.

La crainte d'être jugé

Les personnes hésitent à mentionner des idées qui semblent idiotes (à première vue), parce qu'elles pensent (de manière souvent fondée) que les autres membres de l'équipe vont silencieusement les juger[81]. Cette **crainte d'être jugé** se base sur le désir d'un individu de créer une image favorable et de protéger son amour-propre. Ce phénomène est plus courant dans les réunions rassemblant des personnes de différents niveaux hiérarchiques ou d'expertise, ou lorsque les membres évaluent formellement les performances des uns et des autres tout au long de l'année (par exemple dans le cas d'une rétroaction à 360 degrés).

crainte d'être jugé

Crainte que les personnes éprouvent lorsqu'elles hésitent à mentionner des idées qui semblent idiotes, parce qu'elles pensent (souvent à juste titre) que les autres membres de l'équipe vont silencieusement les juger.

La pression des pairs vers la conformité

Le chapitre 8 décrivait comment la cohésion entraîne les individus à se conformer aux normes de l'équipe. Ce phénomène de contrôle permet au groupe de s'organiser autour d'objectifs communs, mais il empêche également les membres de l'équipe d'exprimer leurs opinions divergentes sur des sujets de discussion, quand une norme agit en ce sens. Si une personne mentionne un point de vue allant à l'encontre de l'opinion majoritaire, les autres membres peuvent punir le contrevenant ou essayer de prouver que son opinion est incorrecte. Il n'est alors pas surprenant que la moitié des responsables sondés au cours d'une étude aient avoué avoir abandonné des idées pendant le processus décisionnel du groupe. Ils ont agi ainsi à cause de la pression des autres, qui les incitait à se conformer à la décision de l'équipe[82]. La pression vers la conformité peut également être subtile. Dans une certaine mesure, chacun a besoin de l'opinion des autres pour valider ses propres opinions. Si les collègues ne sont pas d'accord avec nous, alors nous commençons à remettre en question nos propres opinions sans subir de pression manifeste de la part de nos pairs[83].

La pensée de groupe

L'auteur à la source de la description de la pensée de groupe (*groupthink*) est Irving Janis. La **pensée de groupe** est ce processus de prise de décision qui amène un groupe à vouloir faire consensus sur un choix donné, sans questionnements pertinents. Janis se posa la question de savoir comment un groupe de conseillers, parmi les plus brillants des États-Unis, ayant servi dans plusieurs administrations américaines, fut amené à prendre des décisions aux conséquences aussi désastreuses que l'invasion de la Baie des Cochons à Cuba, l'intensification de la guerre du Viêtnam et l'impréparation à l'attaque de Pearl Harbour (la question se pose également à propos de la décision de l'administration Bush d'attaquer l'Irak). Sa conclusion est que ces groupes ont été victimes de la pensée de groupe que nous allons décrire davantage.

pensée de groupe

Tendance des groupes très unis à favoriser le consensus aux dépens de la qualité de la décision.

« Dorénavant, je ne veux plus de pensée de groupe dans mon équipe, d'accord ? »

François Boulet, 2005

La pensée de groupe est la tendance des groupes jouissant d'une grande cohésion à favoriser le consensus aux dépens de la qualité de la décision[84]. La pensée de groupe dépasse le problème de la conformité. De fortes pressions sociales s'exercent sur les individus afin de maintenir l'harmonie et d'éviter les conflits et les désaccords. Ces pressions éliminent les doutes que certains pourraient avoir sur les choix préférés par la majorité ou par le chef du groupe. Les membres de l'équipe souhaitent maintenir cette harmonie, car leur identité est mise en valeur par leur appartenance à un système de prise de décision puissant qui s'exprime d'une seule voix[85]. L'harmonie de l'équipe permet également aux membres de supporter le stress d'une prise de décision cruciale de haut niveau.

Une forte cohésion n'est pas la seule cause d'une pensée de groupe. Celle-ci peut également se manifester plus souvent dans les cas suivants : l'équipe est isolée de l'extérieur ; le chef d'équipe a des opinions arrêtées (plutôt qu'impartiales) ; l'équipe subit des pressions émanant d'une menace extérieure ; l'équipe a récemment subi un échec ou connu d'autres problèmes de prise de décision ; l'équipe manque d'une orientation claire par suite d'une stratégie ou de procédures de l'entreprise. Les divers symptômes d'une pensée de groupe sont résumés au tableau 10.1. En général, les équipes surestiment leur invulnérabilité et leur

TABLEAU 10.1   Symptômes de la pensée de groupe

Symptôme de la pensée de groupe	Description
Illusion d'invulnérabilité	L'équipe accepte des décisions risquées, car ses faiblesses sont éliminées ou dissimulées
Présomption de moralité	Le sentiment incontesté que les objectifs de l'équipe sont moraux, à tel point que les membres ne ressentent pas le besoin de débattre de l'éthique de leurs actions
Rationalisation	Des hypothèses sous-jacentes, de l'information nouvelle et des actions passées qui ne semblent pas relever de la décision de l'équipe sont écartées
Perception stéréotypée des groupes extérieurs	L'équipe juge de manière stéréotypée ou simplifie à l'excès les menaces externes sur lesquelles la décision est basée ; les « ennemis » sont présentés comme totalement diaboliques ou idiots
Autocensure	Les membres de l'équipe ignorent leurs doutes pour préserver l'harmonie
Illusion d'unanimité	L'autocensure assure un comportement harmonieux, et chaque membre croit donc qu'il est le seul à douter ; ce silence est automatiquement perçu comme une preuve de consensus
Défense du groupe	Certains membres se font les gardiens volontaires des idées de l'équipe et empêchent toute information négative ou contradictoire d'affecter le groupe
Pression sur les dissidents	Les membres exprimant leurs inquiétudes au sujet de la décision subissent la pression des autres pour se conformer et rester fidèles à l'équipe

Source : Basé sur l'ouvrage de I.L. Janis, *Groupthink : Psychological Studies of Policy Decisions and Fiascoes*, 2e éd., Boston, Houghton Mifflin, 1982.

moralité, se ferment à l'information extérieure et divergente, et subissent diverses pressions menant au consensus[86].

La polarisation de groupe

La **polarisation de groupe** fait référence à la tendance des équipes à prendre des décisions plus extrêmes que si les membres y avaient travaillé seuls[87]. Supposons que les membres d'un groupe se rencontrent pour décider de l'avenir d'un nouveau produit. Chaque membre peut se présenter avec un degré différent de soutien ou d'opposition quant à l'avenir du produit. Pourtant, à la fin de la réunion, il est fort probable que l'équipe s'accordera sur une solution plus extrême que l'opinion moyenne initiale de chacun. Une des raisons de cette tendance est que les membres d'une équipe se rendent compte que des collègues partagent leur avis. Les arguments persuasifs favorisant l'opinion dominante convainquent les membres indécis et aident à former un consensus autour d'une option extrême. Finalement, les individus se sentent personnellement moins responsables des conséquences de la décision, car cette dernière a été prise par l'équipe.

Le soutien social, la persuasion et le transfert de responsabilité permettent donc d'expliquer pourquoi des équipes prennent des décisions plus *extrêmes*. Toutefois, on peut se demander pourquoi elles prennent des décisions plus risquées. La réponse est que les décideurs expriment des émotions exagérément positives qui engendrent une illusion de contrôle. Ils deviennent victimes de l'« illusion du joueur », qui leur fait penser qu'ils peuvent surmonter tous les obstacles. Par exemple, les membres d'une équipe tendent à penser ainsi : « Cette stratégie peut ne réussir qu'une fois sur cinq, mais elle fonctionnera pour nous ! » De cette façon, les membres de l'équipe sont plus enclins à favoriser une option risquée[88].

Dans l'encadré 10.4 qui décrit le processus décisionnel ayant mené à l'invasion de la Baie des Cochons, on trouvera les nombreuses entraves évoquées, notamment la pensée de groupe, et la façon dont Kennedy s'en est libéré.

LES STRUCTURES D'ÉQUIPE ET LES MÉTHODES FAVORISANT LA CRÉATIVITÉ ET LA PRISE DE DÉCISION

Nous avons vu comment, dans certaines situations, les équipes peuvent prendre de meilleures décisions que des individus. Toutefois, la dynamique de l'équipe peut aussi sérieusement interférer avec le processus de prise de décision. Heureusement, les experts ont émis plusieurs règles générales et des structures d'équipe particulières permettant de minimiser ce problème. L'une des règles générales est que ni le chef de l'équipe ni tout autre participant ne doit dominer le processus. Ainsi, l'aspect négatif de la conformité est limité, ce qui permet aux autres membres de l'équipe d'émettre des idées plus créatives et controversées[89]. Une autre pratique consiste à maintenir une taille d'équipe optimale. Le groupe doit être assez important pour que les membres possèdent une connaissance collective permettant de résoudre le problème, mais en même temps suffisamment réduit pour que l'équipe ne perde pas trop de temps ou restreigne les participations individuelles[90]. Les normes de l'équipe sont également importantes afin d'assurer que chaque personne adoptera une pensée critique plutôt que de suivre les préférences implicites du groupe.

Outre la structure de l'équipe, cinq méthodes peuvent améliorer la créativité et la prise de décision en équipe : le conflit constructif, le remue-méninges, le remue-méninges électronique, la méthode Delphi et la technique du groupe nominal.

La pensée de groupe aux plus hauts niveaux !

Mauvaise décision   Le premier groupe de travail, chargé de décider s'il fallait soutenir une invasion de Cuba par une petite armée d'exilés cubains formés aux États-Unis, avait opéré sur le mode de la plaidoirie. Ce à quoi il est parvenu reste généralement considéré comme un parfait exemple de mauvaise prise de décision.

Peu après avoir pris ses fonctions, Kennedy fut informé de l'attaque contre Cuba préparée par la CIA sous l'administration Eisenhower. Soutenue par les chefs d'état-major, la CIA plaida vigoureusement pour l'invasion, minimisa les risques et, pour mieux renforcer son point de vue, filtra les données présentées au président. Des personnes bien informées de la section Amérique latine au département d'État furent ainsi exclues des délibérations, par crainte de leur probable opposition.

Certains membres de l'équipe de Kennedy n'étaient pas d'accord avec ce plan, mais ils jugèrent prudent de tenir leur langue, ne voulant pas paraître faibles en face de la très forte plaidoirie de la CIA. Résultat : il n'y eut que très peu de débat, et le groupe de travail négligea de vérifier plusieurs hypothèses sous-jacentes tout à fait critiques. Par exemple, il ne demanda pas si ce débarquement provoquerait immédiatement un soulèvement contre Castro ; pas plus qu'il ne chercha à savoir si les exilés pourraient disparaître dans les montagnes (situées à 130 kilomètres du point de débarquement) au cas où ils se heurteraient à une forte résistance. On considère généralement cette invasion comme l'un des moments noirs de la guerre froide. Une centaine de vies furent perdues, et le reste des exilés fut pris en otage. L'incident causa un embarras majeur dans l'administration Kennedy et porta un coup à l'image de l'Amérique dans le monde.

Révision du processus   Après cette invasion avortée, Kennedy révisa son processus de décision en matière de politique étrangère et introduisit cinq changements majeurs pour en faire essentiellement un processus de questionnement. Premièrement, des personnes furent invitées à participer aux discussions en qualité de « généralistes sceptiques » — c'est-à-dire en tant que penseurs critiques et désintéressés et non pas en tant que représentants de ministères particuliers. Deuxièmement, Robert Kennedy et Theodore Sorensen se virent confier le rôle de chiens de garde intellectuels : on attendait d'eux qu'ils recherchent tous les points possibles de désaccord et qu'ils mettent au jour toutes les faiblesses et toutes les hypothèses non vérifiées. Troisièmement, les groupes de travail furent fermement priés d'abandonner les règles protocolaires, d'éliminer les ordres du jour formels et le respect du rang. Quatrièmement, il fut demandé aux participants de se diviser occasionnellement en sous-groupes pour développer un plus vaste éventail d'options. Enfin, cinquièmement, le président décida de ne pas participer en personne à certaines des réunions préalables des groupes de travail pour éviter d'influencer les participants et de fausser le débat.

Source : David A. Garwin et Michael A. Roberto, « Comment produire de meilleures décisions ? », *L'Expansion Management Review*, décembre 2001, p. 13.

Le conflit constructif

conflit constructif
Toute situation où des personnes débattent d'opinions divergentes concernant un problème, en s'assurant que le conflit reste centré sur la tâche plutôt que sur les personnes.

Un **conflit constructif** apparaît lorsque les membres d'une équipe débattent d'opinions divergentes concernant un problème, en s'assurant que le conflit reste centré sur la tâche plutôt que sur les personnes. Au moyen du dialogue, les participants découvrent d'autres points de vue, ce qui les encourage à réexaminer leurs hypothèses de base concernant un problème et ses solutions possibles. Un conflit *constructif* est aussi considéré comme tel quand les personnes discutent sans faire naître d'émotions négatives entre elles. Elles évitent ainsi les énoncés menaçant l'estime et le bien-être des autres membres de l'équipe[91].

Certaines entreprises essaient de créer des conflits constructifs en incitant certains membres de l'équipe à jouer le rôle de l'avocat du diable[92]. Un avocat du diable est un membre d'une équipe qui est choisi pour prendre position contre la préférence du groupe. L'idée est de soulever les faiblesses et les problèmes potentiels de cette préférence afin que celle-ci soit attentivement considérée. Cette stratégie semble efficace en théorie, mais elle ne fonctionne pas si bien en pratique.

Les études montrent que les avocats du diable soutiennent souvent le choix préféré de l'équipe et n'y trouvent pas vraiment de défauts[93]. Si un membre d'une équipe soutient l'opinion du groupe, il lui est difficile de jouer un rôle critique contre cette opinion.

Plutôt que de compter sur une opinion divergente forcée, telle que celle d'un avocat du diable, les responsables d'entreprise doivent former des équipes de prise de décision qui s'engagent sincèrement dans un conflit constructif. Les chercheurs ont relevé trois stratégies permettant d'obtenir un réel conflit constructif. La première est que les groupes de prise de décision doivent être hétérogènes[94]. Comme nous l'avons vu dans les précédents chapitres, les équipes hétérogènes sont préférables aux équipes homogènes pour percevoir les problèmes et les solutions potentielles grâce aux points de vue différents. « Chaque fois que j'ai rassemblé un groupe diversifié de gens, il a toujours fourni une solution plus innovatrice que tout groupe homogène travaillant sur le même problème », explique un responsable du géant du secteur chimique, Monsanto[95].

La deuxième stratégie est que ces membres d'équipe hétérogène se rencontrent assez souvent pour discuter sérieusement de problèmes litigieux. La diversité de l'équipe n'engendrera pas de conflit constructif si le responsable d'équipe prend la plupart des décisions seul. C'est seulement par le dialogue que les membres d'une équipe peuvent mieux comprendre les différents points de vue, émettre davantage d'idées créatives et améliorer la qualité de la discussion. Troisièmement, des équipes efficaces suscitent des conflits constructifs lorsque chaque membre joue un rôle différent au sein de la discussion. Certains participants sont plus attirés par l'action, d'autres insistent sur l'étude des détails, un ou deux souhaitent minimiser l'aspect néfaste des conflits, etc. En d'autres termes, les membres de l'équipe doivent couvrir les divers rôles nécessaires à la bonne dynamique de l'équipe.

Le remue-méninges

Dans les années 1950, Alex Osborn, cadre en publicité, souhaitait trouver une manière plus efficace de production d'idées créatives en équipe[96]. La solution d'Alex Osborn, qu'il appela **remue-méninges,** exigeait des membres de l'équipe qu'ils respectent quatre règles. Alex Osborn était convaincu que ces règles encourageaient la pensée divergente tout en minimisant la crainte d'être jugé et les autres problèmes liés à la dynamique des groupes.

■ *Discuter librement*   Dans un remue-méninges, les idées folles et bizarres sont acceptées parce qu'elles deviennent la source de pensées divergentes dans le processus créatif. Les suggestions farfelues sont ainsi perçues parfois parce qu'elles brisent le moule imposé par les modèles mentaux existants.

■ *N'émettre aucune critique*   Les membres de l'équipe proposeront probablement plus d'idées folles et bizarres si personne n'essaie de s'en moquer ou de les critiquer. Ainsi, une règle particulière au remue-méninges est que personne n'est autorisé à critiquer les idées présentées.

■ *Fournir autant d'idées que possible*   Le remue-méninges est basé sur l'idée que la qualité naît de la quantité. En d'autres termes, les équipes émettent de meilleures idées lorsqu'elles en produisent beaucoup. Cette constatation est liée à l'idée que la pensée divergente intervient une fois que toutes les idées traditionnelles ont été présentées. Ainsi, le groupe doit penser à autant de solutions que possible et aller bien au-delà des solutions traditionnelles au problème.

■ *S'inspirer des idées des autres*   Les membres de l'équipe sont encouragés à réagir spontanément aux idées des autres, c'est-à-dire à combiner ou à améliorer des idées déjà présentées. Réagir aux idées des autres encourage la synergie du processus de groupe et la participation du personnel.

Le remue-méninges est la méthode la plus populaire pour encourager les idées créatives. Pourtant, depuis plusieurs années, les experts en comportement organisationnel soulignent que l'efficacité de cette pratique est limitée de plusieurs manières. L'une de ces réserves est que les règles du remue-méninges ne suppriment pas totalement la crainte d'être jugé ; les employés sont toujours conscients que les autres évaluent silencieusement la qualité de leurs idées. Le blocage au processus de production et les contraintes de temps en découlant empêchent la présentation de toutes les idées. Certaines recherches montrent également que des individus travaillant seuls produisent davantage de solutions à un problème que s'ils travaillent à plusieurs durant une session de remue-méninges[97].

Plutôt que de décourager les entreprises à utiliser la stratégie du remue-méninges, ces découvertes devraient plutôt nous rappeler que le remue-méninges est uniquement efficace dans certaines conditions. IDEO, entreprise de conception industrielle située en Californie, prospère grâce au remue-méninges. La société crée le bon environnement et la bonne structure pour que ces sessions soient productives. Dans le cas du remue-méninges, la crainte d'être jugé ne semble pas poser problème chez IDEO, où les équipes efficaces se font confiance et favorisent une pensée audacieuse. Les organisateurs de remue-méninges à IDEO étendent également l'effort collectif en demandant la production de plus de 150 idées par heure.

Une autre critique envers les premiers détracteurs de la technique de remue-méninges est que ceux-ci négligent les avantages autres que le nombre d'idées produites. Dans un remue-méninges, les participants interagissent directement, accroissant ainsi l'acceptation de la décision et la cohésion de l'équipe. Les règles du remue-méninges tendent à aider l'équipe à rester concentrée sur la tâche requise. Certaines preuves montrent que des sessions efficaces de remue-méninges constituent des occasions de communication non verbale précieuses qui suscitent l'enthousiasme. Les membres de l'équipe partagent des sentiments d'optimisme et d'excitation qui peuvent encourager un climat plus créatif. Les clients sont souvent engagés dans des sessions de remue-méninges, et ces émotions positives engendrent une satisfaction de la clientèle plus grande que si des personnes avaient travaillé seules sur le produit[98]. Globalement, le remue-méninges peut être plus propice à la créativité que l'estimaient les premières études sur le sujet.

Le remue-méninges électronique

remue-méninges électronique
Mise en commun d'idées, à l'aide de collecticiels qui permettent d'éviter les problèmes inhérents aux sessions de remue-méninges traditionnelles.

DuPont Canada, CIBC, IBM Canada et de nombreuses autres entreprises ont tenté d'améliorer le processus de prise de décision au moyen du **remue-méninges électronique.** Grâce à des collecticiels (logiciels spéciaux conçus pour les groupes), le remue-méninges électronique permet aux participants de mettre leurs idées en commun tout en minimisant bon nombre des problèmes de dynamique d'équipe décrits plus tôt. L'organisateur amorce le processus en énonçant une question. Les participants fournissent alors leurs réponses ou idées en se servant de leur ordinateur. Rapidement, toutes les idées sont transmises anonymement et au hasard sur les écrans d'ordinateur ou sur un écran commun. Les participants votent

Rocco Di Giovanni (en haut à droite sur la photo) a constaté à plusieurs occasions la manière dont la technique de remue-méninges électronique améliore la prise de décision en équipe. En tant que responsable du centre d'assistance décisionnelle Procor du Mohawk College de Hamilton en Ontario, Di Giovanni organise des réunions électroniques pour des groupes professionnels ou communautaires en utilisant le logiciel GroupSystems.com. Jusqu'à 15 participants s'installent à des bureaux spéciaux dotés d'ordinateurs encastrés pour permettre l'anonymat. Ces participants entrent leurs commentaires ou leurs idées relativement à une question posée par l'organisateur. Ensuite, rapidement, l'information saisie s'affiche anonymement sur un écran devant le groupe. L'information fournie encourage les participants à proposer d'autres idées. Finalement, le groupe vote électroniquement pour chaque idée. Considérant tous les avantages du remue-méninges électronique, on peut se demander pourquoi il n'est pas utilisé plus souvent lorsqu'il est question de prise de décision.

Steven L. McShane

www.mohawkc.on.ca/dept/bid/procor.htm

ensuite électroniquement pour les idées présentées. Une discussion en personne suit généralement le processus de remue-méninges électronique.

Les recherches indiquent que le remue-méninges électronique permet d'émettre davantage d'idées que le remue-méninges traditionnel et que les participants sont plus satisfaits, plus motivés et font davantage confiance à cet exercice de prise de décision qu'aux autres méthodes[99]. L'une des raisons de ce bon résultat est que le remue-méninges électronique réduit considérablement le blocage du processus de production. Les participants peuvent en effet proposer leur idée dès que celle-ci leur vient, plutôt que d'attendre leur tour[100]. Ce processus favorise également la synergie créative, car les participants peuvent facilement formuler de nouvelles idées à partir de celles qui sont produites par les autres. Le remue-méninges électronique minimise en outre le problème lié à la crainte d'être jugé, car les idées sont communiquées anonymement. « Le matériel leur permet de lancer des idées farfelues sans que personne ne sache qui en est l'auteur », explique David Lindsay, fonctionnaire ayant organisé une session de remue-méninges électronique entre des ministres du gouvernement ontarien[101].

Bien qu'il présente de nombreux avantages, le remue-méninges électronique n'est pas largement utilisé par les chefs d'entreprise. L'une des raisons est que, pour certains d'entre eux, ce genre de remue-méninges est peut-être trop structuré et dépendant de la technologie. De plus, certains décideurs peuvent se sentir menacés par l'honnêteté des idées émises grâce à ce procédé et par leur incapacité à contrôler la discussion. Une troisième raison possible est que le remue-méninges électronique fonctionne mieux pour certains types de discussion que pour d'autres. Par exemple, le remue-méninges électronique peut être moins efficace que les réunions en personne lorsque la création de liens sociaux et émotionnels prend plus d'importance que l'efficacité de la prise de décision[102]. Globalement, le remue-méninges électronique peut considérablement améliorer le processus de prise de décision lorsqu'il est utilisé dans les bonnes conditions, mais davantage d'études sont nécessaires pour les déterminer.

La méthode Delphi

méthode Delphi
Processus structuré et itératif de prise de décision de groupe consistant à mettre en commun les connaissances d'experts sur un sujet donné.

La **méthode Delphi** met systématiquement en commun les connaissances d'experts sur un sujet donné afin de prendre des décisions, de faire des projections ou de relever des opinions contraires (appelées « dissensus »)[103]. Les groupes ou panels appliquant la méthode Delphi ne se rencontrent pas en personne. En réalité, les participants se trouvent souvent dans différentes parties du monde et peuvent ne pas connaître l'identité des autres. De plus, comme pour le remue-méninges électronique, les participants ne savent pas à qui appartiennent les idées soumises. Généralement, les membres de groupes Delphi soumettent leurs solutions ou leurs commentaires concernant un problème à un responsable. Les résultats compilés sont retournés au panel pour une deuxième série de commentaires. Ce processus peut être répété plusieurs fois encore jusqu'à ce qu'un consensus ou un « dissensus » émerge. La méthode Delphi a permis à un fournisseur d'alimentation électrique de comprendre comment agir lorsque des clients ne paient pas leurs factures[104].

La technique du groupe nominal

technique du groupe nominal
Processus structuré de prise de décision en équipe au cours duquel les membres d'une équipe émettent individuellement leurs idées, les décrivent et les clarifient devant le groupe, puis, individuellement, les classent ou les soumettent au vote.

La **technique du groupe nominal** est une variation du remue-méninges traditionnel et de la méthode Delphi. Elle permet de combiner l'efficacité individuelle et la dynamique de groupe[105]. La méthode est qualifiée de *nominale*, car les participants forment un groupe *seulement de nom* au cours des deux étapes de la prise de décision. Ce processus (*voir la figure 10.6*) fait d'abord intervenir les individus, puis le groupe, et finalement les individus à nouveau.

Une fois le problème décrit, les membres de l'équipe émettent silencieusement et individuellement autant de solutions que possible. Au cours de l'étape en groupe, les participants décrivent leurs solutions aux autres membres, généralement à tour de rôle. Comme pour le remue-méninges, aucune critique ni débat n'est admis, même si les membres sont encouragés à demander des clarifications sur les idées proposées. Durant l'étape finale, les participants classent de façon silencieuse et individuelle les solutions proposées ou les soumettent au vote. En général, le classement est préféré au vote, car il force chaque personne à considérer attentivement toutes les options proposées[106]. La technique du groupe nominal privilégie le vote ou le classement plutôt que le consensus afin d'éviter les conflits néfastes qu'engendre un débat.

La technique du groupe nominal tend à provoquer l'émission de plus nombreuses idées de meilleure qualité que des groupes traditionnels[107]. Du fait de son aspect très structuré, la technique du groupe nominal assure habituellement une forte concentration sur la tâche et une probabilité relativement faible de conflit au sein de l'équipe. Cependant, la cohésion de l'équipe est en général moins élevée au cours de l'exercice, car la structure minimise l'interaction sociale. Le blocage face au processus de production et la crainte d'être jugé interviennent encore dans une certaine mesure.

FIGURE   10.6

Technique du groupe nominal

Tout au long de ce chapitre, nous avons étudié comment les décisions sont prises, comment le personnel peut s'investir dans le processus de prise de décision, de quelle façon améliorer la créativité et résoudre des problèmes plus efficacement en équipe. Pour chacun de ces sujets, les décisions nécessitent un important partage d'information, sujet qui sera traité dans le prochain chapitre sur la communication au sein de l'organisation.

RÉSUMÉ DU CHAPITRE

La prise de décision est un processus conscient qui consiste à faire des choix parmi plusieurs options dans l'intention de résoudre une problématique. Le modèle rationnel de prise de décision consiste à déterminer les problèmes et les opportunités, à choisir le meilleur type de décision, à élaborer diverses solutions, à opter pour la meilleure solution, à mettre en place l'option choisie et à évaluer les conséquences qui découleront de la décision.

Les émotions, les erreurs de perception et de mauvaises aptitudes de diagnostic influencent notre capacité à déterminer les problèmes et les opportunités. Il est possible de minimiser ces défis si on reste conscient des limitations humaines et qu'on discute de la situation avec des collègues. Il peut être difficile d'évaluer et de choisir des options judicieuses, car les objectifs organisationnels sont souvent ambigus ou conflictuels, le processus humain de traitement de l'information est incomplet et subjectif et les personnes tendent à se contenter d'une solution minimalement satisfaisante plutôt que de choisir la meilleure. Les émotions façonnent nos préférences par rapport à certains choix, et les humeurs du moment favorisent ou empêchent l'évaluation minutieuse des options présentées. La plupart des personnes se fient en outre à leur intuition pour évaluer et choisir des solutions.

Les solutions peuvent être envisagées de manière plus efficace si on respecte les points suivants : déterminer systématiquement et pondérer les facteurs utilisés dans l'évaluation d'options, faire prudemment appel à l'intuition dans le cas d'une connaissance tacite et suffisante du problème et considérer la pertinence de nos émotions dans la situation en question. La planification de scénarios peut aider à prendre des décisions sur l'avenir en évitant la pression et les émotions qui interviennent lors de situations de crise.

La justification postdécisionnelle et l'intensification de l'engagement compliquent l'évaluation précise des conséquences des décisions prises. Cette intensification est principalement due à l'autojustification, à l'« illusion du joueur », aux « œillères » de

perception et aux coûts d'abandon d'un projet. Ces inconvénients peuvent être minimisés si on procède ainsi : faire intervenir des personnes différentes pour la prise de décision et l'évaluation de la décision ; établir un seuil au-delà duquel la décision sera abandonnée ou réévaluée ; prendre en compte une rétroaction plus systématique et précise relativement à la réussite du projet ; faire en sorte que plusieurs personnes s'engagent dans le processus de prise de décision. D'autres facteurs caractérisent le processus décisionnel. Il s'agit tout d'abord des styles personnels, au nombre de quatre : les styles directif, analytique, conceptuel et comportemental. La façon de raisonner, notamment par le recours aux heuristiques, est un autre facteur. On distingue l'heuristique de l'accessibilité cognitive et l'heuristique de la représentativité.

La participation du personnel fait référence au degré d'influence dont dispose le personnel sur l'organisation ou l'exécution de son travail. Ce niveau de participation peut aller de la transmission simple d'information précise à la direction par les employés, à leur participation complète à toutes les phases du processus de décision et à la cogestion. La participation du personnel peut mener à une décision de meilleure qualité et à un plus grand engagement par rapport à cette décision. Toutefois, divers aspects influencent le degré de participation, dont la structure décisionnelle, la source des connaissances nécessaires à cette décision, l'engagement par rapport à la décision et les risques de conflit.

La créativité est la capacité à concevoir une idée, un produit ou un service original constituant une contribution reconnue socialement. Les quatre étapes de la créativité sont la préparation, l'incubation, l'idée et la vérification. L'incubation permet la pensée divergente qui implique de recadrer un problème d'une manière unique et de tenter des approches différentes pour le résoudre.

Les quatre principales caractéristiques des personnes créatives sont l'intelligence, la connaissance et l'expérience du sujet, la persévérance et le style de pensée inventive. La créativité est également renforcée par les conditions suivantes : l'environnement de travail favorise une orientation vers l'apprentissage ; le travail engendre un niveau élevé de motivation intrinsèque ; l'organisation fournit un niveau raisonnable de sécurité d'emploi ; les responsables de projet proposent des objectifs, exercent une pression raisonnable et fournissent des ressources. Trois types d'activités encouragent la créativité : la redéfinition du problème, les jeux associatifs et la pollinisation croisée.

Les décisions d'équipe se heurtent aux contraintes de temps, à la crainte d'être jugé, à la conformité due à la pression des pairs, à la pensée de groupe et à la polarisation de groupe. Le blocage au processus de production — lorsqu'une seule personne peut parler à la fois — est une forme de contrainte temporelle que subissent les équipes. La crainte d'être jugé prend naissance lorsque les employés pensent que les autres les évaluent silencieusement. Dans ces circonstances, ils évitent d'énoncer des idées pouvant paraître idiotes. La conformité incite les membres d'une équipe à respecter les mêmes objectifs, mais elle tend également à supprimer les opinions dissidentes. La pensée de groupe est la tendance des groupes faisant preuve d'une forte cohésion à favoriser le consensus aux dépens de la qualité de la décision. La polarisation de groupe fait référence à la tendance des équipes à prendre des décisions plus extrêmes que si les individus travaillaient seuls.

Trois règles permettent de minimiser les problèmes de la prise de décision en équipe : s'assurer que le responsable d'équipe ne soit pas trop dominant ; maintenir une taille d'équipe optimale ; s'assurer que les normes de l'équipe favorisent une pensée critique. Cinq méthodes peuvent améliorer la créativité et la prise de décision en équipe : le conflit constructif, le remue-méninges, le remue-méninges électronique, la méthode Delphi et la technique du groupe nominal. Un conflit constructif a lieu lorsque des personnes débattent d'opinions divergentes concernant un problème en s'assurant que le conflit reste centré sur la tâche plutôt que sur les intervenants. Le remue-méninges implique que les participants échangent librement, évitent les critiques, fournissent autant d'idées que possible et réagissent spontanément aux idées des autres. Le remue-méninges électronique est organisé au moyen de logiciels ; il est alors possible de mettre des idées en commun tout en minimisant les problèmes liés à la dynamique d'équipe. La méthode Delphi met systématiquement en commun les connaissances collectives d'experts sur un sujet donné sans réunion en personne. Dans un processus de technique de groupe nominal, les participants écrivent individuellement leurs idées, les décrivent au groupe, puis soumettent ces idées au vote.

MOTS CLÉS

QUESTIONS

1. « Le modèle rationnel (de prise de décision) semble très logique mais, en réalité, il est rarement utilisé. » Êtes-vous d'accord avec cette affirmation ? Expliquez votre point de vue.

2. Un important développeur de logiciels de Montréal reçoit de plus en plus de plaintes de clients. Il constate aussi que ses ventes tendent à diminuer.

Décrivez trois raisons qui expliqueraient pourquoi les cadres de l'organisation peuvent avoir du mal à prendre conscience qu'un problème existe ou à déterminer les causes de ces symptômes.

3. Décrivez une situation où vous avez reproduit une mauvaise décision ou continué à soutenir une ligne de conduite vouée à l'échec. Que s'est-il

passé? Comment expliquez-vous ce genre de comportement?

4. Un conseiller en administration est engagé par une entreprise industrielle afin de déterminer le meilleur site pour sa prochaine installation de production. Le conseiller a participé à plusieurs réunions avec les cadres supérieurs de l'entreprise au sujet des facteurs à considérer dans ses recommandations. Présentez trois entraves à la prise de décision qui peuvent empêcher le conseiller de choisir le meilleur site.

5. Le mot «affaires», en chinois, est *sheng-yi*, qui signifie littéralement «donner naissance à des idées». Expliquez maintenant pourquoi la créativité fait partie intégrante de la prise de décision en affaires.

6. Deux des caractéristiques des personnes créatives sont leur expérience pertinente et la persévérance dans leurs recherches. Est-ce que cela signifie que les personnes ayant le plus d'expérience et le plus fort désir de réussir sont les plus créatives? Expliquez votre réponse.

7. Que peuvent faire les enseignants pour favoriser la créativité dans un environnement d'apprentissage comme une université ou un collège?

8. Cornerbrook Technologies Ltd. souhaite utiliser le processus de remue-méninges auprès de ses employés et de ses clients afin de trouver de nouvelles manières d'utiliser ses technologies. Conseillez le président de Cornerbrook au sujet des avantages potentiels et des limites du remue-méninges.

ÉTUDE DE CAS | 10.1

LA PARTICIPATION DU PERSONNEL

Cas 1: L'édulcorant de synthèse

Une décision liée à la recherche

Vous êtes à la tête du service de recherche et développement d'une importante entreprise de bière canadienne. Alors qu'il travaillait sur un nouveau produit, un des scientifiques de votre service semble avoir identifié un nouveau composé chimique moins calorifique, mais ayant un goût plus proche du sucre que les édulcorants de synthèse actuels. L'entreprise ne semble pas avoir besoin de ce produit, mais ce dernier pourrait être breveté et accordé sous licence à des producteurs du secteur alimentaire.

Cette découverte d'édulcorant de synthèse en est à son étape préliminaire et nécessiterait un temps et des ressources considérables avant sa commercialisation. Est-ce que cela signifie qu'il serait nécessaire de transférer des ressources d'autres projets en cours vers ce laboratoire? Le projet d'édulcorant de synthèse dépasse votre domaine d'expertise, mais certains chercheurs du laboratoire de recherche et développement connaissent le secteur chimique. Comme pour la plupart des recherches, il est difficile de déterminer le temps qui sera nécessaire pour approfondir les recherches et parfaire cet édulcorant. Vous ignorez quelle sera la demande pour ce produit. Votre service dispose d'un processus de décision pour financer des projets en retard sur leur calendrier.

Cependant, il n'existe aucune règle ni précédent concernant le financement de projets qui seraient accordés sous licence et qui ne seraient pas réalisés par votre entreprise.

Le budget du service de recherche et développement de l'entreprise est limité, et des scientifiques de votre groupe de travail se sont récemment plaints qu'ils avaient besoin de plus de ressources et de soutien financier pour réaliser leurs projets. Certains autres projets de recherche et développement sont très prometteurs pour les ventes futures de bière. Vous supposez que la plupart des chercheurs du service de recherche et développement ont à cœur les intérêts de l'entreprise.

Cas 2: Le garde-côte

Un problème décisionnel

Vous êtes capitaine d'un navire de la garde côtière de 72 m et d'un équipage de 16 personnes, y compris les officiers. Votre mission est d'effectuer des recherches et des sauvetages en mer. À 2 h du matin, alors que vous rentrez au port après une patrouille de routine de 28 jours, vous recevez un message de la plus proche station de garde côtière. On vous informe qu'un petit avion s'est écrasé à 100 km au large. Vous obtenez tous les renseignements disponibles sur le lieu de l'accident. Vous informez donc votre équipage de la mission et changez de cap à vitesse maximale pour atteindre le lieu de l'accident et commencer les recherches de survivants et de débris.

Vous cherchez maintenant depuis 20 heures. Vos efforts ont été sérieusement compromis à cause d'une mer agitée et d'une grosse tempête qui se prépare. Les conditions atmosphériques sont telles que les communications avec la station la plus proche sont maintenant impossibles. Vous devez prendre une décision rapide. D'une part, vous pouvez abandonner les recherches et conduire votre navire à un endroit sûr afin d'éviter la tempête ; ainsi, vous protégez votre navire et votre équipage, mais vous abandonnez tout survivant éventuel qui serait alors voué à une mort certaine. D'autre part, vous pouvez continuer des recherches probablement vaines et courir les risques inhérents à la situation.

Avant de perdre la communication, vous avez reçu les dernières prévisions atmosphériques d'alerte indiquant la gravité et la durée de la tempête. Bien que les membres de votre équipage soient particulièrement conscients de leurs responsabilités, vous pensez qu'ils seraient divisés quant à la décision à prendre.

Questions (pour les deux cas)

1. Jusqu'à quel point vos subordonnés devraient-ils participer à la prise de décision ? Choisissez l'un des niveaux suivants de participation :

   ■ Aucune participation : Vous prenez la décision seul, sans demander la participation de vos subordonnés.

■ Faible participation : Vous demandez à quelques subordonnés des renseignements supplémentaires relatifs au problème, mais vous ne leur demandez aucune recommandation et ne leur expliquez pas forcément le problème.

■ Participation moyenne : Vous décrivez le problème à quelques subordonnés (seul à seul ou en réunion), et vous leur demandez toute information pertinente ainsi que leur recommandation. Cependant, vous prenez la décision finale, qui tiendra compte ou non de leurs conseils.

■ Participation élevée : Vous décrivez le problème à vos subordonnés. Ils en discutent, déterminent la solution sans votre participation (sauf s'ils vous demandent votre point de vue) et mettent en place la solution. Vous vous engagez à soutenir leur décision.

2. Quels facteurs vous ont décidé à choisir un niveau de participation plutôt qu'un autre ?

3. Quels problèmes peuvent survenir dans le cas de participation excessive ou réduite ?

Sources : Le cas concernant la décision pour la recherche sur l'édulcorant de synthèse (*The Sugar Substitute Research Decision*) est adapté de l'ouvrage de Steven L. McShane, © 2002. Le cas portant sur le garde-côte est adapté de l'ouvrage de V.H. Vroom et A.G. Jago, *The New Leadership : Managing Participation in Organizations*, Englewood Cliffs, New Jersey, Prentice Hall, 1988, © 1987 V.H. Vroom et A.G. Jago. Utilisé avec l'autorisation des auteurs.

EXERCICE EN GROUPE 10.2

UN EXERCICE DE SURVIE EN HIVER

Objectif Cet exercice est conçu pour vous aider à comparer les décisions de groupes aux décisions individuelles.

Instructions

■ Étape 1 : Lisez la situation décrite ci-après. Ensuite, en travaillant seul, classez les 12 éléments présentés dans le tableau, à la page suivante, selon leur importance pour votre survie. Dans la colonne Classement individuel, indiquez l'élément le plus important avec le nombre 1 et le moins important avec le nombre 12. Gardez en tête les

raisons pour lesquelles chaque élément est important ou non.

■ Étape 2 : L'instructeur divise la classe en petits groupes (de quatre à six personnes). Chaque équipe doit classer les éléments dans la deuxième colonne. Le classement par équipe doit se baser sur un consensus et non pas sur la moyenne des classements individuels.

■ Étape 3 : Lorsque les groupes ont terminé leur classement, l'instructeur fournit le classement d'un expert en survie ; ce dernier classement est inscrit dans la troisième colonne.

■ Étape 4 : Chaque étudiant doit alors calculer la différence absolue (c'est-à-dire ignorer le signe moins) entre le classement individuel et le classement de l'expert, inscrire cette information dans la quatrième colonne et calculer le total des valeurs absolues en bas de la quatrième colonne.

■ Étape 5 : Dans la cinquième colonne, notez la différence absolue entre le classement en groupe et le classement de l'expert, puis additionnez ces chiffres absolus en bas de la colonne. Une discussion en groupe suivra au sujet des conséquences de ces résultats sur la participation du personnel et la prise de décision.

Situation   Vous venez de vous écraser dans une forêt du sud du Manitoba ou du nord du Minnesota. C'est la mi-janvier et il est 11 h 32. Le petit avion à bord duquel vous vous trouviez est tombé dans un petit lac. Le pilote et le copilote ont été tués. Juste après l'accident, l'avion a coulé avec leur corps. Les autres passagers ont gagné la rive et ne souffrent d'aucune blessure grave.

L'accident est survenu soudainement, avant que le pilote n'ait eu le temps de demander de l'aide par radio ou d'informer quiconque de votre position. Puisque votre pilote essayait d'éviter un orage, vous savez que vous aviez largement quitté votre trajectoire. Juste avant l'accident, le pilote avait annoncé que vous étiez à 70 km au nord-ouest d'une petite ville, le lieu habité le plus proche.

Vous vous trouvez en pleine nature, dans une forêt dense parsemée de nombreux lacs et parcourue de rivières. L'épaisseur de la neige varie ; elle peut dépasser la cheville dans les zones battues par le vent ou dépasser le genou là où la neige s'est entassée. Les dernières prévisions météorologiques indiquaient que les températures atteindraient –10 °C le jour et –25 °C la nuit. De nombreuses branches mortes et brindilles sont dispersées autour du lac. Vous et les autres survivants portez des vêtements d'hiver de ville — costume, chaussures de ville et manteau. En quittant l'avion, votre groupe a réussi à prendre avec lui 12 objets énumérés dans le tableau ci-après. Supposez que le nombre de personnes du groupe fictif est le même que celui de votre propre groupe et que vous avez décidé de rester ensemble.

Feuille de pointage de survie en hiver					
Objets	Étape 1 Classement individuel	Étape 2 Classement du groupe	Étape 3 Classement de l'expert en survie	Étape 4 Différence entre les étapes 1 et 3	Étape 5 Différence entre les étapes 2 et 3
Boule de laine d'acier					
Journaux					
Boussole					
Hachette					
Briquet					
Pistolet de calibre 45					
Carte aérienne de la région					
Toile					
Chemises et pantalons					
Boîte de shortening					
Whisky					
Tablettes de chocolat					
Total				Votre résultat	Le résultat de l'équipe

(Plus le résultat est bas, meilleur il est.)

Source : Adapté de « Winter Survival » de D. Johnson et F. Johnson, *Joining Together*, 3ᵉ éd., Englewood Cliffs, New Jersey, Prentice Hall, 1984.

LES AIDES À LA CRÉATIVITÉ

Objectif Aider les étudiants à comprendre la dynamique de la créativité et de la résolution de problème en équipe.

Instructions Cet exercice peut être effectué seul ou en groupe de trois ou quatre personnes. Si des équipes sont formées, les étudiants connaissant déjà les solutions à un ou plusieurs de ces problèmes doivent le signaler; ils seront des observateurs silencieux. À la fin de l'exercice (ou, plus probablement, une fois le temps imparti à l'exercice écoulé), l'instructeur passe en revue les solutions et discute des implications de cet exercice. Soyez prêt à expliquer ce dont vous avez eu besoin pour résoudre ces problèmes et ce qui vous a empêché de trouver la solution plus rapidement (ou simplement de la trouver).

1. Le problème du double cercle

Dessinez deux cercles, l'un à l'intérieur de l'autre, d'un seul trait, sans que ces cercles se touchent (comme dans la figure ci-dessous). En d'autres mots, vous devez tracer ces deux cercles sans lever votre stylo (ou crayon).

2. Le problème des neuf points

Ci-après se trouvent neuf points. Sans soulever votre stylo ou crayon, tracez un maximum de quatre lignes droites passant par ces neuf points.

3. Une variante du problème des neuf points

En faisant référence aux neuf points ci-dessus, décrivez comment, sans lever votre crayon ou stylo, vous pouvez tracer trois lignes droites ou moins passant par les neuf points.

LA MESURE DE VOTRE PERSONNALITÉ CRÉATIVE

Objectif Cet exercice d'autoévaluation est conçu pour vous aider à évaluer votre personnalité créative.

Instructions La liste de la page suivante comprend 30 adjectifs qui peuvent ou non vous décrire. Cochez la case en regard de chaque mot qui, selon vous, vous décrit bien. NE cochez PAS les cases correspondant à des mots qui ne vous décrivent pas. Ensuite, calculez le résultat de ce test à l'aide de la clé de correction disponible au www.cheneliere.ca/mcshanebenabou. Cet exercice doit être effectué individuellement afin que les étudiants puissent s'évaluer sans s'inquiéter de comparaisons sociales. Cependant, la discussion en groupe portera sur la manière dont cette échelle peut être utilisée dans une organisation et sur les limitations d'une mesure de la créativité dans un environnement de travail.

Astucieux ☐	Honnête ☐	Ordinaire ☐
Aux intérêts peu nombreux ☐	Individualiste ☐	Original ☐
Aux intérêts variés ☐	Ingénieux ☐	Perspicace ☐
Bien élevé ☐	Insatisfait ☐	Prudent ☐
Capable ☐	Intelligent ☐	Réfléchi ☐
Confiant ☐	Inventif ☐	Sexy ☐
Conservateur ☐	Maniéré ☐	Sincère ☐
Conventionnel ☐	Méfiant ☐	Snob ☐
Décontracté ☐	Narcissique (centré sur soi) ☐	Soumis ☐
Drôle ☐	Non conformiste ☐	Sûr de soi ☐

Source : Adapté de l'ouvrage de H.G. Gough et A.B. Heilbrun, Jr., *The Adjective Check List Manual*, Palo Alto, Californie, Consulting Psychologists Press, 1965 ; et basé sur l'information fournie par H.G. Gough.

EXERCICE D'AUTOÉVALUATION 10.5

VOTRE FORCE CRÉATIVE

Objectif Cet exercice d'autoévaluation, disponible au www.cheneliere.ca/mcshanebenabou, est conçu pour vous aider à évaluer votre capacité à adopter une pensée divergente afin de traiter de manière créative les problèmes et leurs solutions.

Instructions Cet exercice d'autoévaluation comprend 12 questions dont les réponses peuvent être trouvées en faisant appel à une pensée divergente. Répondez à chaque question dans l'espace proposé. Lorsque vous avez terminé, consultez la réponse correcte à chacune des questions ainsi que son explication.

EXERCICE D'AUTOÉVALUATION 10.6

L'INVENTAIRE DES STYLES DE PRISE DE DÉCISION

Objectif Cet exercice d'autoévaluation, disponible au www.cheneliere.ca/mcshanebenabou, est conçu pour vous aider à évaluer votre style préféré de prise de décision.

Instructions Dans cet exercice d'autoévaluation, les affirmations décrivent comment des individus prennent d'importantes décisions. Indiquez si vous êtes d'accord ou non avec chacun des énoncés.

Considérez chaque cas aussi honnêtement que possible pour obtenir une estimation juste de votre style de prise de décision. Cet exercice doit être effectué de façon individuelle afin que les étudiants s'évaluent fidèlement sans s'inquiéter de comparaisons sociales. Ensuite, la discussion en groupe portera sur le style de décision que les personnes préfèrent dans un cadre organisationnel.

CHAPITRE 11

La communication dans les organisations

Objectifs d'apprentissage

À LA FIN DE CE CHAPITRE, VOUS DEVRIEZ POUVOIR :

- démontrer que l'organisation de la communication est un rôle crucial des dirigeants d'entreprises ;
- comparer les deux grands courants théoriques de la communication ;
- décrire et comparer les canaux de la communication interpersonnelle ;
- décrire en quoi la communication non verbale diffère de la communication verbale ;
- citer les obstacles courants à la communication et les moyens de les surmonter ;
- discerner les éléments de la communication qui peuvent différencier les hommes et les femmes d'un côté et un groupe culturel de l'autre ;
- décrire et comparer les moyens de la communication organisationnelle ;
- expliquer comment l'organisation spatiostructurelle est un moyen implicite de communication de l'entreprise ;
- établir différents plans de communication stratégique.

Nous vous écoutons

L'entreprise pharmaceutique et de soins de santé Abbott Canada a deux raisons de célébrer : elle figure pour la première fois au palmarès des 50 employeurs de choix au Canada, et près de 89 % de ses employés (le plus haut score au Québec) ont répondu au sondage à l'origine de ce même classement.

Pour son baptême, Abbott Canada arrive en 50e position. Ce qui n'empêche pas les membres de la direction d'être habités par le sentiment du devoir accompli. L'entreprise, dont le siège social canadien est situé à Saint-Laurent, n'avait pas été retenue comme employeur de choix en 2003, lors d'une première participation. Elle a visiblement fait ses classes depuis, car la voilà parmi les lauréats de cette année.

« C'est la communication qui a fait toute la différence. Vous avez beau avoir le plus bel environnement de travail et les meilleurs programmes pour les employés, si c'est mal communiqué, ça n'aura pas l'effet recherché », explique Pierre Côté, directeur des ressources humaines chez Abbott.

La communication étant le nouveau mot d'ordre, quelque 700 employés de Montréal ont été rencontrés par petits groupes. « Nous leur avons dit : nous vous écoutons, nous allons passer à l'action et nous allons vous tenir informés », résume le président d'Abbott Canada, Marcello Vizio, en poste à Montréal depuis trois ans.

Cette grande consultation des employés s'est traduite par une foule d'améliorations, selon M. Vizio. La plus notable concerne les avantages sociaux.

Au quotidien, les employés du siège social d'Abbott profitent par ailleurs de conditions de travail comme on en retrouve dans le secteur pharmaceutique.

Selon Martin Cloutier, 35 ans, chef de projet : « Être sur le palmarès des employeurs de choix, ça vient confirmer pourquoi je travaille ici depuis neuf ans. »

Le marché de l'emploi dans le secteur est très concurrentiel. La série d'entreprises pharmaceutiques établies le long de l'autoroute 40 font les yeux doux et rivalisent d'initiatives pour garder leurs employés ou en attirer de nouveaux. Abbott tire plutôt bien son épingle du jeu à ce chapitre.

La multinationale, qui vend ses produits dans 130 pays, emploie 60 000 personnes dans le monde, dont environ 1000 au Canada. ■

Le chef du développement et de la planification chez Abbott Canada, Mathieu Alarie (à gauche), en discussion avec le président Marcello Vizio.

Armand Trottier

Source : Stéphane Champagne, « Nous vous écoutons », *La Presse Affaires*, 23 décembre 2005, p. 2.

Nos remerciements vont à Gilles Cloutier, enseignant au département Organisation et ressources humaines de l'Université du Québec à Montréal, pour avoir contribué à la révision de ce chapitre et à l'inclusion d'ajouts judicieux.

communication

Transmission et compréhension de l'information entre deux ou plusieurs personnes.

compétence communicationnelle

Aptitude à déchiffrer le sens d'un système de communication dans un contexte donné et à atteindre des objectifs grâce à cette aptitude.

Comme nous l'avons vu dans le texte d'introduction du chapitre, chez Abbott Canada, la communication est au cœur de la gestion des ressources humaines. On peut constater les effets de cette pratique sur la motivation des employés et sur leur attachement à leur entreprise.

La **communication** interpersonnelle est la transmission et surtout la compréhension d'un message entre deux ou plusieurs personnes. Toute communication se définit d'abord par la communication interpersonnelle. Mais les dirigeants d'entreprise, d'un point de vue stratégique et au-delà des individus en particulier, veulent et doivent savoir comment organiser cette communication pour qu'elle serve les projets de l'organisation. On parle alors de communication organisationnelle interne ou externe. Par exemple, on voit comment, dans le cas d'Abbott Canada, les dirigeants s'efforcent de trouver des stratégies innovatrices pour garder ouvertes les voies de la communication interne.

Dans une économie basée sur la connaissance, les employés doivent posséder d'excellentes compétences en communication. La **compétence communicationnelle** est l'aptitude à déchiffrer le sens de la communication dans un contexte donné et à atteindre des objectifs grâce à cette aptitude[1]. Les communicateurs compétents savent également quel est le support de communication le plus approprié dans une situation particulière. La compétence en communication est cruciale pour les cadres. Une étude relativement récente démontre que les chefs de direction des sociétés canadiennes consacrent la plus grande partie de leur temps à communiquer avec plusieurs acteurs externes et internes à l'entreprise, et à rencontrer des employés ou des clients. Ce résultat concorde avec des recherches antérieures (notamment celle de Mintzberg), établissant que les chefs d'entreprises passaient 80 % de leur journée à communiquer[2].

Dans ce chapitre, nous expliquerons d'abord en quoi la communication est une fonction essentielle pour les dirigeants et pour l'entreprise. Nous présenterons ensuite deux modèles du processus de communication. La description de la communication interpersonnelle et de ses voies de transmission occupera une bonne partie du chapitre, tandis que celle de la communication organisationnelle remplira l'autre. Nous nous arrêterons aux différences dans la manière de communiquer entre les hommes et les femmes, puis entre les cultures, et nous proposerons des modalités d'amélioration de ces transactions. Enfin, différentes pistes permettant d'établir des plans de communication stratégique viendront clore ce chapitre.

LA COMMUNICATION : UNE RESPONSABILITÉ MAJEURE DES DIRIGEANTS

Rappelons les fonctions classiques de la gestion : planifier, organiser et coordonner, diriger et contrôler. L'acte de communiquer est fondamental dans ces fonctions :

■ planifier signifie qu'il faut expliquer les objectifs, la mission, les projets et les orientations de l'entreprise ;

■ organiser implique la mise en place de mécanismes de coordination, de structures, donc l'instauration de procédures formelles ou informelles de communication ;

■ diriger veut dire motiver le personnel, le mobiliser autour du projet d'entreprise et donc l'informer ; il faut ensuite mettre en place des actes de communication : réunir, former, constituer des groupes et des lieux d'échange de l'information, etc. ; dans tous les cas, il faudra écouter ;

■ contrôler signifie qu'on dispose d'un système de rétroaction, d'information rapide et de moyens pour corriger les déviations inefficaces d'objectifs.

Par exemple, lors du lancement de la Renault 25, Renault-France a choisi une stratégie de qualité totale, c'est-à-dire « zéro stock, zéro défaut », et une approche axée sur la clientèle à tous les niveaux de l'entreprise. Pour ce faire, il a fallu changer l'organisation du travail et passer d'un système taylorien de production à une gestion participative ; mais à toutes les étapes de cette stratégie et de sa réalisation, la communication a joué un rôle primordial.

Il fallut expliquer le changement, induire une nouvelle culture de responsabilisation et d'autocontrôle, changer les mentalités, les attitudes et faire comprendre les décisions de la direction ; il fallut s'assurer ensuite de l'engagement du personnel et de ses compétences pour réaliser la stratégie, donc enquêter, écouter, connaître les perceptions et les attentes. Ce sont là des actes de communication. Les supports médiatiques ont également été d'un grand secours (lancement officiel de la voiture, vidéos, évolution de la situation dans les journaux, etc.). Cependant, les relations entre les acteurs de l'entreprise furent encore plus déterminantes : résolution des problèmes de non-qualité par la constitution de cercles de qualité, de rencontres avec les fournisseurs, etc.[3]

À partir de ce qui précède, il est aisé de déduire les fonctions de la communication. Elles sont au nombre de quatre : une fonction mobilisatrice des employés, une fonction didactique, une fonction socioculturelle et une fonction de représentation.

■ *Une fonction mobilisatrice* La fonction mobilisatrice intervient notamment lors de changements importants ou en période de crise (*voir plus loin dans le chapitre*).

■ *Une fonction didactique* La communication joue un rôle important dans la gestion du savoir de l'entreprise[4]. La communication est en quelque sorte le système nerveux qui transporte l'information vers toutes les parties vitales de l'organisation. Elle réduit ainsi l'apparition de connaissances « en silos », ce qui a pour effet de permettre aux employés de prendre des décisions plus éclairées. Par exemple, British Telecom encourage ses employés à créer des « moments de partage des connaissances », c'est-à-dire des occasions de communiquer à des collègues des renseignements susceptibles de les aider à prendre des décisions plus judicieuses[5].

Dans l'encadré 11.1, chez le groupe Cossette, on voit également comment on a créé un centre virtuel de partage des connaissances en diffusant ces dernières.

■ *Une fonction socioculturelle* La communication facilitant le dialogue, les employés de l'organisation acquièrent des modèles mentaux (représentations) communs[6]. Ceux-ci leur permettent d'une part de mener à bien leurs tâches, souvent interdépendantes et, d'autre part, de participer à la culture d'entreprise au moyen de la transmission de normes et de valeurs[7]. Par ailleurs, la communication est le « ciment » qui unit les employés. Elle comble le besoin de créer des liens sociaux (*voir le chapitre 6*) et, par le fait même, atténue parfois le stress professionnel (*voir le chapitre 5*). Par conséquent, il n'est pas étonnant que des sondages menés auprès d'employés d'entreprises canadiennes et américaines révèlent que la communication en entreprise a une influence significative sur la satisfaction au travail et la loyauté[8].

Enfin, le système de communication établit et reflète les rapports de pouvoir entre les acteurs de l'organisation. Par exemple, l'organigramme montre non seulement les rapports hiérarchiques, mais aussi la direction des communications (ascendante ou descendante, latérale, etc.). La disposition physique des personnes autour d'une table (sorte de communication non verbale) et le sens (direction) des communications durant les réunions formelles montrent également la position

Mettre le savoir au Frigo

Pour plusieurs entreprises, le partage des connaissances et la préservation de la mémoire collective deviennent des enjeux de taille. Pour convaincre ses employés de mettre en commun leur savoir, le Groupe Cossette a déployé une véritable campagne de pub.

Fin septembre, les 1500 employés de l'entreprise de communication ont reçu une boîte de « Cossette Brand », objet inspiré de la célèbre petite vache utilisée, entre autres, pour chasser les odeurs des réfrigérateurs. Cet outil promotionnel servait justement à les inviter à passer au FrigoTM pour aller consulter son contenu et le rafraîchir. Le FrigoTM aurait pu être désigné comme « Le centre virtuel de partage des connaissances du Groupe Cossette », puisqu'il s'agit d'un site intranet dans lequel il est possible de retrouver, entre autres, des études de cas sur les réalisations de l'entreprise ainsi que les CV de ses employés.

« Ce projet de partage du savoir est crucial pour nous parce qu'il touche l'activité centrale de l'entreprise. Pour le concrétiser, nous avons voulu marquer le coup en mettant en œuvre de puissants moyens de communication interne », explique Stéphane Éthier. Pour ce projet, Cossette devait impressionner le plus exigeant de ses publics, ses 1500 créatifs. « Nous devions être convaincants, autant par la qualité du message que de sa coquille », ajoute M. Éthier.

Depuis le lancement du FrigoTM, la majorité des employés y ont déposé leur CV et l'approvisionnement en nourriture intellectuelle y est de plus en plus abondant. Selon Stéphane Éthier, le succès du programme de partage des connaissances dont il est responsable suppose un changement de culture dans l'organisation. Historiquement, chez Cossette, les informations circulaient oralement, par contacts personnels. La méthode a toutefois des limites lorsqu'une entreprise grossit et que son taux de rotation est élevé. Chez Cossette, comme dans plusieurs entreprises de communication, le taux de roulement annuel atteint 25 % des effectifs. « Si nous ne partageons pas des connaissances et ne préservons pas la mémoire collective, nous risquons de réinventer la roue à chaque fois », dit M. Éthier.

Le projet du FrigoTM ne signifie pas la fin des contacts personnels. Selon M. Éthier, il peut au contraire favoriser leur élargissement en permettant aux employés de trouver plus facilement quelqu'un qui pourrait les aider.

Source : Jacinthe Tremblay, « Mettre le savoir au Frigo », *La Presse Affaires,* 17 octobre 2005, p. 1.

---

hiérarchique des gens (le chef est généralement assis seul d'un côté de la table). Le langage utilisé entre les gens traduit aussi cette distance. Par exemple, on tutoie plus volontiers un collègue de même rang que soi qu'un membre de la haute direction.

■ *Une fonction de représentation* La communication, qu'elle soit interne (dirigée vers les employés) ou externe (dirigée vers les médias, les actionnaires, etc.), de par le contenu du message, représente l'entreprise ou les émetteurs du message (président de la firme, experts en situation de crise, directeur financier lors de la présentation d'états financiers, etc.). Un mauvais usage des mots, un choix incorrect des destinataires, du support ou du moment de la transmission du message peuvent avoir un effet négatif sur la réputation de l'entreprise ou entacher la crédibilité des émetteurs.

LES GRANDS COURANTS THÉORIQUES EN COMMUNICATION

Parmi les nombreux courants existants, nous ne choisirons que les modèles les plus souvent évoqués en organisation : l'école fonctionnaliste et l'école interprétative. Ces deux écoles renvoient à deux modèles issus de disciplines autres que celle de la communication organisationnelle : le modèle émetteur–message–récepteur (ÉMR) et le modèle de Palo Alto.

Le modèle émetteur–message–récepteur et le courant fonctionnaliste[9]

Ce modèle est le mieux connu dans l'étude de la communication, car il apparaît comme une copie simple et fidèle du réel. Fondamentalement, il décrit la communication comme une transmission d'informations et il classe les individus en émetteurs ou en récepteurs d'un message donné.

Shannon et Weaver[10], précurseurs de la théorie de l'information, présentent la communication comme un phénomène de transmission unilatérale entre deux pôles. Dans ce modèle, la communication est associée au transfert d'informations. De ce fait, l'attention sera portée sur la capacité du canal à transmettre l'information et sur la mesure du bruit (interférences) qui empêche cette transmission. On ne s'intéresse donc pas au sens du message, mais à la valeur quantitative de l'information.

S'inscrivant dans le prolongement de la théorie de l'information, l'école de la cybernétique (théorie des communications et de la régulation tant dans la machine que dans l'animal), notamment avec Wiener, s'en distingue cependant en introduisant le concept de rétroaction. La cybernétique met l'accent sur l'influence de la communication sur le récepteur.

C'est à cette école que l'on doit les éléments qui composent une action de communication et les nombreuses études qui ont suivi dans ce sens dans plusieurs disciplines, notamment les travaux sur la technique de l'information et sur le langage comme principal média. Le fameux système général de communication est illustré à la figure 11.1.

Cette figure illustre un modèle basé sur l'image de la «conduite d'eau», une métaphore utile pour décrire le processus de communication[11]. Dans ce modèle, la communication passe par des canaux qui relient l'émetteur au récepteur. L'émetteur conçoit un message, le code sous forme de mots, de gestes, d'intonations et d'autres symboles ou signes. Ce message codé est ensuite transmis au récepteur visé au moyen d'un ou de plusieurs canaux (les supports) de communication. Le récepteur perçoit le message entrant et le décode. Si le sens décodé est le même que celui que l'émetteur a voulu donner à son message, la communication est réussie.

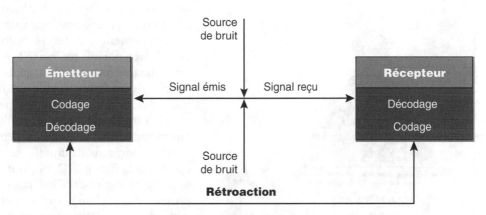

FIGURE 11.1

Système général de communication

Source : C. Benabou, « La communication interne : fonction stratégique », dans A. Petit, L. Bélanger, C. Benabou, R. Foucher et J.L. Bergeron, *Gestion stratégique et opérationnelle des ressources humaines*, Montréal, Gaëtan Morin Éditeur, 1993, p. 497.

Le plus souvent, l'émetteur cherche une preuve que le destinataire a reçu et compris le message qui a fait l'objet de la transmission. Cette preuve ou rétroaction peut prendre la forme d'une reconnaissance verbale comme « oui, je comprends ce que vous voulez dire », une forme non verbale ou des formes indirectes telles que des actions subséquentes menées par le récepteur. Il faut noter que la rétroaction reproduit le processus de communication. Le récepteur encode d'abord le message initial que l'émetteur a transmis, puis il le reçoit et le décode.

Ce modèle implique que la communication ne coule pas d'une manière fluide [12]. En fait, des interférences ou bruits entravent la transmission du message ; il s'agit d'obstacles psychologiques, sociaux et structuraux qui faussent ou déforment le message original de l'émetteur.

Pour les chercheurs fonctionnalistes, l'essence de la communication réside dans la transmission et la direction des messages et dans les canaux de communication.

L'école de Palo Alto et le courant interprétatif [13]

Les chercheurs de Palo Alto (du nom d'une ville de Californie où travaillent plusieurs théoriciens de cette école) ont élaboré leur théorie à partir de celle des systèmes et de la logique formelle [14].

Pour ces chercheurs, la communication est avant tout une relation, et ce sont nos relations avec les autres qui déterminent notre comportement. Tout comportement a la valeur d'un message et, partant, « on ne peut donc pas ne pas communiquer ». Ces chercheurs réhabilitent donc les messages non intentionnels et non verbaux. D'ailleurs, la présence simultanée de ces codes que sont le contenu d'un message (l'expression d'un fait, d'une information, d'une opinion, etc.) et la relation entre les individus peut parfois être problématique, ces deux codes pouvant produire des messages paradoxaux dont, ajouterions-nous, les organisations sont loin d'être exemptes (par exemple, lorsque les actes des dirigeants contredisent leurs messages verbaux ; *voir la caricature ci-contre*).

L'intérêt de l'école de Palo Alto est qu'elle place la relation entre les individus au premier plan, et qu'elle évite le modèle linéaire des théories de l'information. Elle situe l'individu dans un contexte et une culture qui permettent d'interpréter le contenu de la communication et qui donnent une valeur de message à tout comportement. Toutefois, selon Cossette [15], cette école, qui a parfois tendance à se confondre au behaviorisme (le comportement seul est l'unité d'analyse), occulte ce qui fait la singularité, la logique propre des individus, leur autonomie, même relative.

À la lumière des théories de l'organisation et de la communication, le schéma général de la communication organisationnelle se présenterait plutôt comme à la figure 11.2, ou tout est communication : le contexte organisationnel, nous-mêmes par nos comportements verbaux, sociaux et corporels, etc. La perception et l'organisation de la communication sont fonction de notre expérience de vie, de notre personnalité. Nous sommes simultanément émetteurs,

Illustration : Serge Paquette

FIGURE 11.2

Représentation
intégrée de la
communication
dans l'organisation

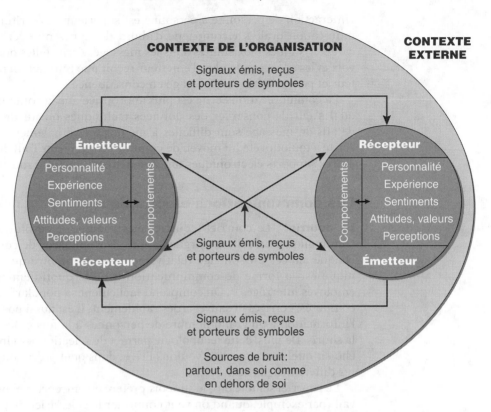

Source : C. Benabou, « La communication interne : fonction stratégique », dans A. Petit *et al., Gestion stratégique et opérationnelle des ressources humaines,* Montréal, Gaëtan Morin Éditeur, 1993, p. 500.

récepteurs et créateurs de systèmes symboliques largement connus et partagés par des communicateurs potentiels.

Dans la prochaine section, nous aborderons des aspects plus concrets : en choisissant comme unité d'analyse la communication interpersonnelle (comparée à la communication organisationnelle ou stratégique), nous décrirons les principaux dispositifs de communication entre les personnes, les difficultés liées à la communication en général, mais aussi entre les sexes et les groupes de différentes cultures.

LA COMMUNICATION INTERPERSONNELLE : LES PRINCIPAUX DISPOSITIFS D'INFORMATION

Le canal qui sert à transmettre l'information est un élément critique du modèle de communication. Différents canaux servent à véhiculer la communication verbale et non verbale. La communication verbale inclut tout moyen oral ou écrit pour transmettre un message à l'aide de mots. La communication non verbale, dont nous parlerons plus loin, se rapporte à toute partie de la communication qui se fait sans recours aux mots.

La communication verbale

Différentes formes de communication verbale s'appliquent à différentes situations. En général, pour communiquer des émotions et persuader le récepteur, l'interaction de personne à personne est supérieure à l'écriture. En effet, la communication orale s'accompagne d'abord de signes non verbaux, mais aussi de caractéristiques inexistantes dans les messages écrits telles que les inflexions de la voix et les silences. De plus, l'émetteur reçoit une rétroaction immédiate du récepteur et peut adapter son message en conséquence.

La communication écrite est plus appropriée que la communication orale lorsqu'il s'agit de conserver des données techniques ou juridiques ou lorsque les détails du message sont difficiles à mémoriser verbalement. La communication écrite a toujours été un moyen de communication lent. Toutefois, le courriel et les autres supports électroniques ont grandement amélioré son efficacité[16].

Les communications électroniques

Le courriel   Le courriel (courrier électronique) a révolutionné la manière de communiquer au sein des organisations. Des milliards de courriels sont envoyés chaque année. Un sondage relativement récent montre que le courrier électronique est la forme de communication utilisée quotidiennement par 97 % des employés interrogés[17]. On comprend facilement sa popularité. Les messages sont composés, corrigés et sauvegardés rapidement. Il est aussi possible de transmettre l'information à un grand nombre de personnes à la fois grâce à un simple clic de la souris. De plus, cette technologie permet de sélectionner l'information : on peut choisir quel message nous voulons lire et dans quel ordre ; on peut aussi en ignorer différentes parties.

Le courriel semble être le support préféré en entreprise pour coordonner le travail (par exemple, quand on veut confirmer le calendrier de production à un collègue) et envoyer des renseignements détaillés susceptibles d'éclairer la décision. L'utilisation du courriel permet de réduire la quantité de communications de personne à personne et les communications téléphoniques. Par contre, il accroît substantiellement le volume global de l'information transmise, surtout vers les échelons supérieurs de l'organisation[18]. Cette forme de communication ne fait pas disparaître les différences hiérarchiques, mais celles-ci sont moins prononcées que dans les communications téléphoniques ou de personne à personne. Enfin, la lecture d'un courriel réduit un grand nombre de distorsions qui émanent de jugements basés sur les apparences. Ainsi, le courriel permet de dissimuler l'âge, la race, le poids et d'autres caractères observables dans les rencontres.

■ *Les problèmes engendrés par le courriel*   Quiconque utilise le courriel connaît ses problèmes et ses limites. L'un des problèmes les plus importants est qu'il provoque une surcharge d'information. De nombreux utilisateurs sont accablés de centaines de messages, dont beaucoup sont inutiles ou non pertinents. En effet, le publipostage a permis l'envoi de courriels à des milliers de personnes à la fois.

Le deuxième problème tient au fait que le courriel n'est pas un moyen efficace de communiquer pleinement ses émotions. Celles-ci transparaissent de façon plus évidente dans la physionomie ou par les actions non verbales (par exemple, la couleur du visage dans le cas de la colère, des gestes brutaux ou doux de la main, etc.). « Toutes les querelles qui éclatent [chez Disney] semblent résulter d'un malentendu causé par un courriel », explique le chef de la direction, Michael Eisner[19]. Les mordus du courriel s'efforcent de transmettre leur humeur en ajoutant des « binettes » (*smileys*) à leurs messages. Il s'agit de dessins réalisés avec des caractères ASCII, qui suggèrent la forme d'un visage. Un répertoire complet de « binettes » a vu le jour (*voir la figure 11.3*), ce qui, bien sûr, ne règle pas toujours la difficulté de communiquer ses émotions par courriel[20].

FIGURE	11.3	« Binettes » utilisées dans les courriels

Binette	Signification	Binette	Signification
:-)	Content	0:-)	Ange (je suis sage)
:-}	Sourire narquois	:-p	Tirer la langue
:-(	Mécontent	:-x	Oups ! (surprise)
<:-)	Question idiote	{ }	Câlin, étreinte

Source : Inspiré des articles de R. Peck, « Learning to Speak Computer Lingo », *Times-Picayune*, Nouvelle-Orléans, 5 juin 1997, p. E1 ; et de R. Weiland, « The Message is the Medium », *Incentive*, septembre 1995, p. 37.

décharge émotionnelle
État émotionnel qui conduit à l'envoi d'un message trop critique ou même injurieux à d'autres internautes.

Troisièmement, le courriel semble avoir diminué la courtoisie et le respect envers les autres. Ce phénomène est mis en évidence par la fréquence accrue de messages à autrui trop chargés émotionnellement, ce qui a pour effet de les rendre parfois trop critiques, voire injurieux. Près de la moitié des personnes interrogées dans le cadre d'un sondage ont affirmé avoir reçu des courriels injurieux. Les hommes sont à la fois les auteurs et les victimes les plus fréquentes de ces messages [21]. La principale cause de ce type de messages réside dans le fait que les internautes expédient leurs courriels sous le coup de l'émotion, tandis que l'auteur d'une note de service ou d'une lettre traditionnelle a le temps de pondérer sa réaction. Vraisemblablement, les **décharges émotionnelles** non contrôlées et les autres problèmes liés aux courriels s'atténueront à mesure que les employés recevront une formation sur la manière d'utiliser ce support de communication [22]. Avec le temps, les employés se familiariseront avec la nétiquette, néologisme qui exprime l'ensemble des conventions de bienséance, en grande partie non écrites, qui régissent la communication par Internet.

Quatrièmement, le courriel est dépourvu de la chaleur de l'interaction humaine [23]. La technologie de l'information enferme de plus en plus les employés dans une sorte de cocon. Ainsi, les employés sont privés du soutien social résultant des contacts humains qui ont notamment pour fonction de contribuer à atténuer le stress et l'anxiété. Fortes de ce constat à propos du courriel, certaines entreprises britanniques ont interdit son utilisation un jour par semaine. Leurs dirigeants sont persuadés qu'il vaut mieux discuter de certains sujets face à face plutôt que dans le cyberespace.

L'intranet et la messagerie instantanée Les dirigeants d'IBM n'ont pas été étonnés en voyant les résultats d'une enquête récente. Celle-ci révèle que les employés considèrent leurs collègues comme l'une des deux sources d'information les plus crédibles ou utiles. Cependant, à leur grand étonnement, ils ont constaté que les employés considéraient l'intranet d'IBM comme la seconde source d'information importante et également crédible [24]. L'intranet, l'extranet, la messagerie instantanée et d'autres formes de communication électronique favorisent le

Adamee Itorcheak transporte son ordinateur portable et son cellulaire avec lui presque partout. Ce qui le différencie des autres cadres, c'est qu'il vit à Iqaluit, la capitale du Nunavut, au nord du Canada. En outre, ses déplacements comprennent des expéditions de chasse traditionnelle dans les régions sauvages de l'Arctique. Président du plus gros fournisseur de service Internet du Nunavut et associé d'un service Internet haute vitesse, Adamee Itorcheak est sans doute la personne la plus cyberbranchée de la région. De plus, il s'emploie à faire en sorte que la plupart des habitants du Nunavut, depuis les employés de l'usine de transformation du poisson de Pangnirtung jusqu'à un guide de pêche de Clyde River, aient accès à Internet. Grâce aux forums en ligne, les habitants du Nunavut forment une communauté aux liens de plus en plus serrés. « Dans ce territoire démesuré, 20 000 personnes vivent dans des groupes éparpillés ici et là », explique Adamee Itorcheak. « Internet est le seul moyen de nous rassembler tous[28]. »
Quelles sont les limites de la communication par Internet pour les gens qui communiquent rarement face à face?

Nick Didlick, Vancouver Sun

www.inukshuk.ca

partage de plus en plus rapide de l'information au sein des organisations[25]. Les équipes de travail éparpillées géographiquement peuvent coordonner leur travail plus efficacement grâce aux logiciels de messagerie instantanée et à un intranet. La technologie informatique permet de relier les fournisseurs en réseau si étroit que leur clients les considèrent comme appartenant à une seule organisation (*voir le chapitre 15*).

La messagerie instantanée semble être le « nouveau gadget génial » de la communication électronique. Ernst & Young, UBS Warburg, Paine Webber et d'autres sociétés ont déjà adopté la messagerie instantanée comme stratégie de communication préférée. Le logiciel de messagerie instantanée établit le lien entre deux ou plusieurs employés et transmet les messages à chacun d'eux. Dans cette situation, lorsqu'une personne envoie un message à un collègue, il apparaît instantanément sur l'écran d'ordinateur de celui-ci (ou de tout autre appareil de communication). Les messages instantanés sont beaucoup plus courts que les courriels et comportent souvent des acronymes (tel « KES TU FE » pour « Qu'est-ce que tu fais ? »)[26].

« Aucune technologie informatique ne permet de gagner autant de temps », affirme Andy Konchan, un cadre de la société de planification financière UBS Warburg. « Nos clients sont souvent sidérés de voir la rapidité avec laquelle nous pouvons désormais répondre aux demandes d'information spécialisée ou inusitée. » UBS Warburg possède des milliers de canaux de messagerie instantanée dans différents domaines ou champs d'intérêt des clients. Les 13 000 employés de la société se branchent aux canaux les plus proches de leur domaine d'emploi[27].

Plus près de nous, on peut voir dans l'encadré 11.2 comment la Ville de Montréal compte se doter d'un réseau de communication interne grâce à un intranet et à la messagerie instantanée.

On pourrait penser que les technologies électroniques contribuent à créer une surcharge d'information, ce qui est vrai pour certaines technologies. Toutefois, les premières recherches ont démontré que la communication par Internet réduit en fait la surcharge d'information, car elle permet de mieux contrôler la quantité de données en circulation. En effet, il est possible de choisir la quantité d'information reçue dans Internet ou intranet. Cependant, un sondage mené auprès de cadres dans 11 pays révèle que ce n'est pas le cas lorsqu'il est question du nombre de messages vocaux, de courriels, de télécopies et de notes de service. La moitié des cadres ont déclaré qu'Internet réduisait la surcharge d'information, et seulement 19 % d'entre eux étaient d'avis qu'Internet empirait les choses[29].

Montréal reconstruit son réseau de communication interne

Sans doute imaginez-vous qu'il y a peu de différences entre un réseau Intranet et un site Internet, si ce n'est que le premier est accessible à un nombre d'utilisateurs limité, alors que le second est ouvert à tous les internautes. Or les différences résident bien au-delà de ceux qui y ont accès, puisqu'en réalité un réseau Intranet peut être bien davantage qu'un site Web au service du personnel d'une organisation. Intranet a d'ailleurs tant de caractéristiques propres qu'il existe une Association des professionnels de l'Intranet (API). « Un [réseau] Intranet, ça peut simplement être un site Web d'information interne où l'on affiche, par exemple, le menu de la cafétéria et diverses politiques de l'entreprise, relate Alain Mongrain, président de l'API. Mais ce peut être bien davantage, à savoir un véritable environnement de travail qui procure un accès rapide et efficace à tout le savoir de l'organisation. »

M. Mongrain sait particulièrement bien de quoi il parle puisqu'il est le coordonnateur du réseau Intranet de la Ville de Montréal. Or l'équipe qu'il dirige se prépare en ce moment à mettre en œuvre, d'ici 2008, un prodigieux réseau Intranet qui rassemblera tous les employés dans un même environnement de travail. « Nous préparons un réseau de communication interne où tous les employés de la Ville auront accès à la documentation nécessaire pour faire leur travail, c'est-à-dire que, le matin, en arrivant en poste, l'employé accédera à Intranet, où il trouvera toute l'information dont il a besoin ainsi que ses courriels et autres messages. De plus, on intégrera à cet Intranet les outils de travail usuels tels que Word, Excel, PowerPoint, etc. » Comme on l'imagine, Intranet utilise les mêmes façons de faire qu'un site Web. Toutefois, il peut servir à des usages beaucoup plus vastes et plus variés. « C'est une sorte d'Internet, confirme Alain Mongrain, mais à l'interne, c'est un réseau qui peut prendre différentes formes. »

Intranet peut même servir à maintes autres applications. Ainsi, à la Ville de Montréal, on entrevoit la possibilité d'utiliser le réseau interne pour permettre les échanges par messagerie instantanée entre collègues. « Vous êtes en train de travailler et, soudain, vous vous posez une question, relate M. Mongrain. Vous envoyez un petit mot par messagerie instantanée à l'un de vos collègues. Ou bien celui-ci répond sur-le-champ à votre question, ou, si vous avez besoin de converser avec lui, chacun active sa webcam et vous amorcez les échanges. »

Source : Claude Lafleur, « Intranet – Montréal reconstruit son réseau de communication interne », *Le Devoir,* cahier spécial, 8 juin 2005, p. B4.

Les bulletins d'information et les journaux électroniques

Il y a une décennie, Hugues Software Systems (HSS), une société établie en Inde, employait 50 personnes. Lorsque la société voulait transmettre des nouvelles de l'entreprise, elle réunissait tous ses employés. Aujourd'hui, HSS emploie 1300 personnes. Elle recourt donc à divers supports électroniques et imprimés pour informer ses employés. Ces derniers sont tenus au courant des développements de l'entreprise au moyen de bulletins imprimés. Toutefois, ils obtiennent aussi des renseignements utiles grâce à l'intranet de HSS. La société dispose également d'un tableau d'affichage électronique appelé *Junk* (littéralement « bric-à-brac »). Les employés y expriment leurs opinions sur tout, depuis la qualité de la nourriture servie à la cafétéria jusqu'aux moyens de supprimer les barrages électroniques que l'entreprise a placés sur les sites Internet consacrés aux sports[30].

Hughes Software Systems et d'autres grandes organisations ont de plus en plus recours à des supports de communication variés pour partager l'information avec leur personnel. Ces supports englobent généralement tant les bulletins imprimés que les bulletins électroniques ou les magazines en ligne. Par exemple, Hewlett-Packard (HP) affiche chaque jour les dernières nouvelles de la société dans *hpNow,* un bulletin publié dans son intranet. Les employés de HP reçoivent aussi un magazine imprimé appelé *Invent,* qui paraît plusieurs fois par année et renferme des articles de fond. La société HP et d'autres entreprises ont découvert qu'un support de communication unique ne suffit pas. Les sources en ligne permettent la communication instantanée, mais beaucoup d'employés ont de la difficulté à lire de longs articles sur un écran d'ordinateur. Les articles imprimés sont plus longs à paraître et plus coûteux, mais ils ont l'avantage de pouvoir être transportés aisément et de faciliter la lecture de longs articles[31].

Les moyens audiovisuels

La pratique de la vidéo est efficace pour transmettre l'information descendante, car elle s'adresse à toutes les catégories de personnel, notamment celles qui n'ont pas l'habitude de lire, et l'accès physique aux salariés est plus facile par ce média. De plus, les messages ne subissent pas les distorsions ou les filtrages d'information inhérents à la présence de différents relais dans la chaîne de communication[32].

Dans les entreprises multinationales, un président de compagnie peut s'adresser directement à des milliers d'employés en même temps, qu'ils soient près ou loin du siège social, par l'entremise de la vidéoconférence.

La communication non verbale

La communication électronique est en train de changer le monde des organisations, mais elle n'a pas encore remplacé la communication non verbale. Celle-ci comprend les mimiques faciales, l'intonation, la distance physique et même les silences. Ce mode de communication est nécessaire quand la distance physique ou les interférences nuisent aux échanges et que le besoin de rétroaction immédiate exclut la communication écrite. Cependant, même durant des rencontres face à face, la plus grande partie de l'information est transmise d'une manière non verbale[33]. La communication non verbale tient une place prépondérante dans le travail émotionnel, c'est-à-dire les efforts menant au contrôle nécessaire pour exprimer les émotions jugées souhaitables et acceptables par l'entreprise (*voir le chapitre 5*). Les employés ont souvent recours aux signaux non verbaux pour communiquer les sentiments considérés comme acceptables à leurs clients, à leurs collègues et à autrui. Même l'apparence physique et la façon de s'habiller communiquent « quelque chose » à l'intérieur d'une culture donnée. L'encadré 11.3 montre que même les moustaches, dans la Turquie de 1998, devaient être politiquement correctes !

La communication non verbale se distingue de la communication verbale de deux manières. Premièrement, elle est sujette à un moins grand nombre de règles que a communication verbale. Nous recevons une éducation formelle poussée sur le sens des mots, mais nous apprenons très peu de choses sur les signaux non verbaux qui les accompagnent. Par conséquent, ces signaux sont souvent perçus comme ambigus et donc susceptibles d'être mal interprétés. Deuxièmement, la communication verbale est consciente, tandis que la plupart des signaux non verbaux sont automatiques et inconscients. En général, nous préparons les mots que nous disons ou écrivons, mais nous planifions rarement nos battements de paupières, nos sourires et nos autres gestes pendant une conversation. En fait, bon nombre de mimiques faciales veulent dire la même chose dans plusieurs cultures, précisément parce qu'elles constituent des réactions inconscientes ou préconscientes aux émotions humaines[34]. Ainsi, les émotions agréables envoient au centre cérébral un signal qui étire les commissures des lèvres vers le haut. Par contre, les émotions négatives produisent des expressions tendues (yeux plissés, lèvres pincées, etc.).

La Turquie veut des moustaches politiquement correctes

Soixante-quatorze ans après la « réforme de l'habit » (*kilik kiyafet devrimi*) initiée par Atatürk à la création de la République, la moustache et la barbe, attributs dont seraient pourvus 66 % de la population mâle d'Anatolie, sont dans la ligne de mire des autorités turques. Depuis l'interdiction, en janvier, du Parti de la prospérité (Refah, islamiste), celles-ci livrent une lutte sans répit contre les ennemis de la laïcité. Et c'est en son nom que les fonctionnaires turcs ont été récemment invités par leur hiérarchie à se raser quotidiennement ou, du moins, à arborer des moustaches politiquement correctes.

Car, en Turquie, il y a façon et façon de porter la moustache. Au-delà de la simple affirmation de virilité – « *être homme, c'est être moustachu*, dit le proverbe –, l'ordonnancement du système pileux facial – ou son absence – éclaire sur l'appartenance sociale (militaires, fonctionnaires et représentants du monde des affaires sont souvent glabres), sur l'origine culturelle (orientale ou occidentale, rurale ou citadine) et, enfin, sur les sympathies politiques. Fournie et retombant des deux côtés de la bouche, la moustache trahit une communauté de vues avec la droite nationaliste ; épaisse et mordant légèrement sur la lèvre supérieure, elle suppose une certaine sympathie pour la gauche et l'extrême gauche ; courte et bien taillée, elle est l'apanage des islamistes.

La barbe, elle, se porte longue chez les *Hezbollahci* (sympathisants du Hezbollah), en bataille chez les intellectuels de gauche, soigneusement taillée chez les militants du Refah ou chez les *Haci* (pèlerins) de retour de La Mecque. Suspecte aux yeux des défenseurs de la laïcité, la barbe n'a pas droit de cité dans les administrations publiques. Dans les universités, elle est même la cible d'interdictions à répétition.

Photo : AP Photo

Dernièrement, les pressions exercées sur de jeunes barbus de l'Université d'Istanbul ont provoqué de telles réactions que l'administration a fait marche arrière. Quant à la reprise en main de la moustache, elle ne vise pas les seuls islamistes mais tout autant les ultranationalistes du Mouvement de l'action nationaliste (MHP, extrême droite). Certains s'étaient en effet émus de constater que les membres des « équipes spéciales », ces commandos para-militaires autonomes chargés de la lutte contre les séparatistes kurdes, affichaient de solides moustaches à la Gengis Khan, en vogue chez les ultranationalistes.

Restent aussi les moustaches de type neutre *kaytan* (fine et recourbée au-dessus de la lèvre), *cetvel* (un trait fin et court, *pala* (épaisse, qui dépasse la largeur de la bouche). À moins que l'« ottomane » (longue et pointue en ses extrémités), affectionnée par les nostalgiques, ne fasse un retour en force ?

Source : *Le Monde,* sélection hebdomadaire, 16 mai 1998, p. 1.

---

contagion émotionnelle

Tendance automatique et inconsciente à imiter les comportements non verbaux des autres et à synchroniser nos propres comportements avec ceux des autres.

La contagion émotionnelle L'un des effets les plus fascinants des émotions sur la communication non verbale est le phénomène appelé **contagion émotionnelle.** Il s'agit d'un processus automatique qui consiste à « saisir » ou à partager les émotions d'une autre personne et à copier ses expressions faciales et son comportement. Imaginez que vous voyez un collègue se cogner la tête accidentellement sur un classeur. Il y a de bonnes chances pour que vous grimaciez et portiez une main à votre tête comme si c'était vous qui aviez heurté le meuble. De même, lorsqu'une personne vous décrit un événement agréable, vous serez porté à sourire et à manifester d'autres signes de plaisir. Bien qu'une partie de nos communications verbales soit planifiée, la contagion émotionnelle est un comportement inconscient qui consiste à imiter automatiquement les comportements non verbaux des autres et à synchroniser nos gestes avec les leurs[35]. Le film *Zelig*, de Woody Allen, réalisé en 1983, illustre bien de façon comique ce phénomène de contagion.

La contagion émotionnelle remplit trois fonctions. En premier lieu, l'imitation offre une rétroaction continue en indiquant à notre interlocuteur que nous le comprenons et sympathisons avec lui. Pour bien comprendre l'importance de ce comportement, imaginez que vos collègues restent de marbre en voyant un des leurs se cogner la tête! Ceci pourrait révéler un manque de compréhension ou de considération. En deuxième lieu, imiter les comportements non verbaux des autres semble être une manière de percevoir leurs émotions. Par exemple, si un collègue est en colère contre un client, le fait, pour vous, de froncer les sourcils et de manifester le même sentiment montre que vous partagez cette émotion. Autrement dit, nous comprenons mieux le message de l'autre quand nous reflétons ses émotions tout en écoutant ses paroles.

En dernier lieu, la contagion est associée au profond désir de créer des liens (*voir le chapitre 6*). La solidarité découle du fait que chaque membre partage des émotions communes. Cette observation renforce la cohésion du groupe en montrant qu'il existe une similitude entre les membres[36]. Toutefois, à un degré trop poussé, la contagion émotionnelle pourrait s'apparenter à un trop grand besoin de conformité.

CHOISIR LES MEILLEURS CANAUX DE COMMUNICATION

Les employés donnent un meilleur rendement lorsqu'ils peuvent choisir rapidement et avec souplesse les canaux de communication les mieux adaptés à la situation[37]. Toutefois, on peut se demander quels sont les canaux les plus appropriés à une situation particulière. Nous avons en partie répondu à cette question lorsque nous avons passé en revue les différents canaux de communication. Il convient néanmoins de s'arrêter à deux éléments additionnels : la richesse du canal de communication et sa signification symbolique.

La richesse du canal de communication

Peu après qu'Ernst & Young, une société d'experts-comptables, eut encouragé ses employés partout dans le monde à former des équipes virtuelles, elle a constaté que le courriel et la messagerie vocale ne suffisaient pas. « Essayez de trouver une entente sur la formulation d'un contrat au sens de la loi avec une équipe d'avocats et d'ingénieurs qui représentent des intérêts variés en vous servant uniquement du téléphone et du courriel ! » avance John Whyte, le chef du service de l'information d'Ernst & Young. « On peut passer des semaines à trier des fragments de conversations menées par courriel, des appels téléphoniques individuels ou des messages vocaux. » Aujourd'hui, les employés débattent des questions complexes au moyen de la messagerie instantanée. Ce n'est pas aussi efficace qu'une rencontre de personne à personne, mais cela vaut beaucoup mieux que l'ancien amalgame de courriels et d'appels téléphoniques[38].

La firme internationale Ernst & Young a découvert que certaines questions nécessitaient un médium d'information plus riche que le courriel et la ligne téléphonique. La **richesse du canal de communication** a trait à la capacité d'un média d'information de véhiculer des données, autant en ce qui concerne leur volume que la variété de l'information contenue[39]. Dans ce sens, les rencontres face à face sont plus efficaces. De plus, l'échange d'information peut être adapté à la situation. Le clavardage se situe un peu plus bas dans l'échelle et le courriel,

richesse du canal de communication

Capacité d'un canal de communication à véhiculer des données, autant pour ce qui est de leur volume que de la variété de l'information contenue.

FIGURE   11.4   Richesse des supports de communication par ordre d'importance

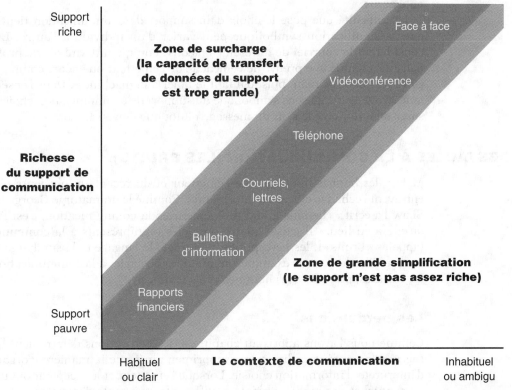

Source : Basé sur l'article de R. Lengel et R. Daft, « The Selection of Communication Media as an Executive Skill », *Academy of Management Executive* 2, n° 3, août 1988, p. 226 ; et de R.L. Daft et R.H. Lengel, « Information Richness : A New Approach to Management Behavior and Organization Design », *Research in Organizational Behavior*, 1984, p. 199.

encore un peu plus bas. Les rapports financiers et les autres documents impersonnels sont les canaux de communication les moins riches. En effet, ces derniers ne permettent qu'une seule forme de transmission de données (par exemple, des données écrites). De plus, l'émetteur ne reçoit pas de rétroaction pertinente de la part du récepteur, et l'échange d'information est standardisé.

La figure 11.4 montre que les canaux de communication les plus riches sont les plus appropriés dans des situations inhabituelles ou ambiguës. En situation d'urgence, par exemple, les rencontres sont préférables pour coordonner les activités rapidement et minimiser les risques de malentendus et de confusion[40]. Autre exemple, les recherches ont démontré que le développement de produits comporte plusieurs aspects imprécis. C'est pour cette raison que les membres d'une équipe font un meilleur travail s'ils utilisent la communication orale plutôt qu'un support de communication moins riche[41].

La signification symbolique du support de communication

« Le médium est le message. » Cette phrase célèbre du gourou canadien des communications aujourd'hui décédé, Marshall McLuhan, signifie que le canal de communication choisi a une signification qui va au-delà du contenu du message que l'émetteur transmet. Par exemple, une rencontre personnelle avec un employé peut indiquer que le sujet est important, ce qui n'est pas le cas d'une brève note écrite.

La difficulté que pose le choix d'un support de communication tient au fait que sa signification symbolique peut varier d'un individu à l'autre. Les gens considèrent le courriel de différentes façons : comme un symbole de professionnalisme, comme une preuve de l'efficacité de l'émetteur ou encore comme un vulgaire travail de bureau, puisqu'il faut le taper à la machine [42]. Dans l'ensemble, il faut être sensible au sens symbolique du support de communication choisi et s'assurer qu'il renforce le sens du message plutôt que l'inverse.

LES OBSTACLES À LA COMMUNICATION (LES BRUITS)

Malgré les bonnes intentions de l'émetteur et du récepteur, plusieurs obstacles entravent l'échange efficace d'information. Comme le dramaturge George Bernard Shaw l'a écrit : « Le plus grand problème avec la communication, c'est l'illusion qu'elle a eu lieu. » Il existe quatre obstacles omniprésents à la communication (appelés « bruits ») : les perceptions, le filtrage, le langage et la surcharge d'information. Plus loin, nous examinerons aussi les obstacles à la communication entre les cultures, puis entre les hommes et les femmes.

Les perceptions

Comme nous l'avons appris au chapitre 4, les perceptions déterminent les messages qu'on choisit de lire ou de supprimer, ainsi que la manière d'organiser et d'interpréter l'information choisie. Lorsque l'émetteur et le récepteur ont un cadre perceptuel et des modèles mentaux différents, une foule d'interférences peuvent se produire dans le processus de communication. Par exemple, un contremaître d'une usine de blocs de béton ramasse un morceau de brique tout en parlant avec le superviseur. Ce geste n'a aucune signification particulière pour le contremaître : un simple objet à manipuler tout en parlant. Pourtant, dès que le contremaître a le dos tourné, le superviseur ordonne à l'équipe entière de faire des heures supplémentaires pour nettoyer l'atelier. Le superviseur a perçu à tort le geste du contremaître comme un signal que l'atelier était en désordre [43].

Le filtrage

Certains messages sont filtrés ou carrément bloqués à un échelon quelconque de la hiérarchie organisationnelle [44]. Le filtrage consiste à supprimer ou à retarder la transmission de renseignements négatifs ou à édulcorer le message afin de présenter les choses sous un jour plus favorable. La plupart des employés et des cadres filtrent leurs messages pour impressionner favorablement leurs supérieurs. C'est un procédé courant quand l'organisation récompense les employés qui transmettent surtout des données positives. Les employés qui nourrissent de grandes ambitions ont également tendance à recourir au filtrage [45].

Le langage

Comme les mots et les gestes n'ont pas de signification propre en dehors d'un contexte qui les explicite, l'émetteur doit faire en sorte que le récepteur comprenne les symboles et les signaux. L'absence de compréhension mutuelle est une cause fréquente de distorsion du message, car cette dernière accentue cette incompréhension. Le jargon et l'ambiguïté sont deux obstacles potentiels à la communication.

Le jargon Un employé envoie un courriel à son collègue dont le bureau est adjacent au sien. « Salut, Jacques. Pour les petites améliorations que j'attendais personnellement, il y a l'accélération de la vitesse d'affichage de la liste d'articles dans Akregator. Et aussi, la correction du bogue qui fait planter Kicker à la fin d'une session. Malheureusement, ce bogue n'est pas corrigé. J'ai contacté Aaron Seigo sur IRC pour l'aider à tester des patchs et à déboguer son application. Actuellement, le problème est quasiment résolu (grâce à un tout petit patch), mais il reste juste un petit point à régler. » Si vous avez compris la plus grande partie du paragraphe précédent, c'est sans doute que vous travaillez pour une entreprise de haute technologie où les employés utilisent le jargon de Microsoft. On appelle **jargon** le code linguistique qui se caractérise par un lexique spécialisé (langage technique, acronymes et mots familiers) qui n'est compréhensible que pour les membres d'une organisation ou d'un groupe. De tels jargons peuvent échapper à la plupart d'entre nous. Toutefois, si l'émetteur et le récepteur comprennent ce code linguistique, leurs échanges peuvent être plus efficaces. De plus, le jargon a pour effet de façonner et de préserver les valeurs culturelles d'une organisation tout en symbolisant l'identité sociale de l'employé au sein de son groupe (*voir le chapitre 16*)[46].

Toutefois, le jargon peut aussi constituer un obstacle à la communication efficace. Par exemple, la multinationale Sea Launch, établie à Long Beach, en Californie, lance des satellites dans l'espace. Au cours de l'essai d'un protocole de compte à rebours inventé par le personnel américain, les scientifiques russes engagés dans le projet sont soudain devenus taciturnes et distants. Le directeur de mission de Sea Launch, Steve Thelin, leur a demandé la raison de leur comportement. Les Russes se sont alors plaints du fait que personne ne leur avait expliqué le sens de *roger* (en français, « compris »). Il y eut quelques sourires quand Steve Thelin a expliqué que *roger* était un terme de jargon que les Américains utilisaient, durant une transmission, pour signifier qu'ils avaient bien reçu le message de l'émetteur[47].

L'ambiguïté La plupart des langues, et c'est certainement le cas du français, comportent un certain degré d'ambiguïté. C'est le cas lorsque l'émetteur et le récepteur interprètent différemment le même mot ou la même expression. Si un collègue de travail vous dit : « Aimerais-tu revérifier les chiffres ? », en fait, il vous ordonne peut-être poliment d'accomplir cette tâche. Or, son message est assez ambigu pour que vous croyiez qu'il vous demande simplement si vous voulez exécuter ce travail. Cette ambiguïté fait obstacle à la communication.

Toutefois, l'ambiguïté est parfois utilisée délibérément dans les milieux de travail. Les chefs d'entreprises ont souvent recours à des métaphores et à un langage ambigu pour décrire des idées complexes ou floues[48]. De plus, l'ambiguïté permet aussi d'éviter de communiquer ou de provoquer des émotions indésirables. Ainsi, une étude récente indique que les gens préfèrent employer un langage ambigu quand ils s'adressent à des personnes ayant des valeurs et des croyances différentes des leurs. Dans ce cas, l'ambiguïté minimise le risque de conflit[49]. Les courtiers ont aussi recours à un langage ambigu pour conseiller à leurs clients de vendre les actions qu'ils détiennent dans une société particulière. Ils hésitent à

jargon
Code linguistique se caractérisant par un lexique spécialisé (langage technique, acronymes et mots familiers) qui n'est compréhensible que pour les membres d'une organisation ou d'un groupe.

employer le mot « vendre » parce qu'ils auraient l'air de critiquer la performance de l'entreprise. Or, certaines de ces entreprises sont des clientes actuelles ou futures. « "Garder" veut dire "vendre" », reconnaît un ancien courtier. « C'est une sorte de métalangage qui vous oblige à découvrir le sens qui se cache derrière le mot[50]. »

La surcharge d'information

Chaque jour, Dave MacDonald reçoit près d'une centaine de courriels. Le cadre de Xerox Canada doit également traiter d'innombrables messages vocaux, des télécopies, des notes de service et d'autres documents d'information. « Si je n'avais pas inventé un système, je passerais presque tout mon temps à trier mes messages et mon travail en souffrirait », explique-t-il[51].

Dave McDonald n'est pas le seul dans ce cas. Les employés de bureaux canadiens envoient et reçoivent chaque jour en moyenne 169 courriels, des appels téléphoniques, des messages vocaux, des télécopies, des documents imprimés et d'autres messages ! Une enquête a démontré que 49 % des gestionnaires de plusieurs autres pays se disent souvent ou régulièrement incapables de traiter cette avalanche d'information. Plus de 40 % d'entre eux affirment que cette surcharge nuit à leur capacité de prendre des décisions, retarde les décisions importantes et les empêche de se concentrer sur leurs principales tâches. Certains experts médicaux affirment que ce déluge de données électroniques nuit à la capacité de mémorisation[52].

Il y a plus de 30 ans, Marshall McLuhan prédisait que les employés de bureau crouleraient sous un déluge de messages. « L'une des conséquences de l'information électrique, c'est que nous sommes soumis à une surcharge d'information », soulignait Marshall McLuhan. « Il y en aura toujours plus que ce que l'on peut traiter[53]. » On parle de **surcharge d'information** quand le volume d'information qu'une personne reçoit dépasse sa capacité de la traiter dans un temps donné[54].

Comme le montre la figure 11.5, il y a surcharge d'information chaque fois que celle-ci dépasse la capacité de traitement de l'information de l'individu. La surcharge

---

surcharge d'information
Situation dans laquelle le volume d'information que reçoit une personne dépasse sa capacité de la traiter.

FIGURE 11.5

Dynamique de la surcharge d'information

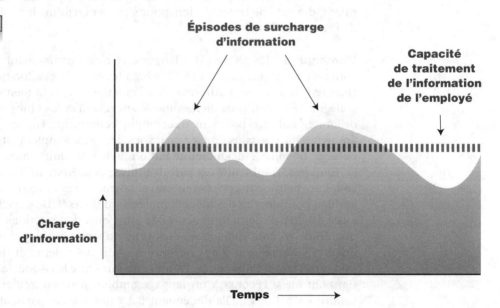

Épisodes de surcharge d'information

Capacité de traitement de l'information de l'employé

Charge d'information

Temps

d'information produit des interférences dans le système de communication. En effet, les employés négligent certaines données ou les interprètent mal faute de pouvoir les traiter assez rapidement. Ce phénomène est devenu une source courante de stress professionnel.

Il existe deux manières de réduire la surcharge d'information : augmenter la capacité de traitement de l'information et réduire la charge d'information relative à une tâche[55]. On peut augmenter sa capacité de traiter l'information par une bonne gestion du temps.

Trois actions permettent de réduire la charge d'information : trier, résumer et omettre. Par exemple, certains logiciels de courriel sont dotés d'un algorithme de filtrage qui bloque les courriels indésirables (aussi appelés « pourriels »).

Les perceptions, le filtrage, le langage et la surcharge d'information ne sont pas les seules sources d'interférences dans le processus de communication, mais ce sont sans doute les plus courantes. Des interférences brouillent aussi la communication entre les individus, les groupes de cultures différentes ou entre les hommes et les femmes, trois sujets que nous aborderons dans la prochaine section.

LES DIFFÉRENCES INDIVIDUELLES OU DE GROUPES DANS LA COMMUNICATION

Nous verrons dans cette section que les façons de communiquer varient entre des individus d'un même groupe, entre des groupes culturels différents ou entre les sexes. C'est du moins ce que tendent à confirmer les recherches dans le domaine.

Les styles personnels de communication

En général, deux personnes du même groupe culturel, non seulement n'expriment pas ce qu'elles veulent dire de la même façon, mais elles peuvent aussi exprimer le même message de façon différente. Par exemple, un directeur de département voudrait souligner que la présence des professeurs est requise aux assemblées départementales. Un directeur pourrait dire : « La présence des professeurs aux assemblées est obligatoire », tandis qu'un autre pourrait s'exprimer ainsi : « La présence des professeurs aux assemblées n'est pas vraiment facultative ». Bien que le message soit sensiblement le même, la façon de le dire reflète la personnalité de chacun de ces directeurs.

Certains styles de communication sont plus efficaces que d'autres selon la situation. Les recherches ont relevé six styles de communication[56], classés en fonction des catégories imagées suivantes :

■ Le **noble** dit ce qu'il pense de façon directe et plutôt concise, sans trop se préoccuper de l'effet que ce style peut avoir sur son interlocuteur.

■ Le **réflexif** s'emploie à préserver la relation, à éviter les conflits et à n'offenser personne ; il écoute donc attentivement son interlocuteur et peut aller jusqu'à dire ce que celui-ci veut entendre.

■ Le **socratique** aime argumenter et débattre longuement avant de prendre une décision.

■ Le **magistrat** possède un style à mi-chemin entre le noble et le socratique ; il dira franchement à son interlocuteur ce qu'il pense, mais il expliquera en détail les raisons qui le motivent.

■ Le **sénateur** oscille tantôt vers un style noble, tantôt vers un style réflexif, selon les circonstances.

■ Le **candidat** se situe à mi-chemin entre le style socratique et le style réflexif ; cette personne est chaleureuse et fait passer son point de vue de façon agréable, sans offenser son interlocuteur.

Un style de communication particulier est appris. Par conséquent, il est possible de l'améliorer pour s'adapter à des situations différentes : par exemple, en déterminant son style dominant, en acceptant les commentaires des autres et en réfléchissant au sujet de sa façon de communiquer, en essayant petit à petit d'autres façons de s'exprimer, etc. Pour interagir efficacement avec autrui, il faut également reconnaître le style de son interlocuteur et réfléchir sur la façon de communiquer avec lui.

La communication entre les membres de cultures différentes

Dans un monde de mondialisation et de diversité culturelle, les organisations font face à la fois à de nouvelles possibilités et à des problèmes de communication. Les employés doivent donc devenir plus sensibles et plus compétents en matière de communication multiculturelle. Ces compétences en communication sont cruciales, car les entreprises travaillent de plus en plus avec des clients, des fournisseurs et des partenaires d'autres pays.

Les difficultés de communication entre des groupes de cultures et de pays différents émanent des difficultés langagières, évidemment, mais aussi de l'incompréhension des signaux non verbaux.

Les difficultés langagières   La langue est l'obstacle le plus évident à la communication entre les membres de différentes cultures[57]. Il n'est pas facile, même dans une même culture, de comprendre les mots dans une conversation orale, soit parce que le récepteur possède un vocabulaire limité, soit parce que l'accent de l'émetteur rend la compréhension plus difficile. L'ambiguïté dont nous avons parlé plus tôt pose un problème encore plus crucial entre les membres de cultures différentes si l'émetteur et le récepteur n'ont pas les mêmes valeurs et n'interprètent pas les mots de la même manière. Par exemple, un cadre français peut appeler une « catastrophe » ce qui est un incident somme toute banal. C'est une exagération de langage propre à une sous-culture française. Au contraire, un cadre allemand aura tendance à prendre ce mot au sens littéral et l'interprétera comme étant un vrai cataclysme. De même, un examen de plus de 200 rapports de commissions et de comptes rendus d'équipes de travail a permis de conclure que les peuples des Premières Nations et les représentants du gouvernement canadien parlaient souvent de choses différentes même s'ils employaient les mêmes mots[58].

Maîtriser la même langue améliore une dimension de la communication multiculturelle. Cependant, des problèmes peuvent surgir en ce qui touche l'interprétation de l'intonation[59]. Ainsi, en Amérique du Nord, une voix grave est un symbole de virilité, mais les hommes africains expriment souvent leurs émotions d'une voix aiguë. Les gens du Moyen-Orient parlent parfois très fort pour démontrer leur sincérité et leur intérêt, tandis que les Japonais parlent tout bas en signe de politesse ou d'humilité. Ces normes culturelles variées peuvent faire en sorte qu'une personne interprète mal le langage de son interlocuteur.

Les différences non verbales Elles s'observent autant en prêtant attention à ce qui est dit qu'au non-dit.

▨ *Les messages corporels* La communication non verbale est plus importante dans certaines cultures que dans d'autres. Les Japonais se fient davantage aux signaux non verbaux qu'aux signaux verbaux pour interpréter le sens d'un message. «Une grande partie de la langue japonaise est tacite ou communiquée par le langage corporel», explique Henry Wallace, un Écossais qui est aussi chef de la direction de Mazda Corp. au Japon[60]. Pour éviter d'offenser ou d'embarrasser son interlocuteur (surtout s'il est étranger), un Japonais dira ce que l'autre veut entendre (*tatemae*) et exprimera ses véritables sentiments (*honne*) au moyen de signaux non verbaux[61]. Un collègue japonais peur rejeter poliment votre proposition en disant: «Je vais y réfléchir», tandis que son comportement non verbal vous indique qu'il n'est pas vraiment intéressé. Cette différence explique pourquoi les employés japonais préfèrent la conversation directe aux courriels et aux autres supports de communication qui ne permettent pas d'observer les signaux non verbaux.

La plupart des signaux non verbaux sont propres à une culture particulière et peuvent avoir un sens tout à fait différent pour des personnes issues d'une autre culture. Par exemple, la plupart d'entre nous tournons la tête de gauche à droite pour dire «non», mais les Indiens secouent la tête d'une manière légèrement différente pour dire «je comprends». Les Philippins lèvent les sourcils pour donner une réponse affirmative, tandis que les Arabes interprètent ce signal (et le claquement de langue) comme une réponse négative. La plupart des Canadiens ont appris à regarder leur interlocuteur dans les yeux en signe d'intérêt et de respect, mais les Autochtones du Canada, les Aborigènes d'Australie et d'autres peuples apprennent très tôt à montrer leur respect en baissant les yeux quand une personne plus âgée ou plus haut placée leur adresse la parole[62].

Même la poignée de main revêt une signification différente selon la culture. Les Occidentaux préfèrent en général une poignée de main ferme, symbole de force et de fermeté dans les rapports amicaux ou professionnels. Au contraire, de nombreux habitants d'Asie et du Moyen-Orient préfèrent une poignée de main lâche et considèrent une poigne ferme comme un signe d'agressivité. Les Allemands aiment une poignée de main comportant une seule secousse, tandis qu'une poignée comportant moins de cinq ou six secousses peut symboliser un manque de confiance en Espagne. Si cela ne suffit pas, dans certaines cultures, on considère tout attouchement public, y compris la poignée de main, comme un signe de grossièreté.

▨ *Le non-dit: silences et interruptions* La communication inclut les silences entre les mots et les gestes. Toutefois, la signification de ces silences varie d'une culture à l'autre. Ainsi, les Japonais montrent leur respect pour le locuteur en gardant le silence pendant quelques secondes après qu'il a eu fini de parler afin de méditer sur ses propos[63]. Pour eux, le silence (*haragei*) est une partie importante de la communication, car il préserve l'harmonie et il est plus fiable que les paroles. Puisque tous partagent le silence et que ce dernier n'appartient à personne, il représente une ultime forme d'interdépendance. De plus, les Japonais apprécient l'empathie, qui se manifeste uniquement par la compréhension silencieuse.

Au contraire, les Canadiens voient le silence comme une absence de communication; ils interprètent souvent les longues pauses comme un signe de désaccord. Par exemple, après avoir présenté leur proposition à un client japonais potentiel, un groupe de consultants américains s'attendait à être bombardé de questions. Au lieu de cela, un long silence a accueilli leur proposition. Comme le silence se prolongeait, la plupart des consultants ont conclu que le client désapprouvait leur proposition et se sont donc préparés à quitter la pièce. À ce moment-là, le consultant principal leur a fait signe de rester, car le visage et la posture du client indiquaient l'intérêt plutôt que le rejet. Il avait raison : quand le client a enfin pris la parole, c'était pour accepter la proposition de la société de conseil[64].

L'interruption envoie aussi différents signaux selon la culture. En général, les Japonais se taisent si on les interrompt. Au Brésil et dans d'autres pays, parler en même temps que son interlocuteur est une pratique plus courante. Les Japonais jugent impoli le fait de parler en même temps qu'une autre personne, tandis que les Brésiliens considèrent ce comportement comme une indication de l'intérêt que porte leur interlocuteur à la conversation.

La communication entre les hommes et les femmes

Les ouvrages populaires ont décrit la manière de communiquer des hommes et des femmes comme s'ils venaient de planètes différentes. En réalité, les hommes et les femmes ont des habitudes semblables, mais certaines distinctions subtiles entraînent parfois des malentendus et des conflits[65]. L'une de ces distinctions a trait au fait les hommes, plus que les femmes, considèrent la conversation comme une occasion de négocier leur position et leur pouvoir[66]. Ils affirment leur pouvoir en donnant des conseils directs (par exemple, « Vous devriez faire ceci ») et en employant un langage combatif. De plus, il est prouvé que les hommes interrompent plus souvent et parlent plus lorsqu'ils s'entretiennent avec des femmes.

Les hommes utilisent le *report talk*, c'est-à-dire qu'ils cherchent avant tout à échanger des renseignements d'une manière impersonnelle et qui se veut efficace. Cela pourrait expliquer pourquoi les hommes ont tendance à quantifier l'information (« Cela nous a pris six semaines »). Les femmes ont aussi recours au *report talk*, surtout quand elles parlent avec des hommes. Toutefois, elles adoptent plus souvent le *rapport talk*, car elles cherchent avant tout à établir des relations. C'est pourquoi elles ont plus souvent recours à des adverbes exprimant l'intensité (« J'étais *tellement* contente qu'il termine son rapport ») et tempèrent leurs affirmations (« Cela semble être... »). Au lieu d'affirmer leur opinion, les femmes posent des questions indirectes comme « As-tu pensé à...? » De même, elles s'excusent plus souvent et demandent conseil plus vite que les hommes. Enfin, presque toutes les recherches ont révélé que les femmes sont plus sensibles que les hommes aux signaux non verbaux dans les rencontres de personne à personne[67].

Les hommes et les femmes se comprennent, mais ces différences subtiles sont parfois des sources d'irritation. Par exemple, les scientifiques canadiennes soutiennent que leurs confrontations fréquentes avec leurs collègues masculins les empêchent d'engager des dialogues intéressants avec eux[68]. Une autre difficulté vient du fait que les femmes recherchent l'empathie, mais qu'elles obtiennent plutôt la dominance masculine. Plus précisément, les femmes parlent parfois de leurs expériences et de leurs problèmes personnels afin de se rapprocher de leur interlocuteur. Toutefois, dès que les hommes entendent parler d'un problème, ils s'empressent de proposer des solutions pour montrer qu'ils ont la situation bien en main. Tout en frustrant la femme dans son besoin d'être comprise, les conseils des hommes sous-entendent en général ceci : « Nous sommes différents ; toi, tu as le problème et moi, j'ai la solution. » Pendant ce temps, les hommes sont frustrés eux aussi, car ils ne comprennent pas pourquoi les femmes n'apprécient pas leurs conseils.

AMÉLIORER LA COMMUNICATION INTERPERSONNELLE

La communication interpersonnelle réussie dépend de l'aptitude de l'émetteur à se faire entendre et de la capacité du récepteur à écouter activement. Dans cette section, nous décrirons deux caractéristiques essentielles de la communication interpersonnelle efficace.

Se faire comprendre

Au début du chapitre, nous avons mentionné que la communication est efficace quand l'autre personne reçoit et comprend le message. Pour accomplir cette tâche ardue, l'émetteur doit s'efforcer de ressentir ce que ressent le récepteur, répéter son message, choisir un moment approprié pour l'énoncer et transmettre un message à contenu descriptif plutôt qu'évaluatif.

L'écoute active

Darryl Heustis reconnaît qu'il n'écoute pas toujours les autres très attentivement. « Je possède le don particulier de commencer à formuler ma réponse avant que la personne ait fini de poser sa question », admet-il d'un air penaud. Heureusement, Darryl Heustis, vice-président des affaires médicales au centre médical Jerry L. Pettis Memorial VA de Loma Linda, en Californie, et ses collègues, ont suivi une formation qui les aide à écouter plus activement les autres. « Maintenant, je m'exerce à écouter et à observer. Je regarde les gens plus attentivement, et j'observe les signaux corporels et d'autres signaux qui révèlent ce qu'ils ressentent. J'ai fait des progrès significatifs [69]. »

Darryl Heustis et d'autres cadres ont découvert qu'écouter est au moins aussi important que parler. Comme l'a écrit un sage : « La nature nous a donné deux oreilles et seulement une langue afin de pouvoir écouter davantage et parler moins [70]. » L'écoute active est le processus qui consiste d'abord à savoir entendre et écouter, (c'est-à-dire percevoir correctement les signaux contenus dans le message de l'émetteur), ensuite à évaluer le message et enfin à y répondre d'une manière appropriée [71]. Le récepteur actif passe constamment d'une action à l'autre (*voir la figure 11.6*).

La perception La perception est le processus qui consiste à recevoir des signaux de l'émetteur et à leur prêter attention. Ces signaux englobent les mots dits, la nature des sons (la vitesse d'élocution, l'intonation, etc.) et les signaux non verbaux. Le récepteur actif améliore sa compréhension lorsqu'il résiste à la tentation d'évaluer immédiatement les propos de l'autre, en évitant d'interrompre son interlocuteur et en écoutant avec une attention soutenue.

■ *Différer l'évaluation* De nombreux auditeurs sont victimes de leurs premières impressions (*voir le chapitre 4*). Ils se font rapidement une opinion sur le message du locuteur et, par la suite, excluent certains renseignements importants. Les auditeurs actifs, par contre, gardent l'esprit aussi ouvert que possible en résistant à la tentation d'évaluer le message avant que l'interlocuteur ait fini de parler.

■ *Éviter d'interrompre* Interrompre le locuteur a deux effets négatifs sur le processus de perception. Premièrement, le locuteur perd le fil de la conversation ; ainsi, l'auditeur ne reçoit pas le message en entier. Deuxièmement, comme la plupart

FIGURE   **11.6**

Composantes
de l'écoute active

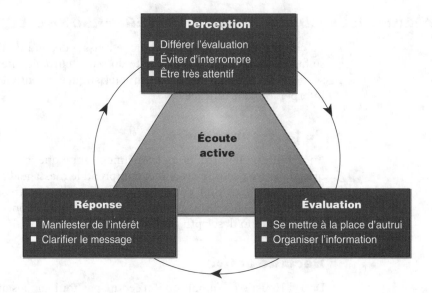

des interruptions visent à anticiper ce que le locuteur tente de dire, elles poussent l'auditeur à évaluer trop tôt les idées que le locuteur veut énoncer.

■ *Être très attentif*   Comme tout autre comportement, l'écoute active demande de la motivation. Trop souvent, la personne ferme son esprit tout de suite après le début de la conversation parce que le sujet l'ennuie. Celui qui sait écouter maintient une attention soutenue en adoptant le point de vue — sans doute exact — qu'une conversation peut toujours nous apprendre des choses intéressantes : il suffit de les rechercher activement.

L'évaluation   Cette composante de l'écoute qu'est l'évaluation comporte trois aspects : comprendre le sens du message, l'évaluer et le retenir. Pour mieux évaluer la conversation, l'écoutant actif essaie de comprendre ce que ressent le locuteur et organise l'information reçue pendant la conversation.

■ *Se mettre à la place de l'autre*   L'auditeur actif essaie de comprendre les sentiments, les pensées et la situation du locuteur. L'empathie est une composante cruciale de l'écoute active. Elle permet à l'écoutant de se mettre à la place du locuteur et d'interpréter correctement ses signaux verbaux et non verbaux.

■ *Organiser l'information*   Comme les auditeurs traitent l'information trois fois plus vite que dans l'élocution (450 mots à la minute pour le traitement de l'information contre 125 mots à la minute pour l'élocution), ils sont facilement distraits. Les auditeurs actifs profitent de ce temps libre pour organiser l'information sous forme schématique. En fait, pour tester sa capacité d'écoute, il est bon d'imaginer qu'on devra résumer les propos du locuteur à la fin de son discours[72].

La réponse   La réponse (ou réaction) est la troisième composante de l'écoute. Elle a trait à l'adoption, par le récepteur, de comportements facilitant le processus de communication. Cette réponse constitue pour le locuteur une rétroaction qui le motive davantage à s'exprimer et oriente son message. L'auditeur actif répond en témoignant de l'intérêt au locuteur et en clarifiant son message.

■ *Manifester de l'intérêt* L'écoutant actif manifeste son intérêt en gardant le plus possible un contact visuel avec le locuteur et en émettant des signaux comme « Vraiment ? » et « Je comprends ».

■ *Clarifier le message* L'écoutant actif donne une rétroaction en reformulant les idées du locuteur (« Vous êtes en train de dire que… ? »). Il montre ainsi qu'il s'intéresse à la conversation et aide le locuteur à déterminer que vous avez compris son message.

LES MOYENS DE COMMUNICATION ORGANISATIONNELLE

Jusqu'ici, nous nous sommes concentrés sur le processus de communication interpersonnelle, en l'occurrence sur la dynamique de l'émission et de la réception d'information entre deux ou plusieurs personnes dans diverses situations. Or, à une époque où l'avantage concurrentiel dépend des connaissances, les chefs d'entreprise doivent, eux aussi, faire en sorte que la communication demeure fluide dans toutes les directions : vers le haut et le bas de la hiérarchie et à l'intérieur de l'ensemble de l'organisation. Dans cette section, nous nous penchons sur plusieurs stratégies ou moyens de communication organisationnelle. Ces stratégies peuvent prendre des formes verbales, non verbales ou être relayées par des structures qui « communiquent » quelque chose. Ces moyens sont les suivants : la conception de structures, l'aménagement d'espaces de travail, les sondages auprès des employés, la gestion « baladeuse », les réunions, les entretiens, la boîte à idées, les syndicats et les dispositifs de médiation.

La structure, un moyen de communication non verbale

En début de chapitre, nous mentionnions que la structure communiquait en quelque sorte les relations de pouvoir entre les individus ou entre les groupes d'acteurs et le sens des communications. En effet, la structure établie prescrit qui doit parler avec qui ou avec qui on ne parlera pas souvent (par exemple, avec le client ou la direction si on en est loin). L'organigramme reflète souvent cette réalité et ces rapports. Les études montrent que plus un message doit passer entre plusieurs relais ou niveaux hiérarchiques, moins le contenu est fidèle à celui du message original. De plus, les communications ascendantes sont encore moins précises que les communications descendantes. Les employés ont tendance à éviter de parler de leurs erreurs ou de mauvaises nouvelles à leurs supérieurs ; ils ont plutôt tendance à exagérer leurs réussites [73].

L'aménagement des espaces de travail

À l'heure actuelle, l'une des tendances prédominantes au sein des organisations consiste à réaménager les bureaux afin d'encourager la communication spontanée. Certaines sociétés canadiennes ont supprimé tous les bureaux fermés, sauf parfois pour les cadres supérieurs. Elles ont amélioré l'aménagement des espaces de travail afin de multiplier les aires de « repos » qui favorisent la communication informelle, et aussi des espaces privés. C'est dans cet esprit qu'a été conçu le « bureau intelligent » à la Cité du commerce électronique à Montréal (*voir l'encadré 11.4*).

Ces espaces ouverts améliorent-ils vraiment la communication ? La sagesse populaire veut que les gens se parlent davantage quand il y a moins de murs qui

Le bureau intelligent : miser sur la qualité de l'air et de l'éclairage, l'accès à la lumière naturelle et les bruits réduits pour mieux travailler

Il y a 20 ans, formes bizarroïdes et design extravagant du bureau de l'an 2000 rivalisaient dans l'imaginaire des gens. Mais nulle part ne voyait-on un concept répondant à la question : Qu'est-ce que votre environnement de travail peut faire pour vous ? Le bureau moderne, appelé *bureau intelligent*, répond précisément à cette question. Il est la voie de l'avenir, selon les designers de la Cité du commerce électronique, au centre-ville de Montréal.

« L'employé peut vraiment se permettre d'être exigeant sans que ça coûte les yeux de la tête à son patron », dit Robert Sykes, vice-président du Groupe Gordian. La firme de consultants en aménagement d'espaces a réalisé le contrat de la Cité en partenariat avec Alain Moureaux, de la boîte de design Moureaux Hauspy. « Chaque employé peut modeler son espace de travail pour maximiser son confort grâce aux aires de travail universelles », dit M. Moureaux. Les aires universelles désignent les traditionnels *cubicules*, version améliorée.

À la Cité du commerce électronique, toutes les aires ont la même dimension. « Le travailleur peut passer du 3e au 12e étage et retrouver exactement le même environnement de travail », dit M. Sykes. L'uniformité s'arrête là. Chaque espace de travail est modulable, c'est-à-dire qu'une personne peut choisir si elle veut faire face aux fenêtres ou y travailler de dos ou encore la disposition de son ordinateur, du téléphone et autres outils de travail. Les murs séparateurs absorbent ou redirigent le bruit, ce qui est pratique « pour éviter que tous vos voisins connaissent votre vie privée ». Les zones de travail forment une aire ouverte qui permet à tous de profiter de la lumière. Les bureaux sont situés tout autour, le long des fenêtres. Ce sont les bureaux fermés, généralement ceux des patrons, qui occupent le centre. « On remet ainsi la lumière et la vue aux employés », explique M. Moureaux. Les patrons ne sont pas pour autant cloîtrés. Leurs bureaux sont munis de vitres translucides qui « laissent passer un maximum de lumière tout en gardant un aspect privé ».

Source : Jean-Sébastien Trudel, « Aimeriez-vous travailler dans un immeuble intelligent ? », *Les Affaires,* 12 avril 2003, p. 33.

---

les séparent. Toutefois, des recherches scientifiques ont également démontré que la perte d'intimité et d'espace privé liée aux aires ouvertes augmente le degré de stress des employés[74]. Par exemple, l'agence de publicité TBWA Chiat/Day, à Los Angeles, a déménagé ses bureaux dans un espace à aires ouvertes. En réaction, les employés en sont venus à passer leurs coups de fil dans les toilettes et cachés derrière leurs bureaux. Depuis, l'agence a fini par aménager quelques espaces privés également.

Toutefois, comme le révèlent des enquêtes menées auprès de 13 000 employés de 40 grandes organisations, l'espace de travail influe sur la performance individuelle parce qu'il offre un endroit où se concentrer sans subir de distractions. L'espace de travail a aussi pour effet de faciliter la communication informelle entre collègues. L'important est que cet espace doit offrir un équilibre entre la nécessité de pouvoir se concentrer au travail et celle de favoriser les interactions sociales[75].

Les sondages auprès des employés

La majorité des « meilleures » entreprises canadiennes effectuent régulièrement des sondages d'opinion auprès de leur personnel. La plupart le font pour jauger le moral de leurs employés. Toutefois, de nombreuses sociétés ont aussi recours aux sondages pour faire participer le personnel aux décisions sur toutes sortes de sujets, du code vestimentaire jusqu'aux régimes de retraite[76]. Les entreprises se fient aussi au processus de rétroaction provenant de multiples acteurs de l'entreprise (le *feedback* à 360 degrés ; *voir le chapitre 6*) pour connaître l'opinion des employés envers certains cadres, et inversement.

La gestion baladeuse

gestion baladeuse
Stratégie de communication qui consiste, pour les cadres, à sortir de leurs bureaux pour glaner de l'information sur l'organisation au cours d'échanges informels avec les employés.

Inventée par Hewlett-Packard il y a plusieurs années, l'expression **gestion baladeuse** signifie que les cadres sortent de leurs bureaux pour glaner de l'information sur l'organisation au cours d'échanges informels avec les employés[77]. De plus, elle leur permet de comprendre mieux et plus rapidement les problèmes internes de l'organisation.

La gestion baladeuse peut revêtir plusieurs formes. Ian Gourlay aime se rendre à l'atelier de production pour écouter les employés. Pearse Flynn distribue des feuillets autocollants qui lui reviennent plus tard avec les commentaires d'employés anonymes. Outre le fait de participer aux pauses hebdomadaires au cours desquelles les cadres se mêlent aux employés, Greg Aasen, directeur de l'exploitation et cofondateur de PMC-Sierra, à Vancouver, fait sa gestion baladeuse en courant avec des employés pendant la pause de midi. « Même les employés avec qui je travaille depuis 10 ans m'en disent plus long sur la piste de jogging que dans mon bureau. Je suppose que le contexte est moins intimidant », précisait Greg Aasen[78].

Les réunions[79]

Les réunions sont des moyens de communication fréquemment utilisés. Il faut exclure ici les rencontres inutiles, la pratique de la parlotte ou de la « réunionite ». La réunion devient un moyen stratégique de communication quand elle est axée sur la participation de tous pour la résolution de problèmes et la prise de décisions et sur les moyens de mettre en œuvre une stratégie. Elle sert aussi à la clarification de malentendus et de rumeurs, au déblocage de l'information et à la négociation. Les réunions, organisées à divers paliers hiérarchiques, ont l'avantage du « face-à-face » et sont des occasions de développer des relations interpersonnelles qui tissent l'identité de l'entreprise.

Chez Pitney Bowes, par exemple, le travail d'équipe s'effectue lors de réunions mensuelles avec tous les employés dans toutes les divisions de l'entreprise. De plus, un comité de 13 employés représentant le personnel se réunit régulièrement avec la haute direction une fois par mois. Ces employés sont nommés pour deux ans et s'affairent à traiter des problèmes importants et à améliorer le processus de communication. Certaines entreprises japonaises dessinent des organigrammes où figurent les lieux de concertation.

Les entretiens[80]

Il existe divers types d'entretiens. Les enquêtes d'opinion et le processus d'accueil peuvent donner lieu à des entretiens permettant de recueillir ou de transmettre les informations utiles déjà évoquées. D'autres entretiens, comme l'entrevue de départ, d'orientation ou d'aide à l'employé, d'identification des besoins de formation et de perfectionnement, d'appréciation, facilitent l'expression des employés et la résolution des problèmes de rendement, chacun d'eux concourant ainsi au succès de la réalisation des stratégies de l'entreprise.

La boîte à idées[81]

Plusieurs entreprises récompensent les salariés dont la mise en œuvre d'une idée ou d'une suggestion a contribué à l'augmentation de la productivité.

Ces programmes de suggestions n'ont pas qu'un attrait financier. Ils permettent également la promotion d'employés dont on aura reconnu les talents, et ils constituent une forme de communication ascendante permanente.

Les syndicats ou le comité d'entreprise [82]

Les syndicats peuvent être des relais indispensables de la communication entre la direction et les salariés qu'ils représentent. En ces temps de concurrence acharnée entre les nations industrielles, l'atmosphère est moins au conflit violent entre les partenaires sociaux qu'auparavant. Aux États-Unis, à l'automne 1991, les syndicats de l'automobile ont consenti à des baisses considérables des salaires des travailleurs pour garantir des emplois et, ce faisant, participer à la stratégie concurrentielle dans ce secteur.

Les dispositifs de médiation [83]

Des mécanismes de conciliation ou d'arbitrage peuvent également jouer le rôle de courroie de transmission de l'information et de la communication. Par exemple, un système de recueil de plaintes peut être mis en place, aussi bien pour le personnel que pour les clients de l'entreprise, et même pour de simples citoyens. Un médiateur, un ombudsman (personne officiellement désignée pour examiner les plaintes et faire des recommandations) peuvent également jouer le rôle de relais de la communication.

LA COMMUNICATION PARALLÈLE ET LES RUMEURS

communication parallèle
Réseau de communication non structuré et informel, coexistant avec le système formel de communication et dont le canal principal est les gens.

Que les cadres sortent ou non de leurs bureaux, les employés se fieront toujours au plus vieux moyen de communication qui soit : la communication parallèle au système formel qui s'établit entre les gens. La **communication parallèle** est un réseau de communication non structuré et informel, basé sur les relations sociales plutôt que sur des organigrammes ou des descriptions de poste. Certaines estimations révèlent que 75 % des employés entendent les nouvelles par ce système de communication avant de les obtenir par les canaux officiels[84].

Les caractéristiques de la communication parallèle

Les premières recherches ont relevé plusieurs caractéristiques uniques de la communication parallèle[85]. Celle-ci permet à l'information de se transmettre très rapidement à l'ensemble de l'organisation. L'information transmise contient sans doute un fondement de vérité : une étude a montré que 82 % de l'information véhiculée par ce système informel était exacte. Toutefois, le problème est que la portion inexacte peut altérer entièrement l'interprétation des faits. Par ailleurs, ce système de communication déforme l'information en occultant les détails et en exagérant les faits saillants des événements[86].

Le courriel et la messagerie instantanée ont remplacé la traditionnelle petite cafétéria où les employés se retrouvaient pour bavarder ou commérer. Les réseaux de communication se sont élargis puisque les employés communiquent entre eux parfois à l'échelle planétaire. Vault.com et d'autres sites Internet publics sont devenus de véritables cafétérias virtuelles lorsqu'ils ont commencé à afficher des commentaires anonymes sur différentes sociétés. La cybertechnologie permet de colporter des rumeurs et des commérages à grande échelle.

Les avantages et les inconvénients de la communication parallèle

Doit-on encourager, tolérer ou réprimer ce phénomène organisationnel ? Il est difficile de répondre à cette question, car ces canaux informels présentent à la fois des avantages et des inconvénients. L'un de ces avantages tient au fait que ce système de communication aide les employés à comprendre leur milieu de travail quand l'information n'est pas disponible par les canaux officiels [87]. De plus, c'est la principale voie de transmission des histoires et des symboles relatifs à la culture de l'organisation (*voir le chapitre 16*).

Un troisième avantage réside dans le fait que les interactions sociales inhérentes à ce système informel atténuent l'anxiété [88]. C'est pour cette raison que la « machine à rumeurs » est particulièrement active dans les périodes d'incertitude. Enfin, ce système est associé au profond désir de nouer des liens et de développer un sentiment d'appartenance [89].

Cependant, la communication parallèle n'a pas que des avantages. Le moral baisse quand la direction est plus lente que le système informel à communiquer l'information. En effet, cette attitude donne l'impression que la direction manque de sincérité et de considération envers les employés. De plus, l'information véhiculée de façon informelle peut être déformée au point d'aggraver plutôt que d'atténuer l'anxiété du personnel. Cette réaction est susceptible de se produire quand plusieurs personnes transmettent l'information originale.

Les rumeurs

L'information qui est transmise par le système informel, mais qui n'a aucune base factuelle et qui est invérifiable, devient alors une rumeur. Internet facilite la propagation de rumeurs au niveau mondial. Parfois, les rumeurs à propos d'entreprises et de leurs produits peuvent être très coûteuses. Donnons quelques exemples :

▪ La rumeur que des hamburgers de chez McDonald's, dans l'agglomération de Chicago, contenaient des vers, circula à la fin des années 1970. Quoique la rumeur se soit avérée totalement infondée, les ventes tombèrent de près de 30 % dans certains restaurants.

▪ En juin 1993, la rumeur selon laquelle des gens avaient trouvé des seringues dans les canettes de Pepsi-Cola parut dans les journaux aux États-Unis. Bien que cette rumeur fût fausse, ce mensonge coûta cher à l'entreprise en enquêtes, en publicité et par la chute des ventes.

▪ Le géant Procter & Gamble fut victime, dans les années 1980, de rumeurs associant cette multinationale à des activités de sorcellerie. Bien qu'elle ait gagné en cour contre les gens qui avaient répandu ces mensonges, la rumeur persista quelque peu [90].

Les entreprises font tout pour identifier les gens qui affichent des rumeurs anonymes sur les sites Internet, mais sans succès, la plupart du temps. Les fonctionnaires municipaux de Cascavel, au Brésil, interdisent à leurs employés de véhiculer des commérages, mais le système de rumeurs existera toujours [91]. Une meilleure stratégie consiste à présenter rapidement des faits indiscutables contredisant la rumeur ou à rappeler au public les côtés traditionnellement fiables et positifs de l'entreprise.

Cela nous conduit à admettre que les systèmes informels ne peuvent, bien sûr, se substituer aux systèmes formels de l'entreprise. Les stratégies de communication, nous l'avons vu en début de chapitre, sont des tâches qui incombent aux dirigeants de l'organisation. En effet, elles sont indissociables des stratégies globales de l'entreprise, c'est-à-dire des projets économiques, techniques et sociaux. La communication d'entreprise occupe un champ très large. Elle se divise en plusieurs activités : la communication financière, le marketing, etc. Ces diverses activités peuvent être regroupées à l'intérieur de ces deux dimensions, normalement liées : la communication interne (à l'intention surtout des employés de l'entreprise) et la communication externe (qui s'adresse à des publics et à des interlocuteurs liés de quelque façon à l'entreprise, mais ne faisant pas partie de ses salariés – clients, fournisseurs, actionnaires, pouvoirs publics, etc.).

Étant donné la discipline de cet ouvrage, en ce qui concerne la communication interne, nous nous concentrerons sur une des compétences principales de la direction : établir un plan de communication. Celui-ci est destiné à mobiliser les troupes, à les informer et à les rassurer dans un contexte de changement. Par ailleurs, étant donné le contexte actuel de forte médiatisation d'accidents, nous traiterons de la communication de crise, orientée surtout vers des publics externes.

ÉTABLIR UN PLAN DE COMMUNICATION INTERNE

Comme le montre la figure 11.7, pour concevoir son plan, le stratège en communication doit d'abord établir quels sont les besoins de l'entreprise en communication interne (et externe), déterminer ses objectifs et appliquer son plan, le tout en fonction de la stratégie de la firme. L'évaluation de toutes ces actions permettra de prendre des mesures correctives.

FIGURE 11.7

Démarche d'élaboration et de mise en œuvre d'un plan de communication

Source : C. Benabou, « La communication interne : fonction stratégique », dans A. Petit et al., Gestion stratégique et opérationnelle des ressources humaines, Montréal, Gaëtan Morin Éditeur, 1993, p. 484.

L'analyse des besoins en communication

Cette analyse dresse le bilan des efforts d'information et de communication à mettre en place lorsque des changements technologiques, structurels ou socio-culturels se produisent.

Prenons le cas d'une entreprise A en croissance qui, pour conquérir un nouveau marché par le lancement d'un nouveau produit, vient de faire l'acquisition d'une entreprise B. Dès lors, la stratégie humaine de l'entreprise A nécessite l'adhésion de tout le personnel et les compétences des cadres de l'entreprise acquise.

L'enquête peut révéler, comme dans la plupart des cas d'échec de fusions, que tout le personnel est anxieux et démotivé (vu l'incertitude quant à son avenir), que les cadres de l'entreprise B songent à travailler ailleurs, et que l'organisation du travail n'est pas responsabilisante. Les objectifs du stratège en communication sont alors tout tracés.

Les objectifs de communication

À partir des problèmes d'organisation relevés à l'étape précédente, il faudra élaborer une politique d'information et de communication qui contribuera à résoudre ces problèmes. Cette politique peut se donner pour objectifs de rassurer le personnel, d'utiliser les ressources de l'entreprise B, etc.

Le plan de communication

Le plan de communication est la programmation des moyens propres à réaliser les objectifs de cette fonction. Le plan contient les activités de communication, soit les dispositifs d'information et de communication et le calendrier. Le tableau 11.1 présente un plan de communication d'après l'exemple du cas de fusion mentionné précédemment[92].

La mise en œuvre du plan de communication[93]

La réussite de la mise en œuvre du plan de communication nécessite les conditions suivantes :

- la participation de tous les cadres à la stratégie de communication ;
- l'intervention d'un chef de projet en communication (pas nécessairement un journaliste !) ;
- le respect des valeurs et de la culture de l'entreprise, et du rythme de changement propre à l'organisation ;
- la participation des acteurs concernés par la stratégie de communication.

L'évaluation des actions de communication

Le suivi des résultats du plan de communication appliqué diffère évidemment selon la nature du plan, du type d'entreprise, etc. Dans tous les cas finalement, il faudra : 1) déterminer les domaines des activités de communication visés par l'évaluation (par exemple, la création de cercles de qualité, comme il en est question au tableau 11.1) ; 2) établir des critères de mesure intermédiaires du succès de l'activité même (par exemple, le taux de participation des employés à l'activité, le nombre de problèmes résolus par le groupe, etc.) ; et 3) mesurer l'impact final

| TABLEAU **11.1** | Exemple de plan de communication |

Objectifs	Activités	Calendrier
Détendre le climat social	■ Impression d'un nouveau journal d'entreprise au ton accueillant et rassurant ; discours d'accueil du président	Immédiatement ; au début, parution fréquente du journal
	■ Rencontres sociales avec les personnels A et B	Au tout début
	■ Visite des lieux par le personnel B avec des personnalités du personnel A	Au tout début
	■ Ouverture d'un bureau permanent d'information au service du personnel	Immédiatement
Utiliser le savoir-faire du personnel B, notamment des cadres	■ Formation d'équipes mixtes	Dans les trois premiers mois
	■ Rencontres des cadres de A et B en « retraite fermée »	Dans les trois premiers mois, pour une semaine
Mobiliser le personnel autour du nouveau produit (qualité)	■ Lancement officiel du produit	Avant sa commercialisation
	■ Rencontres entre les salariés, les clients et les fournisseurs	
Enrichir les tâches	■ Création de cercles de qualité	Avant et durant la production
	■ Formation	Durant les trois premiers mois, et au besoin par la suite

Source : C. Benabou, « La communication interne : fonction stratégique », dans A. Petit *et al., Gestion stratégique et opérationnelle des ressources humaines*, Montréal, Gaëtan Morin Éditeur, 1993, p. 510.

de cette activité sur les objectifs initiaux (par exemple, comme l'indique le tableau 11.1, savoir jusqu'à quel point la constitution de cercles de qualité a permis d'enrichir les tâches).

ÉTABLIR UNE COMMUNICATION EN PÉRIODE DE CRISE

Le plan de communication qui permet de faire face à une crise n'est pas différent des actions à prendre pour la communication interne (nécessité d'en définir les objectifs, les locuteurs, les canaux de communication, etc.), mais s'y ajoutent des caractéristiques dont nous traitons ici.

Selon Lerbinger et Libaert[94], les organisations connaissent une accélération constante des phénomènes de crise. Que ce soit la crise du verglas au Québec en 1998, ou celles de la vache folle ou du *Concorde,* la crise surgit à l'improviste et surprend les dirigeants des organisations concernées. La communication est pour ceux-ci un élément déterminant de la gestion de la crise.

Les types de crises

Dans le souci de se préparer à faire face aux crises, il est utile de recenser les types de crises possibles. Dans la sphère économique actuelle, on peut distinguer les crises du secteur industriel (par exemple, le conflit du bois d'œuvre entre le Canada et les États-Unis), structurel (les OPA hostiles), financier (Enron aux

États-Unis, Norbourg au Québec en 2005), social (les grèves du secteur public au Québec en 2005), technique (la crise du verglas), politique (l'affaire des commandites au Canada).

Les caractéristiques d'une crise[95]

▨ *L'intrusion de nouveaux acteurs* Des interlocuteurs nouveaux apparaissent, s'expriment sur le sujet ou demandent des comptes (pouvoirs publics, associations de protection du consommateur ou des actionnaires, etc.).

▨ *La saturation des capacités de communication* On constate un engorgement des canaux de communication. Par exemple, durant la crise du verglas au Québec, en janvier 1998, 5600 articles (par rapport à 20, habituellement) ont décrit l'ampleur des pannes, et les porte-parole d'Hydro-Québec ont accordé 3900 entrevues.

▨ *L'importance des enjeux* Souvent, c'est la réputation de l'entreprise, sa rentabilité économique, voire sa disparition dans les cas extrêmes, qui sont en jeu (par exemple, la firme Arthur Andersen), ainsi que la motivation des employés.

▨ *L'accélération du temps et des incertitudes* La pression s'accroît, et l'entreprise et ses dirigeants sont en état d'urgence. Les solutions sont incertaines.

L'organisation de la communication en période de crise

Il faut dire tout d'abord qu'une crise se résout plus facilement si elle a été anticipée. Recenser les types de crises possibles, mettre en place une cellule de crise, répartir les rôles des intervenants, simuler les exercices, préparer le contenu et le dispositif de communication, voilà qui augmente les chances de surmonter la crise. Toutefois, outre l'organisation matérielle de la gestion de la crise, la communication en est la clé de voûte, notamment au moyen du plan de communication.

Le plan de communication en période de crise

Le plan de communication en période de crise consiste à choisir l'objectif de la communication, le message, les émetteurs, la cible et les moyens. Il doit être clair. Le choix de l'émetteur est important, car il engage la crédibilité de l'entreprise. Selon le cas, le communicateur peut être le président de l'entreprise (pour rassurer le public, par exemple) ou les experts (pour cautionner les types de solutions envisagées). Quant au message, il faut le préparer en se demandant ce qu'on veut dire sur le genre d'accident, quelle attitude adopter (défensive ou positive), quelles actions sont mises en place, quelles en sont les conséquences, quel ton donner au contenu. En ce qui concerne ce dernier point, la communication «rationnelle» est plus appropriée lorsque le public demande qu'on le rassure avec des solutions techniques (dates, quantités, informations précises, etc.). Dans le cas où la peur s'installe ou que la crise engendre de fortes émotions, la communication symbolique s'impose: elle porte sur les valeurs, les images, les émotions, l'aspect humain de l'événement. Par exemple, durant la crise du verglas au Québec, le président de l'époque, André Caillé (*voir la photo à la page suivante*), s'est acquis une bonne réputation par sa gestion de la crise. Il faisait intervenir les experts sur les aspects techniques, tandis que lui-même, grâce à sa disponibilité et à son habile utilisation des médias (points de presse très fréquents et parlant d'une même voix), ou encore à son éternel col roulé avec le sigle d'Hydro-Québec (montrant en cela sa confiance en cette organisation), rassurait la population.

Le président d'Hydro-Québec, André Caillé, estime qu'il revient au dirigeant de se rendre accessible. C'est ce qu'il a voulu mettre en pratique durant la crise du verglas en 1998, notamment. On le voit en compagnie du premier ministre du Québec de l'époque, Lucien Bouchard, à gauche.

Pierre McCann

En conclusion, on voit l'importance de la communication interne et externe, et donc de la nécessité pour les gestionnaires d'acquérir des compétences dans ce domaine. Enfin, la crise peut déboucher sur une opportunité pour l'entreprise et ses dirigeants d'en sortir grandis lorsqu'ils communiquent efficacement. Ce fut le cas d'André Caillé et d'Hydro-Québec ; du maire de New York, Rudolph Giuliani, lors des événements du 11 septembre (par ses capacités d'empathie envers les victimes) ; de Johnson & Johnson après le retrait des comprimés de Tylenol contenant du cyanure (transparence, assurance et offensive), etc.

RÉSUMÉ DU CHAPITRE

La communication interpersonnelle est le processus grâce auquel l'information est transmise et comprise entre deux ou plusieurs personnes. La communication en entreprise est un rôle clé des dirigeants et elle englobe plusieurs fonctions : mobilisatrice, didactique, socioculturelle et de représentation. Deux grands courants théoriques expliquent le phénomène de la communication : le modèle ÉMR (émetteur–message–récepteur) adopté par l'école fonctionnaliste et le modèle interprétatif qui donne aux valeurs, aux symboles, aux émotions et à la communication non verbale une place prépondérante.

La technologie informatique a fait faire un bon prodigieux à la communication électronique. Le courriel, par exemple, a révolutionné les stratégies de communication dans les organisations. Toutefois, il crée certains problèmes tels qu'une surcharge d'information ou d'émotivité non contrôlée. D'autres moyens de communication électronique, comme les intranets ou la messagerie instantanée, permettent à de très nombreux employés de transiger efficacement.

La communication non verbale englobe les expressions du visage, l'intonation de la voix, la distance physique entre les personnes et même les silences. Les employés ont fréquemment recours aux signaux non verbaux, car ils aident à transmettre les sentiments acceptables pour les clients, les collègues, etc. La contagion émotionnelle est la tendance automatique et inconsciente à imiter les comportements non verbaux des autres.

Les supports de communication les plus riches dépendent de leur charge (signification) symbolique et de leur capacité à transmettre un grand volume de données. Les situations anormales et ambiguës exigent un support plus riche.

Plusieurs obstacles créent des interférences dans le processus de communication : les déformations perceptuelles et les interprétations abusives des messages, l'élimination de données pendant leur transfert vers le haut de la hiérarchie, le jargon et le langage ambigu ainsi que la surcharge d'information.

Pour faire passer son message, l'émetteur doit comprendre ce que ressent le récepteur, répéter le message, choisir un moment opportun et transmettre un message descriptif plutôt qu'évaluateur. Les principales composantes de l'écoute active sont la perception, l'évaluation et la réponse. L'auditeur actif évite d'interrompre le locuteur tout en lui manifestant de l'intérêt et en clarifiant de nouveau le message.

Les gens ont des façons différentes de communiquer. Par exemple, nous adoptons des « styles » particuliers pour passer nos messages. Ces manières de communiquer oscillent entre le style direct, l'écoute active, l'argumentation et l'empathie. Le dosage entre ces dimensions permet de dégager six styles différents.

La mondialisation et la diversité de la main-d'œuvre ont créé de nouvelles difficultés en matière de communication entre des groupes culturellement différents. Les malentendus sont courants dans les communications verbales, et les employés sont réticents à communiquer avec des membres d'autres cultures. L'intonation, les silences et d'autres signaux non verbaux ont une signification et une importance différentes dans chaque culture. Il existe aussi des différences dans la manière de communiquer entre les hommes et les femmes. Ainsi, les hommes auraient tendance à vouloir affirmer leur position et à adopter un langage impersonnel et factuel (*report talk*), tandis que les femmes seraient plus enclines à établir des rapports (*rapport talk*) et seraient plus sensibles que les hommes aux signaux non verbaux.

Une façon indirecte, concrète et non verbale de communiquer sur le plan organisationnel réside dans l'aménagement même de la structure de l'entreprise et des espaces de travail. Par exemple, une structure matricielle encourage la communication interservices. L'organigramme indique les directions de la communication (ascendante, descendante ou latérale). Quant à l'aménagement des espaces de travail, des aires ouvertes peuvent susciter une plus grande communication, mais elles n'enlèvent pas le besoin d'un espace privé, notamment aux plus hauts niveaux de la hiérarchie. Sondages, entretiens, gestion baladeuse, réunions, boîtes à idées, syndicats et dispositifs de médiation sont d'autres façons de communiquer avec les employés.

Toutefois, ces mesures formelles n'excluent pas une communication parallèle et informelle véhiculée par les gens eux-mêmes. Dans toutes les organisations, les employés utilisent ce système surtout pendant les périodes d'incertitude. Ce système, contrairement aux rumeurs qui peuvent être parfois dommageables à l'entreprise, contient un fond de vérité. La venue d'Internet a amplifié la machine à rumeurs.

Enfin, les changements rapides de l'environnement de l'entreprise et la fréquence plus élevée de crises économiques ou sociales rendent encore plus impérative la nécessité d'élaborer des plans de communication issus des besoins de l'organisation et d'en évaluer l'efficacité. Le choix des émetteurs, des récepteurs, des médias, des moyens de communication et du moment de la communication doivent faire l'objet d'une attention particulière dans tout plan de communication.

MOTS CLÉS

communication, p. 436
communication parallèle, p. 462
compétence communicationnelle, p. 436

contagion émotionnelle, p. 447
décharge émotionnelle, p. 443
gestion baladeuse, p. 461
jargon, p. 451

richesse du canal de communication, p. 448
surcharge d'information, p. 452

QUESTIONS

1. Quel rôle joue la communication dans une organisation performante ?

2. « Le courriel est en train de révolutionner la communication dans les organisations. » Quels sont les avantages et les limites de la communication par courriel ?

3. Marshall McLuhan est l'auteur de la phrase populaire suivante : « Le médium est le message. » Que signifie cet énoncé et pourquoi doit-on en tenir compte dans la communication au sein des organisations ?

4. Décrivez un moment où vous avez eu de la difficulté à communiquer avec une personne d'une culture différente. Qu'avez-vous fait pour communiquer efficacement ? Quel résultat avez-vous obtenu ?

5. Expliquez pourquoi les hommes et les femmes sont parfois déçus dans leurs tentatives de communiquer entre eux.

6. Que doit faire le récepteur, le cas échéant, pour faire en sorte que la communication soit efficace ?

7. Une gestionnaire canadienne admettait récemment qu'elle laissait délibérément « fuir » des renseignements par le système parallèle de l'organisation avant de les diffuser par les canaux officiels. Elle soutenait que cela donnait aux employés le temps de réfléchir. « À la diffusion officielle du message, tous les employés ont déjà eu la chance d'y réfléchir, et ils ont l'impression d'avoir une longueur d'avance. » Décrivez les avantages et les inconvénients de cette stratégie de communication.

8. Ce chapitre relève plusieurs différences entre les manières de communiquer au Japon et au Canada. Décrivez trois différences dans la manière de communiquer de ces deux cultures.

COMBLER LE FOSSÉ ENTRE DEUX MONDES –
LE DILEMME DES ORGANISATIONS

par William Todorovic, Université de Waterloo

À l'âge de 26 ans, je commençais à travailler pour la société ABC Limited, une entreprise torontoise, à titre de directeur du service à la clientèle. J'avais pour tâche de m'occuper des clients, de la logistique et de l'achat de certains matériaux. George, mon supérieur, était vice-président de l'entreprise. ABC fabriquait des produits en aluminium dont une majorité était destinée à l'industrie de la construction.

À ma première journée de travail, alors que je déambulais dans l'atelier, les employés semblaient concentrés sur leur travail; c'est à peine s'ils me voyaient. La direction se réunissait chaque jour pour discuter de diverses questions concernant la production. Aucun employé de l'atelier n'était invité aux réunions, sauf en cas de problème particulier. Plus tard, j'ai découvert que la direction avait ses propres toilettes et sa propre salle à manger et qu'elle bénéficiait aussi de certains avantages auxquels les employés de l'atelier n'avaient pas droit. La plupart des employés de l'atelier avaient l'impression que les cadres, s'ils demeuraient courtois, ne pensaient pas pouvoir apprendre quelque chose d'eux.

John, qui travaillait au découpage de l'aluminium, une opération cruciale et préalable à toute autre opération, avait eu quelques entretiens pénibles avec George. Par conséquent, George avait pris l'habitude d'envoyer des notes de service à l'atelier afin d'éviter une confrontation directe avec John. Or, comme ces notes renfermaient des instructions fort complexes, elles comportaient souvent plusieurs pages.

Un matin, alors que je faisais ma ronde habituelle, j'ai remarqué que John était perturbé. Désireux de lui être utile, je me suis approché et lui ai demandé si je pouvais faire quelque chose pour lui. Il m'a répondu que tout allait pour le mieux. À en juger par la situation et le langage corporel de John, j'ai senti qu'il était disposé à parler. Toutefois, John savait que les choses ne se passaient pas ainsi à ABC. C'est alors que Tony, qui était responsable de la découpeuse adjacente à celle de John, a

proféré un juron et déclaré que les gars de la direction n'avaient rien d'autre que les horaires en tête et se fichaient pas mal des gars de l'atelier. Je lui ai rétorqué que, même si j'étais là depuis une semaine à peine, je pouvais peut-être aborder quelques-uns de leurs problèmes. Tony m'a regardé d'un air bizarre, a secoué la tête puis il est retourné à sa machine. Il jurait encore alors que je quittais l'atelier. Plus tard, j'ai compris que le langage de Tony offensait également la plupart des employés de bureau.

Comme je retournais à mon bureau, Lesley, une ingénieure russe nouvellement engagée, m'a abordé pour me dire que les employés n'étaient pas habitués à ce qu'un cadre leur adresse la parole. La direction se contentait de donner des ordres et de présenter ses exigences. Pendant que nous discutions des différences entre les perceptions des cadres et celles des employés de l'atelier, le tintement de la cloche qui annonçait la pause de midi m'a fait sursauter. Je me préparais à me joindre à Lesley pour dîner, mais elle m'a demandé pourquoi je n'allais pas dans la salle à manger réservée à la direction. J'ai répondu que, si je voulais comprendre le fonctionnement de l'organisation, je devais apprendre à connaître tous les employés. Par la suite, j'ai compris que ce n'était pas la manière de faire les choses à ABC. Je me suis interrogé sur le fossé qui séparait la direction et les employés de l'atelier. Ma présence à la cafétéria a sidéré les travailleurs, qui ont observé que j'étais nouveau et que je ne connaissais pas encore les rouages de l'entreprise.

Après le repas du midi, quand j'ai interrogé George, mon superviseur, sur sa récente confrontation avec John, il a été surpris d'apprendre que John était perturbé. George s'est exclamé : « Je voulais juste dire à John qu'il faisait du bon boulot et que, grâce à lui, nous pourrons expédier à temps une grosse commande provenant de la côte ouest. En fait, je pensais l'avoir complimenté. »

Plus tôt, Lesley avait laissé entendre qu'on s'attendait à ce que les cadres, par conséquent moi-même, adoptent un comportement particulier. J'ai répondu qu'à mon avis, ce comportement était inefficace. Je n'y croyais pas et ne voulais pas l'adopter. Pendant les mois subséquents, je me suis contenté de déambuler dans l'atelier et de parler aux employés chaque fois que l'occasion se présentait. Souvent, quand les employés me communiquaient un renseignement précis sur leur travail, je ne comprenais absolument rien. Je m'obligeais à noter l'information par écrit afin de pouvoir la relire plus tard. De plus, je m'efforçais de les écouter et de comprendre leur point de vue. Je devais garder l'esprit ouvert aux nouvelles idées. Comme les employés de l'atelier s'attendaient à ce que je formule des requêtes et des exigences, je me suis fait un devoir de m'en abstenir. Très vite, ils ont adopté une attitude amicale et m'ont accepté comme l'un des leurs ou du moins comme un cadre d'un autre genre.

Au cours de mon troisième mois de travail, les employés m'ont montré comment améliorer les horaires, en particulier ceux des découpeurs. En fait, John a apporté la meilleure contribution. Il a expliqué comment combiner les tailles les plus courantes et réduire le gaspillage en conservant une partie des matériaux de taille courante pour les nouvelles commandes. Sautant aussitôt sur l'occasion, j'ai alors programmé un tableur afin de dresser et de tenir à jour un inventaire des stocks. Ajoutons à cela une meilleure planification et de meilleures prévisions, et nous avons pu réduire les délais d'exécution des nouvelles commandes, qui étaient de quatre à cinq semaines. Désormais, elles entraient le matin à 10 h et étaient prêtes à 17 h le même jour.

Après quatre mois de travail à ABC, j'ai constaté que les membres d'autres services venaient me voir pour me demander de transmettre des messages aux employés de l'atelier. Lorsque je leur ai demandé pourquoi ils me déléguaient cette tâche, ils m'ont répondu que je parlais le même langage que ces employés. J'ai donc joué de plus en plus souvent le rôle de messager entre les bureaux et l'atelier.

Un matin, George m'a convoqué à son bureau pour me féliciter au sujet de la qualité du service à la clientèle et des améliorations apportées. Pendant notre entretien, j'ai mentionné que nous n'aurions pas obtenu ces résultats sans l'aide de John. « Il connaît vraiment son affaire et il est très compétent. » J'ai ensuite suggéré de lui accorder une sorte de promotion. J'espérais que ce geste positif améliorerait, par la même occasion, la communication entre la direction et l'atelier.

George a pris une brochure sur son bureau. « Voici un séminaire sur les compétences en gestion. Penses-tu que nous devrions y envoyer John ? »

« Excellente idée ! » me suis-je exclamé. « Ce serait peut-être bon qu'il apprenne la nouvelle directement de vous, George. » Ce dernier était d'accord. Nous nous sommes séparés après avoir discuté d'autres questions.

Cet après-midi-là, John est venu me voir à mon bureau, en colère et prêt à démissionner. « Après tous les efforts et le travail fournis, vous n'avez rien trouvé de mieux que de m'envoyer suivre un séminaire de formation. Je ne suis donc pas encore assez bon pour vous ? »

Questions

1. Quels obstacles à la communication efficace avez-vous relevés à la société ABC Limited (obstacles verbaux et non verbaux) ? Comment l'auteur les a-t-il résolus ? Que feriez-vous différemment ?

2. Quelles informations relèvent de la communication parallèle (ou informelle) ?

3. Quel modèle théorique explique le mieux l'attitude du narrateur ?

4. Expliquez pourquoi John était en colère à la fin de l'histoire. Selon vous, comment le narrateur devrait-il réagir ?

ANALYSER LE SYSTÈME DE RUMEURS ÉLECTRONIQUE

Objectif Cet exercice vise à faire comprendre la dynamique de la communication dans le système de rumeurs.

Instructions En général, cette activité est donnée comme devoir et exécutée entre les périodes de cours. L'enseignant divise la classe en équipes (bien que l'exercice puisse aussi être fait individuellement). Il attribue à chaque équipe une grande entreprise qui fait l'objet de nombreuses rumeurs affichées sur des sites de commérage tel Vault.com.

Pendant l'activité, chaque équipe parcourt les derniers messages sur l'entreprise affichés sur le site. À partir de ces commentaires bruts, l'équipe doit se préparer à répondre aux questions ci-dessous durant le prochain cours (ou quand l'exercice sera poursuivi en classe):

1. Quelles sont les principales rumeurs publiées au sujet de cette organisation? Sont-elles plutôt positives ou négatives? Expliquez votre réponse.

2. Dans quelle mesure ces rumeurs semblent-elles désinformer le public ou présenter de l'information contradictoire?

3. Les chefs d'entreprises devraient-ils intervenir pour rectifier ces rumeurs? Si oui, de quelle façon?

LE RÉPERTOIRE DES APTITUDES REQUISES POUR L'ÉCOUTE ACTIVE

Objectif Cet exercice d'autoévaluation vous aidera à évaluer vos forces et vos faiblesses en ce qui a trait à divers aspects de l'écoute active.

Instructions Pensez à des entretiens face à face que vous avez eus avec un collègue ou un client au bureau, dans le corridor, à l'atelier ou dans un autre lieu. Indiquez dans quelle mesure chaque énoncé décrit votre comportement pendant ces entretiens. Répondez à chaque énoncé aussi fidè-lement que possible afin de pouvoir déterminer avec précision les aspects de l'écoute active que vous devez améliorer. Ensuite, consultez la grille de notation disponible au www.cheneliere.ca/mcshanebenabou afin de calculer vos résultats. Cet exercice doit être fait individuellement. Ainsi, les étudiants pourront s'autoévaluer honnêtement sans se comparer à leurs camarades. Toutefois, une discussion avec toute la classe sera axée sur les principales composantes de l'écoute active.

**Encerclez la réponse qui reflète
le mieux votre manière d'écouter
dans chaque situation décrite.**

Résultat

1. Je garde mon esprit ouvert à l'opinion de mon interlocuteur jusqu'à ce qu'il ait fini de parler.	Jamais	Parfois	Souvent	Très souvent	_____
2. Tout en écoutant, je classe mentalement les idées de mon interlocuteur d'une manière qui m'apparaît logique.	Jamais	Parfois	Souvent	Très souvent	_____
3. J'interromps mon interlocuteur et lui donne mon opinion quand je ne suis pas d'accord avec ce qu'il dit.	Jamais	Parfois	Souvent	Très souvent	_____
4. Souvent, mon interlocuteur remarque que je ne me concentre pas sur ce qu'il dit.	Jamais	Parfois	Souvent	Très souvent	_____
5. J'évite d'évaluer les propos de mon interlocuteur avant qu'il ait fini de parler.	Jamais	Parfois	Souvent	Très souvent	_____
6. Quand mon interlocuteur met beaucoup de temps à m'exposer une idée simple, je laisse mon esprit vagabonder.	Jamais	Parfois	Souvent	Très souvent	_____
7. J'interromps la conversation pour présenter mon point de vue au lieu d'attendre et de risquer d'oublier ce que je voulais dire.	Jamais	Parfois	Souvent	Très souvent	_____
8. J'opine de la tête et fais d'autres gestes pour montrer que je m'intéresse à la conversation.	Jamais	Parfois	Souvent	Très souvent	_____
9. En général, je me concentre sur les propos de mon interlocuteur, même quand ils ne sont pas intéressants.	Jamais	Parfois	Souvent	Très souvent	_____
10. Au lieu d'organiser les idées que m'expose mon interlocuteur, je m'attends en général à ce qu'il les résume pour moi.	Jamais	Parfois	Souvent	Très souvent	_____
11. J'émets des commentaires comme « Je vois » ou « Mmm » pour montrer à mon interlocuteur que je l'écoute attentivement.	Jamais	Parfois	Souvent	Très souvent	_____
12. Tout en écoutant, je me concentre sur les propos de mon interlocuteur et organise l'information à intervalles réguliers.	Jamais	Parfois	Souvent	Très souvent	_____
13. Pendant que mon interlocuteur parle, je détermine rapidement si ses idées me plaisent ou non.	Jamais	Parfois	Souvent	Très souvent	_____
14. J'écoute attentivement mon interlocuteur même quand il explique une chose que je connais déjà.	Jamais	Parfois	Souvent	Très souvent	_____
15. Je donne mon opinion uniquement quand je suis certain que mon interlocuteur a fini de parler.	Jamais	Parfois	Souvent	Très souvent	_____

CHAPITRE 12

Le pouvoir, l'influence et la politique dans les organisations

Objectifs d'apprentissage

À LA FIN DE CE CHAPITRE, VOUS DEVRIEZ POUVOIR :

- définir le pouvoir et les notions connexes à ce concept ;
- identifier les détenteurs d'influence interne et externe dans l'organisation ;
- décrire sept sources de pouvoir et cinq situations créatrices d'influence dans les organisations ;
- expliquer l'analyse stratégique ;
- analyser le phénomène de l'obéissance aveugle et les conditions d'autonomisation des employés ;
- résumer les tactiques d'influence et leurs conditions d'application ;
- décrire les jeux politiques en entreprise et les conditions d'émergence ;
- déterminer les actions réduisant les effets néfastes de la politique en entreprise.

Placer l'Américaine Patricia Russo à la direction opérationnelle de la société issue du mariage de Lucent Technologies avec Alcatel est un moyen de montrer qu'il s'agit bien de l'union de deux partenaires égaux. Et d'éloigner l'idée qu'une firme européenne avale une société américaine de plus de 30 000 employés, à la pointe de la recherche et de l'innovation technologique depuis des générations, qui ne serait pas très bien passée au Congrès.

Mais le choix de Pat Russo, p.-d.g. de Lucent depuis 2002, n'est pas qu'un habillage « politiquement correct ». Âgée de 54 ans, elle a le bon âge pour mener dans la durée une multinationale de 88 000 employés. Pour une dirigeante de firme sinistrée, elle jouit d'une relativement bonne crédibilité à Wall Street. Contrairement à ses prédécesseurs, elle n'a jamais promis de résultats qu'elle n'a pas su fournir.

En sauvant Lucent de la faillite, cette diplômée de l'université de Georgetown (Washington DC) et lauréate du Programme de Management Avancé de Harvard Business School a aussi montré qu'elle savait tailler dans les coûts, miser sur les points forts de Lucent (en particulier sa technologie de téléphonie mobile) et surtout se placer à l'écoute de ses clients.

Pat Russo est en quelque sorte une Carly Fiorina, en plus sympathique. Les deux femmes se connaissent bien. Avant d'être choisie pour diriger Hewlett-Packard, Carly Fiorina était, comme Pat Russo, à la tête d'une des divisions de Lucent. Autant le style « abrasif » et les méthodes centralisatrices de « Carly » ont contribué à son limogeage du géant de l'informatique en février 2005, autant le calme et l'énergie de Pat Russo ont servi sa carrière. D'abord chez IBM, de 1973 à 1981, dans son service commercial, puis chez AT&T, le monopole américain des télécommunications qui fut démantelé à partir de 1984, et donna naissance entre autres à l'équipementier Lucent Technologies. Au moment de la séparation complète de Lucent et d'AT&T, en 1996, Pat Russo devient l'un de ses vice-présidents exécutifs, avant de quitter le groupe pour rejoindre Kodak.

Pat Russo, promue à la direction de la société issue de la fusion Alcatel-Lucent Technologies, doit son pouvoir à son charisme discret et à son réseau de contacts.

Najlah Feanny, Corbis

Écouter, juger et trancher   Cette native de Trenton (New Jersey), fille d'un médecin, ne tape pas dans le dos des employés. Elle ne tient pas de discours galvanisants. Elle ne cherche pas, comme d'autres, la publicité et la couverture des magazines de « business ». En revanche, elle sait écouter, juger et trancher.

Contrairement à ce que beaucoup affirment, la partie difficile du métier de dirigeant d'une grande société n'est pas tant de définir une stratégie que de la mettre en œuvre concrètement et rapidement. La stratégie de Pat Russo pour sauver Lucent avait été fixée en fait par son prédécesseur et mentor, Henry Schacht.

Pat Russo avait alerté McGinn, président de Lucent à l'époque de son engagement, sur la folie de promettre aux analystes des performances flatteuses qui reposaient souvent sur la comptabilisation de « ventes » d'équipements à des distributeurs qui ne payaient pas. La probité de Pat Russo a été établie par cet épisode. ■

Source : P.-Y. Dugua, « Pat Russo, la femme qui a sauvé le groupe américain de la faillite », *Le Figaro*, 3 avril 2006, p. 34.

Le concept de pouvoir a toujours exercé une fascination pour les philosophes, les poètes, les stratèges militaires, les économistes, les politicologues, bien sûr, et les sociologues. Mais les sciences de gestion, quant à elles, ont traité de ce concept de façon relativement tardive (il est vrai qu'elles-mêmes n'ont pas deux siècles d'existence). En outre, quand ce concept fut abordé (notamment dans la littérature anglo-saxonne), le pouvoir se confondait avec la notion d'influence ou de leadership (ces deux derniers concepts étant parfois considérés comme des synonymes).

Il est vrai que le côté obscur et négatif du pouvoir (dictature, fascisme, jeux de pouvoir, guerres, etc.) ne militait pas en faveur de son admission dans la sphère du management, où, en lieu et place, on parlait plus volontiers de leadership. Toutefois, les travaux en psychologie, après la Seconde Guerre mondiale (notamment sur la personnalité autoritaire, le conformisme et l'obéissance) et l'entrée de la psychosociologie dans l'étude du fonctionnement des entreprises ont permis d'enrichir ce concept et de lui réserver un traitement particulier, souvent loin de ces images de domination qu'il comporte (après tout, l'entreprise n'est pas une nation !). Par exemple, on le considérera comme une relation, un processus d'autonomisation et de responsabilisation des employés ou encore comme un besoin nécessaire pour changer les choses (le psychologue McClelland, avec le besoin d'accomplissement, en fait une caractéristique essentielle des leaders ; *voir le chapitre 6*).

Au sein de l'entreprise, personne n'échappe au pouvoir et à l'influence. En réalité, les transactions imprègnent nombre de décisions et d'actions [1].

Dans ce chapitre, nous allons d'abord définir le pouvoir et les notions connexes à ce concept, et nous présenterons une schématisation de la dynamique du pouvoir dans les organisations. Puisque le pouvoir est le plus souvent un jeu de dépendances et de contre-dépendances, nous déterminerons précisément les multiples détenteurs d'influence. Nous décrirons ensuite les sources de pouvoir et les conditions ou situations permettant de traduire ces sources en pouvoir réel. Une perspective psychosociologique du pouvoir dans les organisations sera présentée avec l'analyse stratégique de Crozier et Friedberg [2], suivie de celle traitant de l'obéissance aveugle à l'autorité. À l'inverse, nous aborderons les pratiques de gestion qui visent à donner plus de pouvoir aux employés. La dernière partie du chapitre traitera des divers types d'influence et des jeux politiques en organisation. Une réflexion sur la question visant à savoir si la politique en organisation est éthique viendra clore ce chapitre.

LES DÉFINITIONS DU POUVOIR, DE L'AUTORITÉ ET DE L'INFLUENCE

Dans la littérature anglo-saxonne, le pouvoir a souvent été défini comme la capacité d'une personne ou d'un groupe d'influencer autrui. Le pouvoir d'influencer est cette capacité de modifier le cours des choses, les idées et les comportements d'autrui. Ainsi comprise, dans les sciences de gestion, la décision d'influencer et celle d'accepter cette « influence » sont plutôt des actes volontaires (bien que ce processus puisse être parfois inconscient). Cependant, on remarque que celui qui influence autrui peut ne pas le vouloir délibérément. Ainsi, le romancier ou le poète écrivent d'abord pour leur propre plaisir. Toutefois, des lecteurs peuvent être influencés par leurs œuvres parce qu'ils le veulent ainsi, sans que ce soit l'intention des écrivains.

Le détenteur de pouvoir peut donc vouloir non seulement influencer, mais aussi, par ses comportements, agir sur les événements et les autres. Par exemple, un cadre peut exercer son pouvoir d'assigner des tâches à un employé pour que ce dernier les exécute ; il a aussi le pouvoir de le transférer ailleurs. Ainsi, définir le pouvoir uniquement comme de l'influence est plutôt réducteur ; cela lui donne une « faible » connotation qu'il n'a pas toujours. En effet, cette acception ne rend pas compte, par exemple, de l'aspect coercitif du pouvoir.

Nous avons défini le pouvoir comme une capacité, c'est-à-dire une force potentielle d'action ou d'influence. On peut choisir d'en faire usage ou non, par choix, par un concours de circonstances, par obligation ou par nécessité. Dans certains cas, ne pas l'utiliser peut être aussi efficace que d'en faire usage. Par exemple, durant la guerre froide, Américains et Soviétiques se sont tenus en respect (et en paix, même forcée) par dissuasion réciproque. Ils savaient qu'ils pouvaient s'anéantir l'un l'autre au moyen de leur pouvoir nucléaire. Notons qu'ils se faisaient une certaine idée de la puissance de leur arsenal réciproque, c'est-à-dire que, pour compliquer les choses, leur pouvoir était aussi une affaire de perception.

Résumons-nous donc : le **pouvoir** est la capacité, réelle ou perçue, d'une personne ou d'une entité d'agir sur autrui ou de l'influencer[3].

Cette entité peut être un service, un syndicat, une association, une équipe de travail, un groupe, etc.

Définissons maintenant l'autorité. L'autorité est constituée du pouvoir légitime et des moyens conférés à un individu ou à une instance (un ordre professionnel, par exemple) pour agir.

Comme nous le voyons dans la figure 12.1, les individus tirent leur pouvoir de ce qu'on appelle les sources de pouvoir, et certaines situations peuvent donner l'occasion d'en faire usage. Nous reviendrons en détail sur toutes ces variables. En résumé, certaines de ces sources sont d'ordre structurel, c'est-à-dire qu'elles émanent du poste, de l'autorité formelle ou des moyens mis à la disposition de l'individu pour l'exercer. On peut citer le pouvoir légitime, de contrainte et de récompense. D'autres sources proviennent de l'apprentissage individuel, des talents de chacun ou de la personnalité : c'est le cas du pouvoir d'expertise, d'information, de référence et de relations. Notons toutefois que l'entreprise peut procurer à l'individu un savoir, un réseau de personnes et d'information qui lui est propre ; cependant, la façon de les utiliser relève des habiletés personnelles.

Certaines situations renforcent les sources de pouvoir précédentes ou permettent leur déploiement. Ce sont le contrôle de l'incertitude, le fait d'être irremplaçable, la position stratégique, le pouvoir discrétionnaire et la « visibilité » des personnes.

La figure 12.1 décrit aussi les fins visées par l'usage du pouvoir, à savoir des objectifs personnels ou des objectifs collectifs. Dans le premier cas, quand les individus ou les groupes ne visent que leur seul intérêt, l'organisation peut devenir la proie de jeux politiques pouvant mener au désordre, voire à sa chute. Dans le second cas, l'usage du pouvoir est « social », c'est-à-dire que les stratégies d'influence visent l'intérêt des personnes certes, mais aussi de l'organisation (par exemple, user de son autorité pour introduire des changements bénéfiques dans l'entreprise). Nous reviendrons sur les jeux de pouvoir plus loin dans le chapitre. Dans les parties qui suivent, nous décrirons les sources et les situations engendrant du pouvoir.

Auparavant, nous aborderons une caractéristique essentielle du pouvoir, la notion de dépendance et de « contre-dépendance ». En effet, il est rare que les individus en entreprise puissent être totalement indépendants les uns des autres. Ils dépendent de multiples détenteurs d'influence que nous identifierons.

pouvoir
Capacité réelle ou perçue d'une personne ou d'une entité, d'agir sur autrui ou de l'influencer.

Dynamique du pouvoir

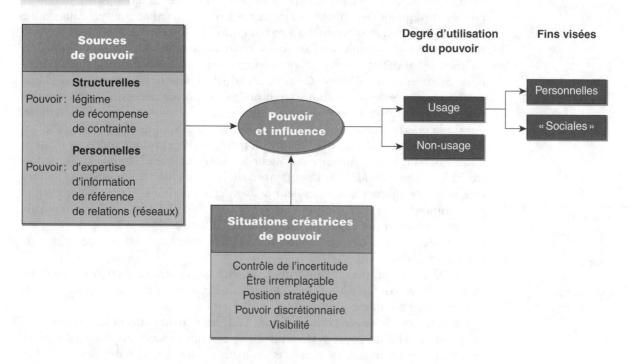

L'INTERDÉPENDANCE DES DÉTENTEURS D'INFLUENCE DANS L'ORGANISATION

La dépendance étant une caractéristique fondamentale du pouvoir, nous en expliquerons la dynamique.

La notion de dépendance dans une relation de pouvoir

Dans toute relation de pouvoir, il existe une dépendance des parties l'une envers l'autre : si A exerce du pouvoir sur B, c'est parce que B dépend de A pour obtenir quelque chose qu'il ne pourrait avoir sans l'intervention de A[4]. Par exemple, B a besoin de son chef A pour atteindre toutes sortes d'objectifs : un avancement, une bonne appréciation, une protection, des journées libres imprévues, un savoir-faire, etc. Il suffit que B croie à ce pouvoir de A, à tort ou à raison, pour que cette dépendance se crée[5]. Bien que le pouvoir nécessite une dépendance, il est plus juste de dire que les parties sont interdépendantes. Une partie peut être plus dépendante que l'autre (avoir plus de pouvoir), mais la relation existe seulement lorsque les deux parties ont quelque chose à échanger, et que cette chose ne peut être obtenue (pour de multiples raisons transitoires ou permanentes) en dehors de la relation qui lie ces deux parties. La force de travail spécialisé du subordonné contre la rémunération octroyée par son patron en est un exemple. Donc, le pouvoir est réciproque, mais inégal ou asymétrique. Dans la figure 12.2, la ligne pointillée indique le pouvoir de la partie la plus faible (la personne B) sur la partie dominante (la personne A).

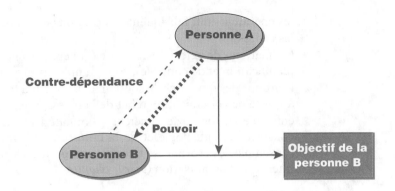

FIGURE 12.2

Dépendance
et pouvoir

contre-dépendance

Capacité d'une partie B de réduire sa dépendance envers la partie A, généralement plus puissante qu'elle.

En effet, les employés détiennent toujours une parcelle de pouvoir qu'ils peuvent exercer pour s'affranchir en partie ou totalement de leur dépendance envers leurs chefs. Par exemple, ils sont libres d'exécuter leurs ordres s'ils décident collectivement de baisser la cadence de production, de faire un grief, de dissimuler de l'information, etc. Et si ces employés savent ce qui représente un enjeu important pour leur patron, ils peuvent être tentés de négocier avec lui certains avantages en échange de ce qui leur est demandé. On voit donc bien ici que le pouvoir est d'abord une relation (Crozier et Friedberg[6]).

Quels sont ces gens qui sont en interdépendance dans les organisations et que Mintzberg appelle des « détenteurs d'influence[7] » ?

Les détenteurs d'influence dans l'organisation

Ces groupes, grâce à leurs rôles, sont amenés à détenir ou à obtenir plus de pouvoir dans l'organisation. Ils peuvent soit rechercher la plus grande autonomie possible, soit essayer d'influencer les décisions.

Il faut distinguer les détenteurs d'influence interne et externe à l'organisation, au nombre de dix au total. Les quatre premiers font partie de la coalition externe :

- les propriétaires qui détiennent le droit légal du titre de l'organisation ;
- les associés, les fournisseurs, les clients, les partenaires commerciaux et les concurrents ;
- les regroupements de salariés comme les syndicats et les organismes professionnels ; ces acteurs sont considérés comme des détenteurs d'influence externe, même s'ils représentent des détenteurs d'influence interne ; en effet, cette influence agit souvent en dehors des canaux habituels de prise de décision ;
- les différents « publics » de l'organisation : ce sont des groupes qui représentent des intérêts généraux ou particuliers du public en général. On peut diviser ces publics en trois : 1) les groupes généraux tels que des familles ou des chefs de file ; 2) des groupes d'intérêt particulier comme les mouvements écologistes ou des organisations communautaires locales ; et 3) les gouvernements de tous ordres ;
- un autre groupe détenteur d'influence, se situant à la jonction de la coalition externe et interne, est le conseil d'administration de l'entreprise ou ce qui s'y apparente.

La coalition interne comporte six groupes détenant une influence :

- la direction générale de l'organisation, notamment le p.-d.g., celui qui est à la tête de l'organisation ;

- les opérateurs qui fabriquent des produits et donnent des services ;
- les cadres ;
- les analystes de la technostructure (qui conçoivent et exploitent les systèmes de planification et de contrôle), par exemple les ingénieurs ;
- le groupe des fonctions de soutien logistique qui fournissent conseils et services au reste de l'organisation (chef de la messagerie, service du contentieux, etc.) ;
- enfin, il existe un onzième acteur — immatériel mais néanmoins omniprésent —, constitué de l'idéologie et de la culture de l'organisation ; elles représentent l'ensemble des croyances et des valeurs partagées par les détenteurs d'influence interne de l'organisation (*voir le chapitre 16*).

LA DYNAMIQUE DU POUVOIR DANS LES ORGANISATIONS

Le pouvoir met en jeu plus que de la dépendance. Comme on a pu le voir à la figure 12.1, le pouvoir puise sa force à plusieurs sources et dans plusieurs situations.

Les sources de pouvoir dans les organisations

Il y a plus de 40 ans, French et Raven décrivaient cinq sources de pouvoir au sein des organisations : la légitimité, la récompense, la contrainte, l'expertise et la référence [8]. De nombreux chercheurs ont étudié ces cinq fondements du pouvoir et en ont cherché d'autres (pouvoir d'information et de relations) mais, en grande partie, cette liste est restée classique [9]. Les trois premières sources du détenteur de pouvoir dérivent principalement de son poste, de son rôle et de l'autorité officielle qui lui est conférée dans l'organisation. Les quatre dernières viennent de ses caractéristiques personnelles (comme nous le mentionnions, cette distinction n'est pas absolue) [10].

pouvoir légitime
Capacité d'agir sur les autres ou de les influencer grâce à l'autorité formelle conférée par la structure de l'organisation.

Le pouvoir légitime   Le **pouvoir légitime** est un accord entre les membres d'une organisation selon lequel les rôles qu'ils ont attribués aux individus permettent à ces derniers d'exercer leur autorité. Ce droit provient en partie des descriptions officielles des emplois et en partie des règles informelles de conduite. On pense souvent à tort que seuls les cadres disposent d'un pouvoir légitime. En fait, les employés possèdent aussi ce pouvoir, en fonction des règles de l'entreprise ou des lois [11]. Par exemple, une organisation peut donner aux employés le droit de consulter les dossiers des clients si cette information est nécessaire à leur travail ou le délégué syndical peut organiser une réunion avec son comité. Aujourd'hui, les employés remettent plus facilement en question les demandes de leurs supérieurs, par exemple celles visant à les faire travailler tard ou à exécuter des tâches dangereuses. Ainsi, l'exercice du pouvoir légitime ne dépend en fin de compte que de son acceptation par ceux qui en sont visés [12].

Les personnes évoluant dans des cultures caractérisées par une grande distance hiérarchique, c'est-à-dire qui acceptent une distribution inégale du pouvoir (*voir le chapitre 16*), accepteront probablement mieux le pouvoir légitime que les membres de cultures à faible distance hiérarchique. Par exemple, un scientifique de l'entreprise 3M peut continuer à travailler sur un projet même contre l'avis de ses supérieurs, la culture de cette société encourageant fortement l'esprit d'initiative, voire parfois la désobéissance [13].

De façon plus générale, les employés tolèrent de moins en moins le pouvoir légitime. Ils s'attendent plutôt à prendre part aux décisions qui les concernent. «Les gens ne supporteront plus la gestion autoritaire et de contrôle», explique Tony Comper, chef de la direction de la Banque de Montréal[14]. Nous verrons plus loin qu'en effet, aujourd'hui, davantage d'autonomie et de pouvoir sont laissés aux employés.

Avant French et Raven, le sociologue allemand Max Weber[15], distinguait d'autres types de légitimité : la tradition et le charisme.

La légitimité traditionnelle est le pouvoir qui est fondé sur le respect de l'héritage culturel et de la tradition. Dans le domaine politique, le pouvoir de la reine d'Angleterre ou de la gouverneure générale du Canada en sont de bons exemples. Dans certaines sociétés, les personnes âgées sont très respectées et, à ce titre et par tradition, elles possèdent encore beaucoup d'influence. Dans l'organisation, cette légitimité renvoie à l'aspect informel de l'entreprise, à ses traditions, à sa culture et à son histoire. Par exemple, le fondateur d'une entreprise, même s'il n'est plus en fonction officiellement, peut continuer de jouir d'un prestige qui lui donne encore une certaine autorité auprès du personnel.

La légitimité charismatique est la domination fondée sur le caractère sacré ou la force héroïque d'une personne, bref, son charisme. French et Raven ont repris cette idée en parlant du pouvoir de référence. Aussi la développerons-nous plus loin avec eux en même temps que les autres sources de pouvoir que nous avons annoncées.

Le pouvoir de récompense ou de gratification   Le pouvoir de récompense vient de la capacité d'une personne à dispenser et à contrôler les ressources de l'organisation que les autres recherchent, ou du pouvoir de lever des sanctions (renforcement négatif). Les cadres disposent d'une autorité officielle qui leur confère un pouvoir de distribution des «récompenses» comme les salaires, les promotions, les jours de congé, la planification des vacances et l'attribution du travail. Les employés ont également un certain pouvoir de récompense sur leurs supérieurs en évaluant leur performance, notamment grâce au système dit de rétroaction à 360 degrés (*voir le chapitre 6*). Le jugement des employés influence les promotions et les autres avantages que peuvent recevoir leurs supérieurs qui tendent alors à se comporter différemment avec eux.

Le pouvoir de contrainte ou de coercition   Le pouvoir de contrainte repose sur l'exercice de la force. Dans les organisations, il ne s'agit pas bien sûr de force physique ou militaire, mais de la capacité des cadres, parce qu'ils ont l'autorité pour le faire, de punir, de réprimander, de rétrograder et de licencier les employés. Les syndicats peuvent aussi utiliser des tactiques de coercition, par exemple en décrétant une grève. Cette coercition peut s'exprimer également à tous les niveaux. Par exemple, les membres d'une équipe agissent parfois de façon contraignante, ce qui peut aller des sarcasmes à l'exclusion pour s'assurer que certains de leurs collègues adoptent les normes de production de l'équipe, et non les normes officielles. Parfois, ce sont les entreprises elles-mêmes qui se fient au pouvoir de coercition des équipes pour la bonne marche des opérations. Par exemple, 44% des employés de la production de l'usine automobile de CAMI à Ingersoll, en Ontario, pensent que les membres des équipes constituées utilisent un pouvoir de coercition pour améliorer les performances de leurs collègues. Un employé de la forge, celle-ci fonctionnant avec des équipes de travail autonomes, résume ainsi

L'usage du pouvoir de contrainte

Les suspensions tombent par centaines à Montréal. Les cols bleus qui ont quitté leur boulot sans autorisation pour manifester devant l'hôtel de ville, en février dernier, perdront une journée de salaire.

Le directeur des relations professionnelles de la Ville de Montréal, Jean-Yves Hinse, avait demandé aux arrondissements d'imposer entre une et deux journées de suspension au lendemain des audiences du Conseil des services essentiels (CSE), qui avait jugé la manifestation illégale.

Source: S. Champagne, « Des centaines de cols bleus suspendus », *La Presse*, 11 avril 2006, p. A6.

la pression de ses pairs: «Ils disent qu'il n'y a pas de chef ici, mais si tu commences à faire n'importe quoi, tu en trouves un très vite[16]!»

L'encadré 12.1 décrit les mesures prises par les parties en litige, usant de leur pouvoir de contrainte.

Le pouvoir d'expertise Alors qu'en majeure partie, le pouvoir légitime, de récompense ou de coercition vient du poste détenu par la personne exerçant le pouvoir, le pouvoir d'expertise vient des compétences propres des personnes. Par exemple, le fait d'être identifié et reconnu comme l'un des détenteurs (ou comme le seul) d'une compétence essentielle pour une organisation confère une certaine légitimité qui fonde le pouvoir. À l'heure de la nouvelle économie, c'est-à-dire celle qui est fondée sur le savoir et l'intangible, certaines compétences deviennent plus cruciales que d'autres. On pense notamment au savoir et au savoir-faire que détiennent les financiers, les informaticiens, les professeurs, les avocats, les créateurs, etc. L'expertise de ces catégories de spécialistes demande généralement de longues études et une expérience précise, ce qui rend ce savoir plutôt rare et qui donne donc à ses détenteurs un pouvoir important.

pouvoir de référence
Influence que peut exercer un individu sur autrui par le sentiment d'identification et de respect qu'il suscite envers sa personne.

Le pouvoir de référence Comme nous l'annoncions précédemment avec Weber, le pouvoir de référence repose sur les aptitudes particulières d'une personne qui démontre des qualités supérieures à celles des autres individus. Il faut ajouter que ces talents peuvent être le fruit d'une perception seulement. Une personne jouit d'un **pouvoir de référence** lorsque les autres s'identifient à elle, l'admirent, l'aiment ou la respectent. Le pouvoir de référence est souvent associé au charisme d'un individu, c'est-à-dire à la force d'attraction que constitue sa personnalité[17].

Les autres sources de pouvoir que nous décrirons maintenant sont aussi bien formelles qu'informelles, et il est difficile de dire vraiment si elles relèvent de la structure ou des personnes. Par exemple, le pouvoir d'information peut être le fruit d'un long apprentissage d'une personne, mais aussi le fait de détenir une position particulière dans la structure de l'organisation.

Le pouvoir d'information L'information, c'est le pouvoir[18]. Cette phrase (et on pense bien sûr aussi au pouvoir de la presse), souvent entendue, montre bien l'importance de l'information dans une économie basée de plus en plus sur le savoir, nous l'avons dit. Le pouvoir de l'information provient d'un pouvoir légitime, de relations ou d'un pouvoir d'expertise et s'exprime sous deux formes: a) le contrôle de la circulation et de l'interprétation de l'information transmise aux autres, et b) la capacité de faire face aux incertitudes organisationnelles.

■ *Le contrôle de l'information* L'entreprise allemande de logiciels pour les sociétés, SAP, a récemment introduit un nouveau système de communication d'entreprise en diffusant les nouvelles de l'organisation à la radio des voitures des employés, sur le site intranet et par des courriels que le président envoie régulièrement. Le personnel de SAP apprécie cette communication directe. Mais les cadres moyens de l'entreprise se sont opposés à ces initiatives, car ces dernières sapent leur pouvoir de « gardiens de l'information [19] ». Traditionnellement, ces cadres de SAP étaient les « agents de la circulation » de la communication. Leurs tâches consistaient à distribuer et à filtrer l'information pour toute l'entreprise. Ce droit de contrôle de l'information est une forme de pouvoir légitime, et il est courant dans les entreprises bureaucratiques. L'information centralisée est représentée à gauche, dans la figure 12.3, sous la forme d'une roue. Les détenteurs exclusifs d'information s'y trouvent au centre (comme les cadres intermédiaires de SAP) et peuvent, par le fait même, influencer les autres au moyen de la quantité et de la qualité d'information qu'ils contrôlent, ainsi que par le type de canal de communication.

Le problème est alors que cette structure de contrôle centralisée de l'information est incompatible avec la gestion des connaissances et des organisations basées sur le travail d'équipe. Par conséquent, SAP et d'autres organisations favorisent un plus grand partage des connaissances en encourageant la structure de communication en étoile ou multicanaux (*voir la figure 12.3*). Ici les employés jouissent d'un accès relativement égal à l'information et peuvent prendre de meilleures décisions. Dans sa forme la plus complexe, le réseau multicanaux peut

FIGURE   12.3

Pouvoir lié
au contrôle
de l'information

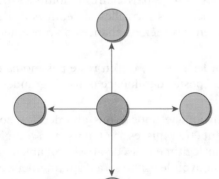

**Réseau d'information en « roue »
(circulation centralisée
de l'information)**

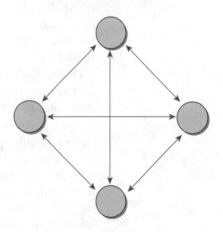

**Réseau d'information en étoile
(circulation décentralisée
de l'information)**

Contrôle élevé de l'information

Faible contrôle de l'information

sembler chaotique, et les grandes organisations possédant une culture tradition-nellement bureaucratique tendent à revenir au modèle centralisé[20].

Le pouvoir de relations ou de réseaux   On entend souvent dire que ce qui compte n'est pas tant ce que l'on sait mais qui on connaît. En d'autres termes, les employés ne progressent pas seulement en développant leurs compétences. Ils doivent également créer un réseau, c'est-à-dire entretenir des relations sociales avec d'autres personnes pour atteindre leurs objectifs.

pouvoir de relations ou de réseaux
Capacité d'atteindre ses buts grâce au réseau de connaissances et de relations cultivé par un individu.

Le réseau permet d'augmenter le pouvoir d'une personne de trois manières[21]. Tout d'abord, les réseaux sont des groupes de personnes qui se font confiance, ce qui augmente la circulation d'une information de qualité entre les membres. Plus votre réseau est important, plus grandes sont vos chances d'obtenir des renseignements précieux qui accroîtront votre pouvoir d'expert au sein de l'organisation. Ensuite, le fait qu'une personne tende à s'identifier davantage à des partenaires de son réseau qu'à des « étrangers » augmente le pouvoir de référence entre les membres de chaque réseau, donc leur capacité d'influence.

Enfin, l'entretien de réseaux augmente la visibilité d'une personne et parfois sa position stratégique, ses talents étant plus facilement remarqués. Une étude relativement récente établit que les individus excellant dans la capacité à tisser des liens sociaux ont une personnalité à fort mimétisme et tendent à se placer dans des positions stratégiques au sein de réseaux informels[22].

Bien que le fait de cultiver ses réseaux fasse naturellement partie de l'organisation informelle, cela peut créer une formidable barrière pour ceux qui n'y participent pas de manière active[23]. Les femmes, par exemple, peuvent être exclues de réseaux puissants, car elles ne se joignent pas aux parties de golf et à d'autres événements sociaux où les hommes dominent. C'est ce qu'ont découvert les cadres de Deloitte & Touche lorsqu'ils ont étudié pourquoi tant de jeunes femmes fraîchement recrutées quittaient cette entreprise de comptabilité et de conseil avant même d'atteindre la position de partenaire. Deloitte & Touche se fie désormais au mentorat et aux associations formelles de femmes d'affaires afin de s'assurer que leurs employées aient les mêmes chances d'avancement que leurs collègues masculins[24].

Quelles qu'en soient les raisons, il n'en reste pas moins que les femmes occupent encore très peu de postes d'influence dans les grandes sociétés canadiennes (*voir l'encadré 12.2*).

Les sources de pouvoir que nous avons abordées ne sont pas mutuellement exclusives. Elles peuvent être utilisées selon plusieurs combinaisons. Par exemple, un chef qui a le pouvoir légitime possède aussi probablement le pouvoir coercitif et de récompense. Un pouvoir légitime sera d'autant mieux accepté par des subordonnés que le chef possède aussi un pouvoir d'expertise. Par ailleurs, comme nous l'avons vu, l'usage de ce pouvoir dépend de nombreux facteurs : choix personnels, obligations, possibilités, etc. Une étude intéressante auprès de 216 p.-d.g. américains montre que leurs principales sources de pouvoir proviennent de leur personnalité (pour 83 % d'entre eux), et aussi du soutien d'autres personnes de l'organisation (environ 70 % d'entre eux évoquent l'appui de cadres supérieurs et du conseil d'administration), autrement dit du pouvoir de référence et de relations. Il est également intéressant de noter que le pouvoir d'expertise est fréquemment évoqué (par 43 % d'entre eux). Le pouvoir coercitif n'apparaît pas comme une source de pouvoir privilégiée[25].

Les femmes peinent toujours à accéder au pouvoir au Canada

Les femmes occupent encore très peu de postes d'influence dans les grandes sociétés canadiennes.

Seulement 12 % des membres des conseils d'administration (C.A.) des 500 plus grandes entreprises canadiennes étaient des femmes en 2005, comparativement à 11,2 % en 2003 et 9,8 % en 2001, selon la dernière enquête annuelle de la firme torontoise Catalyst. Au Québec, la proportion est de 12,5 %.

« La présence des femmes au sommet des entreprises est loin de refléter leur présence et leur effet sur l'économie canadienne en tant que gestionnaires, professionnelles, consommatrices et propriétaires d'entreprises », note Sonya Kunkel, directrice de Catalyst.

« Leur représentativité s'améliore, mais elle est encore très faible », ajoute-t-elle.

Plus décevant encore, précise-t-elle, près de la moitié (47,2 %) des 500 plus grandes entreprises n'ont même aucune femme à leur C.A., même si « elles jouent un rôle de plus en plus grand dans le milieu des affaires ».

Selon Mme Kunkel, il ne fait aucun doute que l'accession des femmes au conseil d'administration ou à des postes de haute direction « passe nécessairement par des changements de mentalité et de culture d'entreprise. Il faut un engagement clair de la part de la haute direction ».

Source : P. Théroux, « Les femmes peinent toujours à accéder au pouvoir au Canada », *Les Affaires,* 11 mars 2006, p. 15.

Les entreprises québécoises ayant le plus de femmes à leur conseil d'administration (au 3 juin 2005)		
Entreprise	**Nombre de femmes**	**Pourcentage au conseil d'administration**
Groupe Jean Coutu	6	37,5 %
Aliments Breton	4	50,0 %
METRO	3	23,1 %
Banque Nationale	3	23,1 %
Industrielle-Alliance	3	21,4 %
Banque de Montréal	3	20,0 %
Mouvement des caisses Desjardins	3	12,5 %

Source : Catalyst.

Les sources de pouvoir que nous avons vues ne suffisent pas pour l'exercer. Elles s'insèrent souvent dans un contexte particulier, dans des situations permettant leur déploiement. Ce sont ces situations créatrices de pouvoir que nous examinerons maintenant.

Les situations conférant du pouvoir

La dynamique du pouvoir schématisée à la figure 12.1 résume ces situations (ou contingences) créatrices de pouvoir en organisation. Ces situations sont le contrôle de l'incertitude, le fait d'être irremplaçable, une position stratégique, le pouvoir discrétionnaire (de décider) et la « visibilité » de l'employé ou du service[26]. Il ne s'agit pas ici d'autres sources de pouvoir, mais plutôt de conditions déterminant dans quelle mesure une personne peut utiliser ce pouvoir. Par exemple, vous pouvez disposer d'un fort pouvoir d'expert (source), mais votre pouvoir est encore plus fort si vous êtes irremplaçable (situation).

Le contrôle de l'incertitude   Peu de personnes exercent l'emploi de « chasseur de mode ». C'est pourtant ce que fait Keith Whitham à Bozell Worldwide Canada Inc. En effet, Keith Whitham est planificateur stratégique dans le service du même nom de cette agence de publicité de Toronto. Son travail consiste à repérer les tendances des consommateurs de divers groupes d'âge. Pour y arriver, il passe la majeure partie de son temps à absorber le contenu de magazines et de journaux, à consulter Internet et à parler aux gens. Les connaissances de Keith Whitham aident donc ses clients à réduire l'incertitude liée aux changements dans les comportements d'achat, et ce faisant, ses clients et lui se donnent plus de pouvoir que les concurrents qui ne pourraient contrôler cette variabilité. Les dangers de son travail sont les coûts qu'engendre une mauvaise prévision. « Tout est basé sur mon opinion, mais que Dieu me garde si j'ai tort ! » ajoute Keith Whitham[27].

Les organisations évoluent dans des environnements changeants. Plus une entreprise est apte à affronter l'incertitude liée à ces changements, plus il lui est facile d'atteindre ses objectifs[28]. Les personnes et les unités de travail acquièrent du pouvoir en aidant l'organisation à faire face à l'incertitude ou à l'ambiguïté. Une étude marquante auprès de brasseries et de fabricants de récipients canadiens relève trois stratégies générales permettant d'aider les organisations à faire face à l'incertitude. Ces stratégies sont présentées ci-dessous par ordre d'importance décroissante[29].

■ *La prévention*   Il s'agit de la stratégie la plus efficace pour éviter que des changements environnementaux ne surprennent inopinément les entreprises. Par exemple, des experts financiers acquièrent du pouvoir en évitant qu'une organisation ne manque de liquidités ou qu'elle ne puisse plus rembourser ses emprunts.

■ *La prévision*   Cette stratégie consiste à prédire les changements ou les variations de l'environnement. Par exemple, les spécialistes du marketing obtiennent du pouvoir en prédisant les changements des goûts des consommateurs.

■ *L'adaptation*   Les personnes et les unités de travail obtiennent du pouvoir en neutralisant l'effet d'un changement lorsque celui-ci se présente. Un exemple est la capacité des équipes d'entretien à réagir promptement lorsque du matériel tombe en panne et que le processus de production s'interrompt.

être irremplaçable
Caractéristique d'une personne ou d'une ressource dont dépendent les autres et pour lesquelles il y a peu ou pas d'autre choix.

Être irremplaçable   Une personne ou un service **est irremplaçable** lorsque le recours à d'autres options est faible ou inexistant. Par exemple, le pouvoir d'une personne ou d'une organisation est grand lorsque celles-ci détiennent le monopole de ressources précieuses (personnel, argent, savoir, etc.). Au contraire, il décroît quand ces ressources sont disponibles ailleurs, qu'elles sont abondantes ou qu'on doit les partager. Autres exemples : les syndicats sont affaiblis lorsque les entreprises introduisent des technologies qui remplacent les employés. Autrefois, une grève de téléphonistes pouvait interrompre le travail, mais les systèmes informatiques et d'autres innovations technologiques assurent désormais une certaine continuité des opérations. La loi québécoise anti-briseurs de grève augmente le pouvoir des syndicats, puisque cette loi ne permet pas le remplacement des grévistes par d'autres employés.

Comment se rendre irremplaçable ? Certaines pratiques sont décrites ci-après, mais il faut veiller à ce qu'elles soient conformes à l'éthique professionnelle.

■ *Contrôler les tâches, les rôles et les professions*   Des professions disposent d'une législation empêchant d'autres personnes d'effectuer certaines de leurs tâches. Par exemple, les avocats empêchent les auxiliaires juridiques d'exercer certaines activités, les médecins limitent les actes des infirmières, des sages-femmes et d'autres spécialistes paramédicaux. Les lois gouvernementales imposent aux entreprises publiques d'utiliser les services de comptables agréés pour la vérification de leurs comptes.

■ *Contrôler les connaissances* Certaines professions le font en en limitant l'accès aux programmes éducatifs permettant de les acquérir (contingentement). Parfois, les individus ou les groupes peuvent empêcher l'accès à ces connaissances dans les organisations mêmes. Une étude classique de Crozier montrait que le personnel d'entretien d'une usine de tabac en France avait acquis beaucoup de pouvoir en contrôlant les informations permettant de réparer le matériel qui tombait en panne, ce qui arrivait souvent[30]. Les manuels d'entretien avaient mystérieusement disparu, et les appareils avaient subi suffisamment de modifications pour que seul le personnel d'entretien sache comment les réparer. Celui-ci se rendait ainsi indispensable et, par conséquent, se donnait davantage de pouvoir.

■ *Contrôler la main-d'œuvre* Ceux qui contrôlent la disponibilité de la main-d'œuvre acquièrent du pouvoir. Par exemple, les syndicats tentent d'accréditer autant de personnes que possible au sein de leur secteur afin que les employeurs n'aient pas le contrôle absolu des sources de main-d'œuvre[31].

■ *Se différencier* Grâce à cette pratique, les individus ou des services de l'entreprise se présentent avec des caractéristiques uniques qui font leur valeur. Dans ce sens, cette pratique ressemble à celle qui permet de se rendre irremplaçable. Cependant, elle en diffère non pas en mettant en évidence la rareté de ressources qui s'apparentent à celles qui sont détenues, mais en mettant l'accent sur l'originalité, la spécificité du service ou du produit offert. Par exemple, un service de photocopies de l'université peut mettre de l'avant sa connaissance de l'établissement, des besoins du corps professoral et des étudiants, etc., pour ne pas disparaître au profit de la sous-traitance.

Une position stratégique Bien que la plupart des employés de compagnies aériennes aient tenté d'obtenir des augmentations de salaire après des années de faibles revenus, ce sont les pilotes qui, de ce point de vue, détiennent le plus fort pouvoir de négociation. « Ce pouvoir est fort parce que les pilotes peuvent empêcher la compagnie de voler et lui faire perdre les bénéfices d'une année entière en quelques semaines seulement », explique un analyste londonien d'investissement dans les compagnies aériennes[32]. Les pilotes aériens ont un pouvoir considérable à cause de leur rôle central dans l'organisation. Le rôle central fait référence au degré et à la nature de l'interdépendance entre le détenteur du pouvoir et les autres[33]. Les pilotes de ligne jouissent d'une position stratégique parce que : a) leurs actions se répercutent sur de nombreuses personnes, et b) les effets de ces actions sont immédiats.

position stratégique ou centrale
Position d'un individu ou d'un service au sein de l'organisation correspondant à une fonction centrale ou indispensable pour autrui.

Le pouvoir discrétionnaire La liberté de porter un jugement — de prendre une décision sans se référer à une règle précise ou sans recevoir la permission d'autrui — est une autre condition importante du pouvoir au sein des organisations. Considérez la situation critique des agents de maîtrise (ou superviseurs de terrain). Ils semblent disposer d'un pouvoir légitime sur les employés, mais ce pouvoir est souvent restreint à cause de règles précises. En effet, ils doivent administrer des programmes que leurs supérieurs ont conçus, suivre des procédures rigides, administrer les récompenses et les sanctions tout en respectant leurs normes de distribution. Les superviseurs sont souvent jugés non sur leurs compétences discrétionnaires, mais sur leur capacité à suivre des règles et des réglementations définies. Ce manque de liberté de décision diminue fortement leur pouvoir, même s'ils disposent de plusieurs sources d'influence. Ils sont souvent pris entre le marteau et l'enclume [34].

La « visibilité »   On peut très bien disposer d'un pouvoir, mais si celui-ci n'est ni connu ni reconnu, il perd de sa puissance. C'est ainsi que le pouvoir échoit rarement à des inconnus au sein d'une organisation [35]. Une manière d'augmenter sa visibilité est de choisir un emploi qui favorise les contacts avec d'autres personnes et de travailler sur des projets nécessitant une interaction fréquente avec les cadres supérieurs. « Vous pouvez aborder la notion de visibilité par étapes », conseille Kerstin Schultz, directeur principal des opérations mondiales dans l'entreprise pharmaceutique Searle. « Vous pouvez débuter en vous faisant connaître d'un petit groupe, par exemple à l'occasion d'une réunion du personnel. Lorsque vous êtes à l'aise dans ce contexte, vous pouvez chercher un public plus large [36]. »

Les employés obtiennent aussi plus de visibilité en étant, littéralement, visibles. De façon stratégique, certaines personnes choisissent leur bureau à des endroits de passage des autres employés (près des ascenseurs ou de la salle de repos). Bon nombre de spécialistes affichent leurs diplômes et leurs états de service sur les murs de leur bureau pour rappeler leur expertise à leurs visiteurs [37]. D'autres personnes jouent au jeu de la présence. Par exemple, ils passent plus de temps au travail pour montrer qu'ils sont productifs, comme cette ingénieure qui prit l'habitude de venir au bureau une fois par semaine à deux heures du matin, son supérieur, impressionné, l'ayant vue une fois travailler à cette heure inusitée [38].

Une autre manière d'augmenter sa visibilité est de se trouver un **mentor,** c'est-à-dire une personne expérimentée, ayant un certain pouvoir et qui est située à un niveau hiérarchique plus élevé que la personne qui cherche ses conseils et son appui. Les mentors donnent à leurs protégés des occasions de participer à des activités intéressantes et leur permettent de rencontrer d'autres membres importants de l'organisation. Les mentors enseignent également à leurs protégés des tactiques d'influence en cours dans l'organisation [39].

Au terme de la présentation de ces notions de sources du pouvoir et des situations créatrices de pouvoir, il est approprié de se demander s'il n'y a pas un fil conducteur qui donnerait un sens à toutes ces variables. C'est précisément ce que fait l'analyse stratégique exposée ci-dessous.

mentorat
Processus d'apprentissage des rouages de la vie de l'organisation auprès d'un employé expérimenté et influent de l'entreprise.

L'ANALYSE STRATÉGIQUE : LE POUVOIR COMME FONDEMENT DE L'ACTION ORGANISÉE

Michel Crozier et Erhard Friedberg [40] ont une conception psychosociologique intéressante du pouvoir. Ils considèrent l'organisation comme un ensemble de relations construites avant tout. Pour eux, ces relations sont des relations de pouvoir, et celui-ci est au cœur de ce qu'ils appellent l'« analyse stratégique ». Il ne s'agit pas ici de stratégies corporatives (de fusions, par exemple), mais des stratégies établies par les acteurs de l'organisation (à quelque niveau hiérarchique que ce soit) pour acquérir (et c'est là leur premier postulat) le plus d'autonomie possible (par exemple, le préposé à la photocopie veut faire son travail comme il l'entend). Leur deuxième postulat est que ces acteurs disposent toujours d'une certaine marge de liberté (inégale, certes, selon les rôles prescrits mais toujours « utilisable ») pour agir (le préposé à la photocopie peut toujours faire le travail à son rythme ou se faire aider même si cela n'est pas établi officiellement). Leur troisième postulat est que les acteurs de l'entreprise, qui font face à de multiples contraintes et aux stratégies des autres, élaborent leurs propres stratégies. Ils le font d'une façon rationnelle, bien sûr. Toutefois, cette rationalité est limitée, c'est-à-dire qu'ils adoptent des solutions imparfaites, mais les moins insatisfaisantes.

Trois concepts clés constituent la clé de voûte de l'analyse stratégique : le pouvoir, la zone d'incertitude et le système d'action concret.

Le pouvoir

Nous avons déjà indiqué des sources de pouvoir. Cependant, l'originalité de l'analyse stratégique est qu'elle considère le pouvoir non comme un attribut (tel le physique d'une personne), mais comme une relation, nous l'avons vu. En effet, nous l'avons vu aussi, le pouvoir est un ensemble de dépendances et de contre-dépendances, donc une relation de réciprocité, mais asymétrique. Cela signifie que l'un des acteurs a objectivement plus de pouvoir que l'autre, qui n'en est pas dépourvu cependant. Par exemple, un supérieur hiérarchique a le pouvoir d'ordonner un travail à son subordonné, mais celui-ci « a le pouvoir » de l'exécuter de plusieurs manières : obéir avec zèle, traîner les pieds, prétexter une panne de machinerie, etc. Le subordonné a intérêt à connaître les enjeux de son supérieur, c'est-à-dire l'importance qu'a ce travail pour lui, et à « négocier » ainsi sa contribution.

La zone d'incertitude

Dans une organisation, il est difficile de tout prévoir ou de tout réglementer. Ainsi, comment prévoir une panne de machinerie ou une grève du zèle soudaine ? Ces espaces flous, ces comportements imprévisibles, des règles contournables, etc., constituent des zones d'incertitude et les acteurs qui peuvent les contrôler acquièrent du pouvoir. Ainsi, dans l'exemple déjà mentionné, des ouvriers d'entretien de machinerie qui, eux seuls savent et peuvent réparer l'équipement utilisé par d'autres, à n'importe quel niveau de la hiérarchie, contrôlent donc cette zone d'incertitude (les pannes). Ils acquièrent ainsi du pouvoir (si la zone d'incertitude est un enjeu pertinent).

Le système d'action concret

Le système d'action concret comporte deux composantes : les moyens de régulation des actions et les alliances. La première composante se définit comme la façon dont les acteurs liés entre eux par un système de relations stables, habituelles et particulières, résolvent des problèmes concrets de la vie de l'organisation. Ces relations sont maintenues en fonction des intérêts des individus, des contraintes de l'environnement et donc des solutions que proposent les acteurs. Par exemple, l'opérateur à la photocopie peut décider de connaître mieux sa machine et faire lui-même les réglages nécessaires en cas de panne. Il peut appeler ou non le technicien qui, lui, peut lui apprendre d'autres choses pour être le moins dérangé possible dans le cas de pannes mineures, etc. Ces deux acteurs ont bâti un système d'action concret.

Les alliances sont simplement les relations construites entre les groupes d'acteurs. Elles peuvent être implicites ou ouvertes (*voir les jeux politiques de Mintzberg, à la page 500*), temporaires ou stables, et les conditions de ces alliances (quoi demander, jusqu'où aller, etc.) sont généralement connues des acteurs.

En conclusion, quel est l'aspect pratique de l'analyse stratégique ? Tout d'abord, elle donne un outil supplémentaire de diagnostic des dysfonctionnements de l'entreprise, c'est-à-dire une « microanalyse », par l'examen des relations de pouvoir entre les acteurs et de leurs enjeux. Elle permet aussi d'agir efficacement. Par exemple, pour un chef, il ne sert à rien de blâmer des personnes dans le cas de résistance au changement. Il lui sera plus utile de connaître les enjeux des acteurs, leur pouvoir et le système d'action concret (c'est-à-dire les symptômes et les causes de cette résistance ainsi que les alliances nouées entre acteurs).

Jusqu'à maintenant, nous avons examiné le pouvoir surtout du côté de ceux qui le possèdent, et très peu du côté de ceux qui le subissent, parfois sans broncher. C'est ce phénomène de l'obéissance non obligée, mais acceptée, que nous verrons dans la section suivante. Nous verrons également le pouvoir qu'on accorde aux autres comme nouvelle pratique de gestion (*empowerment*).

LE POUVOIR SUBI ET LE POUVOIR ACCORDÉ : L'OBÉISSANCE ET L'AUTONOMISATION

Pourquoi les individus obéissent-ils à ceux qui ont du pouvoir (ou que l'on perçoit ainsi), même quand ils n'y sont pas obligés ou que cela va à l'encontre de leurs convictions ? L'expérience de Milgram est édifiante à ce sujet.

L'expérience de Milgram sur l'obéissance

Une expérience célèbre en psychologie a été menée par le professeur Stanley Milgram à l'université Yale entre 1960 et 1963[41]. Milgram avait été frappé par le système de défense présenté par les officiers nazis au procès de Nuremberg, sur les raisons qui les avaient poussés à commettre les crimes atroces que l'on connaît. Ils alléguaient tous la nécessité d'obéir aveuglément aux ordres venus de la hiérarchie. C'est ce qui a motivé Milgram à étudier les ressorts de l'obéissance à l'autorité.

Les expériences menées par Milgram reposent sur le protocole d'expérience suivant : des sujets sont recrutés au moyen de petites annonces pour participer, moyennant rétribution (4,50 $ de l'heure), à une recherche censée étudier l'influence de la punition sur la mémoire (il s'agissait pour le sujet d'apprendre une liste de mots). Un expérimentateur donne l'ordre à un sujet, à qui est assigné le rôle de « professeur », d'infliger des chocs électriques de plus en plus violents à un autre sujet qui joue le rôle d'élève, à chacune de ses erreurs. Ces rôles sont attribués au hasard. L'élève est complice de l'expérimentateur et feindra la douleur pour des décharges qu'en réalité il ne recevra pas (ce qu'ignore bien sûr le professeur). Le panneau de boutons, comme le professeur, sont situés derrière une vitre sans tain d'où le professeur peut voir et entendre l'élève. Le panneau contient des inscriptions de voltage allant de 15 à 450 volts (ce dernier voltage pouvant entraîner théoriquement la mort de l'élève, ce dont est conscient le professeur). L'objectif de Milgram était de déterminer à partir de quel moment les sujets-professeurs cesseraient de torturer d'autres êtres humains en refusant d'obéir à l'expérimentateur qui, à chaque hésitation, doute ou scrupule manifesté par les professeurs, ne cessait de les exhorter à continuer « au nom de la science ». Milgram et son équipe s'attendaient à ce que, devant la douleur infligée, les professeurs cessent rapidement d'administrer des chocs. Cependant, 65 % d'entre eux sont allés jusqu'au bout de l'expérience et ont administré des chocs aux niveaux les plus élevés. Milgram a introduit par la suite plusieurs variables qui ont fait baisser quelque peu l'«obéissance» sans jamais la supprimer : changement de lieu, la communication des ordres par téléphone, la proximité physique du professeur et de l'élève, le changement de donneur d'ordres, etc.

Quelles conclusions tirer de ces expériences ? D'abord que cette extraordinaire obéissance réside dans le respect de l'autorité responsable de l'expérience et dans la croyance en la légitimité de cette autorité. Plusieurs facteurs de légitimité entrent en jeu : le lieu, la crédibilité et l'expertise (réelle ou feinte) de l'autorité (ici la prestigieuse université Yale et la blouse blanche de l'expérimentateur). Cette extraordinaire propension à obéir de façon quasi inconditionnelle à l'autorité est forgée par la société depuis l'enfance dans le milieu familial et relayée par les autorités scolaires et professionnelles et par une culture donnée en général. L'obéissance est d'autant plus forte que le fait de résister à l'autorité peut entraîner des conséquences préjudiciables pour un individu : sanctions, exclusion du groupe d'appartenance, retrait d'amour ou de protection, etc. Mais ce qui frappe dans l'expérience de Milgram est que, même en l'absence de telles conséquences, les sujets ne «parvenaient pas» à désobéir, c'est-à-dire à rompre avec l'autorité. Effet probable d'un conditionnement social et du fait qu'entrant dans une structure hiérarchique acceptée, l'individu ne se voit plus comme l'auteur de ses actes, qui dès lors ne relèvent plus de sa responsabilité propre.

L'autonomisation des employés : vers un transfert du pouvoir ?

La question de l'autonomisation et de la responsabilisation des employés a déjà été abordée au chapitre 7, en relation avec certaines formes nouvelles d'organisation du travail. Ici elle est plus explicitement liée au thème du pouvoir.

Dans de nombreuses organisations modernes, on assiste à une sorte de transfert du pouvoir des cadres vers leurs employés. Ce phénomène d'autonomisation et de responsabilisation de ceux-ci (aussi appelé *empowerment*) est caractérisé par une délégation de la prise de décision à des équipes de salariés. Des résultats d'enquête montrent que, lorsqu'on demande à des p.-d.g. le pouvoir qu'ils ont maintenant, comparé à celui qu'ils avaient il y a 10 ans, 19 % seulement de ces p.-d.g. interrogés disent qu'ils en avaient davantage. Trente-six pour cent indiquent qu'ils ont le même pouvoir, tandis que la grande majorité des p.-d.g. (42 %) disent en avoir moins [42].

Les employés qui ont plus de pouvoir maintenant sont ceux qui ont une certaine autonomie et un pouvoir décisionnel. Évidemment, cette marge de liberté est variable. La formation d'équipes semi-autonomes était déjà une façon de responsabiliser les employés. Le fameux exemple des employés à qui l'on permettait d'arrêter le processus de production de la voiture Saturn, à l'usine de General Motors à Spring Hill au Tennessee, s'ils le jugeaient nécessaire en cas de problème, relève aussi de ce processus d'autonomisation.

Les avantages de l'autonomisation des employés ne fait pas de doute ; ils se soldent par une satisfaction accrue des employés, une plus grande productivité, un meilleur service à la clientèle et un faible absentéisme [43].

Toutefois, les pratiques d'autonomisation ne conviennent pas nécessairement à toutes les cultures nationales. Dans des pays où il y a une grande distance par rapport au pouvoir (c'est-à-dire où on accepte largement l'inégalité de la distribution du pouvoir), il faut s'attendre à ce que les employés soient relativement perturbés par l'absence des pratiques hiérarchiques auxquelles ils sont habitués. Une étude relativement récente cherchait à prouver une relation positive entre l'autonomisation et la satisfaction au travail des employés. Dans trois pays où la distance par rapport au pouvoir est relativement faible (États-Unis, Pologne et Mexique), cette relation a été confirmée. Par contre, en Inde, où la distance par rapport au pouvoir est très forte (système de castes), la relation est inverse, c'est-à-dire que plus l'employé est autonome, moins il est satisfait au travail[44]. Il faut donc mettre en œuvre ce genre de politique de ressources humaines selon la culture, les valeurs et le rythme (temporel) des pays considérés.

Le pouvoir est seulement une capacité, c'est-à-dire une possibilité d'agir sur les autres ou de les influencer. La volonté de le faire se traduit par plusieurs actions que nous verrons dans la section suivante.

LE POUVOIR EN ACTION : LA VOLONTÉ D'INFLUENCER AUTRUI

Nous avons mentionné en début de chapitre qu'on peut influencer autrui sans même le vouloir ou le savoir. Toutefois, dans le reste du chapitre, nous traiterons des tactiques volontaires d'influence. Dans la section suivante, il s'agit de jeux d'influence « douce », c'est-à-dire qui ne sont pas nécessairement illégitimes, alors que les jeux politiques de Mintzberg qui suivront plus loin sont des jeux de pouvoir plus élaborés, voire des jeux que Mintzberg considère comme illégitimes.

influence
Toute action de A qui vise à modifier les attitudes ou le comportement de B.

Les tactiques d'influence sont présentes dans le tissu social de toute organisation. En effet, l'**influence** est un processus essentiel par lequel des personnes coordonnent leurs efforts pour atteindre les objectifs de l'organisation (ainsi, le service des ressources humaines tente de convaincre le reste de l'organisation d'appliquer des mesures anti-discriminatoires à l'embauche). Parvenir à introduire de nouvelles valeurs organisationnelles est un des processus d'influence essentiels en matière de leadership (*voir le chapitre 14*)[45]. L'influence s'exerce de manière descendante, latérale et ascendante ; subordonnés, chefs et collègues s'influencent mutuellement, guidés par leurs intérêts et leurs besoins.

Les tactiques d'influence

Les experts en comportement organisationnel se sont particulièrement intéressés aux divers types de tactiques d'influence dans les organisations. Les différentes études, dont celle, importante, effectuée il y a 25 ans[46], dégagent huit principales stratégies d'influence (*voir le tableau 12.1*), dont il reste à démontrer cependant la validité dans différentes cultures[47]. Ces tactiques sont : l'autorité tacite, l'affirmation manifeste de l'autorité, l'échange « de bons procédés », la formation d'alliances, le recours à l'autorité supérieure, la prévenance et la « gestion » de son image publique, la persuasion et le contrôle de l'information.

L'autorité tacite   L'autorité est tacite lorsqu'une personne exécute une demande du fait de la légitimité du demandeur et du rôle attendu et exigé de la personne à qui s'adresse la demande. Un exemple courant est lorsque vous répondez à la demande de votre supérieur d'effectuer une tâche donnée. Si celle-ci fait partie de vos fonctions, la stratégie d'influence utilisée ici s'effectue sans négociation, menace, persuasion ou autre tactique.

TABLEAU 12.1 Tactiques d'influence au sein des organisations	

Tactiques d'influence	Description
Autorité tacite	Influencer le comportement d'autrui en utilisant un pouvoir légitime, mais sans y faire explicitement référence
Affirmation manifeste	Exercer activement et ouvertement un pouvoir légitime et coercitif au moyen de pressions et de menaces
Échange de bons procédés	Promettre des avantages à quelqu'un en échange de son acceptation de ce qui lui est demandé
Formation d'alliances	Former une alliance avec plusieurs personnes partageant les mêmes objectifs et les mêmes ressources
Recours à l'autorité supérieure	Appel à des personnes détenant une autorité ou une expertise supérieure à celles des parties en cause
Prévenance — gestion de son image publique	Tenter d'attirer la sympathie d'une personne
Persuasion	Utiliser des arguments logiques et émotifs pour convaincre les autres de la valeur d'une requête
Contrôle de l'information	Manipuler explicitement l'accès à l'information dans le but de modifier les attitudes ou les comportements d'autrui

On sous-estime parfois la force de l'autorité tacite comme stratégie d'influence. Pourtant, il s'agit de la forme la plus courante d'influence dans les cultures à distance hiérarchique élevée. Les employés se conforment aux demandes de leurs supérieurs sans discussion, car ils respectent leur autorité au sein de l'organisation. L'autorité tacite se manifeste également lorsque les chefs influencent leurs subordonnés en donnant l'exemple du rôle à adopter. Une étude montre que les patrons japonais influencent leurs subordonnés en donnant l'exemple des comportements qu'ils voudraient voir leurs employés adopter[48].

L'affirmation manifeste Contrairement à l'autorité tacite où les parties se comprennent à demi-mot dans leurs tentatives d'influence, dans l'affirmation manifeste, le détenteur de pouvoir montre et exprime ce qu'il veut d'autrui; les sources de pouvoir utilisées sont généralement légitimes et coercitives. Ce type d'autorité s'exerce par les actions suivantes : rappeler de manière persistante à la personne visée ses obligations, vérifier fréquemment son travail, l'affronter et la menacer de sanctions pour obtenir son obéissance.

L'échange de bons procédés L'échange de bons procédés consiste à promettre des avantages à quelqu'un en échange de son acceptation de ce qui lui est demandé. La norme de réciprocité est un thème central et explicite dans les stratégies d'échange. Cette norme implique que les individus doivent aider ceux qui les ont aidés[49]. La négociation (*voir le chapitre 13*) fait aussi partie intégrante des activités d'influence par l'échange. En voici un exemple : pour que votre responsable accepte de vous accorder un jour de congé non prévu, vous lui promettez de rentrer au travail une fin de semaine à une date future.

Cultiver ses réseaux est également une stratégie d'influence basée sur l'échange, car les membres du groupe se rendent des services mutuels du simple fait d'appartenir à ce réseau.

La formation d'alliances   Lorsque les personnes seules ne disposent pas d'un pouvoir suffisant pour influencer les autres membres de l'organisation, elles peuvent former des **alliances** tacites ou explicites avec d'autres personnes qui partagent les mêmes objectifs. Une alliance tire sa force de trois éléments. Tout d'abord, elle s'additionne du pouvoir et des ressources de nombreuses personnes ; elle a donc davantage d'influence que si chaque personne agissait seule. Ensuite, elle acquiert une certaine légitimité en créant le sentiment que les objectifs visés ou le point de vue soutenu méritent l'attention, puisqu'ils sont partagés par un grand nombre de personnes [50]. Enfin, les alliances tirent leur pouvoir du processus d'identité sociale : les changements proposés par une alliance forte (nouvelles stratégies, comportements, etc.) peuvent amorcer un processus de changement dans le reste de l'organisation, changement auquel les membres peuvent s'identifier, se forgeant ainsi peu à peu une nouvelle identité sociale. Une alliance diversifiée, c'est-à-dire composée de membres provenant de différentes parties de l'organisation, est encore plus crédible [51].

Voyons comment Cindy Casselman, responsable des communications à la société Xerox, a formé une alliance influente. Initialement, elle voulait que son patron appuie un projet de système intranet (appelé *WebBoard*). Lorsqu'il a refusé sa demande, elle a rassemblé discrètement un groupe de personnes qui bénéficieraient de ce système intranet. Ce groupe informel comprenait un haut responsable qui voulait aussi un site intranet pour son système d'expédition de documents virtuels, ainsi qu'un autre cadre important souhaitant que le *WebBoard* serve à présenter les nouveaux PC en réseau de Xerox. Grâce notamment à ces appuis, le patron de Cindy Casselman n'a pas eu d'autre choix que d'autoriser et de financer partiellement cette initiative [52].

Le recours à l'autorité supérieure   Si en cas de désaccord avec un collègue, vous faites appel à votre supérieur, vous avez usé de la tactique d'influence appelée le **recours à l'autorité supérieure.** C'est une forme d'alliance avec des personnes qui détiennent une autorité ou une expertise supérieure à celle des parties en litige. Le recours à l'autorité supérieure va de l'alliance formelle avec cette autorité à sa simple évocation, en laissant croire (à tort ou à raison) aux personnes qu'on veut influencer qu'on a son appui. Une étude montre que les cadres japonais rappellent constamment à leurs employés leur obligation de soutenir les objectifs de l'organisation [53]. En leur martelant que leurs demandes sont conformes aux objectifs globaux de l'organisation, ces cadres font référence au soutien de la hiérarchie sans devoir recourir formellement à son intervention.

La prévenance et la gestion de son image publique   Le recours à l'autorité supérieure, à l'affirmation manifeste de son autorité et aux alliances sont des façons plutôt énergiques et impersonnelles d'affirmer son pouvoir. D'autres personnes vont user de la tactique d'influence « douce » appelée la **prévenance.** La prévenance comprend toute tentative d'accroître la sympathie d'une personne envers soi [54]. Flatter son chef devant les autres, aider ses collègues dans leur travail, adopter des attitudes ou opinions similaires aux autres (par exemple, exprimer son accord avec son supérieur sur sa proposition de changement de politiques), et rechercher les conseils d'« expert » des collègues sont des exemples d'actes de prévenance. La prévenance accroît le sentiment qu'il y a identité de vue (et, éventuellement, identité de caractère ou de tempérament) entre les parties, ce qui incite la personne appuyée à former des opinions plus favorables à l'endroit de la personne prévenante.

Il faut noter que de nombreuses tactiques de prévenance sont des comportements souhaitables liés à ce qu'on appelle la «citoyenneté organisationnelle» (faire plus, de plein gré, que ce qui est demandé par l'organisation) et au partage de l'information [55]. Cependant, les personnes qui utilisent cette pratique de manière trop évidente et sans objet réel peuvent perdre toute influence, car leur comportement sera considéré comme faux et intéressé. Elles ont alors peu de chances d'avancement, comme le montrent certaines études [56].

La **gestion de son image** est la pratique consistant à soigner activement son image publique [57]. La prévenance en fait partie. Certaines actions et de nombreuses activités pour soigner son image font partie des normes de comportement social exigé en milieu de travail. Par exemple, la manière de s'habiller et de se comporter avec des collègues et des clients [58]. Mais d'autres tactiques sont utilisées délibérément afin d'influencer autrui. Un exemple visant à faire bonne impression consiste à «gonfler» son curriculum vitæ. Une entreprise de vérification a effectué une étude sur 1,86 million de vérifications de données concernant la formation et l'expérience. Cette étude a montré que 25 % des candidats falsifiaient ces données sur leur curriculum vitæ [59]. Cette tactique de gestion d'image est l'une de celles que le célèbre homme d'affaires Richard Branson a l'habitude de choisir pour influencer le goût des consommateurs (*voir l'encadré 12.3*).

La persuasion La **persuasion** est l'une des stratégies d'influence les plus courantes dans les organisations. Elle est considérée comme une des caractéristiques importantes d'un leader efficace [60]. Les écrits sur les stratégies d'influence ont souvent décrit la persuasion comme l'utilisation d'une argumentation logique et rationnelle. Toutefois, de récentes études commencent à reconnaître que l'«usage» des émotions est aussi importante que la logique en matière de modification d'attitudes et de comportements [61].

L'efficacité de la persuasion, comme pour toute tactique d'influence, dépend des caractéristiques du locuteur, du contenu du message, du canal de communication et du récepteur à convaincre [62]. Qu'est-ce qui rend une personne plus convaincante qu'une autre ? Un facteur explicatif est la perception de la crédibilité de l'émetteur du message, que ce soit pour ses connaissances sur le sujet ou sa réputation, et sa capacité à admettre que son argumentation puisse comporter quelques failles [63].

Le contenu du message est plus important que le messager lorsque le sujet est important pour l'auditoire [64]. Le message doit se limiter à quelques arguments forts, répétés plusieurs fois mais pas trop [65]. Le contenu du message doit comporter des aspects émotionnels (par exemple, une illustration montrant les conséquences néfastes d'une mauvaise décision), mais toujours en étant accompagnés d'arguments logiques pour que le public ne se sente pas manipulé [66]. Enfin, le message est plus convaincant si l'auditoire est informé des arguments contraires qu'on pourrait lui présenter, ce qu'on appelle l'«**effet inoculant**».

Enfin, le canal de communication le plus efficace pour convaincre un auditoire est la communication verbale, de personne à personne (*voir le chapitre 11*). Il faut noter qu'il est plus difficile de persuader les personnes ayant une forte estime d'elles-mêmes et dont les attitudes (celles que vous essayez de changer) sont fortement liées à leur propre identité [67].

Le contrôle de l'information La persuasion suppose généralement qu'on présente l'information de manière sélective, alors que le contrôle de l'information est une tactique qui vise délibérément à manipuler cette information ou à en

---

gestion de son image

Pratique qui consiste à soigner son image publique afin de faire bonne impression.

persuasion

Argumentation d'ordre rationnel ou émotif pour tenter d'influencer autrui.

effet inoculant

Stratégie de communication consistant à informer un auditoire des contre-arguments que d'autres pourraient lui présenter.

Deux tactiques d'influence de M. Branson : persuasion et image publique

M. Branson est un personnage très médiatique qui s'entoure de jolies femmes ou de figurants spectaculaires, ainsi que d'une batterie de spécialistes des relations publiques, à chacune de ses sorties. Il réussit ainsi à mobiliser l'attention des médias, qui en redemandent. Il fut anobli en 1999 par Sa Majesté Élisabeth II pour services rendus en matière d'entrepreneuriat.

La fibre entrepreneuriale de Richard Branson remonte à l'adolescence. Déjà à l'âge de 16 ans, il mettait sur pied le *StudentMagazine*. Un an plus tard, il fonde un organisme de charité avant de lancer, à 20 ans, la célèbre firme de vente de disques par correspondance Virgin. Deux ans à peine ont suffi pour que cette société donne naissance à un studio d'enregistrement dont le premier disque a été le méga-tube *Tubular Bells* de Mike Oldfield. Depuis, les Rolling Stones, Janet Jackson et Phil Collins ont enregistré des disques sur l'étiquette Virgin.

L'entrepreneur s'est également fait connaître pour avoir survolé l'océan Pacifique à bord d'une montgolfière à plus de 395 km/h.

Persuasion médiatique et soin apporté à son image publique sont deux tactiques d'influence de Richard Branson, créateur de la firme Virgin.

Reuters/Corbis

Source : Y. Gingras, « Sir Branson vient à Montréal lancer son service Virgin Mobile », *La Presse Affaires*, 23 février 2005, p. 3.

---

empêcher l'accès dans le but d'agir sur autrui[68]. Cette tactique est assez courante. Un sondage rapporte que presque la moitié des employés britanniques interrogés pensent que leurs collègues manipulent l'information si cela aide leur cause[69]. Le filtrage de l'information est souvent utilisé comme stratégie d'influence, à tous les niveaux, quand il sert les besoins d'acteurs particuliers (*voir le chapitre 11*). Les réunions noyautées par des groupes d'employés sont aussi des moyens de contrôler l'information : la manipulation de l'ordre du jour, le choix des participants présents et du moment de la réunion sont des tactiques bien connues[70].

Les conditions d'application des tactiques d'influence

En général, les recherches soutiennent que les tactiques « douces », telles que la persuasion amicale et la prévenance subtile, sont mieux acceptées que les tactiques « dures » comme le recours à l'autorité hiérarchique ou la contrainte, lesquelles provoquent soit une conformité excessive, soit de la résistance risquant de saper la qualité des relations futures[71]. Les tactiques douces se basent plutôt sur les fondements personnels du pouvoir (le pouvoir d'expert, d'information ou de référence).

L'efficacité des stratégies d'influence dépend aussi d'autres facteurs. Le premier est la source du pouvoir de celui qui cherche à influencer autrui[72]. Les personnes dotées d'une expertise certaine réussissent mieux avec la persuasion, alors que celles ayant un fort pouvoir légitime peuvent mieux réussir, toutes choses étant égales, avec une tactique d'autorité tacite. Une autre condition est le niveau hiérarchique du détenteur d'influence. Bien que le pouvoir soit relativement partagé, celui qui possède «objectivement» plus de sources de pouvoir (comme les chefs) a une gamme plus élevée de tactiques d'influence à sa disposition que ses subordonnés. Une troisième condition de l'application «pertinente» d'une tactique fait référence aux valeurs culturelles. Les employés canadiens acceptent bien la prévenance, car elle minimise les conflits et encourage des relations de confiance, ce qui n'est pas le cas dans les cultures à distance hiérarchique élevée, par exemple à Hong-Kong. Pour les cadres de cette île, l'autorité affirmée est conforme aux rôles (plus distants) acceptés de tous[73]. Parallèlement, les tactiques d'échange sont plus courantes et plus efficaces dans les cultures asiatiques qu'au Canada, vu l'importance des relations interpersonnelles (*guanxi*) et des groupes[74].

Enfin, le changement des valeurs et des attentes de la jeune génération d'employés, ainsi que les nouvelles formes d'organisation du travail (en équipes autonomes, par exemple), suscitent des pratiques d'influence, non plus fondées principalement sur le contrôle et l'autorité, mais sur la persuasion, l'expertise, la délégation d'autorité, l'autonomisation et la responsabilisation, comme nous l'avons vu précédemment[75].

Les tactiques d'influence et le sexe des employés Les hommes et les femmes semblent différer dans leur utilisation des tactiques d'influence. Les hommes, plus que les femmes, prennent soin de l'image qu'ils projettent. Ils afficheront plus volontiers leurs réussites et s'attribueront des mérites revenant en fait à leurs subordonnés. Les femmes hésitent plus à attirer l'attention sur elles, préférant plutôt partager le mérite avec d'autres. Par ailleurs, certaines études montrent qu'elles ont plus tendance à s'excuser de leurs erreurs que les hommes, même pour des problèmes qu'elles n'auraient pas causés. Les hommes attribueraient davantage cette responsabilité à d'autres plutôt que de l'assumer[76].

D'autres recherches suggèrent que les femmes ont en général de la difficulté à exercer plusieurs formes d'influence au sein des organisations, ce qui limite leurs chances d'avancement, et donc celles d'exercer cette influence (*voir l'encadré 12.2*).

En particulier, les femmes sont considérées comme moins influentes que les hommes lorsqu'elles utilisent leur autorité ou leur expertise, ou qu'elles s'affirment vigoureusement (par exemple en entrevue d'embauche)[77].

LA POLITIQUE EN ENTREPRISE

Dans cette dernière section, nous aborderons les effets des jeux de pouvoir en entreprise sur les employés, les conditions les favorisant et une typologie des jeux politiques. Nous conclurons avec une réflexion sur l'éthique et la politique.

Les effets de la politique en entreprise

politique en entreprise
Comportements d'une personne ou d'un groupe perçus comme des jeux de pouvoir visant un intérêt personnel au détriment d'autrui ou, parfois, de l'organisation.

Dans quelles circonstances des tactiques d'influence sont-elles perçues comme des jeux **politiques en entreprise**? Lorsque les tactiques visent à satisfaire le seul intérêt personnel et à acquérir des avantages au détriment d'autres personnes, parfois même de l'organisation[78]. Il faut dire que l'intensité des comportements politiques est une question de perception. Ces perceptions varient en fonction du poste et des caractéristiques personnelles de l'observateur. Une étude récente portant sur les officiers et le personnel civil de la Gendarmerie royale du Canada à Ottawa rapporte que les subalternes percevaient plus souvent des cas de jeux politiques que les cadres. Les employés qui avaient l'impression d'avoir moins de contrôle sur leur environnement de travail pensaient également que la politique sévissait dans l'organisation[79].

Alors que l'influence est parfois bénéfique à l'organisation, la politique en entreprise est généralement considérée comme moins souhaitable. En effet, les employés qui croient que leur organisation est « politisée » sont moins satisfaits de leur emploi que ceux qui pensent le contraire ; ils sont moins engagés envers l'organisation et plus stressés. La politique en entreprise augmente également les cas de comportements « négligents », par exemple la réduction des efforts au travail, une moindre qualité des produits et des services ainsi qu'une hausse de l'absentéisme et des retards[80].

Plus d'un tiers des employés de tous niveaux ayant récemment participé à une enquête déclarent que la politique en entreprise est la raison la plus courante des retards dans la prise de décision. Un autre sondage avance que les chefs d'entreprise passent environ un cinquième de leur temps à « gérer » la politique en entreprise[81]. Ce temps serait gaspillé à régler divers problèmes causés par des comportements politiques comme le manque de confiance, une baisse de la volonté de collaborer, une réduction du partage des connaissances et une mauvaise utilisation des ressources de l'organisation.

Les conditions favorisant la politique en entreprise

On peut distinguer les variables propres à l'organisation (structurelles) et les variables de personnalité.

Les conditions structurelles   La politique en entreprise s'installe lorsque les conditions lui sont favorables[82]. L'une d'entre elles est la rareté des ressources. Par exemple, quand les budgets sont réduits, les gens se tournent vers des jeux politiques pour protéger leurs ressources et maintenir le *statu quo*. Cette situation s'est produite à Exponential Technology, une entreprise qui fournit des microprocesseurs à haute vitesse pour le Macintosh d'Apple. Lorsque l'avenir d'Apple est devenu incertain, l'entreprise a engagé un deuxième groupe d'ingénieurs afin de concevoir une puce similaire pour le marché des puces compatibles avec le système Intel. Mais, vu les restrictions budgétaires, les ingénieurs du marché Mac ont tout fait pour se débarrasser du nouveau groupe. « La situation a vraiment dégénéré, se souvient Rick Shriner, chef de la direction d'Exponential. Elle est devenue une bataille pour les ressources limitées. » Dans le but de réduire les luttes politiques internes, Rick Shriner a déplacé le groupe Intel dans une autre ville[83].

Outre la rareté des ressources, les jeux politiques ont tendance à apparaître lorsque les modes d'attribution des ressources sont ambigus, complexes ou manquent de règles formelles d'application[84]. Ces jeux visent à infléchir la décision en faveur de ceux qui les pratiquent pour obtenir ces ressources. Les changements organisationnels radicaux encouragent également les comportements politiques, car ils apportent beaucoup d'incertitude et d'ambiguïté dans le fonctionnement futur de l'organisation.

Enfin, la politique en entreprise est courante lorsque l'organisation la tolère et l'encourage de manière explicite[85]. Les entreprises soutiennent parfois les meilleurs « politiciens », et non les meilleurs talents aux postes de direction. Si elle n'est pas contrôlée, la politique en entreprise peut paralyser une organisation, car les personnes cherchent alors davantage à se protéger qu'à remplir leur rôle.

Les conditions relevant de la personnalité Plusieurs caractéristiques personnelles motivent une personne à s'engager dans des jeux de pouvoir au sein de l'entreprise[86]. Certains individus ont un fort besoin de pouvoir personnel plutôt que de pouvoir social, c'est-à-dire un pouvoir bénéficiant également à une communauté donnée. Les personnalités ayant un lieu de contrôle interne, c'est-à-dire comptant sur leurs propres forces (*voir le chapitre 3 sur la personnalité*), sont plus enclines à adopter des comportements politiques que les personnes ayant un lieu de contrôle externe (comptant ou invoquant des forces extérieures à elles-mêmes dans leurs actions). Cette attitude est logique, puisque les personnes à contrôle interne se sentent particulièrement responsables de leur propre destin; elles veulent donc avoir une influence sur le cours des événements ou sur autrui pour y parvenir.

Certaines personnes croient fortement aux valeurs et aux comportements mis en évidence par Machiavel. Le **machiavélisme** tire son nom de Nicolas Machiavel, philosophe politique italien du XVIᵉ siècle, auteur du *Prince*, célèbre traité sur les comportements politiques. Ces personnes font rarement confiance à leurs collègues et tendent à utiliser des tactiques d'influence peu loyales pour arriver à leurs fins, par exemple en contournant leurs supérieurs, en mentant ou en vous faisant croire qu'elles sont vos amies pour vous tromper ensuite[87].

> **machiavélisme**
> Comportements politiques où la ruse et la mauvaise foi sont des manières naturelles et acceptables d'acquérir du pouvoir.

Les jeux politiques

Nous avons déjà présenté une liste de jeux dits d'influence. Il s'agit de tactiques relativement « douces » ou s'inscrivant dans les limites de la légitimité (par exemple, le recours à une autorité supérieure). Mais les jeux que Mintzberg décrit ici sont des tactiques et des stratégies qu'il considère comme illégitimes, c'est-à-dire qui s'appuient sur des systèmes légitimes (par exemple, l'autorité formelle conférée à des personnes) pour accomplir des actes non admis officiellement par l'entreprise (par exemple, favoriser la promotion d'un ami à un poste stratégique). De plus, ces jeux, contrairement aux tactiques d'influence, peuvent même mener à des changements radicaux comme le remplacement de l'équipe de direction. On notera que parfois certaines tactiques (comme les alliances) sont autant des jeux d'influence que des jeux de pouvoir plus élaborés.

Henry Mintzberg définit treize sortes de jeux de pouvoir, qu'il appelle « jeux politiques[88] ». Il les regroupe selon leurs objectifs. Les jeux défensifs peuvent avoir pour but de contrer l'autorité, et d'autres, de s'opposer à cette résistance à l'autorité. Quant aux jeux offensifs, ils ne visent pas nécessairement des changements radicaux dans l'organisation, mais ils construisent des assises de pouvoir et peuvent coexister avec l'ordre établi. D'autres jeux consistent à battre un rival, tandis que les jeux de la dernière catégorie sont mis en œuvre pour apporter des changements radicaux dans l'organisation.

Les jeux pour contrer l'autorité : les jeux de l'insoumission Ces jeux ont pour but de refuser d'obéir à l'autorité ou de ne pas se soumettre à l'idéologie dominante, ou encore aux systèmes de compétences spécialisées. Ces jeux peuvent entraîner une opposition faible à l'égard de l'autorité, mais ils peuvent aussi aboutir à une « mutinerie absolue ». N'importe quelle personne soumise à un pouvoir légitime peut prendre part aux jeux de l'insoumission, de façon subtile ou pas : opérateurs qualifiés, simples ouvriers ou fonctionnaires, cadres moyens, petits ou grands groupes. Par exemple, les formes d'insoumission fréquemment utilisées par les opérateurs sont la limitation de la production, l'interruption des activités ou le refus de travailler.

Les jeux pour contrer l'opposition à l'autorité et combattre l'insoumission
Deux tactiques sont possibles : la première consiste à accroître l'autorité, à augmenter les contrôles et à infliger des sanctions. Quand ce n'est pas possible, la deuxième tactique consiste à persuader, à flatter les opérateurs ou à négocier avec eux. Il reste aussi la vieille tactique consistant à « diviser pour régner ».

Les jeux visant à construire des assises de pouvoir Mintzberg distingue six jeux ayant cette finalité.

■ *Le jeu du parrainage (avec les supérieurs)* Il s'agit ici de s'attacher à quiconque a du pouvoir ou étant perçu comme tel, de lui « offrir ses services » en échange de faveurs ou de protection.

■ *Le jeu de la construction d'alliances* Ce jeu consiste à se construire une base de pouvoir entre collègues, souvent des cadres moyens, qui négocient des contrats implicites de soutien mutuel. Ces alliances peuvent disparaître avec le problème qui avait motivé leur constitution.

■ *Le jeu de la construction d'empire* Si le jeu de la construction d'alliances est un jeu collectif, celui de la construction d'empire est un jeu individuel. Un cadre intermédiaire, ou une seule unité par exemple, peut rassembler sous sa coupe différents subordonnés ainsi que diverses autres entités. Ainsi, les responsables des achats peuvent vouloir prendre le contrôle de tout ce qui s'acquiert : les stocks, les magasins, la production et la réception. Le conflit sera proportionnel à la résistance des unités convoitées.

■ *Le jeu de la budgétisation* La base de pouvoir ne consiste pas ici, comme dans le jeu précédent, à conquérir de nouveaux territoires, mais de nouvelles ressources, qu'elles soient humaines, financières ou matérielles. Toutes les tactiques sont bonnes : exagérer les besoins auprès des pourvoyeurs de ces ressources, effectuer des dépenses inutiles en fin d'année budgétaire pour obtenir davantage d'argent, voire falsifier des chiffres.

■ *Le jeu des compétences spécialisées* Ce jeu se présente de deux manières : les spécialistes qui font étalage de leurs connaissances et les non-spécialistes qui font semblant d'en avoir. Dans le premier cas, les spécialistes ne veulent pas partager leurs connaissances (par des tactiques multiples dont la dissimulation et la désinformation) et s'arrangent pour paraître irremplaçables. Dans le second cas, les non-spécialistes cherchent la protection ou la reconnaissance des spécialistes ou leurs qualifications ; ils peuvent chercher à réduire les savoir-faire des spécialistes en apprenant une série de choses faciles, annulant ainsi la base de pouvoir de ces derniers.

■ *Le jeu de l'autoritarisme* Ce jeu consiste à utiliser de façon illégitime le pouvoir légitime. Ainsi, un chef peut obliger un employé qui ne le désire pas à rester au travail jusqu'à des heures tardives, en laissant entrevoir, subtilement ou pas, des possibilités de sanctions en cas de refus.

Nous avons vu les jeux pratiqués pour résister à l'autorité, ceux qui contrecarrent cette résistance et les jeux qui servent à construire une base de pouvoir. Voyons maintenant les jeux qui permettrent de battre un rival : le jeu de bataille entre les directeurs de la ligne hiérarchique (*line*) et ceux des fonctions logistiques (*staff*) et le jeu de la rivalité entre deux camps. Il s'agit de jeux qui se pratiquent non pour augmenter le pouvoir personnel, mais pour l'emporter sur ses adversaires.

Une liaison, dévoilée par un « coup de sifflet », coûte son poste au p.-d.g. de Boeing

Le groupe d'aéronautique et de défense Boeing a voulu afficher une vigilance sans faille sur l'éthique en contraignant son p.-d.g. Harry Stonecipher à la démission pour une liaison avec une employée cadre du groupe, lequel sort à peine de scandales d'espionnage et de conflits d'intérêts.

La relation, dénoncée par une lettre anonyme d'un collègue il y a une dizaine de jours, avait commencé vers le début de l'année.

L'employé, qui a requis l'anonymat et qui a dénoncé la liaison de M. Stonecipher, a précisé que l'aventure avait commencé en janvier et qu'il l'avait appris grâce à des correspondances.

Selon le site Web de Boeing, tous les employés de la compagnie doivent signer le code de conduite et s'y conformer. Ce document précise que les employés comprennent le code, posent des questions, demandent des conseils, signalent d'éventuelles violations, et expriment leurs préoccupations touchant l'acquiescement à cette politique et les procédures qui s'y rattachent.

Harry Stonecipher a été contraint à la démission par « un coup de sifflet ».

Anthony Bolante, Reuters/Corbis

Source : AFP et Bloomberg, « Une liaison coûte son poste au p.-d.g. de Boeing », *La Presse Affaires,* 8 mars 2005, p. 6.

Les jeux pour battre un rival

■ *Le jeu de bataille entre les directeurs de la ligne hiérarchique (*line*), ceux des fonctions logistiques (*staff*) et de la technostructure* Ce qui est en jeu dans cette bataille, c'est le contrôle des choix à faire. Les directeurs essaient de conserver leur droit de décider. D'un autre côté, les analystes s'efforcent de contrôler l'information qui détermine ces choix et de mettre en place des réglementations (par exemple, de nombreux contrôles administratifs) pour les infléchir dans le sens recherché.

■ *Le jeu de la rivalité entre deux camps* Il peut s'agir d'affrontements entre des unités ou des services ayant des buts parfois opposés (syndicat et service des ressources humaines) ou entre deux fortes personnalités engagées dans une lutte à finir.

Enfin, pour terminer, voyons les trois derniers jeux mis en place pour effectuer des changements organisationnels.

Les jeux pour effectuer des changements

■ *Le jeu des candidats à des postes stratégiques* Ce jeu concerne une seule personne ou un groupe qui cherche à réaliser un changement organisationnel en faisant avancer un projet ou en favorisant un candidat à un poste stratégique, et ce, en utilisant le système du pouvoir légitime.

Les effets pervers de la délation en milieu de travail

Au moment même où la Société des alcools tendait d'endiguer la controverse autour de la négociation des prix, son conseil d'administration adoptait une politique de dénonciation musclée, qui force les employés à signaler aux patrons les gestes répréhensibles de leurs collègues.

Adoptée par le conseil à sa réunion du 15 décembre dernier, la «politique de dénonciation d'actes répréhensibles en milieu de travail» s'inspire des pratiques adoptées aux États-Unis, a expliqué hier à *La Presse* Jacques Desmeules, l'ombudsman de la SAQ chargé de recevoir les dénonciations exigées des employés.

Climat difficile

Selon des sources proches des employés de la SAQ, le climat de travail est passablement lourd à la société d'État actuellement. «Les employés font leurs appels de la maison, convaincus que tout est écouté», indique-t-on. Les courriels des employés sont méthodiquement vérifiés, indique-t-on aussi.

Le ton de la directive ne donne guère de choix aux employés. «La présente politique a pour objectif d'instaurer un mécanisme formel permettant aux employés de dénoncer un acte répréhensible commis ou sur le point d'être commis dans leur milieu de travail. Elle vise à encourager et à faciliter la dénonciation par un employé», écrit-on. Tout le monde est couvert, cadre comme syndiqué, employé à temps plein ou partiel, insiste la directive.

Par «acte répréhensible», la directive précise qu'on entend par cela, «dans le cadre ou à l'occasion du travail, la pratique d'actes frauduleux ou illégaux, l'usage non autorisé des fonds ou des biens de la SAQ, les cas graves de mauvaise gestion, les cas de conflits d'intérêts ou de pots-de-vin». On promet aussi de protéger les employés qui informent la direction des faux pas de leur collègues.

Source : D. Lessard, «Un climat malsain à la SAQ», *La Presse*, 22 mars 2006, p. A5.

■ *Le jeu du coup de sifflet*   Il s'agit ici de tirer partie d'une information privilégiée pour effectuer un changement dans l'organisation. Ce jeu se produit lorsqu'un agent interne (souvent de rang modeste) remarque un comportement qui semble aller à l'encontre des règlements, des normes sociales ou juridiques, ou qui n'est pas éthique. Il décide alors de «siffler les coupables». Il peut informer un détenteur d'influence externe susceptible de remédier à la situation (la presse, par exemple), et ce, bien sûr, en contournant le pouvoir légitime (*voir l'encadré 12.4*).

Dans l'extrait d'article sur Boeing, on peut voir comment l'ex-p.-d.g. de cette firme fut l'objet d'une dénonciation sur sa relation avec une employée du groupe, une délation qui est typiquement ici le jeu politique du «coup de sifflet».

Si parfois la délation (puisqu'il faut l'appeler par son nom!) peut être justifiée, elle peut par contre entraîner un climat malsain. C'est ce que suggèrent les extraits de l'article du journal *La Presse*, à propos de cette politique à la Société des alcools du Québec (*voir l'encadré 12.5*). Il faut se demander jusqu'à quel point la délation fait partie de la culture nationale avant de l'ériger en système.

■ *Le jeu des jeunes turcs*   Ici l'enjeu est plus important, puisqu'il s'agit d'effectuer un changement fondamental dans l'organisation au point de remettre en question le pouvoir en place. Les jeunes turcs (jeunes cadres bien placés) peuvent même aller jusqu'à renverser l'autorité centrale et bouleverser la culture existante : il s'agit alors d'une rébellion ou d'un «coup d'État interne».

L'éthique et la politique

Les scandales financiers des dernières années (Enron, Arthur Andersen, World-com, Norbourg), résultats de nombreuses manœuvres politiques, ne plaident certainement pas pour une organisation « politique ». La politique est-elle éthique ou pas ? Le lecteur peut se référer aux chapitres 2 et 3 sur l'éthique pour lire quelques éléments de réflexion. La politique n'est pas éthique lorsqu'elle sert uniquement les intérêts personnels au détriment de l'organisation et des autres individus. Elle ne l'est pas non plus, bien sûr, lorsqu'elle viole des normes universelles ou lorsqu'elle n'est pas conforme aux lois, aux normes et aux standards de comportement établis (discrimination, corruption, manque de confidentialité, injustice, harcèlement sexuel et psychologique, favoritisme, etc.).

La politique augmente-t-elle les gains de celui qui y recourt ? L'effet de la politique sur les employés qui la subissent n'est pas aussi positif, évidemment, que pour celui qui en fait usage. Les recherches montrent que plus une organisation est politisée, moins les employés éprouvent de la satisfaction au travail et font preuve d'un engagement envers leur organisation. De plus, la politique augmente l'intention des employés de quitter volontairement leur entreprise[89].

Toutefois, il faut distinguer la politique « égoïste » de la politique « sociale ». Dans le deuxième cas, la politique utilise le pouvoir en vue d'atteindre des objectifs largement partagés par une communauté donnée. Par exemple, si les voies d'accès légitimes sont bloquées et qu'un groupe de dirigeants mène l'organisation à sa perte, dans ce cas, l'usage de la politique pour les remplacer pourrait se justifier. La dénonciation des comportements qui ne sont pas éthiques (jeu du coup de sifflet) est acceptable si cela profite à long terme à l'organisation et à ses membres. Au fond, il n'y a que l'être humain qui est politique !

Les mêmes conditions qui alimentent la politique en entreprise fournissent des pistes sur la manière de contrôler ce type d'activités[90]. On peut, par exemple, introduire des règles claires précisant l'utilisation de ressources limitées. Les chefs d'entreprise doivent également favoriser une structure de communication multicanaux (décrite précédemment dans ce chapitre) afin d'éviter que certains groupes manipulent l'information dans leur propre intérêt. En période de changement organisationnel, la transparence de la direction et des patrons qui donnent le bon exemple des comportements à adopter peut minimiser les jeux politiques néfastes. La formation et l'information, ainsi que les mesures visant à favoriser la confiance et la loyauté envers les collègues, les clients et l'entreprise, visent le même objectif[91].

RÉSUMÉ DU CHAPITRE

Le pouvoir est la capacité d'influencer et d'agir sur les autres. Il implique que les parties soient en relation, en interdépendance. Dans une entreprise, leur pouvoir est réciproque mais asymétrique. La personne ayant objectivement moins de pouvoir peut disposer de moyens de réduire sa dépendance par rapport à la partie dominante (contre-dépendance).

En entreprise, personne n'a un pouvoir absolu sur les autres ; celui-ci est plutôt partagé entre des détenteurs d'influence interne et externe.

Il existe sept sources de pouvoir, les trois premières relevant de l'organisation, les autres, des individus. Le pouvoir légitime est un accord entre les membres d'une organisation selon lequel les personnes ayant des rôles précis peuvent exiger certains comportements et actions des autres. Le pouvoir de récompense vient de la capacité à contrôler l'attribution des récompenses valorisées par autrui et à lever des sanctions. Le pouvoir de coercition est la capacité d'imposer ces sanctions.

Quant au pouvoir d'expert, il s'agit de la capacité d'influencer les autres en détenant des connaissances ou des compétences précieuses. Une personne jouit d'un pouvoir de référence lorsque les autres s'identifient à elle, éprouvent de la sympathie, l'admirent ou la respectent. Le pouvoir d'information joue un rôle important dans les organisations. Les employés obtiennent du pouvoir lorsqu'ils contrôlent la circulation de l'information dont les autres ont besoin. Le pouvoir de relations s'acquiert lorsqu'une personne s'introduit dans des réseaux sociaux. Cependant, le manque de cette capacité peut limiter les chances d'avancement en entreprise de certains groupes, comme celui des femmes visant des postes de haut niveau.

Cinq situations sont créatrices de pouvoir. Le contrôle de l'incertitude en fait partie. Les individus et les unités de travail ont du pouvoir quand ils ne peuvent être remplacés. Contrôler les tâches, les connaissances et la main-d'œuvre et se différencier de la concurrence, voilà comment il est possible de se rendre irremplaçable. Une troisième situation est la position stratégique d'un individu, d'un groupe ou d'un service au sein de l'organisation. Le pouvoir discrétionnaire ou décisionnel est la quatrième situation engendrant du pouvoir. Elle fait référence à la liberté d'appliquer son propre jugement. La cinquième variable, la visibilité, renvoie à la notion selon laquelle le pouvoir augmente lorsque les compétences d'une personne ou d'une unité de travail sont connues.

L'analyse stratégique est un des apports majeurs de la psychosociologie à la compréhension du pouvoir. Elle fait voir d'abord ce concept comme une relation et non comme un attribut. Elle relie ensuite de nombreuses notions qui apparaissaient éparpillées : pouvoir, zones d'incertitude et système d'action concret, c'est-à-dire toutes les tactiques et les jeux politiques que pratiquent des acteurs interdépendants pour conserver ou acquérir de l'autonomie et défendre leurs enjeux.

Quelles sont précisément ces tactiques d'influence ? L'influence fait référence à tout comportement tentant de modifier les attitudes et les conduites d'autrui. Les tactiques d'influence les plus largement étudiées (et pratiquées) sont l'autorité tacite (influence au moyen de l'application discrète d'un pouvoir légitime), l'affirmation manifeste de l'autorité (application active d'un pouvoir légitime ou de contrainte), l'échange de bons procédés (promesse d'accorder des avantages en échange de l'acceptation d'une demande faite à autrui), la formation d'alliances, le recours à l'autorité supérieure des parties en litige, la prévenance (sollicitude envers la partie détentant du pouvoir) et la gestion de son image publique pour impressionner autrui, donc l'influencer plus facilement. La persuasion (utilisation d'arguments logiques et émotifs) et le contrôle de l'information (manipulation explicite de l'accès à l'information) sont d'autres tactiques d'influence.

Les tactiques d'influence « douces », telles que la persuasion amicale et la prévenance subtile, sont plus acceptables que les tactiques « dures » comme le recours à l'autorité et l'affirmation. Cependant, la tactique d'influence la plus appropriée dépend du fondement du pouvoir de celui qui veut en user, du niveau hiérarchique et des valeurs culturelles. Les recherches indiquent aussi que certaines tactiques d'influence qui sont efficaces pour les hommes ne le sont pas pour les femmes.

La politique en entreprise fait référence aux jeux de pouvoir servant surtout des intérêts personnels, parfois au détriment des autres ou de l'organisation. La politique en entreprise est plus fréquente dans les situations suivantes : les ressources sont rares, les changements sont radicaux, les zones d'incertitude sont nombreuses, les enjeux sont élevés pour les parties et l'organisation tolère ou récompense le comportement politique. Les individus qui ont un fort besoin de pouvoir personnel et de contrôle, et ceux qui sont pourvus d'une personnalité à tendance dite machiavélique, ont une plus grande propension à utiliser des tactiques politiques que les autres.

Mintzberg a identifié 13 jeux politiques, c'est-à-dire, contrairement aux tactiques d'influence, des manœuvres qu'il considère comme illégitimes. Certains de ces jeux peuvent coexister avec le pouvoir en place (comme le jeu de la budgétisation), tandis que d'autres visent à le remplacer (comme le jeu des jeunes turcs). La politique en entreprise peut être réduite grâce aux actions suivantes : en établissant une culture d'entreprise décourageant ces pratiques, en faisant circuler l'information librement, en sanctionnant les comportements politiques néfastes, en édictant des codes de conduite et en donnant l'exemple aux plus hauts niveaux.

Enfin, en entreprise, aujourd'hui, l'obéissance aveugle à l'autorité (même non sollicitée), telle qu'elle est analysée par Milgram, n'est plus de mise dans des organisations qui se veulent apprenantes et innovatrices. Au contraire, de nos jours, nous assistons à une plus grande autonomisation et responsabilisation des employés, c'est-à-dire à une délégation de pouvoirs. Il faut cependant veiller à ce que celle-ci soit en accord avec les cultures nationales, notamment celles où la distance hiérarchique est élevée.

MOTS CLÉS

alliance, p. 494

contre-dépendance, p. 479

effet inoculant, p. 495

être irremplaçable, p. 486

gestion de son image, p. 495

influence, p. 492

machiavélisme, p. 499

mentorat, p. 488

persuasion, p. 495

politique en entreprise, p. 497

position stratégique ou centrale, p. 487

pouvoir, p. 477

pouvoir de référence, p. 482

pouvoir de relations ou de réseaux, p. 484

pouvoir légitime, p. 480

prévenance, p. 494

recours à l'autorité supérieure, p. 494

QUESTIONS

1. Quel rôle joue la contre-dépendance dans la relation de pouvoir ? Donnez un exemple de contre-dépendance ou de contre-pouvoir que vous avez exercé comme étudiant ou au travail.

2. « Les employés tolèrent de moins en moins le pouvoir légitime. » Quelles sont les limites du pouvoir légitime ?

3. Parmi les huit tactiques d'influence décrites dans ce chapitre, quelles sont celles que les étudiants utilisent le plus envers leurs professeurs ou les employés envers leurs patrons ? Quelles conditions permettent leur usage ?

4. Vous venez d'être embauché comme assistant personnel du ministre adjoint de la Santé d'un gouvernement provincial. Vous avez travaillé dans une autre province à un poste similaire et comptez plusieurs années d'expérience dans le domaine de la politique gouvernementale en matière de santé. Discutez de votre niveau de pouvoir à titre d'assistant personnel particulier en fonction des cinq situations donnant du pouvoir qui sont décrites dans ce chapitre.

5. Le fait de savoir forger un réseau de relations augmente-t-il le pouvoir d'une personne ? Quelles stratégies en ce sens pourriez-vous amorcer maintenant pour améliorer votre réussite professionnelle ?

6. Comment les différences culturelles influent-elles sur les tactiques d'influence suivantes : a) l'autorité tacite ; b) le recours à l'autorité supérieure.

7. L'auteur d'un livre à succès dans le monde des affaires a écrit : « La politique au bureau est un facteur de démotivation qui devrait être éliminé. » Il soutient que lorsque les entreprises laissent la politique déterminer la personne qui sera promue, les employés dirigent leur énergie vers des comportements politiques plutôt que vers leurs résultats professionnels. Discutez cette assertion.

8. On dit souvent que les entreprises qui ont du succès gèrent bien la somme des connaissances et des compétences de l'organisation. Quelles tactiques d'influence ou jeux politiques décrits dans ce chapitre interfèrent directement avec les objectifs de gestion des connaissances ou des organisations apprenantes ?

ÉTUDES DE CAS 12.1

UN AFFRONTEMENT AU SERVICE DES CHANGES

Je travaillais dans un bureau au service des changes. La tâche des employés de ce service consistait à vérifier les transactions des 150 agents de change à qui nous donnions les instructions de paiement. Nous répondions aussi à leurs questions. Mon travail consistait à résoudre les problèmes survenant dans les transactions. La plupart du temps, cela signifiait d'aller parler aux agents situés à l'étage supérieur.

Bien sûr, il ne fallait jamais dire à l'agent qu'il avait tort, même dans le cas des agents qui, tout au long de mon stage, étaient toujours fautifs. Il fallait juste brièvement décrire le problème et leur demander « gentiment » de s'en occuper.

L'événement particulier que je relate concerne Nicolas, l'un des agents qui faisait des erreurs très fréquentes. Cette fois, il avait interverti les devises dans une transaction. Le paiement devant être effectué dans une demi-heure, il était donc important que Nicolas rectifie la transaction. Je suis allée le voir, mais Luc (qui travaillait aussi pour le service des changes), lui parlait déjà. Mon problème étant urgent, j'ai attendu près d'eux que Luc ait fini de lui parler. Après le départ de ce dernier, Nicolas m'a jeté un coup d'œil puis, à ma grande surprise, il a quitté son bureau et est allé voir Jean, un autre agent. Des commentaires piquants circulaient déjà au sujet de Jean depuis un certain temps. Un groupe d'agents s'est rassemblé, et je pouvais entendre et constater au vu de leurs comportements qu'ils ne parlaient pas de travail.

Je me suis approchée et j'ai compris que leur comportement avait pour origine deux pages du *Sun* présentant des photos de femmes nues. Mon sang n'a fait qu'un tour. J'ai fait remarquer à Nicolas que mon travail consistait à leur faire voir et à corriger leurs erreurs avant qu'elles ne coûtent cher. Je lui ai expliqué la quantité de travail que cela représentait et combien les autres agents appréciaient mes vérifications. En m'ignorant, non seulement il me faisait perdre mon temps, mais aussi celui de ses collègues. De plus, compte tenu du nombre de ses erreurs professionnelles, il me semblait qu'il avait mieux à faire que de se consacrer à ses «lectures» particulières.

Après avoir laissé ma feuille de notes sur son bureau, j'ai tourné les talons et je suis partie.

L'émotion que j'ai éprouvée, aussi bien à ce moment-là que maintenant, est la colère. Il me semblait que j'avais été patiente et que j'avais supporté un comportement irrespectueux et inacceptable. La manière dont Nicolas m'avait ignorée pour aller regarder ces photos a été la goutte qui a fait déborder le vase. De plus, je m'étais sentie impuissante et vulnérable. Ils discutaient en détail de l'anatomie féminine dans une salle qui ne comptait que des hommes, ou presque, et je savais que mon opinion sur la situation n'était pas partagée par tous. J'avais peur que ma réaction soit ridiculisée. Néanmoins, en écrivant ceci, je me sens également fière d'avoir eu le courage de lui avoir dit ouvertement ce que je pensais.

Les agents du service des changes, presque tous des hommes, étaient les personnes les plus arrogantes qu'il m'ait été donné de rencontrer. Si je n'avais pas appris à comprendre certaines raisons expliquant leur comportement, un emportement comme celui que je viens de décrire serait survenu bien plus tôt. Il est important de savoir que le service des changes est, pour l'instant, l'un des services ayant les meilleurs résultats dans l'entreprise. Cette performance crée un sentiment d'invulnérabilité et de prétention extrême parmi ceux qui y travaillent. Je ne pensais pas que c'était une raison valable pouvant justifier leur comportement; et pourtant, j'avais appris à l'accepter.

L'attitude des gens de mon bureau était d'accepter de subir la grossièreté des agents et de s'en plaindre entre nous ensuite. Cette attitude ne résolvait rien et ne faisait que contribuer à accroître l'hostilité entre les agents et nous. Mes remontrances à l'agent signifiaient que j'avais brisé le principal tabou du bureau. Après plusieurs semaines, j'ai réalisé que ma réaction m'avait en fait valu beaucoup de respect. J'avais fait quelque chose que bon nombre de mes collègues voulaient faire depuis des années sans jamais avoir tenté quoi que ce soit. Le risque était moins grand pour moi que pour mes collègues, car je n'étais là que pour une courte période. Ainsi, j'avais réussi à gagner le respect à la fois du personnel de mon bureau et de certains des agents. En outre, ce qui me semble bien plus important, je me respectais davantage pour avoir fait ce qui me semblait nécessaire de faire.

Questions

1. Décrivez les sources et les situations de pouvoir que Nicolas et l'employée de bureau détenaient durant cet incident.

2. De quelle manière le pouvoir de l'employée de bureau a-t-il changé après cet incident? Expliquez votre réponse.

Source: Adapté de l'article de Y. Gabriel, «An Introduction to the Social Psychology of Insults in Organizations», *Human Relations*, nᵒ 51, novembre 1998, p. 1329-1354.

L'ÉCHELLE D'INFLUENCE ASCENDANTE

Objectif   Cet exercice est conçu pour vous aider à comprendre diverses manières d'influencer vos supérieurs et vous permettre d'évaluer vos tactiques préférées d'influence ascendante.

Instructions   Lisez chacun des énoncés de la page suivante et encerclez la réponse qui vous semble correspondre le mieux au nombre de fois où vous avez adopté ce comportement au cours des six derniers mois. Utilisez ensuite la clé de correction disponible au www.cheneliere.ca/mcshanebenabou afin de calculer vos résultats. Cet exercice doit être effectué individuellement afin que les étudiants puissent s'évaluer honnêtement. Cependant, la discussion en groupe se concentrera sur les types d'influence en entreprise et les conditions dans lesquelles ces tactiques d'influence sont plus appropriées.

L'ÉCHELLE DE PERCEPTION D'INTENSITÉ POLITIQUE

La version électronique de cet exercice est disponible au www.cheneliere.ca/mcshanebenabou.

Objectif   Cette autoévaluation vous permettra d'évaluer jusqu'à quel point votre environnement de travail est politisé.

Instructions   Cette échelle est constituée de plusieurs énoncés qui décrivent (ou pas) votre université. Ils portent sur l'administration de votre établissement scolaire, non de la classe. Indiquez votre degré d'accord. Cet exercice peut aussi être adapté pour l'entreprise.

Source : Adapté de K.M. Kacmar, *Journal of Management.*

L'ÉCHELLE DE MESURE DE PERSONNALITÉ À TENDANCE MACHIAVÉLIQUE

La version électronique de cet exercice est disponible au www.cheneliere.ca/mcshanebenabou.

Objectif   Cette autoévaluation permet de relever les aspects « machiavéliques » de votre personnalité, s'il en est.

Instructions   Exprimez honnêtement votre accord ou votre désaccord sur le contenu des énoncés présentés.

Échelle d'influence ascendante

Au cours des six derniers mois, combien de fois avez-vous adopté ces comportements ?	Jamais ▼	Rarement ▼	Occasion-nellement ▼	Fréquemment ▼	Presque toujours ▼
1. J'obtiens le soutien de mes collègues pour persuader mon patron de répondre favorablement à ma requête.	1	2	3	4	5
2. Je propose à mon supérieur de lui rendre un service s'il agit de la même façon pour moi.	1	2	3	4	5
3. Je fais ma demande de manière très humble et polie.	1	2	3	4	5
4. Je fais appel à ses supérieurs pour qu'ils fassent pression sur mon patron.	1	2	3	4	5
5. Je rappelle à mon patron les services que je lui ai rendus pour qu'il accède à mes demandes actuelles.	1	2	3	4	5
6. Je m'évertue à faire d'abord bonne impression sur mon patron avant de lui demander de faire ce que je souhaite.	1	2	3	4	5
7. J'utilise des arguments logiques pour convaincre mon patron.	1	2	3	4	5
8. Je n'hésite pas à affronter en personne mon patron pour exprimer fermement ce que je veux.	1	2	3	4	5
9. J'agis de manière amicale avec mon patron avant de faire mes demandes.	1	2	3	4	5
10. Je présente des faits, des chiffres et d'autres informations à mon patron pour justifier mon opinion ou certaines de mes requêtes.	1	2	3	4	5
11. J'obtiens le soutien et la coopération de mes subordonnés pour appuyer ma demande.	1	2	3	4	5
12. J'obtiens le soutien informel de mes supérieurs.	1	2	3	4	5
13. Je propose de grandes concessions, par exemple renoncer à mon temps libre, si mon patron accepte mes demandes.	1	2	3	4	5
14. J'explique soigneusement à mon patron les raisons de mes demandes.	1	2	3	4	5
15. J'exprime ma colère à mon patron afin d'obtenir ce que je veux.	1	2	3	4	5
16. J'ai recours à des méthodes énergiques pour influencer, par exemple donner des ordres, exiger, imposer des échéances, exprimer fortement mes sentiments.	1	2	3	4	5
17. Je me fie aux voies hiérarchiques, aux gens qui ont du pouvoir sur mon patron pour obtenir ce que je désire.	1	2	3	4	5
18. Je mobilise d'autres personnes de l'organisation pour influencer mon patron.	1	2	3	4	5

Source : C. Schriesheim et T. Hinkin, « Influence Tactics Used by Subordinates : A Theoretical and Empirical Analysis and Refinement of the Kipnis, Schmidt, and Wilkinson Subscales », *Journal of Applied Psychology,* n° 75, 1990, p. 246-257.

CHAPITRE 13

Le conflit, la collaboration et la négociation au travail

Objectifs d'apprentissage

À LA FIN DE CE CHAPITRE, VOUS DEVRIEZ POUVOIR :

- identifier les aspects positifs et négatifs du conflit organisationnel ;
- décrire la dynamique générale du conflit ;
- identifier les sources et les solutions structurelles du conflit ;
- décrire les cinq styles interpersonnels de gestion des conflits ;
- comparer la négociation distributive et la négociation intégrative ;
- décrire les situations susceptibles d'influencer les négociations ;
- comparer les modes de résolution de conflits par l'entremise d'une tierce partie.

Comment transformer des relations de travail conflictuelles, orageuses, en un climat de collaboration entre patrons et employés ?

Cela demande du temps — au moins cinq ans — et de la ténacité, de la transparence et de l'écoute. Beaucoup d'écoute.

Souvent, un changement de direction s'impose. Et c'est une fois que les rapports se sont améliorés qu'il est possible de mobiliser les employés en leur faisant valoir que leur ennemi n'est pas le patron, mais la concurrence.

Telles sont les leçons que l'on peut tirer de l'histoire de l'usine de pneus Bridgestone Firestone, de Joliette, au cours de la dernière décennie. Cette usine inaugurée en 1966 compte 1250 employés, dont 1000 sont syndiqués (CSN).

Retournement de situation

Au milieu des années 1990, la situation à l'usine était explosive. On voguait de grève en grève. Celle de 1995 a duré plus de six mois et s'est déroulée dans un climat de violence. Un syndiqué a même frappé le directeur des ressources humaines !

Pourtant, le 23 mai 2005, soit 10 ans plus tard, 81,4 % des employés ont ratifié une entente de convention collective de six ans conclue — fait rarissime — trois mois avant la fin de l'entente.

Que s'est-il passé ?

Guy R. Charette, président du syndicat de l'usine — Selon lui, le climat était « pourri » dans les années 1990 parce que le patron « ne respectait pas les employés ».

La négociation raisonnée porte fruit : le cas de Bridgestone Firestone à Joliette fait école en matière de relations patronales-syndicales.

Yves Provencher

Ce n'est qu'en 2000, lorsqu'une nouvelle équipe de direction est mise en place, que le climat commence à s'améliorer, selon lui. La nouvelle direction est plus à l'écoute, plus respectueuse. « Maintenant, si un patron dit non, il explique pourquoi. »

Leila Rainville, directrice des ressources humaines — Selon Mme Rainville, Bridgestone Firestone est « passée d'un modèle d'affrontement à un modèle de partenariat ».

Avec le soutien d'un conciliateur nommé par le gouvernement, Leila Rainville a appliqué la négociation raisonnée, ou négociation basée sur les intérêts, où au lieu d'agir selon leurs positions respectives, les parties doivent trouver leurs intérêts communs.

À la suite d'un remue-méninges, on établit une grille de solutions assorties d'un pointage. En outre, Mme Rainville a prévu une procédure de négociations continues entre patrons et employés. Celle-ci prévoit la mise sur pied d'un comité d'intérêt commun, qui chapeaute trois autres comités et onze sous-comités spécialisés dans divers domaines : amélioration continue, santé, sécurité, formation. Des représentants des deux parties siègent à tous ces groupes. Résultat : 250 employés de l'usine contribuent à la recherche de solutions. ∎

Source : Suzanne Dansereau, « De l'affrontement au partenariat », *Les Affaires*, 18 juin 2005, p. 37.

conflit
Situation dans laquelle deux parties (ou moins) entrent en opposition à l'idée que leurs intérêts, tangibles ou intangibles, sont menacés.

Aujourd'hui, on admet de plus en plus que les **conflits** font partie de la vie des organisations modernes. La division du travail et la spécialisation des tâches créent, au sein des entreprises complexes, des entités distinctes (divisions, services, groupes opérationnels [*line*] et fonctionnels [*staff*], etc.). Cette différenciation, qui se manifeste sous de multiples aspects (espaces physiques, langages, valeurs, buts, etc.), suscite souvent des désaccords entre les groupes et les individus d'une même organisation.

De plus, les organisations et les êtres humains qui y travaillent évoluent sans cesse. Ils doivent parfois procéder à des changements (ou les subir) et faire des révisions qui peuvent heurter les acteurs concernés. Par exemple, lors de l'introduction d'une nouvelle technologie, comment les gestionnaires vont-ils surmonter la résistance au changement des employés? Comment harmoniser les cultures problématiques des entreprises fusionnées? Comment éviter les jeux politiques destructeurs qui peuvent se manifester à cette occasion?

Les individus ne viennent pas seulement chercher un salaire dans les organisations où ils passent près du tiers de leur vie active, parfois davantage. Ils y apportent leurs aspirations et leurs besoins affectifs et sociaux, leurs valeurs, voire leurs idéologies. Quand l'organisation ne peut satisfaire leurs besoins, ils éprouvent de la frustration. Et le conflit, avec soi ou avec d'autres, en est une manifestation.

Un des rôles principaux des dirigeants, et plus généralement des responsables de ressources humaines, est d'intégrer les différences des groupes et des unités dans l'organisation, c'est-à-dire essentiellement de résoudre les conflits qui touchent le personnel. Cette tâche monopolise d'ailleurs une partie non négligeable du travail des cadres, comme le révèlent la plupart des enquêtes (*voir l'encadré 13.1*). Les dirigeants et les cadres modernes ont donc intérêt à développer leur aptitude à gérer les conflits.

Dans ce chapitre, nous distinguerons d'abord les notions de conflit, de compétition et de collaboration, ainsi que les types de conflit. Nous aborderons ensuite la dynamique du conflit en organisation, c'est-à-dire les causes des différends, la manifestation des frictions et leurs conséquences. Nous explorerons la façon dont les gens abordent les conflits en fonction de leur style personnel ainsi que les solutions (notamment structurelles) qu'ils peuvent y apporter. Dans les deux dernières parties du chapitre, nous présenterons deux processus de résolution de conflits: la négociation et l'intervention d'une tierce partie.

LES DIFFÉRENTES CONCEPTIONS DU CONFLIT

Les sciences administratives ont vu leur contenu s'enrichir en matière de conflits, notamment grâce aux travaux hérités des sciences sociales. L'évolution des sciences de la gestion permet de distinguer trois conceptions du conflit dans les organisations.

La *conception traditionnelle* du conflit qui régnait dans les années 1930 et 1940 a subi l'influence des travaux effectués par Taylor, Mayo, Fayol et Weber. Les gestionnaires et les premiers théoriciens de la gestion postulent que les conflits dans une organisation sont malsains et irrationnels et qu'il faut, par conséquent, les éviter ou les réprimer. Les conflits seraient les symptômes d'une mauvaise gestion que les chefs peuvent améliorer en respectant les grands principes de cette science (de l'époque).

Des faits et des chiffres

1. Trente-six pour cent des travailleurs québécois ont été souvent ou occasionnellement témoins d'un conflit dans leur milieu de travail au cours de la dernière année et 15 % en ont été personnellement victimes.
   Source : Sondage CROP Express réalisé pour l'Ordre des CRHA et CRIA du Québec (ORHRI), auprès de 1000 employés québécois et québécoises interrogés par téléphone en décembre 2005. Site Internet de l'Ordre, 15 février 2006.

2. Le nombre d'employés qui demandent de l'aide pour des conflits liés au travail est passé de 23 % en 1999 à près de 30 % en 2001.
   Source : Warren Shepell, Workplace Trends Linked to Mental Health Crisis in Canada, 2002. CCR International (conflictatwork.com).

3. « Quarante-deux pour cent du temps du gestionnaire est consacré à régler des conflits en milieu de travail ».
   Source : C. Watson et R. Hoffman, « Managers as Negotiators », *Leadership Quarterly,* vol. 7, n° 1, 1996.

4. « Des directeurs généraux et des vice-présidents supérieurs m'ont dit qu'ils pouvaient consacrer jusqu'à 70 % de leur temps à régler des conflits… »
   Source : R. Taylor, « Workplace Tiffs Boosting Demand for Mediators », *National Post,* 17 mars 2003. CCR International (conflictatwork.com).

La *conception behavioriste* du conflit a dominé environ de 1940 à 1970. Selon cette école de pensée, les conflits sont inévitables, voire bénéfiques pour l'entreprise, mais ils ne doivent pas être encouragés.

La *conception moderne* du conflit va jusqu'à prôner la nécessité du conflit. Les causes du conflit ne doivent plus être recherchées dans les erreurs de l'encadrement, mais dans un ensemble de facteurs incluant la structure de l'organisation, les exigences de l'environnement interne et externe de l'entreprise, les différences de perception des acteurs concernés, etc. Dans cette perspective, les conflits ne doivent être ni supprimés ni évités, mais gérés, voire stimulés dans le cas où l'efficacité, la créativité et l'innovation en dépendent.

Des définitions : le conflit, la compétition et la collaboration

Les définitions du conflit abondent, mais l'examen de la littérature sur ce sujet montre qu'il est difficile de trouver à ce terme un sens qui fasse l'unanimité chez tous les chercheurs. De façon générale, le conflit est une situation où deux parties entrent en opposition à l'idée que leurs intérêts sont menacés[1].

Une autre variante de cette définition se retrouve dans celle de March et Simon[2]. Il y a conflit entre deux groupes ou deux personnes (ou plus) A et B en interaction lorsque A perçoit que B l'empêche d'atteindre ses buts (ou en a l'intention), et inversement.

Cette définition a une portée pratique puisque, premièrement, toutes les unités ou groupes distincts d'une organisation ont leurs propres buts et, deuxièmement, les groupes ou les personnes sont liés par un aspect quelconque de la vie de l'organisation (la structure, les promotions convoitées, etc.). De plus, la définition implique que B provoque une rupture dans le processus décisionnel de A. Celui-ci s'efforce alors de rétablir l'équilibre du processus, et les stratégies qu'il adopte peuvent engendrer des comportements conflictuels (la manipulation, le marchandage, etc.). Enfin, le conflit est une question de perception : peu importe que les raisons du conflit soient réelles ou non, la réalité du conflit est définie par les parties concernées. La plupart des conflits résolus montrent qu'en fait, les intérêts communs des parties sont plus nombreux qu'elles ne l'avaient imaginé.

Le concept de **compétition** doit également être clarifié, car on associe souvent la compétition au conflit. La compétition est la recherche simultanée, par deux ou plusieurs personnes, d'un même avantage, d'un même objet, sans que l'une interfère dans l'activité de l'autre ou dans les règles qui régissent cette concurrence. C'est cette interférence qui fait la différence entre le conflit et la compétition. Généralement, la notion de compétition implique qu'un gain pour l'une des parties représente une perte pour l'autre. Par exemple, si une entreprise accroît sa part de marché pour un produit donné, celle qui reste pour les entreprises concurrentes décroît d'autant. La compétition peut bien sûr dégénérer en conflit lorsque les « perdants » accumulent de la frustration et de la rancœur et qu'ils la manifestent d'une manière ou d'une autre à la partie adverse. L'encadré 13.2 rapporte le cas de Bombardier et d'Alstom, où les dirigeants de cette dernière entreprise perçoivent, avec une colère non dissimulée, que les règles de la saine concurrence ont été bafouées.

Mais de nos jours, il n'est pas rare de voir les entreprises se concurrencer et coopérer en même temps. Par exemple, les activités de *benchmarking* (points de référence) ou des communautés de pratique (*voir le chapitre 4*) sont des exemples où les entreprises, même concurrentes, parviennent à s'améliorer collectivement grâce à ce genre de coopération. Les constructeurs d'automobiles japonais ont appris aux Occidentaux à travailler de façon constructive avec leurs fournisseurs. Par exemple, Honda travaille étroitement avec ses fournisseurs de pièces de telle manière que les deux partenaires coordonnent efficacement leurs activités.

La **collaboration** est un processus de coopération entre deux ou plusieurs parties désireuses d'atteindre un but commun.

Les sociologues ont circonscrit quelques facteurs poussant les individus ou les groupes à coopérer. Ils sont au nombre de quatre : le principe de réciprocité, les tempéraments individuels, la structure de l'entreprise et la menace extérieure au groupe[3].

Le principe de réciprocité   Selon ce principe, la nature humaine est ainsi faite qu'on répondra à une action par une réaction de même nature. Autrement dit, un geste de coopération d'une partie entraînera la plupart du temps une attitude de collaboration chez l'autre partie. Il suffit de commencer !

Le tempérament individuel   Les chercheurs ont relevé quatre types de tempérament selon que l'individu est prêt à collaborer ou non avec les autres.

■ *Les individus compétitifs*   Ces personnes sont motivées par le désir de gagner sur tous les tableaux et en tout temps !

■ *Les individus coopératifs*   Ces individus sont préoccupés d'obtenir des gains pour leur équipe ou leur groupe.

■ *Les individualistes*   Ces personnes sont soucieuses de faire avancer leurs propres intérêts exclusivement.

■ *Les « égalitaristes »*   Ces gens sont préoccupés de réduire les différences individuelles dans un souci d'égalité.

---

compétition
Recherche simultanée d'un même avantage par deux ou plusieurs personnes.

collaboration
Processus de coopération entre deux ou plusieurs parties désireuses d'atteindre un but commun.

Métro de Montréal — Bombardier et Alstom : concurrence déloyale ?

En colère, Alstom veut porter le dossier du métro de Montréal devant l'Organisation mondiale du commerce (OMC). Mais ça n'inquiète pas le gouvernement du Québec, qui estime que sa position juridique est blindée.

La semaine dernière, le gouvernement du Québec a fait savoir qu'il entamait des négociations de gré à gré avec Bombardier Transport pour le remplacement des 336 voitures MR63 du métro de Montréal. À moins d'un échec des négociations, Québec n'aura pas recours à un processus d'appel d'offres pour l'important contrat de 1,2 milliard de dollars.

C'est le grand patron du groupe Alstom lui-même, Patrick Kron, qui a officiellement réagi à la décision québécoise hier à Paris. Se disant très en colère, il a fait savoir qu'Alstom abordera la question avec l'OMC et la Commission européenne. « La question que nous allons poser aux autorités compétentes à Bruxelles, à l'OMC et aux autorités nationales, c'est s'il est normal que Bombardier bénéficie de fait d'une exclusivité sur son marché national et puisse se présenter face à Alstom et à ses autres concurrents sur les marchés européens dans le cadre d'appels d'offres ouverts et loyaux », a déclaré M. Kron en conférence de presse.

Source : Marie Tison, « Métro de Montréal : La colère d'Alstom n'ébranle pas Québec », *La Presse Affaires*, 18 mai 2006, p. 1.

Ces catégories sont utiles pour les chefs d'entreprise. En effet, si ces derniers connaissent le tempérament de leurs collaborateurs, ils seront en mesure de mieux sélectionner leur personnel. Ils pourront aussi affecter plus judicieusement les employés à des postes qui leur conviendront. Par exemple, un « coopératif » sera certes plus à l'aise et probablement plus efficace s'il est placé dans une équipe de travail que s'il doit travailler seul.

La structure de l'entreprise   Nous n'en considérerons ici que deux éléments : la configuration générale et le système de récompenses. Il arrive que la disposition physique des lieux prête à la collaboration ou à l'isolement. L'homme crée souvent lui-même des divisions spatiales qui finissent parfois par créer des antagonismes sans raison : une barrière entre voisins, des frontières, et Montréal contre Québec et Paris contre « la province » ! Les entreprises, pour favoriser les interactions, mettent en place des aires ouvertes (*voir les chapitres 11 et 15*). Par ailleurs, la conception même de l'organisation peut faire en sorte de stimuler la coopération ou pas. Ainsi, l'instauration d'équipes de travail interservices (ou transverses) favorisera la coopération (*voir le chapitre 9*), une faible distance hiérarchique également. Enfin, le système de récompenses, s'il favorise des stimulants collectifs, a des chances de susciter la coopération.

La menace extérieure au groupe   Parfois, des entreprises ou des groupes (voire des nations) peu enclins à coopérer dans des conditions normales peuvent être amenés à le faire. Cette situation se produit lorsque ces entités font face à « un ennemi » commun ou considéré comme tel, par exemple pour avoir touché à la fierté nationale ou à la sécurité d'emploi. Cette perception provoque souvent des réactions émotives. Voici quelques exemples : le gouvernement français s'est mobilisé pour défendre l'acquisition de Danone (*voir l'encadré 13.3*) ; Arcelor, le grand sidérurgiste européen, a fait de même contre Mittal Steel, un géant indien de la production de l'acier après l'offre publique d'achat de cette dernière

La perception d'un ennemi commun renforce la cohésion de groupe et atténue les conflits internes

Danone vaut-il vraiment une grand-messe? Depuis mardi la quasi-totalité de la classe politique rivalise de communiqués et déclarations pour dire, en substance « pas touche » à notre fleuron industriel. Hier, c'est Dominique de Villepin qui est monté au créneau pour dire que le gouvernement « entendait défendre les intérêts de la France ». Le premier ministre a d'ailleurs reconnu s'en être entretenu avec Franck Riboud, le patron de la multinationale française. Le plus surprenant dans cet emballement politique et syndical est que, pour l'instant, la menace d'une OPA hostile de Pepsico sur Danone n'existe officiellement qu'à l'état de rumeur.

Faut-il craindre des fermetures d'usines?

La classe politique et plusieurs grands patrons ont du mal à avaler l'OPA hostile du canadien Alcan sur le français Pechiney. Deux ans après l'opération, le bilan est très mauvais: le management français a été décimé, les centres de décision basculés au Canada et les fermetures d'usines françaises se succèdent. « J'espère qu'on ne recommencera pas la même connerie », confessait à *Libération* un haut fonctionnaire de Bercy.

La filière laitière a-t-elle raison d'avoir peur?

À entendre Patrick Ollier, le député UMP président de la Commission des affaires économiques à l'Assemblée nationale, « la qualité française » serait en péril en cas de prise de contrôle de Pepsico. « Les producteurs de lait se mobiliseront pour que Danone reste français et bien français. »

Source: « L'état refuse de voir », *Libération*, 21 juillet 2005, p. 2.

(qui s'est finalement réalisée en juin 2006); les syndicats états-uniens de l'automobile ou les pilotes de compagnies aériennes ont fait de grandes concessions à leurs employeurs pour affronter la concurrence étrangère ou le déclin de leurs entreprises.

Pour un gestionnaire, il est intéressant de savoir laquelle, de la compétition ou de la coopération, a le plus d'effet sur la productivité de son unité. Les conclusions des recherches sur ce sujet sont partagées. Parfois même, l'examen d'un certain nombre d'études montre la supériorité des situations concurrentielles sur les situations de coopération[4]. En fait, un examen attentif des conditions d'expérimentation de ces recherches montre que l'efficacité relative de la compétition et de la coopération dépend de la nature des tâches à effectuer et du mode de distribution des récompenses. Des tâches interdépendantes et des récompenses partagées équitablement incitent à la collaboration. Des tâches indépendantes et des récompenses individuelles encouragent la compétition non conflictuelle (par exemple, des commerciaux payés à la commission sur « leur territoire » ne risquent pas d'entrer en conflit les uns avec les autres et sont en même temps stimulés par la compétition).

LES DIFFÉRENTS TYPES DE CONFLITS

Il est nécessaire de savoir distinguer les différents types de conflits, car leur résolution dépend de leur nature. Selon que l'on considère comme unité d'analyse l'individu, le groupe ou l'organisation, il existe principalement six types de conflits: le conflit intrapersonnel (les dilemmes qui tiraillent un individu), le conflit interpersonnel (entre deux ou plusieurs personnes), le conflit intragroupe (à l'intérieur d'un groupe), le conflit intergroupe (entre deux groupes), le conflit intraorganisationnel (dans une organisation) et le conflit interorganisationnel (entre deux ou plusieurs organisations).

Le conflit intrapersonnel se manifeste quand un individu doit résoudre un dilemme intérieur qui provient de la difficulté de prendre une décision. Ce peut-être en raison de buts incompatibles ou opposés, de choix nécessaires qui sont tous aussi séduisants ou qui entraînent des résultats négatifs. Par exemple, un individu doit choisir entre deux emplois alléchants ; ou entre rester près de sa famille ou accepter un emploi très prometteur dans une ville éloignée ; ou encore ne pas savoir quoi faire devant sa découverte des malversations de son patron (le dénoncer ? se taire ?). Les cadres et les dirigeants éprouvent très souvent des conflits intrapersonnels, étant donné que la responsabilité leur incombe de prendre des décisions souvent lourdes de conséquences pour les autres (les employés, les clients, les actionnaires, l'organisation, etc.), donc qui sont sujettes à plus de choix et de réflexion.

Le conflit interpersonnel

Le conflit interpersonnel survient entre des individus lorsque les valeurs, les idées, les attitudes ou les comportements s'opposent. Nous pouvons illustrer ce type de conflit par ce qu'on appelle dans la science des conflits *le dilemme du prisonnier*. Dans cet exemple pédagogique, deux suspects récidivistes sont arrêtés pour délit grave, mais le juge ne possède pas assez de preuves pour les condamner. Il compte donc sur leurs aveux. Pour y arriver, le juge soumet les options suivantes aux deux suspects. S'ils avouent leur délit tous les deux, le juge les condamnera assez sévèrement, mais pas à la peine maximale. Si les deux refusent d'avouer, il les condamnera pour des délits mineurs. Si l'un avoue et l'autre pas, celui qui aura parlé recevra une peine légère pour sa collaboration et l'autre, la peine maximale. Les deux suspects n'ont pas la possibilité de communiquer entre eux.

Ce type de situation illustre bien autant le conflit intrapersonnel que le conflit interpersonnel. Le conflit est intrapersonnel parce que chacun des prisonniers se pose la question de savoir s'il va dénoncer l'autre ou pas car, individuellement, il est préférable de passer aux aveux. Toutefois, la meilleure issue est qu'aucun des deux n'avoue. Le conflit est aussi interpersonnel, car cette situation met en jeu la question de la méfiance (surtout en l'absence de communication) et de la compétition.

Le conflit intragroupe

Le conflit intragroupe désigne les frictions qui peuvent survenir à l'intérieur d'un groupe ou d'une équipe (*voir aussi le chapitre 8*). Par exemple, dans les entreprises familiales, les conflits abondent pour des questions de choix stratégiques ou de succession aux membres fondateurs. La dissidence est une autre manifestation courante des conflits intragroupes.

Les conflits intergroupes

Les conflits intergroupes sont des désaccords et des querelles qui opposent des groupes détenteurs d'influence dans l'organisation : le syndicat et le patronat, les cadres fonctionnels et les cadres opérationnels, les différents services, etc.

Le conflit intraorganisationnel

Les conflits précédents (le conflit intrapersonnel dans une moindre mesure) entrent aussi dans cette catégorie. Ils désignent également d'autres types de conflits comme le conflit personne-organisation (un employé peut poursuivre une organisation pour cause de rupture de contrat). Ils désignent aussi le conflit employé-supérieur hiérarchique (conflit dit vertical) ou entre deux chefs de même niveau (conflit horizontal). On peut également observer des conflits entre le siège social et ses divisions, entre un franchiseur et ses franchisés (par exemple, ces dernières années, les franchisés de Dunkin' Donuts et la chaîne, les premiers alléguant qu'ils paient des redevances sans recevoir beaucoup en retour), etc. Le conflit de rôles est aussi un conflit assez courant dans l'organisation (frictions issues de rôles contradictoires, incompatibles, mal définis ou aux exigences trop élevées).

Le conflit interorganisationnel

Le conflit interorganisationnel met en cause deux ou plusieurs organisations. C'est le cas, par exemple, de frictions entre des associations d'actionnaires ou de consommateurs et des sociétés, ou de multinationales qui s'accusent de concurrence déloyale (comme Bombardier et Embraer — avionneries respectivement canadienne et brésilienne — à propos de subventions gouvernementales ou Bombardier et Alstom, comme nous l'avons vu précédemment), ou encore d'entreprises qui se défendent d'offres d'achat perçues comme hostiles (nous l'avons vu avec Danone), etc.

LA DYNAMIQUE DU CONFLIT

Lorsqu'on décrit un conflit, on fait généralement allusion aux éléments observables, par exemple des propos désobligeants ou des comportements agressifs. Or, ce ne sont là que les manifestations observables du conflit et elles ne représentent qu'une petite partie du phénomène. Il faut surtout en chercher les causes et les réactions qui sont en jeu (*voir la figure 13.1*)[5].

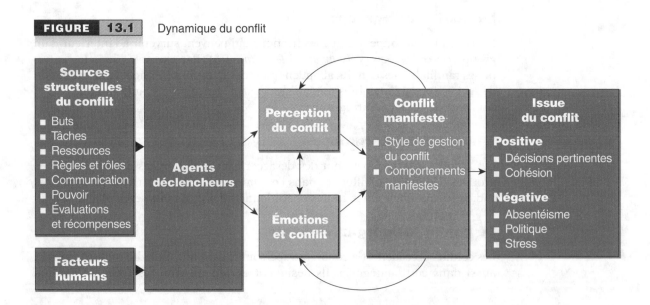

FIGURE 13.1 Dynamique du conflit

Les causes du conflit

Deux notions sont importantes pour comprendre les causes du conflit : les sources de conflit et les agents déclencheurs du conflit[6].

Les sources de conflit sont constituées d'une part de facteurs structurels (c'est-à-dire de l'environnement organisationnel des parties) et d'autre part des facteurs proprement humains. La présence de ces éléments ne mène pas en soi au conflit, mais elle en constitue la condition nécessaire. Ainsi, deux groupes qui sont en concurrence pour obtenir les mêmes ressources limitées de l'organisation risquent davantage d'être en conflit que deux groupes qui ne vivent pas cette situation.

Les sept facteurs structurels qui forment un terrain propice au conflit sont les suivants : 1) les différences de buts des groupes ; 2) l'interdépendance des tâches ; 3) la concurrence pour se partager les ressources limitées de l'organisation ; 4) le degré de clarté des règles, des règlements et des rôles ; 5) la nature du système de communication dans l'organisation ; 6) les différences de niveaux de pouvoir ; 7) les variations dans le système d'évaluation et de récompenses des groupes. Ces notions se clarifieront au fil du chapitre.

L'autre source potentielle de conflit a pour origine les différences de personnalités qui mettent en jeu le tempérament, la culture, les valeurs, etc.

Pour comprendre la naissance des conflits, il faut aussi saisir une notion importante qui réside dans les agents déclencheurs du conflit. Ces derniers sont les causes directes des conflits de groupe. Ces agents peuvent être des individus ou des événements, et l'action de ces agents peut trouver un terrain privilégié dans le contexte d'une ou de plusieurs des conditions décrites précédemment. Par exemple, deux services (groupes A et B) ont pour tâche de fabriquer chacun une partie d'un même produit. Supposons que le groupe B doive attendre que le groupe A ait fini sa partie pour commencer la sienne (interdépendance des tâches). Cette situation ne crée pas en soi de conflit, à moins que le service A, *surchargé* de travail (agent déclencheur), *retarde* le service B (autre agent déclencheur), qui voit son *rendement pénalisé* par la direction (autre agent déclencheur lié, quant à lui, au système d'évaluation et de récompenses).

Nous expliquerons quelques-uns de ces agents déclencheurs au fur et à mesure que nous décrirons le terrain conflictuel.

Les perceptions et les émotions dans les conflits

Pour qu'il y ait conflit, il faut d'abord que ce dernier soit admis et perçu comme tel. Par exemple, une remarque peut paraître désobligeante pour l'un et ignorée par l'autre. En outre, chaque partie éprouve diverses émotions découlant de cette appréhension du conflit.

Le conflit lié aux tâches et le conflit socioaffectif   Quand on a demandé ce que la société Toyota faisait pour fabriquer des voitures aussi extraordinaires, un ingénieur a répondu : « De nombreux conflits[7] ». Les employés de Toyota savent fort bien qu'un conflit n'est pas toujours mauvais. Les organisations prospères encouragent des formes modérées de conflit qui ne dégénèrent pas en batailles destructrices entre les employés ou les services. Pour tempérer les querelles, il faut préférer le conflit lié aux tâches et l'empêcher de dégénérer en conflit socio-affectif[8]. Un conflit lié aux tâches survient quand les parties ne sont pas d'accord sur les objectifs, les décisions à prendre ou les méthodes de travail. Le conflit est en quelque sorte isolable ; il est extériorisé. Ce conflit est sain et utile parce qu'il oblige les gens à remettre en question leur perception de la réalité. Tant qu'il demeure focalisé sur le problème, il favorise en général l'apparition d'idées nouvelles et reste maîtrisable.

Malheureusement, le conflit prend souvent un caractère personnel. Au lieu de se concentrer sur la problématique qui les sépare, chaque partie dirige son attention vers l'autre, qu'elle perçoit comme étant le problème. La discussion devient alors chargée d'émotion, ce qui fausse les perceptions et le traitement de l'information.

Le conflit manifeste

Le conflit est manifeste quand on peut observer divers comportements perçus négativement par les parties. Ces conduites peuvent aller des comportements non verbaux jusqu'à l'agression physique (*voir le chapitre 5 sur la violence en milieu de travail*). Par exemple, on rapporte que le conflit qui opposait les pilotes d'Air Canada à ceux de Canadien International avait provoqué des «batailles dans les terminaux» et des «bagarres dans la navette réservée aux membres de l'équipage[9]»!

Les comportements dépendent des styles de gestion du conflit des parties (évitement, collaboration, etc.) que nous décrirons plus loin.

L'escalade du conflit   À la figure 13.1, on peut voir des flèches qui vont du conflit manifeste aux perceptions et aux émotions. Ces flèches indiquent que le processus de conflit comporte en réalité une série de réactions en chaîne menant à l'intensification du conflit[10].

Si le conflit demeure lié à la tâche, les deux parties peuvent le résoudre en adoptant des comportements rationnels. Si le conflit est le terrain de perceptions erronées, de mauvaise volonté due à des personnalités obtuses ou belliqueuses[11], ou à des analyses faussées par des émotions trop intenses, alors l'escalade guette[12].

L'issue du conflit

Angela est chef de projet dans une société d'experts-conseils. Elle se considère comme une personne aimable, mais un conflit avec une collègue de travail l'a mise en contact avec un côté plus sombre de sa personnalité. «J'ignorais tout de cette tache sombre sur mon âme jusqu'à ce que ma collègue m'en fasse voir de toutes les couleurs», dit-elle. Cette collègue était une bonne amie jusqu'au jour où elle a accusé Angela de lui avoir «volé» un client important. Leur relation s'est détériorée lorsqu'elle s'est mise à répandre des ragots à propos d'Angela. Celle-ci s'est plainte à ses supérieurs qui n'ont rien fait pendant plusieurs mois. En fin de compte, sa collègue a été licenciée[13].

Les conflits fonctionnels et les conflits dysfonctionnels   Cette histoire vraie illustre la manière dont les malentendus et les désaccords peuvent dégénérer en conflit socioaffectif aux conséquences néfastes pour l'organisation. «Le conflit était mauvais pour les affaires, se rappelle Angela, parce qu'il influençait les décisions du personnel et nous faisait perdre de vue la productivité.» Le conflit socioaffectif augmente la frustration, l'insatisfaction au travail et le stress. À plus long terme, il accroît l'absentéisme et le roulement de la main-d'œuvre[14].

Ces symptômes étaient manifestes chez les cadres supérieurs de Walt Disney Corp. Le chef de la direction de Disney, Michael Eisner, favorisait un environnement où les cadres se battaient pour des ressources insuffisantes. Des employés ont

Les ravages du conflit

Parmi les travailleurs québécois qui ont été témoins ou victimes de conflits, 53 % d'entre eux affirment qu'une telle situation a nui beaucoup ou passablement à leur rendement. Cette proportion s'élève à 68 % dans les organisations où les gestionnaires ont tendance à ne pas intervenir.

Par ailleurs, 7 % des travailleurs affirment ne pas être rentrés au travail au cours des 12 derniers mois pour éviter un climat conflictuel. Dans les organisations où les gestionnaires ne gèrent pas les conflits, ce pourcentage s'élève à 15 %.

Source : Sondage CROP Express réalisé pour l'Ordre des CRHA et CRIA du Québec (ORHRI), auprès de 1000 employés québécois et québécoises interrogés par téléphone en décembre 2005. Site Internet de l'Ordre, 15 février 2006.

affirmé que plusieurs personnes avaient quitté l'entreprise parce qu'elles étaient épuisées par les conflits incessants[15]. À l'intérieur des groupes, le conflit avec un ennemi commun peut, certes, augmenter la cohésion du groupe, mais aussi le phénomène de *groupthink*[16] (*voir le chapitre 10*). On parle alors ici de conflits dysfonctionnels, négatifs pour l'organisation, comme le montrent les chiffres de l'encadré 13.4.

À la lumière de ces problèmes, il n'est pas étonnant que les gens associent la **gestion des conflits** à leur diminution ou à leur élimination, mais elle ne vise pas toujours ce but-là[17]. Gérer les conflits, c'est aussi modifier la nature du différend (voire l'intensifier de manière contrôlée) afin de le rendre bénéfique aux parties en cause. On parle alors de conflits constructifs ou fonctionnels[18].

Un conflit modéré incite les membres à travailler plus efficacement pour atteindre leurs buts, ce qui accroît la productivité de l'équipe.

Une étude montre que des groupes en conflit modéré amélioraient de 73 % leurs habiletés décisionnelles par rapport à des groupes caractérisés par un nombre peu élevé de conflits. Elle montre également que des scientifiques en recherche et développement étaient plus performants quand il existait des dissensions intellectuelles entre eux[19].

La figure 13.2 illustre cette relation entre l'intensité du conflit et la performance. Une intensité modérée des conflits accroît la performance, tandis qu'un niveau

gestion des conflits

Interventions qui altèrent la nature du conflit de manière à le rendre bénéfique pour les parties en cause.

FIGURE 13.2

Conflit et performance

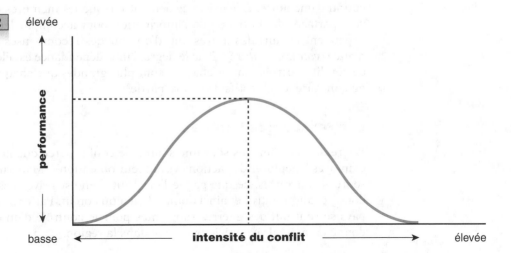

trop élevé de conflits peut entraîner une chute de la performance sous la forme d'insatisfaction au travail, d'absentéisme, de roulement de personnel dû au stress occasionné par ces querelles ou la violence, de formulation de griefs, etc. Un faible niveau de conflits peut aussi nuire à la performance par excès de conformité, de passivité ou par manque d'innovation et de créativité.

Maintenant que nous avons donné un aperçu général de la dynamique du conflit, expliquons en détail les sources de conflits.

LES SOURCES DE CONFLITS D'ORDRE STRUCTUREL

Lorsqu'un conflit manifeste éclate dans une organisation, il a sans doute pour origine un ou plusieurs des sept facteurs présentés précédemment et que nous allons maintenant détailler.

Des buts différents ou incompatibles

L'incompatibilité des buts est une source courante de conflit[20]. Les différents sous-systèmes (comme les services) qui composent une organisation efficace contribuent à la réalisation de ses buts. Plus les organisations sont complexes, plus les services se spécialisent. Ceux-ci se distinguent alors par des buts différents, mais aussi par des fonctions, des normes et des valeurs particulières. Cette différenciation est une source potentielle de conflits. Les ingénieurs, par exemple, peuvent privilégier la qualité et l'originalité d'un produit, tandis que le service des ventes mettra l'accent sur des prix compétitifs.

Toutefois, il n'est pas souhaitable de faire disparaître cette différenciation; elle est nécessaire pour les organisations qui veulent s'adapter et répondre efficacement aux besoins des différents segments de leur environnement. Mais l'équilibre peut s'avérer fragile lorsqu'il faut maintenir ces différences et, en même temps, les intégrer harmonieusement.

L'interdépendance des tâches

Le niveau de conflit tend à augmenter en fonction du niveau d'interdépendance des tâches. Il y a interdépendance quand l'exécution d'une tâche dépend de l'exécution d'une autre. Elle existe également lorsque les membres d'une équipe doivent partager des outils ou de l'information pour accomplir leur travail et qu'ils dépendent les uns des autres afin d'obtenir des récompenses liées à la performance (*voir le chapitre 8*). Plus le degré d'interdépendance est élevé, plus le risque de conflit s'accroît, car les chances sont plus grandes que chaque partie perturbe ou contrarie les objectifs de l'autre partie[21].

Les ressources limitées

Les ressources limitées sont une source de conflit parce que la rareté pousse les employés à déployer des actions visant leur obtention[22]. Mais vu la rareté des ressources convoitées, ce que gagne l'un, l'autre en est privé. Ces actions peuvent donc pénaliser autrui et ainsi donner lieu à un conflit. Par exemple, de nombreux pays se sont fait des guerres sanglantes pour le contrôle d'un cours d'eau étant donné la rareté de ce précieux liquide dans la région.

Des règles et des rôles ambigus

Des règles ambiguës ou l'absence de règles peuvent engendrer des conflits, car l'incertitude pousse à la confusion entre les parties. L'ambiguïté et l'incertitude encouragent les manœuvres politiques, comme dans le cas de fusions et d'acquisitions[23]. En revanche, quand il existe des règles claires et que les employés les ont acceptées, il y a peu de place pour le conflit, du moins le conflit ouvert. La confusion entourant les rôles de chacun dans l'organisation, nous l'avons déjà mentionné, est également une grande source de conflits, car elle affecte les tâches et les ressources attribuées à chacun et surtout l'autonomie rattachée aux postes de travail (composés, bien sûr, de rôles et de responsabilités).

Les problèmes de communication

Quand les employés ont peu d'interactions, ils se connaissent évidemment moins et, en cas de différend, ont tendance à recourir à des stéréotypes pour expliquer les comportements des autres et supputer ce qu'ils feront. Malheureusement, comme les stéréotypes sont subjectifs, les émotions faussent la signification des actions de l'autre partie, ce qui accentue la perception de conflit. De plus, sans interaction directe, les deux parties éprouvent moins d'empathie mutuelle.

La manière de transmettre les messages peut aussi être une source de conflit. Par exemple, certaines personnes ne possèdent pas les aptitudes nécessaires pour communiquer d'une manière diplomatique et non agressive. Quand une partie exprime son désaccord avec arrogance, elle peut être perçue par l'autre partie en adversaire plutôt qu'en collaboratrice. Cette attitude peut pousser l'autre à lui rendre la pareille en adoptant le même style de gestion des conflits[24].

Cette escalade peut se traduire par encore moins de motivation à communiquer avec l'autre partie, ce qui accentue les stéréotypes et l'incompréhension. Nous avons vu un cas où un directeur des services informatiques a agressé verbalement un comptable fraîchement engagé. Depuis, ce dernier évite le directeur, laissant ainsi certains problèmes non résolus. Un autre employé, au courant de la situation, rapporte que la relation du comptable avec son supérieur s'est tellement détériorée que pendant cinq mois, ils ont communiqué uniquement par courriels[25]. En se refermant sur eux-mêmes, les individus en conflit ont ainsi le réflexe de rétablir un équilibre interne rompu par une sorte de dissonance émotionnelle[26].

Le manque de motivation à communiquer explique aussi pourquoi les conflits sont plus courants dans les rapports multiculturels. Les gens sont souvent mal à l'aise ou gauches en présence de collègues de cultures différentes, donc moins motivés à engager le dialogue avec eux[27]. Lorsque la communication est limitée, les gens recourent davantage aux stéréotypes pour compléter l'information manquante. Ils tendent aussi à mal interpréter les signaux verbaux, ce qui contribue à l'escalade du conflit.

LES DIFFÉRENCES DE NIVEAUX DE POUVOIR

Dans une organisation, les services n'ont pas tous le même pouvoir et le même prestige, formels ou informels. Les théories modernes de l'organisation admettent en effet que dans une organisation efficace, le pouvoir et le prestige sont répartis différemment selon les problèmes, alors que la théorie classique privilégiait une autorité unique et homogène. Seiler[28] constate par exemple que dans une entreprise qui fabrique des produits pharmaceutiques, le service de recherche a plus d'influence et de prestige dans l'organisation que celui de l'ingénierie ou de la production. En général, lorsque cette influence est acceptée et reconnue, les conflits entre les services sont plutôt constructifs. Toutes choses étant égales, lorsque la position d'un service est liée à la contribution relative de ce dernier au succès de l'entreprise, l'apparition de conflits destructeurs est peu élevée.

Toutefois, des désaccords peuvent surgir entre les services ou les groupes quant au pouvoir et au prestige qui leur sont impartis. Les possibilités de conflits sont élevées lorsque les groupes les plus dépendants ou les moins prestigieux tentent de limiter le pouvoir et l'influence des autres groupes ou bien essaient d'acquérir ce pouvoir. Ainsi, dans l'entreprise pharmaceutique mentionnée précédemment, les désaccords sont apparus lorsque les ingénieurs mécaniciens ont résisté à l'influence des chercheurs en les obligeant à effectuer des tests supplémentaires sur les produits livrés. Les tactiques utilisées par les groupes subordonnés à d'autres groupes ont pour but d'augmenter leur importance en démontrant que leur contribution est indispensable. Ces tactiques n'apportent pas toujours la reconnaissance recherchée ; elles suscitent souvent, au contraire, des comportements de vengeance de la part des groupes visés.

Des conflits peuvent également éclater du fait que des groupes influents ou prestigieux abusent de leur pouvoir (par exemple, le service des ventes peut imposer des contraintes irréalistes à celui de la production). Les efforts des autres groupes pour limiter cette influence sont alors bénéfiques à l'organisation, car ils rétablissent un équilibre propice au fonctionnement de l'entreprise.

LES VARIATIONS DANS LE SYSTÈME D'ÉVALUATION ET DE RÉCOMPENSES

Les diverses contributions des acteurs de l'organisation exigent la multiplicité de critères d'évaluation et de récompense des individus ou des groupes. Toutefois, cette multiplicité souffre souvent de contradictions, voire d'une incohérence qui peut susciter des conflits entre les services et même altérer l'efficacité de l'organisation. La plupart du temps, cette incohérence n'est pas délibérée. Par exemple, le service de production est récompensé lorsqu'il travaille rapidement et sans interruption alors que, en même temps, le service du contrôle de la qualité est récompensé pour la fréquence des arrêts justifiés qu'il entraîne dans la production. Cette incohérence se reflète à plusieurs niveaux. Pour les groupes, elle se traduit d'abord par un système de récompense basé sur des critères d'évaluation vagues. Par ailleurs, alors que les activités des différents services doivent converger pour réaliser les buts de l'organisation grâce à des efforts communs, le système d'évaluation et de récompense valorise souvent les performances de chacun des services. Par exemple, les évaluations et les récompenses du service de recherche portent sur sa capacité d'innover, celles du service de production sur des activités menées au coût minimal, etc. Cela peut susciter une compétition stimulante entre les services, mais un climat de compétition excessive, du type « le gagnant rafle toutes les récompenses », engendrera plutôt un clivage entre les groupes, l'accentuation de la différence de leurs buts, de leurs divisions, et l'exacerbation des conflits. Le gestionnaire doit donc récompenser l'efficacité des groupes durant la réalisation d'un projet commun plutôt que la réussite individuelle. Ces mesures semblent efficaces lorsque chaque groupe doit apporter au projet commun une contribution identifiable, différente et particulière.

Enfin, le système de récompense n'est pas conçu et implanté par la seule direction de l'organisation. Les groupes qui composent les services ont des valeurs différentes forgées par leurs orientations professionnelles, l'éducation et la formation de leurs membres, etc. Le système de récompense doit donc tenir compte de la « culture » de ces différents groupes et dispenser les évaluations et les récompenses valorisées par les individus qui les composent. Par exemple, les conflits dans un hôpital émanaient, entre autres choses, du fait que les infirmières contestaient leurs évaluations et leurs récompenses : celles-ci portaient davantage sur les réalisations administratives que sur leurs accomplissements professionnels, ce à quoi elles s'opposaient.

Avant de proposer les solutions de même nature qui s'appliquent à ces causes structurelles, voyons d'abord l'autre source de conflit : les facteurs humains.

Les facteurs humains comme source de conflits

Récemment, un fabricant d'automobiles britannique projetait d'acheter une société italienne. Les dirigeants des deux sociétés étaient emballés par la possibilité de partager leurs canaux de distribution et leurs techniques de fabrication. Cependant, la vision grandiose d'une société fusionnée est devenue un cauchemar quand les dirigeants se sont penchés sur les détails de la fusion. Leur passé et leurs expériences différaient à un point tel qu'ils nageaient dans la confusion. Ils passaient leur temps à s'excuser pour des négligences et des malentendus. Au cours d'une réunion, la dernière en fait, le président de la société italienne s'est levé et a dit avec un sourire triste : « Nous savons tous quel est notre problème... on dirait que votre marche avant est notre marche arrière ; ce qui est en bas pour vous est en haut pour nous ; ce qui est bien pour vous est mauvais pour nous. Arrêtons-nous là avant de nous déclarer la guerre[29]. »

Les dirigeants des deux sociétés ont appris alors que le conflit est souvent causé par des valeurs et des croyances divergentes ainsi que par des expériences ou des formations différentes.

Les fusions provoquent souvent des conflits parce qu'elles rassemblent des gens issus de cultures et de valeurs d'entreprise différentes. Les dirigeants des fabricants italien et britannique d'automobiles ont sans doute aussi vécu des conflits découlant des différences entre leurs cultures nationales. L'association du fabricant d'automobiles français Renault et du fabricant japonais Nissan (*voir l'encadré 13.5*) donnait un autre exemple frappant de conflits qui découlent de différences culturelles tant nationales qu'organisationnelles.

De nombreuses sociétés subissent aussi une hausse des conflits entre les différentes générations[30]. Ce fossé a toujours existé, mais il est plus fréquent aujourd'hui où des employés de tous les groupes d'âge se côtoient en entreprise. Les jeunes employés et leurs aînés ont des attentes, des valeurs et des besoins différents. Cette différence est visible dans de nombreux types de conflits. Par exemple, les jeunes salariés et les moins jeunes à Techneglas Inc. se sont opposés au sujet d'un conflit d'horaire. Comme les employés plus jeunes veulent plus de temps libre, ils préfèrent les périodes de travail de 12 heures qui leur donnent des plages plus grandes pour leurs loisirs. Or, beaucoup d'employés plus âgés de Techneglas ont insisté pour conserver les périodes de 8 heures, qui leur permettent de faire des heures

Surmonter le choc des cultures dans l'association entre Renault et Nissan

Carlos Ghosn, né au Brésil, a vécu plus que sa part de conflit multiculturel quand le fabricant français d'automobiles Renault l'a nommé président de son partenaire, Nissan Motor Co., au Japon. « Beaucoup d'entre vous ont sans doute subi des chocs culturels avec d'autres sociétés à mesure que votre entreprise s'est mondialisée », a déclaré le dirigeant de Renault devant un auditoire composé de journalistes, de cadres et de consultants de l'industrie automobile. « Ces conflits entraînent un gaspillage de talent et d'énergie. »

Carlos Ghosn et d'autres cadres français étaient irrités de voir que les dirigeants de Nissan, le deuxième fabricant d'automobiles en importance au Japon, ne semblaient pas pressés de mettre un terme à sept années de pertes financières. « Même s'ils courent droit à la catastrophe, [les cadres de Nissan] restent tranquillement assis à examiner le problème », se plaint Carlos Ghosn.

Les cadres japonais étaient également perturbés par l'habitude française de comparer la performance des différentes unités de travail. Dans les grandes entreprises japonaises, chaque employé a son propre champ d'action et ses propres responsabilités. Comme ceux-ci ne débordent jamais sur ceux des autres, personne ne met jamais en doute le travail d'un collègue », explique une source anonyme de Nissan.

Les conflits bouillonnaient même à propos des traditions concernant les déjeuners et les réunions. Les cadres français sont convaincus qu'ils travaillent mieux après un déjeuner qui s'étire en longueur, tandis que les cadres japonais mangent très rapidement pour retourner aussitôt au travail et montrer ainsi leur loyauté. Par ailleurs, les Japonais adorent les longues réunions qui leur donnent l'impression que la société accorde de l'importance à leurs opinions, ce qui irrite les cadres français, qui préfèrent prendre les décisions plus rapidement.

Carlos Ghosn a surmonté ce conflit néfaste et a « sauvé » la société japonaise grâce au « plan de relance Nissan ». Ce plan comportait une série d'objectifs stimulants et mesurables. Il consistait en un objectif prioritaire qui a rallié les employés et les a incités à mettre de côté leurs différences culturelles. « Nous savions tous que pour être efficaces, nous devions confronter les méfiances et les heurts, naturels entre des cultures différentes, comme un luxe réservé aux gens riches », explique Carlos Ghosn.

Carlos Ghosn (qu'on voit ici) a connu sa part de conflits dus aux différences culturelles quand il a été muté au Japon et nommé président de Nissan Motor Co.

Reuters NewMedia Inc./Corbis

Sources : Y. Kageyama, « Renault Manager Crosses Cultural Divide to Turn Around Nissan », *Associated Press State & Local Wire*, 25 juin 2001 ; O. Morgan, « Nissan's Boy from Brazil Puts Accent on Profits », *The Observer*, Royaume-Uni, 27 mai 2001, p. 7 ; F. Kadri, « Renault-Nissan Two Years on : Being Bi-National Is not so Simple », *Agence France-Presse*, 1er avril 2001 ; A.R. Gold, M. Hirano et Y. Yokoyama, « An Outsider Takes on Japan : An Interview with Nissan's - Carlos Ghosn », *McKinsey Quarterly*, janvier 2001, p. 95 ; « Nissan's Ghosn Calls Cultural Clashes a Luxury for the Rich », *PR Newswire*, 18 janvier 2000.

www.nissan.co.jp

supplémentaires. « Les employés âgés n'ont pas de vie personnelle, s'écrie un des jeunes employés de Techneglas, leur travail, c'est leur vie[31]. »

Certaines caractéristiques relevant de la personnalité des individus peuvent aussi être à la source des conflits. La recherche montre que les personnes dogmatiques, autoritaires et ayant une faible estime d'elles-mêmes ont une propension à se retrouver dans des situations conflictuelles. Les conflits de personnalité

Un conflit de personnalité entre deux collègues de travail peut représenter une cause suffisante de congédiement

C'est ce qu'a conclu la commissaire Hélène Bédard, de la Commission des relations du travail, dans une décision qu'elle a rendue récemment*.

Un conflit de personnalité

La plaignante travaillait dans une petite entreprise et faisait partie d'un service constitué de trois employés, dont l'un venait d'être embauché au début de 2002. En ce début d'année, les rapports entre la plaignante et ce nouveau collègue sont bons, mais ils se détériorent vers la fin de l'année. Sans que son collègue en connaisse la raison, la plaignante commence à l'ignorer et un froid s'installe entre les deux.

Par la suite, les relations entre la plaignante et le nouveau salarié se dégradent, au point où elle ne lui adresse plus la parole et ne le consulte plus pour les besoins du travail, en dépit des suggestions répétées de ses supérieurs de régler ce conflit.

Malgré une rencontre avec le président de l'entreprise, les choses ne se règlent pas, et la plaignante refuse toujours d'adresser la parole à son collègue. Elle adopte plutôt une attitude d'évitement. Lorsque les locaux sont réaménagés, elle obtient que son bureau soit situé le plus loin possible de celui de son collègue.

Devant l'absence totale de collaboration de la part de cette dernière, l'entreprise décide de la congédier.

Selon la commissaire, l'employeur a clairement fait la preuve que la plaignante a bel et bien été congédiée pour incompatibilité de caractère.

* C. Carrier et Y. Dolbec, *Logistique International Inc.*, 2005, QCCRT.

Source : Yan Boisonneault, « Elle refuse toute collaboration et se fait congédier », *Les Affaires,* 15 octobre 2005, p. 46.

---

surviennent tous les jours dans le milieu de travail. L'encadré 13.6 donne un exemple des conséquences dramatiques de conflits de personnalité. De nombreux facteurs expliquent cette fréquence[32] :

- des malentendus émanant des différences d'âge, de race ou de culture ;
- l'intolérance, les préjugés et la discrimination ;
- le sentiment d'injustice ;
- des rumeurs ou des ragots injustifiés sur des individus ou des groupes ;
- des blâmes.

De façon plus générale, les gens affrontent les conflits avec des attitudes et des comportements qui leur sont très personnels, ce que les chercheurs nord-américains appellent des « styles ». C'est ce que nous verrons dans la section suivante.

LES DIVERS STYLES DE GESTION DES CONFLITS INTERPERSONNELS

attitude gagnant-gagnant
Conviction qu'il est possible de trouver une solution favorable aux deux parties.

attitude gagnant-perdant
Conviction que ce que gagne l'un, l'autre le perd.

Certaines personnes abordent les conflits avec une **attitude dite gagnant-gagnant** — elles sont persuadées que les deux parties trouveront une solution satisfaisante à leur désaccord. Elles croient que les ressources disponibles sont extensibles plutôt que limitées et qu'il leur suffit d'unir leurs efforts pour trouver une solution créative. D'autres personnes abordent les conflits avec une **attitude gagnant-perdant** — elles croient que si une partie gagne, l'autre devra perdre.

Pourtant, rares sont les conflits organisationnels causés par des intérêts parfaitement opposés. Par exemple, un fournisseur et un client peuvent penser d'emblée qu'ils ont des intérêts incompatibles ; en l'occurrence, le fournisseur veut vendre son produit plus cher, tandis que le client veut en avoir le meilleur prix possible. Toutefois, une discussion plus poussée peut révéler que le client serait prêt à payer davantage si le produit lui était livré plus rapidement que prévu. Le vendeur peut voir quant à lui y voir un avantage, puisqu'il épargnera ainsi des coûts de stockage. Si elles étudient le tableau d'ensemble, les deux parties peuvent donc trouver un terrain d'entente.

Adopter une attitude gagnant-gagnant ou gagnant-perdant influe sur le style de gestion des conflits, c'est-à-dire sur les actions des parties. Les chercheurs ont défini cinq attitudes personnelles que peuvent adopter les gens qui font face à une situation conflictuelle. La figure 13.3 présente la plus récente variation de ce modèle. Chaque style de résolution de conflits peut être placé dans une grille bidimensionnelle selon le degré de préoccupation de la personne pour son propre intérêt et celui qu'elle a pour l'intérêt des autres.

La résolution de problème est le seul style qui représente une attitude du type gagnant-gagnant. Les quatre autres styles sont des variations de l'attitude gagnant-perdant. Pour gérer les conflits efficacement, il faut choisir un style de gestion des conflits adapté à chaque situation[33].

◾ *La résolution de problème* La résolution de problème consiste à trouver une solution favorable aux deux parties en présence. C'est ce que nous avons vu avec l'exemple du vendeur et du client donné précédemment. L'échange d'information est ici un élément important, car les deux parties ont besoin de trouver un terrain d'entente et des solutions satisfaisantes pour tous.

◾ *L'évitement* L'évitement consiste à temporiser ou à éluder les situations conflictuelles. Cette attitude indique que la personne se fait peu de souci pour elle-même ou pour l'autre partie. Autrement dit, ceux qui adoptent ce style font tout

FIGURE 13.3

Styles de gestion des conflits interpersonnels

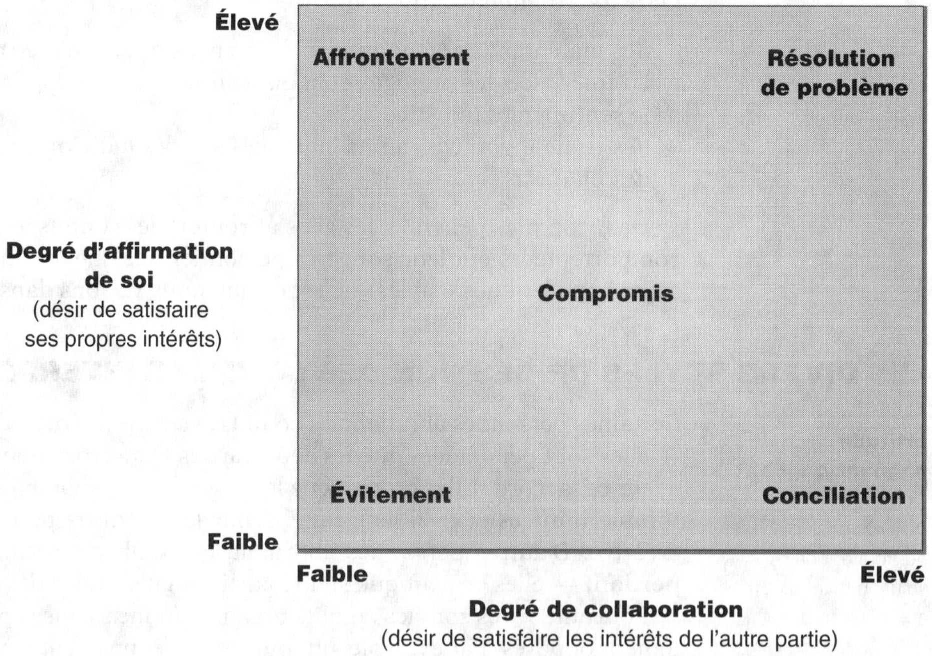

Source : C.K.W. de Dreu *et al.*, « A Theory-Based Measure of Conflict Management Strategies in the Workplace », *Journal of Organizational Behavior*, n° 22, 2001, p. 645-668. Des variations antérieures de ce modèle sont décrites dans l'article de T.L. Ruble et K. Thomas, « Support for a Two-Dimensional Model of Conflict Behavior », *Organizational Behavior and Human Performance*, n° 16, 1976, p. 145.

pour ne pas penser au conflit. Par exemple, certains employés réaménageront leur espace de travail ou leur emploi du temps afin de minimiser les interactions conflictuelles avec certains collègues[34].

■ *L'affrontement* Ce style consiste notamment à essayer de gagner aux dépens de l'autre partie. Il correspond à l'attitude gagnant-perdant la plus poussée, où la personne recourt à certaines tactiques « dures » (*voir le chapitre 12*) pour influencer l'autre, en particulier la coercition, afin de parvenir à ses fins.

■ *La conciliation* Cette tactique consiste à céder entièrement aux désirs de l'autre partie ou du moins à collaborer avec elle sans se soucier ou en se souciant très peu de ses propres intérêts ou de ceux de l'entreprise. La personne fait des concessions unilatérales et des promesses, et elle offre son aide sans attendre la réciprocité.

■ *Le compromis* Le compromis consiste à chercher une position où les pertes sont compensées par des gains de même valeur. La personne fait des concessions à la hauteur de celles de l'autre partie, des promesses conditionnelles ou des menaces, et elle cherche activement un terrain d'entente conciliant les intérêts des deux parties[35].

Choisir le meilleur style de gestion des conflits

Dernièrement, Sun Microsystems a poursuivi le fabricant de puces Kingston Technology afin d'obtenir les droits exclusifs d'une nouvelle architecture des modules de mémoire. Quand le tribunal a rejeté la plainte de Sun, le cofondateur de Kingston a eu une meilleure idée: il a invité McNealy, le chef de la direction de Sun Microsystems, à régler leur différend en disputant une partie de golf[36]. Une telle pratique est une manière inusitée de régler un conflit, mais cet exemple illustre bien le fait que les gens ont recours à divers styles de gestion des conflits. Certes, il est préférable de varier les styles en fonction de la situation, mais la plupart d'entre nous ont une préférence pour un style particulier.

En général, la résolution de problème est reconnue comme étant le mode préféré de règlement de conflits. Par exemple, ce mode entraîne une meilleure performance dans le cas des coentreprises[37]. Les parties règlent leurs problèmes plus rapidement et plus ouvertement, sollicitent l'opinion de leurs partenaires et expliquent leur plan d'action de façon complète et franche. Toutefois, ce style est efficace seulement dans certaines conditions. Il donne les meilleurs résultats quand les intérêts des parties ne sont pas diamétralement opposés et quand elles ont assez de confiance et d'ouverture pour partager l'information. Ce genre de conflits présente presque toujours des possibilités de gains mutuels, notamment quand les parties cherchent des solutions créatives[38].

On pourrait penser que l'évitement est une stratégie inefficace, mais la recherche a démontré qu'elle constitue la meilleure approche quand le conflit est devenu émotif[39]. Mais l'évitement ne doit pas constituer une solution à long terme, car il accroît le sentiment de frustration de l'autre partie de voir le problème non résolu.

L'affrontement systématique est rarement approprié parce qu'il est rare, dans les relations professionnelles, que les intérêts des deux parties soient complètement opposés. Toutefois, il peut s'avérer nécessaire quand une partie est persuadée d'avoir raison et que le différend doit être réglé rapidement. Il en va de même

TABLEAU 13.1 Le style de résolution de conflit le plus approprié selon la situation

Style	Situation
Conciliation	■ Le problème est plus important pour une partie que pour l'autre ■ Une partie négocie en position de faiblesse ■ Il est important de préserver la relation avec la partie adverse ■ Il faut prévenir l'escalade du conflit ■ Il y a trop d'émotivité dans les interactions
Affrontement	■ Le problème est relativement simple, mais l'issue est importante ■ Une décision rapide est requise ■ La décision est impopulaire, et le consensus est impossible à réaliser entre les parties ■ Les subordonnés n'ont ni l'expertise ni l'information pour résoudre le problème ■ Une partie n'a pas besoin de l'autre pour mettre en œuvre sa décision
Évitement	■ Le problème est peu important ■ La confrontation est plus « coûteuse » que la résolution du problème ■ Le conflit actuel n'est qu'un symptôme d'un problème plus grave à découvrir ■ Il faut détendre l'atmosphère
Compromis	■ Les intérêts et les objectifs sont mutuellement exclusifs ■ Les deux parties ont un pouvoir égal ■ Le consensus est impossible ■ Dans les circonstances, les autres stratégies seraient « défavorables » ■ Une solution temporaire est requise
Coopération	■ Le problème est complexe ■ La solution est impossible sans l'une ou l'autre des parties ■ Le temps disponible est suffisant ■ Les enjeux sont importants ■ La relation entre les parties doit être préservée

Source : Adaptation d'un tableau de K.W. Thomas, « Toward Multidimensional Values in Teaching : The Examples of Conflict Behaviors », *Academy of Management Review*, juillet 1977, p. 487.

quand l'autre partie bafoue les règles d'éthique, car tout comportement immoral est inacceptable. Une partie peut être obligée de recourir à la force si l'autre partie risque de tirer profit de stratégies plus coopératives. L'affrontement bien contrôlé permet aussi de soulever des conflits de façon bénéfique. C'est le style choisi par John Risley, patron canadien de Clearwater Fine Foods à Halifax, un géant mondial dans l'industrie des fruits de mer, qui prône la modernisation et l'intégration des activités de ce secteur[40]. Toutefois, les actions pour y arriver vont de la destitution de conseils d'administration à la fusion accélérée d'entreprises.

La tactique de la conciliation peut être appropriée quand l'une des parties a beaucoup plus de pouvoir que l'autre ou que les enjeux sont moins importants pour l'une que pour l'autre. Par ailleurs, une attitude trop conciliante peut donner à la partie adverse des attentes irréalistes et la pousser à exiger toujours plus. À la longue, la conciliation risque d'aggraver le conflit plutôt que de le résoudre.

Le compromis est la stratégie la plus efficace quand il y a peu d'espoir d'obtenir des gains mutuels à travers la résolution de problème, et que les deux parties sont

Les cultures et la résolution de conflits

Les recherches montrent que la notion même de conflit et de ses effets diffère d'une société à l'autre. Par exemple, les Mexicains considèrent que le conflit doit rester quelque chose de privé, tandis que les États-Uniens croient qu'il faut faire face directement et ouvertement à la crise. Pour ces derniers, le conflit peut avoir une certaine utilité, tandis que dans beaucoup de cultures asiatiques, on considère que le conflit nuit à la vie en entreprise. Alors que chez les Chinois, le compromis est une solution honorable au conflit, en Amérique du Nord on considère que ce type de résolution de conflit ne mène pas aux meilleures solutions. En Asie, le compromis est une manière de sauver la face et ainsi, chaque partie conserve son orgueil et sa dignité. Les Asiatiques, dans les négociations, préfèrent établir des contrats basés sur la confiance et les relations que sur des accords légaux, d'où la préférence pour des styles « discrets »[43].

Certains auteurs estiment que les hommes et les femmes ne règlent pas leurs conflits de la même façon[44]. En général, les femmes se soucient davantage de la relation entre les parties. Par conséquent, elles ont plus souvent recours à la résolution de problème au travail et sont plus disposées à faire des compromis pour protéger la relation. Les hommes, par contre, sont plus compétitifs et considèrent la relation à court terme seulement. Toutefois, ces résultats restent à confirmer.

pressées de régler leur différend. Toutefois, le compromis est rarement une solution finale et il peut amener les parties à négliger certaines possibilités de gains réciproques.

Le tableau 13.1 résume les situations favorables à l'application de ces styles.

Le sexe, les cultures nationales et les styles de gestion des conflits

Les différences culturelles sont plus qu'une simple source de conflits. Notre bagage culturel détermine aussi notre préférence en matière de style de gestion des conflits[41]. Cela s'explique par le fait qu'on se sent plus à l'aise avec des styles qui s'accordent avec notre système de valeurs personnelles et culturelles. Certaines recherches indiquent que les personnes issues de cultures collectivistes — dans lesquelles on privilégie l'harmonie et la loyauté au sein du groupe d'appartenance — sont plus motivées à entretenir des relations conviviales. C'est pourquoi elles préfèrent recourir à l'évitement ou à la résolution de problème pour régler leurs désaccords[42]. Il peut arriver qu'elles soient en concurrence avec des individus extérieurs à leur groupe, mais elles feront tout pour éviter l'affrontement si c'est possible. Au contraire, les personnes issues de cultures moins collectivistes privilégient les stratégies du compromis ou de l'affrontement (*voir l'encadré 13.7*).

LES SOLUTIONS STRUCTURELLES ET HUMAINES AUX CONFLITS

La gestion des conflits nécessite d'agir sur les causes structurelles et humaines du différend. Toutefois, les cadres ne sont pas nécessairement outillés pour résoudre les problèmes de personnalité, puisqu'ils ne sont pas tous psychologues! Aussi ont-ils davantage d'influence s'ils modifient les variables structurelles, celles-ci relevant directement de leurs fonctions et de leurs tâches. Nous nous étendrons donc surtout sur ces facteurs organisationnels du conflit que nous avons exposés précédemment. Rappelons par ailleurs que résoudre des conflits nécessite parfois de les susciter ou de les aggraver[45]. Par exemple, un nouveau cadre peut décider de mettre en concurrence deux groupes autrefois amorphes ou encore de mettre au jour un problème latent (donc de provoquer des tensions momentanées).

L'établissement d'objectifs fédérateurs et clairs

Carlos Ghosn, dont nous avons parlé plus tôt dans ce chapitre, a réussi à minimiser le conflit entre les cadres français et japonais en dirigeant leur attention vers un but ou des **objectifs fédérateurs** qui transcendent les parties, en l'occurrence le «plan de relance Nissan». Ces objectifs sont prioritaires et communs pour les parties en conflit; ainsi, la motivation à les réaliser ensemble a pour effet indirect de réduire temporairement ou définitivement leurs propres querelles. Si les employés ressentent un engagement plus fort envers les buts de l'entreprise (surtout si sa survie est menacée) qu'envers leurs objectifs personnels ou ceux de leur service, cela aura pour effet de réduire l'intensité de leurs conflits «locaux» et de diriger leur énergie vers un objectif transcendant leurs propres intérêts[46]. Plusieurs recherches indiquent que le fait, pour les employés, de se concentrer sur des buts fédérateurs, atténue les conflits destructeurs. Une étude révèle que les cadres en marketing de Hong-Kong, de Chine, du Japon et des États-Unis sont plus portés à utiliser le style de résolution de problèmes lorsqu'ils tentent d'harmoniser les objectifs de leur service avec ceux de leur entreprise. Une autre étude menée aux États-Unis révèle que les équipes de direction les plus efficaces se concentrent systématiquement sur l'établissement de buts fédérateurs comme stratégie d'entreprise[47]. Des objectifs fédérateurs plaident encore plus pour des énoncés clairs et mesurables des buts à atteindre[48].

Réduire les facteurs de différenciation

Une autre manière de minimiser les conflits destructeurs consiste à atténuer les différences qui, au départ, provoquent les conflits[49]. Le Manila Diamond Hotel, aux Philippines, y arrive en affectant ses employés à différents services à tour de rôle. «À Manila Diamond, nous n'avons pas une mentalité territoriale», explique le directeur du marketing de l'hôtel. «Nous travaillons tous ensemble. Nous partageons même nos tâches respectives chaque fois que c'est nécessaire.» Ailleurs, Hibernia Management and Development Co., une société terre-neuvienne, a réduit les «différences destructrices» entre les employés rémunérés à l'heure et les employés ayant droit au plein salaire en octroyant celui-ci à tous[50].

Améliorer la communication et la compréhension mutuelles

La communication est une composante importante de la gestion efficace des conflits. On peut la provoquer en rapprochant les parties physiquement (au moyen de célébrations communes, par exemple) et par le travail (en formant des équipes de travail multiples), comme on le verra plus loin. Une étude montre que les forces multinationales du maintien de la paix travaillent plus efficacement quand les soldats mangent et bavardent souvent ensemble[51].

La communication directe permet aussi de mieux comprendre les contraintes du milieu de travail de l'autre personne ou d'un autre service. La communication continue est particulièrement importante lorsque la spécialisation fonctionnelle que requièrent les entreprises rend, par le fait même, plus difficile d'atténuer les divergences entre les différents experts[52].

Jamey Harvey, chef de la direction du fabricant de logiciels iKimbo, explique son point de vue: «Plus les divers groupes d'une entreprise ont des occasions de communiquer d'une manière informelle, mieux ils travailleront ensemble. L'équipe du marketing comprend que l'équipe du développement subit une énorme pression pour mettre les logiciels au point à temps. Et l'équipe du développement comprend que l'équipe du marketing dépense de l'argent qui sera gaspillé si le produit n'est pas prêt à temps[53].»

Les activités axées sur la construction d'équipe (*voir le chapitre 9*) rapprochent aussi les individus et les services. Siemens AG, en Allemagne, et le géant français Framatome SA, après avoir fusionné leurs divisions de l'énergie nucléaire, ont emprunté cette voie. Les cadres supérieurs des deux sociétés ont été envoyés dans un endroit tranquille à une heure de Paris. Ils y ont passé quelques jours à disputer des courses en canot et à pied. La société d'experts-conseils qui dirige ce lieu a aussi passé du temps avec chaque groupe afin d'examiner de manière constructive les différences culturelles entre les cadres français et les cadres allemands[54].

Le **dialogue** est un échange ouvert et honnête d'idées et de sentiments entre les membres d'une équipe et propice à développer un sentiment de confiance. Le dialogue est une autre activité qui vise à promouvoir le travail en équipe. Il aide à harmoniser les modes de réflexion et permet de s'attaquer aux vrais problèmes sans arrière-pensée[55] (*voir le chapitre 8*).

dialogue
Échange ouvert et honnête d'idées et de sentiments entre les membres d'une équipe et propice à développer un sentiment de confiance.

Réduire l'interdépendance des tâches

Le risque de conflit augmente avec le degré d'interdépendance de toutes sortes (tâches, ressources, etc.), nous l'avons vu. Par conséquent, pour minimiser les frictions, il faut parfois réduire ce degré d'interdépendance entre les parties. On peut scinder les entités qui sont sources de frictions, dans la mesure du possible. Ainsi, lorsque deux groupes appartiennent à la même division et que ces deux groupes ont une clientèle, des objectifs et des techniques de travail relativement différents, on peut scinder cette division en deux. Par exemple, dans un service de formation unique, le groupe qui assume la formation des cadres supérieurs de l'entreprise pourra devenir un service distinct du groupe qui assure la formation du personnel technique, avec ce que cela suppose de ressources et de moyens.

Contrairement à l'opération de compartimentation précédente, on peut encore combiner des tâches séquentielles et les redistribuer ainsi remaniées. Par exemple, au lieu de demander à un employé de servir les clients et à un autre de s'occuper de la caisse enregistreuse, chaque employé pourrait avoir la possibilité d'exercer les deux activités quand il est seul. Les stocks-tampons sont un autre moyen de réduire l'interdépendance entre les employés ou les unités de travail, car ils permettent de planifier des séquences d'activités sans interruption, ce qui évite des retards qui pourraient pénaliser les uns et les autres et des frictions potentielles. Il faudra cependant s'assurer que l'accumulation de ces stocks-tampons est cohérente avec la politique du «juste à temps» de l'entreprise, ce qui à première vue apparaît contradictoire[56].

Augmenter les ressources

Une manière évidente de diminuer les conflits dus au manque de ressources consiste à accroître la quantité de ressources disponibles. Les décideurs pourraient être portés à rejeter d'emblée cette solution en raison des coûts engendrés.

Toutefois, ils pourraient faire l'exercice de comparer ces coûts avec ceux qui proviennent des conflits destructeurs par suite d'une pénurie de ressources. On peut aussi établir un mécanisme de distribution de ces ressources (à qui ? combien de temps ? etc.).

Clarifier les règles, les procédures et les rôles

Certains conflits résultent de règles ambiguës qui touchent la répartition d'une ressource limitée ou l'exécution du travail, la distribution des rôles et des responsabilités. Par conséquent, l'adoption de règles et de procédures claires est une bonne manière de minimiser les conflits. Par exemple, il faudra préciser le délai à l'intérieur duquel un fournisseur doit honorer une commande. Il conviendra également de clarifier les rôles des acteurs mêlés au conflit et les faire accepter par eux (en fin de chapitre, nous verrons la technique d'analyse de rôles visant cet objectif).

Examinons la situation suivante, survenue quand Armstrong World Industries Inc., une entreprise de matériaux de plancher et de construction, a fait appel à des consultants pour mettre sur pied un réseau client-serveur. Un conflit a éclaté entre les employés du service informatique et les consultants au sujet de la personne qui devait être en charge du projet. Un autre conflit est né lorsque les consultants ont voulu rallonger certaines journées de travail afin de pouvoir rentrer chez eux en avion le vendredi. La société a minimisé ces conflits en définissant le plus clairement possible les responsabilités et les fonctions de chaque partie dans le contrat. Les questions nébuleuses ou négligées ont été clarifiées au moyen de discussions entre deux cadres supérieurs des deux entreprises[57].

Rétablir l'équilibre du pouvoir et du système de récompenses

Rappelons les situations qui soulèvent des conflits entre des services interdépendants au sujet de la répartition du pouvoir : 1) certains groupes abusent de leur pouvoir et cet abus est contesté ; 2) par des tactiques coercitives ou de marchandage, des groupes tentent de diminuer l'importance des autres et d'augmenter la leur ; cette importance peut être, légitimement ou non, basée sur le prestige, le pouvoir et l'expertise.

De façon générale, pour prévenir ce type de conflits, les gestionnaires doivent équilibrer le pouvoir des groupes en fonction de leur prestige, de leur expertise et de leur contribution relative au succès de l'organisation. Par exemple, on peut fondre deux unités A et B en une seule lorsque : 1) A possède le pouvoir formel de contrôler B ; 2) B conteste ce pouvoir ; 3) B a autant d'expertise que A pour faire le travail de A et 4) le pouvoir accordé à A correspond à un besoin artificiel de contrôle. Dans ces conditions, le maintien de deux unités distinctes occasionne des conflits.

Le gestionnaire peut aussi réduire l'usage excessif ou arbitraire du pouvoir au moyen de la décentralisation ou de la délégation des responsabilités (*voir par exemple les chapitres 8 et 15*). Il peut aussi légitimer officiellement l'influence des groupes dont le prestige et le pouvoir sont informels et interfèrent dans la hiérarchie formelle.

Quant aux conflits que soulèvent les systèmes d'évaluation et de récompenses, les dirigeants doivent élaborer des politiques cohérentes et équitables. Cela signifie que ces politiques ne doivent pas accentuer les divisions entre les groupes en créant une compétition malsaine. Les dirigeants doivent récompenser les actions de coopération et nuancer leurs critères selon les valeurs dominantes des groupes.

RÉSOUDRE LES CONFLITS PAR LA NÉGOCIATION

négociation

Pourparlers au cours desquels deux ou plusieurs parties tentent de régler un différend ou de mettre fin à un conflit qui les oppose.

Réfléchissez à quelques événements que vous avez vécus récemment. Peut-être avez-vous dû vous mettre d'accord avec d'autres étudiants au sujet des tâches à terminer dans le cadre d'un travail d'équipe. Si vous avez choisi le covoiturage, vous avez probablement dû vous entendre avec les autres sur l'heure du départ ; la question de savoir qui préparerait le dîner s'est peut-être aussi posée. Chacun de ces événements quotidiens pouvait provoquer un conflit potentiel, et vous avez résolu le problème grâce à la **négociation**. On parle de négociation quand deux ou plusieurs parties engagent des pourparlers en vue de régler un différend ou de mettre fin à un conflit qui les oppose[58]. En d'autres termes, les gens ou des entités négocient quand ils pensent qu'une discussion peut déboucher sur un arrangement plus satisfaisant en ce qui concerne leurs échanges. Au Québec, les nombreux conflits de travail demandent de plus en plus aux acteurs concernés de savoir négocier pour le bénéfice de leurs mandats. Dans son bilan des relations du travail publié en 2005 sous ce titre, le ministère du Travail québécois relevait qu'en 2004, il y a eu 129 conflits de travail d'une durée moyenne de 59 jours totalisant 747 000 jours de travail perdus.

négociation distributive

Négociation où les parties tentent de maximiser leurs gains selon une logique gagnant-perdant.

Il est clair que la négociation n'est pas une pratique obscure réservée aux représentants syndicaux ou patronaux qui débattent d'une convention collective. Tout le monde négocie — tous les jours, sans même y prêter attention[59]. La négociation est particulièrement évidente dans le milieu du travail parce que les employés sont interdépendants. Ces derniers négocient avec leurs supérieurs au sujet des tâches qu'ils devront effectuer le mois suivant. Ils peuvent négocier au sujet des délais de vente et de livraison avec leurs clients, ou encore de l'heure à laquelle ils prendront la pause de midi avec leurs collègues de travail. Bien sûr, il peut même arriver qu'ils négocient pour régler des conflits de travail ou établir des conventions collectives.

négociation intégrative ou raisonnée

Négociation où les parties, en abordant honnêtement les vrais enjeux, sortent toutes les deux gagnantes et satisfaites du règlement.

La façon d'envisager la négociation par les parties en litige aura des conséquences sur plusieurs aspects : la qualité des résultats obtenus, les relations futures entre les partenaires, le climat de l'organisation, voire la performance de l'entreprise. Deux courants caractérisent la façon de négocier : la **négociation distributive** et la **négociation intégrative ou raisonnée.**

Négociation distributive et négociation raisonnée (ou intégrative)

La négociation distributive est une stratégie de négociation dite à sommes nulles (ou gagnant-perdant), car tout ce qu'une partie gagne, l'autre le perd. L'exemple le plus typique est la négociation sur les salaires où tout gain fait par le syndicat est vu comme une perte pour l'organisation. Dans ce cas-là, les parties campent sur leurs positions et non sur les véritables intérêts de chacun.

Dans la négociation intégrative (dite aussi « raisonnée », « basée sur les intérêts » ou encore « négociation par la résolution de problèmes »), les parties, en abordant honnêtement les vrais enjeux, sortent toutes les deux gagnantes et satisfaites du règlement. Contrairement à la négociation distributive, les parties qui pratiquent la négociation raisonnée tiennent pour acquis qu'il existe plusieurs solutions au problème et que celles-ci peuvent leur profiter selon le schéma gagnant-gagnant. Nous l'avons vu chez Bridgestone Firestone en texte d'ouverture du chapitre.

Certains auteurs estiment que la négociation a plus de chances de réussir si les parties ont recours à un style axé sur la résolution de problème. Mais d'autres nous mettent en garde contre le coût parfois élevé de ce style de gestion des conflits et soulignent la difficulté de l'appliquer dans toutes les situations de négociation[60]. Souvent, les négociateurs chevronnés utilisent la résolution de problème avec prudence au début des négociations en divulguant seulement quelques données et en essayant de déterminer si l'autre partie fera de même. Ils cherchent ainsi à établir une relation de confiance avec l'autre partie[61]. Les négociateurs adopteront l'un des styles gagnant-perdant seulement s'il devient clair qu'ils ne trouveront pas de solution favorable aux deux parties ou que l'autre partie n'est pas disposée à divulguer sincèrement de l'information à son tour.

La dynamique typique d'une négociation à tendance distributive

Nous exposerons ici le schéma traditionnel (et le plus courant) d'une négociation dont une dynamique exagérée est typique d'une négociation distributive. Clarifions tout d'abord les notions de position et d'intérêts.

La position est la demande ferme exprimée par une partie. Les intérêts ou enjeux véritables sont les préoccupations réelles sous-jacentes aux positions et aux négociations des parties. Par exemple, l'opposition du syndicat à une reclassification des postes peut être sa position, mais le véritable enjeu non avoué ou vraiment peu débattu est la crainte que la mise en œuvre d'équipes autonomes ou semi-autonomes annoncée par la direction ne mène à long terme à des licenciements.

Une négociation n'est possible que si les deux parties consentent finalement à négocier réellement et à négocier quelque chose! Dans le jargon de la négociation, on appelle cette possibilité la « zone de négociation »[62]. La figure 13.4 illustre cette zone de négociation, après une série de tractations et de manœuvres classiques entre les parties. Selon ce modèle, les parties établissent trois principaux points symboliques de négociation. Le point de départ est la demande initiale que vous pouvez présenter à votre employeur qui, de son côté, vous fait également une offre initiale. Par exemple, vous pourriez demander une augmentation de salaire de 15 000 $ à laquelle répond une offre de 5000 $ par la direction. Dans une négociation distributive, ces attentes peuvent d'ailleurs être tout à fait irréalistes. L'objectif visé est l'attente réaliste et espérée des parties. Par exemple, vous espérez obtenir 12 000 $, tandis que l'employeur espère que vous accepterez une augmentation de 8000 $. Le point de résistance est le point au-delà duquel les parties ne feront plus de concession, 11 000 $ dans votre cas et 9000 $ dans celui de l'employeur. La zone de négociation se situe alors entre 9000 $ et 11 000 $. L'absence de cette zone signifie qu'il n'y a pas de négociation possible.

Les parties commencent par décrire leurs demandes et leurs offres initiales pour chaque point litigieux. Dans la plupart des cas, les acteurs savent que ce point de départ changera à mesure que les deux parties feront des concessions. Dans les situations gagnant-perdant, les objectifs espérés et les points de résistance ne sont pas révélés à l'autre partie qui s'efforcera de les découvrir pour savoir jusqu'où elle peut aller sans provoquer une rupture des négociations. Les

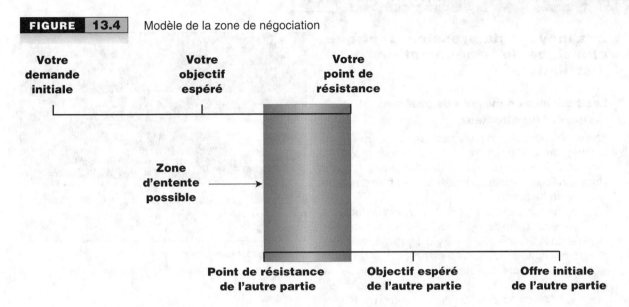

FIGURE 13.4 Modèle de la zone de négociation

parties, pour les mêmes raisons, ont intérêt à connaître ce que fera le partenaire en cas d'échec des négociations, c'est-à-dire sa meilleure solution de rechange (son acronyme : **MESORE**). Par exemple, dans votre cas, chercher un emploi ailleurs et pour votre employeur se lancer dans une campagne de recrutement. Dans la négociation distributive extrême peuvent faire surface beaucoup de tactiques visant à déstabiliser l'opposant (les paroles ou les gestes vus négativement par la partie visée, la désinformation, la prise à témoin du public, etc.) ou d'autres actes comme le menacer de mesures coercitives — comme la grève ou le lock-out —, voire l'agresser physiquement dans les cas de traditions « musclées » d'affrontement. Différents moyens de pression sont décrits dans l'encadré 13.8.

La négociation intégrative ou raisonnée

Les négociateurs qui reconnaissent d'emblée les véritables intérêts en jeu ont plus de chance d'atteindre une solution rapidement. Par exemple, si l'employeur donnait au syndicat plus de formation, enrichissait les tâches et assurait qu'il n'y aurait pas de licenciements massifs en échange de l'instauration de groupes autonomes et de mobilité des employés, ceci pourrait rassurer le syndicat sur sa préoccupation en ce qui a trait à la sécurité d'emploi. Les deux parties sont ainsi satisfaites en abordant les enjeux réels et en y trouvant des solutions mutuellement acceptables. Par exemple, chez Bell Helicopter Textron, une négociation raisonnée sur la rotation des quarts de travail en 2006 a satisfait les parties.

Dans la négociation intégrative, les parties espèrent trouver un arrangement dans lequel chaque partie perd relativement peu de chose sur certains points et réalise des gains significatifs sur d'autres points. Autre exemple : un fournisseur peut vouloir repousser les dates de livraison, alors que ces dates importent peu pour son client. Si les parties partagent cette information, elles peuvent s'entendre rapidement sur un calendrier de livraison différé qui demandera peu de concessions au client et satisfera le fournisseur. En ce qui concerne d'autres points (le financement, la taille des commandes, etc.), le fournisseur peut faire une concession

Les moyens de pression, tactique classique de la négociation distributive

Les policiers en moyens de pression narguent leur directeur

En pleines négociations, les policiers de la Sûreté du Québec ont trouvé un moyen inusité pour braver la direction : ils signent le nom de leur grand patron, Normand Proulx, lorsqu'ils paient le plein d'essence de leur voiture de police.

Ainsi, depuis plusieurs mois, des milliers de factures d'essence au nom de M. Proulx affluent au quartier général de la SQ, ce qui cause plusieurs maux de tête aux administrateurs du service de police.

Les policiers ont également cessé de compiler le kilométrage parcouru, ce qui crée un surplus de travail pour les officiers, qui doivent vérifier eux-mêmes le kilométrage sur le tableau de bord des véhicules.

Moyens de pression

Sans contrat de travail depuis juin 2002, les 5000 agents syndiqués de la SQ ont entrepris ces moyens de pression à la demande de leur syndicat, a-t-on appris. Des négociations intensives sont en cours entre l'Association des policières et policiers provinciaux du Québec (APPQ) et le ministère de la Sécurité publique.

Photo : Gracieuseté de la Sûreté du Québec

Les policiers doivent normalement signer leur nom après avoir payé pour l'essence, et compiler les reçus et le kilométrage effectué lors de leur quart de travail.

Or, depuis des mois, les policiers signent « Normand Proulx » et jettent leur copie de la facture à la poubelle. Le suivi du kilométrage n'est pas fait systématiquement.

Source : Nicolas Bérubé, « De l'eau dans le gaz à la SQ », *La Presse*, Montréal, 19 mai 2006, p. A1 et A12.

qui entraînera une perte minimale pour lui tout en procurant un avantage significatif à son client.

Fisher et Ury[63], dans un petit livre à succès, préconisent une méthode aux principes semblables aux précédents. Cependant, ils y ajoutent cinq points de repère utiles dans une négociation raisonnée :

1. *Ne pas négocier sur des positions mais sur le vrai problème*   Nous en avons parlé précédemment.

2. *Traiter séparément les questions de personnes et le différend*   Les négociateurs se considèrent parfois comme des ennemis qui ont un compte personnel à régler. Il leur est difficile de séparer ce qui concerne leur relation de la matière du différend. Il est alors préconisé d'éviter le langage du conflit, de décrire sans juger et, surtout, d'écouter. Être sensible aux arguments de l'adversaire ne veut pas dire qu'on les approuve, mais les deux parties y gagnent en estime réciproque.

3. *Se concentrer sur les intérêts en jeu*   Il s'agit ici de placer le différend sur un plan essentiel, de découvrir les intérêts fondamentaux. Nous en avons déjà parlé aussi.

4. *Imaginer des solutions procurant un bénéfice mutuel*   Familièrement parlant, il faut « élargir le gâteau avant de le partager » et refuser l'idée qu'il n'y a qu'à qu'une

seule solution au problème. Reprenons l'exemple des groupes autonomes. Une fois l'enjeu véritable découvert (productivité et flexibilité pour l'employeur, sécurité d'emploi pour les employés), on peut imaginer de multiples solutions pour concilier les parties : travail d'équipe, formation, enrichissement des tâches, objectifs de performance à la hausse, réaffectations, réduction du personnel par des départs volontaires compensés avantageusement, qualité accrue des produits, etc.

5. *Utiliser des critères objectifs pour résoudre le problème* Le recours à des critères objectifs a pour effet de régler le conflit sur une base indépendante de la seule volonté des parties en présence. Par exemple, une discussion sur la formation à la prévention et sur le réaménagement des lieux de travail peut s'établir à partir de ce qui se fait dans les entreprises concurrentes en consultant la législation à ce sujet, etc.

Cette approche est intéressante, mais elle part du principe que les participants sont rationnels et raisonnables, ce qui n'est pas toujours le cas. Parfois, les émotions et l'émotivité prennent le dessus, notamment dans des conflits liés aux valeurs ou aux idéologies. De plus, elle occulte les phénomènes de pouvoir qui peuvent motiver les parties et qui sont rarement et ouvertement avouables.

Les facteurs conjoncturels qui influencent les négociations

L'efficacité de la négociation dépend autant de la conjoncture que du comportement des négociateurs. Les quatre facteurs conjoncturels les plus importants sont le terrain de la négociation (l'emplacement), l'aménagement des lieux, le temps et les échéances ainsi que la présence d'observateurs.

L'emplacement Il est plus facile de négocier sur votre propre territoire parce que vous connaissez bien l'environnement et pouvez conserver vos habitudes rassurantes[64]. De plus, vous évitez le stress lié au déplacement et ne dépendez pas de tiers pour obtenir les ressources nécessaires pendant la négociation. Compte tenu des avantages stratégiques qu'offre le terrain personnel, de nombreux négociateurs s'entendent pour choisir un territoire neutre. Le téléphone, la vidéoconférence et d'autres technologies de l'information permettent de passer outre à ce problème, mais les négociateurs chevronnés préfèrent habituellement la richesse du médium qu'est la rencontre en personne[65].

L'aménagement des lieux La distance physique, la formalité du lieu et des aménagements peuvent avoir une influence sur l'attitude des parties envers leurs interlocuteurs et les questions litigieuses[66]. Il en est de même pour la disposition des sièges. Les gens qui s'assoient face à face peuvent exprimer ainsi une attitude de confrontation. Par contre, certains groupes de négociation s'organisent pour disperser les différents participants autour de la table afin de favoriser une orientation gagnant-gagnant. D'autres disposent les sièges de manière à ce que les deux parties regardent un tableau blanc ; ils mettent ainsi en évidence le fait que les deux parties font face au même problème.

Le temps et les échéances Plus les parties ont investi du temps dans les négociations, plus elles sont déterminées à conclure une entente. Mais cette énergie peut aussi les pousser à rester sur leurs positions.

Les échéances peuvent être utiles dans la mesure où elles motivent aussi à conclure. Les négociateurs font alors des concessions et diminuent leurs exigences plus rapidement à mesure que l'échéance approche. Dans le cas où les négociations n'aboutissent pas dans le temps imparti ou souhaitable, le dépassement des échéances devient coûteux[67]. La pression du temps, si elle accélère le désir d'arriver à une entente, nuit par contre à la résolution des problèmes parce que les parties ont moins de temps pour échanger plus d'information ou pour présenter des offres qui font preuve de souplesse.

La présence d'observateurs   La plupart des négociateurs ont un ou des observateurs, ou un auditoire, que ce soit des gens de l'entreprise ou le grand public. Ces gens sont concernés, d'une manière ou d'une autre, par l'objet du litige débattu. Les négociateurs ont tendance à se comporter différemment selon qu'ils sont en présence permanente d'observateurs ou que ceux-ci ne voient que les résultats finaux des négociations[68] (ces réactions diverses renvoient au phénomène de facilitation sociale que nous avons vu au chapitre 8). Lorsque les observateurs suivent les débats « en direct », les négociateurs manifestent un plus grand esprit de compétition, sont moins portés à faire des concessions et sont plus susceptibles de recourir à des tactiques manipulatrices[69]. Ce comportement « pur et dur » a pour objet de montrer aux observateurs que le négociateur défend leurs intérêts et qu'ils ne perdront pas la face.

Parfois, les négociateurs font appel directement aux observateurs lorsqu'ils recherchent leur soutien. Le grand public endosse souvent ce rôle durant des négociations menées par les gouvernements[70].

Les tâches et les comportements du négociateur

Le négociateur joue un rôle important dans la résolution d'un conflit. Mais pour atteindre ses objectifs, il doit accomplir certaines tâches et adopter des comportements adéquats. Ses quatre activités les plus importantes sont les suivantes : se fixer des objectifs, recueillir des renseignements pertinents, communiquer efficacement et faire des concessions au besoin.

■ *Se préparer et se fixer des objectifs*   Les recherches démontrent systématiquement que les négociateurs obtiennent des résultats plus favorables quand ils sont bien préparés et qu'ils se sont fixé des objectifs[71]. En particulier, ils doivent réfléchir soigneusement à leurs demandes et à leurs offres de départ, aux points visés et aux points de résistance. Les négociateurs ont aussi avantage à prévoir des solutions de rechange en cas d'échec et à réviser leurs hypothèses de base ainsi que leurs objectifs et leurs valeurs. Autre tâche cruciale : ils doivent essayer de découvrir ce que l'autre partie veut obtenir de la négociation.

■ *Recueillir des renseignements*   « Cherchez à comprendre avant de chercher à être compris. » Cette phrase populaire du gourou de la gestion Stephen Covey s'applique aux négociations efficaces. Elle signifie qu'on devrait passer plus de temps à écouter attentivement l'autre partie et à lui demander des détails sur sa position[72]. Un moyen d'améliorer la collecte d'information consiste à demander à une équipe de participer aux négociations. Les entreprises asiatiques utilisent souvent de grandes équipes de négociation[73]. En effet, s'ils connaissent mieux les intérêts et les besoins de leur opposant, les négociateurs peuvent plus facilement faire des concessions constructives ou élaborer des propositions satisfaisantes pour les deux parties.

■ *Communiquer efficacement*   Les négociateurs efficaces communiquent de manière à préserver des rapports harmonieux entre les parties[74]. Plus précisément, ils minimisent les conflits socioaffectifs en se concentrant sur les problèmes plutôt que sur les gens. Les négociateurs efficaces évitent aussi de tenir des propos irritants comme «Je pense que vous serez d'accord pour juger que mon offre est généreuse». Troisièmement, les négociateurs efficaces démontrent un grand pouvoir de persuasion sans chercher à tromper l'autre partie. Comme nous l'avons vu au chapitre 11, ils structurent plutôt le contenu de leur message de manière à ce que ce dernier soit non seulement compris par les autres, mais aussi accepté[75].

■ *Faire des concessions*   Les concessions sont importantes pour les raisons suivantes: 1) elles permettent aux parties de progresser vers la zone d'entente potentielle; 2) elles montrent la motivation de chaque partie à négocier de bonne foi; 3) elles indiquent à l'autre partie l'importance relative des points négociés[76]. Combien de concessions faut-il faire? La réponse varie en fonction des attentes et du degré de confiance qui règne entre les négociateurs. Par exemple, les négociateurs chinois se méfient des gens qui modifient leur position dès les premières étapes de la négociation. Ailleurs, des chercheurs indiquent que la plupart des négociateurs russes considèrent les concessions comme un signe de faiblesse plutôt que de confiance[77]. En général, la meilleure stratégie consiste à adopter une attitude modérée et à faire juste assez de concessions pour montrer à l'autre partie qu'on est sincère et désireux de résoudre le conflit, tout en étant ferme[78]. Une attitude trop rigide risque de miner les relations entre les parties, et faire trop de concessions est interprété comme un signe de faiblesse et encourage l'autre partie à utiliser son pouvoir et à résister.

Paul Tellier est un négociateur chevronné, réputé pour avoir mené plusieurs négociations à bien. Sa principale recommandation est celle-ci: bien se préparer. «Vous devez être bien préparé afin de connaître à fond la personne, le sujet et votre solution de rechange», soutient l'ancien chef de la direction du CN et de Bombardier, deux des sociétés canadiennes de transport les plus importantes d'Amérique du Nord. Une partie de la préparation consiste à prévoir les questions inattendues qui peuvent surgir et à préparer des réponses. «Avant d'entrer dans la pièce où ont lieu les négociations, je demande à mes collègues de me poser des questions difficiles», raconte Paul Tellier[79]. Quelles sont les autres façons de se préparer à négocier?

CP/Venelle Schneider

www.cn.ca

LA RÉSOLUTION DE CONFLITS PAR L'ENTREMISE D'UNE TIERCE PARTIE

résolution de conflits par l'entremise d'une tierce partie
Toute tentative par une personne relativement neutre d'aider les parties à résoudre leurs différends.

Jusqu'ici, nous avons surtout parlé des gens qui négocient directement. Or, de nombreux différends qui surviennent en milieu organisationnel sont résolus par l'entremise d'une tierce partie, par exemple le supérieur hiérarchique. On appelle **résolution de conflits par l'entremise d'une tierce partie** les efforts déployés par une personne relativement neutre pour aider les acteurs à résoudre leurs différends.

Ces interventions de tiers vont du simple au complexe et peuvent être formelles ou informelles. Elles portent soit sur le processus du règlement (la façon de faire, d'aménager un environnement propice au dialogue, etc.), soit sur le pouvoir décisionnel (imposer une solution), soit sur les deux aspects[80]. On peut distinguer quatre catégories de ce type d'interventions: l'appel au supérieur hiérarchique ou à un comité de pairs, l'ombudsman, le médiateur (ou conciliateur) et l'arbitre.

Le rôle de l'autorité et de la culture dans le règlement des conflits

Un sondage révèle qu'au Québec, lorsqu'il y a un conflit, 60 % des travailleurs estiment que les gestionnaires ont tendance à le régler, alors que 35 % d'entre eux considèrent que les dirigeants ont plutôt tendance à ne rien faire. Le fait que les dirigeants gèrent ou non les conflits a un effet sur leur fréquence d'apparition. En effet, plus de salariés (80 % d'entre eux) déclarent avoir été témoins de conflits souvent ou à l'occasion lorsque les gestionnaires ne font rien pour les gérer que lorsqu'ils agissent pour les régler (49 %). Même scénario en ce qui concerne l'implication même des travailleurs dans un conflit : 35 % d'entre eux affirment en avoir été victimes quand les dirigeants ont tendance à ne pas le gérer, alors que seulement 19 % font la même affirmation dans le cas contraire.

Source : Sondage CROP Express réalisé pour l'Ordre des CRHA et CRIA du Québec (ORHRI) auprès de 1000 employés québécois et québécoises interrogés par téléphone en décembre 2005. Site Internet de l'Ordre, 15 février 2006.

L'appel à l'autorité et les cultures

Dans une étude mettant en présence des cadres états-uniens, allemands et japonais, à l'aide d'une simulation où on leur a demandé comment ils devraient résoudre un problème d'éthique, les réactions ont été les suivantes. Allemands et États-Uniens, conformément à leur culture individualiste, ont choisi de régler le différend eux-mêmes en se concentrant sur les intérêts des acteurs en présence. Mais les Allemands, ayant une plus grande propension à réduire l'incertitude que les Nord-Américains, ont aussi recouru aux règles et aux règlements. Quant aux Japonais, contrairement aux autres cadres, ils ont fait appel à l'autorité, c'est-à-dire à leurs chefs (ce qui reflète leur culture caractérisée par une grande distance par rapport au pouvoir).

Source : C.H. Tinsley, « How Negotiators Get to Yes : Predicting the Constellation of Strategies Used Across Cultures to Negociate Conflict », *Journal of Applied Psychology*, n° 86, p. 583-593.

Le recours à la hiérarchie et aux pairs

Les chefs d'équipe, les cadres et les collègues interviennent à des degrés divers (*voir l'encadré 13.9*) dans des conflits entre employés ou entre les salariés et leurs patrons. Ils endossent parfois le rôle de médiateurs (notamment les collègues) ; à d'autres moments, ils servent d'arbitres. Les recherches indiquent que dans le cas des personnes qui occupent un poste d'autorité, les décisions sont exécutoires[81]. Toutefois, ces interventions par l'entremise d'une tierce partie ne sont pas toujours perçues comme efficaces pour régler les conflits[82]. L'un des problèmes réside dans le fait que les chefs qui choisissent d'imposer une solution ont tendance à recueillir des données limitées sur le problème, ce qui ne permet pas de régler le conflit efficacement. De plus, les employés sentent parfois qu'ils n'ont aucun pouvoir sur ce type d'intervention une fois la décision prise. Mais les entreprises qui ont mis en place des systèmes de gestion concertée des conflits signalent des économies de coûts importantes au chapitre des litiges. Par exemple, Motorola a signalé une réduction de 75 % de ces frais (comme des poursuites judiciaires) sur une période de six ans.

L'ombudsman

De plus en plus, dans les organisations, on crée un poste officiel pour une personne qui écoutera les conflits entre les parties. C'est une personne en principe impartiale et respectée. L'ombudsman fait son enquête sur la problématique et

Une présence qui permet d'humaniser l'entreprise

En janvier dernier, un employé d'usine terre-neuvien de la Compagnie d'embouteillage Coca-Cola a composé un numéro de téléphone sans frais pour parler de ses problèmes au travail avec l'ombudsman de l'entreprise pour le Canada.

Quatre jours plus tard, Pierre Niedlispacher débarquait à St-John's pour le rencontrer.

Quel était le problème? A-t-il été réglé? Comment? Nous n'en saurons rien: tout ce que fait l'ombudsman est confidentiel. Chose certaine, ce Terre-Neuvien a eu la chance d'être écouté, au plus haut niveau de l'organisation. Comme ses cinq autres collègues ombudsmans, Pierre Niedlispacher relève directement du président des Entreprises Coca-Cola, dont le siège social est à Atlanta.

Pour traiter une plainte, il peut mener des enquêtes, influencer, conseiller, recommander. Jamais décider.

Pierre Niedlispacher, ombudsman des Entreprises Coca-Cola.
Archives La Presse

Des fraudes aux conflits

Le bureau de l'ombudsman de la Compagnie d'embouteillage Coca-Cola a été créé il y a trois ans, dans la foulée de l'adoption de la loi Sarbanes-Oxley.

Rémunération, discipline, harcèlement, appréciation du rendement, conditions de travail, etc.; la liste des situations délicates qui peuvent maintenant être portées à son attention est longue.

Toutefois, l'ombudsman n'intervient pas dans les litiges reliés aux conventions collectives. Madame Marie-Josée Rivest, avocate, est l'ombudsman des étudiants et du personnel de l'Université de Montréal depuis 1998. Elle relève du Conseil de l'Université et de son chancelier.

En 2002-2004, Mme Rivest a reçu 664 plaintes, dont 14% ont été formulées par des membres du personnel. Les autres sont venues d'étudiants.

« L'ombudsman est une ressource informelle pour gérer les conflits. Son existence est aussi la reconnaissance du fait que, dans toute démocratie, dans tout système, il y a des erreurs et un besoin de jeter un deuxième regard », explique-t-elle.

Pour faire bouger les choses, Mme Rivest jouit d'un pouvoir de recommandation, en plus d'avoir accès à la haute hiérarchie. Elle peut également rendre publiques ses recommandations.

Les organisations dotées d'un ombudsman sont généralement très bien nanties en mécanismes formels ou informels de gestion de conflits.

Source : Jacinthe Tremblay, « Profession : Ombudsman. Une présence qui permet d'humaniser l'entreprise », *La Presse Affaires*, Montréal, 20 février 2006, p. 1 et 4.

essaie de trouver une solution. Il permet aux parties de régler leurs conflits avant de recourir à des procédures plus formelles qui pourraient donner lieu à une escalade du conflit. Par exemple, à l'Université du Québec à Montréal, le bureau de l'ombudsman rapporte régulièrement que la grande majorité des conflits qui lui sont soumis sont résolus entre les parties à ce stade-là. L'encadré 13.10 décrit le travail de deux ombudsmans.

La médiation

Les médiateurs (ou conciliateurs) exercent une grande influence sur le processus d'intervention, mais la décision finale revient exclusivement aux parties en conflit.

Ils peuvent toutefois proposer des solutions. Ils interviennent souvent dans les conflits de travail ou les conflits familiaux. Par exemple, au Québec, six consultations gratuites auprès d'un conciliateur (un conseiller ou un avocat) sont offertes aux couples qui ont l'intention de se séparer, ce qui permet en cas d'issue heureuse, de leur éviter des frais juridiques élevés. Toujours au Québec, en ce qui concerne les relations de travail, dans le contexte de la négociation d'une première convention collective, le recours à la conciliation est une étape obligatoire avant de recourir à l'arbitrage.

Les négociations menées à l'aide d'un médiateur ont un taux élevé de succès. Selon certaines études, jusqu'à environ 60 % des litiges sont réglés avec un taux de satisfaction envers le médiateur de 75 %[83]. Toutefois, ce type d'intervention est plus susceptible de réussir lorsque les conflits sont modérés et que les parties sont motivées à négocier et à résoudre leurs dissensions.

L'arbitrage

Les arbitres ont un grand pouvoir sur la décision finale (ou sur des recommandations fermes), mais ils en ont peu sur le processus[84]. Les cadres désignés comme arbitres suivent une procédure établie au préalable, écoutent les arguments des deux camps puis prennent une décision exécutoire. Les employés syndiqués ont recours à l'arbitrage à la dernière étape du processus de grief. Cependant, ce procédé est de plus en plus utilisé pour régler les conflits entre personnes non syndiquées. La faiblesse de l'arbitrage est que si une partie n'est pas satisfaite de la solution imposée, le conflit pourra réapparaître plus tard. L'avantage est que les tractations ne sont pas publiques.

Quelle stratégie d'intervention est donc la plus pertinente dans les organisations ? La réponse dépend en partie de la situation[85]. En règle générale, la médiation est la méthode qui convient le mieux dans le cas des conflits fréquents qui opposent les employés. Elle les oblige à assumer une plus grande responsabilité dans le règlement de leurs différends[86]. Quand les employés n'arrivent pas à résoudre leurs différends ou qu'ils ne communiquent plus, l'arbitrage semble plus efficace. En effet, les règles de la preuve et les autres procédures prédéterminées leur donnent l'impression d'une plus grande équité. De plus, l'arbitrage obtient la préférence quand les objectifs de l'organisation doivent l'emporter sur les objectifs individuels.

Parfois, le processus de règlement extrajudiciaire se fait par paliers[87]. Au départ, une réunion est organisée entre l'employé et l'employeur qui cherchent à clarifier et à régler leurs différends grâce à la négociation. En cas d'échec, les parties font appel à un médiateur dont le rôle consiste à les aider à trouver une solution mutuellement satisfaisante. Si la médiation échoue, les parties soumettent leur cause à un arbitre.

Le règlement par paliers est utile lorsque les employés ne sont pas syndiqués et qu'il n'existe pas de procédure de griefs. Bien que cette approche soit encore rarement utilisée au Canada, les entreprises y ont recours de plus en plus souvent comme alternative à des procédures judiciaires. Ainsi, dans certaines provinces canadiennes, les organismes d'indemnisation des accidents du travail encouragent les employés et les employeurs à recourir à ce type de règlement extrajudiciaire des différends. Ce dernier est plus accommodant, peu coûteux et aide les parties à résoudre leurs problèmes par elles-mêmes.

LES AUTRES MÉTHODES DE RÉSOLUTION DES CONFLITS

La technique d'analyse des rôles

Nous avons vu que les conflits intergroupes ou entre plusieurs personnes pouvaient émaner de la confusion et de l'ambiguïté entourant les rôles des individus dans l'organisation. Cette technique a pour but de clarifier ces rôles et de gérer plus efficacement l'interdépendance des tâches. Il s'agit en fait de dégager la perception qu'un individu se fait de son rôle et de celui de ses collègues et de la confronter à celle des autres, et ce, jusqu'à ce qu'un consensus soit atteint sur les responsabilités respectives des groupes de travail.

Le développement (ou la consolidation) des groupes (*team building*)

La technique de développement (ou de la consolidation) des groupes a été amplement décrite au chapitre 9. Rappelons qu'elle est un effort planifié de la direction de régler, entre autres, les conflits dans un groupe en permettant aux participants de définir leurs buts, leurs priorités, la façon dont le travail est accompli, les processus de groupe (les normes, les processus décisionnels et la communication) et les relations interpersonnelles. Cette technique requiert généralement la présence d'un consultant spécialisé dans ce genre d'intervention.

La technique de confrontation

La technique de confrontation se caractérise par l'analyse des réactions d'un groupe aux images et aux perceptions que les autres groupes ont de lui, et inversement. Le but de la démarche est de comprendre la raison de ces réactions, d'éliminer les malentendus et de réduire ou de supprimer les tensions affectives inutiles. Un consultant (ou même un chef) pose le diagnostic des problèmes, évalue la volonté des groupes en conflit de remédier à la situation, puis réunit ces groupes qui doivent répondre aux questions suivantes : Comment nous percevons-nous ? Comment percevons-nous l'autre groupe ? Comment l'autre groupe nous perçoit-il ? Séparément, les deux groupes discutent des commentaires produits et dégagent les situations sur lesquelles ils doivent travailler en priorité. Le groupe entier refait ce travail et il élabore une stratégie de mise en œuvre des projets retenus. Cette technique a donné de bons résultats pour des groupes qui étaient motivés à améliorer leurs relations de travail.

Que la résolution de conflits se fasse par l'entremise d'une tierce partie ou à travers la négociation directe, il faut reconnaître que bon nombre de solutions proviennent de l'examen attentif des sources de conflit soulignées un peu plus tôt dans ce chapitre. Cela peut sembler évident mais, dans le feu des divergences, les gens ont souvent tendance à concentrer leur attention sur les personnes plutôt que sur le problème et ses causes profondes. Reconnaître ces sources de conflit est le rôle d'un leadership efficace, sujet que nous aborderons dans le prochain chapitre.

RÉSUMÉ DU CHAPITRE

Un conflit est une situation dans laquelle deux parties entrent en opposition à l'idée que leurs intérêts sont menacés. Plusieurs facteurs structurels et humains constituent un terrain favorable au conflit qui, pour prendre forme, doit être perçu et ressenti comme tel par au moins une des parties. Il donne ensuite lieu à des comportements manifestes découlant des styles de gestion des conflits propres à chaque partie. Les différends sont beaucoup plus difficiles à régler quand ils dégénèrent en conflit socioaffectif, dans lequel chaque partie considère l'autre comme la source du problème.

Les facteurs structurels du conflit sont des buts incompatibles, l'interdépendance des tâches, les ressources limitées, les règles et des rôles ambigus, les problèmes liés à la communication, au pouvoir et aux modalités d'évaluation et de récompense de la performance. Il existe diverses approches structurelles à la gestion des conflits : diriger l'attention sur des buts fédérateurs, réduire les différences porteuses de conflit, améliorer la communication et la compréhension, diminuer l'interdépendance des tâches, augmenter les ressources et clarifier les règles, les procédures et les rôles, instaurer un système de pouvoir, d'évaluation et de récompense perçu comme équitable. Les différences entre les individus, notamment en ce qui concerne leur personnalité, leur culture et leurs valeurs, font partie des facteurs humains qui sont sources de conflit.

Le conflit est loin d'être toujours négatif. Bien géré, il stimule la créativité, permet d'approfondir l'analyse des problèmes et accroît la cohésion de l'équipe. Mal géré, il peut provoquer du stress et de l'insatisfaction au travail chez les employés et augmenter le roulement de la main-d'œuvre. En outre, les conflits destructeurs entre les groupes paralysent la prise de décision.

Parmi les cinq styles de gestion des conflits, seule l'approche de résolution de problème représente une orientation purement gagnant-gagnant (les deux parties en retirent des gains satisfaisants). Les quatre autres styles — l'évitement, l'affrontement, la conciliation et le compromis — sont des variations de l'orientation gagnant-perdant (ce que l'un gagne, l'autre le perd). Les femmes et les personnes issues de sociétés très collectivistes ont plus souvent recours à la résolution de problème ou à l'évitement que les hommes et les personnes n'ayant pas cette culture.

La négociation réside en pourparlers au cours desquels deux ou plusieurs parties tentent de régler un différend ou de mettre fin à un conflit qui les oppose. Dans la négociation intégrative, c'est l'orientation gagnant-perdant qui prédomine, tandis que dans la négociation distributive ou raisonnée, les parties ont à cœur de satisfaire les intérêts de tous, et ce, grâce au dialogue.

Certains facteurs influencent l'orientation des négociations, par exemple l'endroit, l'aménagement des lieux, le passage du temps et les échéances, ainsi que la présence d'un public. Quatre types d'activités et de comportements sont importants chez un négociateur : bien se préparer, se fixer des buts, recueillir l'information pertinente, communiquer efficacement et faire des concessions à propos.

On peut aussi faire appel à une tierce partie, généralement neutre, pour régler les différends. Quatre principaux types d'intervention par des tiers sont maintenant courantes : l'appel au supérieur hiérarchique ou à un comité de pairs, l'ombudsman, le médiateur (ou conciliateur) et l'arbitre. D'autres méthodes de résolution des conflits s'appuient sur les connaissances psychosociales des groupes.

MOTS CLÉS

attitude gagnant-gagnant, p. 527

attitude gagnant-perdant, p. 527

collaboration, p. 514

compétition, p. 514

conflit, p. 512

dialogue, p. 533

gestion des conflits, p. 521

négociation, p. 535

négociation distributive, p. 535

négociation intégrative ou raisonnée, p. 535

objectifs fédérateurs, p. 532

résolution de conflits par l'entremise d'une tierce partie, p. 541

QUESTIONS

1. Quelles sont les sources majeures de conflit dans votre organisation ou dans votre service? Décrivez-en les symptômes, les causes et les solutions possibles.

2. «Tous les conflits sont destructeurs.» Êtes-vous d'accord avec cette affirmation? Expliquez votre réponse.

3. Au cours d'une entrevue d'emploi, un candidat doit répondre à la question suivante: «Parlez-nous d'une situation dans laquelle vous avez vécu un conflit avec un collègue de travail. Que s'est-il passé et comment avez-vous résolu votre différend?» Le candidat répond: «Je n'ai jamais vécu de conflit au travail.» Quelle est votre réaction face à cette affirmation du candidat? Que recommanderiez-vous aux personnes qui lui font passer l'entrevue?

4. Pensez-vous que la diversité culturelle croissante de la main-d'œuvre favorise le conflit dans les organisations? Expliquez votre réponse. En vous basant sur votre expérience personnelle, donnez deux exemples de conflits ayant éclaté dans un milieu organisationnel ou universitaire à la suite d'une divergence portant sur les valeurs, les croyances ou la culture. Comment s'est dénoué chacun de ces conflits?

5. Ce chapitre décrit cinq styles de gestion des conflits. Décrivez des situations dans lesquelles chacun de ces styles serait le plus approprié pour régler des conflits entre collègues ou étudiants qui travaillent ensemble sur un projet, par exemple.

6. Vous venez d'être nommé chef d'une équipe transverse (interfonctionnelle), c'est-à-dire formée de collègues provenant de services ou d'unités différentes. Quelle approche devriez-vous adopter durant la formation de votre équipe afin de prévenir les conflits potentiels?

7. Supposons que vous dirigiez l'une des cinq divisions d'une multinationale. À ce titre, vous devez participer aux discussions visant à déterminer le budget annuel; ces négociations auront lieu au siège social. Quelles sont les caractéristiques de votre public et quelle influence pourraient-elles avoir sur votre manière de négocier?

8. Que pensez-vous de cette affirmation: les employés sont foncièrement bons et c'est le contexte organisationnel qui les force à avoir des comportements discutables.

ÉTUDE DE CAS **13.1**

UN CONFLIT EN VASE CLOS

Une équipe de psychologues de l'Institute for Biomedical Problems (IBMP) de Moscou voulait approfondir ses connaissances sur la dynamique de l'isolement de longue durée dans l'espace. Ces connaissances seraient appliquées dans le contexte de la station spatiale internationale où l'on prévoit d'envoyer des gens pendant plus de six mois. Le projet, qui réunissait plusieurs pays, avait aussi pour but de réaliser un jour un voyage d'une durée probable de trois ans jusqu'à la planète Mars.

IBMP a construit une réplique de la station spatiale Mir à Moscou. La société a ensuite pris les mesures nécessaires pour isoler trois chercheurs venant du Japon, du Canada et de l'Autriche pendant 110 jours à l'intérieur d'une pièce de la taille d'un wagon de train. Dans une pièce adjacente et communicante se trouvaient quatre cosmonautes russes qui avaient déjà passé la moitié du temps prévu d'isolement de 240 jours. C'était la première fois qu'une équipe internationale travaillait de concert à ce genre de recherche. Les participants communiquaient en anglais, bien qu'il ne s'agisse pas de leur langue maternelle.

Judith Lapierre, une Québécoise, était la seule femme à participer à l'expérience. Détentrice d'un doctorat en santé publique et en médecine sociale, elle avait étudié la sociologie de l'espace à l'Université internationale de l'espace, en France, et elle avait effectué des recherches sur l'isolement dans l'Antarctique. Elle en était à son quatrième voyage en Russie, dont elle avait appris la langue. Une deuxième femme faisant partie du programme spatial du Japon avait posé sa candidature pour participer à la mission, mais IBMP n'avait pas retenu sa demande.

Selon Judith Lapierre, les participants japonais et autrichien considéraient la présence d'une femme comme un facteur positif. Par exemple, pour améliorer le confort, ils ont réaménagé les lieux, ont accroché des affiches aux murs et ont couvert la table d'une nappe. «Nous avons adapté notre environnement, tandis que les Russes le considéraient simplement comme un élément désagréable à endurer», explique Judith Lapierre. «Nous avons même décoré le wagon pour Noël, car je suis le genre de personne qui aime recevoir.»

Des bouleversements la veille du jour de l'An

Fait ironique pour Judith, c'est à l'occasion d'un événement social, en l'occurrence la veille du jour de l'An, que les événements ont pris une tournure dramatique. Après avoir bu de la vodka (avec la permission de leur agence spatiale russe), deux des cosmonautes russes ont engagé une bagarre à coups de poing, à un point tel que le sang éclaboussait les murs. L'un des chercheurs a même caché les couteaux de cuisine, car il craignait que les Russes ne s'en servent comme armes. Les autres hommes ont dû retenir les deux cosmonautes russes qui, de façon générale, ne s'appréciaient pas. Peu de temps après cette querelle d'ivrognes, le commandant russe a empoigné Judith Lapierre, l'a tirée hors de la vue des caméras de surveillance et l'a embrassée fougueusement — à deux reprises. Judith Lapierre a tenté de le repousser, mais il n'a pas tenu compte du message et a même fait une nouvelle tentative le lendemain.

Le jour suivant, à la suite du comportement des cosmonautes russes, l'équipe a porté plainte auprès de l'IBMP. L'institut russe n'a pris aucune mesure disciplinaire contre les fauteurs de trouble. Au lieu de cela, les psychologues de l'institut ont répondu que ces incidents faisaient partie de l'expérience. Ils voulaient que les membres de l'équipe règlent leurs problèmes en discutant avec maturité et sans intervention extérieure. «Vous devez comprendre que Mir est un projet autonome, différent de tout ce qui a été entrepris jusqu'ici.» À la fin de l'expérience, en mars, Vadim Gushim, le psychologue d'IBMP en charge du projet, a expliqué: «Si les membres de l'équipe sont incapables de régler leurs problèmes seuls, ils ne peuvent pas travailler ensemble.»

À la suite de la réaction d'IBMP, les membres de l'équipe internationale ont écrit une lettre cinglante à l'institut russe et aux agences spatiales concernées par l'expérience. «Nous ne nous attendions pas à ce genre d'événement durant une expérience scientifique hautement contrôlée, pour laquelle les participants ont été soumis à un processus de sélection rigoureux. Si nous avions su, nous aurions refusé d'y participer.» Les chercheurs condamnaient aussi la réaction d'IBMP.

Informés de l'incident survenu la veille du jour de l'An, les directeurs du programme spatial japonais ont organisé une réunion d'urgence le 2 janvier. Peu après, le membre japonais de l'équipe a démissionné: apparemment, l'inaction d'IBMP l'avait choqué. Il a été remplacé par un chercheur russe. Dix jours après la bagarre, et un peu plus d'un mois après le début de la mission, la porte entre la pièce des Russes et celle des autres membres a été verrouillée à la demande des autres chercheurs. Plus tard, Judith Lapierre a précisé que l'équipe avait demandé que cette mesure soit prise parce qu'elle craignait de nouveaux événements violents, indépendamment de l'incident dont elle avait été victime.

Baiser volé ou harcèlement sexuel?

Lorsque l'expérience a pris fin, en mars, les nouvelles de la bagarre à coups de poing et des tentatives du commandant d'embrasser Judith Lapierre sont parvenues aux oreilles du public. Les scientifiques russes ont tenté de minimiser l'incident du baiser en disant qu'il avait été bref, et en mettant en cause le choc des cultures et le caractère trop émotif de la personne en cause.

«En Occident, certains types de baisers sont considérés comme une forme de harcèlement sexuel. Dans notre culture, ils n'ont aucune importance», a commenté Vadim Gushim, le scientifique russe, durant une entrevue. À un autre journaliste, il a précisé: «La question du harcèlement sexuel fait couler beaucoup plus d'encre en Amérique du Nord qu'en Europe. En Russie, le harcèlement sexuel pose moins de problèmes. Ce n'est pas que notre sens moral est plus grand ou moins grand que dans le reste du monde, c'est juste que nos priorités sont différentes.»

Judith Lapierre a jugé ironiquement que l'incident du baiser était plus «tolérable» que la réaction des scientifiques russes en charge de l'expérience: «Ils ne comprennent rien du tout», s'est-elle plainte. «Ils ne voient pas où est le problème. Je suis plus contrariée que jamais. Le pire, c'est qu'ils ne comprennent pas que ce comportement est incorrect.»

Le scientifique autrichien Norbert Kraft, lui aussi, a exprimé son désaccord avec la manière dont les Russes avaient interprété l'incident : « Ils essaient de se protéger », a-t-il dit. « Ils tentent de rejeter le blâme sur les autres. Néanmoins, il ne s'agit pas d'un problème culturel. Si une femme ne veut pas qu'on l'embrasse, cette conduite est inacceptable. »

Questions

1. Nommez les différents types de conflits survenus dans cette situation. Quels en sont les protagonistes ?

2. Quelles sont les sources de conflit de ces incidents ?

3. Nommez le ou les styles de gestion des conflits employés par Judith Lapierre, par l'équipe de chercheurs et par Vadim Gushim, le psychologue d'IBMP en charge du projet. Indiquez le ou les styles qui auraient été les plus efficaces dans chaque cas.

4. Quelles stratégies de gestion des conflits ont été appliquées ici ? Ont-elles été efficaces ? Quelles autres stratégies auraient été plus appropriées dans cette situation ? Pourraient-elles l'être dans des situations à venir ?

Les éléments de cette étude de cas ont été rassemblés par Steven L. McShane à partir des sources suivantes : G. Sinclair Junior, « If You Scream in Space, Does Anyone Hear ? » *Winnipeg Free Press*, 5 mai 2000, p. A4 ; S. Martin, « Reining in the Space Cowboys », *Globe and Mail*, 19 avril 2000, p. R1 ; M. Gray, « A Space Dream Sours », *Maclean's*, 17 avril 2000, p. 26 ; E. Niiler, « In Search of the Perfect Astronaut », *Boston Globe*, 4 avril 2000, p. E4 ; J. Tracy, « 110-Day Isolation Ends in Sullen... Isolation », *Moscow Times*, 30 mars 2000, p. 1 ; M. Warren, « A Mir Kiss ? » *Daily Telegraph* (Londres), 30 mars 2000, p. 22 ; G. York, « Canadian's Harassment Complaint Scorned », *Globe and Mail*, 25 mars 2000, p. A2 ; S. Nolen, « Lust in Space », *Globe and Mail*, 24 mars 2000, p. A3.

EXERCICE D'AUTOÉVALUATION 13.2

LE TEST DUTCH SUR LE TRAITEMENT DES CONFLITS

Objectif Cet exercice d'autoévaluation a pour but de vous aider à reconnaître votre style préféré de gestion des conflits.

Instructions Lisez chacun des énoncés de la page suivante et encerclez le chiffre qui correspond le mieux à votre perception. Utilisez ensuite la grille de notation disponible au www.cheneliere.ca/mcshanebenabou afin d'identifier votre style de gestion des conflits. Cet exercice doit être effectué individuellement afin que les étudiants puissent s'évaluer honnêtement. Cependant, la discussion en groupe se concentrera sur les divers styles de gestion des conflits et sur les cas où chaque style est le plus approprié.

Test DUTCH sur le traitement des conflits					
Quand je fais face à un conflit au travail, je réagis ainsi :	Pas du tout ▼	▼	▼	▼	Beaucoup ▼
1. Je me soumets aux désirs de l'autre partie.	1	2	3	4	5
2. J'essaie de trouver une solution équilibrée.	1	2	3	4	5
3. J'impose mon point de vue.	1	2	3	4	5
4. J'étudie la question jusqu'à ce que je trouve une solution qui me convienne et qui convienne à l'autre partie.	1	2	3	4	5
5. J'évite tout affrontement à propos de nos différences.	1	2	3	4	5
6. Je collabore avec l'autre partie.	1	2	3	4	5
7. Je souligne la nécessité de trouver un compromis.	1	2	3	4	5
8. Je cherche à obtenir des gains pour moi-même.	1	2	3	4	5
9. Je défends mes objectifs et mes intérêts, ainsi que ceux des autres.	1	2	3	4	5
10. J'évite le plus possible les divergences d'opinions.	1	2	3	4	5
11. J'essaie de satisfaire les besoins de l'autre partie.	1	2	3	4	5
12. J'insiste pour que nous cédions du terrain tous les deux.	1	2	3	4	5
13. Je me bats pour obtenir un résultat en ma faveur.	1	2	3	4	5
14. J'examine les idées des deux parties afin de trouver une solution optimale pour nous deux.	1	2	3	4	5
15. J'essaie d'atténuer nos différences.	1	2	3	4	5
16. Je m'adapte aux objectifs et aux intérêts de l'autre partie.	1	2	3	4	5
17. Chaque fois que cela est possible, je m'efforce de trouver un compromis.	1	2	3	4	5
18. Je fais tout ce que je peux pour gagner.	1	2	3	4	5
19. Je trouve une solution qui sert le plus possible mes intérêts et ceux de l'autre partie.	1	2	3	4	5
20. J'essaie d'éviter un affrontement avec l'autre partie.	1	2	3	4	5

Source : C.K.W. de Dreu *et al.,* « A Theory-Based Measure of Conflict Management Strategies in the Workplace », *Journal of Organizational Behavior,* n° 22, 2001, p. 645-668.

CHAPITRE 14

Le leadership

Objectifs d'apprentissage

À LA FIN DE CE CHAPITRE, VOUS DEVRIEZ POUVOIR :

- définir le leadership ;
- nommer les sept compétences des leaders efficaces ;
- décrire le leadership orienté vers les personnes
  et le leadership orienté vers les tâches ;
- résumer la théorie de l'adéquation chemins-buts ;
- discuter de l'importance du modèle de contingence du leadership de Fiedler ;
- distinguer le leadership transactionnel du leadership transformationnel ;
- décrire les quatre composantes du leadership transformationnel ;
- expliquer les deux théories basées sur les relations entre le leader et son équipe ;
- expliquer comment la culture d'une société influence notre perception
  de l'efficacité des leaders ;
- comparer le style de leadership féminin et le style de leadership masculin ;
- décrire les pathologies du leadership.

Le monde change, et avec lui très probablement notre conception du leadership efficient. Il y a quelques années à peine, on insistait encore sur le développement du charisme et les qualités supérieures du chef pour entraîner derrière soi les subordonnés (« Qui m'aime me suive ! »). Les diverses tragédies guerrières du XXe siècle nous ont fait fortement remettre en question cette conception du leadership, du moins en politique, et ce doute n'a pas manqué de se transporter en milieu organisationnel, particulièrement après quelques scandales financiers ou quelques effondrements d'entreprises dirigées croyait-on de main de maître. Aujourd'hui, comme on peut le lire dans la plupart des revues d'affaires, on invite plutôt les cadres à trouver une alternative à un style de leadership trop personnel ou trop contraignant pour jouer auprès de leurs subordonnés le rôle d'un rassembleur, d'un catalyseur de talents, d'un mentor, voire d'un « serviteur » indispensable. On parle même de leadership discret. Quant aux dirigeants, en temps de crise et face à un environnement devenu complexe et incertain, on prône un leadership visionnaire où le chef devient un agent de changement indispensable.

Madame Denise Verreault, présidente et chef de la direction du Groupe Maritime Verreault inc.

Il n'en demeure pas moins que la question du leadership comme celle du chef suscite toujours autant de passion. Dans l'univers organisationnel c'est précisément par la passion pour ce qu'ils font et ce qu'ils entreprennent que les leaders semblent habités. « Un leader est quelqu'un qui donne de l'espoir aux personnes qui l'entourent et qui prêche par l'exemple », déclare Mme Denise Verreault, présidente et chef de la direction du Groupe Maritime Verreault, une entreprise de réparation navale installée aux Méchins en Gaspésie (Québec) et à la réputation désormais internationale. Pour Denise Verreault, qui a pris la relève de son père dans un métier traditionnellement très masculin, un leader est une personne qui, poussée par sa passion et sa vision, devient un guide pour les autres. « Être un leader n'est pas un job, c'est une mission et une mission exigeante, dit-elle. Mais on ne peut être plus heureux que lorsqu'on remplit sa mission. »

Le leader devient ainsi celui ou celle qui aide les autres à « trouver le chemin » vers le but commun. Désormais on n'attend plus du leader qu'il détienne toutes les réponses, mais qu'il trace la voie et mobilise les autres. Il y arrive en partageant son leadership. Le leadership d'équipe ou leadership partagé est de plus en plus considéré comme le plus souhaitable parce que le plus efficace dans les organisations du troisième millénaire. Et, même si l'on invoque des qualités personnelles facilitant le leadership, celles-ci concernent principalement les habiletés d'interaction avec autrui qui visent à contribuer au développement de l'équipe, habiletés donc que tout leader devrait acquérir et développer s'il ne les possède pas naturellement. ■

Source : Pierre-Marie Lagier, enseignant à l'UQÀM.

www.groupeverreault.com

leadership

Aptitude d'une personne à influencer et à motiver d'autres individus et à leur permettre de contribuer à l'efficacité et à la réussite de leur organisation.

Qu'est-ce que le leadership? Le texte d'introduction montrait que la conception du leadership est multiple, et que ce sujet demeure complexe tout en suscitant un grand intérêt et de nombreuses polémiques. Une recension des écrits sur le leadership montre que les experts ne s'accordent guère sur une définition[1]. Pourtant, au cours d'un congrès tenu à l'Université de Calgary il y a quelques années, pas moins de 54 experts de 38 pays parvenaient à un consensus en définissant le **leadership** comme étant l'aptitude d'une personne à influencer et à motiver d'autres individus et à leur permettre de contribuer à l'efficacité et à la réussite de leur organisation[2].

Les leaders font appel à diverses formes d'influence, de la persuasion subtile à l'application stricte du pouvoir, pour s'assurer que leurs subordonnés sont motivés et qu'ils comprennent bien leur rôle, ce qui leur permettra d'atteindre des objectifs précis. Les leaders peuvent organiser également l'environnement de travail, par exemple en attribuant des ressources et en modifiant les modes de communication pour que le personnel atteigne les objectifs de l'entreprise plus facilement. Quelle que soit la définition du leadership choisie, seulement 8% des cadres de grandes entreprises estiment que leur organisation en est suffisamment pourvue[3]. La plupart sont inquiets d'un manque de talent en matière de leadership.

Le leadership ne se situe pas seulement sur le plan des dirigeants. Tout membre d'une organisation peut être un leader[4]. En effet, l'opinion émergente, comme nous le suggérions dans le texte d'introduction, est que les leaders efficaces enseignent à leurs employés la façon d'apprendre et d'appliquer des comportements de leader. «Nous sommes sérieux lorsque nous parlons de leadership, même aux opérateurs de la chaîne de montage», explique un cadre de General Semiconductor, entreprise internationale de haute technologie. «Bon nombre de gens diront: «Oh, je ne suis pas un leader», mais lorsque nous soulignons que l'essence du leadership est l'influence, ils se rendent compte que tout le monde dispose des qualités et des responsabilités propres au leadership[5].»

Les équipes de travail autonomes efficaces, par exemple, sont constituées de membres qui partagent les responsabilités de leadership ou confient le rôle de leader à un coordinateur responsable. De même, les recherches indiquent que les «champions» de la technologie — les employés qui surmontent les obstacles techniques et organisationnels et qui introduisent des changements technologiques dans leur secteur — réussissent surtout lorsqu'ils ont les caractéristiques et les comportements associés à un leadership efficace[6]. Le point soulevé ici est que toute personne peut être un leader à un moment opportun et en un lieu approprié. Mais comment déterminer ces caractéristiques et ces comportements adéquats? Les différentes recherches décrites ci-après tentent de répondre à cette question.

LES DIFFÉRENTES CONCEPTIONS DU LEADERSHIP

Le leadership est un sujet d'étude qui remonte à l'époque des philosophes grecs; aujourd'hui encore, il est un des sujets de recherche de prédilection des chercheurs en comportement organisationnel. Cet énorme intérêt a engendré une littérature volumineuse dont la majeure partie peut être divisée en cinq points de vue sur le leadership (*voir la figure 14.1*). Bien que certaines soient plus populaires que d'autres, chacune de ces perspectives permet de mieux comprendre ce sujet complexe.

Nos remerciements vont à Pierre-Marie Lagier, enseignant à l'École des sciences de la gestion de l'UQÀM, pour sa contribution à l'enrichissement de ce chapitre.

FIGURE   14.1

Points de vue
sur le leadership

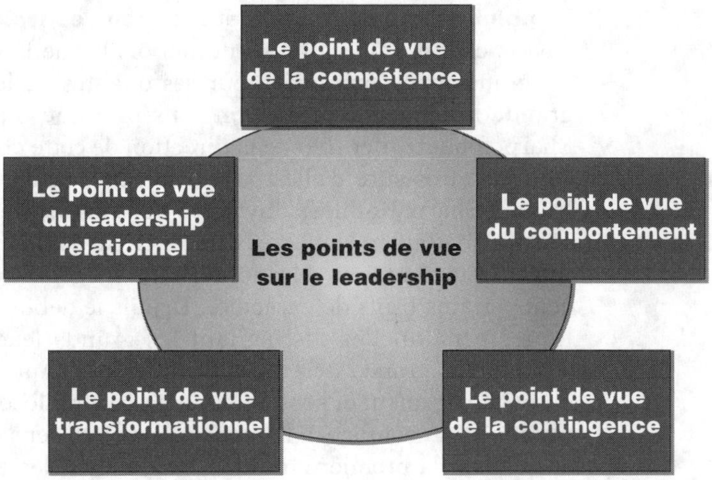

Certains experts ont étudié les traits de personnalité ou les compétences de grands leaders, alors que d'autres ont examiné leurs comportements, c'est-à-dire ce qu'ils font en réalité pour exercer un leadership souhaitable. Des études plus récentes se sont penchées sur le leadership du point de vue de la contingence. Il s'agit de savoir quels sont les comportements appropriés des leaders dans différents environnements. Actuellement, la perspective la plus prisée est celle-ci : les leaders transforment les organisations grâce à leur vision et à leurs talents pour communiquer cette vision, et à leur capacité de susciter un engagement. Une autre façon de voir récente est que le leadership consiste principalement en un phénomène subjectif et en un produit de la relation patron-subordonné. Autrement dit, un leader efficace est celui que nous considérons comme tel[7] ! Dans ce chapitre, nous explorerons chacune de ces cinq perspectives sur le leadership. Ensuite, nous examinerons les grandes questions que pose aujourd'hui le leadership dans les organisations.

On a l'impression que les théories du leadership ont suivi l'itinéraire suivant. À partir des années 1930, les premières études ont porté sur ce que sont les leaders ou sur les compétences qui les distinguent des autres. Ensuite, dans les années 1950 et 1960, on a étudié ce que les leaders doivent faire (les comportements souhaitables) et, à partir des années 1970, dans quelles circonstances ils doivent le faire (les théories de la contingence). Ces études étaient certainement valables dans un environnement socioéconomique stable et pour des cadres de niveau moyen en général, voire ayant pour tâche la supervision. Les environnements plus complexes et mondialisés des entreprises d'aujourd'hui ont engendré un leadership à la fois de haut niveau, plus visionnaire et ouvert sur le monde (la théorie du leadership transformationnel) et un leadership partagé (le leadership relationnel). Ce courant a débuté dans les années 1980.

Le leadership centré sur les personnes

Les nombreuses études concernant le leadership ont traité des caractéristiques personnelles des leaders, c'est-à-dire ce qu'ils sont (les théories des compétences) et ce qu'ils font pour se démarquer des autres (la théorie dont la base est l'étude des comportements). Des études plus récentes se sont intéressées au cas particulier des leaders charismatiques et, par contraste, aux leaders discrets.

Le point de vue de la compétence (ou des traits de personnalité)　Kathleen Taylor, chef des opérations internationales de la chaîne hôtelière Four Seasons, est grandement appréciée pour ses qualités de leader. « Elle sait combiner une grande intelligence et un bon sens pratique », précise son supérieur, Isadore Sharp, fondateur et chef de la direction de cette chaîne hôtelière située à Toronto. « Elle est très sûre d'elle tout en faisant preuve d'une grande humilité, ajoute Isadore Sharp. Kathleen Taylor possède un sens élevé de la justice et une grande sensibilité, tout en étant très directe et particulièrement intègre[8]. »

Les commentaires d'Isadore Sharp suggèrent que les leaders efficaces partagent certains traits de caractère. Depuis le début des civilisations, les caractéristiques personnelles distinguant les grands leaders du commun des mortels suscitent un grand intérêt. Les Égyptiens de l'Antiquité exigeaient de leurs leaders autorité, jugement et sens de la justice. Le philosophe grec Platon les incitait à la prudence, au courage, à la modération et au sens de la justice[9].

Pendant la première moitié du XXe siècle, les experts en comportement organisationnel ont utilisé des méthodes scientifiques pour déterminer si les traits de la personnalité et les caractéristiques physiques (surtout la taille et le poids de la personne) aidaient réellement à distinguer les leaders des autres personnes. Une importante recherche effectuée à la fin des années 1940 a conclu qu'aucune liste cohérente de caractéristiques ne pouvait être extraite des centaines d'études effectuées jusqu'alors. Plus tard, une autre recherche a suggéré que quelques traits seulement sont invariablement associés à des leaders efficaces[10]. Ces conclusions ont convaincu bon nombre d'experts d'abandonner les recherches relatives aux caractéristiques distinguant les leaders exceptionnels.

Au début des années 1990, les experts en leadership ont recommencé à examiner l'approche basée sur les caractéristiques personnelles, mais en se penchant davantage sur des compétences particulières. Ces compétences englobent une plus large gamme d'éléments distinctifs tels que les connaissances, les habiletés et les valeurs. Ces récentes études ont coïncidé avec la popularité croissante des pratiques de ressources humaines fondées sur les compétences dans les organisations (par exemple les systèmes de paie ou de formation — *voir le chapitre* 7)[11]. Des écrits récents traitant du leadership répertorient sept compétences caractéristiques des leaders efficaces[12]. Ces compétences sont brièvement décrites ci-dessous.

■ *L'intelligence émotionnelle*　Les leaders efficaces ont un niveau élevé d'intelligence émotionnelle[13]. Ils ont la capacité de percevoir et d'exprimer les émotions, de les interpréter, de les comprendre et de raisonner en leur accordant de l'importance. Bref, ils composent efficacement avec leurs émotions et celles des autres (*voir le chapitre* 5)[14]. L'intelligence émotionnelle requiert une personnalité qui s'adapte bien. En effet, les leaders doivent, d'une part, être sensibles aux signaux de leur environnement et, d'autre part, y réagir de façon rapide et adéquate[15.] Ils doivent aussi comprendre ce que ressentent les autres et posséder les habiletés nécessaires à l'établissement de rapports sociaux.

■ *L'intégrité*　Cette compétence fait référence à la sincérité du leader et à sa tendance à traduire ses paroles en actions. Plusieurs grandes études rapportent que l'intégrité est la caractéristique la plus importante des leaders. Le personnel souhaite avoir des chefs honnêtes à qui il peut faire confiance[16]. Beaucoup de dirigeants d'entreprise ont cette conviction que la « sincérité paie ». Mme Verreault, p.-d. g. du Groupe Maritime Verreault, citée plus haut, soulignait : « Un leader est ce qu'il est. Il peut être flamboyant comme il peut être réservé. Il faut être soi-même d'abord et avant tout. »

■ *Le dynamisme* Les leaders ont un grand besoin d'accomplissement (*voir le chapitre 6*). Ce dynamisme fait référence à la motivation interne que possèdent les leaders. Ces derniers souhaitent atteindre leurs objectifs et encourager les autres à atteindre les leurs. Ce dynamisme inspire une curiosité effrénée et un besoin d'apprentissage constant.

■ *La motivation à mener* Les leaders ont un fort besoin de pouvoir, car ils veulent influencer les autres (*voir le chapitre 6*). Cependant, ils aspirent à un « pouvoir socialisé », car un fort sentiment d'altruisme et de responsabilité sociale les motive aussi[17]. En d'autres termes, les leaders efficaces essaient d'acquérir du pouvoir afin d'influencer les autres dans le but d'atteindre des objectifs qui profiteront à l'équipe ou à l'entreprise.

■ *La confiance en soi* Les leaders croient en leurs habiletés de meneurs et à leur capacité d'atteindre des objectifs. Ils possèdent une bonne connaissance de leur propre capacité à diriger les autres[18].

■ *L'intelligence* Les leaders sont aptes à traiter intellectuellement un volume d'information qui est supérieur à la moyenne. Sans nécessairement être des génies, ils disposent d'une capacité supérieure à entrevoir des solutions et à saisir les occasions qui s'offrent à eux.

■ *Les connaissances professionnelles* Les leaders efficaces connaissent bien l'environnement professionnel dans lequel ils évoluent. Grâce à cette connaissance, ils voient rapidement comment leur organisation peut exploiter les opportunités qui se présentent.

C'est dans cette veine des compétences personnelles à acquérir et à développer qu'il est possible de prêter attention à plusieurs « conseils » qu'on voit régulièrement publiés par certains « gourous » du monde des affaires ou de l'éducation. Parmi eux, on doit certainement signaler les contributions de deux auteurs et conférenciers à succès dans le domaine : Warren Bennis et John C. Maxwell.

Pour Warren Bennis (1998)[19] professeur à la Marshall School of Business de l'Université de la Californie du Sud, le postulant leader doit apprendre à se connaître, à connaître son milieu et à utiliser son intuition et ses capacités de communication.

Pour le pasteur américain John C. Maxwell[20], le vrai leader a comme caractéristique essentielle l'intégrité. En effet, c'est l'intégrité qui permet de bâtir la confiance. Avec de nombreux exemples, il ajoute qu'une qualité est indispensable, celle d'avoir une vision, et qu'il y a un prix à payer pour être un vrai leader, celui de la discipline personnelle.

Qu'en est-il des leaders québécois en particulier ? L'encadré 14.1 montre les résultats d'un sondage effectué par la firme Léger Marketing pour le compte du journal *Affaires PLUS*, auprès de plus de 300 p.-d. g. de grandes sociétés québécoises. Les résultats montrent qu'ils partagent certaines des compétences des leaders efficaces mentionnées précédemment. Ils se disent visionnaires (85 %), motivés par des grands projets, ont confiance en eux (82 % se disent ambitieux), ont beaucoup d'énergie (ils travaillent en moyenne 54 heures par semaine), sont des gens d'équipe (92 % le prétendent) et 93 % seraient prêts à congédier un vice-président performant s'il manquait d'éthique (intégrité). Ces résultats sont évidemment à considérer avec réserve. En effet, les réponses, dans ce type de

Quant aux caractéristiques personnelles, le p.-d.g. québécois se voit :	
Rigoureux	96 %
Visionnaire	85 %
Ambitieux	82 %
Opportuniste	66 %
Émotif	55 %
Autoritaire	40 %
Quant au travail d'équipe, le plus important, c'est :	
De s'entourer d'une équipe compétente	48 %
D'être un leader inspirant pour ses employés	21 %
Ils sont motivés par :	
La satisfaction du travail accompli	100 %
La réalisation de grands projets	87 %
La reconnaissance de leurs pairs	83 %
L'argent	75 %
Le pouvoir	34 %

Source : Sondage effectué par la firme Léger Marketing pour le compte du journal *Affaires PLUS*, auprès de plus de 300 p.-d.g. de grandes sociétés québécoises. *Affaires PLUS*, juin 2004.

sondage, se veulent parfois conformes à ce qu'il est désirable de dire (notons que 90 % des personnes interrogées sont des hommes).

Le point de vue de la compétence : les limites et les applications

Lorsqu'on adopte le point de vue de la compétence, on suppose que les grands leaders ont tous les mêmes caractéristiques personnelles, chacune étant très importante, et ce, dans toutes les situations. Il s'agit probablement d'une mauvaise hypothèse. Le leadership est un phénomène trop complexe pour qu'on le représente sous la forme d'une liste universelle de caractéristiques s'appliquant dans toutes les circonstances. Certaines compétences peuvent ne pas toujours être importantes. De plus, les recherches suggèrent que d'autres combinaisons de compétences ont parfois autant de succès que celles que nous avons décrites. En d'autres termes, des personnes présentant des éventails différents de compétences peuvent toutes être de bons leaders[21].

Quelques experts ont également émis la réserve suivante : certaines caractéristiques personnelles peuvent simplement nous inciter à penser qu'une personne est un leader, alors qu'elles n'indiquent en rien que cette personne influence réellement la réussite de l'organisation[22]. Les personnes faisant montre d'intégrité, d'assurance et d'autres qualités sont appelées des leaders, car elles correspondent à notre stéréotype du leader efficace. Il est également assez fréquent, à partir d'un seul trait de caractère de leader, d'attribuer à une personne d'autres qualités, non observées, de même nature. Nous discuterons de cette distorsion perceptuelle plus en détail à la fin de ce chapitre.

Outre ces réserves, dans l'approche basée sur les compétences, on reconnaît que certaines personnes possèdent des caractéristiques personnelles qui leur confèrent un plus grand potentiel à devenir des leaders importants. La conséquence la plus évidente est que les organisations doivent se fier de plus en plus à des méthodes d'identification de ces compétences pour engager des personnes destinées à occuper des postes d'autorité[23]. Les talents de leadership ont leur importance dans toute l'organisation ; aussi cette recommandation devrait s'étendre à tous les niveaux d'emplois, et pas seulement aux cadres supérieurs. Les entreprises doivent aussi déterminer les comportements représentatifs de ces compétences afin que les employés ayant des talents de leadership soient remarqués tôt.

Parfois, comme c'est le cas au Cirque du Soleil, entreprise de saltimbanques de rue devenue en quelques années une multinationale du spectacle, les hauts dirigeants reconnaissent eux-mêmes les limites de leurs compétences personnelles. Prenant conscience de leurs différences de tempérament ou de caractère, ils acceptent de partager leur leadership en fonction de leurs habiletés respectives et de leur champ d'action de prédilection[24].

Cette approche basée sur les compétences n'implique pas nécessairement que les grands leaders sont nés ainsi, mais plutôt qu'ils le deviennent. Les compétences indiquent uniquement le potentiel de leadership et non les performances liées à ce talent. Des personnes deviennent des leaders efficaces seulement après avoir développé et maîtrisé les comportements correspondants. Les entreprises doivent donc actualiser le potentiel des gens aptes à devenir des leaders à l'aide de programmes de formation, de *coaching*, de mentorat et d'expériences pratiques sur le terrain.

Les théories du leadership behavioral (fondé sur les comportements)

Dans les années 1940 et 1950, les experts de l'Université de l'Ohio ont lancé un vaste programme de recherche afin de répondre à la question suivante : « Quels comportements rendent les leaders efficaces ? » Les questionnaires ont été présentés à des subordonnés afin que ces derniers évaluent leurs supérieurs relativement à un grand nombre de comportements. Ces études (notamment celles de Likert ou de Stogdill), ainsi que des recherches similaires de l'Université du Michigan et de l'Université Harvard, ont généré deux ensembles de comportements liés au leadership comprenant plus de 1800 conduites[25].

Un premier ensemble est constitué des comportements de leaders orientés vers les personnes, en l'occurrence les subalternes. Ces comportements expriment la confiance mutuelle, le respect, un intérêt sincère pour les subordonnés et la recherche de leur bien-être. Les leaders fortement orientés vers les personnes écoutent les suggestions des employés, leur rendent des services personnels, défendent leurs intérêts au besoin et les traitent d'égal à égal.

Le deuxième ensemble de comportements fait référence au style de leadership orienté vers les tâches. Il s'agit, pour le leader, de définir et de structurer les fonctions de chacun, d'attribuer des tâches précises aux employés, de clarifier leurs obligations et de renforcer les procédures ainsi que les règlements. Le leader s'assure également que le personnel atteint les objectifs établis et incite son équipe à dépasser les normes de performance fixées.

■ *Choisir un leadership orienté vers les personnes ou vers les tâches*   Le leadership devrait-il être orienté vers les personnes ou vers les tâches ? Il s'agit d'une question difficile, car chaque style a ses avantages et ses inconvénients. Par rapport aux subordonnés, le leadership orienté vers les personnes est associé à une satisfaction au travail plus élevée. L'absentéisme et la rotation du personnel sont moins élevés. Cependant, les performances obtenues dans ce contexte tendent à être inférieures à celles qu'on obtient lorsque les employés travaillent avec des leaders orientés vers les tâches[26]. Le leadership orienté vers les tâches semble accroître la productivité et l'unité des équipes. Par exemple, les étudiants d'universités canadiennes aiment apparemment les enseignants orientés vers les tâches, c'est-à-dire ceux qui définissent des objectifs clairs, ont des cours bien préparés et respectent les finalités des programmes d'études[27].

Le leadership orienté vers les tâches soulève toutefois un problème. Il est associé à une satisfaction au travail moins élevée, à un plus fort absentéisme et à une forte rotation du personnel. Il s'agit d'une inquiétude croissante, car la main-d'œuvre actuelle accepte moins le leadership basé sur l'autorité qu'auparavant. Le personnel souhaite participer aux décisions plutôt que simplement obéir[28]. Un autre problème est que le leader orienté vers les tâches doit éviter de dépasser certaines limites en ce qui a trait aux défis imposés au personnel et au respect qui lui est dû. Certains patrons sont des tyrans sympathiques, mais d'autres peuvent devenir de véritables persécuteurs.

Les experts en leadership rapportent que ces deux styles sont indépendants. Certaines personnes peuvent obtenir des résultats forts ou faibles dans les deux styles ; d'autres adoptent un style plutôt que l'autre. La plupart des gens se situent entre les deux extrêmes. Les premiers chercheurs en ont conclu les leaders les plus efficaces présentent un niveau élevé des deux comportements ; ils sont à la fois fortement orientés vers les personnes et vers les tâches[29]. Partant de cette hypothèse, des auteurs ont élaboré un programme populaire de formation de leaders, appelé la **grille du leadership** (auparavant appelée « grille managériale »)[30]. Les participants évaluent leur niveau actuel de leadership orienté vers les personnes et vers les tâches puis, avec des formateurs, ils travaillent à atteindre un haut niveau sur chaque axe.

Ce modèle, directement inspiré des recherches sous la direction de Stogdill[31] à l'Université de l'Ohio, a été proposé initialement par Blake et Mouton (1964)[32], mais avec une modification d'importance : leur grille conduit, si l'on combine les deux axes, à l'identification d'un style particulier de leadership (*voir la figure 14.2*). Ainsi, Blake et Mouton déterminent cinq styles de base :

- le style 1.1 du leader anémique se caractérise par une conduite sans intérêt sur les deux axes ;
- le style 9.1 du leader autocratique se distingue par une conduite essentiellement orientée vers la tâche ;
- le style 1.9 du leader social se définit comme une conduite essentiellement orientée vers les relations humaines ;
- le style 9.9 du leader participatif est fondé sur une conduite fortement orientée vers la tâche et autant que vers les relations humaines ;
- le style 5.5 du leader intermédiaire est basé sur une conduite autant orientée vers la tâche que vers les relations humaines, mais de façon modérée.

La grille du leadership, que de nombreux chercheurs ont repris comme instrument d'enquête, a connu un énorme succès auprès des consultants en organisation. En effet, à cette époque, les chercheurs de l'Université du Michigan,

grille du leadership
Modèle de leadership qui permet d'évaluer l'efficacité d'un leader en fonction de son orientation vers les personnes ou vers les tâches.

FIGURE **14.2**

Grille du leadership
de Blake et Mouton

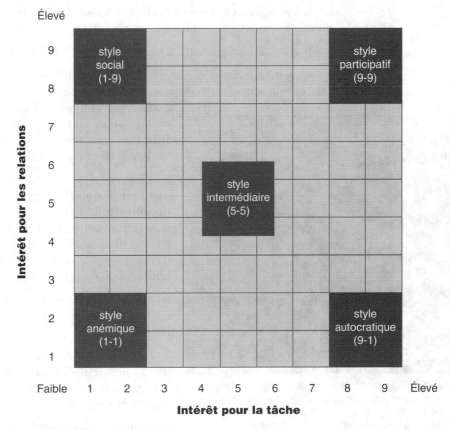

Source : Adapté de Blake et Mouton (1964).

notamment Likert (1961)[33], arrivaient sensiblement aux mêmes hypothèses et aux mêmes conclusions sur les dimensions comportementales du leadership. Chaque leader avait son style de conduite personnel, et ce style était le fruit d'une combinaison quelconque des deux orientations, la tâche et les relations humaines.

Le problème du leadership basé sur le comportement, comme l'ont révélé des recherches ultérieures, est qu'on postule, à tort, que de hauts niveaux sur les deux axes comportementaux sont nécessaires dans toutes les situations. En réalité, le style de leadership le plus efficace dépend de sa souplesse, c'est-à-dire de sa capacité d'adaptation aux situations[34]. Toutefois, l'aspect positif de cette approche est qu'elle a décrit les deux axes sur lesquels les théories de la contingence et les théories contemporaines, présentées plus loin, fonderont leur raisonnement. Auparavant, nous terminerons ce tour d'horizon des théories qui traitent à la fois des caractéristiques personnelles des leaders et de leurs actions en évoquant deux types particuliers de leaders : le leader charismatique et le leader discret.

Le leadership charismatique

L'histoire de l'humanité et des organisations est pavée de leaders qui ont marqué leur temps et ont changé le cours des événements, les habitudes et même la vie des gens, parfois sur toute la planète. On pense, par exemple, à des chefs comme Churchill, Ghandi, Charles de Gaulle, René Lévesque, Steve Job (qui a mis l'ordinateur à la portée de tous), Bill Gates, Walt Disney (le divertissement familial),

Lee Iacocca, qui a « sauvé » Chrysler de la faillite dans les années 1970, etc. Les recherches permettent de dégager les caractéristiques d'un leader charismatique[35] :

■ *Un agent de changement*   Ce leader ne subit pas les événements, il les provoque.

■ *Des comportements excessifs*   Souvent, ce leader se comporte de façon originale, et cela transparaît dans son langage ou même dans sa façon de s'habiller. Ces excès ne nuisent pas à l'admiration qu'il suscite. Par exemple, on peut voir dans la photo ci-contre Richard Branson, dans une de ses frasques pour mousser la vente d'un de ses produits.

Fidèle à sa légende, l'excentrique et milliardaire Sir Richard Branson, fondateur et grand patron de Virgin, n'hésite pas à se donner en spectacle pour le lancement de Virgin Mobile Canada, la téléphonie sans fil. Il représente le côté charismatique des leaders par sa réussite et son originalité.

Archives La Presse

■ *L'expression d'une vision*   Ce leader a généralement une vision claire de ce qu'il veut faire pour son organisation. Il sait mobiliser ses troupes pour concrétiser cette vision (Jean Coutu et l'excellence dans la pharmacie, Guy Laliberté et un cirque formé d'artistes, etc.). La recherche montre que ce leader obtient de hautes performances de ses subordonnés.

■ *La confiance en soi*   Le leader charismatique est sûr de ses moyens, de ses capacités et de son jugement.

■ *La conscience des réalités*   Ce leader est parfaitement conscient des contraintes qui pèsent sur ses actions, mais, étant imaginatif, il recherchera des façons de s'en libérer.

Toutefois, un leadership charismatique peut avoir des effets pervers. Par exemple, ces chefs peuvent susciter une admiration sans bornes de la part de leurs subordonnés, favoriser l'émergence de « disciples » au sens critique trop émoussé et provoquer la conformité. Leur narcissisme, quoique souvent créatif, peut dégénérer en un abus de pouvoir et rendre leur organisation « théâtrale » (*voir plus loin le leadership pathologique*). Enfin, ces leaders se révèlent surtout en temps de crise, mais ils ne font pas face à des crises tous les jours ! De ce fait, la crise passée, leurs qualités peuvent se retourner contre eux et les rendre inadéquats dans cette conjoncture. Ce fut le cas pour Churchill ou de Gaulle, dont l'orgueil et la volonté de changer le cours de l'Histoire leur a permis de sauver leur pays durant la Seconde Guerre mondiale. Ces mêmes qualités, en temps de paix, ont été considérées plutôt comme de l'arrogance, voire comme une dérive vers l'autocratie. Ainsi, le leader charismatique ne laisse personne indifférent : on l'aime ou on le déteste !

Il est dans la nature humaine d'adorer des idoles (comme les leaders charismatiques). Les idoles attirent l'attention, mais elles n'assurent pas le succès de l'entreprise pour autant. En fait, il n'est pas nécessaire d'être flamboyant pour être efficace. Souvent, le bilan de leaders plutôt discrets est impressionnant pour peu qu'on veuille s'y arrêter.

Le leadership discret ou pragmatique

Combien de gens (hormis les initiés) connaissent Darwin Smith, aux États-Unis, ou Paul Desmarais, un des leaders les plus admirés au Canada et l'homme le plus

Paul Desmarais, patron d'un des plus grands empires financiers du Canada, homme considéré comme le plus riche du Québec, bienfaiteur et maintes fois décoré, représente le type même du leader discret.

Archives La Presse

riche du Québec? Très peu! Le premier a pourtant été le p.-d. g. de Kimberley-Clark pendant 20 ans, à partir de 1971. Il est celui qui a fait passer une vieille fabrique de papier à la première entreprise de transformation du papier de la planète! Le financier Paul Desmarais a bâti l'un des plus grands empires financiers du Canada : Power Corporation. Il a toujours été extrêmement discret sur sa vie, accordant peu d'entrevues aux médias.

Jim Collins, dans son livre publié en 2003 et qui est un très grand succès de librairie[36], a réalisé une étude sur les entreprises exceptionnelles d'efficacité et de longévité. Il appelle leurs leaders des « patrons de niveau cinq », c'est-à-dire des chefs qui édifient une excellence durable grâce à un mélange paradoxal d'humilité sur le plan personnel et de volonté sur le plan professionnel. Sur le plan personnel, ils sont d'une incroyable modestie; ils évitent d'être sous les feux de la rampe. Ils agissent avec calme et détermination. Ils sont motivés en raison de leurs principes et non de leur charisme; ils s'appliquent à pérenniser leur entreprise en préparant leurs successeurs. Badaracco, en 2003, ajoutait l'intelligence émotionnelle de ces leaders qui prennent leur temps pour réfléchir, choisissent leurs batailles et savent faire des compromis (mais pas en ce qui concerne leurs valeurs)[37]. Sur le plan professionnel, Collins note que ces leaders visent l'excellence à long terme pour leur entreprise, quelles que soient les difficultés, et ne blâment jamais les autres pour leurs erreurs.

Souvent, l'efficacité des leaders est due à la souplesse de leur style de gestion, c'est-à-dire à leur capacité de s'adapter aux situations, aux contingences. Quelles sont ces situations? Quel est alors le style de leadership approprié? C'est le sujet de la section suivante.

Les théories du leadership contingent

Avec le leadership considéré en fonction de l'approche contingente, on part de l'idée que le style le plus approprié de leadership dépend des facteurs contextuels. La plupart des théories du leadership de la contingence (mais pas toutes) supposent que les leaders efficaces doivent être à la fois perspicaces et souples[38]. Ils doivent pouvoir adapter leurs comportements et leur style à la situation immédiate. Cependant, la tâche n'est pas facile. En général, les leaders privilégient un style en particulier. Apprendre quand et comment modifier son style pour s'adapter au contexte exige des efforts considérables. Comme nous l'avons précisé plus tôt, le leader doit posséder une grande intelligence émotionnelle, notamment une personnalité souple afin de pouvoir évaluer la situation et modifier son comportement en conséquence[39].

théorie de l'adéquation chemins-buts
Théorie d'un leadership contingent basé sur l'adaptation des comportements des leaders aux attentes des subordonnés, à leurs caractéristiques et à une certaine organisation du travail.

La théorie de l'adéquation chemins-buts

Plusieurs théories de la contingence ont été proposées au cours des années, mais la **théorie de l'adéquation chemins-buts** est celle qui a le mieux résisté à l'examen scientifique. Cette théorie prend sa source dans celle des attentes sur la motivation (*voir le chapitre 6*)[40]. En substance, selon cette théorie, les subordonnés réagiront favorablement à un leader qui les aide à atteindre leurs buts et à en tirer satisfaction. Un leader qui élimine les obstacles (en donnant des moyens, en clarifiant les tâches, etc.) pour son subordonné accroît la perception de celui-ci que travailler de façon ardue le conduira à une performance élevée qui sera reconnue et récompensée. Dans ces conditions, la motivation et la satisfaction au travail sont plus élevées dans la mesure où elles sont liées à des récompenses valorisées par l'employé (valence). Nous devons cette théorie à Robert House[41].

Les leaders efficaces renforcent le lien entre les attentes, les efforts, les performances et les récompenses, bref, le cheminement précis qui permet d'atteindre les buts visés[42]. Par exemple, les équipes de travail autonomes les plus performantes chez Xerox ont des leaders qui donnent la priorité à la mise en place d'une assistance bien structurée pour leurs équipes[43]. En d'autres termes, la théorie de l'adéquation chemins-buts encourage le **leadership au service des autres**[44]. Les leaders au service des autres ne se considèrent pas dans une position de pouvoir ; ils se veulent plutôt des entraîneurs (*coachs*) et des animateurs.

Les styles de leadership   La figure 14.3 présente la théorie de l'adéquation chemins-buts du leadership. Ce modèle met l'accent sur quatre styles de leadership et plusieurs facteurs de contingence qui engendrent trois indicateurs d'efficacité du leadership. Ces quatre styles de leadership sont décrits ci-après[45].

■ *Le style directif*   Le style directif englobe les comportements explicites qui fournissent une structure psychologique aux subordonnés. Le leader clarifie les objectifs de performance, les moyens d'atteindre ces objectifs et les normes utilisées pour évaluer ces performances. Le style directif comprend également une utilisation judicieuse des récompenses et des sanctions. Le leadership directif est identique au leadership orienté vers les tâches décrit plus tôt et fait écho à notre discussion sur l'importance d'une perception claire des rôles dans la performance du personnel (*voir le chapitre 4*).

■ *Le style axé sur le soutien*   Les comportements axés sur le soutien fournissent une aide psychologique aux subordonnés. Le leader est amical et accessible, il rend le travail plus agréable. De plus, il traite les employés avec respect et exprime son intérêt quant à leur travail, leurs besoins et leur bien-être. Le leadership axé sur le soutien est identique au leadership orienté vers les personnes décrit plus

leadership au service des autres
Caractéristiques des leaders qui servent leurs employés en comprenant leurs besoins et en organisant l'entreprise de manière à faciliter leurs performances professionnelles.

FIGURE 14.3

Théorie de chemins-buts

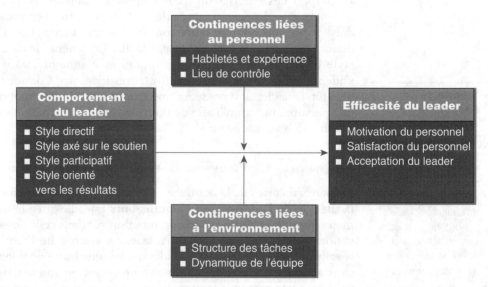

tôt; il accentue les bénéfices du soutien social permettant au personnel de supporter des situations stressantes (*voir le chapitre 5*).

■ *Le style participatif* Les comportements du leader liés au style participatif encouragent et permettent la participation des subordonnés au processus décisionnel. Le leader consulte le personnel, tient compte de ses suggestions et considère sérieusement ses idées avant de prendre une décision. Le leadership participatif est lié au concept de participation du personnel aux décisions (*voir le chapitre 10*).

■ *Le style orienté vers les résultats* Dans ce cas, les comportements du leader encouragent les employés à atteindre des performances élevées. Le leader définit des objectifs exigeants et il est convaincu que le personnel prendra, le cas échéant, la responsabilité de se fixer des objectifs difficiles et de les atteindre. Le leadership orienté vers les résultats est basé sur la théorie de la définition d'objectifs (*voir le chapitre 6*) ainsi que sur les attentes positives de l'effet Pygmalion (*voir le chapitre 3*).

Selon le modèle d'adéquation chemins-buts, les leaders efficaces sont capables de choisir le style ou les styles de comportements les plus appropriés à chaque situation. Les leaders peuvent aussi utiliser plusieurs styles à la fois. Par exemple, ils peuvent proposer leur soutien tout en établissant des objectifs ambitieux.

Les contingences de la théorie de l'adéquation chemins-buts

Eu égard à la contingence, la théorie de l'adéquation chemins-buts fait valoir que chacun des quatre styles de leadership sera efficace dans certaines situations, mais pas dans d'autres. Selon ce modèle, deux ensembles de variables influencent la relation entre le style du leader et son efficacité: 1) les caractéristiques du personnel et 2) les caractéristiques de leur environnement de travail. Plusieurs variables contextuelles ont déjà fait l'objet d'études dans le cadre de la théorie de l'adéquation chemins-buts, et le modèle est ouvert à l'analyse ultérieure d'autres variables[46]. Cependant, nous n'examinerons ici que quatre de ces contingences (*voir le tableau 14.1*).

Les habiletés et l'expérience La combinaison d'un leadership directif et d'un leadership axé sur le soutien est recommandée avec les employés sans expérience

TABLEAU 14.1 Contingences dans la théorie de l'adéquation chemins-buts

	Style directif	Style axé sur le soutien	Style participatif	Style orienté vers les résultats
Contingences liées au personnel				
Habiletés et expérience	Faibles	Faibles	Élevées	Élevées
Lieu de contrôle	Externe	Externe	Interne	Interne
Contingences liées à l'environnement				
Structure des tâches	Non routinière	Routinière	Non routinière	?
Dynamique d'équipe	Normes négatives	Faible cohésion	Normes positives	?

ou avec peu de qualifications. Le leadership directif permet aux subordonnés d'obtenir de l'information sur la manière d'accomplir une tâche, alors que le leadership axé sur le soutien les aide à surmonter les incertitudes liées à des situations de travail inhabituelles. Le leadership directif a un effet négatif sur le personnel qualifié et expérimenté, car un trop grand contrôle sera perçu comme une nuisance.

Le lieu de contrôle   Nous avons déjà expliqué que les personnes ayant un lieu de contrôle interne pensent pouvoir contrôler leur environnement de travail (*voir le chapitre 3*). Par conséquent, ces employés préfèrent les styles de leadership participatif et orienté vers les résultats, tandis qu'ils peuvent trouver le style directif contraignant. Par contre, les personnes ayant un lieu de contrôle externe pensent que leurs performances dépendent davantage de la chance et du destin ; elles tendent donc à préférer un leadership directif et axé sur le soutien.

La structure des tâches   Les leaders devraient adopter un style directif lorsque les tâches ne sont pas routinières, car ce style minimise l'ambiguïté de certains rôles. En effet, cette situation tend à se produire lorsque les conditions de travail sont complexes[47]. Le style directif est, par contre, inefficace quand le personnel effectue des tâches routinières et simples, les directives du chef étant alors superflues et pouvant être perçues comme un moyen de contrôle. Quant aux employés qui font un travail hautement routinier et simple, ils peuvent nécessiter un leadership axé sur le soutien pour les aider à supporter la nature ennuyeuse des tâches et leur manque de contrôle sur le rythme de travail. Le leadership participatif est préférable avec les employés qui accomplissent des tâches non routinières, car l'absence de règles et de procédures donne une plus grande liberté de décision dans l'atteinte des objectifs difficiles. Le style participatif est inefficace avec les employés qui accomplissent des tâches routinières, précisément parce qu'ils manquent de pouvoir discrétionnaire dans leur travail.

La dynamique de l'équipe   Les équipes à forte cohésion et obéissant à des normes internes orientées vers les performances n'ont pas besoin de la plupart des interventions qui émanent d'un leader. En effet, une forte cohésion dans une équipe se substitue à un leadership axé sur le soutien, alors que les attitudes de l'équipe envers les performances remplacent le style directif et parfois même un leadership orienté vers les résultats. Par conséquent, lorsque la cohésion de l'équipe est faible, les leaders devraient utiliser un style axé sur le soutien. Toutefois, ils devraient appliquer un style directif pour contrecarrer des normes d'une équipe en contradiction avec les objectifs formels de l'entreprise. Par exemple, un chef d'équipe peut utiliser un pouvoir légitime si les membres de l'équipe ont développé une attitude de laxisme dans un projet qui doit être réalisé à temps.

Les implications pratiques et les limites de la théorie de l'adéquation chemins-buts

En recherche, la théorie de l'adéquation chemins-buts a reçu un considérable soutien, certainement plus que les autres modèles de leadership de la contingence[48]. Cependant, l'effet d'une ou deux variables (telle la structure des tâches) font l'objet de certaines réserves. En outre, d'autres conditions et d'autres styles de leadership n'ont pas été encore explorés[49]. Par exemple, dans le tableau 14.1, on peut voir que certains éléments comportent des points d'interrogation, car on ignore comment ces styles de leadership s'appliquent dans ces conditions. Sans de nouvelles études, il est difficile de savoir si certaines contingences devraient être considérées au moment de choisir le style de leadership le plus approprié.

Une autre inquiétude est que plus la théorie chemins-buts s'étend, plus elle risque de devenir trop complexe pour être utilisée en pratique. Bien que le modèle fournisse une représentation détaillée de la complexité du leadership, il peut devenir trop lourd pour une formation sur les styles de leadership. Peu de personnes pourraient se souvenir de toutes les contingences et de tous les styles de leadership et, par conséquent, il leur sera difficile de les mettre en pratique de manière adéquate. Malgré ces limites, la théorie de l'adéquation chemins-buts reste une théorie du leadership de situation relativement complète et valide.

D'autres théories de la contingence

Au début de ce chapitre, nous avons fait remarquer que de nombreuses théories sur le leadership ont été proposées aux cours des années, plusieurs d'entre elles traitant des facteurs de contingence. Certaines de ces théories recoupent partiellement le modèle chemins-buts en ce qui concerne les styles de leadership, mais beaucoup font appel à des contingences plus simples ou plus abstraites. Ici nous décrirons brièvement deux de ces théories du fait de leur popularité ou de leur importance historique dans le domaine.

modèle du leadership de situation
Élaboré par Paul Hersey et Ken Blanchard, ce modèle suggère que les leaders efficaces varient leur style en fonction de la maturité des subordonnés.

Le modèle du leadership de situation Une des théories les plus populaires de la contingence auprès de formateurs et de consultants est le **modèle du leadership de situation,** qu'on doit à Paul Hersey et Ken Blanchard[50]. Ce modèle est également construit à partir des deux axes de comportement orientés vers la tâche et vers les relations. Ce modèle suggère que les leaders efficaces varient leur style en fonction de la « maturité » des subordonnés. La maturité concerne deux dimensions : la capacité et la motivation des employés ou des équipes de travail à accomplir une tâche particulière. La capacité inclut les habiletés et les connaissances dont sont pourvus les subordonnés pour accomplir une tâche sans l'aide d'un superviseur. La motivation, quant à elle, se définit comme le désir et l'engagement des employés à accomplir la tâche demandée (le modèle réunit ces concepts distincts en une seule variable « situationnelle », la maturité).

Le modèle du leadership de situation distingue donc quatre styles de leadership : dire, « vendre », faire participer et déléguer. Par exemple, « dire » implique une conduite hautement orientée vers les tâches et peu vers les relations (c'est-à-dire où l'échange est relativement à sens unique — ce qui ne veut pas dire que le leader n'a pas d'égards envers le subordonné). Le modèle du leadership de situation est illustré à l'aide de quatre quadrants représentant chacun le style de leadership le plus approprié selon les circonstances (par exemple un niveau de maturité des subordonnés plutôt faible appelle un style de leadership dans le quadrant M1) et ainsi de suite (*voir la figure 14.4*).

Malgré sa popularité, au moins trois études ont conclu que ce modèle du leadership de situation manque de base empirique[51]. Seule une partie du modèle semble fonctionner, c'est-à-dire que les leaders doivent utiliser le style « dire » (le style directif) lorsque les employés manquent de motivation et de capacités (ce qui est également exprimé dans la théorie de l'adéquation chemins-buts). La simplicité du modèle est attirante et plaisante, mais celui-ci ne représente pas la complexité

FIGURE 14.4   Style de leadership selon le niveau de maturité
(inspiré du modèle de Hersey et Blanchard)

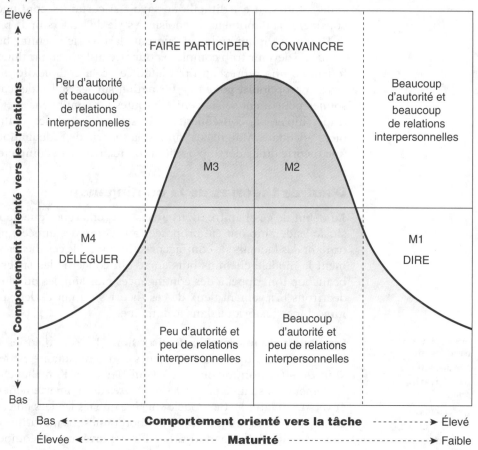

de la réalité. L'évaluation la plus récente de ce modèle a également conclu que la théorie présentait des incohérences logiques et internes.

**modèle de
la contingence
de Fiedler**
Proposé par Fred
Fiedler, ce modèle
soutient que l'effi-
cacité d'un leader
dépend de l'adéqua-
tion entre son style
de gestion naturel,
sa relation avec ses
subordonnés, la
structure des tâches
et le pouvoir lié
à son poste.

Le modèle de la contingence   Fred Fiedler et ses collègues[52] ont conçu un des premiers **modèles de la contingence.** Selon ce modèle, l'efficacité d'un leader dépend de l'adéquation entre son style de gestion naturel, sa relation avec ses subordonnés, la structure des tâches et le pouvoir lié à son poste.

La théorie décrit, encore une fois, deux styles de leadership qui correspondent essentiellement au style orienté vers les personnes et au style orienté vers les tâches décrits plus tôt (malheureusement, le modèle de Fiedler se base sur un questionnaire qui ne mesure parfaitement aucun des deux styles).

Le modèle de Fiedler suggère que le meilleur style de leadership dépend du niveau de contrôle de la situation. Le contrôle d'une situation est lié à trois facteurs présentés dans un ordre d'importance décroissante : les relations entre le leader et ses subordonnés, la structure des tâches et le pouvoir lié au poste[53]. Les relations entre le leader et ses subordonnés est le degré de confiance et de respect du personnel envers son leader et sa disposition à suivre ses conseils. La structure des tâches fait référence à la clarté (structure élevée) ou à l'ambiguïté (structure faible) des procédures à suivre. Le pouvoir du poste est le degré de pouvoir légitime, de récompense et de coercition, dont dispose le leader par rapport à ses subordonnés. Le contrôle de la situation exercé par le leader peut aller d'un niveau très élevé (relations très positives avec les subordonnés, tâches très structurées et fort pouvoir) à un faible niveau (l'inverse de ces trois facteurs). Les leaders orientés vers la tâche sont efficaces quand le contrôle de la situation ainsi définie est soit très élevé, soit très faible. Les leaders orientés vers les personnes sont efficaces quand le contrôle de la situation est moyen.

Fred Fiedler s'est attiré un grand respect comme pionnier des théories du leadership de la contingence. Cependant, sa théorie a mal vieilli. Comme nous l'avons mentionné, l'échelle des styles de leadership utilisée a été amplement critiquée. En outre, il n'existe aucune raison scientifique justifiant de donner un rang d'importance aux trois facteurs de contrôle de la situation. Il semble aussi que les relations entre le leader et ses subordonnés soient en fait un indicateur de l'efficacité du leader (comme dans la théorie de l'adéquation chemins-buts) plutôt qu'un facteur de situation. Enfin, cette théorie porte uniquement sur deux styles de leadership, alors que d'autres modèles présentent une gamme plus complexe et plus réaliste de comportements. Ces réserves expliquent pourquoi la théorie reçoit un soutien empirique limité[54].

Harmoniser le contexte et le style naturel du leader   Le modèle de la contingence de Fred Fiedler est peut-être devenu une référence historique, mais sa contribution n'en est pas moins importante et durable. En effet, le modèle suggère fortement que le style de leadership est lié à la personnalité du leader et que, par conséquent, ce style est relativement stable dans le temps. Il est vrai que les leaders peuvent changer leur style. Toutefois, à long terme, ils tendent à utiliser leur style préféré et naturel. Plus récemment, des chercheurs ont émis l'hypothèse qu'un style de leadership particulier est bien plus ancré chez les personnes que la plupart des théories sur le leadership de situation ne veulent l'admettre[55].

Si le style de leadership dépend de la personnalité du leader, l'organisation devrait alors établir un contexte ou un environnement qui correspond au style dominant du leader, plutôt que d'attendre du leader qu'il change son style en fonction de la situation. Ainsi, un leader directif pourrait se voir attribuer des employés sans expérience et ayant besoin de directives, plutôt que des personnes expérimentées qui travaillent moins efficacement dans un tel contexte. Pour des raisons similaires, les entreprises pourraient transférer des superviseurs vers des postes de travail où leur style principal s'applique le mieux. Par exemple, des leaders directifs pourraient être placés dans des équipes de travail nécessitant plus de fermeté, alors que les leaders préférant un style axé sur le soutien devraient être affectés à des services où les employés font face à des pressions professionnelles et à d'autres facteurs de stress.

substituts du leadership
Modèle visant à repérer les variables qui limitent les capacités du leader à influencer ses subordonnés ou qui rendent ce style de leadership superflu.

Les substituts du leadership   Jusqu'à présent, nous avons considéré des théories recommandant l'utilisation de différents styles de leadership dans diverses situations. Toutefois, il existe une théorie, appelée **substituts du leadership,** qui consiste à repérer les variables et les conditions limitant les capacités du leader à influencer ses subordonnés ou rendant le leadership superflu. Lorsque les conditions de substitution sont présentes, les employés sont efficaces sans qu'un leader formel ait à appliquer un style particulier. Bien que ce modèle nécessite encore quelques raffinements, il est généralement bien accepté dans le milieu scientifique[56].

La recherche sur le ce sujet a permis d'identifier ces éléments de substitution. Par exemple, les systèmes de récompenses basés sur les performances font en sorte que le personnel se concentre sur les objectifs à atteindre. Ces systèmes remplacent ou réduisent vraisemblablement le besoin en leadership orienté vers les tâches. Celui-ci est également moins nécessaire lorsque les employés sont qualifiés et expérimentés. Sur ce dernier point, notons sa similitude avec la théorie de l'adéquation chemins-buts[57].

Les substituts du leadership deviennent plus importants quand les entreprises suppriment les postes de superviseurs qu'elles adoptent des structures basées sur le travail en équipe. De fait, un concept émergent est que les leaders efficaces aident les membres des équipes à s'autodiriger[58]. Certains auteurs suggèrent que les collègues sont aussi de puissants substituts au leadership dans l'organisation du travail en équipe. Par exemple, les collègues forment les nouveaux employés, fournissant ainsi un leadership technique et un soutien social, lequel réduit souvent le stress professionnel (*voir le chapitre 5*). Les équipes qui obéissent à des normes d'excellence contribuant à la réalisation des objectifs organisationnels peuvent se substituer à un leadership orienté vers les résultats. En effet, les employés encouragent leurs collègues ou font pression sur eux afin qu'ils élèvent leurs niveaux de performance[59].

L'autogestion est aussi considérée comme un substitut du leadership dans les équipes de travail autonomes[60]. Il faut se rappeler que l'autogestion (*voir le chapitre 7*) est le processus qui consiste à se déterminer à atteindre l'autonomie et la motivation nécessaires pour effectuer une tâche[61]. Ce processus comprend des objectifs que l'on s'impose, un autorenforcement, une pensée constructive et d'autres activités influençant la motivation et les comportements d'une personne. Alors que le personnel devient de plus en plus compétent à s'autogérer, il nécessite probablement moins de direction externe pour rester motivé et concentré sur les objectifs organisationnels.

La perspective du leadership transformationnel

leadership transformationnel
Leadership d'un dirigeant qui peut changer une équipe ou une entreprise en communiquant une vision, en donnant l'exemple des comportements à suivre et en étant une source d'inspiration pour ses employés.

En 1991, lorsque Rick George est devenu chef de la direction de Suncor Energy Inc. en 1991, il a rapidement compris pourquoi Suncor était surnommée « la compagnie pétrolière la moins chanceuse du Canada ». Il a été témoin d'un incendie dévastateur et de conflits de travail paralysants, au moment où l'entreprise présentait les coûts de production les plus élevés du secteur. Alors que les responsables de Suncor étaient prêts à quitter le navire, Rick George a commencé à dessiner un avenir flou mais prometteur au personnel. Il a confié à ses subordonnés la mission d'améliorer la rentabilité et, à mesure que la situation financière de l'entreprise se stabilisait, le pouvoir d'augmenter la production. Ensuite, Rick George a fait une chose qui surprend encore les intervenants du secteur pétrolier canadien : il a encouragé ses employés et l'industrie entière à respecter davantage l'environnement. Aujourd'hui, presque tout le personnel de Suncor peut fièrement répéter le « mantra de Rick George » : augmenter la production, réduire les coûts et préserver l'environnement[62].

Rick George est un **leader transformationnel.** Par sa vision et ses actions, il a transformé Suncor Energy d'une entreprise à problèmes en l'un des chefs de file de l'industrie pétrolière canadienne. Les leaders transformationnels tels que Rick

Les quatre règles d'André Bérard

Quatre composantes constituent le fondement du leadership, selon André Bérard. Le premier mot qui lui vient spontanément à l'esprit, c'est « intensité », suivi de près par « passion ».

« La gestion par organigramme ne fonctionne jamais », insiste André Bérard. Il faut convaincre ses collaborateurs, en ajoutant parfois une pointe d'humour, et susciter chez eux une adhésion enthousiaste si on veut qu'ils se conforment à des objectifs exigeants mais nécessaires, selon le contexte. Seules l'intensité et la passion qu'on éprouve soi-même pour ce qu'on propose peuvent faire se déplacer les montagnes, qu'elles soient grosses ou minuscules.

L'autre condition à la base d'un leadership efficace, selon André Bérard, est de posséder une vision claire et exaltante de ce qu'on veut faire. Les employés veulent savoir où l'entreprise s'en va et ce qu'on attend d'eux. Ils veulent surtout sentir que les hauts dirigeants sont fermement convaincus de ce qu'ils proposent et qu'ils demeurent cohérents dans leur détermination à y arriver eux-mêmes.

Alors seulement pourra se développer une culture d'entreprise qui sera soutenue par la haute direction, « envers et contre tous », et qui facilitera la cohésion des troupes.

La troisième composante a trait à la rigueur. Si on veut arriver à des résultats, il faut respecter certaines règles, se plier à des contraintes et viser méthodiquement des objectifs précis et concrets dont on ne s'écartera que pour des raisons majeures.

André Bérard, ex-président de la Banque Nationale du Canada, possède de nombreuses caractéristiques du leadership transformationnel, à en juger par la réussite impressionnante de ce que furent son entreprise et ses pratiques de gestion, tels qu'il les décrit lui-même dans cet article.

Paul Chiasson, CP Photo

Chaque geste doit toujours être accompli dans un souci d'honnêteté et d'équité envers tous et toutes.

Enfin et surtout, André Bérard prône la gestion par l'exemple. Il ne faut jamais demander aux employés de faire ce qu'on n'est pas prêt à faire soi-même.

Source : J. Cardinal et L. Lapierre, « Les quatre règles d'André Bérard », *La Presse Affaires*, 12 septembre 2005, p. 6.

George, Terry Matthews (Mitel et Newbridge Networks), Julia Levy (QLT), Isadore étant (Four Seasons), Cora Tsouflidou (Chez Cora), Denise Verreault (Groupe maritime Verreault), Jean-Marc Eustache (Transat A.T.), Réal Raymond ou André Bérard (ex-directeurs de la Banque Nationale du Canada, etc.) font maintenant partie du paysage du monde des affaires canadien. Ces leaders sont des agents de changement. Ils créent une vision pour l'organisation, sont une source d'inspiration, lient le personnel à cette vision et l'encouragent à la réaliser[63].

leadership transactionnel

Leadership qui permet aux organisations d'atteindre leurs objectifs courants, généralement dans un environnement stable.

Le leadership transformationnel et le leadership transactionnel

Le leadership transformationnel diffère du **leadership transactionnel.** Le leadership transactionnel consiste à « gérer », c'est-à-dire à aider les organisations à atteindre leurs objectifs courants plus efficacement, par exemple en liant des récompenses motivantes aux performances du personnel et en s'assurant qu'il dispose des ressources nécessaires pour accomplir son travail[64]. Les théories de la contingence et des comportements des leaders décrites précédemment adoptent plutôt cette perspective. Au contraire, le leadership transformationnel consiste à « diriger », c'est-à-dire à changer, radicalement parfois, les stratégies et la culture de l'organisation afin que celles-ci s'adaptent mieux à l'environnement immédiat[65]. Les leaders transformationnels sont des agents de changement qui encouragent et dirigent le personnel vers un nouvel ensemble de valeurs et de conduites.

Les organisations ont besoin des deux types de leadership à la fois : transactionnel et transformationnel. Le leadership transactionnel améliore l'efficacité organisationnelle en temps de stabilité, alors que le leadership transformationnel dirige l'entreprise vers des changements de paradigmes en périodes de turbulences. Des études canadiennes suggèrent que les organisations à l'origine d'évolutions sociales constituent un excellent terreau pour le leadership transformationnel[66]. Malheureusement, de trop nombreux leaders se laissent emprisonner dans les activités quotidiennes liées au leadership transactionnel[67]. Ils deviennent moins vigilants quant à la nécessité éventuelle de transformer profondément leur entreprise et leurs employés. Sans leaders transformationnels, note Bernard Bass, auteur du concept, les organisations stagnent et peuvent se couper de leur environnement.

Le leadership transformationnel et le leadership charismatique

Un sujet ayant engendré confusions et controverses est certainement la distinction entre le leadership transformationnel et le leadership charismatique[68]. Bien que certains auteurs utilisent indifféremment ces termes, le leadership charismatique diffère du leadership transformationnel. Le charisme est une forme d'attraction interpersonnelle engendrant respect et confiance de la part des subordonnés. Le leadership charismatique est donc lié à des caractéristiques personnelles qui procurent un pouvoir de référence (ou pouvoir d'exemple) sur des subordonnés[69]. Au contraire, le leadership transformationnel concerne principalement les comportements que les leaders adoptent pour mener à bien un processus de changement. La section suivante insistera donc davantage sur le leadership transformationnel, car celui-ci prescrit des comportements précis.

Les caractéristiques du leadership transformationnel

Il existe plusieurs descriptions du leadership transformationnel, mais la plupart comportent les quatre activités énoncées à la figure 14.5. Ces éléments sont la création d'une vision stratégique, la communication de cette vision, la transformation en actes de cette vision et l'encouragement à adhérer à cette vision.

Créer une vision stratégique   Les leaders transformationnels sont des « courtiers en rêves »[70]. Ils façonnent une vision stratégique d'un avenir réaliste et attrayant qui rassemble le personnel et concentre son énergie vers un objectif organisationnel supérieur. Cette vision stratégique représente la substance du leadership transformationnel ; elle projette l'entreprise dans un futur que les membres de l'organisation finissent par accepter et souhaiter. La vision stratégique permet de créer un objectif fédérateur et prioritaire qui mobilise le personnel[71]. Une vision stratégique peut provenir du leader, mais elle peut très bien émaner du personnel, des clients, des fournisseurs ou d'autres acteurs. Elle débute généralement par une idée abstraite qui s'éclaircit progressivement au gré

FIGURE 14.5

Éléments
du leadership
transformationnel

des événements et des discussions critiques portant sur les projets stratégiques de l'entreprise. Sur le plan opérationnel, le personnel est toujours sollicité[72].

Certaines recherches indiquent que la vision est l'aspect le plus important du leadership transformationnel[73]. La vision présente les éléments motivationnels de la définition d'objectifs, mais elle va au-delà. La vision établit un scénario d'avenir fascinant qui rassemble le personnel et le motive précisément à tout faire pour atteindre les objectifs qui en découlent.

Communiquer la vision Si la vision est la substance du leadership transformationnel, la communication de cette vision en est alors le processus. Les chefs d'entreprise canadiens déclarent que la qualité la plus importante d'un leader est la capacité de concevoir et de partager sa vision avec l'organisation[74]. Les leaders transformationnels communiquent au personnel la signification des buts visés par la vision et soulignent son importance. Ils formulent des messages qui mettent l'accent sur l'urgence d'agir, déclenchant ainsi des éléments émotionnels qui attirent l'attention du personnel et des autres parties prenantes au changement visé. Ces actions aident les leaders transformationnels à établir un modèle mental commun afin que le groupe ou l'organisation agisse collectivement pour atteindre l'objectif souhaité[75]. Arthur Blank, cofondateur du géant de la rénovation Home Depot, aime rappeler à ses employés qu'ils travaillent à la réalisation des rêves des clients[76] ». Arthur Blank aide son personnel à considérer son rôle envers les clients sous un nouveau jour qui est plus significatif et plus motivant que de « vendre des marteaux et des clous ».

Les leaders transformationnels donnent également vie à leur vision au moyen de symboles, de métaphores, d'anecdotes et d'autres moyens transcendant le langage courant[77]. Les métaphores empruntent des images à d'autres expériences, créant ainsi une signification plus riche de la vision qui, elle, n'a pas encore été vécue. Lorsque George Cohon, l'exubérant chef de la direction de McDonald's Canada, s'est trouvé devant l'important défi qu'était l'ouverture de restaurants à Moscou, il a fréquemment rappelé aux membres de ses équipes qu'ils mettaient sur pied une « diplomatie par le hamburger ». Au milieu du XIXe siècle, lorsque le transport maritime était périlleux, Samuel Cunard soulignait qu'il créait un « chemin de fer maritime ». À l'époque, le chemin de fer était l'un des moyens de transport les moins dangereux. Ainsi, la métaphore de Samuel Cunard renforçait la notion, aussi bien auprès des employés qu'auprès des passagers, que l'entreprise Cunard Streamship Lines, située à Halifax, fournirait un transport transatlantique aussi sûr que le train[78].

Transformer la vision en actes   Les leaders transformationnels ne parlent pas uniquement d'une vision, ils la mettent en pratique. Ils donnent l'exemple en posant des actes qui symbolisent cette vision[79]. En outre, les leaders transformationnels sont fiables et persévérants. Ils maintiennent le cap, légitimant ainsi la vision et fournissant d'autres preuves que le personnel peut leur faire confiance. Les leaders donnent l'exemple non seulement à l'occasion d'événements importants, mais aussi dans des détails significatifs des activités quotidiennes — les ordres du jour des réunions, l'emplacement des bureaux, les calendriers exécutifs — afin d'être cohérents avec la vision et ses valeurs sous-jacentes. « Si vous parlez de vitesse d'exécution, mais que vous reportez des décisions difficiles, vous n'êtes pas crédible », explique Percy Barnevik, ancien chef de la direction du conglomérat électrique helvético-suédois ABB. « Les membres de mon conseil de direction et moi-même devons donner l'exemple et faire ce que nous disons[80]. »

Agir en fonction de la vision est important pour les dirigeants, car ils sont le point de mire du personnel et des autres acteurs, et ils sont porteurs de leurs attentes. Ils représentent des modèles potentiels cohérents pour tous[81].

Susciter l'adhésion à la vision   Transformer une vision en réalité nécessite l'engagement du personnel. Les leaders transformationnels suscitent cet engagement de plusieurs manières. Les propos, les symboles et les anecdotes auxquels ils recourent permettent de faire naître un enthousiasme contagieux qui encourage les gens à s'attacher à la vision comme s'il s'agissait de la leur. Les leaders adoptent une attitude volontariste en traduisant leur vision en actes et en maintenant le cap. Leur persévérance et leur cohérence reflètent une image d'honnêteté, de confiance et d'intégrité. Enfin, pour susciter l'engagement, les leaders font en sorte que le personnel s'investisse dans le processus de mise en œuvre de la vision de l'organisation.

L'évaluation de la perspective du leadership transformationnel

Selon les études traitant du comportement organisationnel, les leaders transformationnels font toute la différence[82]. Les subordonnés sont plus satisfaits et plus engagés affectivement envers l'organisation lorsqu'ils travaillent pour des leaders transformationnels. En outre, ils sont plus performants, se dépassent constamment et prennent de meilleures décisions. Une étude canadienne rapporte que l'engagement organisationnel et les performances financières semblent augmenter dans les succursales bancaires où le directeur a mis en place un programme de formation de leaders transformationnels[83]. L'encadré 14.3 illustre l'effet d'un leadership transformationnel sur les performances d'une organisation. Elle décrit comment le leadership de Mauricio Novis Botelho, ex-p.-d.g., a fait passer Embraer d'une entreprise étatique bureaucratique (et quasiment en faillite) en l'un des plus gros fabricants d'avions du monde.

Le leadership transformationnel est actuellement le point de vue le plus populaire en matière de leadership, mais il fait face à plusieurs défis. L'un des problèmes est que certains auteurs adoptent une logique circulaire en définissant le leadership transformationnel à partir des succès du leader[84]. Ils suggèrent que les leaders sont transformationnels lorsqu'ils réussissent à apporter des changements. Il faudrait plutôt travailler sur les comportements que l'on qualifie de « transformationnels ». Un autre problème réside dans le fait que le modèle du

Mauricio Botelho transforme Embraer en un chef de file mondial

À ses débuts, le fabricant aéronautique brésilien Embraer agissait à titre de « succursale » du gouvernement brésilien. L'entreprise avait la responsabilité de fabriquer des avions pour la formation de la force aérienne du pays. Comme ses semblables dans de nombreux autres pays, la force aérienne brésilienne souhaitait bénéficier des dernières technologies. Elle a donc investi activement dans la recherche et le développement. Cependant, Embraer est devenue si coûteuse à gérer qu'à l'occasion d'une crise économique, le gouvernement brésilien a été dans l'obligation de vendre l'entreprise à des investisseurs du secteur privé. Le gouvernement n'a alors conservé que 1% de la société, ainsi que le droit de veto sur les décisions stratégiques.

Presque au même moment, Embraer a engagé Mauricio Novis Botelho en tant que chef de la direction. Sa vision était de transformer l'entreprise en difficulté en une entreprise rentable. Mauricio Novis Botelho a tout d'abord dirigé ses efforts de transformation en misant sur l'efficacité. L'entreprise a réduit de moitié sa main-d'œuvre et de plus d'un tiers ses dépenses administratives. Parallèlement, le nouveau chef de la direction a fait passer les délais de mise en œuvre de 14 à 9 mois.

Une fois l'efficacité permettant la survie atteinte, Mauricio Novis Botelho a tourné son attention vers le personnel toujours en poste. Il s'inquiétait de voir que les licenciements avaient entamé le moral des employés et créé une anxiété persistante. Constatant que l'entreprise devait continuer à baisser les coûts, Mauricio Novis Botelho a réuni le syndicat et les représentants de la direction afin de négocier une réduction de 10% des salaires et des avantages sociaux. Il a ensuite ajouté qu'il était fier de la volonté de son personnel à faire ce sacrifice : « Cela montre votre engagement envers l'avenir ».

Cet engagement a commencé à porter ses fruits. De nouveaux modèles d'avions ont obtenu des contrats, et l'entreprise enregistre des bénéfices depuis plusieurs années. Les ventes ont augmenté et, alors que l'entreprise est devenue l'un des plus importants fabricants d'avions du monde, elle a engagé du personnel, dépassant même les effectifs initiaux. Aujourd'hui, Embraer est le premier exportateur brésilien. Selon la plupart des observateurs, le mérite en revient au leadership de Mauricio Novis Botelho.

Sources : « Brazil's Best Companies », *LatinFinance*, 1er mars 2001, p. S24 ; F. Shalom, « Meet Bombardier's Challenger », *Montreal Gazette*, 3 février 2001 ; L. Rohter, « Brazil's Hot Commodity ? Not Coffee or Soccer », *New York Times*, 31 décembre 2000, sect. 3, p. 1 ; S. Evers, « The Jane's Interview », *Jane's Defence Weekly*, 6 novembre 1996.

www.embraer.com

leadership transformationnel semble être universel plutôt que contingent. Très récemment, quelques auteurs ont commencé à explorer l'idée que le leadership transformationnel est plus approprié dans certaines situations que dans d'autres[85]. Par exemple, il est probablement plus pertinent lorsque l'organisation doit se renouveler dans des contextes turbulents, nous l'avons déjà dit. Par ailleurs, si des preuves préliminaires incitent à penser que le leadership transformationnel s'applique à toutes les cultures, des éléments du modèle, tels que la manière dont les visions sont formées et communiquées, peuvent varier selon les contextes[86].

Nous voyons que l'équipe constitue le moyen par lequel se construit aussi la crédibilité du leader transformationnel. Les deux théories que nous verrons dans la prochaine section décrivent précisément cette dynamique entre le leader et ses subordonnés.

LES THÉORIES DU LEADERSHIP RELATIONNEL

Pour utiliser une formule lapidaire, un leader est au fond celui ou celle que les autres considèrent comme le leader ! Dans cette optique, la théorie du leadership attributif explique le rôle de la subjectivité dans les rapports de subordination. La théorie des échanges leaders-membres, quant à elle, considère la nature même de ces rapports.

La théorie du leadership attributif ou implicite

Les théories précédentes partaient du principe que les leaders «font la différence». Il existe assurément des preuves que les cadres influencent les performances des organisations[87]. Mais les leaders peuvent avoir moins d'influence qu'on ne le pense. Certains experts en leadership suggèrent que trois processus perceptuels incitent les gens à exagérer l'importance du leadership pour expliquer divers événements de la vie organisationnelle. Ces processus, appelés collectivement la **théorie du leadership attributif** (encore appelée **leadership implicite**), incluent les erreurs d'attribution, le recours à des stéréotypes et le besoin de contrôle[88].

L'attribution du leadership

Les gens ressentent un fort besoin de trouver les causes aux événements qui surviennent pour mieux les contrôler en cas de récurrence. L'erreur d'attribution fondamentale est une erreur courante de la perception survenant dans le processus d'attribution (*voir le chapitre 4*). Elle est la tendance d'une personne à justifier le comportement d'autrui par ses motivations et ses habiletés personnelles plutôt que par des facteurs contextuels. En ce qui concerne le leadership, cela amène le personnel à penser que les événements de la vie en organisation qu'il observe sont plus le fruit de la motivation et des capacités des leaders que du contexte. Par exemple, les leaders reçoivent le mérite ou le blâme pour le succès ou l'échec de l'entreprise, car le personnel fait difficilement l'analyse des forces externes qui influencent également les événements observés. Les leaders renforcent parfois cette perception en s'attribuant le mérite entier des succès de l'entreprise[89].

Le recours aux stéréotypes

Dans une certaine mesure, une personne recourt à des stéréotypes pour déterminer si son patron est un leader efficace. Les gens ont tous des idées préconçues sur ce que doivent être les caractéristiques et les comportements d'un leader efficace, et cette perception émane partiellement des valeurs culturelles. Le stéréotype est pratique, car il constitue en quelque sorte un «raccourci» de la pensée. La réussite d'un leader n'étant pas nécessairement visible avant des mois, parfois même des années, lorsque celui-ci correspond à l'idée (positive) reçue, les employés pensent alors plus volontiers qu'il est efficace[90].

Le besoin de contrôler la situation

Une troisième distorsion de la perception en matière de leadership est que les gens veulent croire que les leaders font la différence. Il y a deux bonnes raisons à cette croyance[91]. Tout d'abord, croire dans le leadership nous permet de simplifier la vie. Il est plus facile d'expliquer les réussites et les échecs d'une entreprise par les capacités du leader que par l'analyse d'autres facteurs complexes (notamment les forces du marché). Nous avons déjà évoqué ce point-là.

Ensuite, il existe une forte tendance, au Canada et dans des cultures similaires, à croire que ce sont les personnes, plus que les forces naturelles incontrôlables, qui sont à l'origine de certains événements[92]. Cette illusion de contrôle est satisfaite quand on croit que les événements résultent des actions rationnelles des leaders. Bref, le personnel préfère croire que les leaders font la différence, et il cherche activement des preuves pour s'en convaincre.

La théorie du leadership attributif remet certes en question l'importance du leadership. Néanmoins, il est aussi possible d'en tirer un conseil précieux : le leadership est autant l'idée que s'en font les subordonnés que les comportements et les caractéristiques réels des personnes se considérant (ou considérées) comme des leaders. Les leaders potentiels doivent être sensibles à ce fait, comprendre ce qu'attendent leurs subordonnés et agir en conséquence[93].

LA THÉORIE DES ÉCHANGES LEADERS-MEMBRES (LA THÉORIE LMX : *LEADER-MEMBER EXCHANGE*)

Cette théorie de Graen et Uhl-B, étoffée en 1995, postule que la satisfaction et la performance dans une équipe dépendent de la qualité des relations qui s'établissent entre le leader et chacun de ses subordonnés. Est efficace le comportement du leader qui développe ces relations par le biais de multiples activités (autonomie, délégation, formation, communication ouverte, etc.). Toutefois, le même leader établit des relations préférentielles avec les membres de son équipe : attentif avec ceux qui répondent à ses attentes et moins à l'écoute avec les autres. Ces préférences peuvent être attribuées à la perception de points communs entre le leader et le subordonné (même génération, même formation, tempérament semblable, etc.) ou, tout simplement, tel subordonné est vu par le leader comme la personne qui lui permettra le mieux de s'acquitter de ses propres tâches. Nous sommes ensuite dans une spirale logique, l'effet dit Pygmalion jouant pleinement : ceux qui n'ont pas la préférence des leaders reçoivent moins de ressources et d'attention. Ainsi, ils se marginalisent davantage par rapport au groupe et sont moins performants, ce qui accroît la déconsidération des leaders. L'inverse se produit quand le leader a de bonnes relations avec ses subordonnés. Les recherches appuient ces hypothèses. Il est donc important d'enseigner aux leaders la façon d'entretenir ces bonnes relations avec le plus grand nombre possible de subordonnés, étant donné l'effet de la marginalisation de certains employés sur le moral, l'absentéisme et le roulement du personnel[94].

Une variante clinique du leadership relationnel mérite d'être mentionnée, non seulement parce qu'elle fait le pont entre la culture nord-américaine et d'autres cultures organisationnelles qui, comme la culture nipponne, mettent l'accent sur la qualité, mais aussi précisément parce qu'elle met en évidence cet autre courant « gagnant » : la gestion de la qualité. Il s'agit de la conception du leadership proposée par le docteur William Glasser[95], psychiatre californien, créateur de la thérapie de la réalité et fondateur de l'Institut de formation et de recherche qui porte son nom. Thérapeute, auteur et entrepreneur à succès, Glasser[96] applique ses idées à la direction des entreprises en opposant le « leader qualité » ou « vrai leader » au « dirigeant autoritaire ». En reprenant les principes de W. Edwards Deming sur la gestion de la qualité, Glasser incite les dirigeants qui veulent être de vrais leaders à adopter les six comportements fondamentaux suivants : le leader qualité s'assure qu'il existe un avenir pour ses employés ; il crée le système dans lequel les employés travaillent ; il discute franchement des coûts et de la qualité avec ses employés ; il montre à ses employés comment travailler ; il apprend aux employés l'autocontrôle ; il assure le climat organisationnel.

LES GRANDES QUESTIONS DU LEADERSHIP

Notion des plus étudiées parmi les notions de la gestion, le leadership n'en continue pas moins à soulever de grandes questions pour lesquelles les réponses demeurent très incertaines. Nous en avons choisi quelques-unes qui attirent particulièrement l'attention des gestionnaires d'aujourd'hui aussi bien que celle des chercheurs universitaires.

La question de l'efficacité ou de l'efficience

L'efficacité est définie comme l'atteinte d'un résultat escompté. La question de l'efficacité se pose à tout administrateur qui s'interroge ou qui est interrogé au sujet de ses résultats. Est-ce que tous les leaders sont efficaces? La réponse est souvent non. C'est probablement W.J. Reddin (1970)[97] qui a introduit cette question au cœur de la réflexion concernant le leadership en faisant de l'efficacité une troisième dimension sur laquelle tout leader devrait se positionner et être évalué. Selon cet auteur, la position sur les deux dimensions fondamentales (orientation vers la tâche et orientation vers les subordonnés) ne garantit pas les résultats, chaque leader pouvant être plus ou moins efficace. En pratique, cette perspective demeure «clinique» c'est-à-dire qu'elle implique un jugement *a posteriori* et ne permet guère de prescriptions *a priori* sur la manière d'exercer le leadership.

La même chose pourrait évidemment être proposée à propos de l'efficience, c'est-à-dire le rendement ou la performance des moyens (les coûts, la réputation, etc.) qui permettent l'efficacité. Par exemple, si un leader conduit son entreprise à la rentabilité financière (à court terme), mais qu'il le fait au prix de licenciements massifs ou de délocalisations discutables, est-il efficient? Telle devient alors la question. Tout dépend des critères envisagés. Hélas, exactement comme à propos de l'efficacité, c'est «après coup» que l'efficience du leadership peut seulement être évaluée et nommée. Même si on dispose de normes plus nombreuses qu'auparavant (la satisfaction au travail des employés, la responsabilité sociale, la responsabilité environnementale, la non-discrimination, etc.), il reste encore du travail à faire pour donner des pistes scientifiquement établies afin d'atteindre cette efficience.

La question du leadership pathologique

Une des interrogations les plus attrayantes des dernières années, qui a été soulevée sous l'influence de la psychanalyse, est certainement celle des maladies du leadership. L'Histoire ne manque pas d'exemples de leaders qui, principalement à cause de leur pathologie personnelle, ont conduit leur peuple à la ruine. Le siècle dernier a été particulièrement marqué par ces leaders «douteux», au charisme inquiétant et à l'influence tragique, voire innommable. Manfred Kets de Vries et Danny Miller ont très bien soulevé ce problème pour l'univers organisationnel dans leur livre *L'entreprise névrosée*[98]. En utilisant l'approche de la psychanalyse, Kets de Vries (1984)[99] a d'abord élaboré une théorie du leadership selon laquelle les éléments irrationnels de la personnalité sont fréquents dans les comportements des leaders. En fait, leurs conduites seraient prédéterminées par leur «théâtre intérieur», sorte de scénario inconscient dans l'esprit du leader. Ce scénario se développe depuis sa petite enfance et détermine son caractère. Ainsi, les comportements présents et futurs subissent fortement l'influence des modèles de comportements acquis dans le passé. Ces modèles ou patrons comportementaux

Kets de Vries, psychanalyste et spécialiste du leadership.
Romuald Rat/Gamma/PONOPRESSE

peuvent être bénéfiques à l'organisation ; on parlera alors de leadership efficace. Ou ils peuvent être nuisibles, et il s'agira de leadership inefficace. Pour cet auteur et son collègue Miller, la dimension cachée (ou inconsciente) du leadership est donc capitale.

Dans leur ouvrage, Kets de Vries et Miller montrent que sous l'influence d'un narcissisme pathologique de leur dirigeant principal, les organisations elles-mêmes peuvent sombrer dans la névrose. Ils distinguent ainsi cinq types de névroses organisationnelles : la dramatique ou théâtrale, la paranoïde, la compulsive, la dépressive et la schizoïde.

■ *Le leader théâtral* fait des tentatives incessantes pour attirer l'attention d'autrui. Il a un besoin impérieux de sensations fortes et peut exploiter les autres, d'où une croissance sans fin dans le secteur des affaires, aventureuse et incohérente, qui finit par un endettement considérable. C'est une firme gérée de façon autocratique et à la structure rudimentaire.

■ *Le leader paranoïde* se caractérise par une suspicion et une défiance excessives à l'égard d'autrui et une hypervigilance face à tout ce qui pourrait apparaître comme une menace. Son style de gestion est défensif, froid et rationnel.

■ *Le leader compulsif* est obsédé par le perfectionnisme, le souci des détails insignifiants. La relation à autrui n'est vue qu'en termes de domination ou de soumission. Dogmatisme et obstination l'habitent. Il est dépendant à l'excès des règles, des systèmes ou de plans, et il est incapable d'avoir une vue d'ensemble des choses. Contrôle, centralisation, hiérarchisation et manque de souplesse caractérisent la firme de ce type de leader.

■ *Le leader dépressif* cultive des sentiments de médiocrité et de culpabilité. Impuissance, détresse, désespoir, manque de motivation et d'intérêt, pensée imprécise, inhibition de l'action et indécision le caractérisent. Ainsi, l'entreprise se bureaucratise (règles, programmes et routines se substituent au commandement humain) et se coupe du marché.

■ *Le leader schizoïde* adopte le retrait, l'indifférence et manque d'enthousiasme. Il a une apparence de froideur et de distanciation par rapport aux autres. Donc, la direction au sommet est inexistante. L'entreprise devient un lieu d'intrigues parmi les acteurs de second rang, et les décisions sont dispersées.

Diagnostiquer des symptômes de dérèglement de l'entreprise ou d'un service, procéder à des mutations, changer l'entourage du leader ou des structures, mettre en place des subalternes efficaces, s'assurer de la présence de mentors ou changer de chef : voilà les solutions proposées par de Vries et Miller pour atténuer l'effet des leaders névrosés.

La question culturelle

Les points de vue de la situation ou de la contingence ont amené les chercheurs à s'interroger aussi sur les différenciations culturelles du leadership. De quelle façon l'expression et l'efficacité du leadership subissent-elles l'influence de la culture des protagonistes ? La question se pose particulièrement dans l'univers organisationnel avec la délocalisation des industries et la mondialisation des marchés. Qu'arrive-t-il quand un leader reconnu dans une communauté culturelle (par exemple au Québec) est envoyé en poste dans une autre communauté culturelle (par exemple en Chine, au Bangladesh ou en Allemagne)? La même question peut d'ailleurs se poser dans une même communauté nationale quand l'exercice du leadership ne se fait pas sur le même groupe ethnoculturel que celui du leader. Au Canada, cette situation est plus fréquente depuis quelques années avec le changement des sources de main-d'œuvre et l'arrivée d'immigrants de provenances ethniques et religieuses différentes (*voir le chapitre 2*).

La culture façonne les valeurs et les principes d'un leader, lesquels influencent ses décisions et ses actions. Ces valeurs culturelles façonnent également les attentes qu'ont les subordonnés envers leur leader. Une personne qui agit de manière incohérente par rapport aux attentes culturelles sera vraisemblablement perçue comme un leader inefficace, outre le fait de subir des pressions pour s'y conformer.

Au cours des dernières années, 150 chercheurs de dizaines de pays ont collaboré au projet GLOBE (*Global Leadership and Organizational Behaviour Effectiveness* — Efficacité des comportements et du leadership organisationnel dans le monde), qui vise à repérer les effets des valeurs culturelles sur le leadership[100]. Dans le cadre de ce projet, les pays ont été répartis en 10 grands ensembles régionaux: ainsi, le Canada fait partie du groupe dit «anglo» avec les États-Unis, l'Australie, la Nouvelle-Zélande et la Grande-Bretagne. Les résultats de cette immense enquête ne font que commencer à être exploités. Toutefois, le travail préliminaire suggère que certaines caractéristiques du leadership sont universelles, alors que d'autres dépendent des cultures.

Plus précisément, le projet GLOBE rapporte que le «visionnaire charismatique» est un concept universellement reconnu, et les cadres intermédiaires pensent qu'il s'agit d'une caractéristique des leaders efficaces. La notion de leader charismatique regroupe un ensemble de concepts liés à la vision, à ce que ce leader inspire, à l'orientation vers les performances, à l'intégrité et à l'esprit de décision[101]. Par ailleurs, le leadership participatif est perçu comme la caractéristique d'un leadership efficace dans les cultures à faible distance hiérarchique, mais moins dans les cultures à distance hiérarchique élevée (où on accepte les inégalités de pouvoir). Examinons une étude menée au Mexique, pays où la distance hiérarchique élevée fait partie de la culture. Les résultats montrent que les employés mexicains s'attendent à ce que les chefs prennent les décisions, exercent leur autorité et ne la délèguent pas trop souvent[102]. Une étude du projet GLOBE révèle aussi que les responsables iraniens prennent en considération des dimensions du leadership reflétant l'héritage culturel et religieux de l'Iran, dimensions qui n'apparaissent pas dans les critères d'autres cultures du projet GLOBE. En résumé, il existe des similitudes et des différences quant aux concepts et aux pratiques de leadership selon les cultures.

La question du leadership masculin et féminin

Le genre du leader est une autre question qui passionne les chercheurs non seulement depuis l'éclosion du féminisme dans les années 1970, mais plus encore depuis l'arrivée des femmes aux postes de haute direction tant dans le monde politique que dans l'univers organisationnel[103].

Les femmes dirigent-elles différemment des hommes? La plupart des dirigeants canadiens pensent que c'est le cas. Un sondage relativement récent révèle

« Pour moi, le leadership consiste à centraliser nos actions vers le seul objectif ultime, la satisfaction du client ! Le leadership au féminin utilise peut-être une sensibilité accrue à tenter jour après jour de rallier toutes les énergies de l'entreprise vers cet objectif. »

Cora Tsouflidou, p.-d.g. de Chez Cora, une chaîne de restauration spécialisée dans les petits-déjeuners.

que 76 % des cadres supérieurs des deux sexes croient que les compétences des femmes en matière de leadership et de gestion diffèrent considérablement de celles de leurs équivalents masculins. Les femmes sont généralement considérées comme des dirigeantes consensuelles et plus aptes à « construire de solides relations interpersonnelles[104] ».

« Mon rôle de leader m'amène à indiquer la direction vers laquelle nous nous dirigeons », déclare Cora Tsouflidou, présidente-directrice générale et fondatrice de la chaîne de restaurants Chez Cora, une des *success story* québécoises de ces dernières années. Toutefois, Cora Tsouflidou ajoute : « Et plutôt que de le faire de façon directive, j'aime montrer la voie, discuter, partager ma vision tout en agissant avec fermeté et compassion. Le leadership, c'est un peu comme la soupe qui cuisait à feu doux sur la cuisinière de grand-maman ; on la sent en foulant le seuil de la porte, elle est présente partout dans la maison et lorsqu'on la goûte, elle nous réchauffe, nous restaure, et surtout on en redemande ! »

Ces perceptions correspondent aux opinions de plusieurs auteurs suggérant que les femmes ont un style de leadership participatif[105]. Ils ajoutent que les femmes se montrent plus protectrices et émotives dans leur rôle de leader que les leaders de sexe masculin. Ces arguments correspondent aux stéréotypes liés aux sexes : les hommes tendent à être plus orientés vers les tâches et les femmes, vers les personnes.

Ces stéréotypes sont-ils justifiés ? Les femmes adoptent-elles des styles de leadership plus participatif et orienté vers les personnes ? La réponse est non à la première question et oui à la seconde. Les études montrent que les leaders, hommes ou femmes, ne diffèrent pas en ce qui concerne leur orientation vers les tâches ou les personnes. La principale explication est que les emplois nécessitent en réalité des comportements similaires pour les leaders des deux sexes occupant les mêmes postes[106].

Par ailleurs, les experts, pour expliquer l'attitude participative des femmes, suggèrent que leur éducation les a rendues plus égalitaristes et moins orientées vers le statut social. Une autre explication est que les subordonnés, se basant sur leurs propres stéréotypes, s'attendent à ce que les femmes leaders soient plus participatives ; dans le cas contraire, ils feront des pressions pour qu'elles le deviennent[107].

Évaluer les leaders féminins Pendant des années, les experts en comportement organisationnel ont souligné que les femmes leaders étaient évaluées de façon légèrement moins favorable que leurs équivalents masculins et que cette différence était presque entièrement due au préjugé lié aux stéréotypes sur les genres. Plus précisément, les femmes sont évaluées de manière négative lorsqu'elles adoptent un style de leadership correspondant au stéréotype masculin (c'est-à-dire autocratique) et qu'elles occupent des postes traditionnellement dominés par les hommes. Ces évaluations négatives suggèrent que les femmes

« paient le prix » pour accéder à des postes traditionnellement réservés aux hommes et pour adopter des styles de leadership considérés comme masculins[108]. Cela explique encore pourquoi les femmes adoptent un style plus participatif que les hommes. Toutefois, la question du leadership au féminin demeure, ne serait-ce qu'en raison de la disproportion entre la place (modeste) des femmes dans les études sur le leadership et celle qu'elles occupent tous les jours dans de multiples fonctions de leaders[109].

Cependant, la manière dont les gens jugent de l'efficacité d'un leader change. Les subordonnés s'attendent de plus en plus à ce que les leaders les soutiennent et les responsabilisent. Ces styles de leadership correspondent à la manière dont bon nombre de femmes préfèrent diriger ainsi qu'aux stéréotypes liés aux leaders féminins. D'ailleurs, plusieurs sondages récents rapportent que les femmes obtiennent de meilleurs résultats que les hommes pour la plupart des dimensions du leadership, notamment en ce qui concerne l'accompagnement (*coaching*), le travail d'équipe et la responsabilisation du personnel[110].

Que les femmes ou les hommes soient de meilleurs leaders dépend, bien sûr, de l'individu et des circonstances particulières. Il faut également prendre garde de ne pas perpétuer des hypothèses apparemment fausses selon lesquelles les leaders de sexe féminin sont moins orientés vers les tâches et plus vers les personnes. De plus, les leaders, hommes et femmes, doivent être sensibles au fait que les subordonnés ont des attentes quant à la manière dont les leaders doivent agir, et les leaders qui s'en écartent peuvent être évalués négativement, quel que soit leur sexe.

La question de l'entrepreneur : leader ou gestionnaire ?

Y a-t-il une corrélation entre leadership et entrepreneuriat ? Faut-il être leader pour démarrer en affaires ? La réponse est affirmative si l'on en juge par le nombre de programmes d'aide au démarrage d'entreprises qui placent en bonne position la formation au leadership et les multiples conseils sur l'art et la manière d'être un chef. Au Canada, on trouve fréquemment les deux notions juxtaposées sur les sites Web d'organismes gouvernementaux[111] ou dans les organisations associatives[112]. Il est clair que si les trois principales qualités attribuées au leader sont bien la capacité de vision, la capacité de communication et la possession d'une image de soi forte[113], on peut aisément voir une corrélation étroite entre leadership et entrepreneurship ou esprit d'entreprise. C'est par son projet en action que l'entrepreneur devient un leader. Quel que soit son style, l'entrepreneur-leader inspire la confiance parce qu'il manifeste une solide connaissance de son domaine. Il est persévérant, travaille sans relâche pour atteindre ses buts et il attire autour de lui des gens compétents. D'autres auteurs, cependant, feront une différence bien nette entre le leader et le gestionnaire. Un leader élabore une vision de ce qu'il veut accomplir et gère adéquatement les aspects incertains de l'environnement. Un gestionnaire applique la vision élaborée par le leader ainsi que les changements que celui-ci a amorcés. Il résout les problèmes et gère la complexité croissante (dont l'infrastructure administrative de l'organisation). Par exemple, Daniel Lamarre, p.-d. g. du Cirque du Soleil, s'exprime ainsi : « Mon job consiste à dégager Guy Laliberté (le fondateur) d'un maximum de responsabilités administratives afin qu'il puisse consacrer la majeure partie de son temps à suivre de près les projets artistiques. Je structure et j'organise la boîte [...], autrement dit, je fais arriver les choses. »

La question de l'autorité, du pouvoir et du leadership

Cette dernière question, et non la moindre, apparaît inéluctable à toute personne qui s'interroge sur le leadership. C'est évidemment celle du rapport entre le leadership et les notions voisines, connexes, voire parfois interchangeables, d'autorité et de pouvoir. Les notions de pouvoir et de leadership sont intimement liées bien qu'elles fassent, dans ce livre comme dans la plupart des manuels, l'objet de deux chapitres. Pour comprendre ces deux notions, il faut distinguer celles du leader émergent et du leader « structurel ». Pour les psychologues sociaux, un leader émerge comme tel dans un groupe donné par sa seule force d'influence sur les autres (notamment en raison de ses idées, de sa capacité à répondre aux attentes des autres, des solutions qu'il apporte, de ses talents de rassembleur et de sa personnalité). En entreprise, ce leader émergent peut finir par détenir une autorité et une position informelles (non sanctionnées par la hiérachie officielle). D'autre part, est considéré comme dirigeant celui ou celle qui est investi d'un pouvoir ou d'une autorité formelle. Le seul pouvoir légitime ou la seule autorité formelle ne peuvent conférer au gestionnaire la position de leader ou de vrai chef respecté et suivi volontairement par ses subordonnés. Pour ce faire, le patron formel devra se doubler des qualités et de l'influence du leader émergent. Muni de cette autorité structurelle, le leader émergent ne sera que plus efficace si ce pouvoir formel lui permet de trouver et d'octroyer les ressources (les récompenses, les sanctions, les outils, etc.) qui lui permettront de stimuler ses troupes et d'éliminer les obstacles à l'atteinte des buts de son équipe (*voir la théorie du leadership au service des autres*). Toutefois, comme le souligne Heifetz (1994)[114], le fait de détenir l'autorité formelle est pour le leader à la fois une ressource et une contrainte. En effet, s'il peut s'appuyer sur la structure organisationnelle pour influencer les autres, le leader doit assumer directement les attentes qui découlent de sa position. En dehors de la structure formelle, il peut jouir d'une plus grande liberté de mouvement. C'est pourquoi, depuis quelques années, apparaissent de nouvelles formes d'exercice du leadership organisationnel. On parle ainsi de « leadership interpellable »[115] dans la mesure où le chef, se donnant en exemple, fonde son autorité sur la transparence de ses actes.

La philosophie Cascades : le partage d'information, le partage d'intérêts et le partage des profits.

Une entreprise québécoise devenue une multinationale, le Groupe Cascades, a essaimé ce principe de gestion dans plusieurs régions du monde ; c'est ce que ses dirigeants, les frères Lemaire (*voir la photo ci-contre*), appellent eux-mêmes la « philosophie Cascades ». Celle-ci peut se résumer par la formule des trois partages : le partage d'information, le partage d'intérêts et le partage des profits. Les principes d'application, bien qu'ils soient simples, n'en transgressent pas moins des tabous, notamment celui de la toute-puissance de la haute direction. Ce sont l'accessibilité constante des employés à tous les dirigeants, l'obligation d'écouter les employés, la concertation bilatérale, l'assemblée annuelle d'usine en présence d'un grand patron et la tolérance des reproches, même publics.

Avec cet exemple comme avec diverses expériences de réorganisation du travail[116], on pourrait aussi parler de « leadership partagé »[117]. Selon cette nouvelle conception, en effet, le leadership organisationnel n'est plus l'apanage de quelques personnes en position d'autorité, mais un processus collectif. Dans ce processus, à tour de rôle, les membres d'une organisation ou d'une équipe sont appelés à jouer le rôle de leaders au profit du bien commun, c'est-à-dire de la mission organisationnelle. En dehors d'entreprises privées avant-gardistes, cette conception s'installe dans des organisations où l'on s'y attendrait moins ; c'est le cas dans les Forces canadiennes[118], qui en ont fait récemment un de leurs deux principes fondamentaux de gestion, l'autre étant le leadership basé sur les valeurs (*voir le chapitre 3*).

La formation des leaders

Dans ce chapitre, nous avons vu que la capacité à devenir un leader est un talent naturel, mais aussi une habileté qu'on peut développer. Nous avons vu notamment, avec les théories de la contingence, qu'un style naturel peut être efficace dans des situations particulières. Étant donné les interactions avec les autres, on peut aussi travailler sur ces relations, la perception des autres, etc. Plusieurs techniques permettent d'accroître les capacités de leadership. Par exemple, un mentor peut montrer les conduites souhaitables à un leader en apprentissage. Dans la même veine, on assiste en ce moment à beaucoup d'accompagnement pour les cadres (*executive coaching*) (*voir le chapitre 2*). Il s'agit d'un programme de formation individualisé, préalablement basé sur une évaluation serrée du leader (par exemple, avec une « rétroaction à 360 degrés »). On peut aussi affecter un leader à des postes où ses capacités naturelles sont les plus efficaces, et l'exposer également à des situations nouvelles où il peut acquérir des expériences transférables. Enfin, le leader peut apprendre beaucoup en développant ses réseaux, grâce à des séminaires ou à des communautés de pratique.

RÉSUMÉ DU CHAPITRE

Le leadership est un concept complexe qui se définit comme la capacité d'influencer, de motiver les autres et de leur permettre de contribuer à l'efficacité et à la réussite de l'organisation dont ils sont membres. Les leaders utilisent leur influence pour motiver les subordonnés ; ils organisent l'environnement de travail pour que le personnel travaille plus efficacement. Ils sont présents dans toute l'organisation et pas seulement aux postes de direction.

Le point de vue du leadership de la compétence vise à détecter les caractéristiques des leaders efficaces. De récents écrits suggèrent que les leaders sont dotés d'intelligence émotionnelle, d'intégrité, de dynamisme, de motivation, d'assurance, d'une intelligence supérieure à la moyenne et d'une bonne connaissance de leur secteur d'activité. Ce point de vue permet de relever deux ensembles de comportements des leaders : orientés vers les personnes et orientés vers les tâches.

Le point de vue de la contingence part du principe que les leaders efficaces diagnostiquent la situation et adaptent leur style d'influence en fonction de celle-ci. La théorie de l'adéquation chemins-buts est une importante théorie qui reconnaît quatre styles de leadership — directif, axé sur le soutien, participatif et orienté vers les résultats — et différentes conditions d'application selon les caractéristiques de l'employé et de la situation.

Deux autres théories du leadership de la contingence incluent le modèle du leadership de situation (de Hersey et Blanchard) et le modèle de la contingence (de Fiedler). Les recherches étayant ces théories sont relativement limitées. Cependant, un élément durable de la théorie de Fred Fiedler est l'idée que les leaders présentent des styles naturels et que, par conséquent, les entreprises doivent modifier l'environnement afin de l'adapter au style du leader. Les substituts de leadership permettent de déterminer des conditions limitant la capacité du leader à influencer ses subordonnés ou rendant ce style de leadership superflu. Ces éléments substitutifs s'accroissent lorsque les entreprises suppriment les postes de supervision et s'orientent vers une structure basée sur des équipes de travail autonomes.

Les leaders transformationnels créent une vision stratégique et la communiquent efficacement. Ils donnent l'exemple, agissent de manière cohérente et s'engagent à l'égard de cette vision. Ce genre de leadership, nécessaire en temps de crise et en présence d'environnements incertains, contraste avec le leadership transactionnel qui consiste davantage à gérer l'entreprise efficacement en période de stabilité.

Les relations entre le leader et son équipe déterminent l'efficacité du premier. Selon le point de vue du leadership attributif, on exagère parfois l'importance du leadership. Le recours à des stéréotypes et à notre besoin fondamental de contrôle explique cette exagération. La théorie LMX postule que les leaders entretiennent des relations préférentielles avec leurs subordonnés, qui se montrent alors plus performants. Il faut veiller à développer ces relations avec le plus grand nombre d'employés. Les valeurs culturelles influencent également les valeurs personnelles des leaders et ces dernières, à leur tour, orientent leurs comportements. Les données du projet GLOBE révèlent qu'il existe de nombreuses similitudes et différences, selon les cultures, entre les concepts et les pratiques en matière de leadership.

En général, les femmes ne diffèrent pas des hommes quant à leur degré d'utilisation des comportements orientés vers les personnes et vers les tâches. Cependant, les femmes leaders adoptent plus volontiers un style participatif. Des recherches suggèrent aussi que les femmes leaders sont évaluées en fonction de stéréotypes liés au genre des leaders.

Quelles distinctions peut-on faire entre le pouvoir, l'autorité et le leadership, notions parfois confondues ? L'autorité est cette force qui est conférée soit par le pouvoir informel et personnel (le leadership émergent), soit par le pouvoir légitime. Un leader est un meneur qui réussirait à l'être même sans pouvoir légitime. Celui-ci, exercé seul, ne donne pas le statut de leader à celui qui le possède.

Un entrepreneur est aussi un leader ; il peut se doubler ou non de capacités de gestion.

Le pouvoir légitime que possèdent certains leaders (ou administrateurs, devrait-on dire), jumelé à certains désordres de leur personnalité, peut rendre une entreprise « névrosée ». Il faudra alors agir sur le plan structurel et individuel pour éviter ces pathologies.

Enfin, malgré les multiples études sur le leadership, il faudra multiplier les recherches sur l'efficience et l'efficacité des dirigeants et de leurs actes. Toutefois, celles-ci peuvent s'améliorer en développant les qualités des leaders grâce à la formation, au mentorat, à l'accompagnement (coaching), aux affectations enrichissantes et à l'appartenance à de nombreux réseaux.

MOTS CLÉS

QUESTIONS

1. Pourquoi est-il important pour les organisations de valoriser et d'encourager le leadership à tous les niveaux d'une organisation?

2. Trouvez deux offres d'emploi récentes dans un journal pour des postes de gestion et de direction. Relevez-y quatre facteurs de sélection que les organisations utiliseront pour choisir des dirigeants efficaces. Expliquez votre réponse.

3. Pensez à l'enseignant que vous préférez. Quels comportements orientés vers les personnes ou vers les tâches utilise-t-il efficacement? En général, pensez-vous que les étudiants préfèrent les enseignants davantage orientés vers les personnes ou vers les tâches? Expliquez votre réponse.

4. Vos employés sont des représentants du service à la clientèle qualifiés et expérimentés. Ils effectuent des tâches assez routinières, comme répondre aux besoins des clients relativement au matériel de l'entreprise. Utilisez la théorie de l'adéquation chemins-buts pour déterminer le style de leadership le plus approprié à cette situation. Justifiez vos réponses et expliquez pourquoi d'autres styles seraient inappropriés.

5. Discutez l'énoncé suivant: «Les théories de la contingence ne fonctionnent pas, car elles sou-tiennent que les leaders peuvent adapter leur style à la situation. En réalité, ces personnes ont des styles de leadership préférés qu'elles ne peuvent facilement modifier.»

6. Le leadership transformationnel est actuellement le point de vue le plus populaire en matière de leadership. Cependant, il est loin d'être parfait. Discutez des trois problèmes qu'il pose.

7. Vous avez récemment été promu à un poste cadre au Mexique. Vous y serez responsable de la supervision d'un groupe d'environ 20 employés mexicains. Ces derniers sont chargés d'installer une infrastructure de télécommunication dans une région isolée. Quels comportements vos employés attendront-ils de vous dans ce rôle de leadership? Comment les influences culturelles vont-elles façonner vos réactions?

8. Les femmes font de meilleurs leaders que les hommes, car elles sont plus sensibles aux besoins de leurs employés et les incitent à prendre part aux décisions de l'entreprise. Discutez cette assertion.

9. Quels liens faites-vous entre l'autorité, le pouvoir et le leadership?

ÉTUDE DE CAS   14.1

LE DÉFI DU LEADERSHIP DE JEREMIAH BIGATALLIO

par Alvin Turner, Université Brock

Jeremiah Bigatallio, ingénieur civil, avait très hâte de commencer son travail à InterContinental Communication, entreprise de haute technologie de Toronto. Il avait choisi cette entreprise parce que l'organisation était relativement jeune, dynamique et en plein essor. Selon une brochure datant de cinq ans, l'environnement de travail ressemblait à celui de Microsoft. Jeremiah Bigatallio avait été engagé comme directeur du service d'ingénierie afin de superviser 25 personnes dont 10 ingénieurs, 7 techniciens et 8 assistants de laboratoire.

Le prédécesseur de Jeremiah Bigatallio, John Angle, avait été licencié pour de bonnes raisons. La raison officielle du congédiement n'avait pas été rendue publique, mais il était connu que John Angle avait des difficultés à gérer son personnel et à collaborer avec les autres services. D'abord, la plupart des ingénieurs ne s'entendaient pas entre eux; certains ne se parlaient plus depuis plus de deux ans. Ensuite, les techniciens n'aimaient pas les ingénieurs; ils les trouvaient capricieux et arrogants, uniquement centrés sur leurs propres intérêts. En contrepartie, les ingénieurs ne respectaient pas les techniciens et ne leur faisaient pas confiance. Ils les considéraient comme un groupe d'incompétents maladroits qui devraient tous retourner au collège technique. Enfin, ces deux équipes s'entendaient pour mépriser les assistants de laboratoire, jugeant que ces derniers manquaient d'esprit d'initiative, qu'ils étaient bien trop payés, sous-qualifiés et qu'ils étaient plus intéressés à faire des heures supplémentaires et à viser des promotions qu'à atteindre et à maintenir des niveaux de productivité acceptables.

De nombreux autres chefs de service en voulaient énormément à John Angle. Le responsable du service des finances de l'entreprise était mécontent, car le service d'ingénierie dépassait constamment le budget alloué, notamment parce que son personnel effectuait un nombre excessif d'heures supplémentaires. John Angle se préoccupait peu de la mise à jour des documents comptables et ne soumettait pas les données à temps. Une vérification récente avait révélé d'importantes irrégularités de plus de 300 000 $ relativement aux salaires. Des inquiétudes existaient également au sujet d'un éventuel détournement de 250 000 $ dans le cadre d'un programme de subvention destiné à la création d'emplois ; la subvention avait été accordée par Ressources humaines et Développement des compétences Canada. Les employés des autres services (recherche et développement, production, assurance qualité) n'aimaient pas John Angle, car les conflits entre les membres de son personnel rendaient le travail difficile avec son service. Ce manque de communication ainsi que des services médiocres relativement aux analyses de qualité provoquaient des retards dans le travail et des dépenses inutiles en heures supplémentaires. Même quand la communication était possible, les performances du service d'ingénierie étaient généralement peu fiables.

John Angle croyait en des équipes autogérées et autonomes. Par conséquent, il considérait qu'il fallait permettre à ses subordonnés de prendre des décisions et de se responsabiliser face à la réussite du service et à leurs propres réussites. Ainsi, il donnait peu ou pas de directives ou de soutien à ses subordonnés. Il ne leur expliquait pas sa vision, son style de leadership ni ses attentes. Il considérait ses subordonnés comme des spécialistes hautement qualifiés qui devaient savoir ce qu'ils devaient faire et être « disposés à bien le faire ». John Angle pensait également que si son personnel s'autogérait et résolvait ses propres problèmes au fur et à mesure, il apprendrait de ses erreurs. Pour lui, cette façon de procéder était la meilleure manière pour le personnel de se former et d'apprendre sur le terrain, et pour l'entreprise d'obtenir une production maximale.

John Angle se considérait comme un penseur libéral progressiste dont le style de leadership d'un nouvel âge transformerait le personnel et le motiverait à réaliser de grandes choses. Il estimait que le partage du pouvoir améliorerait la confiance en soi du personnel et l'encouragerait. Il croyait aussi au bienfait du maintien d'une atmosphère de travail conviviale. Ainsi, l'absentéisme et les retards étaient ignorés. De plus, John Angle était relativement laxiste quant à l'application des règles concernant l'exécution du travail et les critères de productivité. Ce laxisme faisait en sorte que le personnel abusait de la situation et travaillait à sa guise. Les employés étaient souvent en retard ou absents et géraient eux-mêmes (ou non) d'autres aspects de leurs horaires. Ils prenaient de fréquentes pauses café et accumulaient beaucoup plus d'heures supplémentaires que le reste du personnel de l'entreprise.

Lorsque Jeremiah Bigatallio a été engagé, le chef de la direction et les vice-présidents lui ont donné carte blanche pour mettre de l'ordre dans le service d'ingénierie. On lui a accordé quatre mois pour régler tous les problèmes du service.

Le premier jour, Jeremiah Bigatallio s'est installé à son bureau et il a écrit à l'écran de son ordinateur portable : « Quel type de leadership devrais-je utiliser pour gérer cette équipe diversifiée ? » Ensuite, il s'est arrêté pour lire la note qu'on avait glissée sous sa porte ce matin-là. La note se lisait comme suit : « Essaie de t'en prendre à nos heures supplémentaires et nous te mettrons au pas ! »

Questions

1. Dans quelle mesure le style de leadership de John Angle était-il inefficace ? Pourquoi pouvez vous considérer l'effectif sous sa responsabilité directe comme trop ou pas assez important ? Quel effet la structure existante a-t-elle sur le style de leadership du dirigeant ?

2. Utilisez le modèle d'adéquation chemins-buts pour trouver le ou les meilleurs styles de leadership que Jeremiah Bigatallio pourrait appliquer dans cette situation à InterContinental Communication.

3. Quel autre style de leadership Jeremiah Bigatallio pourrait-il adopter pour diriger efficacement son personnel ? Expliquez ce que Jeremiah doit faire pour régler les conflits et les autres problèmes du service d'ingénierie.

L'ANALYSE DE DIAGNOSTIC DE LEADERSHIP

Objectif Aider les étudiants à mieux connaître les différents styles du leadership de l'adéquation chemins-buts et à savoir dans quelle situation appliquer chacun de ces styles.

Instructions

■ Étape 1: Sous forme écrite, les étudiants décrivent deux exemples dans lesquels une personne a été un leader efficace pour eux. Le leader et l'exemple peuvent être tirés du milieu de travail, d'une activité sportive ou de toute autre situation mettant en évidence le concept de leadership. Par exemple, les étudiants peuvent décrire comment le superviseur de leur emploi d'été les a poussés à atteindre des performances supérieures à ce qu'ils auraient atteint sans cela. Chaque énoncé doit présenter les comportements spécifiques utilisés par le leader, par exemple: « Mon chef s'est assis avec moi et nous nous sommes mis d'accord sur des objectifs et des échéances précis. Au cours des semaines suivantes, il m'a rappelé plusieurs fois que je pouvais atteindre ces objectifs. » Chaque exemple doit être résumé en deux ou trois phrases.

■ Étape 2: Une fois que tous les étudiants ont rédigé leurs deux exemples, l'enseignant forme des petits groupes (de quatre ou cinq étudiants). Chaque équipe répond aux questions suivantes pour chaque exemple présenté par le groupe:

1. En vous basant sur la théorie de l'adéquation chemins-buts, nommez le ou les styles (directif, axé sur le soutien, participatif ou orienté vers les résultats) que le leader a adoptés dans cet exemple?

2. Demandez à la personne ayant rédigé l'exemple de décrire les conditions ayant rendu ce style de leadership (ou ces styles) approprié dans cette situation. L'équipe devrait dresser la liste des facteurs relatifs à la situation et, lorsque c'est possible, les lier aux situations décrites dans la théorie de l'adéquation chemins-buts. Remarque: L'équipe peut relever des conditions de leadership chemins-buts qui n'ont pas été décrites dans ce manuel. Ces conditions doivent aussi être notées et soumises à la discussion.

■ Étape 3: Une fois que les équipes ont diagnostiqué les exemples, chacune d'elles doit présenter au groupe entier son exemple le plus intéressant ainsi que l'analyse effectuée. Les autres équipes commentent.

UN INSTRUMENT D'ÉVALUATION DES DIMENSIONS DU LEADERSHIP

Objectif Cette évaluation est conçue pour vous aider à comprendre deux importantes dimensions du leadership et à trouver celle qui prédomine chez toute personne à qui vous devez rendre des comptes.

Instructions Lisez chacun des énoncés ci-dessous et encerclez la réponse décrivant le mieux votre superviseur. Vous pouvez remplacer le terme « superviseur » par la fonction de toute personne à qui vous rendez des comptes, par exemple un chef d'équipe, un chef de la direction, un enseignant, un entraîneur, etc. Utilisez ensuite la clé de correction disponible au www.cheneliere.ca/mcshanebenabou afin de calculer vos résultats pour chaque dimension du leadership. Une fois cette évaluation terminée, préparez-vous à discuter en groupe des différences existant entre ces dimensions du leadership.

Mon superviseur...	Fortement en désaccord ▼	En désaccord ▼	Neutre ▼	D'accord ▼	Fortement d'accord ▼
1. Concentre son attention sur les irrégularités, les erreurs, les exceptions et les écarts par rapport à ce qu'on attend de moi.	1	2	3	4	5
2. S'exprime et agit afin d'améliorer l'image qu'il donne de ses compétences.	1	2	3	4	5
3. Surveille les performances afin de trouver les erreurs nécessitant des corrections.	1	2	3	4	5
4. Me sert de modèle.	1	2	3	4	5
5. Souligne ce que je recevrais si je faisais ce qu'il faut.	1	2	3	4	5
6. Me rend fier de travailler avec lui.	1	2	3	4	5
7. Effectue un suivi attentif des erreurs.	1	2	3	4	5
8. M'aide à surmonter tout obstacle.	1	2	3	4	5
9. Me dit ce que je dois faire pour être récompensé pour mes efforts.	1	2	3	4	5
10. Me fait prendre conscience des valeurs et des idéaux importants qui sont partagés dans mon organisation.	1	2	3	4	5
11. Reste vigilant quant au respect et à l'application des normes de performance.	1	2	3	4	5
12. Nous mobilise par rapport à la mission de l'entreprise.	1	2	3	4	5
13. Définit avec moi la « récompense » qui sanctionnera le travail accompli.	1	2	3	4	5
14. Élabore une vision des possibilités à venir.	1	2	3	4	5
15. Parle de récompenses particulières pour un travail bien fait.	1	2	3	4	5
16. Parle avec optimisme de l'avenir.	1	2	3	4	5

Source : Les énoncés et les dimensions sont adaptés de l'article de D.N. Den Hartog, J.J. Van Muijen et P.L. Koopman, « Transactional Versus Transformational Leadership : An Analysis of the MLQ », *Journal of Occupational & Organizational Psychology*, n° 70, mars 1997, p. 19-34. Ces auteurs nomment le leadership transactionnel le « leadership à objectifs rationnels » et le leadership transformationnel, le « leadership stimulant ». Bon nombre de ces énoncés peuvent provenir de B.M. Bass et B.J. Avolio, *Manual for the Multifactor Leadership Questionnaire*, Palo Alto, Californie, Consulting Psychologists Press, 1989.

CHAPITRE 15

La structure et la conception des organisations

Objectifs d'apprentissage

À LA FIN DE CE CHAPITRE, VOUS DEVRIEZ POUVOIR :

- décrire trois types de coordination caractérisant les structures organisationnelles ;
- expliquer pourquoi les entreprises peuvent adopter des structures plus horizontales qu'auparavant ;
- discuter de la dynamique de centralisation et de formalisation lorsque les organisations croissent et arrivent à maturité ;
- comparer les structures fonctionnelles et les structures divisionnalisées ;
- expliquer pourquoi les structures divisionnalisées géographiquement deviennent moins courantes que les autres types de structures divisionnalisées ;
- résumer les caractéristiques et les avantages des structures matricielles ;
- décrire les cinq formes de configurations élaborées par Mintzberg ;
- décrire quatre caractéristiques des structures organisationnelles basées sur l'équipe ;
- discuter des avantages des structures en réseau ;
- résumer les trois variables influençant la conception d'une organisation ;
- expliquer les liens entre la stratégie et la structure organisationnelles ;
- décrire les nouvelles formes d'organisations sans frontières.

En novembre, lorsque le CN (Canadian National Railway Co.) a annoncé son accord de partenariat de location-exploitation de 1 milliard de dollars avec BC Rail, les opposants habituels aux fusions ont été stupéfaits. Les observateurs du marché, en revanche, ont applaudi à l'annonce de la transaction, même si cette dernière suivait de très près l'acquisition par le CN de 500 millions de dollars d'actifs ferroviaires et maritimes auprès de Great Lakes Transportation de Monroeville, en Pennsylvanie. Après tout, le CN a de très bons antécédents dans le domaine des fusions réussies.

L'honneur en revient à la fois à Paul Tellier, ex-président de CN, et à son successeur, Hunter Harrison, cheminot de carrière ayant gravi tous les échelons jusqu'au sommet de la hiérarchie de l'Illinois Central Corp. (IC) et qui a été un des acteurs de l'acquisition de 4 milliards de dollars de l'IC par le CN.

Sous leur administration, l'intégration de l'IC s'est tellement bien passée que les organismes de réglementation des États-Unis ont interrompu le processus officiel de surveillance trois ans plus tôt que prévu. Ce geste en dit long sur cette réussite, puisque la fusion avec l'IC suivait de près une vague de consolidations ayant affecté la clientèle ferroviaire, éliminé toute concurrence et occasionné des retards d'expédition coûteux. Les observateurs du secteur soutiennent que les facteurs responsables de la réussite de cette transaction sont la motivation des dirigeants et l'exécution rigoureuse du projet. « Les gens du CN ont toujours eu une vision stratégique très claire en ce qui concerne les regroupements d'entreprises », souligne Paul Orlander, vice-président et chef de la direction du Boston Consulting Group à Toronto. « Ils ont su reconnaître et exploiter les synergies des réseaux tout en restant vigilants. Ils ont aussi imposé un rythme rapide pour mener à bien l'acquisition. Finalement, ces trois aspects fondamentaux ont permis d'assurer la création d'une valeur ajoutée. »

La transaction avec l'IC constitue réellement une opération du même niveau que l'ALENA, car ses ramifications s'étendent jusqu'aux eaux du Pacifique, de l'Atlantique et du golfe du Mexique. De plus, elle permet aux clients transfrontaliers d'expédier des marchandises avec un seul transporteur. La fusion avec l'IC était également un processus logique, puisque les réseaux des deux lignes de chemin de fer ne se chevauchaient presque pas (ils se rencontraient en un seul point : Chicago). Paul Tellier avait planifié la fusion avant même qu'elle ne soit approuvée. Il citait les résultats irréprochables

L'ex-président du CN, Paul Tellier (à gauche) et Hunter Harrison, président de l'Illinois Central, parlent de fusions dans le transport ferroviaire.

CP Photo

du CN en matière de sécurité et les processus efficaces de l'IC comme étant deux expertises qui permettraient à ces entreprises d'apprendre l'une de l'autre. Il a alors agi rapidement en créant une solide équipe de direction. Travailler avec Paul Tellier ou Hunter Harrison n'est pas toujours facile, mais le chef du CN a proposé à Hunter Harrison la fonction de chef de l'exploitation. Hunter Harrison se souvenait des paroles prononcées l'année dernière : « J'ai dit à Paul Tellier que je ne connaissais qu'une façon d'aborder les chemins de fer [...] s'il l'acceptait, je resterais et travaillerais comme un fou. »

Les résultats parlent d'eux-mêmes. Au cours de ses neuf ans à l'IC, Hunter Harrison a mis sur pied la compagnie de chemin de fer la plus efficace d'Amérique du Nord. Il a réduit le coefficient d'exploitation (pourcentage des revenus nécessaires au fonctionnement du réseau) de 95 % à 62,5 %. Il a aussi obtenu un résultat similaire au CN, désormais le chemin de fer de première catégorie le plus efficace d'Amérique du Nord[1]. ■

Source : T. Watson, « CN Rail », *Canadian Business*, 16-29 février, p. 71.

structure organisationnelle
Configuration reflétant la division du travail, les systèmes de coordination, de communication, d'autorité formelle et d'organisation du travail, et qui a pour but d'orienter les activités d'une organisation.

conception de l'organisation
Processus de création et de modification de structures organisationnelles.

Une révolution est en cours dans la manière dont les organisations sont structurées. Motivées par la concurrence internationale et aidées par les technologies de l'information, de nombreuses entreprises rejettent les vieux organigrammes. Les sociétés mettent en place de nouvelles configurations qui leur permettront, espèrent-elles, d'atteindre plus efficacement leurs objectifs. Les fusions et les acquisitions (*voir le texte d'introduction*) sont généralement des occasions pour modifier la structure interne des organisations. Celles-ci peuvent alors développer une culture différente, opter pour une nouvelle répartition du pouvoir, des fonctions et des tâches, déterminer de nouveaux organigrammes ou une nouvelle organisation du travail, etc. La **structure organisationnelle** fait référence, d'une part, à la division du travail et, d'autre part, aux systèmes de coordination, de communication, d'organisation du travail et d'autorité formelle, et a pour but d'orienter les activités d'une organisation. La structure reflète la culture de l'entreprise et les relations de pouvoir[2]. La connaissance de cette structure fournit les outils indispensables pour amorcer toute **conception d'organisation,** c'est-à-dire créer et modifier une structure organisationnelle.

Les structures organisationnelles jouent plusieurs rôles. Elles favorisent ou empêchent la communication et les relations fluides au sein d'une organisation[3]. De plus, elles servent de mécanismes soutenant les changements ou, au contraire, rendent les initiatives plus difficiles. Les structures permettent d'établir de nouveaux modèles de communication, et façonnent les comportements des employés à la vision de l'entreprise. Ford Motor Company, par exemple, a restructuré ses nombreuses unités afin de rapprocher son personnel de certains types de clients : les acheteurs de voitures de luxe (Jaguar, Volvo), certains prestataires de services (Hertz, le commerce électronique) et les acheteurs traditionnels de véhicules Ford[4].

Nous commencerons ce chapitre en examinant la transposition concrète mais partielle de la structure au moyen de l'organigramme de l'entreprise. Ensuite, nous présenterons les deux aspects fondamentaux d'une structure organisationnelle : la division du travail et la coordination. Suivra une étude détaillée des quatre principaux éléments d'une structure organisationnelle : l'éventail de l'effectif sous supervision directe, la centralisation, la formalisation et la départementalisation. Dans la dernière partie du chapitre, nous présenterons les variables modelant la conception d'une organisation, à savoir la taille, la technologie, l'environnement extérieur et la stratégie de l'organisation.

L'ORGANIGRAMME : UNE PHOTO INSTANTANÉE DE LA STRUCTURE

En réalité, la structure est un concept plutôt abstrait puisqu'on ne peut la voir. Toutefois, il est possible d'appréhender les relations qui existent entre les différentes composantes de l'organisation à l'aide d'une représentation graphique, appelée « organigramme ». Un tel schéma permet de représenter la structure interne de l'organisation. C'est un moyen commode de saisir rapidement les fonctions et les relations hiérarchiques existantes. Par exemple, dans l'organigramme de la figure 15.1, chaque case représente une fonction ou un ensemble de tâches et les lignes, la voie hiérarchique. Comme nous l'avons vu au chapitre 12, à côté d'un organigramme formel peut se superposer un organigramme informel.

FIGURE   15.1   Organigramme fictif d'une entreprise manufacturière

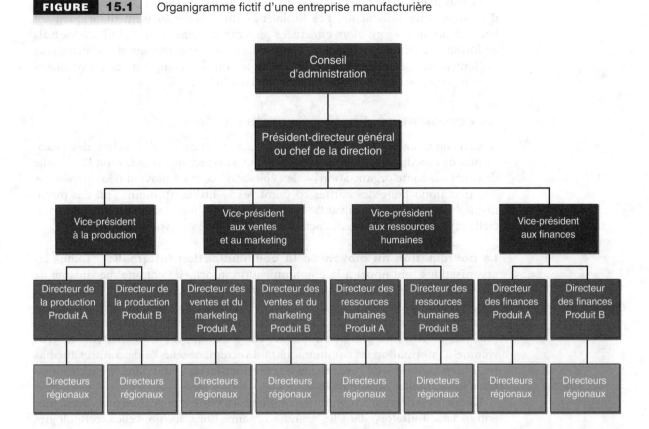

LA DIVISION DU TRAVAIL ET LA COORDINATION

Toutes les structures organisationnelles comportent deux aspects fondamentaux : 1) la division du travail en tâches distinctes et 2) la coordination de ce travail afin que les employés puissent atteindre des objectifs communs[5]. Les organisations sont composées de groupes de personnes qui travaillent de manière interdépendante et tendent vers un même but. Pour atteindre leurs objectifs de manière efficace, ces groupes divisent généralement le travail en unités administrables, notamment lorsque les tâches sont différentes. Ils introduisent également divers mécanismes de coordination afin de s'assurer que le personnel travaille de manière efficace pour atteindre les mêmes objectifs.

La division du travail

La division du travail est la segmentation du travail en plusieurs tâches attribuées à diverses personnes. Ce travail subdivisé mène à la spécialisation professionnelle. Chaque fonction comporte alors un sous-ensemble précis de tâches nécessaires à la création du produit ou du service. Par exemple, la conception et la construction du stade olympique de Montréal et des barrages de la baie James ont nécessité des milliers de tâches précises qui ont été réparties entre des milliers de personnes. On a aussi divisé les tâches verticalement ; par exemple, des superviseurs coordonnaient le travail tandis que les employés l'effectuaient.

Le travail est divisé en emplois spécialisés parce que cette segmentation permet d'en augmenter l'efficacité[6]. Les titulaires d'un poste maîtrisent théoriquement leurs tâches qui seront alors effectuées plus rapidement, ce qui diminue les frais de formation. Enfin, la spécialisation professionnelle permet aussi d'affecter plus facilement les personnes ayant des aptitudes ou des compétences particulières aux emplois pour lesquels elles sont le plus qualifiées.

La coordination d'activités professionnelles

À partir du moment où certaines personnes se répartissent des tâches, des mécanismes de coordination sont nécessaires pour s'assurer que tout le monde travaille de concert[7]. Toute organisation — de l'épicier du coin employant deux personnes à la plus importante des entités corporatives — utilise au moins l'un des mécanismes de coordination suivants : la communication informelle, la hiérarchie officielle et la standardisation des activités et des processus (*voir le tableau 15.1*).

La coordination au moyen de la communication informelle   Toutes les organisations font appel à la communication informelle comme mécanisme de coordination[8]. Ce processus permet aux employés de partager l'information relative à des tâches semblables, de former et d'utiliser un cadre de référence commun afin de synchroniser leurs activités professionnelles[9]. La communication informelle offre une grande souplesse, car les employés transmettent un gros volume d'information en communiquant directement ou à l'aide d'autres médias (*voir le chapitre 11*). Ce mécanisme de coordination est vital dans le cas de situations inhabituelles ou ambiguës.

La coordination par la communication informelle est plus aisée dans les petites entreprises. Toutefois, dans les grandes organisations, les nouvelles technologies de l'information ont permis d'améliorer ce mécanisme de coordination même lorsque les employés se trouvent dans diverses parties du monde. Les grandes organisations peuvent également favoriser la communication informelle en formant

TABLEAU 15.1   Mécanismes de coordination des organisations

Formes de coordination	Description	Sous-catégories
Communication informelle	Partage de l'information relative à des tâches semblables ; élaboration d'un cadre de référence commun afin de synchroniser les activités professionnelles	■ Communication directe ■ Rôles d'intégration
Hiérarchie officielle	Attribution d'un pouvoir légitime à des individus qui l'utilisent pour diriger le travail et allouer les ressources	■ Supervision directe ■ Structure corporative
Standardisation	Création de modèles prédéterminés de comportements ou de rendement	■ Compétences standardisées ■ Processus standardisés ■ Rendement standardisé

Sources : Basé sur les ouvrages de D.A. Nadler et M.L. Tushman, *Competing by Design : The Power of Organizational Architecture*, New York, Oxford University Press, 1997, chap 6 ; de H. Mintzberg, *The Structuring of Organizations*, Englewood Cliffs, New Jersey, Prentice Hall, 1979, chap. 1 ; et de J. Galbraith, *Designing Complex Organizations*, Reading, Massachusetts, Addison-Wesley, 1973, p. 8-19.

équipes concourantes
Équipes temporaires qui réunissent des personnes provenant de divers services, par exemple le marketing, la conception, la fabrication et le service à la clientèle. Elles sont responsables de la conception d'un produit ou d'un service.

des équipes interservices temporaires (donc en dehors de la structure officielle) et en les réunissant dans un même lieu sur un même projet (mesure appelée la « colocalisation »). Ces **équipes concourantes** réunissent des personnes provenant de divers services comme le marketing, la conception, la fabrication et le service à la clientèle[10]. Ce type de coordination est généralement plus souple que celui qui consiste à faire intervenir diverses unités séparément sur un projet.

Les plus grandes organisations facilitent aussi la coordination par la communication informelle en créant des rôles d'intégration. Les « intégrateurs » sont responsables de la coordination formelle ou informelle du processus de travail et encouragent les employés de chaque unité à partager l'information. Les intégrateurs, n'ayant pas d'autorité sur les personnes engagées dans ce processus, doivent avoir recours à la persuasion et compter sur la bonne volonté des employés. Chez Procter & Gamble, les chefs de marque coordonnent le travail entre des groupes faisant partie du marketing, de la production et de la conception[11].

La coordination grâce à la hiérarchie officielle La communication informelle est la forme la plus souple de coordination, mais elle peut nécessiter beaucoup de temps. Par conséquent, lorsque les organisations croissent, elles ont recours à un deuxième mécanisme de coordination et de communication : la mise en place d'une hiérarchie officielle. Celle-ci donne un pouvoir légitime à des individus qui l'utilisent pour organiser le travail et allouer les ressources (*voir le chapitre 12*). En d'autres termes, le travail est accompli au moyen de la supervision directe.

Une organisation dotée d'une structure formelle coordonne le travail au moyen d'une hiérarchie officielle. Celle-ci permet de coordonner le travail entre les cadres en divisant les activités de l'organisation. Si cette dernière est répartie en zones géographiques, la structure octroie aux responsables de ces groupes régionaux un pouvoir légitime sur les cadres responsables de la production, du service à la clientèle et des autres activités liées à la zone considérée. Lorsque l'organisation est divisée en groupes de produits, les responsables de ces groupes peuvent alors coordonner le travail pour plusieurs régions (*voir la figure 15.1*).

Les théoriciens classiques ont traditionnellement jugé la hiérarchie formelle comme le mécanisme de coordination le plus approprié pour les grandes organisations. Henri Fayol, l'un des premiers auteurs sur le sujet, considérait que les organisations ont une efficacité optimale lorsque les chefs exercent pleinement leur autorité et que les employés reçoivent des ordres d'un seul dirigeant. La coordination doit ainsi s'effectuer selon une seule ligne d'autorité, c'est-à-dire en respectant la hiérarchie établie et en l'appliquant à toutes les unités de travail[12]. La coordination par la hiérarchie officielle a peut-être été populaire auprès des théoriciens organisationnels classiques, mais il s'agit souvent d'un mécanisme de coordination particulièrement inefficace. Plus loin dans ce chapitre, nous verrons qu'il existe une limite au nombre d'employés qu'un chef peut commander. De plus, la ligne d'autorité est rarement un moyen d'action aussi rapide et précis que la communication directe entre les employés. Enfin, comme l'ont signalé de récents chercheurs, la main-d'œuvre instruite et individualiste d'aujourd'hui accepte moins facilement les structures rigides et le pouvoir légitime qu'autrefois[13].

La coordination au moyen de la standardisation La standardisation, c'est-à-dire la création de modèles programmés de comportement et de rendement, est la troisième forme de coordination. De nombreuses organisations essaient

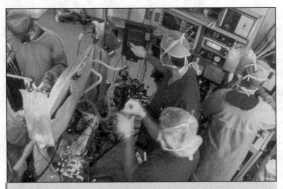

Dirigée par le docteur Tirone David, l'équipe d'intervention chirurgicale à cœur ouvert de l'Hôpital général de Toronto est divisée en tâches spécialisées. Ainsi, chaque personne possède les compétences requises pour chaque fonction. Dans une certaine mesure, une intervention chirurgicale est coordonnée grâce à la communication informelle. Cependant, une grande partie de l'activité professionnelle est effectuée sans grande discussion, car les membres de l'équipe coordonnent leurs activités par la standardisation de leurs habiletés. Tout au long d'une longue formation, chaque spécialiste a appris les comportements précis correspondant à son rôle afin que son travail s'intègre à celui des autres membres de l'équipe chirurgicale.

Quels autres types d'organisations recourent considérablement à la standardisation des habiletés pour coordonner le travail?

Charles Ledford, Black Star, Time Pix

www.uhn.ca

d'améliorer la qualité et l'uniformité d'un produit ou d'un service en standardisant les activités professionnelles à l'aide de descriptions de tâches et de procédures[14]. Cette standardisation permet de coordonner le travail nécessaire pour effectuer des tâches routinières et simples, mais plus difficilement dans le cas de situations complexes et ambiguës. Ces dernières nécessitent alors une coordination du travail au moyen de l'établissement d'objectifs ou de normes de rendement (par exemple la satisfaction de la clientèle, l'efficience de la production, etc.). Pour coordonner le travail des vendeurs, par exemple, les entreprises imposent des objectifs de vente plutôt que des comportements très spécifiques.

Lorsque les activités professionnelles sont trop complexes pour être standardisées avec des procédures ou des objectifs, la coordination des tâches est assurée en engageant des employés dont les rôles précis ont fait l'objet d'un long apprentissage académique préalable. Cette forme de coordination est évidente dans les salles d'opération d'hôpitaux. Les chirurgiens, les infirmiers et les autres spécialistes participant à une intervention chirurgicale coordonnent leurs activités grâce à leur formation plutôt que par des objectifs ou des règles d'entreprise.

La division et la coordination du travail sont les deux aspects fondamentaux de toute structure d'organisation. La manière dont est divisé un travail, la détermination des personnes qui prennent les décisions, le choix des mécanismes de coordination et bien d'autres aspects sont liés aux quatre éléments suivants d'une structure organisationnelle.

LES ÉLÉMENTS DE LA STRUCTURE D'UNE ORGANISATION

La configuration de toute entreprise dépend de quatre éléments de base définissant la structure organisationnelle. Dans cette section, nous présenterons trois de ces éléments: l'éventail de commandement, la centralisation et la formalisation. Le quatrième élément, la départementalisation, sera traité dans la prochaine section.

L'éventail de commandement

éventail de commandement
Nombre de personnes qui rendent compte directement au supérieur hiérarchique.

L'**éventail de commandement** fait référence au nombre de subordonnés directs. Comme nous l'avons mentionné plus tôt, Henry Fayol recommandait la hiérarchie officielle comme mécanisme principal de coordination. Par conséquent, lui et d'autres théoriciens de l'époque prescrivaient un effectif sous responsabilité directe relativement limité, qui n'excédait en général pas plus de 20 personnes par superviseur et de 6 superviseurs sous l'autorité d'un cadre. Ces conseils partaient de l'hypothèse selon laquelle les supérieurs ne peuvent surveiller et diriger qu'un assez petit nombre de subordonnés à la fois.

Aujourd'hui, on en sait plus à ce sujet. Les installations de fabrication modernes les plus efficaces comprennent une moyenne de 31 employés par superviseur. Il s'agit d'un éventail de subordonnés bien plus large que ce que les théoriciens recommandaient, et on pense que cet éventail pourra atteindre une moyenne de 75 employés par superviseur dans le futur[15].

L'explication en est qu'employés et équipes sont maintenant beaucoup plus autonomes qu'à l'époque de Taylor. Ainsi, les superviseurs sont libérés des longues tâches de contrôle et de l'obligation de prendre des décisions au nom de tous[16].

Par exemple, l'usine de rabotage La Doré, d'Abitibi Consolidated au Lac-Saint-Jean, n'emploie pas de contremaîtres. Depuis 1995, toutes les activités sont assumées par trois équipes semi-autonomes[17]. Ainsi, la structure hiérarchique est aplanie, mais cette configuration nécessite une augmentation du nombre de subordonnés sous la responsabilité des gestionnaires. Ces derniers, dans cette situation, gagnent à superviser un personnel efficace.

Le principe sous-jacent dans ce cas-ci est que l'éventail de commandement dépend de la présence d'autres mécanismes de coordination. Les équipes de travail autonomes complètent la supervision directe par une communication informelle et des connaissances très spécialisées. Cette façon de procéder permet aussi d'expliquer pourquoi des douzaines de chirurgiens et d'autres spécialistes médicaux peuvent être sous la responsabilité directe du chirurgien principal d'un grand hôpital. Un éventail d'effectifs plus large est également possible lorsque les employés effectuent des tâches similaires ou un travail routinier. Dans ces situations, l'organisation se fie à des processus de travail standardisés afin de coordonner le travail, ce qui réduit la nécessité d'une supervision directe[18].

Les structures verticale et horizontale Quand Paul Tellier a pris la direction du Canadien National (CN), il a éliminé les postes de cinq vice-présidents et, dans certains cas, il a réduit le nombre de niveaux hiérarchiques de 10 à 5. Le CN se joint ainsi aux nombreuses entreprises qui ont adopté une structure horizontale. Par exemple, ces dernières années, General Electric a éliminé de nombreux postes intermédiaires.

Dans le secteur des services bancaires québécois, le Mouvement Desjardins a reconfiguré ses services financiers. Il a ainsi obtenu des structures plus allégées[19].

Cette tendance vers l'écrasement des niveaux hiérarchiques — passer d'une structure verticale à une structure horizontale — répond en partie aux recommandations des gourous de l'administration. Tom Peters, par exemple, mettait au défi les responsables d'entreprises de réduire le nombre de niveaux hiérarchiques à trois dans un service et à cinq dans l'organisation entière[20].

Les arguments principaux en faveur de la réduction des niveaux hiérarchiques sont que cette mesure peut réduire les frais généraux et placer les décideurs plus près du personnel de première ligne et des besoins des clients[21]. Cependant, certains chercheurs doutent de l'efficacité d'une trop grande réduction de la hiérarchie. Ils considèrent que les «cadres intermédiaires», si critiqués, occupent une fonction précieuse de contrôle des activités professionnelles et de gestion de la croissance de l'entreprise. De plus, les entreprises auront toujours besoin d'une hiérarchie, car il est important que quelqu'un puisse prendre des décisions rapides et servir de recours en cas de conflit[22].

Un dernier point à considérer est que le nombre de niveaux hiérarchiques d'une organisation dépend à la fois de l'effectif moyen sous responsabilité directe et du nombre de personnes employées par l'organisation. Comme le montre la figure 15.2,

FIGURE 15.2 Éventail de commandement et structures verticale et horizontale

Structure verticale — Éventail de commandement limité

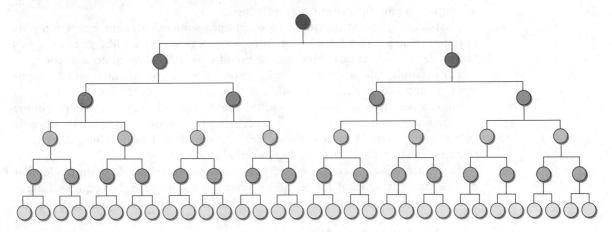

Structure horizontale — Éventail de commandement important

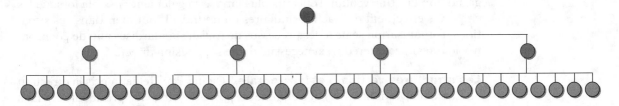

une structure verticale présente de nombreux niveaux hiérarchiques, comprenant alors un effectif direct plutôt limité, alors qu'une structure horizontale compte peu de niveaux, mais plus d'effectifs[23]. Les grandes organisations ont nécessairement une structure plus verticale. Microsoft, par exemple, bien qu'elle soit considérée comme une organisation où la participation des employés est élevée, compte au moins sept niveaux hiérarchiques afin de coordonner les activités de ses dizaines de milliers d'employés[24].

La centralisation et la décentralisation

La centralisation et la décentralisation sont un autre aspect de la conception de l'organisation. La **centralisation** signifie que l'autorité décisionnelle formelle est détenue par un petit groupe de personnes qui se trouve habituellement au sommet de la hiérarchie de l'entreprise. La plupart des organisations nouvelles se dotent initialement d'une structure centralisée, car le fondateur prend la plupart des décisions et dirige les affaires dans le sens de sa vision. À mesure que les organisations s'agrandissent, en revanche, elles se diversifient et leur environnement se complexifie. Les cadres supérieurs ne sont alors plus capables de prendre toutes les décisions importantes. Ainsi, les grandes organisations tendent à se décentraliser, c'est-à-dire qu'elles étendent l'autorité et le pouvoir décisionnels à toute l'organisation.

centralisation
Degré d'autorité décisionnelle formelle détenue par un petit groupe de personnes qui se trouve généralement au sommet de la hiérarchie de l'entreprise.

Bien que les grandes entreprises tendent à se décentraliser, cela ne s'applique pas nécessairement à l'intégralité de l'organisation. Le service du marketing de Nestlé est décentralisé, alors que des sections de cette immense entreprise agroalimentaire suisse restent centralisées. « Si l'on décentralise trop, l'entreprise peut devenir trop compliquée, et cette trop grande complexité influence le système de production », soutient Peter Brabeck, chef de la direction de Nestlé. Cette société centralise sa production, sa logistique et la gestion de sa chaîne logistique afin d'augmenter les économies d'échelle qu'une grande organisation peut obtenir[25]. En outre, les entreprises tendent à se centraliser rapidement dans des situations de turbulence et de crise. Lorsque les problèmes sont dissipés, les responsables décentralisent alors parfois progressivement les prises de décision.

La formalisation

formalisation
Degré de standardisation des comportements qu'une organisation impose au moyen de règlements, de procédures, de formations formelles et d'autres mécanismes semblables.

Vous êtes-vous déjà demandé pourquoi les hamburgers des McDonald's de Saint-Jérome au Québec ont la même apparence et le même goût que les hamburgers des McDonald's de Singapour? Cela s'explique par le fait que l'entreprise de restauration rapide s'est débarrassée de toute variation à l'aide de la formalisation. La **formalisation** est le degré de standardisation des comportements qu'une organisation impose, avec des règlements, des procédures, des formations formelles et des mécanismes semblables[26]. En d'autres termes, la formalisation représente l'établissement de la standardisation comme mécanisme de coordination.

Les restaurants McDonald's ont une structure formalisée, car ils prescrivent explicitement toutes les activités en détail. Chaque franchise McDonald's doit accepter de garnir chaque hamburger de cinq parfaites gouttes de moutarde, de sept grammes d'oignons et de deux cornichons — trois s'ils sont petits. Les gobelets de boisson gazeuse sont remplis de glace jusqu'à un niveau situé juste au-dessous des arches figurant sur leur paroi. La cuisson et l'ensachage des frites sont expliqués et se font en neuf étapes. Les employés qui travaillent au grill doivent disposer les rondelles de viande hachée sur six lignes de six rondelles chacune. Un Big Mac doit être assemblé en 25 secondes à partir du moment où il s'affiche sur l'écran des commandes[27].

Les entreprises plus anciennes tendent à être plus formalisées, car les activités professionnelles deviennent répétitives et sont plus faciles à traduire en pratiques standardisées. Les grandes entreprises utilisent la formalisation en tant que mécanisme de coordination, car la supervision directe et la communication informelle entre employés ne sont pas aussi simples. Les influences externes comme la législation gouvernementale en matière de sécurité et des règles comptables strictes encouragent également la formalisation.

Les inconvénients de la formalisation La formalisation peut augmenter l'efficacité, mais elle peut aussi soulever des problèmes. Les règles et les procédures réduisent la souplesse de l'organisation; les employés adoptent alors des comportements prédéterminés même lorsque la situation requiert clairement une réponse différenciée. Certaines règles de travail deviennent si compliquées que l'efficacité de l'organisation déclinerait si elles étaient réellement suivies à la lettre. Par exemple, les syndicats incitent souvent leurs membres à faire des grèves du zèle. Dans ce cas, les membres doivent respecter précisément les règles et les procédures formalisées établies par l'organisation. Cette tactique augmente le pouvoir du syndicat, car la productivité de l'entreprise baisse de manière considérable lorsque les employés appliquent aveuglément les règles censées guider leur comportement.

La pertinence de la formalisation dépend également des caractéristiques des employés. En effet, ceux qui éprouvent un fort besoin de sécurité et supportent mal l'ambiguïté aimeront travailler dans des organisations hautement formalisées. Par contre, d'autres perdent tout intérêt et se sentent sans pouvoir dans ce genre de structure. D'ailleurs, dans certaines organisations, les règles et les procédures finissent par prendre trop d'importance et, parfois, finissent par se substituer aux objectifs ultimes de l'organisation, qui sont de fournir un produit ou un service et de défendre les intérêts des principales parties prenantes.

LES FORMES DE DÉPARTEMENTALISATION

L'éventail de commandement, la centralisation et la formalisation sont des éléments importants de la structure organisationnelle. Pourtant, dès qu'une discussion sur la structure d'une organisation s'engage, l'image qui vient le plus souvent à l'esprit est celle d'un organigramme. L'organigramme est l'aboutissement du quatrième élément de la structure d'une organisation, appelé la « départementalisation ». La départementalisation, autre forme de structuration, permet de préciser la manière dont les employés et les activités sont regroupés. Il s'agit d'une stratégie fondamentale de coordination des activités organisationnelles, car elle influence le comportement des individus de plusieurs manières[28].

■ La départementalisation établit la « chaîne de commandement », c'est-à-dire comment l'autorité et les responsabilités doivent être distribuées hiérarchiquement. Elle détermine également les équipes de travail officielles (*voir le chapitre 8*). La départementalisation définit enfin les postes et les unités qui doivent se partager les ressources.

■ Le plus souvent, la départementalisation permet la mise en place de mesures communes de performance. Les membres d'une même équipe de travail, par exemple, partagent des objectifs et un budget communs, mais aussi des normes grâce auxquelles l'entreprise peut comparer les performances des unités.

■ La départementalisation encourage la coordination par la communication informelle entre les individus et les sous-unités. Puisque les membres dépendent du même type de supervision et des mêmes ressources, ils travaillent en général très près les uns des autres et interagissent fréquemment de manière informelle pour effectuer le travail.

Il existe presque autant d'organigrammes que d'entreprises, mais il est possible de distinguer quatre types purs de départementalisation : fonctionnelle, divisionnalisée, matricielle et basée sur l'équipe. Peu d'entreprises correspondent exactement à l'une de ces catégories, mais ces dernières fournissent un cadre utile permettant de discuter des formes hybrides et complexes de départementalisation. Nous étudierons plus tard diverses formes de structures en réseau.

structure fonctionnelle
Structure d'entreprise fondée sur l'organisation du personnel autour de connaissances précises ou d'autres ressources.

La structure fonctionnelle

La **structure fonctionnelle** est fondée sur l'organisation du personnel autour de connaissances précises ou d'autres ressources. Les employés spécialisés en marketing sont regroupés dans le service de marketing, les personnes compétentes en production sont réunies dans le service de fabrication, les ingénieurs font partie du service de conception du produit, etc. Les organisations dotées d'une structure fonctionnelle sont généralement centralisées afin que leurs activités soient coordonnées de manière efficace. La standardisation des processus de travail est la forme la plus courante de coordination des structures fonctionnelles. La plupart des organisations ont recours à une structure fonctionnelle à un moment ou à un autre de leur croissance.

Les avantages et les inconvénients   Un avantage important des structures fonctionnelles est qu'elles favorisent l'identité professionnelle et clarifient les parcours de carrière. Elles permettent une plus grande spécialisation. Ainsi, l'organisation dispose d'une certaine expertise dans chaque domaine. La supervision directe est plus facile, car les responsables sont formés dans un domaine particulier et sont à la disposition de leurs employés en cas de problème. Enfin, les structures fonctionnelles créent des regroupements de talents qui profitent, théoriquement, à tous les membres de l'organisation. Cette disponibilité crée une économie d'énergie qui n'existerait pas si les spécialistes fonctionnels étaient dispersés dans différentes parties de l'organisation[29].

Les structures fonctionnelles ont aussi leurs limites[30]. Du fait que les personnes sont regroupées autour d'intérêts et de domaines de connaissance communs, cette configuration tend à mettre en avant les objectifs des sous-unités au détriment des objectifs organisationnels supérieurs. À moins que des personnes soient transférées d'une fonction à une autre, elles acquièrent difficilement une compréhension plus étendue de l'entreprise. Cet état des choses peut engendrer des conflits perturbateurs et une piètre coordination entre les unités. Ces inconvénients multiples nécessitent donc un contrôle et une coordination formels plus importants.

La structure divisionnalisée

structure divisionnalisée
Structure organisationnelle regroupant le personnel autour de régions, de clients ou de types de production.

Une **structure divisionnalisée** regroupe le personnel autour de régions, de clients ou de types de production (produits et services). Les structures divisionnalisées sont parfois appelées « domaines d'activité stratégique », car elles sont souvent plus autonomes que les structures fonctionnelles et peuvent agir en tant que filiales plutôt que services d'une entreprise. La figure 15.3 présente les trois formes pures de la structure divisionnalisée[31]. Les structures divisionnalisées géographiquement organisent les employés autour de régions distinctes d'un pays ou du globe. La figure 15.3a montre une structure divisionnalisée géographiquement similaire à celle de la structure internationale des restaurants McDonald's. Les structures de type produit et service organisent le travail autour de finalités distinctes. La figure 15.3b illustre ce type de structure, qui est utilisée chez Philips. Cette multinationale hollandaise d'électronique de premier plan divise principalement sa main-d'œuvre selon ses produits, qui vont de l'électronique aux semi-conducteurs. Les structures « clientélisées » constituent une troisième forme de structure divisionnalisée. Les employés sont organisés autour de groupes de clients particuliers. La figure 15.3c présente la structure clientélisée de Microsoft[32].

Quelle forme de divisionnalisation devraient adopter les grandes organisations ? La réponse dépend surtout de la stratégie de marché de l'entreprise qui, à son tour, subit l'influence de l'évolution ou de l'incertitude de son environnement[33]. Si l'environnement de l'organisation est plus diversifié géographiquement, alors la forme géographique de la divisionnalisation fonctionnera mieux. Considérons la structure organisationnelle changeante de Nortel Networks au

FIGURE   15.3   Trois types de structure divisionnalisée

a) Structure géographique

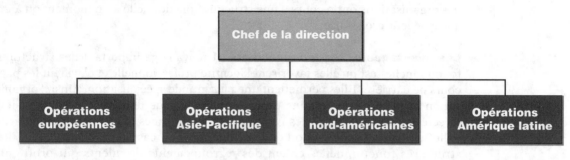

b) Structure par produit

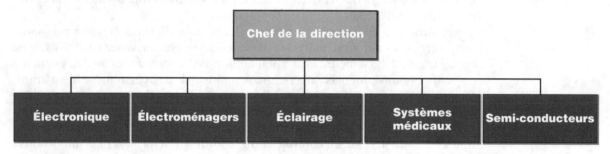

c) Structure clientélisée

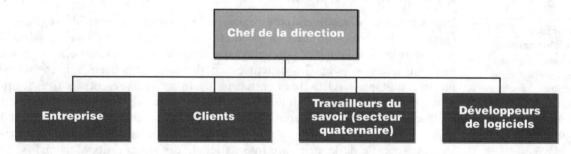

Remarque : Le diagramme a) est similaire à la structure divisionnalisée géographique de McDonald's ; le diagramme b) est similaire à la division produits de Philips ; le diagramme c) illustre les groupes de clients de Microsoft Corporation.

cours des 20 dernières années. Nortel était un fournisseur de matériel de télécommunication dans les années 1980. Bon nombre de ses clients étaient des entreprises de téléphonie, les gouvernements possédant ou réglementant fortement la plupart d'entre elles. La société Nortel était dotée d'une organisation géographique parce qu'elle devait répondre à diverses réglementations et à différents besoins de plusieurs régions. Pourtant, à mesure que l'industrie de la téléphonie se déréglementait et que Nortel se diversifiait, l'entreprise de Brampton, en Ontario, se dirigeait vers une structure davantage basée sur les produits. La déréglementation signifiait que Nortel pourrait standardiser ses produits internationalement, et le besoin d'une structure géographique s'est donc estompé.

Aujourd'hui, Nortel Networks est surtout organisée autour de trois divisions axées sur la clientèle — les réseaux optiques de grande distance, les réseaux métropolitains et d'entreprises et les réseaux sans fil — parce que les clients représentent désormais le plus grand aspect de diversité dans l'environnement de marché de la société[34].

McDonald's, Coca-Cola, Nestlé et d'autres entreprises agroalimentaires sont toujours organisées par région, car les goûts de leurs clients varient en fonction de leur culture. Pourtant, la plupart des entreprises divisionnalisées s'éloignent des structures géographiques, et ce, pour trois raisons[35]. Tout d'abord, les technologies de l'information réduisent la nécessité d'une représentation locale. Les clients peuvent acheter en ligne et communiquer avec les entreprises du monde entier, ce qui rend la représentation locale moins vitale. De plus, la libre circulation croissante des produits et des services ainsi que les goûts de plus en plus semblables des consommateurs estompent les différences régionales. Enfin, la clientèle des entreprises est de plus en plus internationale et souhaite un centre mondial et non un site dans chaque pays ou région. Le groupe AXA, compagnie d'assurances située à Londres, se dirige vers des centres internationaux de profit dans le cas de ses services (de réassurance, par exemple), car sa clientèle s'attend de plus en plus à bénéficier d'une expertise et d'une assistance internationales (et non régionales)[36].

Les avantages et les inconvénients   La forme divisionnalisée est une structure modulaire qui s'adapte assez facilement à la croissance. Des produits ou des clients semblables à ceux qui existent déjà peuvent s'ajouter aux divisions en place sans qu'un apprentissage supplémentaire soit nécessaire ; un environnement se diversifiant peut être géré en créant une nouvelle entité. Les entreprises se réorganisent généralement autour de structures divisionnalisées lorsqu'elles conçoivent de nouveaux produits, services et secteurs d'exploitation, car la coordination des unités fonctionnelles se complexifie en même temps que l'environnement[37].

Les organisations tendent donc à adopter des structures divisionnalisées à mesure qu'elles s'agrandissent et se complexifient, mais cette configuration structurelle n'est pas parfaite. La critique la plus courante est que les structures divisionnalisées rendent certaines ressources redondantes ou n'utilisent pas ces dernières suffisamment. Un autre problème est que cette structure crée des « silos de connaissances », car les spécialistes fonctionnels sont éparpillés dans les diverses unités. Ainsi, de nouvelles connaissances et pratiques utilisées dans une partie de l'organisation ne sont pas partagées au sein de toute l'organisation. Les structures divisionnalisées tendent aussi à réduire la coopération entre les groupes. Nortel Networks a reconnu cet inconvénient et a mis en place un programme spécial de communication appelé Come Together (travaillons ensemble). Cette organisation cherche ainsi à rappeler aux employés qu'il leur incombe de travailler plus étroitement avec les employés des autres divisions[38].

La structure matricielle

Lorsque Wolfgang Kemna a pris la tête de SAP America, il a vite compris que la filiale américaine du géant allemand en logiciels était trop centrée sur elle-même. « Je me suis retrouvé face à une entreprise ayant perdu sa vision générale », souligne Wolfgang Kemna. Une grande partie du problème était due au fait que la structure organisationnelle de SAP America était centrée sur le principal produit de l'entreprise, alors que SAP comptait en fait cinq grandes applications logicielles — telles que des applications de gestion des relations avec la clientèle et des chaînes logistiques. De plus, les produits SAP nécessitaient un marketing et une mise en œuvre uniques par secteur. Ainsi, Wolfgang Kemna et son équipe de direction ont eu recours à une **structure matricielle** pour organiser le personnel autour des cinq principales applications logicielles de même qu'autour des divers groupes du secteur[39].

Une structure matricielle est constituée à la fois de deux formes organisationnelles afin de bénéficier des avantages de chacune. SAP America a recours à une structure matricielle qui équilibre le pouvoir entre ses produits et ses groupes de clients ou de services. De nombreuses entreprises internationales adoptent une structure matricielle combinant aussi les divisions géographiques et les divisions par produit. La structure basée sur les produits permet à l'entreprise d'exploiter des économies d'échelle au niveau international, alors que la structure géographique conserve les connaissances à la portée des besoins de chacun des pays. Asea Brown Boveri (ABB) est connue pour sa structure matricielle internationale. Le fabricant suisse et suédois de systèmes électriques industriels compte des responsables de pays ainsi que des responsables de lignes de produits[40].

Au lieu d'associer deux structures divisionnalisées, certaines structures matricielles combinent une structure fonctionnelle et des équipes de projet[41]. Comme le montre la figure 15.4, le personnel est assigné à une équipe de projet, mais il appartient également à une unité fonctionnelle permanente (ingénierie, marketing, etc.) qu'il réintègre lorsqu'un projet est terminé.

Les structures matricielles créent la situation inhabituelle où les employés ont deux chefs. Ils rendent quotidiennement des comptes au responsable du projet,

FIGURE   15.4   Structure matricielle simplifiée

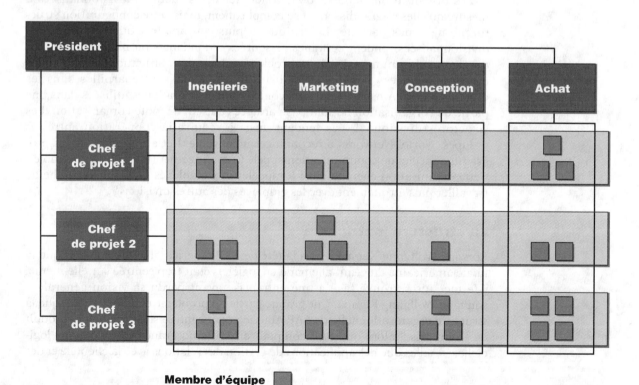

mais aussi à un responsable fonctionnel (ingénierie, marketing, etc.). Certaines entreprises octroient à ces cadres un pouvoir équivalant à celui des chefs de service; souvent, chacun d'eux exerce une autorité sur différents aspects des tâches des employés ou de l'unité de travail[42]. Les structures matricielles combinant deux formes divisionnalisées sont également dotées d'un système où l'on se rapporte à deux cadres, mais cette obligation ne s'applique qu'à certains employés. Le responsable de l'usine de transformateurs d'ABB au Canada rend des comptes à la fois au responsable de la division canadienne et au responsable international du secteur des transformateurs d'ABB. Dans cette entreprise, quelque 500 chefs d'usine ou de groupe ont deux chefs dans le cadre de cette structure matricielle. Les 200 000 autres employés travaillent selon la ligne hiérarchique classique.

Les avantages et les inconvénients Les structures matricielles optimisent généralement l'utilisation des ressources et des compétences, ce qui les rend idéales pour des organisations basées sur des projets qui se caractérisent par des charges de travail fluctuantes[43]. Comparées aux structures par fonction, bien gérées, ces structures matricielles améliorent l'efficacité des communications, rendent la gestion de projet plus souple et favorisent l'innovation. Elles permettent en outre aux spécialistes techniques de se concentrer sur les objectifs de service à la clientèle et de création de produits commercialisables. De plus, en maintenant un lien avec leur unité fonctionnelle, les employés peuvent aussi interagir et collaborer avec d'autres spécialistes techniques œuvrant dans leur domaine.

Malgré ces avantages, les structures matricielles présentent des inconvénients bien connus[44]. Elles nécessitent davantage de coordination que les structures fonctionnelles ou les structures divisionnalisées pures. Royal Dutch/Shell s'est éloignée d'une conception matricielle pour plusieurs raisons. Les structures matricielles tendent à engendrer des conflits et des enjeux politiques, et à créer une certaine pression sur les cadres. Par exemple, les chefs de projet doivent avoir de grandes compétences en résolution de conflit et en gestion en général, afin de coordonner des équipes d'employés aux profils professionnels très différents. Ils doivent aussi disposer de bonnes compétences en communication, en négociation et en persuasion afin d'obtenir le soutien des responsables fonctionnels. Les employés à l'aise dans un cadre structuré tendent à éprouver de la difficulté à s'adapter à la nature relativement fluide des structures matricielles. Le stress est un symptôme courant dans les structures matricielles mal gérées, car les employés doivent alors rendre des comptes à deux chefs ayant des besoins et des attentes parfois divergents.

La structure basée sur l'équipe (latérale)

L'usine Saturn de GM, située à Spring Hill au Tennessee, est un bon exemple d'organisation basée sur le travail d'équipe. Cette usine est née de la volonté des dirigeants de GM de mettre au point une petite voiture capable de concurrencer les voitures importées. L'organisation du travail repose sur environ 700 équipes semi-autonomes de 6 à 15 personnes. Ces équipes ont les responsabilités suivantes: le partage des compétences, la rotation des tâches, le recrutement de leurs coéquipiers, l'élection de leurs représentants, l'attribution des tâches, le respect des normes de sécurité, l'établissement et le suivi des procédures, le contrôle de l'inventaire et l'entretien du matériel. Dès les premières années d'exploitation, soit de 1990 à 1992, les voitures Saturn ont atteint de hauts degrés de qualité et de satisfaction de la clientèle, souvent supérieurs à ceux qu'obtenaient les voitures de même catégorie[45].

structure organisationnelle basée sur l'équipe

Type de départementalisation caractérisée par une hiérarchie horizontale, une formalisation relativement faible et constituée d'équipes de travail autonomes qui sont responsables de divers processus de travail.

L'usine Saturn a donc adopté une **structure organisationnelle basée sur l'équipe.** Certains experts appellent cette structure une « structure latérale ». En effet, comme cette dernière comporte peu de niveaux organisationnels, elle est horizontale et se base sur une importante communication latérale[46]. La structure organisationnelle basée sur l'équipe (*voir la figure 15.5*) présente quelques caractéristiques qui la distinguent des autres formes organisationnelles. Tout d'abord, elle est constituée à la base d'équipes de travail autonomes plutôt que d'individus. Ensuite, les équipes sont généralement organisées autour de processus de travail tels que l'élaboration d'un produit particulier ou la prestation d'un service auprès d'un groupe de clients déterminé.

Enfin, les structures organisationnelles basées sur l'équipe ont une hiérarchie très horizontale ; elles comportent habituellement moins de quatre niveaux hiérarchiques. L'usine Saturn et d'autres organisations — par exemple General Electric à Bromont, Alcoa Aluminerie à Deschambault ou Denim Swift (fabrication de tissus) à Drummondville — délèguent la plupart des activités de supervision à l'équipe en laissant les membres assurer la coordination à tour de rôle. Enfin, ce type de structure présente très peu de formalisation. Ce sont les membres de l'équipe plutôt que les cadres qui prennent presque toutes les décisions quotidiennes, et les équipes suivent relativement peu de règles quant à l'organisation de leur travail. En général, l'équipe de direction attribue aux équipes de travail des objectifs de production, par exemple la quantité et la qualité du produit ou du service, ou des objectifs d'amélioration de la productivité. Les équipes sont ensuite encouragées à recourir aux ressources disponibles et à leur propre initiative pour atteindre ces objectifs.

En général, les structures basées sur l'équipe sont présentes dans les opérations de fabrication à l'intérieur de grandes structures divisionnalisées, comme c'est le cas chez le fabricant de composants d'avions Pratt & Whitney. Les entreprises fonctionnant entièrement avec une structure basée sur l'équipe ne sont toutefois pas typiques.

Les avantages et les inconvénients   L'organisation basée sur l'équipe est une structure de plus en plus populaire, car elle est plus souple et se prête mieux à des situations différentes[48]. Les équipes donnent un plus grand pouvoir aux employés et réduisent la dépendance envers une hiérarchie, ce qui réduit les coûts. Une structure basée sur l'équipe interfonctionnelle permet d'améliorer la communication et la coopération. Grâce à une plus grande autonomie, cette structure permet aussi des prises de décision plus rapides et plus éclairées[49]. C'est pour cette raison que certains hôpitaux sont passés d'une structure en services fonctionnels à une structure basée sur des équipes interfonctionelles. Les équipes — composées d'infirmiers, de radiologues, d'anesthésistes, de représentants en pharmacologie, parfois

À l'usine Pratt & Whitney Canada, à Halifax, il n'existe ni cadres intermédiaires, ni superviseurs, ni titres ronflants ; il n'existe pas non plus de toilettes et de places de stationnement réservées aux cadres. À la place, une équipe de six cadres définit les objectifs globaux de l'usine qui fabrique des aubes de turbine et d'autres pièces de moteurs d'avion. Les 450 employés de l'usine appartiennent à des équipes de travail autonomes, presque entièrement responsables quant à leur manière d'atteindre ces objectifs. Les employés font aussi partie de groupes de travail spéciaux qui passent en revue les règlements de l'usine et évaluent les candidatures aux postes disponibles. Considérablement assistées par la technologie robotique, ces pratiques d'équipe ont amélioré de façon spectaculaire l'efficacité, le rendement et la satisfaction au travail ; de plus, elles ont suscité l'admiration de la part des autres intervenants du secteur[47]. Quelles sont les principales caractéristiques des structures organisationnelles basées sur l'équipe ?

Publié avec l'autorisation de Pratt & Whitney Canada

www.pwc.ca

FIGURE 15.5 Structure basée sur léq uipe (latérale)

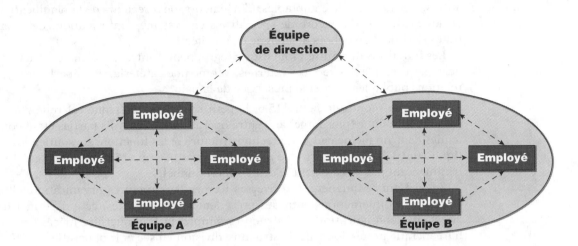

même de travailleurs sociaux, d'un thérapeute en réadaptation et d'autres spécialistes — communiquent et collaborent plus efficacement, ce qui réduit les retards et les erreurs[50].

Un inconvénient lié aux structures basées sur l'équipe est que leur maintien est parfois coûteux, car une formation continue en compétences interpersonnelles est nécessaire. En outre, durant les premières phases de la mise en place de l'équipe, le travail peut être plus long à coordonner que dans le cas d'une hiérarchie formelle (*voir le chapitre 8*). Les employés peuvent ressentir un certain stress attribuable à l'ambiguïté croissante associée à leur emploi. Les responsables d'équipe, quant à eux, peuvent ressentir une certaine tension à cause d'une hausse des conflits, de la perte de leur pouvoir fonctionnel et d'une progression de carrière plus floue[51].

LES CONFIGURATIONS DE MINTZBERG

Henry Mintzberg, théoricien canadien des organisations, considère la forme des organisations d'un point de vue dynamique. La forme de l'organisation dépend des interactions entre les différentes composantes ou parties qui exercent des forces dans des directions différentes. Lorsque les conditions sont telles qu'une des forces l'emporte sur les autres, l'organisation adopte une configuration donnée avec ses propres mécanismes de coordination. Henry Mintzberg distingue cinq parties et cinq configurations de l'organisation[52], qui sont décrites ci-après.

■ Le **centre opérationnel** comprend tous les employés qui produisent les biens et les services de base de l'organisation, par exemple les chauffeurs d'autobus, les enseignants ou les agents de voyage.

■ Le **sommet stratégique** est constitué des dirigeants de l'organisation dans son ensemble, par exemple le chef de la direction d'une entreprise et le vice-président aux finances d'une société.

■ La **ligne hiérarchique** comprend les gestionnaires qui se situent entre le centre opérationnel et le sommet hiérarchique, par exemple le directeur du service de la production ou d'un département universitaire.

■ La **technostructure** se compose d'analystes, c'est-à-dire de spécialistes responsables de tâches administratives visant à planifier et à surveiller le travail des autres. Il peut s'agir de comptables, d'ingénieurs, de directeurs de la planification et des méthodes, ou encore de spécialistes en système d'information. Ces analystes se situent en dehors de la ligne d'autorité.

■ Les **fonctions de soutien logistique** regroupent d'autres spécialistes fonctionnels, par exemple des services internes comme une cafétéria, un département de relations publiques ou même un service de la paie.

Comme le montre la figure 15.6, le petit sommet stratégique est relié par la ligne hiérarchique (plus large) au centre opérationnel, ces trois parties étant contenues dans un même cadre. La technostructure et les fonctions de soutien logistique sont situées de part et d'autre de ce cadre pour bien montrer qu'elles n'influencent pas directement le centre opérationnel.

Selon Henry Mintzberg, les diverses formes de structures organisationnelles émanent des interactions entre les précédentes composantes, ce qui permet de créer cinq configurations : la structure simple, la bureaucratie mécaniste, la bureaucratie professionnelle, la structure divisionnalisée et l'adhocratie.

La structure simple   La structure simple se caractérise par un pouvoir qui tend à être centralisé entre les mains du dirigeant. Elle se distingue également par une petite ligne hiérarchique, peu de formalisation, peu ou pas de technostructure, un personnel fonctionnel réduit et une communication plutôt informelle. Cette structure détermine une entreprise simple, flexible, qui s'adapte rapidement à un environnement peu complexe (par exemple, un propriétaire unique ouvre une librairie ou un restaurant avec l'aide de quelques employés). La fragilité de cette structure réside dans le fait que l'organisation dépend de la seule personne à son sommet.

La bureaucratie mécaniste   La bureaucratie mécaniste émerge quand la technostructure domine. Cette configuration présente les caractéristiques suivantes : des tâches fortement spécialisées, de nombreuses procédures standardisées, des

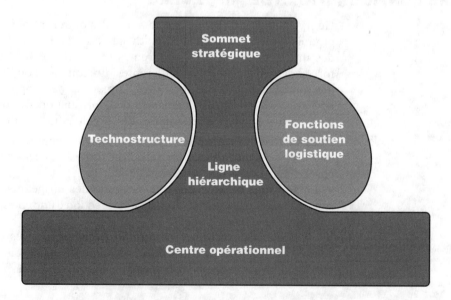

FIGURE   15.6

Cinq parties
de l'organisation
selon Mintzberg

unités de grande taille au niveau du centre opérationnel, un pouvoir décisionnel centralisé, une structure administrative élaborée et une communication formelle. La bureaucratie mécaniste est présente dans un environnement simple et stable. Il s'agit, par exemple, d'entreprises de production de masse, de compagnies d'assurances ou de téléphone et d'organisations gouvernementales. Conçues pour être efficaces dans des tâches standardisées, elles peuvent présenter des dysfonctionnements comme une certaine dépersonnalisation des rapports entre les individus.

La bureaucratie professionnelle   Certaines organisations peuvent être bureaucratiques tout en étant en quelque sorte décentralisées à cause de la standardisation des compétences et des qualifications. Son centre opérationnel est constitué d'un personnel très qualifié (des médecins, des enseignants, etc.), par exemple dans le cas des hôpitaux, des universités ou des cabinets d'experts-comptables. Dans une telle configuration, le pouvoir est entre les mains du centre opérationnel, aidé par les fonctions liées au soutien logistique. La technostructure est faible, car il difficile de standardiser des tâches complexes.

La structure divisionnalisée (déjà évoquée en partie)   La structure divisionnalisée émerge de la ligne hiérarchique tentant de fractionner la structure pour augmenter son autonomie. Si l'organisation cède à cette pression, généralement lorsqu'elle se scinde en unités distinctes pour faire face aux divers marchés, il en résulte une configuration divisionnalisée. De grandes entreprises comme General Motors (divisions de Buick, Chevrolet, etc.) ou Bombardier (division aéronautique, des transports) appartiennent à cette catégorie. Les divisions très autonomes se rapportent directement au siège social, dont la préoccupation principale est de faire coïncider ses objectifs avec ceux des divisions.

Henry Mintzberg. *Reproduit avec autorisation*

L'adhocratie   Cette configuration regroupe divers spécialistes travaillant en équipe sur de multiples projets. Elle caractérise généralement des organisations innovatrices, flexibles, informelles, où la distinction entre les échelons hiérarchiques s'estompe et où des structures matricielles dominent (*voir précédemment*). Cette configuration se retrouve dans les industries de pointe (par exemple la NASA).

DES NOUVELLES FORMES D'ORGANISATIONS : LES ORGANISATIONS SANS FRONTIÈRES

L'introduction massive des nouvelles technologies de l'information, la mondialisation des échanges, une économie de plus en plus basée sur le savoir, la rapidité et la fluidité des communications ont permis l'émergence de ce que Jack Welch, ancien chef de la direction de General Electric, nommait une organisation sans frontières. Dans ce genre d'organisation, la chaîne de commande serait éliminée, l'information circulerait librement et les employés travailleraient avec une grande autonomie et en équipe, sans distinction de fonction, de service ou de localisation géographique.

Évidemment, ce n'est pas encore le cas, mais certaines entreprises travaillent dans ce sens. Certaines brouillent leurs frontières internes par leurs modes de fonctionnement originaux, d'autres, leurs frontières externes en s'associant avec d'autres organisations, nationales ou étrangères.

Les organisations sans frontières internes

Deux formes de structures organisationnelles tendent à repousser les limites internes traditionnelles des entreprises : la structure en réseau et l'entreprise virtuelle.

Les structures en réseau   Pour le monde extérieur, Cisco Systems est une seule entreprise. Pourtant, le premier fournisseur au monde de réseaux informatiques interentreprises est constitué d'une constellation de fournisseurs, de fabricants sous contrat, d'assembleurs et d'autres partenaires reliés par un réseau compliqué de technologies informatiques. Le réseau Cisco se met en branle dès qu'un client passe une commande (le plus souvent par Internet). Les fournisseurs envoient le matériel requis aux assembleurs qui expédient le produit directement au client, généralement le même jour. Soixante-dix pour cent des produits Cisco proviennent ainsi de la sous-traitance. Dans de nombreux cas, les employés de Cisco ne touchent jamais le produit. « Les partenariats sont la clé des stratégies du nouveau monde du XXIe siècle », soutient l'un des vice-présidents directeurs de Cisco. « Les partenaires font gagner du temps, car ils permettent d'accepter davantage de travail et de le faire plus rapidement[53]. »

Cisco est un bon exemple d'une **structure en réseau.** Celle-ci, également appelée « structure modulaire », s'appuie sur une alliance entre plusieurs organisations dans le but de créer un produit ou de servir un client[54]. Comme le montre la figure 15.7, cette structure de collaboration est constituée de plusieurs organisations satellites rassemblées autour d'une entreprise centrale. L'entreprise centrale

structure en réseau
Alliance entre plusieurs organisations dans le but de créer un produit ou de servir un client.

FIGURE   15.7

Structure en réseau

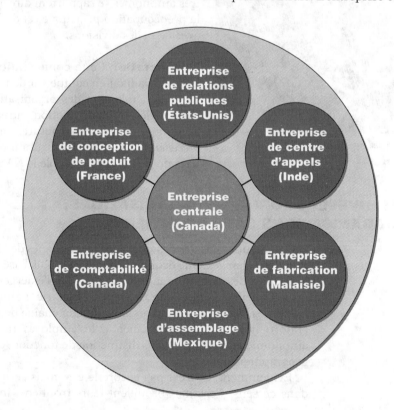

« orchestre » le fonctionnement du réseau et procure une ou plusieurs autres compétences centrales telles que le marketing ou la création de produits. Par exemple, Cisco conçoit et commercialise surtout de nouveaux produits. Nike, autre organisation en réseau, propose principalement une expertise de marketing pour ses chaussures et ses équipements sportifs.

L'entreprise centrale est peut-être le lieu de contact principal pour les clients, mais la majeure partie de la livraison des produits ou des services et des activités d'assistance est confiée à des organisations satellites situées ailleurs dans le monde. Des extranets (réseaux basés sur le Web reliant les partenaires) et d'autres technologies assurent que l'information circule facilement et ouvertement entre l'entreprise centrale et son réseau de satellites. Par exemple, Nokia, entreprise finlandaise, a pénétré le marché de l'affichage vidéo américain avec seulement cinq employés. Toutes les tâches principales — marketing, vente, logistique et assistance technique — étaient confiées à des spécialistes du pays. Ce réseau diversifié était alors relié à une base de données commune grâce aux technologies de l'information[55]. « L'image traditionnelle est que le cœur des opérations réside dans la seule entreprise », souligne Jayson Myers, économiste en chef des Manufacturiers et Exportateurs du Canada. « Désormais, c'est le réseau, qui dépasse l'entreprise en englobant tous ses fournisseurs et bon nombre de ses clients[56]. »

L'ancienne division des produits récréatifs de Bombardier (devenue une entreprise autonome : Bombardier Produits récréatifs), située à Valcourt, est un autre exemple d'un fonctionnement en réseau. Cette entreprise concentre ses activités relatives à l'assemblage des produits et compte sur un nombre considérable de petites et de moyennes entreprises pour la fabrication des pièces[57].

L'une des principales forces favorisant la structure en réseau est d'admettre qu'une organisation ne dispose que de quelques *compétences fondamentales*. Une compétence fondamentale est une base de connaissances existant dans toute l'organisation et qui donne un avantage stratégique. À mesure que les entreprises découvrent leurs compétences fondamentales, elles confient les tâches non vitales à d'autres organisations. Par exemple, Mitel Networks considère que sa compétence fondamentale est la conception de matériel de communication basé sur le protocole Internet, et non la fabrication de ce matériel. Par conséquent, cette entreprise de haute technologie située à Ottawa a confié en sous-traitance ses divisions de fabrication et de réparation à BreconRidge Manufacturing Solutions[58].

Les entreprises sont également plus enclines à former des structures en réseau lorsque la technologie évolue vite et que les processus de production sont complexes ou variés[59]. Bon nombre d'entreprises ne peuvent suivre le rythme des changements ultrarapides des technologies de l'information. Elles confient donc en sous-traitance l'intégralité de leurs services informatiques à IBM, EDS, CGI et à d'autres entreprises spécialisées dans les services informatiques. De même, de nombreuses entreprises de technologie de pointe forment des réseaux avec Celestica Inc., située à Toronto, car Celestica est experte dans divers processus de production.

Les sociétés virtuelles Les structures en réseau existant chez Cisco Systems, Mitel Networks, Nike, Dell Computer et d'autres entreprises sont habituellement mises en place pour effectuer un ensemble de tâches précises pour tous les clients. Lorsqu'un client commande un ordinateur chez Dell, ses partenaires de réseau effectuent les mêmes transactions que pour le prochain client qui commandera un ordinateur. La configuration de l'ordinateur peut diverger, mais les relations

sociétés virtuelles

Structure en réseau représentant plusieurs entreprises indépendantes qui forment des équipes de partenariat uniques afin de fournir des produits ou des services personnalisés, généralement à des clients précis et pour une période déterminée.

entre les partenaires et le processus de production sont relativement standardisés, jusqu'à ce que, après quelques années, le partenariat soit reconfiguré.

Par contre, certaines structures en réseau — les **sociétés virtuelles** (ou les organisations cellulaires) — représentent plusieurs entreprises indépendantes formant des équipes de partenariat uniques afin de fournir des produits ou des services personnalisés, le plus souvent à des clients particuliers et pour une période déterminée[60]. La société host universal offre un bon exemple de cette configuration. Cette agence de publicité britannique (qui écrit son nom entièrement en minuscules) n'a ni employé ni client. Elle mène à bien un projet particulier en formant plutôt une équipe unique de partenaires, qui se séparent à la fin du projet. « À host, nous n'avons ni clients ni employés, ce qui nous permet de créer les équipes les plus efficaces grâce à notre réseau sans imposer une multiplication de compétences, de frais et de hiérarchie aux clients », explique Steve Hess, partenaire fondateur[61].

Les sociétés virtuelles sont temporaires et se réorganisent rapidement pour répondre aux besoins immédiats. Lorsqu'une occasion se présente, une combinaison unique de partenaires de l'alliance forme une entreprise virtuelle qui travaille sur le projet jusqu'à ce qu'il soit terminé. Ces entreprises virtuelles sont auto-organisées, ce qui signifie qu'elles réorganisent leurs propres modèles de communication et de rôles pour s'adapter à la situation. La relation entre les partenaires est un accord mutuel plutôt qu'une relation imposée par une entreprise centrale.

Les avantages et les inconvénients   Depuis plusieurs années, les théoriciens encouragent les leaders à gérer leur entreprise selon la métaphore d'organisations « plasmatiques », et non comme des machines rigides[62]. Les structures en réseau se rapprochent de la métaphore organique qu'est le plasma, car elles offrent la souplesse de pouvoir adapter leurs structures aux exigences environnementales changeantes. Si les clients demandent un nouveau produit ou service, l'entreprise centrale forme de nouvelles alliances avec d'autres entreprises proposant les ressources adaptées. Par exemple, en trouvant des partenaires qui disposent d'installations de fabrication, Cisco Systems a étendu ses activités bien plus rapidement que si elle avait eu à construire ses propres installations de production. Lorsque les besoins de Cisco changent, l'entreprise n'est pas encombrée d'installations et de ressources non essentielles. Les structures en réseau permettent en outre une grande efficacité, car l'entreprise centrale devient concurrentielle à l'échelle internationale. En effet, ses recherches de sous-traitants ayant les meilleurs employés, les meilleures technologies et les meilleurs prix s'étendent au monde entier. Les pressions de la concurrence mondiale ont rendu les structures en réseau plus vitales, et les technologies de l'information basées sur l'informatique les ont rendues possibles[63].

Un inconvénient des structures en réseau est qu'elles exposent l'entreprise principale aux forces du marché. D'autres entreprises peuvent en effet proposer un prix plus élevé aux sous-traitants pour un travail qui, finalement, aurait été moins onéreux si l'entreprise avait engagé des employés pour l'effectuer. Un autre problème est que même si les technologies de l'information facilitent les communications à l'échelle du globe, elles ne remplacent jamais le degré de contrôle dont disposent les organisations lorsque leurs fonctions de fabrication et de marketing, entre autres, sont internes. L'entreprise centrale peut utiliser des stimulants de toutes sortes à distance et recourir à des clauses contractuelles afin de maintenir la qualité du travail des sous-traitants, mais ces actions sont relativement limitées si on les compare à celles qui sont utilisées pour maintenir la performance des employés à l'intérieur d'une entreprise.

Les organisations sans frontières externes

Nous venons de voir comment les organisations transcendent leurs frontières internes, ce qui modifie leur code structurel, pour ainsi dire. Toutefois, il arrive que des organisations se diversifient à l'extrême ou agissent conjointement, créant alors des formes organisationnelles complexes. C'est le cas des conglomérats et des alliances stratégiques.

Les conglomérats : des mégasociétés   Les conglomérats sont des groupes de sociétés dont l'exploitation est diversifiée. Ils se forment souvent par l'acquisition ou la fusion d'entreprises. De nombreux conglomérats existent en Asie, réunissant, par exemple, des sociétés coréennes comme Hyundai ou Samsung. Leur exploitation se concentre sur les produits électroniques, les automobiles, les produits chimiques, etc. En Amérique du Nord, IBM ou General Electric sont aussi des conglomérats. La raison principale de cette forme de société est la diversification et la possibilité de compter sur les ressources d'un tel réseau.

Les alliances stratégiques   Une alliance stratégique est l'association de deux ou de plusieurs entreprises qui veulent réunir leurs forces dans des domaines semblables ou connexes. La raison d'une telle alliance peut s'expliquer par la difficulté (économique ou humaine) d'agir seul pour arriver à mettre au point un produit ou un service. De nombreuses alliances stratégiques se concluent parmi les géants de l'industrie. On peut citer par exemple les sociétés Toys"Я"Us et Amazon.com, l'une célèbre pour ses capacités commerciales et l'autre pour sa force dans le commerce électronique. Voici d'autres exemples d'alliances récentes : Maillot Baltex de Montréal et Shan, deux entreprises qui fabriquent des maillots de bain, mais qui travaillent dans des créneaux différents et occupent des marchés complémentaires ; Bell Canada et Clearwire Corporation, pour des services de communication par réseau IP à large bande sans fil ; la Deutsche Post (la poste allemande) avec Exel, numéro un mondial de la logistique ; et, enfin, le câblodistributeur montréalais Vidéotron avec Rogers Communications, le numéro un du sansfil au Canada.

Ted Rogers et Pierre-Karl Péladeau, président et chef de la direction de Quebecor, la société mère de Vidéotron.

La Presse, 21 septembre 2005

LES FACTEURS INFLUENÇANT LA CONCEPTION DE L'ORGANISATION

Les théoriciens et les praticiens en organisation s'intéressent non seulement aux éléments des structures organisationnelles, mais aussi aux aspects qui déterminent ou qui influencent la conception optimale. Dans cette section, nous allons présenter quatre de ces aspects : la taille, la technologie, l'environnement et la stratégie.

La taille de l'organisation

Les structures diffèrent selon la taille des organisations[64]. À mesure que le nombre d'employés augmente, la spécialisation du travail s'accroît à cause d'une plus grande division du travail, ce qui exige des mécanismes de coordination plus élaborés. Les organisations sont alors plus enclines à utiliser des processus de travail et des résultats standardisés pour coordonner les activités. Ces mécanismes de coordination créent une hiérarchie administrative et une plus grande formalisation. Ainsi, plus les organisations s'agrandissent, plus la communication informelle en tant que mécanisme de coordination diminue. Toutefois, les nouvelles technologies informatiques et l'intérêt accru pour la responsabilisation des employés ont permis de revenir à la communication informelle dans les grandes entreprises[65].

Les plus grandes organisations tendent aussi à être moins centralisées. Comme nous l'avons vu plus tôt dans ce chapitre, ni les fondateurs ni les cadres supérieurs ne disposent d'assez de temps ou d'expérience pour prendre toutes les décisions qui influencent profondément les activités à mesure qu'elles se multiplient. Ainsi, les décisions sont confiées aux niveaux inférieurs, où l'on peut alors faire face à des problèmes moins vastes[66].

La technologie

Le modèle de systèmes ouverts (*voir le chapitre 1*) suggérait de faire correspondre la structure d'une organisation à sa technologie dominante. Deux importants aspects technologiques influencent le choix de la meilleure structure : la variabilité et la prévisibilité des processus de travail[67]. La variabilité fait référence au nombre d'activités différentes. La prévisibilité caractérise les activités programmables et décomposables, donc que l'on peut prévoir et solutionner facilement.

Les différents degrés de variabilité et de prévisibilité permettent de distinguer les quatre cas de figure suivants.

Certains emplois sont routiniers, ce qui signifie que les employés effectuent les mêmes tâches de façon continue et, lorsque des exceptions surviennent, ils se fient à un ensemble de règles (ou de procédures normales d'exploitation). Dans de telles situations, par exemple dans les chaînes de montage automobiles, les processus de travail sont très formalisés, centralisés et standardisés.

Lorsque les employés effectuent des tâches très variées et peu décomposables, par exemple les chercheurs, ils appliquent leurs compétences à des situations uniques et assez rares. Ces situations nécessitent une structure organique (décrite plus loin dans le chapitre) caractérisée par une faible formalisation, un système de prise de décision très décentralisé et une coordination par communication informelle entre les membres des équipes.

Les tâches très variées et prévisibles comportent de nombreuses exceptions par rapport au processus routinier, mais ces exceptions peuvent généralement être résolues à l'aide de procédures standards. Les groupes d'entretien et les équipes de conception technique connaissent ce genre de conditions. Les unités de travail qui correspondent à cette catégorie devraient utiliser une structure organique, mais une certaine formalisation et centralisation sont possibles du fait que les tâches se prêtent à l'analyse.

Les personnes hautement qualifiées tendent à travailler dans des situations caractérisées par une faible variété et une faible prévisibilité. C'est le cas des ingénieurs de la NASA travaillant au lancement d'une navette spatiale. Leurs tâches entraînent peu d'exceptions, et les problèmes qui surviennent sont difficiles à résoudre. Cette situation permet une plus grande centralisation et formalisation que dans une structure purement organique. Toutefois, la coordination doit inclure une communication informelle entre les employés qualifiés pour que des problèmes peu communs puissent être résolus.

L'environnement externe

La meilleure structure pour une organisation est celle qui est harmonisée avec son environnement externe (*voir le chapitre 1*). L'environnement externe comprend tout ce qui est en dehors de l'organisation, c'est-à-dire la plupart des parties prenantes (par exemple les clients, les fournisseurs, le gouvernement), les ressources (par exemple les matières premières, la main-d'œuvre, l'information, les finances) et les concurrents. Quatre caractéristiques relativement distinctes de l'environnement externe influent sur le type de structure organisationnelle qui devra le mieux répondre à une situation donnée : le dynamisme, la complexité, la diversité et l'hostilité[68].

Les environnements dynamiques et les environnements stables Les environnements dynamiques accusent un fort taux de changement, qui mène à des situations nouvelles et peu familières. Les structures organiques sont plus adéquates dans ce type d'environnement pour que l'organisation puisse s'adapter plus vite aux changements[69]. Les structures en réseau ou en équipe semblent être les configurations les plus efficaces dans les environnements dynamiques. Au contraire, les environnements stables se caractérisent par des cycles réguliers et constants d'activités. Les événements étant plus prévisibles, l'entreprise peut appliquer des règles et des procédures qui lui sont familières. Ainsi, des structures plus mécanistes tendent à mieux fonctionner dans ces conditions.

Les environnements complexes et les environnements simples Les environnements complexes comportent de nombreux éléments difficiles à contrôler. Les structures décentralisées semblent mieux adaptées aux environnements complexes, car leurs filiales sont proches de leur environnement local et leurs dirigeants peuvent alors prendre des décisions pertinentes. Dans l'encadré 15.1, Douglas Daft, président-directeur général de Coca-Cola, le plus gros producteur de boissons sans alcool du monde, raconte comment il a été amené à décentraliser certaines fonctions, tout simplement parce que les consommateurs de la planète ont des goûts différents.

Les environnements diversifiés et les environnements intégrés Les organisations évoluant dans des environnements diversifiés ont une plus grande variété de produits ou de services, de clients et de régions desservies. Par contre, un environnement intégré ne compte qu'un client, produit ou lieu géographique. Plus l'environnement est diversifié, plus l'entreprise doit utiliser une forme divisionnalisée correspondant à cette diversité. Si elle vend un seul produit dans le monde entier, une structure divisionnalisée géographiquement sera la plus adaptée.

Les environnements hostiles Les entreprises aux prises avec un environnement hostile font face à une rareté des ressources et à davantage de concurrence.

Coca-Cola décentralise sa structure pour satisfaire une clientèle diversifiée

En tant que chef de la direction du grand producteur de boissons sans alcool Coca-Cola, l'une des premières mesures de Douglas Daft a été de réduire de moitié le personnel de son siège social d'Atlanta et de déplacer les chefs régionaux plus près de leurs marchés locaux. Douglas Daft a passé la majeure partie de sa carrière dans les filiales éloignées de Coca-Cola. Il sait donc bien comment des prises de décision centralisées ont empêché Coca-Cola de mieux s'adapter aux marchés locaux. Par exemple, Coca-Cola a été en retard de plusieurs mois derrière ses concurrents pour le lancement d'un nouveau thé gazeux dans le nord-est de la Chine : « Nous avions la formule, nous avions l'arôme, nous avions effectué tous les tests de dégustation, se plaint Douglas Daft, mais Atlanta continuait pourtant de répéter "Êtes-vous sûrs ?" »

La direction de Coca-Cola à Atlanta avait déjà précisé tous les aspects de la production destinée aux marchés éloignés, du minutage des promotions au tournage des publicités. Elle considérait que Coca-Cola avait un attrait international et qu'un contrôle centralisé était approprié. Cependant, Douglas Daft n'était pas d'accord : « On ne peut pas compter sur les similitudes entre les gens : il faut trouver les différences. » Douglas Daft est convaincu qu'il sera plus facile pour les responsables de Coca-Cola d'anticiper et de répondre à ces différences au moyen d'une structure organisationnelle moins centralisée.

La décentralisation de Coca-Cola est logique si l'on considère les goûts divers des consommateurs du monde entier. Pourtant, ce faisant, l'entreprise a connu des ratés du fait de l'absence d'un système de contrôle remplaçant la supervision centralisée du marketing de la marque. Certains responsables locaux n'étaient pas prêts à agir seuls. D'autres ont profité de leur nouvelle liberté en créant des publicités très éloignées de l'image de Coca-Cola, telles que des publicités montrant des naturistes en Italie et une grand-mère irascible aux États-Unis.

La solution de Coca-Cola n'a pourtant pas été de recentraliser, mais de mettre en place un groupe mondial de marketing constitué de 100 personnes du monde entier travaillant à une stratégie de marketing pour les principales marques de l'entreprise. Au point de vue local, il est maintenant possible de concevoir des campagnes publicitaires particulières au sein de cette structure. « Nous n'avons pas fait marche arrière », insiste Stephen Jones, responsable en chef du marketing. « Les marchés locaux sont toujours responsables, mais ils disposent désormais de directives, de processus et d'une stratégie. »

Sources : J.F. Peltz, « Cola Wars », *Hamilton Spectator,* 13 avril 2002, p. B1 ; B. McKay, « Coke Hunts for Talents to Re-Establish its Marketing Might », *Wall Street Journal,* 6 mars 2002, p. B4 ; P.R. Chowdhury, « The Unbottling of Coke », *Business Today,* janvier 2001 ; P. O'Kane, « Coca Cola's Canny Man », *The Herald,* Glasgow, 18 juin 2000, p. 3 ; « Debunking Coke », *The Economist,* 12 février 2000 ; « World Has Changed at Coca-Cola as 6 000 Lose Jobs », *National Post,* 27 janvier 2000, p. C10.

www.coca-cola.com

En général, les environnements hostiles sont dynamiques, car l'accès aux ressources et la demande en produits ne peuvent être prédits. Les structures organiques tendent à mieux s'adapter aux environnements hostiles. Cependant, lorsque l'environnement est très hostile — par exemple quand il y a une grave pénurie de ressources ou que la part de marché est limitée — les organisations tendent à se centraliser temporairement pour que les décisions soient prises plus vite et que les gestionnaires aient davantage de contrôle[70]. Ironiquement, la centralisation peut engendrer des décisions de moins bonne qualité lorsque des crises organisationnelles se produisent, car la direction dispose de moins d'information, surtout si l'environnement est complexe.

Les théoriciens ont relevé, comme on le voit, que plusieurs organisations étaient structurées selon les caractéristiques de leur environnement externe, notamment la stabilité ou le dynamisme. Les entreprises s'organisant autour d'un environnement stable sont dites « mécanistes », tandis que celles qui évoluent dans un environnement turbulent sont qualifiées d'« organiques ».

Les structures mécanistes et les structures organiques

structure mécaniste

Structure organisationnelle caractérisée par un éventail de commandement limité et un degré élevé de formalisation et de centralisation.

Vous avez peut-être remarqué que certaines organisations mettent beaucoup l'accent sur l'éventail de commandement, la centralisation et la formalisation. Par exemple, certaines entreprises comme McDonald's ont une **structure mécaniste**[71]. Ce genre de structure se caractérise par un éventail de commandement limité et un degré élevé de formalisation et de centralisation. Ces sociétés imposent de nombreuses règles et procédures, permettent une prise de décision limitée aux niveaux inférieurs, sont gérées par une hiérarchie de personnes ayant des rôles spécialisés et présentent des flux de communication plus verticaux qu'horizontaux. Les tâches y sont définies de manière rigide et ne sont modifiées que lorsque les autorités supérieures l'autorisent.

structure organique

Structure organisationnelle caractérisée par un important éventail de commandement, peu de formalisation et un système de prise de décision décentralisé.

Les entreprises dotées d'une **structure organique** présentent les caractéristiques inverses : un important effectif sous responsabilité directe, peu de formalisation et un système de prise de décision décentralisé. Les tâches sont fluides, s'adaptant aux nouvelles situations et aux besoins de l'organisation. La structure organique valorise les connaissances et part du principe que l'information peut se trouver n'importe où dans l'organisation et pas uniquement chez les cadres supérieurs. Ainsi, la communication va dans toutes les directions sans s'attacher à une hiérarchie formelle.

Les structures mécanistes fonctionnent mieux dans des environnements stables, car elles sont basées sur l'efficacité et les comportements routiniers. Pourtant, comme nous l'avons souligné tout au long de ce manuel, la plupart des organisations évoluent dans un monde où les changements sont radicaux. Les technologies de l'information, la mondialisation, la population active en mutation et d'autres facteurs ont renforcé les besoins en structures plus organiques, plus souples et répondant mieux à ces changements. De plus, les structures organiques s'adaptent mieux à la gestion des connaissances, car elles sont basées sur le partage de l'information plutôt que sur la hiérarchie et le statut[72].

La stratégie d'entreprise

stratégie d'entreprise

Manière dont une organisation se positionne dans un environnement, en tenant compte de ses parties prenantes, de ses ressources, de ses compétences et de sa mission.

Bien que la taille, la technologie et l'environnement influencent la structure organisationnelle, ces aspects ne la définissent pas totalement. Au contraire, il est de plus en plus prouvé que les hauts gestionnaires formulent et mettent en place des stratégies qui façonnent à la fois les caractéristiques de ces variables et la structure de l'organisation. La **stratégie d'entreprise** fait référence à la manière dont une organisation se positionne dans un environnement, compte tenu des parties prenantes, de ses ressources, de ses compétences et de sa mission[73]. Ce positionnement est un **choix stratégique**[74]. En d'autres termes, les responsables de l'organisation prennent des mesures pour définir et influencer leur environnement, plutôt que de laisser la destinée de l'organisation être entièrement dictée par des influences externes.

choix stratégique

Idée selon laquelle une organisation interagit avec son environnement plutôt que d'être totalement déterminée par celui-ci.

La notion de choix stratégique remonte au travail d'Alfred Chandler, au début des années 1960[75]. La proposition d'Alfred Chandler était que la structure découle de la stratégie, et non l'inverse. Il a observé que les structures organisationnelles suivent la stratégie de croissance mise en place par les décideurs de l'organisation. En outre, il a remarqué que les structures organisationnelles ne changent qu'après que les responsables l'ont décidé. Cette théorie reconnaît que le lien entre la structure et les facteurs de contingence décrits plus tôt dépend de la stratégie de l'entreprise.

La thèse d'Alfred Chandler selon laquelle la structure dépend de la stratégie est devenue l'opinion courante dans le domaine de l'administration des entreprises et de la gestion stratégique. Un aspect important de ce courant de pensée est que les organisations peuvent choisir les environnements dans lesquels elles souhaitent évoluer. Certaines entreprises adoptent une stratégie de différenciation en proposant des produits ou des services uniques sur le marché. Ces entreprises essaient de distinguer leurs produits de ceux des autres entreprises au moyen de techniques de marketing, en fournissant des services particuliers et en innovant. D'autres adoptent une stratégie de domination par les coûts, grâce à laquelle elles maximisent la productivité. Elles sont alors capables d'offrir des produits ou des services populaires à des prix compétitifs[76].

Le type de stratégie organisationnelle dicte souvent la meilleure structure organisationnelle à adopter[77]. Les organisations choisissant une stratégie de domination par les coûts devraient adopter une structure mécaniste fonctionnelle avec des degrés élevés de spécialisation professionnelle et de standardisation des processus de travail. Cette combinaison est similaire à la catégorie de technologie routinière décrite plus tôt, car ces stratégies maximisent la rentabilité de la production et des services. Une stratégie de différenciation nécessite en revanche des relations plus personnalisées avec la clientèle. Une structure matricielle ou basée sur l'équipe, moins centralisée et moins formalisée, est plus appropriée ici, car elle permet aux spécialistes techniques de coordonner leurs activités professionnelles en fonction des besoins des clients. De façon globale, il est désormais évident que la taille, la technologie et l'environnement influencent la structure organisationnelle. Toutefois, la stratégie de l'organisation peut faire en sorte de réorganiser ces éléments et d'assouplir leur lien avec la structure organisationnelle.

RÉSUMÉ DU CHAPITRE

La structure organisationnelle fait référence à la division du travail ainsi qu'aux systèmes de coordination, de communication, de flux du travail et d'autorité formelle qui sont à la base de la direction des activités de l'organisation. Toute structure organisationnelle permet de diviser le travail en tâches distinctes et de les coordonner afin d'atteindre des objectifs communs. Les principaux moyens de coordination sont la communication informelle, la hiérarchie officielle et la standardisation.

Les quatre éléments fondamentaux de la structure organisationnelle sont l'éventail du commandement, la centralisation, la formalisation et la départementalisation. Auparavant, les théoriciens suggéraient que les entreprises adoptent une hiérarchie verticale avec un éventail de subordonnés directs limité. Aujourd'hui, la plupart des organisations font le contraire : pour coordonner les processus de travail, elles se basent sur la communication informelle et la standardisation plutôt que sur la supervision directe.

La centralisation signifie que l'autorité décisionnelle officielle appartient à un petit groupe de personnes, généralement les cadres supérieurs. Bon nombre d'entreprises se décentralisent à mesure qu'elles s'agrandissent et se complexifient. En effet, les cadres supérieurs n'ont alors ni le temps ni l'expérience pour prendre toutes les décisions. Les entreprises tendent aussi à devenir de plus en plus formalisées avec le temps, à mesure que les tâches deviennent plus routinières. La formalisation s'accroît dans les grandes entreprises, car la standardisation y est plus efficace que la communication informelle et la supervision directe.

Il existe quatre types purs de départementalisation : 1) une structure fonctionnelle permet d'organiser le personnel autour de connaissances précises. Une telle mesure favorise une plus grande spécialisation et améliore la supervision directe. Toutefois, elle empêche les personnes d'avoir une image globale de l'entreprise et rend la coordination entre les services plus difficile ; 2) une structure divisionnalisée regroupe le personnel autour de zones géographiques, de clients ou de types de produits. Cette structure permet la croissance et focalise l'attention des employés sur les produits ou les clients plutôt que sur leurs tâches. En revanche, elle engendre des quantités de connaissances parfois mal utilisées et une multiplication des ressources ; 3) la structure matricielle permet de combiner les deux structures précédentes. Cependant, cette approche impose une plus grande coordination que dans le cas de structures fonctionnelles ou purement divisionnalisées ; elle peut faire perdre le sentiment de responsabilité et favorise les conflits ; 4) les structures basées sur l'équipe sont très plates (horizontales), sont caractérisées par une faible formalisation et constituées d'équipes autonomes centrées sur le processus de travail plutôt que sur les spécialités fonctionnelles. Une structure en réseau est une alliance entre plusieurs organisations dans le but de créer un produit ou de servir un client. Les entreprises virtuelles conjointes ont des structures en réseau qui peuvent être rapidement réorganisées pour les adapter aux besoins des clients, notamment aux technologies de l'information et de communication.

Les cinq configurations de Mintzberg présentent cinq structures émanant de la dynamique de diverses forces. La mondialisation et les technologies d'information tendent à brouiller les frontières physiques des organisations. Les frontières externes sont toujours repoussées plus loin avec la formation de conglomérats et d'alliances stratégiques.

La meilleure structure organisationnelle dépend de la taille, de la technologie et de l'environnement de l'entreprise. En général, les plus grandes organisations sont décentralisées, plus formalisées, caractérisées par une spécialisation professionnelle plus poussée et des mécanismes de coordination élaborés. La technologie de l'unité de travail — notamment la variabilité et la prévisibilité — influence la décision d'adopter une structure organique ou mécaniste. Il faut alors déterminer si l'environnement externe est dynamique, complexe, diversifié ou hostile.

Bien que la taille, la technologie et l'environnement exercent une influence sur la structure organisationnelle, ces aspects ne la déterminent pas nécessairement. En effet, les dirigeants de l'organisation élaborent et mettent en place des stratégies qui peuvent redéfinir son environnement. Ce sont ces stratégies, plutôt que les autres aspects, qui façonnent directement la structure des organisations.

MOTS CLÉS

centralisation, p. 598
choix stratégique, p. 617
conception de l'organisation, p. 592
équipes concourantes, p. 595
éventail de commandement, p. 596

formalisation, p. 599
sociétés virtuelles, p. 612
stratégie d'entreprise, p. 617
structure divisionnalisée, p. 601
structure en réseau, p. 610
structure fonctionnelle, p. 600

structure matricielle, p. 604
structure mécaniste, p. 617
structure organique, p. 617
structure organisationnelle, p. 592
structure organisationnelle basée sur l'équipe, p. 606

QUESTIONS

1. Pourquoi les organisations se tournent-elles vers des structures plus horizontales ?

2. Quelle forme de coordination serait la plus probable pour une équipe de projet interfonctionnelle ? pour une équipe de hockey ?

3. Pourquoi l'utilisation de structures divisionnalisées géographiquement est-elle en déclin ?

4. Du point de vue d'un employé, quels sont les avantages et les inconvénients de travailler dans une structure matricielle ?

5. Quelles compétences les employés doivent-ils posséder pour travailler avec efficacité dans une structure basée sur l'équipe ?

6. Certains théoriciens pensent qu'une structure en réseau est une conception efficace pour faire face à la concurrence internationale. Est-ce vrai ou existe-t-il des situations où cette structure organisationnelle pourrait être inappropriée ?

7. Supposez que vous travailliez comme consultant afin de diagnostiquer les caractéristiques environnementales de votre collège ou université. Comment décririez-vous l'environnement externe de l'établissement ? La structure existante de l'établissement est-elle adaptée à cet environnement ?

8. Que signifie l'expression « la structure dépend de la stratégie » ?

L'ASCENSION ET LA CHUTE DE PMC AG

Fondée en 1930, l'entreprise allemande PMC AG fabrique des voitures sport de luxe. À ses débuts, PMC était une petite entreprise de consultation technique spécialisée dans la résolution de problèmes complexes de conception auprès de ses clients. À l'issue de la Seconde Guerre mondiale, le fils du fondateur de PMC a décidé d'étendre les activités de l'entreprise au-delà de la consultation technique. Il était déterminé à ce que PMC fabrique ses propres automobiles.

En 1948, les premiers prototypes PMC sont sortis de la petite usine. Chaque exemplaire était exclusivement fabriqué par un artisan hautement qualifié. Pendant plusieurs années, les pièces et le moteur ont été conçus et fabriqués par d'autres entreprises et assemblés dans l'usine PMC. Dans les années 1960, PMC a commencé à concevoir et à fabriquer ses propres pièces.

La société PMC s'est rapidement agrandie au cours des années 1960 jusqu'au milieu des années 1980. L'entreprise a conçu une voiture entièrement nouvelle au début des années 1960, a lancé un modèle moins cher en 1970 et a ajouté un modèle à prix intermédiaire en 1977. Dès la moitié des années 1980, PMC réalisait d'intéressants bénéfices et son nom était devenu l'emblème des riches hommes d'affaires et des membres de la jet-set. En 1986, année de production record, PMC a vendu 54 000 voitures, dont presque les deux tiers en Amérique du Nord.

La structure de PMC

La structure organisationnelle de PMC a évolué en même temps que sa réussite. Au cours des premières années, l'entreprise consistait uniquement en un service d'ingénierie et un service de production. Dans les années 1980, le personnel était divisé en plus de 10 services fonctionnels représentant différentes étapes du processus de production ainsi que les activités en amont (la conception, les achats, etc.) et en aval (le contrôle de la qualité, le marketing, etc.). Le personnel travaillait exclusivement dans un seul service, et le passage volontaire d'un service à un autre était quasiment considéré comme une mutinerie.

Le personnel de production de PMC était géré selon une hiérarchie traditionnelle. Les employés en première ligne rendaient compte à des chefs de groupe de travail, qui se rapportaient à des superviseurs, eux-mêmes sous l'autorité de superviseurs de groupe de chaque secteur. Ceux-ci dépendaient de chefs de production aux ordres du vice-président de la fabrication de PMC. À une certaine période, presque 20 % des membres du personnel de la production effectuaient des tâches de supervision. Au début des années 1990, par exemple, l'entreprise comptait 48 superviseurs de groupe, 96 superviseurs et 162 chefs de groupe de travail responsables d'environ 2 500 employés de production de première ligne.

La tradition artisanale de PMC

Par tradition, la culture de PMC favorisait l'expertise artisanale. Cette attitude attirait la main-d'œuvre qualifiée allemande, car les employés pouvaient ainsi tester et améliorer encore leurs compétences. Les employés de PMC étaient encouragés à maîtriser de longs cycles de travail, souvent jusqu'à 15 minutes par unité. Leur idéal était de construire l'automobile d'une manière aussi indépendante que possible. Par exemple, quelques maîtres-ouvriers étaient capables d'assembler un moteur entier. En récompense, ils pouvaient signer personnellement la pièce terminée.

Les ingénieurs concepteurs travaillaient indépendamment du service de production, ce qui signifiait que les employés de production devaient adapter les conceptions afin qu'elles correspondent aux pièces disponibles. Plutôt que de considérer cette tâche comme un inconvénient, les employés en production la considéraient comme un défi leur permettant d'affiner encore leurs compétences élevées. De même, occasionnellement, les ingénieurs de fabrication concevaient de nouveau le produit en entier afin de s'adapter aux capacités de fabrication.

Pour améliorer l'efficacité, un système de chaîne de montage mobile a été introduit en 1977. Même à cette date, l'intérêt porté aux techniques artisanales demeurait encore évident. Les employés étaient encouragés à monter rapidement les pièces de la voiture. Ils savaient que des artisans hautement qualifiés pour régler les problèmes découvriraient et répareraient les défauts une fois l'assemblage de la voiture terminé. Ce processus était bien plus coûteux et lent que d'assembler le véhicule correctement dès la première fois. Cependant, il fournissait à nouveau un autre ensemble de tâches difficiles défiant les artisans qualifiés. La réputation de grande qualité des véhicules de PMC renforçait ces habitudes.

La fin d'une réussite?

Les voitures sport de PMC occupaient une petite niche du marché automobile pour ceux qui souhaitaient une vraie voiture sport suffisamment docile pour un usage quotidien. Les PMC étaient réputées pour leurs performances impeccables basées sur une excellente technologie, mais elles devenaient aussi très chères. Les voitures sport japonaises n'entraient pas vraiment dans la même catégorie, mais leur coût de fabrication ne représentait qu'une infime fraction des coûts de fabrication d'un véhicule à PMC.

Le mauvais rapport investissement-rendement a touché les ventes de PMC à la fin des années 1980 et au début des années 1990. Tout d'abord, la devise allemande a pris de la valeur par rapport au dollar américain, ce qui a rendu les voitures sport PMC encore plus chères pour le marché nord-américain. En 1990, PMC a vendu seulement la moitié du nombre de voitures vendues quatre ans plus tôt. Ensuite, la récession nord-américaine

a débuté, faisant encore décliner les ventes. En 1993, PMC n'a vendu que 14 000 véhicules. Bien que les ventes aient remonté à 20 000 en 1995, le prix élevé des véhicules a mis les PMC hors de portée de nombreux acheteurs potentiels. Il est devenu évident pour la famille fondatrice de PMC que des changements étaient nécessaires, mais par où devait-elle commencer?

Questions

1. Décrivez la structure organisationnelle de PMC en fonction des quatre caractéristiques de toute conception organisationnelle (éventail de commandement, centralisation, formalisation et départementalisation).

2. Discutez des problèmes que présente la structure actuelle de PMC.

3. Considérez et justifiez une structure organisationnelle qui, selon vous, fonctionnerait mieux pour PMC.

Source: Écrit par Steven L. McShane, basé sur les données de plusieurs sources relatives à PMC. Le nom de l'entreprise et certains détails d'événements réels ont été légèrement modifiés pour que l'étude de cas soit plus complète.

EXERCICE D'AUTOÉVALUATION 15.2

INDIQUEZ VOTRE STRUCTURE ORGANISATIONNELLE PRÉFÉRÉE

Objectif Cet exercice est conçu pour vous aider à comprendre comment la structure d'une organisation influence les besoins et les valeurs des personnes qui y travaillent.

Instructions Vos valeurs personnelles vous permettent de vous sentir plus ou moins à l'aise dans la structure de votre organisation. Vous pourriez préférer une organisation définissant clairement les règles, ou n'imposant aucune règle. Vous pourriez aussi préférer une entreprise dans laquelle presque tous les employés peuvent prendre d'importantes décisions ou au contraire, dans laquelle les décisions cruciales sont prises par les cadres

supérieurs. Lisez chaque énoncé et indiquez à quel point vous aimeriez travailler dans une organisation présentant chacune des caractéristiques proposées. Lorsque vous aurez terminé, utilisez la clé de correction disponible au www.cheneliere.ca/mcshanebenabou afin de calculer votre résultat. Cet exercice doit être effectué individuellement afin que les étudiants puissent s'évaluer sans s'inquiéter de comparaisons sociales. Cependant, la discussion en groupe portera sur les éléments de conception de l'organisation et la manière dont ces éléments sont liés aux besoins et aux valeurs de chacun.

Échelle de préférence relative aux structures organisationnelles

J'aimerais travailler dans une organisation dans laquelle...

Résultat

1. L'échelle d'avancement des carrières individuelles est constituée de plusieurs échelons menant à un niveau plus élevé de statut et de responsabilité.

   Pas du tout   Un peu   Modérément   Beaucoup   _____

2. Les employés effectuent leur travail avec peu de règles pouvant limiter leurs décisions.

   Pas du tout   Un peu   Modérément   Beaucoup   _____

3. Les responsabilités sont transférées aux employés qui effectuent le travail.

   Pas du tout   Un peu   Modérément   Beaucoup   _____

4. Les superviseurs comptent peu d'employés sous leur responsabilité afin de pouvoir travailler étroitement avec chacun d'eux.

   Pas du tout   Un peu   Modérément   Beaucoup   _____

5. Les cadres supérieurs prennent la plupart des décisions pour s'assurer que l'entreprise est cohérente dans ses activités.

   Pas du tout   Un peu   Modérément   Beaucoup   _____

6. Les emplois sont clairement définis afin qu'aucune confusion n'existe sur la responsabilité de chacun dans diverses tâches.

   Pas du tout   Un peu   Modérément   Beaucoup   _____

7. Les employés ont leur mot à dire en ce qui concerne les problèmes, mais les cadres supérieurs prennent la plupart des décisions finales.

   Pas du tout   Un peu   Modérément   Beaucoup   _____

8. Les descriptions d'emploi sont générales ou inexistantes.

   Pas du tout   Un peu   Modérément   Beaucoup   _____

9. Le travail de chacun est étroitement synchronisé autour des plans opérationnels de la direction.

   Pas du tout   Un peu   Modérément   Beaucoup   _____

10. La majeure partie du travail est effectuée en équipe, sans supervision étroite.

    Pas du tout   Un peu   Modérément   Beaucoup   _____

11. Le travail est effectué à partir de discussions informelles avec les collègues plutôt que de règles formelles.

    Pas du tout   Un peu   Modérément   Beaucoup   _____

12. Les superviseurs comptent tellement d'employés sous leur responsabilité qu'ils ne peuvent surveiller personne très étroitement.

    Pas du tout   Un peu   Modérément   Beaucoup   _____

13. Chacun comprend parfaitement les objectifs, les attentes et le travail à effectuer.

    Pas du tout   Un peu   Modérément   Beaucoup   _____

14. Les cadres supérieurs définissent les objectifs globaux, mais ils laissent les décisions quotidiennes aux équipes de première ligne.

    Pas du tout   Un peu   Modérément   Beaucoup   _____

15. Même dans une grande entreprise, le chef de la direction n'est que trois ou quatre échelons au-dessus du poste le plus bas.

    Pas du tout   Un peu   Modérément   Beaucoup   _____

CHAPITRE 16

La culture organisationnelle

Objectifs d'apprentissage

À LA FIN DE CE CHAPITRE, VOUS DEVRIEZ POUVOIR :

- décrire les caractéristiques de la culture organisationnelle ;
- commenter l'importance des sous-cultures organisationnelles ;
- déterminer quatre catégories d'artéfacts qui permettent de définir une culture d'entreprise ;
- expliquer les quatre fonctions de la culture organisationnelle ;
- décrire les conditions dans lesquelles une culture organisationnelle forte peut améliorer la performance de l'entreprise ;
- montrer le lien entre la culture organisationnelle et l'éthique ;
- comparer quatre stratégies applicables lors de la fusion de cultures organisationnelles ;
- expliquer les cinq stratégies qui permettent de renforcer la culture d'une organisation ;
- décrire et comparer les différentes valeurs multiculturelles.

Blainville, 19 août 2003. Une trentaine d'employés de D.L.G.L. se dirigent vers la cour arrière de l'entreprise, où quelques-uns de leurs collègues s'affairent autour d'un barbecue. Ce midi, le président, Jacques Guénette, offre les hot-dogs et les hamburgers.

Parmi toutes les initiatives de la direction pour assurer le bien-être des employés, il s'agit sans doute de la moins spectaculaire. Car il y en a tant d'autres: un gymnase, un bistro, un bar ouvert en tout temps avec une table de billard, un cinéma maison avec écran géant, et un environnement de travail agréable, pour ne nommer que les plus évidentes.

Mais si vous cherchez ce qu'il y a de plus précieux pour les employés de D.L.G.L., il faudra vous tourner vers ce qu'il y a de plus intangible: une solide culture d'entreprise basée sur la confiance, l'honnêteté, le respect mutuel, la liberté et l'initiative personnelle. Tout, de l'achat de l'équipement à la rémunération en passant par la définition des objectifs de la société, va dans ce sens. Et cette culture est entretenue avec un soin jaloux, à tel point qu'elle semble prendre le dessus sur les ventes, les revenus et les profits. Mais ce n'est qu'une illusion, car la culture d'entreprise est au service des affaires. Et celles-ci tournent rondement.

D.L.G.L. compte 90 employés, selon les données les plus récentes. Cette entreprise se spécialise dans l'élaboration des systèmes intégrés de gestion des ressources humaines et de la paie, un marché occupé par des sociétés telles que SAP et PeopleSoft, des multinationales.

Le président de D.L.G.L. mise entièrement sur ses effectifs. Et il s'en occupe personnellement. Il embauche lui-même ses employés, selon des critères inusités, absents des manuels de ressources humaines: 1) disposition au bonheur; 2) équilibre («Je ne veux pas de *super-achievers*»); 3) intelligence; 4) enthousiasme. «Ce sont des qualités innées. Le reste, ça s'apprend», dit-il.

Ici, tous les employés connaissent «Le Livre», une sorte de constitution non écrite dans laquelle sont décrits les fondements de la politique de ressources humaines.

Cette organisation se passe facilement de dispositifs de contrôle. Il n'y a ni horaires ni politiques de vacances. Pourtant, tout le monde effectue ses heures de travail, et personne n'abuse des congés que les collègues planifient ensemble afin de répartir les tâches en vue de l'absence de l'un d'entre eux.

Ici, les employés de D.L.G.L. participent, dans leur entreprise, à une célébration annuelle appelée «Les vieilles barbes». On y fête les personnes qui franchissent le cap des dix ans de service. Les vieilles barbes en profitent pour se remémorer de bons souvenirs.

Droits réservés

On y expérimente une sorte de collectivisme organisationnel. Chacun des employés est évalué par l'ensemble de ses collègues. Et s'il y a bien des postes plus élevés que d'autres, on n'y trouve pas de rapports d'autorité.

La réussite n'est pas une affaire individuelle, mais collective. Cela se reflète jusque dans la rémunération; tous les employés, sans exception, ont droit à une part des primes si les objectifs, déterminés par les employés avec leur patron, sont atteints[1]. ■

Source: Daniel Germain, «D.L.G.L.: le collectivisme réinventé», *Affaires Plus*, octobre 2003, p. 72-73.

La société D.L.G.L. a redécouvert la force de la culture organisationnelle. La **culture organisationnelle** est l'ensemble des postulats, des valeurs et des croyances partagées qui régissent la manière de réfléchir et de faire face aux problèmes et aux opportunités qui se présentent à l'organisation. Elle détermine ce qui est important ou non au sein de l'entreprise. On pourrait la comparer à l'ADN de l'organisation, invisible au profane ; elle n'en constitue pas moins un modèle puissant à l'origine de ce qui se passe dans le milieu de travail [2].

Dans ce chapitre, nous examinerons d'abord les caractéristiques de la culture organisationnelle et la manière de la définir par ses artéfacts. Nous établirons le rapport entre la culture organisationnelle et la performance d'entreprise. Ensuite, nous aborderons les fusions et la culture d'entreprise, ainsi que les stratégies précises qui permettent de préserver une culture organisationnelle forte. Dans la dernière partie, nous irons au-delà de la culture interne pour décrire les cultures nationales et leur influence sur les pratiques de gestion.

LES CARACTÉRISTIQUES DE LA CULTURE ORGANISATIONNELLE

Le concept de culture a d'abord été utilisé en anthropologie et en sciences sociales pour rendre compte du mode de vie, des valeurs et des croyances de groupes particuliers. À partir des années 1980, ce concept a servi de métaphore, surtout pour décrire l'organisation sous la forme d'une minisociété. Cette analogie a permis d'enrichir les théories de l'organisation.

La culture est ce qui différencie deux organisations, même si celles-ci évoluent dans la même sphère d'activité. Une culture est un ensemble de valeurs, de symboles et de savoirs partagés, sinon acceptés, par le plus grand nombre d'individus dans une organisation donnée. Cet ensemble dicte explicitement ou implicitement les comportements qui sont acceptables ou non de la part des membres de cette collectivité. La culture est issue de circonstances historiques particulières et de choix en matière d'adaptation à l'environnement interne et externe. Ses caractéristiques sont un langage commun aux employés de l'entreprise, un ensemble de normes, de rites et de rituels. Nous détaillerons chacun de ces éléments dans ce chapitre.

Comme le montre la figure 16.1, les postulats, les valeurs et les croyances qui forment la culture organisationnelle agissent sous la surface : ils ne sont pas immédiatement décelables, mais leur effet est omniprésent. Les postulats révèlent la partie la plus profonde de la culture organisationnelle parce qu'ils sont inconscients et tenus pour acquis. Ce sont les schémas mentaux partagés, les visions élargies du monde ou les « théories » en usage à partir desquelles les employés modèlent leurs perceptions et leurs comportements (*voir le chapitre 4*). Chez D.L.G.L., par exemple, les employés ont intégré l'idée que la confiance, la liberté, l'enthousiasme et l'initiative sont les clés de sa réussite. « Le Livre », évoqué dans le cas de D.L.G.L., représente bien ce qu'on entend par « postulats généralement bien ancrés » dans les esprits.

Les croyances et les valeurs culturelles d'une organisation sont plus faciles à déchiffrer que les postulats, parce qu'elles sont plus visibles. Les croyances reflètent la manière dont un individu perçoit la réalité. Les valeurs, quant à elles, sont des croyances plus stables et plus durables ayant trait à ce qui est important. Elles nous aident à définir ce qui est bien ou mal, correct ou incorrect (*voir le chapitre 3*) [3]. Par exemple, Darren Entwistle, chef de la direction de Telus Corp.,

FIGURE   16.1

Caractéristiques
de la culture
organisationnelle

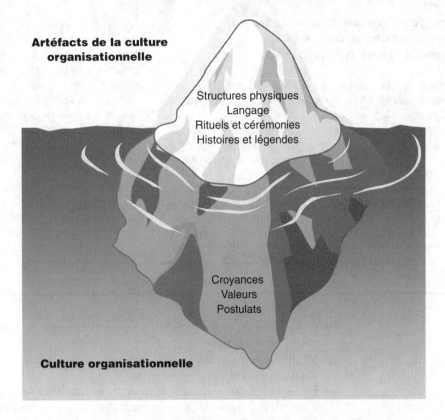

**Artéfacts de la culture
organisationnelle**

Structures physiques
Langage
Rituels et cérémonies
Histoires et légendes

Croyances
Valeurs
Postulats

Culture organisationnelle

une entreprise de télécommunications établie à Vancouver, axe de plus en plus la culture de l'organisation sur le rendement. Par contre, la culture de MDS Nordion, une entreprise d'Ottawa, met davantage l'accent sur l'équilibre entre le travail et la vie personnelle. « Notre approche de la santé de nos employés est axée sur les résultats et favorise une culture de soutien », précise John Morrison, chef de la direction de MDS Nordion[4].

Il est impossible de déterminer les valeurs culturelles d'une organisation simplement en interrogeant les employés et d'autres personnes. Comme il est difficile d'être contre certaines valeurs, celles que les gens affirment avoir adoptées diffèrent parfois des valeurs en usage[5]. Les valeurs adoptées ne représentent pas la culture d'une organisation, mais plutôt l'image que les chefs d'entreprise veulent promouvoir. Les valeurs en usage, par contre, sont celles qui guident les décisions et les comportements des individus au sein de l'entreprise.

Les dimensions de la culture organisationnelle

À la racine de chaque culture se trouve un ensemble de caractéristiques partagées par l'ensemble des membres de l'organisation. Bien que la liste suivante ne soit pas exhaustive, elle résume les différentes catégories de cultures sur lesquelles de nombreux auteurs s'entendent.

■ Tendance à innover et à prendre des risques (par opposition à une trop grande stabilité et au conservatisme) : culture qui permet la liberté, l'autonomie, l'émergence d'idées nouvelles et la prise de risques calculés (*voir l'encadré 16.1*).

La gestion de l'innovation : l'importance de créer une culture appropriée

Qu'est-ce qui caractérise une culture d'innovation ? Une entreprise démontrant les comportements et attitudes suivants :

■ **Une attitude positive face aux risques :** l'organisation est capable de vivre dans un certain chaos relié aux risques. Les connaissances et le savoir-faire découlant des échecs sont valorisés.

■ **Une bonne synergie interne et externe :** des équipes multifonctionnelles ont été formées à tous les niveaux de l'organisation, autant tactiques que stratégiques. Une intimité a été créée avec certains clients, et sous-traitants et fournisseurs sont traités comme des partenaires qui pensent contribuer à la capacité d'innovation.

■ **Un désir et un plaisir d'innover :** les employés des différents départements de l'entreprise innovent sans qu'on le leur demande explicitement ; ils passent à l'action même si ce n'est pas dans leur description de poste. La haute direction accepte les défis sur de nombreux sujets.

■ **Une ouverture sur l'extérieur :** les nouvelles tendances technologiques et du marché sont suivies de près et des activités spéciales sont tenues régulièrement afin de déterminer et d'analyser les opportunités.

■ **Une structure qui supporte l'innovation :** le programme d'embauche et le système de reconnaissance s'articulent autour des capacités et des productions innovatrices.

■ **Orientation vers les personnes :** accent mis sur le service à la clientèle et le respect des employés.

■ **Méticulosité :** attention mise sur les détails, l'analyse, l'exactitude, le respect des normes, etc.

■ **Fluidité des canaux de communication :** facilité avec laquelle les gens communiquent, peu importe les voies utilisées si elles servent l'efficacité de l'entreprise et la satisfaction des personnes.

■ **Orientation vers les résultats :** accent mis sur l'atteinte des objectifs stratégiques et opérationnels ; minimisation de l'importance des détails techniques ou bureaucratiques qui pourraient freiner le dynamisme de l'entreprise.

■ **Préférence pour le travail d'équipe :** travail plus souvent effectué en équipe qu'individuellement, et plus sur une base amicale que compétitive (voire agressive) à outrance.

Examinons, par exemple, la culture dominante des entreprises décrites ci-dessous :

■ *General Electric*   Depuis l'ampoule électrique jusqu'aux turbines pour éoliennes, en passant par les moteurs d'avion, des systèmes d'imagerie médicale et des membranes de filtration, l'innovation a toujours été au cœur du succès de General Electric. En 2004, GE a enregistré plus de 2100 brevets d'invention. Pour favoriser l'émergence d'idées nouvelles, la direction de GE a implanté des *dreaming sessions*, soit des périodes de remue-méninges, auxquelles participent des hauts dirigeants et des clientèles cibles. Cela permet de déceler les tendances du marché[6]. Il est clair que la culture dominante chez GE est une culture d'innovation axée sur les résultats, à en juger par son succès et sa pérennité.

■ *Cascades*   Bernard Lemaire (un des frères fondateurs de cette industrie québécoise dans le secteur du papier qui cumule 40 ans de succès) s'exprime ainsi : « La philosophie de Cascades, ce n'est pas que le partage des profits. Le plus important, c'est notre politique de transparence, de portes ouvertes. C'est le respect qu'on démontre envers nos employés. C'est l'attitude entrepreneuriale qu'on valorise

Robert Dutton, président et chef de la direction de Rona

Robert Dutton est président et chef de la direction de Rona depuis 1992. Rona est le plus grand distributeur et détaillant de produits de quincaillerie et de rénovation au Canada. Robert Dutton veut distiller, dans la société qu'il préside, des valeurs qui, selon lui, expliquent le succès de Rona : la gestion par l'exemple donné par les cadres, la sincérité, la cohérence, la conviction, la solidarité, le sens du service et du bien commun, ce qui, pour lui, n'est pas incompatible avec le sens des affaires et la protection des intérêts à long terme des parties prenantes.

Source : Jacqueline Cardinal et Laurent Lapierre, *La Presse,* 4 avril 2005, p. 6.

Pour Robert Dutton, p.-d.g. de Rona, sens des affaires et sens du service vont de pair. On le voit ici lors de l'annonce de son association avec la Ligue canadienne de football, au début mars. La commandite fera en sorte que le logo de Rona sera apposé sur le chandail de chaque joueur.

Ryan Remiorz, CP Photo

à tous les niveaux. C'est l'autonomie opérationnelle que l'on accorde à chaque unité d'affaires[7]. » Ici la culture dominante est axée sur la fluidité du système de communication (hiérarchie peu prononcée), le travail d'équipe et l'orientation vers les personnes.

■ *Brown & Brown* L'adjectif « combatif » est trop doux pour décrire la culture d'entreprise de Brown & Brown, Inc. En effet, la mascotte non officielle de cette société d'assurances, dont le siège se trouve à Daytona Beach, en Floride, est un guépard. Sur la quatrième de couverture d'un rapport annuel récent, la mise en garde suivante apparaît : *No Egg-Sucking Dogs* (littéralement « Interdit aux chiens voleurs d'œufs »), un rappel plutôt explicite que les piètres employés ne seront pas tolérés. Il ne faut pas prendre cet avertissement à la légère. Au cours de la réunion annuelle du personnel commercial, des employés déguisés en bourreaux médiévaux conduisent les directeurs de service dont le rendement laisse à désirer jusqu'à un podium, et ce, au son d'une marche funèbre diffusée par des haut-parleurs. Les directeurs doivent alors expliquer à un auditoire de 1 000 employés pourquoi ils n'ont pas atteint leurs objectifs annuels. « Cela paraît dur, mais notre culture est ainsi, explique le chef de la direction de Brown & Brown. Le monde n'est pas un endroit chaud et douillet[8]. » Il est clair que la compétition, l'agressivité et l'orientation vers les résultats sont les caractéristiques dominantes de cette société.

Les entreprises peuvent posséder plusieurs des caractéristiques ci-dessus en même temps, par exemple privilégier le travail d'équipe et être très axées sur les résultats. L'établissement d'une typologie a un effet réducteur, car les types purs de culture existent rarement, d'autant plus que des sous-cultures d'entreprise peuvent coexister avec la culture dominante.

Les sous-cultures dans les organisations

Quand on parle de culture organisationnelle, on fait allusion à la culture dominante, en l'occurrence aux caractéristiques que la majorité des membres d'une organisation partagent. Cependant, chaque organisation possède aussi des sous-cultures, par exemple celles de ses divisions, de ses régions géographiques ou de ses groupes professionnels[9]. Certaines sous-cultures épousent la culture dominante ; d'autres sont appelées « contre-cultures » parce qu'elles s'opposent directement aux valeurs fondamentales de l'organisation.

Les sous-cultures, et en particulier les contre-cultures, provoquent parfois des conflits et des tensions parmi les employés. Toutefois, elles remplissent deux fonctions importantes[10]. En premier lieu, elles aident à préserver la performance et l'éthique de l'organisation. En effet, les employés qui adhèrent aux valeurs de la contre-culture peuvent favoriser les conflits constructifs et la pensée créatrice pour la bonne marche de l'organisation. De plus, comme les sous-cultures empêchent les employés d'adopter aveuglément un seul ensemble de valeurs dominantes, elles aident l'organisation à remettre constamment en question ses valeurs éthiques.

En second lieu, les sous-cultures constituent un sol fertile pour de nouvelles valeurs qui permettent à l'entreprise de s'adapter aux besoins de ses clients, de ses fournisseurs, de la société et d'autres parties prenantes. Finalement, l'organisation est parfois obligée de remplacer ses valeurs dominantes par des valeurs mieux adaptées à l'environnement changeant.

Les fonctions de la culture

La culture d'une organisation, comme celle d'une société en général, remplit au moins quatre fonctions importantes : assurer un mécanisme de régulation et de contrôle, donner un sentiment d'identité, susciter l'adhésion à la mission de l'entreprise et permettre de déchiffrer les événements.

La culture est un mécanisme de régulation et de contrôle Dans une culture forte, les employés n'ont pas besoin de se demander tout le temps ce qu'ils doivent faire dans telle ou telle situation. La culture prescrit les comportements nécessaires et souhaitables, d'autant plus qu'elle est aussi un ensemble de normes et de règles tacites ou explicites. Par exemple, chez Rona (*voir l'encadré 16.2*), le plus grand distributeur et détaillant de produits de quincaillerie au Canada, dans un souci de bien servir la clientèle, les préposés aux retours de marchandises savent quelle latitude ils ont pour accepter un article à échanger ou à rembourser. Chez Disney, le conservatisme et une certaine austérité morale (héritée du fondateur) se reflètent, entre autres, dans l'apparence vestimentaire et le langage des employés américains.

La culture procure un sentiment d'identité Une culture forte peut induire, chez les employés, un fort sentiment d'appartenance à leur organisation, dans la mesure où ils se reconnaissent dans ses valeurs, sa mission, ses objectifs et sa façon de faire les choses. Par le fait même, cette culture crée un fort engagement de l'employé envers son organisation et développe chez lui ce qu'on appelle une solide « citoyenneté organisationnelle ».

La culture renforce l'identification des individus à la mission de l'entreprise Une culture forte a une fonction fédératrice, dans le sens où elle stimule les employés à dépasser leurs intérêts personnels. Ainsi, les employés s'orientent vers des buts qui les unissent aux autres membres de l'organisation. C'est le sens de la mission et de la vision de l'entreprise.

La culture d'entreprise aide les employés à déchiffrer les événements

La culture aide les employés à mieux comprendre leur milieu de travail et à donner un sens aux événements qui s'y produisent. Ainsi, les employés communiquent plus efficacement et collaborent mieux entre eux parce qu'ils partagent les mêmes schémas mentaux, ce qui facilite l'interprétation de la réalité. Par exemple, une culture forte peut favoriser l'introduction d'un changement, car la majorité des employés l'interprètent de la même façon plutôt que de se perdre en conjectures sur sa pertinence, sa signification ou ses buts cachés.

DÉCHIFFRER LA CULTURE ORGANISATIONNELLE GRÂCE AUX ARTÉFACTS

artéfact
Symbole ou signe observable dans une culture d'entreprise.

Les postulats, les valeurs et les croyances qui font partie de la culture organisationnelle sont intangibles. Cependant, certains **artéfacts** permettent indirectement de déchiffrer la culture d'une organisation (*voir la figure 16.1*). Les artéfacts sont les symboles et les signes observables d'une culture d'entreprise. Ils englobent, par exemple, la manière dont les visiteurs sont accueillis, l'aménagement de l'espace et les récompenses offertes aux employés[11]. Comprendre la culture d'une organisation est une tâche ardue qui exige l'évaluation de nombreux artéfacts subtils et souvent ambigus[12]. Ce procédé ressemble beaucoup à l'étude anthropologique d'une nouvelle société. Certains chercheurs déduisent les valeurs organisationnelles des conversations quotidiennes au sein de l'entreprise[13]. D'autres interrogent les employés, observent leur comportement au travail et consultent les documents écrits. Il faut sans doute effectuer toutes ces tâches si on veut définir avec précision la culture d'une entreprise.

Il faut toujours lire avec circonspection les déclarations publiques sur la culture d'une entreprise. Le plus souvent, ces déclarations découlent de l'examen sommaire d'un journaliste ou proviennent du service de relations publiques de l'entreprise, qui annonce les valeurs adoptées par celle-ci. Tout en gardant cette mise en garde à l'esprit, examinons maintenant quatre grandes catégories d'artéfacts : les histoires et les légendes, les rituels et les cérémonies, le langage, les structures physiques et les symboles.

Les histoires et les légendes

Vers la fin des années 1980, on raconte que les dirigeants de la Maritime Life Assurance Co. étaient absorbés dans les plans du nouveau siège social qui devait ouvrir ses portes à Halifax. La vue époustouflante sur l'océan qu'offraient les bureaux du neuvième étage faisait la fierté des architectes. Ces derniers, naturellement, y avaient placé les bureaux de la direction. Or, de l'avis du chef de la direction de la Maritime Life, cette décision n'était pas compatible avec la culture de l'entreprise. Cet emplacement de choix a donc été attribué aux employés sous la forme d'une cafétéria élégante aux murs agrémentés de bordures en bois. Les dirigeants ont dû installer leurs bureaux ailleurs[14].

Dans les établissements achetés en France, la société Cascades est demeurée fidèle à sa culture. Elle a demandé aux cadres français d'avoir dorénavant (et littéralement) une politique de portes ouvertes envers les employés. Les cadres français, plus formels, ont gardé leurs portes fermées. On raconte que les frères Lemaire, excédés, ont fait enlever toutes les portes des bureaux !

On raconte également que Walt Disney passait une grande partie de ses nuits sur un canapé installé dans son bureau et qu'il se nourrissait exclusivement de haricots-tomates en boîte[15].

Ces histoires ou légendes, qu'elles soient vraies ou fausses, illustrent les valeurs fondamentales de sociétés telles que Maritime Life Assurance Co., Cascades ou Disney. Le bien-être et la satisfaction des employés passent avant le prestige des dirigeants dans le cas de la première entreprise; la hiérarchie informelle et la communication fluide dans le cas de la deuxième; la rigueur, la sobriété et le contrôle dans le cas de la troisième. Les histoires et les légendes sont des messages forts qui véhiculent des normes sociales et dictent la manière dont il faut faire (ou ne pas faire) les choses. Elles donnent un aspect humain et réaliste aux attentes des entreprises, aux normes de rendement individuel et aux postulats quant à la manière dont les choses devraient fonctionner au sein de l'organisation.

Les histoires et les légendes ne sont pas toutes positives. Certaines sont relatées fréquemment pour montrer ce qui cloche dans l'entreprise. Par exemple, les employés de General Motors (GM) qui rejetaient la culture dominante du constructeur d'automobiles aimaient raconter que plusieurs douzaines d'employés de GM se rendaient à l'aéroport pour accueillir les hauts dirigeants de l'entreprise. Le statut d'un dirigeant était directement proportionnel au nombre de véhicules qui quittaient l'aéroport avec lui[16]. Cette histoire ne symbolise pas uniquement le respect de l'autorité; elle permet surtout de mettre en lumière le déclin et le gaspillage qui caractérisaient la culture dominante de GM.

Les histoires et les légendes transmettent beaucoup plus efficacement les valeurs culturelles d'une organisation quand elles mettent en vedette des personnes réelles (ou supposées réelles), connues de tout le personnel. De plus, ces histoires sont normatives: elles indiquent aux employés ce qu'ils doivent faire ou ne pas faire[17]. Les récits fournissent souvent la réponse aux questions suivantes: Comment le patron réagit-il face aux erreurs? Quels événements justifient le licenciement d'un employé? Qui, le cas échéant, peut enfreindre les règlements? Comment fait-on pour gravir les échelons hiérarchiques? Quel degré de soutien les employés peuvent-ils attendre de l'organisation lors d'une fusion ou d'un autre événement? Comment l'organisation fait-t-elle face aux crises[18]?

Les rituels et les cérémonies

rituel
Interaction sociale répétitive qui met en évidence la culture de l'organisation.

Il y a plusieurs années, Peter DeLisi a quitté IBM pour entrer à Digital Equipment Corporation (achetée par Hewlett-Packard à la suite de sa fusion avec Compaq Computer). Il a remarqué que les employés de Digital se disputaient souvent. «Les disputes étaient fréquentes et j'en ai conclu que les employés de Digital ne s'aimaient pas», se rappelle-t-il. Finalement, Peter DeLisi a compris que les employés de Digital ne se détestaient pas. Les employés observaient tout simplement un rituel consistant à «se bousculer» ou à défendre leurs idées jusqu'à ce que la vérité finisse par s'imposer[19].

cérémonie
Manifestation planifiée et généralement ostensible de la culture de l'entreprise et organisée pour célébrer un événement particulier.

Ce rituel reflétait la croyance de Digital en l'utilité du conflit constructif. Les **rituels** sont les interactions sociales répétitives qui mettent en évidence la culture de l'organisation. Outre les comportements comme les disputes précitées, les rituels englobent aussi la manière d'accueillir les nouveaux employés, la fréquence des visites que les dirigeants rendent à leurs subalternes, la façon dont les gens communiquent entre eux, la durée des pauses, etc. Les **cérémonies** sont des artéfacts plus formels que les rituels.

L'intégration et l'acceptation d'un nouvel employé ou d'un nouveau membre dans son organisation passent parfois par ce fameux rituel appelé l'«initiation». Ce type de rituel fait partie de la culture de nombreuses organisations. On l'observe notamment dans les universités ou les grandes écoles (ce rituel se nomme «bizutage» en France), dans certains corps d'armée et dans des sociétés relativement fermées. Les rites qui accompagnent les initiations donnent parfois lieu à des débordements qui peuvent intimider les recrues (*voir la caricature ci-dessous*).

Ce sont des manifestations publiques planifiées. Elles comprennent des événements visant à récompenser (ou à punir) publiquement des employés, à célébrer le lancement d'un nouveau produit ou la signature d'un nouveau contrat[20].

Le langage

Le langage utilisé dans le milieu de travail en dit long sur la culture de l'entreprise. La manière dont les employés s'adressent à leurs collègues, décrivent les clients ou expriment leur colère est hautement symbolique des valeurs de l'organisation. Les employés de la société The Container Store emploient le qualificatif *gumby* pour se féliciter mutuellement lorsqu'ils font preuve de souplesse. C'est le cas, par exemple, lorsqu'ils délaissent leur tâche courante pour venir en aide à un client ou à un collègue de travail. Ils font alors référence à la figurine verte et particulièrement souple qui était autrefois populaire. (On peut voir un Gumby grandeur nature au siège social du détaillant[21].)

Voici un autre exemple: dans un café montréalais faisant partie d'une chaîne de restauration, les clients sont amusés d'entendre les employés utiliser entre eux un langage qui leur est propre. En effet, la commande des clients est aussitôt traduite en expressions amusantes particulières (*voir l'encadré 16.3*). Ce langage fait partie de la culture de cette chaîne, et il fait l'objet d'une formation pour les recrues.

Les chefs d'entreprise emploient aussi des expressions, des métaphores et des mots particuliers qui symbolisent la culture de l'entreprise[22].

Le langage met aussi en lumière les valeurs véhiculées par les sous-cultures de l'organisation. Par exemple, des consultants travaillant chez Whirlpool entendaient sans cesse les employés parler de la «culture PowerPoint» de la société d'électroménagers. Cette expression fait allusion au logiciel de présentation de Microsoft. En fait, il s'agit d'une critique de la culture hiérarchique de Whirlpool, où la communication est à sens unique (des dirigeants vers les employés). Or, les employés de Whirlpool se voient comme ce «public», qui a rarement la possibilité d'exprimer ses opinions ou ses préoccupations à la haute direction (les «présentateurs»)[23].

Source: Beaudet, *Journal de Montréal*, 20 octobre 2005, p. 27.

Les structures physiques et les symboles

Entrez dans un magasin Mountain Equipment Co-op (MEC) à Montréal, à Toronto ou dans la plupart des autres villes où MEC a des magasins. Vous comprendrez très vite que cette entreprise ne plaisante pas sur la question de

Langage et culture

Dans les établissements montréalais d'une chaîne de cafés, les employés utilisent entre eux un langage qui leur est propre. Le tableau ci-dessous reprend ces expressions et donne leur signification. Ce vocabulaire a pour but de créer une culture caractéristique de ces cafés, d'amuser et de charmer le client.

La commande du client	L'expression	La commande du client	L'expression
Pour emporter	Avec des ailes ou nomade	Chocolat chaud	Choco
Consommer sur place	Planté	Choco vanille	Sky (provenant de *Vanilla Sky*)
Petit	Picole	Verre de lait	Mezzo meu-meu
Moyen	Mezzo	Très chaud	Tropical
Grand	Alto	Avec crème fouettée	Con pana
Très grand	Jumbo	Sans crème fouettée	Tout nu
Cappuccino	Capu	Lait 3,35 %	Chubby
Mokaccino	Gino	Lait écrémé	Twiggy ou skinny
Café au lait	Latté	Décaféiné	Relax ou no fun
Café latté dans un bol	Piscine de latté		

l'écologie. Trois grands panneaux en pin situés près de l'entrée portent les inscriptions suivantes : Marchez d'un pas léger. Ne laissez pas de traces. N'emportez rien d'autre que vos souvenirs. Par ailleurs, les planchers de béton et les poutres sont faits de scories recyclées (un sous-produit des centrales à charbon qui finit habituellement au dépotoir). Les poutres sont en bois recyclé provenant d'édifices démolis. Le toit supporte un jardin de 930 mètres carrés dont les 10 cm de terre permettent d'isoler l'édifice tout en ajoutant de la verdure au centre-ville de Toronto. « Chaque détail de l'édifice à été planifié », explique un dirigeant du cabinet d'architecture qui a conçu les plans de l'édifice. « C'est un magasin qui sort de l'ordinaire… une expérience menée dans le but de trouver des solutions écologiques[24]. »

Mountain Equipment Co-op met sa culture en évidence par la conception de ses magasins de détail partout au Canada. Dans beaucoup d'organisations, la taille, la forme, l'emplacement et l'âge des édifices peuvent indiquer que l'entreprise met l'accent sur le travail d'équipe, l'écologie, la souplesse ou tout autre ensemble de valeurs[25].

Chez D.L.G.L., dont il a été question au début de ce chapitre, la disposition des bureaux et l'aménagement de l'espace traduisent la culture de cette société qui se veut ouverte et propice au travail d'équipe, avec peu de barrières à la communication.

L'aménagement physique de D.L.G.L. se caractérise par d'amples espaces ouverts, de la lumière et une décoration sobre mais plaisante. Il veut traduire une culture axée sur la communication fluide, le travail d'équipe et la bonne humeur.

Droits réservés

LA VIGUEUR ET LA FORME DE LA CULTURE ORGANISATIONNELLE

La culture d'une organisation influence-t-elle sa performance ? Bob Gett croit que oui. Le directeur général de la société de conseils Viant, Inc. préfère être appelé « directeur de la culture », parce qu'il est persuadé qu'une culture d'entreprise forte joue un rôle prépondérant dans la réussite d'une organisation. Plusieurs auteurs ont conclu, eux aussi, qu'une culture d'entreprise forte est bénéfique pour l'entreprise[26].

La culture organisationnelle et l'environnement

Chacune des fonctions de la culture organisationnelle que nous avons abordées précédemment repose sur la prémisse selon laquelle une culture forte vaut mieux qu'une culture faible. Une culture organisationnelle est forte quand la majorité des employés adoptent les valeurs dominantes de l'organisation. Ces valeurs sont difficiles à changer, car elles sont institutionnalisées par des artéfacts bien établis. En outre, les cultures fortes sont durables. Dans bien des cas, elles remontent aux croyances et aux valeurs que le fondateur de l'entreprise y a enracinées[27]. En revanche, une culture d'entreprise est faible quand ses valeurs dominantes sont passagères et embrassées seulement par une poignée d'individus au sommet de la hiérarchie.

Ces avantages ne signifient pas nécessairement que les entreprises qui ont une forte culture donnent une meilleure performance. Au contraire, des études ont révélé un lien positif modeste entre une forte culture et le succès[28]. L'une des raisons qui explique ce faible lien est qu'une culture forte améliore la performance de l'organisation seulement si le contenu culturel est approprié à son environnement (*voir la figure 16.2*).

Par exemple, le succès de SNC-Lavalin est en partie dû au fait que sa culture s'aligne sur les besoins de son environnement au sein du marché mondial de l'ingénierie (*voir l'encadré 16.4*). Dans cette « culture », SNC-Lavalin démontre son appréciation de ses employés qu'elle tient pour responsables de son avantage concurrentiel. La société privilégie des pratiques égalitaires pour son personnel et un recrutement de grande qualité partout dans le monde. Sans ces valeurs culturelles, SNC-Lavalin aurait du mal à garder ses ingénieurs de talent ou à attirer des clients du monde entier.

Quand la culture forte d'une entreprise n'est pas adaptée à son environnement, les employés ont de la difficulté à prévoir les besoins des clients ou d'autres parties prenantes importantes et à y répondre. La compagnie Lego semble se heurter à ce problème[29]. Le fabricant danois de blocs Lego possède une culture farouchement

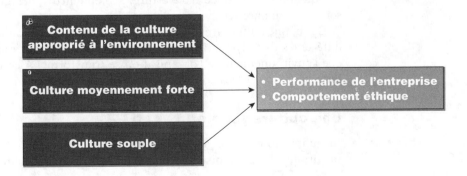

FIGURE 16.2

Culture et performance de l'entreprise

Briller avec les meilleurs

Le groupe SNC-Lavalin est la plus importante firme d'ingénierie au Canada. Son président et chef de la direction, Jacques Lamarre, explique que l'origine de son succès, ici et ailleurs dans le monde, vient du fait que sa culture est capable d'intégrer des employés de toutes nationalités. C'est probablement l'une des sociétés les plus multiculturelles du monde ; on y trouve près de 50 nationalités et on y parle 80 langues. « Prendre les meilleurs, dit-il, cela signifie ne pas regarder seulement les ressources locales. Une fois chez nous, ils sont tous traités de manière équivalente et équitable. Il faut qu'ils se sentent bienvenus et heureux. »

Jacques Lamarre
Pierre Roussel

Source : « Briller avec les meilleurs », *Les Affaires*, 22 octobre 2005, p. 23.

indépendante. Celle-ci lui cause des problèmes à une époque où la mondialisation est un phénomène croissant. Jusqu'à tout récemment, Lego refusait de s'associer à des studios cinématographiques pour vendre des produits sous licence. Le jour où un dirigeant de Lego a proposé de s'associer avec Lucasfilms pour fabriquer les produits Star Wars, d'autres dirigeants ont été horrifiés, avançant que « cela n'était pas conforme à la manière Lego ». Un cadre a même proféré la menace suivante : « Il faudra me passer sur le corps pour lancer les produits Star Wars en Europe. » Le chef de la direction de Lego a fini par conclure le marché, et le lancement des produits Lego Star Wars a été le plus réussi de ces dernières années. Pourtant, la culture d'entreprise de Lego a failli tuer dans l'œuf cette initiative importante.

Une culture forte peut faire en sorte que les décideurs ne voient pas ou cernent mal l'harmonisation nécessaire entre les activités de l'organisation et l'environnement changeant[30]. Cette situation s'est produite, par exemple, à Eurodisney en France. En effet, cette organisation a cru que sa culture du service à la clientèle pouvait s'appliquer partout dans le monde. Les employés français ont dû faire face à une série de contraintes et de normes paraissant à leurs yeux et à leurs syndicats comme autant de violations de la façon de travailler ici : des cheveux ne dépassant pas le col de chemise et les oreilles dégagées, ni moustache ni barbe, les ongles ne faisant pas plus de sept millimètres, un habillement uniforme, l'encouragement à la dénonciation des récalcitrants. Par ailleurs, les griefs des visiteurs sont les suivants : l'alcool est interdit et les attentes sont trop longues ; la nourriture n'est pas au goût des Français, etc. Ces facteurs, en plus des prix élevés, ont fait qu'après une année d'ouverture, seulement 6 % des gens de l'Île-de-France sont allés au parc[31].

Enfin, une culture très forte a tendance à étouffer les valeurs des sous-cultures différentes dans l'organisation, qui pourraient pourtant s'avérer utiles à mesure que l'environnement de l'organisation se transforme. À court terme, une culture forte peut étouffer les conflits constructifs (*voir le chapitre 13*).

Une culture souple

Jusqu'ici, nous avons appris qu'une culture forte est plus efficace quand les valeurs qu'elle préconise sont appropriées à l'environnement de l'organisation.

culture souple
Culture d'entreprise où le personnel se concentre sur les besoins changeants des clients et d'autres parties prenantes et soutient les initiatives nécessaires pour suivre le rythme de ces changements.

Mais une culture d'entreprise ne doit pas être forte au point d'aveugler les employés et de les empêcher de discerner d'autres points de vue ou d'étouffer complètement les sous-cultures divergentes. Une organisation a plus de chances de réussir si sa culture demeure souple[32]. Une **culture souple** est une culture où le personnel se concentre sur les besoins changeants des clients et d'autres parties prenantes et soutient les initiatives nécessaires pour suivre le rythme de ces changements.

Les experts de la culture organisationnelle commencent tout juste à comprendre les caractéristiques des cultures souples[33]. D'abord et avant tout, une culture souple se concentre sur l'extérieur. Les employés embrassent un modèle mental commun, selon lequel la réussite de l'organisation dépend de sa capacité à changer. Nortel Networks a délaissé les équipements de téléphonie pour se tourner vers Internet. Nokia a abandonné le papier hygiénique et les bottes de caoutchouc pour fabriquer des cellulaires. Ces deux entreprises conservent une culture souple parce que le personnel croit que le changement est à la fois nécessaire et inévitable.

Deuxièmement, les employés des entreprises qui ont une culture souple accordent autant d'attention au fonctionnement qu'aux objectifs de l'organisation. Ils améliorent sans cesse les processus internes (la production, le service à la clientèle, etc.). Troisièmement, ces employés ont développé un solide sentiment d'appartenance. Ils se sentent responsables de la performance de l'entreprise. En d'autres termes, ils croient en l'attitude qui consiste à penser « c'est notre boulot » plutôt que « ce n'est pas mon boulot ». Quatrièmement, les cultures souples sont proactives et rapides. Les employés cherchent activement de nouvelles possibilités au lieu d'attendre qu'elles viennent à eux. Ils agissent rapidement afin d'apprendre par la découverte plutôt que de céder à l'« analyse qui paralyse ».

La culture organisationnelle et l'éthique

La culture organisationnelle, avec d'autres facteurs, peut influencer le comportement éthique. En fait, les dirigeants canadiens reconnaissent la culture d'entreprise comme l'un des trois principaux facteurs qui influencent le comportement éthique au travail (les deux autres facteurs sont le leadership des cadres et l'engagement personnel par rapport aux principes éthiques[34]). Cette opinion est logique parce que, comme nous l'avons vu au chapitre 3, tout comportement jugé correct est régi par des valeurs morales. Une organisation peut donc guider la conduite de ses employés en y intégrant des valeurs éthiques à sa culture dominante.

Le rapport entre l'éthique et la culture d'entreprise est évident par exemple dans les entreprises accusées de discrimination ou de harcèlement sexuel. Ces entreprises possèdent en général une « culture sexuellement discriminatoire » qui appuie les règles en ce sens et entretient des attitudes qui entravent la carrière professionnelle des femmes[35]. Dans les cas extrêmes, la culture d'entreprise renforce la perception des employées en tant qu'objets sexuels, ce qui augmente les cas de harcèlement. C'est pourquoi ces entreprises doivent faire plus que mettre en œuvre des politiques et des pratiques visant à éliminer la discrimination à l'égard des femmes et les problèmes liés au harcèlement. Elles doivent modifier leur culture sous-jacente afin que ce changement reflète une perception égalitaire des hommes et des femmes. Jack Welch, ancien président et chef de la direction de GE, a eu le mérite d'établir une culture de développement de talents. Néanmoins, on lui a reproché de n'avoir pas promu beaucoup de femmes et de membres de minorités visibles aux plus hauts niveaux de la hiérarchie. Un effort est ici à faire pour modifier cette culture de discrimination dite systémique (c'est-à-dire pas nécessairement volontaire, mais réelle).

Une culture organisationnelle peut aussi engendrer des problèmes éthiques quand elle exerce un contrôle excessif sur le personnel. Toutes les organisations ont besoin d'exercer un certain contrôle afin de s'assurer que les actions des employés servent les objectifs de l'entreprise. Toutefois, comme l'encadré 16.5 permet de l'expliquer, quelques organisations imposent leurs valeurs culturelles avec tellement de force à leurs employés qu'elles risquent de devenir des entreprises-cultes. Ces entreprises s'emparent de la vie de leurs employés et leur volent leur individualité. C'est pourquoi la culture de l'entreprise doit être compatible avec les valeurs éthiques de la société et ne pas être forte au point de brimer la liberté individuelle.

FUSIONNER DES CULTURES ORGANISATIONNELLES

Billiton est une société ouverte à responsabilité limitée d'Afrique du Sud, et BHP est une entreprise située en Australie. Les dirigeants de ces deux sociétés avaient la culture organisationnelle en tête au moment de leur rencontre. Ils voulaient discuter d'une fusion qui engendrerait la plus importante société minière du monde. «Bien sûr, quand on envisage une fusion, on se demande, entre autres, si l'une des deux cultures va dominer ou s'il faudra en créer une nouvelle», souligne Tom Brown, directeur des ressources humaines chez BHP. «Bon nombre de fusions ne tiennent pas leurs promesses parce que les dirigeants n'ont pas considéré l'aspect humain ou culturel de l'entreprise.» Pour éviter que la fusion de BHP et de Billiton ne se solde par un échec, les deux entreprises ont mis sur pied un comité ayant pour mission de se pencher sur les questions culturelles et de planifier l'intégration des deux sociétés. Le comité a commencé par faire un «audit culturel» dans les deux entreprises. Ayant découvert que la culture des deux sociétés se trouvait dans une phase de transition, le comité a pu former une culture composite qui associait le meilleur des deux organisations [36].

En ce qui a trait à la culture d'entreprise, la fusion de BHP et de Billiton était sur la bonne voie. Malheureusement, les cas de ce genre sont rares. Au Canada et aux États-Unis, les fusions et les acquisitions ont atteint une valeur comptable de plus de 5 billions de dollars au cours des quatre dernières années. Ce montant équivaut presque aux produits intérieurs bruts annuels du Japon et de l'Allemagne combinés. Pourtant, plus des deux tiers des sociétés fusionnées ont donné une performance inférieure à celle de leurs pairs au cours des années qui ont suivi la fusion. Le principal problème tient au fait que les chefs d'entreprise sont tellement concentrés sur la logistique financière et l'aspect commercial de la fusion qu'ils omettent de vérifier si les cultures d'entreprise sont compatibles [37].

Le monde des entreprises est jonché de fusions ayant échoué ou ayant connu une gestation difficile parce que leurs cultures n'étaient pas harmonisées. Par exemple, Quebecor a subi le contrecoup de ses efforts pour imposer sa culture rigoureuse à SunMedia. Il semble que le moral du personnel soit tombé très bas. Ainsi, le roulement du personnel a augmenté parce que les employés du *Toronto Sun* et d'autres quotidiens de SunMedia ont eu du mal à s'adapter aux valeurs inflexibles de Quebecor [38]. «Ce sont les aspects humains qui font trébucher les fusions», a déclaré un dirigeant de AstraZeneca U.S., l'une des plus grosses

Quand une culture d'entreprise devient un culte d'entreprise

Andrew Brenner est encore bouleversé au souvenir de l'entrevue passée il y a quelques années en vue d'obtenir un poste juridique chez Microsoft. « Tous les avocats semblaient penser que c'était à prévoir... que Microsoft allait finir par dominer le monde entier », dit Andrew Brenner. En fin de compte, ce dernier a décidé de ne pas accepter le poste. « La culture de Microsoft est très forte. Trop forte pour moi. »

Bien qu'une foule d'auteurs semblent vanter les vertus des organisations qui ont une forte culture, quelques-uns craignent de voir certaines entreprises se transformer en entreprises-cultes. Un ouvrage récent sur ce sujet laisse entendre que les employés sont victimes d'un culte d'entreprise quand ils travaillent de longues heures, ont peu d'amis en dehors du milieu de travail, manifestent une attitude émotive à l'égard de leur emploi et n'arrivent plus à distinguer « qui je suis » de « ce que je fais ».

On a accusé Microsoft d'être une entreprise-culte. Certains employés vivent quasiment sur le campus de la société à Redmond, Washington. « Certains employés travaillent ici jour et nuit », dit un gestionnaire de Microsoft. « Le campus est organisé de manière à ce que les employés ne soient pas obligés de rentrer chez eux. » Consultancy McKinsey & Company a apparemment développé une culture aussi forte. Un cadre supérieur de l'entreprise précise : « C'est comme embrasser la religion catholique. Une fois qu'on est baptisé, on ne peut plus y échapper. » Un journaliste du *Financial Times* britannique insinue que la formation que l'entreprise donne aux nouvelles recrues tient du lavage de cerveau. « On dirait des moonistes », affirme le journaliste, référant aux adeptes de l'Église Unie. « Cela donne la chair de poule. »

Razorfish, une entreprise de services Internet professionnels, possède aussi toutes les caractéristiques d'une entreprise-culte. « On nous a accusés de créer une atmosphère de culte ici, mais pour nous, il y a Razorfish et les autres », déclare Len Seller, administrateur délégué du bureau de San Francisco. Len Sellers défend la forte culture de Razorfish, mais il explique aussi comment elle a envahi toute sa vie. « Autrefois, j'adorais faire de la voile, mais je n'ai pas mis les pieds sur un bateau depuis un an », reconnaît-il. « Avant, j'avais des copines, mais elles m'ont quitté parce qu'elles s'ennuyaient et se sentaient frustrées. J'avais un chat, mais il est allé vivre chez le voisin. C'est une chose de perdre son amie de cœur, mais c'en est une autre de voir partir son chat. »

Sources : T.C. Doyle, « New Economy, New Culture », *VarBusiness*, 10 juillet 2000, p. 26 ; J. Useem, « Welcome to the New Company Town », *Fortune*, 10 janvier 2000, p. 62-70 ; D. Arnott, *Corporate Cults*, AMACOM, New York, 1999 ; « The Cult of the Firm », *The Express on Sunday*, 15 août 1999.

www.microsoft.com

---

sociétés pharmaceutiques au monde, résultat de la fusion d'Astra AB et de Zeneca Group PLC. « Vous avez beau conclure l'entente parce qu'elle paraît formidable sur papier, si vous ne stimulez pas l'intérêt des employés de chaque organisation, vous n'atteindrez pas le degré de productivité nécessaire pour réussir[39]. »

L'audit biculturel

audit biculturel
Exercice qui consiste à comparer les cultures de deux entreprises avant une fusion ; elle permet de déterminer dans quelle mesure ces cultures pourront être compatibles.

Les chefs d'entreprise peuvent minimiser ces chocs culturels et remplir leur devoir en effectuant un audit biculturel, semblable à celui que BHP et Billiton ont effectué avant de fusionner. L'**audit biculturel** consiste à comparer les cultures de deux entreprises avant une fusion afin de déterminer dans quelle mesure ces cultures seront compatibles[40]. « Cette analyse [des aspects culturels] fait vraiment partie du devoir de diligence raisonnable », soutient Barry Briswell, chef de la direction de The Principal Financial Group, qui a acquis Bankers Trust Australia. Le chef de la direction de BT Funds Management, Ian Martin, abonde dans le même sens. « Les considérations culturelles sont demeurées prioritaires pendant tout le processus d'intégration avec The Principal », souligne Ian Martin. « La direction des deux sociétés s'est intéressée à la culture propre à chacune des organisations[41]. »

Des fusions célèbres

Chrysler — Daimler-Benz

Parmi d'autres exemples de fusions célèbres ayant échoué à cause de cultures difficilement compatibles figure celle de Chrysler (entreprise américaine) et Daimler-Benz (entreprise allemande). Les raisons qui permettent d'expliquer cet échec sont multiples. En premier lieu, il y avait des différences d'« architecture », c'est-à-dire dans l'organisation technique du travail. Chrysler se caractérisait par la rapidité, un design innovateur, beaucoup de sous-traitance avec un grand nombre de fournisseurs coopératifs et relativement autonomes, et l'accent mis sur la réduction des coûts. À l'opposé, les ingénieurs de Daimler-Benz devaient travailler étroitement avec les fournisseurs pour assurer une performance et une durabilité supérieures. Toutefois, cette attitude a eu pour effet de rendre difficile la production de masse, les modèles devenant chers à construire en comparaison, par exemple, aux modèles japonais concurrents (Lexus, Acura, Infiniti). Par ailleurs, le train de vie de la haute direction des deux entreprises contrastait énormément : les Allemands voyageaient en voiture de luxe et en première classe par avion, tandis que les Américains se contentaient de fourgonnettes et de la classe économique.

Abitibi-Price — Stone Consolidated

Avant qu'Abitibi-Price accepte de fusionner avec Stone Consolidated, la papetière a élaboré le MCEI, un indice permettant d'évaluer les cultures des entreprises qui prévoient fusionner. Ce système est censé aider une société à comparer sa culture avec celle d'autres sociétés semblables. Le MCEI compare plusieurs dimensions de la culture d'entreprise : la concentration et la diffusion du pouvoir, l'innovation et la tradition, la circulation restreinte ou large de l'information, la prise de décision par consensus et la prise de décision autoritaire. Les dirigeants d'Abitibi et de Stone ont rempli le questionnaire afin d'évaluer la culture de leurs entreprises respectives, puis ils ont comparé leurs résultats. Ces derniers, associés à des données financières et infrastructurelles, ont servi de fondement à la fusion des deux entreprises. La nouvelle société, dont le siège se trouve à Montréal, a été baptisée Abitibi Consolidated. C'est la plus importante papetière au monde[42]. Quels autres moyens les cadres peuvent-ils employer pour effectuer un audit biculturel avant une fusion ?

Photo : Ryan Remiorz, CP Photo

www.abicon.com

L'audit biculturel comporte des entrevues, des questionnaires, des groupes de discussion et un processus d'observation. Toutes ces mesures visent à relever les différences culturelles entre les sociétés qui désirent fusionner. Il englobe l'examen soigneux des artéfacts de chaque société, par exemple l'aménagement des bureaux, la facturation, la prise de décision et le partage de l'information. Ensuite, on analyse les données recueillies pour déterminer les différences entre les deux sociétés qui pourraient engendrer des conflits, et les valeurs communes qui constituent une base solide pour la culture de la nouvelle société. La dernière étape de l'audit biculturel est la mise au point de stratégies et de plans d'action destinés à intégrer les cultures des deux organisations.

Les stratégies de fusion

Dans certains cas, l'audit biculturel conduit à la décision de mettre fin au projet de fusion parce que les deux cultures sont trop différentes pour que la fusion réussisse.

Par exemple, GE Capital a renoncé à certaines acquisitions quand il est devenu clair que les valeurs culturelles des autres entreprises étaient incompatibles avec les siennes. Nortel Networks a décidé de ne pas s'associer avec Cisco Systems parce qu'elle n'était pas à l'aise avec les valeurs culturelles de cette société[43]. Toutefois, même si leurs cultures diffèrent d'une manière importante, deux sociétés peuvent former une union durable si elles utilisent une stratégie de fusion appropriée. Les quatre principales stratégies de fusion sont l'assimilation, la déculturation, l'intégration et la séparation (*voir le tableau 16.1*)[44].

L'assimilation   L'assimilation se produit quand les employés de la société acquise acceptent d'épouser les valeurs culturelles de la société acheteuse. Elle se produit souvent quand la société acquise possède une culture faible et dysfonctionnelle, alors que la culture de la société acheteuse est forte et axée sur des valeurs claires. Sun Microsystems a acheté un grand nombre de sociétés de moindre envergure en recourant à cette stratégie. Cette société californienne de haute technologie refuse d'assimiler des sociétés plus grosses parce qu'elle a beaucoup plus de difficulté à leur imposer sa culture dynamique[45]. Le choc des cultures est rare dans le cas d'une assimilation, car la culture de la société acquise est faible et son personnel cherche de meilleures valeurs culturelles.

La déculturation   La déculturation entraîne rarement une assimilation. En général, les employés résistent au changement, surtout si on leur demande de renoncer à leurs valeurs personnelles et culturelles. Dans ce cas, certaines sociétés acheteuses appliquent une stratégie de déculturation. Celle-ci consiste à imposer leur culture et leurs pratiques commerciales à la société acquise. La société

TABLEAU 16.1   Stratégies de fusion

Stratégie de fusion	Description	Est plus efficace quand :
Assimilation	La société acquise épouse les valeurs culturelles de la société acheteuse	La société acquise possède une culture faible
Déculturation	La société acheteuse impose sa propre culture à la société acquise	Rarement efficace : elle peut être nécessaire seulement si la culture de la société acquise est dysfonctionnelle, et que les employés ne s'en rendent pas compte
Intégration	Le fait de combiner deux cultures ou plus pour obtenir une nouvelle culture	Les cultures existantes nécessitent d'être améliorées
Séparation	Les sociétés qui fusionnent demeurent des entités distinctes ; elles échangent un minimum de valeurs culturelles ou de pratiques commerciales	Les sociétés réussissent dans des domaines différents qui exigent des cultures différentes

Source : Inspiré des idées de K.W. Smith, « A Brand-New Culture for the Merged Firm », *Mergers and Acquisitions*, n° 35, juin 2000, p. 45-50 ; de A.R. Malekazedeh et A. Nahavandi, « Making Mergers Work by Managing Cultures », *Journal of Business Strategy*, mai-juin 1990, p. 55-57.

acheteuse élimine les artéfacts et abolit les systèmes de récompense qui soutiennent l'ancienne culture. Souvent, les employés qui sont incapables d'adopter la culture de la société acheteuse sont licenciés.

Anderson Exploration Ltd. (qui fait désormais partie de Devon Exploration) a eu recours à cette stratégie quand elle a acheté Home Oil Co. Ltd. Mis à part le fait qu'elles avaient toutes les deux leur siège social à Calgary, les deux pétrolières différaient sur tous les autres plans. Home Oil aimait le prestige et la splendeur. Les dirigeants avaient leur propre salle à manger, leurs bureaux s'étalaient sur deux étages, et la société possédait une petite flotte d'avions et des œuvres d'art coûteuses. J.C. Anderson, le fondateur d'Anderson, a rapidement remplacé la culture de la société Home Oil par les valeurs efficaces et modérées qui dominaient chez Anderson Exploration. « Ils avaient leur culture, nous avions la nôtre », d'affirmer Anderson avec son franc-parler habituel. « La nôtre fonctionnait, mais pas la leur. À la fin de la journée, l'organisation fusionnée devait avoir une culture beaucoup plus proche de la nôtre[46]. »

La déculturation peut s'avérer nécessaire quand la culture de la société acquise est dysfonctionnelle, et que les employés n'en sont pas convaincus. Toutefois, cette stratégie donne rarement de bons résultats parce qu'elle augmente le risque de conflits socioaffectifs (*voir le chapitre 13*). Les employés de la société acquise résistent aux intrusions culturelles de la société acheteuse, ce qui retarde ou sape le processus de fusion.

L'intégration   Une troisième stratégie consiste à intégrer les cultures des deux sociétés. Il s'agit alors de les combiner pour obtenir une nouvelle culture. Celle-ci conserve les meilleurs aspects des anciennes cultures. L'intégration est lente et potentiellement risquée, car de nombreuses forces soutiennent la conservation des cultures existantes. Cependant, les sociétés qui possèdent des cultures relativement faibles ou qui nourrissent plusieurs valeurs communes devraient envisager cette stratégie. L'intégration est plus efficace quand les employés comprennent que leurs cultures existantes sont inefficaces, ce qui les motive à adopter un nouvel ensemble de valeurs dominantes.

La séparation   On parle de séparation quand les sociétés qui fusionnent acceptent de demeurer des entités distinctes et d'échanger un minimum de pratiques commerciales ou de valeurs culturelles. C'est ce qui est arrivé à Daimler Chrysler. Dans le cas de GM et Fiat, la séparation a plutôt pris la forme d'un « divorce », GM ayant abandonné le reste de la participation qu'elle détenait dans Fiat auto (les raisons de cette désunion sont également financières). Ces stratégies s'imposent quand les deux sociétés évoluent dans des secteurs distincts de l'industrie ou dans des pays différents. Des cultures distinctes au sein d'une organisation peuvent aussi conduire à la stratégie de séparation qu'est la défusion. Par exemple, certaines sociétés d'énergie se sont divisées en deux entités : l'une se consacre au secteur plus lent des services, tandis que l'autre se charge de l'exploration et des opérations commerciales, deux secteurs instables qui exigent une culture différente.

CHANGER ET CONSOLIDER LA CULTURE D'UNE ORGANISATION

Qu'il s'agisse de fusionner deux cultures ou de remodeler les valeurs existantes d'une société, les chefs d'entreprise doivent savoir comment changer et renforcer la culture dominante de l'organisation. En effet, les changements sont efficaces quand ils deviennent « la manière dont on fait les choses ici[47] ».

Changer une culture d'entreprise requiert la panoplie des outils de gestion du changement que nous étudierons au chapitre 17. Les chefs d'entreprise doivent rendre leurs employés conscients de l'urgence du changement. Ensuite, ils doivent « dégeler » la culture existante en éliminant les artéfacts qui la symbolisent et « recongeler » la nouvelle culture en y introduisant des artéfacts qui véhiculent et renforcent les nouvelles valeurs.

Renforcer la culture organisationnelle

Les artéfacts véhiculent et renforcent la nouvelle culture d'entreprise, mais il faut aussi examiner d'autres façons de la consolider davantage. Cinq approches sont souvent proposées dans les ouvrages sur le sujet : les actions des fondateurs et des dirigeants, la distribution de récompenses compatibles avec la culture, le maintien d'une main-d'œuvre stable, la gestion du réseau culturel et, enfin, la sélection et la socialisation des nouveaux employés (*voir la figure 16.3*).

Les actions des fondateurs et des dirigeants   Les fondateurs établissent la culture de l'organisation[48]. C'est ce qui se passe au Four Seasons Hotel and Resorts, où le fondateur, Isadore Sharp, a créé une culture axée sur le respect mutuel et le service à la clientèle. Les fondateurs mettent sur pied des systèmes et des structures qui soutiennent leurs valeurs personnelles. En général, ce sont aussi des visionnaires dont l'attitude énergique constitue un modèle pour les autres.

Les fondateurs d'entreprises ou les leaders très forts laissent des valeurs puissantes dont les applications survivent bien après leur départ. Ainsi, les valeurs des fondateurs de Johnson & Johnson, même si aujourd'hui elles apparaissent naïves, sont encore bien vivantes (être un bon citoyen, être charitable, payer sa part d'impôts raisonnable, etc.). Les valeurs de l'entreprise Disney, malgré la fusion de cette dernière avec d'autres entreprises étrangères à sa mission première, sont fidèles à celles de son fondateur. Walt Disney préconisait essentiellement un engagement envers le divertissement familial.

FIGURE 16.3

Stratégies visant à renforcer la culture de l'entreprise

Malgré l'influence du fondateur, il arrive que les dirigeants qui lui succèdent éloignent l'organisation des valeurs adoptées au départ. C'est le cas lorsque les dirigeants appliquent les principes du leadership transformationnel (*voir le chapitre 14*). Les leaders transformationnels modifient et renforcent la culture de l'organisation en communiquant et en mettant en pratique leur vision de l'avenir[49]. Ainsi, Carly Fiorina a essayé de changer la culture de la société Hewlett-Packard, car elle croyait que les employés de la société se cachaient derrière cette culture pour éviter de prendre des décisions difficiles. « L'expression "la manière H-P" est devenue une façon de résister au changement et aux idées radicales », affirmait l'ex-p.-d.g. de cette entreprise. « L'une des choses que j'ai pu faire en tant qu'étrangère à la société a été de la remettre en question[50]. »

La distribution de récompenses compatibles avec la culture   Les systèmes de distribution de récompenses renforcent la culture d'entreprise quand ils sont en accord avec les valeurs culturelles[51]. Ainsi, Husky Injection Molding Systems a mis sur pied un programme d'encouragement qui soutient sa culture écologiste. Les employés reçoivent un vingtième d'une action pour chaque plantule qu'ils mettent en terre, une action pour chaque mois où ils font du covoiturage et ainsi de suite. La société ajuste ainsi les récompenses qu'elle offre à son personnel aux valeurs culturelles qu'elle souhaite renforcer.

Le maintien d'une main-d'œuvre stable   La culture d'une organisation est gravée dans l'esprit du personnel. Les histoires qui circulent au sein des organisations sont rarement consignées par écrit. En général, les rituels et les cérémonies ne figurent pas dans les manuels de procédés et méthodes, les métaphores non plus. Par conséquent, les organisations comptent sur une main-d'œuvre stable pour transmettre et renforcer ses croyances et ses valeurs dominantes. La culture de l'entreprise peut se désintégrer pendant les périodes de roulement élevé et de réduction précipitée des effectifs, car la mémoire de l'organisation « part » avec les employés[52]. Inversement, les chefs d'entreprise désireux de modifier la culture de l'organisation accélèrent le roulement des cadres supérieurs et des employés plus anciens qui maintenaient en place la culture précédente.

La gestion du réseau culturel   Comme la culture organisationnelle est acquise, il faut un réseau de transmission efficace pour renforcer les postulats, les valeurs et les croyances sous-jacentes de l'organisation. Si on en croit Max De Pree, ancien chef de la direction du fabricant de meubles Herman Miller Inc., toute organisation a besoin de « conteurs tribaux » pour garder vivantes son histoire et sa culture[53]. La culture se transmet de bouche à oreille. Elle est aussi soutenue par les fréquentes possibilités d'interaction au cours desquelles les employés peuvent se raconter des histoires et observer des rituels. Les cadres supérieurs doivent se « brancher » sur ce réseau culturel, communiquer leurs propres histoires et créer de nouvelles cérémonies et des occasions qui mettent l'accent sur les valeurs communes de l'organisation. Les bulletins d'entreprise et d'autres moyens de communication peuvent aussi renforcer la culture organisationnelle.

L'encadré 16.7 présente le rituel d'une partie de la matinée chez Wal-Mart, raconté par une ancienne chef du personnel dans cette entreprise.

La sélection et la socialisation des employés   Dernièrement, des analystes de Bristol-Myers ont remarqué que les cadres provenant de l'extérieur réussissaient moins bien que ceux qui étaient promus à l'intérieur de la société. En moins d'une

Une journée typique chez Wal-Mart

Permettez-moi de vous exposer ce qui était pour moi une journée typique de travail, comme gérante du personnel au Wal-Mart de New York. D'abord, je devais arriver au magasin pour huit heures trente au plus tard. Pendant la séance quotidienne de motivation des employés, qui débutait à neuf heures moins quart, je donnais les nouvelles, toujours positives, de Wal-Mart. Ensuite, le gérant ou un assistant gérant révélait les résultats obtenus pour les ventes de la veille. Enfin, je procédais, à la façon enthousiaste des meneuses de claque, à l'appel des lettres :

— Donnez-moi un W !
— Donnez-moi un A !
— Donnez-moi un L !
— Donnez-moi un *twist* (trait d'union) !
— Donnez-moi un M !
— Donnez-moi un A !
— Donnez-moi un R !
— Donnez-moi un T !

Qu'est-ce que ça fait ?
Wal-Mart !

Plus fort ! J'ai pas compris.
WAL-MART !

C'est qui le numéro un ?
Le client !

C'est quoi le meilleur magasin ?
New York !

Bonne journée !

Source : S. Dufour-Koelbl, *La planète Wal-Mart : témoignage d'une ex-gérante du personnel : récit de vie*, Montréal, Les éditions Atmosphère inc.

---

année, beaucoup ont démissionné ou ont été licenciés. Ben Dowell, qui dirige le Centre de développement du leadership de Bristol-Myers, s'est penché sur la question. Il a conclu ce qui suit : « J'ai constaté que ceux qui partaient n'étaient pas à l'aise avec notre culture ou transgressaient certaines de nos valeurs fondamentales. » À la suite de cette découverte, Bristol-Myers a défini sa culture d'entreprise : celle-ci est orientée vers le travail d'équipe, en accord avec la mission fondamentale de l'organisation qui est la recherche et le développement. Désormais, la société passe les candidatures au crible pour s'assurer que les postulants nourrissent des valeurs compatibles avec les siennes[54].

Bristol-Myers et une foule d'autres organisations renforcent leur culture d'entreprise en engageant des candidats dont les croyances, les valeurs et les postulats sont semblables aux leurs. Elles ont compris que les employés adoptent plus facilement la culture de l'entreprise quand leurs valeurs personnelles s'accordent avec celles de l'entreprise. Ainsi, leur satisfaction professionnelle et leur loyauté s'accroissent. En effet, les nouvelles recrues dont les valeurs sont compatibles avec celles de l'entreprise s'adaptent plus facilement[55].

Par ailleurs, les candidats sont aussi plus attentifs à la culture de l'entreprise pendant le processus d'embauche. Une enquête a révélé que les candidats posaient plus de questions sur la culture de l'entreprise que sur tout autre sujet, exception faite du salaire et des avantages sociaux[56]. Les sociétés ont compris que les employés doivent être à l'aise avec les valeurs de l'entreprise, et pas seulement avec leurs fonctions et leurs horaires.

C'est pour cette raison que les candidats doivent examiner les artéfacts propres à la culture de l'organisation à laquelle ils veulent se joindre. S'ils arrivent à déchiffrer la culture dominante de cette organisation, ils seront à même de déterminer si ses valeurs sont compatibles avec les leurs.

Outre le fait de sélectionner des candidats dont les valeurs sont en accord avec les leurs, les sociétés maintiendront une culture forte s'ils socialisent leurs nouvelles recrues (*voir le chapitre 9*). En effet, quand ils communiquent les valeurs dominantes de l'organisation, les candidats et les nouvelles recrues assimilent ces valeurs plus rapidement et plus profondément. Par exemple, IKEA, le fabricant scandinave de meubles et d'accessoires de maison, organise des «journées de la culture». Durant ces journées, les employés reprennent contact avec les valeurs dominantes de la société: l'économie, le travail assidu, la loyauté et la créativité [57].

Dans ce chapitre, nous avons appris que la culture organisationnelle est puissante et omniprésente. Pour les chefs d'entreprise, elle est soit un moteur de changement, soit un obstacle insurmontable au changement. Pour les employés, elle est soit le ciment qui unit les gens, soit une force qui les éloigne de l'organisation. Les artéfacts qui symbolisent et renforcent la culture existante sont si nombreux que remplacer les valeurs courantes exige un effort monumental. La gestion efficace du changement que nous explorerons dans le prochain chapitre nous éclairera davantage à cet effet.

Les cultures internes des organisations ne peuvent se comprendre totalement indépendamment des cultures nationales et des valeurs de la société ambiante. C'est pourquoi nous terminerons ce chapitre avec l'examen de ces deux caractéristiques, dans l'optique d'une gestion multiculturelle efficace.

LES CULTURES NATIONALES ET LA GESTION INTERCULTURELLE

La globalisation de l'économie, la mobilité des cadres et la prise en compte de la diversité de la main-d'œuvre mettent en évidence la nécessité de tenir compte des cultures nationales. La connaissance et la sensibilité aux valeurs de différentes cultures permettent de relativiser la portée des principes de gestion que l'on croit à tort universels, d'éviter les incompréhensions avec la société d'accueil environnante, voire les conflits. De plus, cette connaissance et le respect des différentes cultures permettent tout simplement de répondre à des impératifs stratégiques (pénétrer un nouveau marché, par exemple) et d'efficacité.

Nous présentons dans la partie suivante un résumé des différentes typologies des dimensions des cultures nationales, catégories généralement issues de recherches sur les valeurs, souvent menées par des anthropologues. Nous verrons les catégories de Kluckhorn et Strodtbeck, de Hofstede, de Trompenars et de Hall et Hall.

La typologie de Kluckhorn et Strodtbeck

Ces anthropologues expliquent les différences culturelles selon la façon dont les sociétés conçoivent leur environnement et résolvent les problèmes qu'il suscite [58]. Ils considèrent six types de problèmes fondamentaux.

La relation avec la nature: soumission, harmonie et domination   Les sociétés se percevant soumises à la nature, qu'elles jugent immuable, voient le changement comme futile. Celles qui vivent en harmonie avec elle croient qu'on doit changer son comportement pour s'y adapter. Les sociétés pensant dominer la nature valorisent la suprématie de l'être humain.

Le rapport au temps: orientation vers le passé, le présent ou le futur
Les sociétés orientées vers le passé se tournent vers lui pour trouver des solutions aux questions présentes; celles orientées vers le présent donnent de l'importance aux effets immédiats de leurs actions et celles orientées vers le futur pensent à ces

effets-là à long terme (par exemple, le report des gratifications, le souci de ce qui arrivera aux futures générations, etc.).

La relation à la nature humaine : bonne, mauvaise ou diverse   Les sociétés qui considèrent la nature humaine comme fondamentalement mauvaise mettront l'accent sur le contrôle des comportements, les règles et les règlements. Celles qui croient en sa bonne disposition feront confiance à autrui et se fieront aux accords verbaux et à la parole donnée. Les cultures convaincues d'une nature humaine fluctuante (à la fois bonne et mauvaise) trouveront des moyens de contrôler le comportement humain, encourageant les conduites désirées et sanctionnant les autres.

La relation à l'action : être, faire ou contrôler   Les sociétés orientées vers l'« être » sont tournées vers les émotions et la spontanéité ; celles qui sont orientées vers le « faire » privilégient l'action, l'accomplissement de tâches ; celles qui valorisent le contrôle se tournent vers la modération et l'ordre et tentent de trouver un équilibre entre les différentes activités de la vie.

Le rapport aux relations humaines : individualisme, grégarité ou cogrégarité   Les sociétés individualistes croient que les personnes doivent être indépendantes et responsables de leurs actions ; les sociétés grégaires tiennent aux liens familiaux et aux structures de pouvoir de cette société ; les « cogrégaires » valorisent les interactions de groupes.

La relation à l'espace : espace privé, espace public   Les sociétés considérant l'espace comme privé vont le découper de manière à se préserver une sorte de territoire qui leur appartienne. L'espace public appartient au contraire à tout le monde. Par exemple, la possession de bureaux, de matériel à son nom ou d'une place de stationnement sont autant de délimitations de l'espace personnel. La distance à laquelle se tiennent deux personnes qui se parlent ou se côtoient varie également selon les cultures. Les Anglo-Saxons et les Canadiens (anglophones et francophones) se tiennent à une distance moyenne, tandis que les Japonais préfèrent maintenir une plus grande distance, même si leur espace est plutôt « public » en général. En ce qui concerne les valeurs japonaises d'ailleurs, on peut constater dans l'encadré 16.8 qu'un changement de culture ne s'improvise pas, même avec l'exemple du « chef ». La réticence ici est probablement un reflet de la dimension de la distance hiérarchique et de l'espace social japonais.

La sensibilité à ces dimensions peut donner des indices de comportement adapté. Par exemple, la planification stratégique peut tenir compte des orientations temporelles ; l'organisation physique des bureaux peut refléter la dimension spatiale locale ; la façon de diriger les ressources humaines peut s'adapter aux conceptions de la nature humaine ainsi qu'aux modes d'interaction des individus.

Le modèle de Hofstede

La typologie de Geert Hofstede, commencée en 1980[59], est la plus connue de par son envergure. En effet, ce chercheur néerlandais a mené une étude qui a touché une soixantaine de pays et a interrogé près de 160 000 cadres et employés d'IBM qui y travaillent. Hofstede s'est aperçu que l'origine culturelle expliquait mieux les valeurs et les attitudes au travail de chacun que ne le font d'autres variables comme le niveau hiérarchique, l'âge ou le sexe.

L'analyse des différences d'attitudes lui a permis de dégager cinq dimensions principales de la culture, évoquées pour la plupart précédemment, mais mesurées plus précisément : le couple individualisme-collectivisme, la distance hiérarchique, l'élimination de l'incertitude, le couple masculinité-féminité et la dimension temporelle. Nous rapporterons également des travaux plus récents sur ces concepts.

L'individualisme et le collectivisme   Aucune valeur interculturelle n'a reçu autant d'attention – ni fait l'objet d'autant de controverses et de malentendus – que l'individualisme et le collectivisme. L'**individualisme** est le degré d'importance qu'une personne accorde à l'indépendance et au caractère unique de chacun. Les personnes très individualistes privilégient la liberté personnelle, l'autonomie, la maîtrise de leur propre vie et le fait d'être appréciées pour leurs qualités uniques. Le **collectivisme** est le degré d'importance qu'une personne accorde à son appartenance et à ses obligations envers les groupes auxquels elle appartient et à l'harmonie au sein de ces groupes[60]. Le collectivisme se range dans la catégorie des valeurs associées à la continuité (sécurité, tradition, conformisme, dépendance, évitement de conflits trop intenses). L'esprit communautaire et les préoccupations morales sont fort développés dans les sociétés à valeurs dites collectivistes.

On pourrait penser, en lisant ces définitions, que l'individualisme et le collectivisme sont des valeurs opposées. Jusqu'à tout récemment, c'est ce que croyaient de nombreux chercheurs. Toutefois, d'autres travaux démontrent qu'en réalité, ces deux valeurs peuvent coexister[61]. Ainsi, certaines personnes ou cultures favorisent à la fois l'individualisme et un haut degré de collectivisme, comme au Pérou (*voir la figure 16.4*).

Des chercheurs comme Oyserman *et al.*[62] reclassent les cultures nationales dans des méta-analyses, selon une sorte de grande synthèse des travaux de plusieurs chercheurs. Par exemple, dans quelle mesure les Canadiens sont-ils individualistes ou collectivistes ? La figure 16.4 montre que les Canadiens de souche européenne sont relativement plus individualistes que les habitants de la plupart des autres pays. Seules les populations de certains pays sud-américains (comme le Chili et le Pérou) le sont davantage. La figure 16.4 montre également que ces Canadiens sont assez peu collectivistes. Par ailleurs, des pays comme l'Italie, Taiwan, le Pérou, le Zimbabwe et le Portugal sont plus collectivistes que le Canada.

Fait remarquable, cette figure montre que les Japonais sont moins collectivistes que la plupart des autres cultures. Cela contraste vivement avec les affirmations contraires traditionnelles. L'explication réside dans le fait qu'une importante étude menée il y a 20 ans identifiait le Japon comme un pays collectiviste, mais donnait au collectivisme une définition très éloignée de la définition actuelle de ce terme[63]. Voyons maintenant les autres dimensions de Hofstede.

D'autres valeurs interculturelles

Les spécialistes des organisations ont étudié un grand nombre d'autres valeurs interculturelles, mais quatre d'entre elles prédominent et rejoignent celles de Hofstede : la distance hiérarchique, le contrôle de l'incertitude, la masculinité ou la féminité, et l'orientation à court ou à long terme[64].

■ *La distance hiérarchique*   La **distance hiérarchique** est la mesure dans laquelle une personne accepte que la répartition du pouvoir soit inégale

---

individualisme
Degré d'importance qu'une personne accorde à l'indépendance et au caractère unique de chacun.

collectivisme
Degré d'importance qu'une personne accorde à ses obligations envers les groupes auxquels elle appartient et à l'harmonie au sein de ces groupes.

distance hiérarchique
Mesure dans laquelle une personne accepte que la répartition du pouvoir soit inégale dans une société.

Tenue décontractée : réticences dans la classe politique japonaise. On ne décrète pas un changement de culture !

Agence France Presse

Tokyo – Des réticences sont apparues au sein de la classe politique japonaise, hier, jour du lancement d'une campagne baptisée Cool biz, qui incite les fonctionnaires à opter pour des tenues décontractées cet été, en vue de réduire la consommation d'air conditionné.

Malgré l'apparition du premier ministre japonais, Junichiro Koizumi, en chemise bleue col ouvert et pantalon couleur pâle, certains hauts responsables n'ont pu se départir de leur immuable complet-veston gris.

« Il est très agréable d'abandonner la cravate », a déclaré M. Koizumi en prenant la pose devant les photographes, hier, à l'ouverture de cette campagne, dont le sujet a fait la une du journal de la mi-journée de la chaîne de télévision publique japonaise, NHK.

Son bras droit et porte-parole du gouvernement, Hiroyuki Hosoda, est apparu lors de son point de presse quotidien vêtu d'une chemise bleu clair.

« J'espère que les tenues décontractées seront en vogue les jours de chaleur que nous ne subirons ainsi plus », a déclaré M. Hosoda.

Mais la Cool biz ne fait pas encore l'unanimité.

Arborant son habituel complet-veston sombre, un haut responsable du Parti libéral démocrate au pouvoir, Toranosuke Katayama, a ainsi déclaré qu'il resterait fidèle à son code vestimentaire, à moins que le gouvernement n'impose formellement les tenues décontractées.

D'autres responsables ont également laissé entendre qu'ils n'appliqueraient pas la consigne.

Le premier ministre japonais Junichiro Koizumi, photographié hier en tenue décontractée*.

AFP/Getty Images

Le gouvernement japonais a récemment invité l'ensemble des fonctionnaires à troquer leur complet-veston cet été contre des tenues décontractées dans le cadre de la campagne mondiale contre le réchauffement climatique.

Les fonctionnaires nippons sont appelés à montrer l'exemple pour encourager la population à ne pas faire usage de l'air conditionné, grand consommateur d'électricité.

* M. Koizumi n'est plus en fonction depuis 2006.

Source : La Presse, 2 juin 2005.

---

dans une société. Les individus pour qui cette valeur est forte acceptent ou privilégient l'inégalité du pouvoir, tandis que ceux pour qui elle est faible apprécient un partage du pouvoir relativement égal. Dans les cultures marquées par une forte distance hiérarchique, les employés contestent rarement les ordres de leurs supérieurs, et les conflits sont résolus par les règles, les règlements et les voies hiérarchiques officielles. En revanche, les cultures caractérisées par une faible distance hiérarchique préfèrent la gestion participative ; les conflits sont réglés par les réseaux personnels et les alliances [65].

contrôle de l'incertitude

Mesure dans laquelle une personne tolère l'ambiguïté ou l'incertitude.

■ *Le contrôle de l'incertitude* Le **contrôle de l'incertitude** est la mesure dans laquelle une personne ou une société tolère l'ambiguïté. Si la tolérance est forte, on parle alors de faible degré de contrôle de l'incertitude. Dans le cas contraire, on parle de fort contrôle de l'incertitude. Les employés qui se situent dans cette dernière catégorie apprécient les situations structurées où les règles qui régissent

FIGURE   16.4

Individualisme et
collectivisme dans
certains pays

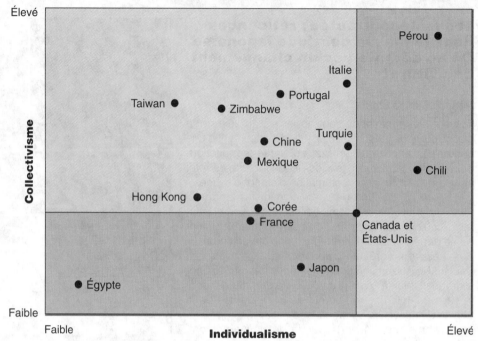

Source : Basé sur les renseignements contenus dans l'article de D. Oyserman, H.J. Coon et M. Kemmelmeier,
« Rethinking Individualism and Collectivism : Evaluation of Theoretical Assumptions and Meta-Analyses »,
Psychological Bulletin, n° 128, 2002, p. 3-72. Les pays précisés ici représentent seulement un échantillon
des pays étudiés dans la méta-analyse de l'auteur.

Remarque : D. Oyserman a combiné le Canada (anglophone) et les États-Unis parce que des recherches
récentes ont révélé que les deux pays présentent à peu près le même degré d'individualisme et de collectivisme. Les données concernant ces deux pays se rapportent uniquement aux individus de souche européenne.

la conduite et la prise de décision sont claires et nettes. En général, ils préfèrent
les communications directes plutôt que les messages indirects ou ambigus.

■ *La masculinité et la féminité*   Les cultures dites masculines privilégient le travail comme un moyen de s'affirmer ; il est le produit de l'ambition personnelle,
synonyme de carrière et de désir d'acquisition de biens matériels[66]. On y apprécie
la dureté des comportements (on ne montre pas ses sentiments), et on y donne la
préférence aux décisions prises individuellement. Au contraire, dans les cultures
féminines, on voit le travail comme une occasion de créer des relations de
coopération et de cordialité avec autrui. La préservation de son environnement et
la qualité de vie au travail sont d'autres caractéristiques des cultures féminines.
L'étude de Hofstede montre que l'indice de masculinité est le plus fort au Japon,
suivi de près par les pays germaniques, l'Italie, le Venezuela, le Mexique et la
Colombie. Les pays anglo-saxons et asiatiques se situent dans la moyenne. Les pays
latins, y compris le Pérou et le Chili, et les pays d'Afrique noire sont de culture
féminine, surpassés de loin par les pays scandinaves et les Pays-Bas.

■ *L'orientation temporelle : le long ou le court terme*   Ces dimensions ont déjà été
évoquées avec Kluckhorn et Strodtbeck[67]. Les individus qui ont une orientation à
long terme réfléchissent davantage au futur qu'au passé et au présent. Elles
privilégient l'économie, l'épargne et la persévérance. Par contre, les personnes qui

Le choc des cultures : un cadre américain d'une multinationale au Mexique

Lecture du cadre américain (M. Smith) de certaines situations	Lecture d'un cadre mexicain (M. Gonzalez) de ces mêmes situations
J'ai rencontré les cadres supérieurs, mais j'étais trop occupé pour rencontrer aussi les superviseurs.	M. Smith n'a même pas pris le temps de rencontrer les superviseurs, qui se sont sentis peu considérés.
J'ai renforcé les normes de ponctualité (beaucoup étaient en retard le matin), et les Mexicains prennent des jours pour solutionner des problèmes. Mes réunions ont un ordre du jour précis qu'ils ne suivent pas. Les Mexicains improvisent.	M. Smith est obsédé par le temps. Il dit : « Le temps c'est de l'argent. » Il est devenu très sévère sur la ponctualité et les heures de travail. Il n'a aucune compréhension pour les employés qui utilisent un réseau de transport inefficace et il ne reconnaît pas que plusieurs restent tard après les heures. Il nous prend pour des robots.
J'ai offert une promotion à un cadre au nord de Mexico. Il a refusé pour des raisons familiales. Quel manque d'ambition ! J'ai mis au point un système de recrutement par compétences, car ici, beaucoup d'employés recommandent des membres de leur famille ou des amis.	Pour M. Smith, amis et famille n'existent pas. Le temps de vivre non plus. Le travail, le travail, le travail ! On recommande les membres de notre famille car on sait qu'ils sont honnêtes et compétents. Notre réputation est en jeu.
J'ai réprimandé un superviseur qui enseignait à son subordonné une fausse manœuvre. De plus, ils trouvent toujours des explications à leurs erreurs et s'excusent sans arrêt.	L'autre jour, M. Smith a humilié un superviseur devant ses subordonnés, plus jeunes que lui en plus. Il n'est pas rentré le lendemain. M. Smith n'apprécie pas qu'on reconnaisse nos erreurs et ne veut pas écouter des explications raisonnables.
J'ai voulu faire une réunion informelle, sans cravate et sans veste, et mes cadres sont arrivés avec !	Pendant la réunion, M. Smith a mis les pieds sur le bureau. Quel manque de courtoisie ! Nous sommes arrivés bien habillés car nous rencontrions le grand patron.

Quelles dimensions de Hofstede caractérisent la culture de travail américaine et mexicaine ?

Source : Adapté du cas « Two letters » tiré de Eva S. Kras, *Management in two cultures : Bridging the gap between U.S. and Mexican managers,* Yarmouth, Maine, Intercultural Press, 1989.

ont une orientation à court terme mettent plus l'accent sur le passé et le présent ; elles respectent les traditions et remplissent leurs obligations sociales.

Dans l'encadré 16.9, il est question de la perception qu'a un cadre supérieur (M. Smith) du comportement des employés mexicains d'une entreprise multinationale américaine installée dans leur pays. Dans la colonne de gauche, on voit la lecture de la culture mexicaine faite par M. Smith fraîchement arrivé au pays et, dans la colonne de droite, la perception d'un cadre mexicain de ces mêmes comportements. La méconnaissance de la culture mexicaine de M. Smith et sa propension à vouloir appliquer un modèle culturel (des États-Unis) de la gestion qu'il juge probablement universel peuvent faire naître des conflits, comme le représente cet encadré.

Le tableau 16.2 fournit la meilleure estimation de la manière dont le Canada se compare à d'autres cultures en ce qui touche ces quatre valeurs. Dans l'ensemble, les Canadiens se caractérisent par une faible distance hiérarchique et une orientation à court terme. Ils sont moyennement orientés vers la masculinité et

TABLEAU 16.2	Comparaison entre certaines valeurs culturelles du Canada et d'autres pays

Pays	Distance hiérarchique	Contrôle de l'incertitude	Masculinité et féminité	Orientation à long ou court terme
Canada	Faible	Faible	Masculine	Court terme
Chine	Élevé	Moyen	Moyen	Court terme
France	Élevé	Élevé	Moyen	Court terme
Japon	Moyen	Élevé	Masculine	Long terme
Pays-Bas	Faible	Moyen	Féminine	Moyen terme
Russie	Élevé	Élevé	Féminine	Court terme

Sources : Basé sur les articles de G. Hofstede, « Cultural Constraints in Management Theories », *Academy of Management Executive*, nº 7, 1993, p. 81-94 ; et de G. Hofstede, « The Cultural Relativity of Organizational Practices and Theories », *Journal of International Business Studies*, nº 14, automne 1983, p. 75-89. Dans les échelles de « masculinité-féminité » et « orientation à long ou court terme », « moyen » indique que le pays se situe au milieu des deux pôles de cette dimension. L'orientation à court terme attribuée au Canada a été déduite des données concernant les États-Unis.

affichent un faible contrôle de l'incertitude (c'est-à-dire qu'ils peuvent tolérer l'ambiguïté). Ce tableau permet de comparer les valeurs entre les cultures, mais il est loin d'être sans défaut. En effet, les données concernant les trois premières échelles ont été recueillies auprès d'employés d'IBM du monde entier, il y a plus de 25 ans, et la quatrième échelle est basée sur un échantillon d'étudiants. Toutefois, il se peut que ni les employés d'IBM ni les étudiants ne soient représentatifs de l'ensemble de la population à l'étude[68].

Les recherches sur les valeurs interculturelles posent problème. En effet, elles sont fondées sur l'hypothèse selon laquelle tous les individus d'une société épousent les mêmes valeurs culturelles. Cette hypothèse peut être vraie dans quelques pays, mais pas dans un pays multiculturel comme le Canada. Une enquête sociale récente (Adams, 2001) divisait les Canadiens en 13 groupes assez distincts en ce qui concerne les valeurs sociales. D'autres recherches ont mis en lumière des degrés très variés d'orientation à court et à long terme aux États-Unis, en Australie et au Chili. L'attribution de certaines valeurs à une société tout entière entraîne une forme de généralisation qui limite notre compréhension de la réalité plus complexe de cette société[69].

Les valeurs canadiennes

Les valeurs ne sont pas tout à fait semblables entre les francophones et les anglophones du Canada.

Les valeurs des Canadiens anglophones Wal-Mart, une société américaine, est devenue le plus grand magasin de détail au Canada depuis son établissement dans ce pays il y a plus d'une décennie. Toutefois, elle s'est souvent heurtée aux valeurs culturelles du Canada en cours de route. Les formules d'accueil enthousiastes à l'américaine sonnent faux à l'oreille des Canadiens, et les acclamations que les employés doivent pousser tous les matins leur font trop penser à un endoctrinement. De plus, les Canadiens ne voyaient pas d'un bon œil la vente de fusils dans des grands magasins[70]. Wal-Mart a découvert que les valeurs canadiennes différaient d'une manière subtile mais bien réelle des valeurs de leurs voisins américains. Les sondages ont permis d'identifier avec précision le caractère distinct des valeurs canadiennes.

Une différence notable, selon Environics Research, une entreprise torontoise de sondage, tient au fait que les Canadiens sont moins respectueux que les Américains de l'autorité patriarcale et institutionnelle. Il suffit de considérer les chiffres suivants. Il y a 20 ans, 42 % des Canadiens se disaient d'accord ou tout à fait d'accord avec l'affirmation suivante: «Le père de famille doit être le maître de son foyer.» En 1992, ce pourcentage était tombé à 26 % et il atteint seulement 20 % aujourd'hui. En revanche, 48 % des Américains sont d'accord ou tout à fait d'accord avec cette affirmation aujourd'hui, et ce taux représente une légère hausse par rapport au taux de 42 % enregistré une décennie plus tôt. En d'autres termes, tandis que les Canadiens se sont distanciés de l'autorité patriarcale traditionnelle, les Américains embrassent cette valeur encore plus étroitement que dans un passé récent[71]!

La préférence des Canadiens pour l'égalitarisme plutôt que pour l'autorité patriarcale est confirmée par d'autres enquêtes. Celles-ci ont mis en lumière le fait que les Canadiens sont plus libéraux que les Américains. Ces enquêtes indiquent également que les Canadiens accordent une plus grande valeur aux droits collectifs, au rôle du gouvernement dans la société, à la diversité et à la tolérance[72]. Nous avons adopté le multiculturalisme et soutenons une mosaïque culturelle plutôt qu'une société trop homogène. Par contre, les enquêtes sur les valeurs sociales indiquent que les Américains sont plus conservateurs et plus idéalistes. Ils sont aussi, d'une certaine façon, plus moralistes, individualistes et matérialistes que les Canadiens[73]. Les Américains appuient la diversité culturelle depuis quelques années, mais sans doute pas autant que les Canadiens. Par exemple, l'ancien premier ministre canadien Joe Clark a même présidé un défilé de la fierté gaie à Calgary.

Les valeurs des Canadiens francophones   Comme nous l'avons mentionné plus tôt, divers pays, dont le Canada, abritent un certain nombre de cultures. Les Canadiens anglais et français constituent l'une des plus anciennes sources de diversité culturelle dans ce pays[74]. Historiquement, les Canadiens français (principalement de souche québécoise) étaient reconnus comme étant moins matérialistes et plus collectivistes, plus traditionnels et plus respectueux de l'autorité (distance hiérarchique plus grande) que les Canadiens anglais. De plus, des études menées à la fin des années 1970 ont révélé que les francophones étaient davantage orientés vers le besoin d'accomplissement que les anglophones[75].

Cependant, il faut préciser que ces premières observations ne reflètent sans doute pas fidèlement les valeurs des anglophones et des francophones d'aujourd'hui. Les différences entre les valeurs culturelles de ces deux groupes ont fait l'objet de quelques études au cours des dernières années. Les deux cultures présentent une certaine convergence en ce qui a trait à quelques valeurs clés. Par exemple, une étude rapportait que les Canadiens anglophones et francophones sont plus proches les uns des autres que des Américains en ce qui a trait aux valeurs relatives au bonheur. Une autre étude a mis en évidence le fait que les cadres masculins de la fonction publique canadienne, tant anglophones que francophones, affichaient des degrés semblables d'individualisme et de collectivisme[76].

Néanmoins, les Canadiens anglophones et francophones adoptent encore certaines valeurs qui diffèrent. Ainsi, les francophones, autrefois très traditionalistes, sont désormais plus libéraux et plus permissifs que les anglophones. Par exemple, le sondage mené par Environics, mentionné précédemment, révèle que les Québécois présentent le plus faible degré de respect de l'autorité patriarcale (le père est le maître du foyer), comparés aux habitants des autres provinces. Deux autres études indiquent que les francophones appuient davantage l'égalité des sexes que les anglophones. De plus, les francophones ont une vision moins traditionnelle du mariage, de l'activité sexuelle et du fait d'avoir des enfants en dehors du mariage. Comme l'écrivait un chercheur canadien de renom, il y a plusieurs années : « Le Québec, qui était jadis la province la plus conservatrice du Canada, est aujourd'hui la plus libérale en ce qui a trait aux questions sociales [77] ».

Une étude relativement plus récente de Su et Lessard [78] se penche uniquement sur des gestionnaires québécois pour tenter de dégager comment ils se comportent quant aux dimensions de Hofstede. Les résultats de la recherche montrent que les gestionnaires québécois penchent vers un très fort degré d'individualisme (nécessité de grande autonomie dans le travail et possibilités de se réaliser), une grande distance hiérarchique dans les structures établies (une forte centralisation), un fort indice de féminité (mentalité communautaire et souci de participation aux décisions) et une faible tolérance à l'incertitude (préférence pour des outils classiques de gestion, structure rigide, contrôle du fondateur dans les entreprises familiales). Le Québec, selon ces auteurs, se situerait entre le Canada et la France sur l'indice de l'individualisme ; à égalité avec la France, le Québec surpasse le Canada quant aux indices de distance hiérarchique et de contrôle de l'incertitude et présente un plus fort indice de féminité que ces deux pays. Cependant, lorsqu'on demande aux gestionnaires québécois de hiérarchiser ces dimensions, c'est l'individualisme qui prévaut nettement. Les résultats de cette étude devraient toutefois être sujets à confirmation, étant donné la faiblesse de l'échantillon.

Les catégories culturelles mesurées par Hofstede donnent plusieurs pistes de gestion aux dirigeants. Tenir compte d'une culture individualiste et masculine voudrait dire des actions dirigées vers la responsabilité personnelle, l'autonomie, des rôles différenciés entre les sexes, tandis qu'une culture collectiviste s'accommoderait mieux d'une gestion plus participative et de groupe et de rôles indifférenciés. Pour une culture à forte distance hiérarchique, le gestionnaire serait plus avisé de définir clairement la ligne d'autorité, les rôles dévolus à chacun et d'attribuer les décisions aux plus hauts niveaux. Dans le cas contraire, la prise de décision est participative, et les relations informelles entre les niveaux hiérarchiques sont favorisées. Une culture à faible tolérance à l'incertitude cadrerait bien avec une planification opérationnelle rassurante (détaillée) et bien acceptée ; la prise de risque n'est pas encouragée, alors qu'elle l'est dans une culture qui accepte bien l'incertitude.

Les valeurs des communautés autochtones du Canada   Les communautés autochtones du Canada épousent aussi un ensemble unique de valeurs culturelles qui les différencient des Canadiens de souche européenne que les Canadiens le sont des Américains. Les recherches montrent que la plupart des organisations fondées et dirigées par des Amérindiens préconisent des valeurs fortement collectivistes, une faible distance hiérarchique, un faible contrôle de l'incertitude et une orientation féminine moyenne [79]. Leur orientation temporelle (à court ou moyen terme) n'a pas été explorée.

Venez assister aux débats de l'Assemblée législative du Nunavut, le dernier-né des territoires canadiens. Vous constaterez très vite que la culture inuite se démarque des valeurs occidentales préconisées dans le *Robert's Rules of Order*. Ainsi, les politiciens ne sont pas regroupés en partis politiques qui s'affrontent. Au contraire, il n'y a pas de parti politique, mais seulement 19 membres assis en cercle. Cette absence d'esprit partisan est typique de la culture inuite. « L'aspect qui reflète le plus la culture inuite est le mode de gouvernement par consensus », explique John Amagoalik, qui a présidé la Commission d'établissement du Nunavut. On trouve aussi cette faible distance hiérarchique et ce degré élevé de collectivisme dans bon nombre d'autres tribus des communautés autochtones canadiennes, de même que dans les organisations fondées par des autochtones [80]. Puisqu'elles ont adopté des valeurs axées sur le consensus, en quoi le fonctionnement des organisations inuites diffère-t-il de celui d'autres organisations canadiennes ?
Kevin Frayer, CP

www.assembly.nu.ca

La forte tendance collectiviste des communautés autochtones découle des idéaux traditionnels de ces peuples pour assurer leur survie. Leur faible distance hiérarchique se manifeste par une préférence pour la prise de décision par consensus et pour la sélection de candidats en fonction de leur expérience plutôt que sur le statut (sauf pour ce qui est des anciens). Dans les organisations autochtones, on semble favoriser un plus faible degré de contrôle de l'incertitude que dans les organisations non autochtones, comme le révèle le nombre restreint de règles et de procédures des entreprises autochtones. De plus, on y préfère que les employés modèlent leur conduite en se laissant guider par leurs convictions internes, en ce qui a trait au respect, au partage et à l'intégrité. Enfin, les entreprises autochtones ont tendance à préconiser des valeurs féminines comme le bien-être des collègues et les relations harmonieuses entre les membres, et privilégient nettement moins les gains matériels et l'atteinte des objectifs à n'importe quel prix que les organisations non autochtones.

La faible distance hiérarchique et le degré élevé de collectivisme des organisations autochtones ont été mis en lumière il y a quelques années. En effet, les membres de la communauté autochtone de Meadow Lake, au nord de la Saskatchewan, ont exigé que les chefs politiques et les entrepreneurs de la région respectent leurs valeurs traditionnelles concernant les activités forestières sur leur territoire et qu'ils adoptent un mode de prise de décision par consensus. Ces valeurs sont désormais intégrées au plan de développement échelonné sur 20 ans qui a été adopté par le Conseil tribal de Meadow Lake. Plus récemment, la communauté autochtone de Westbank a envisagé la possibilité pour ses membres d'adhérer à un syndicat. Les chefs de bande et les anciens ont exprimé leur crainte qu'un syndicat transgresse la culture traditionnelle de leurs communautés et ils ont souligné la nécessité de travailler dans l'harmonie[81].

En résumé, les Canadiens embrassent des systèmes de valeurs qui varient à l'intérieur des groupes et des provinces et qui se distinguent de ceux d'autres sociétés. Les valeurs sont aussi le fondement du comportement éthique dont nous avons vu l'importance au chapitre 3.

La lecture des cultures de Edward Hall et Mildred Hall

Ces deux anthropologues, au-delà des typologies, nous invitent à aller plus loin dans la compréhension des cultures. Pour ce faire, ils nous proposent de mieux saisir le processus de communication, le temps et l'espace, tels que vécus dans une culture donnée.

La culture et l'information   Pour Hall et Hall[82], la culture est avant tout un processus de communication qui opère à trois niveaux : technique (par exemple, la communication verbale ou écrite), formel (par des règlements) et informel (langage non verbal, par exemple), et ce, dans un contexte défini. Ces auteurs définissent un contexte pauvre de communication quand les éléments qui entourent le contenu ne permettent pas de le déchiffrer entièrement. Le contexte riche de communication, au contraire, permet cette lecture. Par exemple, un message verbal seul est pauvre en contexte. Il en est plus riche quand il est accompagné du non-verbal, ou d'émotions, de gestes ou d'expressions faciales, d'un certain ton de la voix ou du débit des paroles ; si le message est fait en public ou pas, avec des amis ou des collègues, etc. Un interlocuteur devra tenir compte de tous ces éléments pour interpréter le message dans toute sa dimension. Il apparaît ainsi que les cultures orientales véhiculent des messages riches en contexte alors que la culture américaine transmet des messages pauvres.

Le temps monochronique et polychronique   Selon Edward Hall[83], la notion du temps est non seulement relative à chaque culture, mais aussi à chaque individu. Le temps tel que nous le vivons dans les sociétés industrielles, c'est-à-dire linéaire, irréversible, n'est pas vécu ainsi par tous. Il y a le temps cyclique du cultivateur, le temps de la chasse et de la pêche qui règle la vie des Inuits, le temps du physicien, le temps sacré, etc. Hall appelle « polychrone » le système qui consiste à faire plusieurs choses à la fois (y compris des activités sociales et de travail en même temps) et « monochrone » le système qui consiste à ne faire qu'une seule chose à la fois, sans désir d'être interrompu. L'étude des différentes cultures et leur rapport au temps a montré que les pays anglo-saxons, l'Allemagne, les pays d'Europe du Nord et le Japon appartiennent au système monochronique, alors que les pays du sud de l'Europe, la France, l'Amérique latine et l'Inde relèvent du système polychronique[84]. Dans les cultures monochroniques, les individus ne font qu'une chose à la fois, respectent les programmes établis, arrivent à l'heure aux rendez-vous, sont lents, méthodiques, réservés, respectueux de la parole donnée. Dans les cultures polychroniques, les individus changent régulièrement d'occupation et mènent plusieurs tâches simultanément, accordent peu d'importance à la ponctualité, sont rapides, désordonnés, enclins à l'impatience et privilégient des relations personnelles fortes avec leurs collègues[85].

Prendre en compte ces dimensions temporelles, autant dans une société que chez les individus, permettrait d'éviter beaucoup de malentendus au chapitre de la communication et de la négociation entre des représentants de cultures différentes temporellement. En marge de ces travaux, il est possible aussi de concevoir que chaque organisation a une culture temporelle, c'est-à-dire sa façon de concevoir et d'organiser quelques éléments du temps, comme les échéances, la ponctualité, la planification (à court ou à long terme), le temps personnel et le temps de travail[86], etc. D'un point de vue pratique, il est intéressant d'identifier une culture organisationnelle et de concevoir des pratiques de gestion qui en tiennent compte. Par exemple, on pourrait se demander si cette culture temporelle est liée à la performance, à la structure de l'entreprise ou à l'organisation du travail, etc., et apporter les modifications nécessaires vers plus d'efficacité. On peut aussi tenter d'harmoniser les variables de la personnalité (comme le polychronisme) à cette culture temporelle en termes de sélection, de placement, et de formation d'équipes. Ainsi, Benabou trouve une corrélation inverse entre le polychronisme et certaines des dimensions de la culture temporelle de l'organisation comme les échéances, les horaires, la ponctualité, la routine et la séparation du temps de travail–temps personnel[87].

M. George Bush et le prince Abdullah d'Arabie Saoudite main dans la main dans le ranch du président américain. En incluant le prince dans son espace intime, M. Bush aurait-il fait preuve d'intelligence culturelle?

Jim Watson, AFP/Getty Images

Le rapport à l'espace Quatre dimensions, intime, personnelle, sociale et publique, structurent l'espace chez l'être humain. La distance intime correspond à celle où l'individu se sent concerné par la présence physique de l'autre (son odeur, sa respiration, etc.). Par exemple, les Québécois ou les Américains sont plutôt incommodés par l'intrusion d'un étranger dans leur espace intime. La distance personnelle est la distance tolérée par des interlocuteurs sans contact. La distance sociale est celle qui marque les rapports des individus au travail et leur type de relations, et la distance publique peut être occupée par n'importe qui[88].

La photo ci-contre montrant le président Bush main dans la main avec le prince Abdullah d'Arabie Saoudite, dans son ranch présidentiel de Crawford au Texas, peut paraître étrange aux yeux des Américains. En effet, le fait que M. Bush, comme beaucoup d'Américains, soit sympathique à la foi chrétienne fondamentaliste rend particulièrement étonnant de le voir admettre dans son espace intime (que préservent farouchement les Américains) un hôte aussi différent que le prince. Toutefois, ce contact physique n'est pas si étrange quand on pense que les

États-Unis d'Amérique consomment près du quart de la production pétrolière de l'Arabie Saoudite et que les deux pays doivent faire face au terrorisme qui les menace. M. Bush aurait-il fait preuve en quelque sorte d'intelligence culturelle?

La conception de Fons Trompenaars[89]

Pour cet anthropologue néerlandais, chaque culture se distingue des autres par les solutions spécifiques qu'elle apporte à certains problèmes, regroupés en trois catégories: les problèmes liés à nos relations avec les autres, ceux qui proviennent du temps qui passe et ceux qui sont en relation avec l'environnement. À partir des différentes solutions culturelles apportées à ces problèmes universels, Trompenaars détermine sept dimensions fondamentales de la culture, dont cinq concernent la première catégorie.

Les relations avec les autres   Il y a cinq orientations possibles pour aborder les rapports avec les autres.

■ *L'universel ou le particulier*   L'approche universelle veut que ce qui est considéré comme bon et correct s'applique dans n'importe quelle circonstance, alors que dans les cultures privilégiant les cas particuliers, on s'adapte aux circonstances.

■ *L'individu ou le groupe*   Faut-il privilégier l'individu dans la mesure où il participe à la démarche collective ou plutôt le collectif, dans la mesure où il est l'expression de beaucoup d'individus?

■ *L'objectivité ou la subjectivité*   La première dimension admet la rationalité et accepte peu l'expression des sentiments, alors que la seconde admet ces derniers, même dans la sphère du travail.

■ *Le limité ou le diffus*   Dans la relation avec autrui, on peut choisir de se limiter à la seule relation d'affaires (relation limitée) ou, au contraire, engager toute sa personne (relation diffuse). Une relation diffuse est nécessaire dans plusieurs pays (arabes ou latins, par exemple) pour réussir une transaction commerciale.

■ *Les réalisations ou la position sociale*   Dans certaines cultures, la position sociale (statut, richesse, etc.) est plus importante que les réalisations propres d'un individu.

L'attitude vis-à-vis du temps   Certaines cultures valorisent le présent, le passé ou le futur.

L'attitude envers l'environnement   Certaines sociétés pensent que c'est l'individu qui domine l'environnement (par les techniques, par exemple), et d'autres pensent que c'est la nature qui domine l'être humain et qu'il faut vivre en harmonie avec elle.

Ces deux dernières dimensions rappellent celles de Kluckhorn et Strodtbeck. Nous avons déjà indiqué quelles sont les mises en pratique, pour le gestionnaire, de la connaissance de ces dimensions culturelles. En conclusion, nous pourrions ajouter les talents et les compétences à acquérir que suggèrent Harris et Moran[90] et Dupriez et Simons[91] pour tous les cadres internationaux.

Dans la photo de l'encadré 16.10, on voit Carlos Ghosn, l'ex-grand patron de Nissan, dont les talents et les compétences énumérés ci-dessous lui ont sûrement permis de mener la carrière internationale qu'on lui connaît, au-delà des cultures qu'il a côtoyées.

Carlos Ghosn, l'homme qui a sauvé Nissan de la faillite. Aurait-il tous les talents du manager international?

En arrivant chez Nissan, Carlos Ghosn met peu de temps à constater l'ampleur des dégâts. À la suite de l'alliance conclue entre Nissan et le constructeur français Renault, en 1999, c'est à lui que revient le mandat d'entreprendre un vaste plan de redressement pour sortir l'entreprise japonaise du bourbier dans lequel elle s'est enlisée. La commande était de taille, surtout qu'elle allait désormais être menée par un Occidental (Carlos Ghosn est né au Brésil de parents libanais et a passé 15 ans chez Michelin). «Je n'ai jamais senti que le Japon était hostile à mon égard, précise-t-il. Les Japonais étaient sceptiques, mais curieux. Le succès que nous rencontrons les a immédiatement rassurés.» Et comment! Carlos Ghosn vient tout juste d'être élu par le quotidien *Nihon Keizai Shimnun* meilleur dirigeant d'entreprise des 15 dernières années au Japon.

Le redressement spectaculaire de Nissan n'aurait sans doute pas été possible sans les capitaux et la coopération de Renault. Pour Ghosn, le succès de l'alliance Renault-Nissan repose sur le respect des identités, le culte de la diversité, la sagesse et la transparence.

À l'ère de la globalisation, la réussite de cette alliance franco-japonaise est en passe de devenir LE modèle de référence. «Souvent, les gens qui critiquent la globalisation la voient comme une menace pour leur identité ou une menace pour leurs intérêts. Mais la globalisation est quelque chose de bien et de souhaitable par rapport à la territorialité et à l'isolement. Je crois que si la globalisation s'accompagne d'un fort respect des identités, elle aura accompli pour l'humanité ce pourquoi elle se développe, c'est-à-dire faire que les hommes, tout en ayant des personnalités et des cultures différentes et dont ils sont fiers, puissent communiquer, échanger et s'enrichir au travers de la diversité.»

Carlos Ghosn
Robert Skinner

Pour faire accepter les bienfaits de la globalisation, Ghosn croit que les entreprises devront cependant faire preuve de plus de transparence. «C'est une vertu majeure, et qui va devenir de plus en plus importante dans la gestion des entreprises et des pays.»

Son autre défi débuta en avril 2005, lorsque Louis Sweitzer, l'ex-président de Renault, lui remit les clés de l'entreprise française. «Je changerai de démarche, de culture, mais pas de convictions», avait-il promis.

Source: Tiré de l'article d'Éric Lefrançois, «Entrevue: Les deux mains sur le volant», *La Presse,* lundi 16 février 2005, cahier «L'auto», p. 3. Reproduction autorisée.

La sensibilité culturelle Elle représente la faculté de décoder une nouvelle réalité complexe et d'intégrer dans son comportement les caractéristiques de chaque culture côtoyée, sans se sentir menacé, et surtout sans froisser les autres, consciemment ou pas.

La communication interculturelle C'est la capacité de s'initier à la langue du pays et au contexte de la communication [92].

L'acculturation C'est la capacité de collaborer avec des représentants d'une culture ou d'une sous-culture différente de la sienne en évitant toute forme d'ethnocentrisme. C'est aussi la capacité d'adapter ses principes de gestion aux attentes des sociétés hôtes.

L'efficacité interculturelle et internationale C'est la capacité d'un gestionnaire d'aider ses collaborateurs à franchir les difficultés d'ordre culturel, en les formant ou en leur servant de mentor.

La synergie culturelle Une qualité importante pour Harris et Moran, c'est la capacité, pour un leader international, de surmonter les différences pour faire travailler ensemble des gens aux cultures différentes vers un but commun. Il considère que l'objectif final est plus important que les particularismes peu efficaces.

RÉSUMÉ DU CHAPITRE

La culture organisationnelle est l'ensemble des postulats, des croyances et des valeurs qui régissent les comportements au sein d'une organisation donnée. Dans ce contexte, les postulats sont les schémas mentaux ou les « théories » en usage sur lesquels les employés modèlent leurs perceptions et leurs comportements. Les croyances reflètent la manière dont un individu perçoit la réalité. Enfin, les valeurs sont des croyances plus stables et plus durables ; elles nous aident à définir ce qui est important, ce qui est bien ou mal. Le contenu culturel, quant à lui, se rapporte à l'ordre dans lequel ces croyances, ces valeurs et ces postulats sont classés.

Les organisations possèdent une culture dominante et des sous-cultures. Certaines sous-cultures soutiennent la culture dominante, tandis que les contre-cultures préconisent des valeurs qui diffèrent ou s'opposent aux valeurs fondamentales de l'organisation. Les sous-cultures préservent les normes de performance et d'éthique. Elles produisent aussi des valeurs émergentes qui finissent par remplacer les valeurs fondamentales vieillissantes.

Les artéfacts sont les symboles et les signes observables d'une culture d'entreprise. Il existe quatre grandes catégories d'artéfacts : 1) les histoires et les légendes ; 2) les rituels et les cérémonies ; 3) le langage ; et 4) les structures physiques et les symboles. Essayer de comprendre la culture d'une organisation est une tâche ardue qui exige l'évaluation de nombreux artéfacts subtils et souvent ambigus.

La culture organisationnelle remplit quatre grandes fonctions. Elle consiste d'abord en une forme de contrôle social qui est profondément gravé dans l'esprit des employés. Elle est aussi le « ciment social » qui unit les gens et leur donne un profond sentiment d'appartenance. Elle renforce l'identification des individus à la mission de l'entreprise. Enfin, la culture organisationnelle aide les employés à comprendre leur milieu de travail.

En général, les sociétés ayant une culture forte réussissent mieux que celles qui ont une culture faible, mais seulement si leur contenu culturel est approprié à leur environnement. De plus, une culture ne doit pas être forte au point d'étouffer les valeurs divergentes susceptibles de devenir les valeurs émergentes dans l'avenir. La culture des organisations doit demeurer souple : le personnel peut se concentrer sur les besoins changeants des clients et d'autres parties prenantes tout en soutenant les initiatives nécessaires pour suivre le rythme de ces changements.

La culture organisationnelle se rapporte à l'éthique des affaires de deux manières. Premièrement, la culture d'entreprise peut renforcer la conduite éthique de ses employés en insistant sur les valeurs morales de la société. Deuxièmement, la culture d'entreprise ne doit pas être forte au point de brimer la liberté individuelle.

Les entreprises qui veulent fusionner devraient effectuer un audit biculturel afin d'évaluer la compatibilité culturelle des deux organisations. Les quatre principales stratégies de fusion sont l'intégration, la déculturation, l'assimilation et la séparation.

La culture organisationnelle est peu malléable, mais il n'est pas impossible de la modifier. Pour ce faire, il faut susciter un besoin pressant de changement et remplacer les artéfacts qui soutiennent l'ancienne culture par des artéfacts plus compatibles avec la culture désirée. La culture organisationnelle peut être renforcée par les actions des fondateurs et des dirigeants, la distribution de récompenses en accord avec la culture, le maintien d'une main-d'œuvre stable, la gestion du réseau culturel, ainsi que par la sélection et la socialisation des employés.

La mondialisation de l'économie, la mobilité des cadres et la prise en compte de la diversité de la main-d'œuvre mettent en évidence la nécessité de tenir compte des cultures nationales. Kluckhorn et Strodtbeck, Hofstede, Trompenars et Hall et Hall sont parmi les auteurs les plus connus ayant élaboré des typologies des valeurs des cultures nationales. Ces valeurs réfèrent à l'individualisme ou au collectivisme, à la distance hiérarchique, au contrôle de l'incertitude, à la masculinité ou à la féminité, au rapport de ces cultures avec le temps et l'espace, la nature humaine et l'environnement. Les individus exposés, en affaires, aux différentes cultures gagneraient à développer une sensibilité multiculturelle et à savoir faire travailler ensemble des gens de différents horizons.

MOTS CLÉS

artéfact, p. 631

audit biculturel, p. 639

cérémonie, p. 632

collectivisme, p. 648

contrôle de l'incertitude, p. 649

culture organisationnelle, p. 626

culture souple, p. 637

distance hiérarchique, p. 648

individualisme, p. 648

rituel, p. 632

QUESTIONS

1. Un employé peut-il donner un bon rendement et être satisfait de son travail au sein d'une organisation si ses valeurs sont différentes de celles de l'entreprise ? Expliquez votre réponse.

2. Certaines personnes soutiennent que les organisations les plus performantes ont les cultures les plus fortes. Qu'entend-on par culture d'entreprise « forte » et quels problèmes peuvent survenir dans ce type de culture ?

3. Le chef de la direction d'une société industrielle canadienne veut que tous ses employés soutiennent la culture dominante de l'organisation, qui est axée sur l'efficacité et le travail assidu. Il a donc mis sur pied un nouveau système de récompense qui vise à renforcer cette culture ; il rencontre lui-même tous les candidats aux postes de professionnels et de gestionnaires afin de s'assurer que ces derniers nourrissent des valeurs similaires. Certains employés qui avaient critiqué ces valeurs ont été mis à l'écart et ont fini par partir. Deux cadres moyens ont été licenciés parce qu'ils appuyaient des valeurs contraires, notamment l'équilibre entre le travail et la vie privée. À partir de ce que vous savez au sujet des sous-cultures organisationnelles, quels problèmes potentiels le chef de la direction est-il en train de créer ?

4. Nommez au moins deux exemples propres à chacune des quatre grandes catégories d'artéfacts ci-dessous et que vous avez repérés dans votre service ou dans votre établissement d'enseignement :
   a) les histoires et les légendes ;
   b) les rituels et les cérémonies ;
   c) le langage ;
   d) les structures physiques et les symboles.

5. « Une organisation a plus de chances de réussir si elle possède une culture souple. » Qu'est-ce qu'une organisation peut faire pour entretenir une telle culture ?

6. Quelle place, le cas échéant, la culture organisationnelle occupe-t-elle lorsqu'il s'agit d'évaluer la faisabilité d'une fusion de deux entreprises ?

7. Expliquez comment le leadership transformationnel contribue à renforcer la culture d'entreprise.

8. Supposez que des hauts fonctionnaires d'une ville canadienne vous demandent de trouver des moyens pour renforcer une nouvelle culture axée sur le travail d'équipe et la collaboration. La haute direction épouse clairement ces valeurs, mais elle souhaite obtenir l'appui de tous ses effectifs. Nommez quatre types d'activités susceptibles de raffermir ces valeurs culturelles.

ÉTUDE DE CAS | 16.1

ASSETONE BANK

AssetOne Bank est l'une des plus grosses institutions financières d'Asie. Cependant, elle a du mal à se tailler une place sur le marché des placements personnels, dominé par plusieurs autres sociétés. Dans le but d'accéder à ce marché, AssetOne a décidé d'acheter TaurusBank, un établissement financier de moindre envergure qui a développé avec dynamisme les fonds de placement (sociétés de fonds mutuels) et les services bancaires en ligne dans la région. Taurus appartenait à un conglomérat européen qui souhaitait se retirer du secteur financier ; il a discrètement mis la société en vente. L'achat de Taurus apparaissait comme la solution parfaite pour les dirigeants d'AssetOne. Ces derniers y voyaient une occasion de se tailler enfin une place concurrentielle sur le marché des placements personnels. De plus, cette acquisition donnerait à AssetOne une longueur d'avance dans le domaine des services bancaires en ligne et des fonds de placement.

Les négociations entre AssetOne et TaurusBank se sont déroulées en secret, exception faite des communications avec les organismes de réglementation gouvernementaux. Les dirigeants d'AssetOne ont tenu conseil pendant plusieurs mois. Quand AssetOne a finalement pris sa décision, les employés des deux sociétés ont été avisés quelques minutes seulement avant l'annonce publique de la fusion. Pendant cette annonce, le chef de la direction d'AssetOne a déclaré avec assurance que TaurusBank deviendrait un « prolongement homogène d'AssetOne ». Il a expliqué que, à l'instar du personnel d'AssetOne, les employés de Taurus apprendraient la valeur d'une analyse détaillée et de la prise de décision prudente.

Les propos du chef de la direction d'AssetOne ont choqué de nombreux employés de Taurus, un concurrent dynamique et entreprenant dans les secteurs des services bancaires en ligne et des placements personnels. Taurus était bien connue pour son marketing dynamique, ses produits innovateurs et sa tendance à faire participer les employés au processus créatif. La société n'hésitait pas à engager des spécialistes d'autres industries qui apportaient des idées originales dans le domaine des placements et des services bancaires en ligne. Au contraire, les cadres d'AssetOne étaient presque tous promus de l'intérieur. Chacun des membres de la haute direction avait commencé chez AssetOne. Dans cette société, les décisions étaient prises au sommet afin d'assurer un contrôle plus serré et une plus grande cohérence.

Quelques mois après la fusion, le mécontentement du personnel est devenu apparent. Faute de se décider rapidement, les dirigeants d'AssetOne ont raté des occasions importantes ayant trait aux services bancaires en ligne. En réaction, plusieurs cadres de Taurus ont démissionné. Par exemple, au moment de l'acquisition, Taurus s'apprêtait à s'associer avec plusieurs sociétés ayant des affinités avec elle. Or, six mois plus tard, la direction d'AssetOne n'avait pas encore décidé d'aller de l'avant avec ces projets d'association.

Le plus grand problème est survenu dans le secteur des fonds de placement. En effet, des concurrents ont attiré 20 des 60 gestionnaires de fonds au cours de la première année. Certains ont démissionné afin de saisir de meilleures chances. Six gestionnaires sont partis avec le directeur des fonds de placement de Taurus pour se joindre à une société spécialisée dans les fonds de placement. Plusieurs employés ont quitté après que des cadres d'AssetOne ont insisté pour que le conseil de direction d'AssetOne approuve tous les nouveaux fonds de placement. Auparavant, la division des fonds de placement de Taurus pouvait lancer de nouveaux produits sans obtenir au préalable l'autorisation de l'ensemble du conseil de direction.

Deux ans plus tard, le chef de la direction d'AssetOne a reconnu que l'achat de TaurusBank n'avait pas donné à sa société les possibilités qu'il avait espérées de prime abord. Certes, AssetOne avait augmenté son chiffre d'affaires dans les secteurs des fonds de placement et des services bancaires en ligne, mais elle avait perdu un grand nombre d'employés talentueux spécialisés dans ces domaines. De façon globale, d'autres institutions financières innovatrices sur le marché ont distancé la société AssetOne.

Questions

1. En vous fondant sur ce que vous comprenez au sujet des fusions et de la culture organisationnelle, discutez des problèmes auxquels AssetOne s'est heurtée après la fusion.
2. Quelles stratégies recommanderiez-vous à la direction d'AssetOne d'adopter afin d'éviter ces conflits culturels à l'occasion de fusions et d'acquisitions futures ?

DES MÉTAPHORES RELATIVES À LA CULTURE ORGANISATIONNELLE

par David L. Luechauer, Université Butler, et Gary M. Shulman, Université de Miami

Objectif Les deux volets de cet exercice ont pour but de vous aider à comprendre, à évaluer et à déchiffrer une culture organisationnelle à l'aide de métaphores.

Partie A: Évaluez la culture de votre établissement d'enseignement

Instructions Une métaphore est une figure de rhétorique qui renferme une comparaison implicite et consiste à employer un mot pour désigner une chose autre que celle qu'il désigne habituellement. Les métaphores ont aussi un sens caché: elles en disent long sur notre manière de percevoir cette chose. L'exercice suivant vous demande d'utiliser plusieurs métaphores pour définir la culture organisationnelle de votre établissement d'enseignement. (L'enseignant pourrait aussi demander aux étudiants d'évaluer une autre organisation bien connue.)

■ Étape 1: Divisez la classe en équipes de quatre à six étudiants.

■ Étape 2: Chaque équipe doit atteindre un consensus sur les mots ou les expressions à insérer dans les énoncés ci-dessous. Elle note les phrases complétées sur une grande feuille de papier ou un transparent pour rétroprojecteur afin de pouvoir les présenter devant la classe. L'enseignant accorde de 15 à 20 minutes aux équipes pour choisir les mots qui décrivent le mieux la culture de leur établissement.

> Si notre établissement d'enseignement était un animal, ce serait un _____ parce que _____.
> Si notre établissement d'enseignement était un aliment, ce serait un _____ parce que _____.
> Si notre établissement d'enseignement était un lieu, ce serait _____ parce que _____.
> Si notre établissement d'enseignement était une saison, ce serait _____ parce que _____.
> Si notre établissement d'enseignement était une émission de télévision ou un film, ce serait _____ parce que _____.

■ Étape 3: Chaque équipe présente les métaphores qui symbolisent la culture de l'institution devant la classe. Par exemple, une équipe qui a choisi l'hiver comme saison peut vouloir dire qu'elle ressent de la froideur et une certaine distance envers cette institution et ses membres.

■ Étape 4: Les étudiants discutent tous ensemble des questions ci-dessous.

Questions sur la partie A

1. Votre équipe a-t-elle facilement atteint un consensus sur les métaphores? Qu'est-ce que cela révèle sur la culture de votre établissement?

2. Comment ces métaphores sont-elle appliquées concrètement? Autrement dit, quels comportements ou artéfacts révèlent la présence de cette culture?

3. Pensez à une autre organisation dont vous faites partie (par exemple une organisation professionnelle ou religieuse). Quelles sont ses valeurs culturelles dominantes, comment sont-elles appliquées concrètement, quelle influence exercent-elles sur l'efficacité de cette organisation?

Partie B: Analysez et interprétez les métaphores

Instructions Vous venez de faire un exercice qui consistait à décrire la culture d'entreprise de votre établissement d'enseignement. Cet exercice vous a donné un aperçu de la façon d'utiliser cet outil de diagnostic et de tirer des conclusions à partir des résultats obtenus. L'exercice ci-dessous va un peu plus loin; il permet d'exercer votre aptitude à analyser ces résultats et à suggérer des améliorations. Cinq équipes de travail (de quatre à sept membres des deux sexes) d'une organisation de Cincinnati ont effectué un exercice sur les métaphores semblable à celui que vous avez fait en classe (Partie A ci-dessus). Leurs réponses figurent dans le tableau de la page suivante. En équipe, analysez les données du tableau et répondez aux questions suivantes:

Questions relatives à la partie B

1. À votre avis, quelles sont les valeurs culturelles dominantes de cette organisation? Expliquez votre réponse.

2. Quels sont les aspects positifs de ce type de culture ?

3. Quels sont les aspects négatifs de ce type de culture ?

4. Selon vous, quelle est la spécialisation de cette organisation ? Expliquez votre réponse.

5. Ces groupes travaillaient tous pour un service sous l'autorité d'un gestionnaire. Quel conseil donneriez-vous à ce gestionnaire à propos de son service ?

Résultats de l'exercice sur les métaphores obtenus par cinq équipes d'une organisation de Cincinnati					
Équipe	Animal	Aliment	Lieu	Émission de télévision	Saison
1	Lapin	Big Mac	Casino	*48 heures* (film)	Printemps
2	Cheval	Taco	Piste de course	*Miami Vice*	Printemps
3	Éléphant	Côtes	Cirque	*Roseanne*	Été
4	Aigle	Big Mac	Las Vegas	CNN	Printemps
5	Panthère	Mets chinois	New York	*LA Law*	Des courses

Source : Adapté de l'article de D.L. Luechauer et G.M. Shulman, « Using a Metaphor Exercise to Explore the Principles of Organizational Culture », *Journal of Management Education*, 22 décembre 1998, p. 736-744. Reproduit avec la permission des auteurs.

EXERCICE EN GROUPE 16.3

COMPARER LES VALEURS CULTURELLES

Objectif Cet exercice vous aidera à déterminer dans quelle mesure les étudiants émettent des hypothèses semblables sur les valeurs dominantes d'autres cultures.

Instructions Dans le cadre d'un important projet de consultation, les qualificatifs inscrits dans la colonne de gauche ont été accolés aux gens d'affaires de divers pays en fonction de leur culture et de leurs valeurs dominantes. Ces qualificatifs sont placés par ordre alphabétique. Dans la colonne de droite figurent des noms de pays, également placés par ordre alphabétique, qui correspondent (en désordre) aux qualificatifs de la colonne de gauche.

■ Étape 1 : Individuellement, les étudiants associent les qualificatifs de gauche avec les pays de la colonne de droite en se basant sur leur perception de ces pays. Chaque qualificatif correspond à un seul pays et ne doit être apparié qu'à un seul pays, et inversement. Reliez les paires au moyen d'un trait ou écrivez le numéro du qualificatif à côté du pays.

■ Étape 2 : L'enseignant forme des équipes de quatre ou cinq étudiants. Les membres de chaque équipe comparent leurs résultats et tentent d'atteindre un consensus sur une même série de paires.

■ Étape 3 : Les équipes (ou l'enseignant) affichent les résultats afin de déterminer dans quelle mesure les étudiants ont des opinions similaires sur les gens d'affaires d'autres cultures. À l'occasion d'une discussion en classe, étudiez les raisons pour lesquelles les résultats sont aussi semblables ou différents, ainsi que les implications de ces résultats sur un milieu de travail multiculturel.

Qualificatifs et pays	
Qualificatif (par ordre alphabétique)	**Pays (par ordre alphabétique)**
1. Commerçants serviables	Allemagne
2. Culture ancienne en voie de modernisation	Australie
3. Égalitaires informels	Brésil
4. Entrepreneurs optimistes	Canada
5. Fabricants efficaces	Chine
6. Hommes d'État éthiques	États-Unis
7. Humanistes affables	France
8. Individualistes farouches	Inde
9. Leaders commerciaux	Nouvelle-Zélande
10. Négociants tolérants	Pays-Bas
11. Perfectionnistes	Royaume-Uni
12. Stratèges conceptuels	Singapour
13. Traditionalistes en voie de modernisation	Taiwan

Source : Basé sur l'ouvrage de R. Rosen, P. Digh, M. Singer et C. Phillips, *Global Literacies,* New York, Simon & Schuster, 2000.

EXERCICE D'AUTOÉVALUATION 16.4

L'ÉCHELLE DE PRÉFÉRENCES RELATIVE À LA CULTURE D'ENTREPRISE

Objectif Cet exercice d'autoévaluation vise à vous aider à trouver une culture d'entreprise qui correspond étroitement à vos valeurs et à vos postulats.

Instructions Lisez chaque paire d'énoncés et encerclez celui qui décrit l'organisation dans laquelle vous aimeriez travailler. Ensuite, utilisez la grille de notation disponible au www.cheneliere.ca/mcshanebenabou afin de calculer votre pointage pour chaque sous-échelle. Les étudiants doivent faire cet exercice seuls afin de s'évaluer honnêtement sans se comparer à leurs camarades. Toutefois, la discussion en classe doit être axée sur l'importance d'harmoniser les valeurs des candidats avec les valeurs dominantes de l'organisation.

1. a) où les employés travaillent efficacement en équipe **ou** b) qui offre des produits ou des services très respectés

2. a) où la haute direction maintient un sens de l'ordre dans le milieu de travail **ou** b) qui écoute les clients et répond rapidement à leurs besoins

3. a) où les employés sont traités d'une manière équitable **ou** b) dont les employés cherchent continuellement des manières de travailler plus efficacement

4. a) où les employés s'adaptent rapidement aux nouvelles exigences de travail **ou** b) où les dirigeants travaillent dur pour que leurs employés soient heureux

5. a) où les cadres supérieurs bénéficient d'avantages spéciaux qui ne sont pas offerts aux employés subalternes **ou** b) où les employés sont fiers quand l'entreprise atteint ses objectifs de rendement

6. a) où les employés qui donnent le meilleur rendement touchent le salaire le plus élevé **ou** b) où les cadres supérieurs sont respectés

7. a) où chacun fait son travail avec la précision d'une horloge **ou** b) qui se tient au courant des innovations dans l'industrie

8. a) où les employés qui ont des problèmes personnels reçoivent une assistance **ou** b) où les employés obéissent aux règlements de l'organisation

9. a) qui expérimente constamment les nouvelles idées qui surgissent sur le marché du travail **ou** b) qui attend de tous ses employés qu'ils donnent un rendement de 110 %

10. a) qui tire rapidement parti des possibilités du marché **ou** b) où les employés sont toujours informés de ce qui se passe au sein de l'organisation

11. a) qui peut réagir rapidement aux menaces de la concurrence **ou** b) où la haute direction prend la plupart des décisions

12. a) où la direction tient la situation bien en main **ou** b) où les employés se soucient les uns des autres

---

EXERCICE D'AUTOÉVALUATION 16.5

L'ÉCHELLE DE L'INDIVIDUALISME ET DU COLLECTIVISME

La version électronique de cet exercice est disponible au www.cheneliere.ca/mcshanebenabou.

Objectif Le présent exercice d'autoévaluation est conçu pour vous aider à déterminer votre degré d'individualisme et de collectivisme.

Instructions L'échelle consiste en plusieurs affirmations, et on vous demande d'indiquer à quel point chacune d'elles vous représente le mieux. Vous devez être honnête envers vous-même dans vos réponses pour obtenir une bonne estimation de votre degré d'individualisme et de collectivisme.

CHAPITRE 17

La gestion du changement

Objectifs d'apprentissage

À LA FIN DE CE CHAPITRE, VOUS DEVRIEZ POUVOIR :

- décrire les facteurs de l'environnement des organisations porteurs de changement ;
- comparer les réponses managériales au changement ;
- expliquer les causes individuelles et institutionnelles de la résistance au changement et les moyens de la surmonter ;
- montrer comment les dirigeants peuvent impulser le changement ;
- décrire les différences et les similitudes des méthodes et des techniques du changement planifié ;
- soulever au moins quatre questions éthiques s'imposant lors de l'introduction de changements dans les organisations.

Bombardier Transport :
un cas de transformation d'entreprise

Une stratégie de transformation devient parfois nécessaire en raison d'une fusion ou d'une acquisition. Cela a été le cas, en mai 2001, pour Bombardier Transport, à la suite de l'acquisition d'Adtranz, la division de matériel de transport de Daimler-Chrysler. Pierre Lortie, son président de décembre 2000 à novembre 2003, a été responsable de la mise en commun de toutes les activités de transport de Bombardier et de celles acquises de DaimlerChrysler. C'était une tâche de taille, car ensemble, ces deux entités, au moment de l'acquisition, comptaient quelque 36 000 employés répartis dans 23 pays, environ 50 unités de fabrication et d'assemblage et des technologies nouvelles pour Bombardier. Pour affronter ce changement imposant, Lortie a pris les actions suivantes avec célérité : 1) il a mis au point une nouvelle architecture organisationnelle de la nouvelle entité, et surtout il a choisi avec soin les personnes les plus compétentes pour en assumer les postes-clés ; il a fait participer entre 50 et 120 personnes par division dans cet effort ; 2) il a élaboré une vision d'ensemble, a proposé des valeurs communes et a défini des objectifs collectifs ; 3) il a mis en place des systèmes de gouvernance pour orienter et contrôler toutes les entités, notamment par une vaste consultation mensuelle avec les principaux dirigeants du groupe et des divisions ; 4) il a lancé un vaste processus de communication à tous les niveaux et sites géographiques du groupe : réunion avec les 250 dirigeants des deux sociétés, message de bienvenue du président à tous les employés d'Adtranz (où on réitérait les valeurs de la nouvelle organisation, notamment le respect des différences culturelles), réunions avec tout le personnel à travers le monde par une bande vidéo en plusieurs langues, sondages sur leurs préoccupations, etc. ; 5) il a consulté

Photo : Jacques Boissinot, CP Photo

les principaux clients et fournisseurs d'Adtranz et les a rassurés ; et 6) il a vaincu la résistance de plusieurs cadres de Bombardier convaincus que c'était à l'acquéreur de définir les paramètres de fonctionnement de la nouvelle entité. Trois ans après l'arrivée de Lortie, les résultats étaient probants : une augmentation des parts de marché, un redressement spectaculaire de la réputation du groupe auprès des clients britanniques d'Adtranz et une rentabilité à la hausse. ■

Source : Y. Allaire et M. Firsirotu, *Stratégies et moteurs de performance*, Montréal, Chenelière/McGraw-Hill, 2004.

Ce ne sont pas toutes les entreprises qui doivent affronter un changement, voire une transformation, comme cela a été le cas pour Bombardier Transport, présenté en texte d'introduction. Mais le changement est dans l'air du temps et il touche aujourd'hui la majorité des organisations. Une vaste étude menée dans plusieurs pays (États-Unis, Japon, Mexique, Allemagne, Corée du Sud et Hongrie) révèle que les organisations ayant fait l'objet de cette enquête ont toutes connu des changements radicaux dans les deux années précédant cette recherche[1]. Ces changements visaient notamment, et par ordre d'importance décroissante, des restructurations majeures, des fusions et des acquisitions, des réductions d'effectifs et une croissance internationale.

L'environnement économique actuel change si rapidement qu'il prend parfois au dépourvu les leaders les mieux intentionnés. En effet, dans les années 1920, les entreprises restaient dans le classement S&P 500 pendant 67 ans, en moyenne. De nos jours, le cycle de vie moyen d'une entreprise dans le S&P 500 est d'environ 12 ans[2].

Mais pourquoi entend-on tellement parler aujourd'hui de changements alors que nous avons déjà connu des transformations profondes dans le passé, comme le chemin de fer ou l'électricité? La réponse réside peut-être dans les caractéristiques actuelles du changement organisationnel: il est de plus en plus rapide, souvent planétaire (de nombreuses pratiques en entreprise, comme la « réingénierie des processus » sont adoptées rapidement partout) et la société en général est plus consciente qu'auparavant (et a davantage de moyens) des problèmes d'éthique qu'il pose (responsabilité sociale des entreprises, développement durable, préservation de l'environnement, respect de la main-d'œuvre nationale et étrangère, etc.). Nous avons vu avec Bombardier Transport l'omniprésence du volet humain dans les stratégies de changement: vision, communication, participation et résistance au changement, d'où la pertinence et l'importance de ce thème dans ce manuel.

Dans ce chapitre, nous ferons un bref rappel des forces de l'environnement externe de l'organisation qui poussent au changement et nous verrons les grandes catégories de réponses des dirigeants d'entreprise. Nous exposerons ensuite la question importante des causes de la résistance au changement, qu'elle soit liée aux personnes ou aux caractéristiques des organisations mêmes, et les moyens de la surmonter. Mais la réponse des dirigeants au changement n'est pas que réactive; ces dirigeants peuvent amorcer le changement ou le précipiter par des actions que nous décrirons. Les dirigeants, dans une optique d'amélioration continue, peuvent aussi le planifier systématiquement, notamment par des méthodes empruntées aux sciences humaines (le développement organisationnel, par exemple) ou des méthodes modernes, axées sur les forces de l'entreprise. Ces méthodes concluront la panoplie des moyens mis à la disposition des dirigeants pour gérer le changement. Enfin, les questions d'éthique soulevées par l'introduction du changement dans les organisations mettront un point final à ce chapitre.

UN RAPPEL: UN ENVIRONNEMENT PORTEUR DE CHANGEMENT

Le chapitre 2 était entièrement consacré aux changements importants qui s'imposaient à l'entreprise de ce nouveau millénaire. Ces changements émanaient soit de l'environnement de l'entreprise, soit d'elle-même, en réaction à ces changements externes. Dans le cas des entreprises pionnières et innovatrices (comme Apple, Sony, Nokia, Microsoft, etc.), ce sont elles-mêmes qui provoquent le changement et deviennent alors des leaders mondiaux dans leur secteur. Nous suggérons donc au lecteur de se référer au chapitre 2 pour revoir les détails concernant ces changements. Rappelons toutefois ici très brièvement l'essentiel de ces tendances.

Les changements technologiques et l'accroissement des connaissances

L'époque est évidemment marquée par les technologies de l'information et de communication qui changent l'organisation du travail et les relations commerciales avec les clients et les fournisseurs. Les changements techniques accélérés (par exemple ceux qui permettent des cycles de production de plus en plus courts) obligent les entreprises à innover et à gérer le temps comme un élément stratégique crucial, en même temps que s'opèrent des changements dans les comportements professionnels (par exemple les nouveaux modes de communication offerts par Internet).

Parallèlement, nous assistons à une explosion des connaissances dans tous les domaines. L'activité devient de plus en plus immatérielle, c'est-à-dire concentrée sur le savoir et l'apprentissage, non seulement individuel mais aussi collectif.

Les variables sociodémographiques

Les attentes et les valeurs de la main-d'œuvre actuelle sont bien différentes de celles d'avant la Seconde Guerre mondiale. Au Canada et au Québec, la main-d'œuvre est globalement plus éduquée, donc plus consciente de ses droits, moins fidèle à l'entreprise et désirant plus d'autonomie et de qualité de vie au travail. Elle est aussi plus diversifiée, multiculturelle mais, en général, elle est aussi plus âgée, d'où l'importance de politiques de ressources humaines visant à recruter, à former, à valoriser, à récompenser, à mobiliser et à retenir cette main-d'œuvre.

Les variables politico-légales et l'internationalisation de l'économie

Déréglementation de secteurs entiers d'activités (finances, assurances, aviation, etc.), imposition et contrôle des sociétés (on peut citer par exemple les accusations de monopole ayant pesé sur Microsoft), lois antidiscriminatoires ou sur la gouvernance des entreprises, lois protégeant l'environnement, etc., autant d'éléments qui forcent les dirigeants à décider différemment, en tenant compte de plus en plus de l'éthique et de la responsabilité sociale de leurs entreprises (par exemple, les sociétés Nike, Levi Strauss ou, au Québec, la société Gildan, après avoir connu quelques déboires à cet égard, ont élaboré et appliqué des codes de conduite « honorables », bien qu'il reste encore beaucoup à faire).

L'intensification des échanges et l'élimination des barrières douanières, la formation de blocs économiques et politiques (ALENA, Mercosur, Union européenne, etc.) accroissent l'interdépendance des acteurs économiques et la création de normes et de pratiques à l'échelle planétaire (réingénierie, qualité totale, Six Sigma, normes ISO, etc.).

Les changements internes

Les organisations peuvent aussi amorcer des changements soit de leur propre chef, soit en réaction aux changements précédents. Elles peuvent par exemple changer de stratégie (se concentrer sur un seul produit, comme Nokia, ou faire des acquisitions, etc.). Elles peuvent aussi décider de changer de structure. Nous avons vu au chapitre 15 que les entreprises pouvaient adopter plusieurs formes de structure pour s'adapter au changement. Structures organiques, structures matricielles, en réseau ou virtuelles sont les nouvelles façons institutionnelles de répondre aux changements d'un environnement demandant des réponses rapides et mondialisées. Elles peuvent aussi, à plus long terme, changer de culture (passer par exemple d'une structure bureaucratique à une structure souple favorisant les résultats, la rémunération au mérite, etc.).

Le nouvel ordre économique mondial, les nouvelles technologies, les restructurations et les impératifs accrus de performance et de rentabilité apportent cependant leur lot de licenciements et de mises à pied qui se comptent parfois par dizaines de milliers (voir par exemple chez Ford, GM, Boeing, Deustche Telekom, etc.). Autant de transformations qui appellent encore une profonde connaissance du phénomène du changement, notamment de ses aspects humains.

LES DIFFÉRENTES RÉPONSES MANAGÉRIALES AU CHANGEMENT

Contrainte de faire face à ces bouleversements, l'entreprise doit trouver la façon de gérer le changement, voire de le provoquer. Toutefois, la perception même du changement est relative. Par exemple, le changement n'est pas perçu comme radical pour les entreprises qui se sont préparées à cette éventualité. C'est le cas pour Toyota (*voir l'encadré 17.1*). La gestion du changement dépend donc de la lecture que les dirigeants font de l'ampleur des pressions de l'environnement, de l'expérience du changement de l'entreprise et de son état de préparation (*voir Weick*[3]). Par conséquent, selon cette lecture, les dirigeants géreront le changement de différentes manières. Ils peuvent réagir à l'environnement de deux façons, graduelle ou radicale, ou en perpétuant leurs façons de faire, parfois parce qu'ils sont victimes de leurs succès précédents.

L'introduction du changement graduel et radical

Pour simplifier, distinguons deux types de gestion du changement qui s'offrent aux organisations et à leurs dirigeants : le changement graduel et le changement radical. Le tableau 17.1 présente les principales caractéristiques de cette gestion différenciée.

TABLEAU 17.1 Caractéristiques de la gestion du changement graduel et radical

Le changement graduel	Le changement radical
Marchés et environnements externes et internes à peu près semblables à ceux du passé ou ne se modifiant que de façon transitoire	Contextes turbulents, crises économiques, sociales et politiques, modification des normes de l'industrie, incertitude
Les politiques de GRH s'adaptent à ces modifications prévisibles	Changement de structure et de culture
Renforcement de la mission, des valeurs actuelles, de la planification et du contrôle	Changement de mission et élaboration d'une vision audacieuse
Les dirigeants ont un leadership de même « ADN »	Changement de leader et de pouvoir
Délégation des responsabilités	Les leaders sont les initiateurs principaux du changement ; jeux politiques
Dangers : aveuglement face à la nouveauté, culture difficile à changer, arrogance	Dangers : changer pour changer, décisions à trop grands risques, conflits

L'industrie automobile et le changement

Les stratégies de changement ne conduisent pas aux mêmes résultats dans l'industrie automobile — préoccupation chez GM et Ford, satisfaction chez Toyota. Pourtant, l'activité est semblable, ainsi que les modifications liées à l'environnement (les goûts des consommateurs ou l'augmentation du prix de l'essence). Mais les stratégies diffèrent et déterminent le succès ou l'échec de l'entreprise qui fait face au changement.

Une année catastrophe pour GM

General Motors (GM), numéro un mondial de l'automobile, a subi une perte nette de 8,6 milliards de dollars US en 2005, le déclin de ses ventes en Amérique se doublant de coûts sociaux exceptionnellement élevés liés à la faillite de l'équipementier Delphi.

Les déficits, liés à la désaffection pour les rentables VUS et alourdis par des coûts de restructuration, se sont creusés à 4,8 milliards de dollars US au quatrième trimestre.

Selon M. Morici, professeur d'économie à l'Université du Maryland, les coûts de construction de GM et l'inadaptation de son offre à la demande en Amérique du Nord sont les principaux responsables de la crise. « Ces problèmes excèdent de loin ceux liés aux coûts sociaux », a-t-il ajouté.

Comme Ford, GM est en crise en Amérique, car sa gamme très fournie de VUS et de camionnettes — véhicules les plus rentables, mais aussi les plus gourmands en carburant — subit la concurrence croissante des petites berlines asiatiques, d'autant plus prisées que l'essence est chère.

Toyota file le parfait bonheur au Canada

Pendant que GM et Ford jonglent avec près de 25 fermetures d'usines en Amérique du Nord, Toyota s'apprête à ériger de nouvelles installations à Woodstock, en Ontario.

« Nous avions toutes sortes d'avantages concurrentiels à proposer, notamment une main-d'œuvre éduquée et compétente, dit Ray Tanguay, président de Toyota Motor Manufacturing Canada (TMMC). En effet, nous comptons sur les employés les plus compétents et les plus habiles qui soient. Nous recrutons des gens d'équipe qui savent régler des problèmes et, pour ce faire, il nous faut rencontrer au moins 40 candidats avant d'en embaucher un seul. »

Autre atout canadien : son assurance maladie universelle. Un élément de taille si l'on considère les coûts liés aux soins de santé des employés et retraités de GM qui, selon certains analystes, ajoutent jusqu'à 1700 $ US au prix de chaque véhicule construit aux États-Unis.

Selon lui, le constructeur asiatique gagne sur deux plans. « D'abord, nous pouvons construire des véhicules à un prix inférieur à celui de toute autre organisation en Amérique du Nord. Puis, nous contournons le problème que vit présentement la maison mère : une pénurie d'ingénieurs pour piloter l'expansion. »

Toyota vend annuellement près de 2,3 millions de véhicules en Amérique du Nord. « Vu sous un autre angle, souligne Ray Tanguay, nous y construisons presque trois véhicules et nous y vendons plus de quatre véhicules chaque minute. »

Sources : Agence France-Presse, « Une année catastrophe pour GM », *La Presse Affaires,* 27 janvier 2006, p. 7 ; N. Filion, « Toyota file le parfait bonheur au Canada », *La Presse Affaires,* 27 janvier 2006, p. 7.

Rick Wagoner, p.-d.g. de GM.
Getty Images

Ray Tanguay, président de Toyota Motor Manufacturing Canada.
Norm Betts, Bloomberg News/Landov

ENCADRÉ 17.2

Alimentation Couche-Tard à la conquête de l'Amérique : la gestion d'un changement graduel

Le 6 octobre 2003, Alimentation Couche-tard annonce un accord avec ConocoPhillips qui boucle l'acquisition des magasins américains Circle K (magasins de proximité, dits dépanneurs), une transaction d'une valeur de 830 millions de dollars US. C'est évidemment un changement d'envergure pour cette société, mais ses dirigeants ont choisi de le faire avec beaucoup de rigueur et en se basant sur l'expérience et le succès passés, ainsi que sur sa culture d'entreprise. C'est la raison pour laquelle la stratégie d'acquisition peut passer pour une stratégie graduelle (ou évolutive) de changement, sans heurts excessifs. Quels éléments ont contribué au succès de cette acquisition ?

À part un changement notable dans la structure organisationnelle (l'introduction d'un vice-président principal), Couche-tard a surtout compté sur le renforcement des pratiques qui avaient fait son succès au Québec et ailleurs et que nous résumons brièvement : un partage clair des responsabilités de l'équipe de direction, mais une même philosophie de gestion, une décentralisation des opérations au niveau régional, une grande autonomie des nouveaux cadres, une gestion rigoureuse et serrée (fondée sur les détails) axée sur les résultats et l'adoption des meilleures pratiques internes et externes, la formation des 4630 gérants et des cadres aux valeurs et aux opérations de la compagnie et adaptation des magasins aux marchés cibles. La société connaît une croissance des ventes exponentielle depuis l'acquisition de Circle K et Couche-Tard se classe maintenant au troisième rang dans son secteur en Amérique du Nord.

Source : L. Hébert, A. Rondeau et M. Vézina, « Le groupe Alimentation Couche-Tard : à la conquête de l'Amérique », *Gestion,* vol. 30, n° 4, hiver 2006, p. 51-62.

---

changement graduel
Changement progressif dont les gestions se trouvent en général dans le répertoire de l'organisation.

changement radical
Changement abrupt menant généralement une transformation profonde de l'organisation.

On peut imaginer que le style de leadership des dirigeants sera différent selon le type de changement : une vocation plus administrative et de gestion solide dans le cas du **changement graduel** (*voir l'encadré 17.2*), des habiletés politiques et propres à tolérer l'incertitude dans le cas du **changement radical.**

La décision de ne pas changer ou le paradoxe d'Icare

Il arrive que les entreprises excellent à adopter les changements qui les mèneront au succès. Mais le danger est que celui-ci les entraîne parfois à des excès qui causent leur perte ou leur déclin. Cela a été le cas pour les entreprises suivantes : IBM, Polaroid, Procter et Gamble, Texas Instruments, Chrysler, Apple Computer, Walt Disney Productions, Eastern Airlines, Steinberg, Eaton's, etc. C'est ce que démontre Danny Miller, professeur et chercheur montréalais, dans son ouvrage *Le paradoxe d'Icare*[4]. Icare, ce personnage de la mythologie grecque, fort de la puissance de ses ailes, s'approcha avec tellement de désinvolture du Soleil que celui-ci les fit fondre, causant la perte du héros téméraire.

Les entreprises victimes du paradoxe d'Icare appliquent à d'autres contextes les stratégies et les comportements qui leur ont déjà valu du succès. En les amplifiant et en s'y enfermant, elles manquent alors de souplesse. Par exemple, le souci du détail peut devenir une obsession tatillonne et cesse alors d'être une caractéristique productive. Miller, dans sa recherche, dégage quatre trajectoires « fatales », c'est-à-dire des scénarios de déclin progressif.

■ *La trajectoire ciblée* transforme les organisations dites « artisanes » en « bricoleuses tatillonnes ». Minutieuse, sous la gestion d'ingénieurs accomplis, l'organisation qui suit cette trajectoire finit par proposer des produits parfaits mais sans rapport avec le marché. Cela a été le cas d'Apple qui, après avoir presque inventé l'ordinateur personnel avec le succès que l'on sait, a mis sur le marché des produits plus sophistiqués, plus esthétiques mais plus chers. Ce marché lui a préféré Windows.

■ *La trajectoire aventurière* pousse les entreprises «bâtisseuses» vers des stratégies de croissance débridée de type dit «impérialiste». Axées sur la croissance, elles s'engagent impulsivement et de façon insatiable dans des domaines qu'elles ne connaissent pas. Cela a été le cas des nombreuses entreprises diverses (liées au football européen, à la chaussure, etc.) achetées par Bernard Tapie, homme d'affaires français, qui a été dépassé par ces acquisitions étrangères à son expertise et par leur gestion.

■ *La trajectoire inventive* transforme les entreprises «pionnières» en «rêveuses». Elles sont des chefs de file dans la recherche et le développement, mais les chercheurs finissent par se consacrer à des inventions grandioses et futuristes qui dilapident les ressources de l'entreprise dans une utopie collective. Cela a été le cas du projet Iridium de Motorola dans les années 1990, dont les ingénieurs ont voulu ceinturer le globe de satellites permettant des communications planétaires pour le consommateur moyen. Ce projet, qui a été abandonné faute de clients, a coûté cinq milliards de dollars de l'époque.

■ *La trajectoire dissociative* transforme les entreprises «vendeuses» en «vagabondes». Caractérisées par un marketing de premier ordre, ces entreprises vendeuses finissent par concevoir des produits mal pensés, imités et qui n'attirent plus le client. C'est le cas de l'industrie automobile américaine.

Apprendre à innover, à se remettre en question, recueillir de l'information sur les forces mouvantes externes, se comparer aux autres et faire mieux, garder le contact avec le client, recruter les gens les plus talentueux, cultiver la modestie, établir un équilibre entre les exigences de contrôle et un climat de confiance et d'apprentissage, voilà quelques façons de changer et de prévenir une sclérose organisationnelle.

Le changement peut être suscité, nous l'avons vu, par des forces issues de l'environnement interne et externe de l'organisation, mais parfois il se heurte à des forces antagonistes, dont les plus courantes sont celles qui émanent de la résistance humaine et institutionnelle au changement.

LA RÉSISTANCE AU CHANGEMENT

BP Norge, filiale norvégienne de British Petroleum, s'est heurtée à plus de résistance de la part de ses employés que du célèbre mauvais temps de la mer du Nord! Cette résistance est née au moment où la société a introduit le concept d'équipes de travail autonomes sur ses plates-formes de forage. De nombreux employés sceptiques ont fait remarquer que les tentatives précédentes de création d'équipes de travail autonomes avaient échoué. D'autres employés étaient convaincus qu'ils travaillaient déjà de cette façon et ne voyaient donc pas l'intérêt de la changer. D'autres personnes encore se sont plaintes que les équipes de travail autonomes augmentaient leurs responsabilités; elles ont donc réclamé une promotion et une augmentation de salaire. Un autre groupe de salariés s'inquiétait de ne pas avoir les compétences nécessaires pour s'intégrer dans une équipe de travail autonome. Enfin, certains superviseurs de BP ont mis du temps à accepter cette nouvelle structure de travail, ne voulant pas renoncer à leur pouvoir personnel[5].

Ce cas de résistance au changement de BP Norge est loin d'être unique. En effet, une enquête indique que 43 % des cadres reconnaissent que la résistance du personnel est la principale raison de la productivité limitée de leur entreprise[6].

La résistance du personnel au changement est le symptôme d'un problème et non sa cause, sur laquelle il faut précisément agir[7].

Les symptômes de la résistance au changement[8]

Cette résistance s'exprime de différentes manières : la résistance passive, les plaintes, l'absentéisme, la rotation du personnel, les rumeurs, le dénigrement du projet et de l'agent de changement, une démotivation du personnel, une baisse de la performance, de la désinformation, la formation d'alliances, la dénonciation du projet (déformé ou non) par des acteurs influents, une augmentation du stress et des plaintes du personnel, ainsi que des actions collectives comme des grèves, du sabotage, voire des agressions physiques, etc[9].

Les causes de la résistance au changement

La résistance au changement émane de deux sources : les personnes et les organisations elles-mêmes.

Les causes de résistance dues aux personnes   On peut les regrouper sous cinq rubriques : la résistance cognitive, idéologique, politique, psychologique et socioéconomique[10].

■ *La résistance cognitive*   Dans ce cas, les personnes concernées ne partagent pas le diagnostic fait par le leader. Ces personnes sont de bonne foi et la nouveauté ne leur fait pas peur. Leur démarche intellectuelle et rationnelle aboutit à une analyse et à des conclusions différentes de celles de l'agent de changement. Le leader peut composer avec cette « résistance » grâce à l'écoute active, le débat, des arguments rationnels et bien documentés, en demandant l'avis de consultants externes et en montrant l'urgence de changer[11].

■ *La résistance idéologique*   Il s'agit ici d'un choc (perçu) de valeurs et de croyances entre les membres de l'organisation et celles que véhiculent le changement et son porteur. Par exemple, la démission de Paul Tellier, ancien p.-d.g. de Bombardier, a pu être causée (entre autres choses) par des valeurs divergentes : les siennes étaient d'abord axées sur l'« assainissement » d'une entreprise vouée à devenir rentable ; celles des héritiers du fondateur étaient plutôt l'innovation d'abord, comme toujours chez Bombardier. Une réinterprétation de ces valeurs et surtout un accord sur les méthodes les véhiculant pourrait faciliter l'acceptation du changement.

■ *La résistance politique*   C'est la résistance la plus difficile à surmonter, car elle met en jeu la défense d'intérêts et de pouvoirs, et ce, d'autant plus qu'elle peut invoquer la résistance cognitive. Le leader peut alors négocier avec les parties qui ont de l'influence (par exemple, leur participation), former lui-même des alliances pour acquérir plus d'autonomie ou neutraliser les opposants.

■ *La résistance psychologique*   Il s'agit ici typiquement de la résistance due à la peur de l'inconnu. Les personnes résistent au changement parce qu'elles craignent de ne pouvoir adopter de nouveaux comportements et d'en sortir perdantes. Par exemple, le propriétaire d'une entreprise souhaitait que son personnel des ventes joigne les clients par téléphone plutôt que de leur rendre visite personnellement. N'ayant aucune expérience de la sollicitation par téléphone, les employés se sont plaints de la nouvelle directive. Certains de ces employés n'ont même pas assisté au programme de formation sur ces appels téléphoniques, par crainte d'y échouer[12].

Par ailleurs, dans le même ordre d'idées, l'être humain est aussi un être d'habitudes et d'apprentissages qu'il n'abandonne pas facilement lorsqu'il fait face à des situations qu'il juge incertaines (comme un changement radical)[13]. D'une certaine manière, l'habitude et l'adoption d'une certaine routine permettent de rendre la vie prévisible et, par conséquent, de procurer un sentiment de sécurité[14], ce qui explique la résistance à l'apprentissage de nouveaux rôles. Information, formation, écoute active et récompenses peuvent faciliter l'adoption du changement.

■ *La résistance socioéconomique*   L'être humain est aussi un être rationnel, capable de calculs et d'anticipation. S'il perçoit que les avantages tangibles (par exemple, la rémunération) et intangibles (par exemple, sa réputation) de la situation actuelle surpassent ceux que semble promettre le changement, il y résistera naturellement. Il faut donc le convaincre du contraire (si c'est le cas, bien sûr!).

Les causes de résistance dues à l'organisation même   La résistance au changement dépasse parfois les individus. C'est alors le système entier dans lequel ils travaillent qui s'oppose, de par sa structure et sa culture, aux changements. Les causes en sont une culture d'immobilisme et de conflits, la pression de groupes cohésifs, des expériences négatives de changement et le manque de ressources.

■ *Une culture d'immobilisme*   Ici, c'est tout simplement la culture même de l'organisation qui s'oppose au changement. Des années de stabilité sans incident, des dirigeants semblables la perpétuant et des mécanismes de sélection ont pu émousser les réflexes visant à réagir aux fluctuations de l'environnement[15]. C'est le cas d'IBM dans les années 1980. Cette entreprise s'est obstinée à rester dans les grands systèmes seulement (ce qui lui a fait rater l'ordinateur personnel). Ainsi, cette société prestigieuse passait pour un «dinosaure» avant que Gestner ne la transforme radicalement. Il faut donc changer les systèmes et les dirigeants responsables de cette inertie, mais cela n'est pas facile, surtout s'ils ont fait la preuve de leur efficacité dans le passé[16].

■ *Les pressions de groupes cohésifs*   Des normes rigides et fortes, émanant de groupes cohésifs, découragent ceux qui favoriseraient le changement (*voir les chapitres 8 et 9*). Il faut donc tenter de changer ces normes.

■ *Une culture de conflits*   Une organisation déchirée par des conflits entre des groupes ayant un pouvoir relativement égal ne peut changer positivement. D'une part, elle n'en a pas l'énergie, car elle est préoccupée par ses luttes intestines; d'autre part, toute proposition de changement d'une partie subira, par principe et pratiquement automatiquement, un rejet provenant de l'autre partie. Ce peut être le cas d'une administration en butte depuis longtemps à un syndicat fort.

■ *Des expériences négatives de changements*   Les individus ayant vécu dans le passé des tentatives de changement qui se sont soldées par un échec en gardent un mauvais souvenir. Ils seront donc plus réticents à revivre la même expérience.

■ *Le manque de ressources*   Parfois, même si elle voulait changer, l'organisation ne pourrait le faire, par manque de ressources. Elle peut manquer par exemple de compétences humaines (le savoir-faire pour mener à bien le changement) ou de ressources matérielles (par exemple des fonds pour automatiser un processus et former le personnel).

Un dernier mot sur la « résistance » au changement, qu'on a mis entre guillemets par endroits. Cette mise en relief voulait souligner que la signification de ce concept est toute relative. En effet, les livres de gestion qui abordent ce concept prennent le parti pris du dirigeant ou de l'agent de changement. Pour celui-ci, évidemment, tout obstacle peut être interprété comme un élément de résistance. Cette interprétation est acceptable dans la mesure où ce changement est appelé à devenir un succès d'emblée et que l'agent de changement est infaillible. Évidemment, ce n'est pas toujours le cas ! Dans cette éventualité, la « résistance » des autres devient au contraire un avantage à plusieurs points de vue :

1. La « résistance » permet d'étudier, de clarifier et de mettre à l'épreuve la qualité des projets de changement des dirigeants.
2. La « résistance » oblige le dialogue entre les acteurs concernés par le changement et leur participation au processus.
3. La « résistance » peut être un rempart contre des abus de pouvoir des agents de changement dont les efforts visent à ce que les autres se conforment aux idées et aux comportements qu'ils proposent, parfois de façon coercitive.

En fait, ce terme ne devrait être utilisé qu'avec beaucoup de circonspection. Par exemple, on pourrait lui préférer, selon le cas, des expressions telles que la « gestion des conflits », la « négociation », le « choc de valeurs » dans le processus de changement.

Après avoir évoqué les symptômes et les causes de la résistance au changement, nous abordons maintenant en détail les façons de transiger avec elle.

Les manières de surmonter la résistance au changement

Le tableau 17.2 présente six manières de surmonter la résistance au changement du personnel. Des méthodes telles que la communication, la formation, la participation du personnel et la gestion du stress doivent être appliquées en premier lieu[17]. La négociation et la contrainte sont nécessaires lorsque la résistance est politique et que la rapidité de la mise en œuvre du changement est cruciale.

La communication   La communication est la stratégie la plus importante dans tout changement organisationnel. Les enquêtes montrent qu'elle est la marque des entreprises performantes. Elle informe les employés sur ce qu'ils doivent attendre de l'effort de changement, sur les progrès réalisés et elle réduit la peur de l'inconnu. De plus, elle permet de véhiculer la nouvelle vision de la direction à tous les niveaux de l'entreprise[18].

La Banque Scotia a utilisé une stratégie particulière de communication pour amener les employés à adopter des comportements principalement orientés vers le client[19]. Le personnel a d'abord participé à des sessions d'apprentissage où l'on donnait, à l'aide de cartes, une représentation visuelle de ce que devrait être l'avenir de l'entreprise. Le bulletin de la Banque Scotia renforçait cette stratégie. La banque a ensuite ouvert une ligne téléphonique au moyen de laquelle le personnel pouvait demander d'autres renseignements ou faire connaître sa propre expérience aux autres employés. Le résultat a été que toutes les succursales canadiennes de la Banque Scotia ont mis en place le nouveau modèle de vente avant même la date prévue, et ce, avec un engagement élevé du personnel.

TABLEAU 17.2	Méthodes permettant de surmonter la résistance au changement

Stratégie	Exemple	Conditions d'application	Inconvénients
Communication	Les plaintes des clients sont transmises au personnel	Le personnel ne ressent pas l'urgence du changement	Long et coûteux
Formation	Les employés apprennent à travailler en équipe lorsque l'entreprise adopte une nouvelle structure correspondante	Le personnel doit abandonner de vieilles habitudes et adopter de nouveaux comportements	Long et coûteux
Participation du personnel	L'entreprise forme un groupe de travail qui recommandera de nouvelles pratiques concernant le service à la clientèle	Le changement nécessite plus d'engagement et de participation du personnel pour assurer sa mise en œuvre, notamment quand les idées des employés peuvent améliorer la stratégie de changement	Très long; peut également engendrer des conflits et de mauvaises décisions si les intérêts et les besoins du personnel ne sont pas compatibles avec ceux de l'organisation
Gestion du stress	Le personnel participe à des sessions de discussion où il exprime ses inquiétudes sur le changement	La communication, la formation et la participation ne dissipent pas suffisamment les inquiétudes du personnel	Long et coûteux; certaines méthodes peuvent ne pas convenir à tout le monde
Négociation	Les employés acceptent une polyvalence des tâches en échange d'une plus grande sécurité d'emploi	Quand il est probable que les individus ayant un certain pouvoir résisteront quelque peu au changement, parce qu'ils auront quelque chose à perdre dans la situation nouvelle; également nécessaire lorsque l'entreprise doit évoluer rapidement	Peut coûter cher si les employés veulent un prix élevé en échange de leur participation; ne garantit pas un engagement profond
Contrainte	Le président de l'entreprise déclare à ses cadres qu'ils doivent se plier au changement ou quitter l'entreprise	D'autres stratégies ont échoué, et l'entreprise doit changer rapidement	Peut mener à des formes plus subtiles de résistance ainsi qu'à un antagonisme durable avec l'agent de changement

Sources: Adapté de l'ouvrage de J.P. Kotter et L.A. Schlesinger, « Choosing Strategies for Changes », *Harvard Business Review,* n° 57, 1979, p. 106-114; et de P.R. Lawrence, « How to Deal with Resistance to Change », *Harvard Business Review,* mai-juin 1954, p. 49-57.

La formation La formation est un processus important dans la plupart des initiatives de changement, car le personnel doit apprendre les nouvelles compétences qui permettront de réaliser le changement. L'accompagnement (*coaching*) est une variation de la formation proprement dite; un *coach* (souvent un consultant externe) fournit une rétroaction assez rapide et une direction personnalisées à l'employé. Le *coaching* est une méthode longue, mais celle-ci aide les employés à abandonner les vieilles habitudes et à acquérir des conduites liées à leurs nouveaux rôles.

Certains programmes de formation, tels que les projets d'«apprentissage par l'action» peuvent aussi minimiser la résistance au changement des employés en les faisant participer activement à la recherche de solutions. Dans le programme d'apprentissage par l'action de Capstone, de Ford Motor Co., des équipes internationales de six cadres intermédiaires de Ford, spécialement créées à cette fin, disposent de six mois pour répondre à un projet stratégique. À la fin de cette période, les membres de chaque équipe doivent présenter leurs découvertes. Ils reçoivent alors des commentaires de la part des cadres supérieurs de Ford et des autres participants, le tout constituant un processus d'apprentissage évolutif[20].

La participation du personnel   La participation du personnel à la mise en œuvre du changement réduit efficacement les problèmes liés à la peur de l'inconnu et maintient l'estime de soi des individus. « Il est important que les employés s'approprient le processus de changement, explique Colleen Arnold, cadre chez IBM Global Services. Ce changement n'aura aucun effet s'il provient des dix personnes les plus haut placées de l'entreprise[21]. »

Instituer la participation au projet de changement est relativement aisé dans les petites organisations, mais comment s'y prend-on dans les grandes entreprises ? Une solution est d'y faire travailler des employés crédibles et représentatifs de ceux qui auront à affronter le changement. Celestica inc. a adopté cette stratégie lorsqu'elle s'est séparée d'IBM. Une vingtaine d'équipes de conception de ce fabricant de haute technologie, situé à Toronto, ont diagnostiqué les processus de travail nécessitant une refonte complète. Ils ont aussi fait de nombreuses recommandations quant aux domaines nécessitant des changements[22].

Les **séminaires de prospective** sont une autre manière d'engager un grand nombre d'acteurs dans le processus de changement. Ce sont des sessions de travail de plusieurs jours auxquelles participent tous les groupes de l'organisation et au cours desquelles les participants déterminent les tendances futures de l'environnement et établissent des stratégies pour l'entreprise[23]. Des experts de divers domaines sont parfois invités à s'exprimer sur le sujet. Les organisateurs de ces séminaires essaient d'engager dans le processus autant d'acteurs de l'entreprise que possible. Par exemple, Richmond Savings, qui fait désormais partie de Coast Capital Savings Credit Union, a consacré un séminaire de prospective de six jours visant à élaborer une nouvelle vision pour cette institution financière située à Vancouver. Elle a fait en sorte que ses 400 employés s'investissent dans le processus.

Diverses organisations, telles que la Commission scolaire du district de Toronto, Richmond Savings Credit Union, Microsoft et Nature Canada ont eu recours à des séminaires prospectifs pour favoriser un processus de changement[24]. Cette stratégie ne peut être efficace que si les participants sont créatifs et que les décideurs font un suivi des idées émises[25].

La gestion du stress   Le changement organisationnel est une expérience stressante pour bon nombre de personnes, car il menace l'estime de soi, crée de l'incertitude et de l'insécurité[26]. La communication, la formation et la participation du personnel peuvent réduire certains des facteurs anxiogènes, mais les entreprises doivent également introduire des pratiques de gestion du stress pour aider le personnel à faire face à l'inconnu, à la charge de travail éventuellement augmentée, à de nouveaux partenaires locaux ou étrangers, etc.

La négociation   Obtenir l'adhésion au changement nécessite, dans certains cas, des tactiques d'influence[27]. La négociation est une forme d'échange qui comporte, pour les parties, la promesse d'une certaine acceptation du changement en échange de bénéfices tangibles ou intangibles (*voir le chapitre 13*).

La contrainte   Si toutes les autres tentatives échouent, les responsables peuvent recourir à la contrainte pour changer les organisations. La contrainte fait référence

séminaires de prospective
Sessions de travail de plusieurs jours auxquelles participent tous les groupes de l'organisation et au cours desquelles les participants déterminent les tendances futures de l'environnement et établissent des stratégies pour l'entreprise.

à une source de pouvoir et d'influence. Elle peut inclure un renforcement des obligations des employés, la confrontation ouverte avec les acteurs refusant le changement et la menace de sanctions pour l'imposer. Le licenciement des personnes qui refusent le changement est une mesure extrême, mais il n'est pas inhabituel. Certaines données rapportent que les deux tiers des grandes entreprises ayant introduit un changement radical ont dû remplacer une partie ou l'ensemble de leurs cadres supérieurs[28].

On peut citer par exemple les Industries Dorel, situées à Montréal, qui ont remplacé la haute direction de leur division de produits pour enfants (Dorel Cosco). Martin Schwartz, chef de la direction des Industries Dorel, mentionnait ceci : « Le problème était le suivant : la précédente direction (de Dorel Cosco) se concentrait uniquement sur le chiffre d'affaires et non sur les performances réelles. Leur attitude était que tant que nous étions meilleurs que la concurrence, la rentabilité allait de soi. Selon nous, ce n'était pas suffisant. » Un an plus tard, les performances de la division Dorel Cosco s'amélioraient considérablement sous la direction d'une nouvelle équipe[29].

Le remplacement d'employés est une forme radicale de « désapprentissage » (puisqu'ils partent avec leur connaissance de l'entreprise), mais cette stratégie facilite l'adoption de nouvelles pratiques[30]. Toutefois, la contrainte est une stratégie risquée, car les employés encore à l'emploi peuvent perdre confiance en la direction. Ces employés peuvent aussi recourir à des jeux politiques afin de protéger leur propre poste. De manière générale, les diverses formes de contrainte suscitent la conformité, mais pas nécessairement l'adhésion au changement.

Les moyens que nous avons vus permettent de surmonter la résistance au changement. Au-delà de ces moyens, il existe d'autres façons qui, sans être sous un mode réactif, permettent de gérer le changement. Elles sont alors sous la responsabilité directe de la direction. Au début de ce chapitre, nous avons vu, de façon générale, les manières dont les organisations répondent au changement (graduellement, radicalement ou sans réponse adéquate). Dans la section suivante, nous entrerons plus en détail dans les stratégies managériales de changement.

LES STRATÉGIES MANAGÉRIALES DE CHANGEMENT

Créer un sentiment d'urgence général, remettre la clientèle au centre des préoccupations de l'entreprise, établir une vision stratégique, multiplier les agents de changement, planifier les transformations et en diffuser les résultats sont des forces motrices puissantes vers le changement.

Créer un sentiment d'urgence

Au début de ce chapitre, nous avons vu les nombreuses forces qui en quelque sorte obligent les organisations à changer si elles ne veulent pas décliner, voire disparaître. Ces changements externes à l'organisation sont les forces motrices qui pourraient obliger les employés à sortir de leur zone de confort. Cependant, dans de nombreuses organisations, en dehors de la haute direction, les employés ressentent très peu l'urgence de voir changer l'entreprise ou de modifier leurs propres comportements en conséquence.

Ainsi, le processus de changement doit commencer avec la transmission de ce sentiment d'urgence, appuyé par la diffusion au personnel de ces changements externes (actuels et à venir) et de la situation de l'entreprise au regard de ceux-ci (par exemple, l'état de la concurrence, les changements des goûts des clients, les nouvelles réglementations gouvernementales, etc.)[31].

James Donald, par exemple, a dû communiquer l'urgence d'un changement lorsqu'il a pris la direction de Pathmark Stores. Cette chaîne de supermarchés du New Jersey connaissait des difficultés financières mais, parmi les 28 000 employés de l'entreprise, peu d'entre eux le savaient. Pour préparer le personnel au changement et éviter la faillite, James Donald a enregistré une vidéo expliquant à tous les énormes dettes de Pathmark. Certains employés ont donné leur démission, craignant l'échec de l'entreprise, mais 99 % du personnel est resté et s'est rapidement engagé à remettre l'entreprise sur les rails[32].

Remettre la clientèle au centre des préoccupations

L'insatisfaction des clients représente une force motrice incontestable appelant un changement, car ils sont au cœur même de la survie de l'organisation. Les clients peuvent également encourager les employés à changer leurs comportements[33]. Joel Kocher, chef de la direction de Micron Electronics, a entrepris des changements motivés par la clientèle, alors qu'il était cadre dans une entreprise de fabrication d'ordinateurs. Durant une réunion avec les employés, Joel Kocher a lu la lettre d'un client en colère. Certains employés, adoptant une attitude défensive, ont allégué que le client avait mal installé ou mal utilisé l'équipement informatique, ou encore que le problème n'était pas si grave que cela.

Alors, à la surprise de tous, Joel Kocher a fait entrer le client qui avait écrit la lettre. « Nous avons en fait invité le client à se joindre à notre réunion afin de personnaliser le problème devant tous, explique Joel Kocher. Il était très intéressant de remarquer la métamorphose qui s'est produite dans ce groupe de plusieurs centaines de personnes. En fait, nous avons simplement laissé le client expliquer comment les erreurs de notre organisation avaient causé des problèmes à son entreprise et à lui-même[34]. »

L'établissement d'une vision stratégique

Tout changement réussi nécessite une vision claire et bien articulée de l'avenir souhaité. Cette vision donne une direction (*voir le texte d'ouverture du chapitre*) et établit les facteurs de réussite fondamentaux par rapport auxquels les changements réels peuvent être évalués. Elle minimise la peur de l'inconnu que peuvent ressentir les employés et permet de mieux comprendre les comportements qu'ils doivent apprendre et manifester[35]. Bien que certains dirigeants estiment que les visions stratégiques sont futiles, la plupart des cadres de grandes organisations sont convaincus qu'une vision précise du changement proposé est un facteur déterminant de la réussite de projets novateurs[36].

agent de changement
Toute personne possédant suffisamment de connaissances et de pouvoir pour mener et faciliter l'effort de changement organisationnel.

Multiplier les agents de changement

Tout changement organisationnel nécessite aussi des **agents de changement.** Un agent de changement est toute personne possédant assez de connaissances et de pouvoir pour mener à bien l'effort de changement. Certaines organisations engagent parfois des consultants externes. Toutefois, les agents de changement sont le plus souvent des personnes de l'organisation qui possèdent les compétences et l'autorité nécessaires pour introduire et pérenniser un changement significatif

De son siège social de St. John's à Terre-Neuve, CHC Helicopter Corp. a su devenir l'entreprise la plus importante au monde parmi les sociétés de services d'hélicoptères. Elle dispose de 350 appareils et de 60 bases dans le monde. Les employés de CHC ont été témoins de changements considérables durant la récente et fulgurante croissance de l'entreprise. Toutefois, les turbulences ont été atténuées grâce à la vision stratégique bien établie de l'entreprise. CHC présente clairement ses quatre principes : 1) la sécurité importe avant tout ; 2) les clients doivent recevoir un service de qualité ; 3) le lieu de travail doit encourager le travail en équipe ; et 4) CHC doit s'appuyer sur ses forces pour maintenir une croissance rentable[38].

Publié avec l'autorisation de CHC Helicopter Corp.

www.chc.ca

dans l'entreprise. Les dirigeants doivent sans aucun doute être des agents de changement au premier chef. Ce sont alors des leaders dits transformationnels (*voir le chapitre 14*)[37]. Ils élaborent une vision de la situation future de l'entreprise, la communiquent à tous les échelons de l'organisation et se comportent conformément à cette vision en donnant l'exemple.

Toutefois, comme les entreprises se fient de plus en plus à des équipes de travail autonomes, certains employés, identifiés comme des «champions du changement», peuvent occasionnellement assumer le rôle d'agents de changement.

Planifier et diffuser le changement

Il est du rôle du dirigeant de planifier le changement. Il doit d'abord établir un diagnostic de la situation requérant un changement. Nous verrons dans la prochaine section les approches empruntées aux sciences humaines qui permettent la réalisation de cette étape. Le dirigeant forme ensuite une vision, nous l'avons dit, mais il est aussi à l'origine des stratégies corporatives, des buts et des objectifs subséquents. Il doit également modifier les structures internes pour qu'elles concordent avec l'esprit du changement[39]. Par exemple, il serait contradictoire et contre-productif d'introduire des équipes semi-autonomes si, par ailleurs, la culture organisationnelle fonctionne encore globalement de façon autocratique et bureaucratique. Le système de récompenses en particulier doit être revu dans ce sens[40]. Par exemple, lorsque Jack Welch a décidé de transformer GE, il a établi à tous les niveaux de l'entreprise un système d'évaluation de la performance strict et un système de récompenses (conséquent) au mérite. «Je crois fermement qu'on peut changer tout ce qui est mesurable», déclare Carol Lavin Bernick, présidente d'Alberto-Culver Co. North America[41].

Revenons à la fonction de la planification, car c'est une étape cruciale pour introduire le changement avec succès. Le dirigeant doit décider s'il veut implanter le changement dans une période extrêmement courte ou encore par étapes. Quand le temps est disponible, y aller par étapes est préférable, car cela permet de donner une rétroaction aux gens concernés sur les progrès réalisés et de procéder à des rectifications progressives. Le dirigeant peut aussi décider de réaliser un projet pilote. L'expérience acquise durant cette phase peut ensuite être diffusée aux autres parties de l'organisation. En effet, les projets pilotes sont plus souples et moins risqués que les programmes appliqués à l'échelle de l'organisation sans expérimentation préalable[42]. Plusieurs conditions aident à la réussite d'un projet pilote[43] : en faire connaître le résultat au reste de l'entreprise en deçà de deux ans (notamment à l'aide d'une couverture médiatique favorable), obtenir le soutien et l'engagement actifs des syndicats (si c'est le cas) et permettre aux différents services une application souple de l'expérience acquise (ceci peut se faire avec les anciens membres du groupe pilote).

LES MÉTHODES ET LES TECHNIQUES DU CHANGEMENT PLANIFIÉ

L'organisation, même en l'absence de facteurs de changement immédiats, peut les anticiper. De plus, ses dirigeants peuvent travailler à développer et à transformer l'entreprise de façon relativement continue. Dans le prolongement du contenu de la dernière section, les méthodes et les techniques que nous présentons ici mettent l'accent sur la *planification* du processus de changement. Devant leur multiplicité et parfois leurs recoupements, à des fins de clarification, elles seront regroupées sous trois rubriques : la première présente les premières analyses du phénomène du changement, la deuxième traite de ce mouvement fort connu des années 1970, appelé Développement des organisations (DO en est l'acronyme français), et la dernière décrit deux approches récentes : l'analyse positive et les structures d'apprentissage parallèles (aux structures officielles). Le tableau 17.3 résume toutes ces approches.

Les premières approches

Le modèle de l'analyse des champs de forces de Lewin : un diagnostic pratique du changement
Nous devons cette métaphore empruntée à la physique au psychologue américain Kurt Lewin (*voir le chapitre 1*). Examinons ce modèle très connu de Lewin, dit d'analyse du champ de forces.

Kurt Lewin a conçu le modèle dit de l'**analyse des champs de forces** pour nous aider à comprendre le processus de changement (*voir la figure 17.1*)[44]. Bien qu'il existe depuis plus de 50 ans (ce modèle avait été expérimenté par Lewin durant la Seconde Guerre mondiale pour changer les habitudes alimentaires de ménagères américaines en identifiant et en réduisant les forces « négatives » qui s'y opposaient), ce modèle demeure encore un outil de base conceptuel et pratique pour aborder le changement.

Une partie du modèle des champs de forces représente les forces qui poussent les organisations au changement. Le chapitre 2 et le résumé que nous en avons fait précédemment décrivent certaines de ces forces issues de l'environnement externe de l'entreprise. Parallèlement à ces forces extérieures, divers acteurs créent d'autres forces de changement au sein de l'organisation (par exemple, ils peuvent promouvoir de nouveaux comportements et de nouvelles valeurs).

L'autre partie du modèle des champs de forces de Lewin représente les forces restrictives ou antagonistes qui tendent à maintenir le statu quo dans l'entreprise. Ces forces antagonistes sont généralement identifiées à des forces de « résistance au changement ». La stabilité d'un système est atteinte lorsque les forces motrices

analyse des champs de forces
Modèle de Kurt Lewin représentant un changement à l'échelle de tout un système ; il permet aux agents de changement de diagnostiquer les forces favorisant ou restreignant le changement dans les organisations.

TABLEAU 17.3 Stratégies de changement planifié

Les premières approches	Le développement organisationnel (DO)	Les approches récentes
■ L'analyse des champs de forces de Lewin	■ La gestion par objectifs	■ L'analyse positive
■ La recherche-action	■ La consultation sur les processus	■ Les structures d'apprentissage parallèles
■ Le mouvement sociotechnique	■ La rétroaction après enquête	
	■ La construction d'une équipe	

FIGURE 17.1

Modèle de l'analyse
des champs
de forces de Lewin

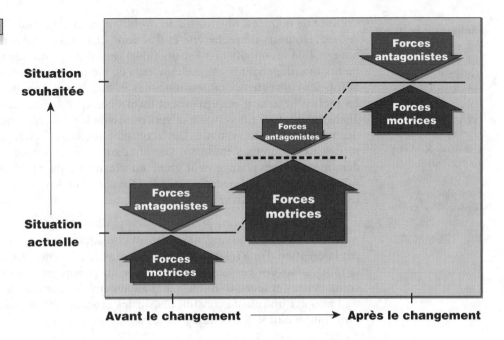

et les forces antagonistes sont en équilibre, c'est-à-dire quand elles sont d'égale intensité et opposées.

Dans son modèle de l'analyse des champs de forces, Lewin souligne qu'un changement se produit de la manière suivante. Tout d'abord, la situation à modifier est « **dégelée** », c'est-à-dire qu'est mis en place un processus (information, encouragements, etc.) grâce auquel les individus prennent conscience du besoin de changer les comportements qui font perdurer une situation indésirable. Le terrain est ainsi mûr pour opérer le changement ; c'est la phase de transition ou l'on passe d'un état ancien à l'état nouveau souhaité (par exemple l'introduction d'un système de rémunération au mérite). Enfin, le processus est « **regelé** » (ou **cristallisé**) afin qu'il reste en l'état ainsi modifié. Il est souhaitable alors que les employés s'approprient les nouveaux comportements (par exemple grâce à la méthode de transfert des compétences en formation, la pratique, le renforcement positif, etc.) Le dégel implique l'introduction d'un déséquilibre entre les forces motrices et les forces antagonistes. Cette situation survient en augmentant les forces motrices ou en réduisant les forces antagonistes, ou encore en combinant ces deux actions.

Cette approche est intéressante, car elle permet de visualiser rapidement les forces sur lesquelles le dirigeant peut agir et celles qui peuvent attendre. Elle a également le mérite d'identifier les forces positives de l'organisation, perspective moderne qui sera élaborée plus loin. La seconde approche, la recherche-action, vise les mêmes objectifs (diagnostiquer et agir), mais elle le fait de façon encore plus rigoureuse.

La recherche-action Parallèlement à l'introduction du modèle de champs de forces, Kurt Lewin recommandait l'approche de la **recherche-action** pour tout processus de changement. La recherche-action, comme son nom l'indique, est la vérification d'une théorie, le plus souvent un cadre conceptuel (par exemple la culture organisationnelle ou la dynamique des groupes) débouchant sur des actions concrètes porteuses de changements (des modifications d'attitudes, par exemple)[45].

dégel (ou décristallisation)
Première phase d'un processus où le changement engendre un déséquilibre entre les forces motrices et les forces antagonistes.

regel (ou cristallisation)
Dernière phase du processus de changement au cours de laquelle on crée les conditions pour renforcer et maintenir les comportements ou les systèmes modifiés.

recherche-action

Processus rigoureux qui, partant d'un cadre conceptuel, vise l'introduction documentée d'un changement grâce au diagnostic du problème, à l'intervention orientée vers des actions concrètes et à l'évaluation de ce processus.

Collecte de données, diagnostic du problème et intervention font partie d'un processus rigoureux de recherche et d'action[46]. La recherche-action est un système ouvert. Elle reconnaît que les organisations sont composées de nombreux éléments interdépendants et que les agents de changement doivent donc anticiper à la fois les conséquences intentionnelles et non intentionnelles des interventions. La recherche-action est également un processus à haute participation, car tout changement dans un système ouvert nécessite les connaissances et l'engagement des membres de ce système. De façon globale, la recherche-action est donc un processus rigoureux d'étude qui, partant d'un cadre conceptuel, vise l'introduction documentée d'un changement grâce au diagnostic du problème, à l'intervention orientée vers des actions concrètes et à l'évaluation de ce processus visant à stabiliser le changement (*voir la figure 17.2*)[47].

■ *Créer une relation entre le client et le conseiller*   Dans la recherche-action, généralement, l'agent de changement est un consultant externe. Le processus débute par la création d'une relation entre le client et le conseiller. Ce dernier doit évaluer la motivation des personnes à participer au processus ainsi que leur niveau de compétences et leur ouverture au changement. En général, les conseillers préfèrent adopter un rôle de consultants sur les processus (méthode que nous verrons plus loin)[48] plutôt que celui d'experts techniques.

■ *Diagnostiquer le besoin de changement*   La recherche-action permet de diagnostiquer soigneusement les problèmes au moyen de la collecte et de l'analyse systématique de données sur la situation à l'étude. Entretiens et questionnaires auprès des acteurs concernés sont des instruments de recherche souvent employés[49]. À ce stade, la direction et les employés se commettent dans le projet de mise en œuvre du changement (rôles, calendrier, critères de réussite, etc.).

■ *Amorcer l'intervention*   Dans cette étape, une ou plusieurs actions sont lancées pour corriger le problème (par exemple, former des équipes plus efficaces, gérer les conflits, créer une meilleure structure ou modifier la culture de l'entreprise). Une question importante est la rapidité d'exécution du changement : doit-il se faire par étapes ou de façon radicale[50] ? Cela dépendra du contexte : changement évolutif dans le cas de modifications de valeurs profondément enracinées, radical dans les cas urgents (*voir précédemment*). Mais d'autres facteurs peuvent déterminer ce choix.

■ *Évaluer et stabiliser le changement*   En recherche-action, le défi de l'évaluation du changement est de séparer l'efficacité de l'intervention d'autres facteurs

FIGURE 17.2   Approche de la recherche-action en matière de changement organisationnel

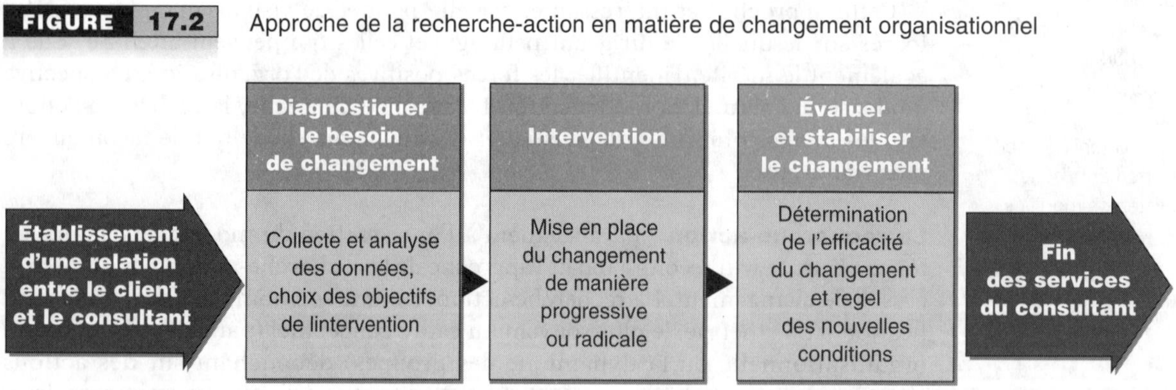

Établissement d'une relation entre le client et le consultant	Diagnostiquer le besoin de changement	Intervention	Évaluer et stabiliser le changement	Fin des services du consultant
	Collecte et analyse des données, choix des objectifs de lintervention	Mise en place du changement de manière progressive ou radicale	Détermination de l'efficacité du changement et regel des nouvelles conditions	

concomitants. Cette séparation est d'autant plus difficile que l'efficacité d'une intervention peut demeurer latente pendant des mois, voire quelques années. Si l'activité a l'effet voulu, l'agent de changement et les participants doivent stabiliser les nouvelles conditions grâce au processus de regel décrit plus tôt.

Le mouvement sociotechnique   Aux chapitres 7 et 9 , nous avons vu ce mouvement qui a pris naissance dans les années 1950 en Grande-Bretagne, au Tavistock Institute. Nous l'avons abordé dans le contexte des équipes de travail autodirigées, qui étaient la meilleure structure, selon Emery et Bamforth, pour absorber les « variances » dues aux changements dans l'organisation du travail. Cette approche, dans la même idée que la recherche-action, considère l'organisation comme un système ouvert dont les parties sont hautement interdépendantes et en relation constante avec leur environnement. Le mérite de ce mouvement est d'insister sur la nécessité de gérer (diagnostiquer, prévenir et agir en conséquence) simultanément les changements techniques et les aspects humains et sociaux. De plus, ce changement interne ne peut se comprendre qu'en tenant compte des transformations de l'environnement externe de l'organisation (technique, économique et social). Les chercheurs du Tavistock Institute ont été les précurseurs de nombreuses expériences de restructuration des tâches dans plusieurs pays d'Europe et aux États-Unis, et ils en ont inspiré d'autres par la suite (au Canada, par exemple chez General Electric à Bromont, au Québec, dans les années 1980). Cette approche est particulièrement pertinente de nos jours, notamment avec l'explosion des technologies de l'information, où la plupart des problèmes qui se posent au moment de leur introduction proviennent surtout de la négligence des aspects humains (la résistance au changement, par exemple).

La prochaine approche de changement, le développement organisationnel, fournit beaucoup de méthodes et de techniques (dont nous ne verrons que les principales) pour amorcer et faciliter le changement, qu'il soit technique ou humain.

Le développement organisationnel

Ce mouvement a connu un très grand succès dans les années 1970, alors même qu'on ne parlait pas trop encore du changement vécu comme une crise. Le DO est un ensemble d'actions planifiées qui vise à améliorer l'efficacité des individus, et surtout des groupes et des organisations, au moyen de l'application des sciences du comportement (notamment par l'utilisation des concepts vus dans ce manuel). Parmi les théoriciens les plus connus du DO, on peut citer Beckhard, Bennis, Schein, Bowers, Bell, Likert, Blake et Mouton. Généralement, l'entreprise retient les services d'un expert en DO qui l'aide à changer les comportements des acteurs concernés, l'efficacité des groupes de travail, voire la culture de l'organisation. C'est habituellement un travail de longue haleine (de deux à cinq ans), car l'organisation est considérée comme un système qui exige des interventions à plusieurs niveaux. Outre ces points, les postulats et les valeurs qui sous-tendent le DO sont les suivants: 1) le petit groupe de travail est la cellule de base du bon fonctionnement de l'organisation ; 2) le consultant, à l'éthique irréprochable, doit responsabiliser le groupe et l'outiller pour qu'il puisse travailler par la suite de façon autonome et motivée ; 3) la collaboration entre les divers groupes et différents niveaux hiérarchiques est requise ; 4) le développement des individus n'est pas du tout incompatible avec l'efficacité, qu'elle soit humaine ou organisationnelle. Les experts en DO utilisent de nombreuses approches, dont la recherche-action vue précédemment ou le modèle de Lewin. La gestion par objectifs, la consultation sur les processus, la rétroaction après enquête et la construction d'une équipe sont d'autres moyens dont on se sert en DO.

La gestion ou direction par objectifs (DPO)   Cette partie a déjà été traitée au chapitre 6. Nous en faisons simplement un rappel dans le contexte du changement. Cette technique, amorcée dans les années 1960 par Peter Drucker, un des grands penseurs en management, a connu par la suite des développements très pratiques en matière de changement dans les organisations. La DPO peut en être un levier efficace puisque cette stratégie de gestion par objectifs clairs, accessibles et mesurables, modifie les comportements, les attitudes et les rôles des individus ainsi que la performance des employés et de l'organisation. Elle peut même aboutir à des questionnements sur les buts, les objectifs et les stratégies de l'entreprise, et à des changements subséquents.

La consultation sur les processus   Par processus, on entend généralement les éléments humains (traités dans ce manuel) qui permettent aux groupes de travail d'être efficaces ou pas. Le rôle du consultant n'est pas de résoudre les problèmes du groupe, mais d'aider à le faire par l'analyse de ces processus. Il peut s'agir du fonctionnement du groupe (rôles, normes, etc.), des questions de leadership et de pouvoir, du processus de communication, etc.

La rétroaction après enquête   Cette technique peut être utilisée toute seule ou comme une étape de la recherche-action vue précédemment. C'est un outil de processus de changement qui comprend les étapes suivantes : collecte de données auprès des groupes de travail concernés par l'intervention, présentation de ces données (par un consultant en DO généralement) sous une forme compréhensible et restitution des résultats aux membres qui ont participé à l'exercice. Les acteurs concernés discutent des résultats et travaillent à améliorer les processus déficients. Le consultant utilise souvent un questionnaire (normalement validé auprès de la population ciblée) qui recueille les perceptions des individus sur les processus mentionnés à la section précédente et mène des enquêtes sur la satisfaction au travail. Cette technique n'entraîne pas de changements fondamentaux, mais elle a le mérite de révéler les problèmes de groupe ou organisationnels, ce qui, en retour, peut dévoiler les changements à apporter à la structure ou à l'organisation du travail.

La construction d'une équipe (*team building*)   La construction d'une équipe est une technique de changement qui touche la cellule de base du DO qu'est le groupe (*voir aussi le chapitre 9*). Il s'agit ici de transformer un groupe en une équipe de travail efficace dont les membres sont interdépendants. Encore une fois, les grands principes de la recherche-action s'appliquent ici. Le groupe collecte les données pertinentes aux problèmes qui entravent son efficacité, pose un diagnostic sur son fonctionnement, étudie les résultats et se concentre sur les éléments constitutifs des groupes : détermination d'objectifs, résolution de conflits, qualité des relations entre les membres, distribution et acceptation des rôles de chacun, etc. Généralement, l'esprit d'équipe ainsi formé a un effet bénéfique sur la performance du groupe et de l'organisation ainsi que sur la satisfaction au travail des membres de l'équipe.

consultation sur les processus
Action qui vise à aider les membres d'une organisation à résoudre ses problèmes, d'une part en leur faisant comprendre les processus à l'œuvre dans leur environnement de travail, d'autre part en leur permettant d'agir sur ces processus.

Les méthodes récentes en matière de changement organisationnel

Ces méthodes sont l'analyse positive (des éléments organisationnels) et la mise en place de structures d'apprentissage parallèles aux structures formelles.

La méthode de l'analyse positive

méthode de l'analyse positive

Intervention en matière de développement des organisations qui ignore les problèmes des groupes et des organisations pour se concentrer sur leur potentiel de croissance et leurs éléments positifs.

L'approche de la recherche-action en matière de changement organisationnel et celle du DO ont dominé ce champ depuis leur introduction dans les années 1940 et 1970. Malgré leur grand apport, on leur reproche toutefois le trop grand accent mis sur les problèmes des groupes et des organisations pour introduire des changements. Par contre, dans la **méthode de l'analyse positive,** l'accent n'est plus mis sur l'analyse des problèmes, mais sur les succès passés et futurs des groupes.

On recadre les interactions autour de ce qui est positif, créatif et possible[51]. La méthode de l'analyse positive est très utile lorsque les participants sont conscients de leurs « problèmes » ou qu'ils ont déjà vécu suffisamment de sentiments négatifs dans leurs relations.

La figure 17.3 présente le modèle en quatre étapes de la méthode de l'analyse positive. C'est un groupe travaillant avec l'Agence américaine pour le développement international (U.S. Agency for International Development) et la fondation d'Aide à l'enfance[52] qui a conçu ce modèle à Harare, au Zimbabwe. Dans une première étape dite de « découverte », on fait une recension des éléments positifs des divers aspects de la vie de l'organisation. On recueille ces éléments dans les récits de divers acteurs (employés, clients, fournisseurs, etc.). À la deuxième étape, après avoir discuté des résultats de la première, les participants « rêvent » à ce qui serait possible dans une organisation idéale. À la troisième étape, ils précisent davantage leur conception de leur organisation ainsi améliorée en utilisant la visualisation précédente et un dialogue constant (*voir le chapitre 9*)[53].

Dans l'étape finale de la méthode de l'analyse positive, appelée la « concrétisation », les participants établissent des objectifs précis pour leur propre organisation en se basant sur les étapes précédentes.

FIGURE 17.3 Processus d'analyse positive

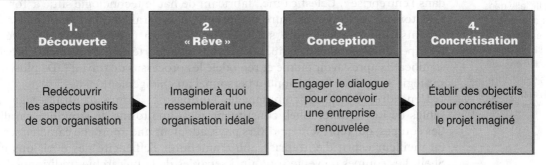

1. Découverte	2. « Rêve »	3. Conception	4. Concrétisation
Redécouvrir les aspects positifs de son organisation	Imaginer à quoi ressemblerait une organisation idéale	Engager le dialogue pour concevoir une entreprise renouvelée	Établir des objectifs pour concrétiser le projet imaginé

Sources: Basé sur l'ouvrage de J.M. Watkins et B.J. Mohr, *Appreciative Inquiry: Change at the Speed of Imagination*, San Francisco, Jossey-Bass, 2001, p. 25, 42-45; de D. Whitney et C. Schau, « Appreciative Inquiry: An Innovative Process for Organisation Change », *Employment Relations Today*, n° 25, printemps 1998, p. 11-21; de F.J. Barrett et D.L. Cooperrider, « Generative Metaphor Intervention: A New Approach for Working with Systems Divided by Conflict and Caught in Defensive Perception », *Journal of Applied Behavioral Science*, n° 26, 1990, p. 229.

La méthode de l'analyse positive en pratique   La méthode de l'analyse positive est une approche relativement nouvelle en matière de changement organisationnel; toutefois, plusieurs organisations ont déjà appliqué ses principes fondamentaux. Chrysler Canada a pratiqué une forme de méthode de l'analyse positive en commençant chaque réunion avec le récit d'une réussite. « Nous avions découvert que, trop souvent, nous nous attardions sur nos propres erreurs et échecs et restions concentrés sur eux », commente un cadre de Chrysler Canada. Au départ, tout le monde avait de la difficulté à trouver des exemples de réussite, mais les participants à cette activité ont finalement réalisé que beaucoup avaient vécu des expériences positives dignes d'être racontées pour l'exemple[54].

Avon Mexico a aussi appliqué une méthode d'analyse positive afin de favoriser l'accès aux femmes à des postes de niveau élevé. Une équipe de cadres, d'employés et de conseillers a demandé à diverses personnes de leur rapporter leurs meilleures expériences en matière de promotion des femmes à des postes supérieurs chez Avon Mexico. Durant des sessions de deux jours, les participants ont pris connaissance de ces récits. Ensuite, en se basant sur ces exemples, ils ont trouvé plusieurs façons de reproduire ces expériences au sein de la société. Au cours des années subséquentes, l'entreprise a remporté la récompense Catalyst dans le domaine de l'égalité des sexes en emploi. De plus, les bénéfices d'Avon Mexico ont augmenté considérablement (réussite en partie attribuée à la méthode de l'analyse positive)[55].

La méthode de l'analyse positive a suscité beaucoup d'intérêt parmi les praticiens en changement organisationnel. Cette approche est devenue si populaire que certains consultants considèrent tout ce qui présente une orientation positive comme faisant partie de la méthode de l'analyse positive! D'autres études sont nécessaires pour en déterminer les conditions d'efficacité, mais le concept est prometteur[56].

Les structures d'apprentissage parallèles (au système officiel)

Les **structures d'apprentissage parallèles** à la hiérarchie officielle sont formées de groupes très participatifs créés dans le but d'accroître l'apprentissage collectif et d'introduire des changements significatifs dans l'entreprise. Ces groupes peuvent être composés de personnes provenant de presque tous les niveaux de l'organisation et la liberté dont elles jouissent, vu leur position particulière, les rend plus efficaces pour résoudre des problèmes ou apporter des solutions créatives dans l'entreprise[57]. Celestica inc., fabricant de haute technologie situé à Toronto, s'est tourné vers une structure d'apprentissage parallèle pour imprimer à son organisation une structure sociotechnique et un travail davantage axé sur l'équipe. Une vingtaine d'équipes de travail ont apporté des changements précis et significatifs après avoir étudié et remodelé les processus de travail[58]. De plus, cette stratégie a renforcé l'adhésion du personnel au changement.

L'encadré 17.3 décrit comment les équipes des camps d'entraînement aux ventes de Royal Dutch/Shell constituent aussi une forme de structure parallèle. Ces équipes, qui représentent divers pays, adoptent une approche caractérisée par un meilleur esprit d'entreprise afin d'améliorer l'efficacité des décisions chez Shell. Les équipes de vente sont ainsi séparées de la hiérarchie traditionnelle, ce qui facilite l'introduction de nouvelles attitudes, de nouveaux rôles et comportements professionnels.

Toutes les stratégies de changement que nous avons exposées ne sont pas nécessairement universelles, c'est-à-dire qu'elles doivent être utilisées avec circonspection

---

structures d'apprentissage parallèles
Groupes très participatifs créés en dehors de la structure officielle dans le but d'accroître l'apprentissage collectif et d'introduire des changements significatifs dans l'entreprise.

Les changements à Royal Dutch/Shell facilités par des structures d'apprentissage parallèles

Il y a quelques années, la concurrence menaçait la part de marché de Royal Dutch/Shell. Les cadres de cette entreprise pétrolière à Londres et à La Haye ont passé deux années à réorganiser, à réduire les effectifs et à former des cadres. Toutefois, ces initiatives émanant de la direction n'ont pas eu l'effet escompté.

Steve Miller, responsable de la division des produits pétroliers de Shell dans le monde, a alors décidé de mettre en place une structure d'apprentissage parallèle et de changer l'entreprise grâce à des initiatives venant des employés eux-mêmes. Avec son équipe de direction, il a organisé plusieurs ateliers de cinq jours chacun, auxquels assistaient six équipes d'employés travaillant dans les opérations de base de divers pays (des responsables de station-service, des chauffeurs de camion, des spécialistes du marketing, etc.). Les participants de ces « camps d'entraînement aux ventes » ont appris à identifier les menaces de la concurrence dans leur région et les opportunités du marché. Les équipes sont ensuite retournées dans leurs pays respectifs afin d'étudier leurs propres marchés et de soumettre des améliorations. Une équipe d'Afrique du Sud, par exemple, a proposé d'augmenter la part de marché du gaz liquide. De son côté, l'équipe malaisienne a mis sur pied des projets d'augmentation de vente d'essence dans son pays.

Quatre mois plus tard, les équipes ont participé à un deuxième atelier. L'équipe de direction de Steve Miller, durant plusieurs sessions, commentait alors publiquement chaque proposition, le tout formant une sorte d'apprentissage collectif. Chacune des équipes disposait de 60 jours pour mettre ces idées en pratique, puis elles revenaient participer à un troisième atelier afin d'en évaluer les résultats.

Ces ateliers et leurs applications sur le terrain ont eu un effet considérable et contagieux auprès des employés de première ligne qui ont adopté des pratiques efficaces pour faire face à la concurrence. « Je ne peux exagérer l'effet contagieux de l'optimisme et de l'énergie que ces employés dévoués ont eu sur leurs chefs », soutient Steve Miller. Ce processus de changement a aussi entraîné une ferme amélioration de la rentabilité et une augmentation de la part de marché dans la plupart des régions où des employés avaient participé aux sessions d'apprentissage.

Sources : R. Pascale, M. Millemann et L. Gioja, *Surfing on the Edge of Chaos,* Londres, Texere, 2000 ; R.T. Pascale, « Leading from a Different Place », dans J.A. Conger, G.M. Spreitzer et E.E. Lawler III, (édit.), *The Learder's Change Handbook,* San Francisco, Jossey-Bass, 1999, p. 301-320 ; D.J. Knight, « Strategy in Practice : Making it Happen », *Strategy & Leadership,* juillet-août 1998, p. 29-33 ; R.T. Pascale, « Grassroots Leadership – Royal Dutch/Shell », *Fast Company,* nº 14, avril-mai 1998, p. 110-120.

www.shell.com

dans des contextes culturellement différents. Les interventions en changement soulèvent également des questions d'éthique. Ces points concluront ce chapitre.

LES PROBLÈMES INTERCULTURELS ET ÉTHIQUES LIÉS AUX CHANGEMENTS ORGANISATIONNELS

La façon de gérer les changements organisationnels en Amérique du Nord (notamment aux États-Unis et au Canada) n'est pas universelle. Appliquée ailleurs, elle peut entrer en conflit avec les valeurs culturelles de ces pays[59]. Les pratiques que nous avons vues mettent l'accent sur les problèmes (et leur résolution), la confrontation des conflits, voire leur stimulation, et parfois la mise à nu des sentiments et des opinions (notamment en DO). Toutefois, ces pratiques sont incompatibles avec les cultures qui considèrent le changement comme un processus cyclique naturel dont les objectifs sont l'harmonie et l'équilibre[60]. Bon nombre de personnes en Asie, par exemple, essaient de minimiser les conflits par respect pour les autres et pour ne pas froisser les susceptibilités[61]. Il convient donc d'adopter des approches respectueuses des valeurs culturelles des participants.

Les aspects éthiques des changements organisationnels

Certaines pratiques de changement organisationnel soulèvent également des problèmes éthiques[62]. L'une des inquiétudes en matière d'éthique est l'atteinte à la vie privée des individus. Le modèle de la recherche appliquée est basé sur la collecte de données auprès des membres de l'organisation. Cela signifie qu'il faut respecter la confidentialité de l'information fournie et ne pas forcer les participants à exprimer des émotions qu'ils ne souhaitent pas partager[63].

Une deuxième préoccupation éthique est que les activités liées aux changements peuvent accroître démesurément le pouvoir de la direction quand celle-ci impose sans discernement au personnel la conformité à ses propres vues. De plus, certaines méthodes ou techniques favorisant le changement devraient stimuler l'engagement volontaire du personnel concerné plutôt que de supposer une « participation » automatique.

Un troisième point d'éthique concerne certaines interventions en matière de changement organisationnel qui peuvent altérer l'estime de soi des participants. En effet, le processus de « dégel » leur impose parfois de renoncer à leurs compétences actuelles, voire à leurs croyances, et de se voir exposés à la critique de leurs collègues. Ce problème éthique a été soulevé à SaskTel, il y a quelques années. L'entreprise de télécommunications située à Regina avait engagé des consultants pour améliorer la dynamique d'équipe. Au lieu de cela, les 20 employés de SaskTel faisant partie du projet ont déclaré qu'ils avaient été isolés dans des bureaux aux vitres opaques. Les consultants les ont pratiquement mis en quarantaine dans de petits bureaux, sans qu'ils aient le droit de se parler entre eux. Ces derniers ont finalement fait front commun et ont forcé SaskTel à se « débarrasser » des consultants. « Les membres de l'équipe étaient régulièrement insultés devant le groupe », se souvient Kathryn Markus, responsable chez SaskTel depuis sept ans. « L'isolement, les longues heures et les activités sans but me faisaient me sentir abandonnée, trahie et effrayée. » Après ce projet, Kathryn Markus et d'autres employés de SaskTel ont dû prendre des congés de maladie[64].

Une quatrième inquiétude éthique vient du rôle du consultant en matière de changement organisationnel. Il se doit de ne pas accroître la dépendance de son client envers lui et, bien que ce ne soit pas facile, de rester détaché des situations à l'étude (à moins que l'engagement du conseiller soit lui-même une de ses méthodes éprouvées en développement organisationnel)[65]. Un changement organisationnel est un processus complexe. De nombreux chefs d'entreprise promettent plus de changements qu'ils ne peuvent en faire, car ils sous-estiment le temps nécessaire et les défis qui se posent. Pourtant, la plupart des organisations fonctionnent dans des environnements très turbulents qui exigent une adaptation rapide et continuelle. Les organisations qui réussissent sont celles qui ont su anticiper le changement, voire le provoquer, et qui ont mis la gestion des ressources humaines parmi leurs priorités.

LE COMPORTEMENT ORGANISATIONNEL : UN DERNIER MOT

Il y a presque 100 ans, l'industriel Andrew Carnegie déclarait : « Privez-moi de mon personnel, mais laissez-moi mes usines et, bientôt, l'herbe y poussera. Prenez mes usines, mais laissez-moi mon personnel et, bientôt, nous aurons des usines nouvelles et plus efficaces. » La déclaration d'Andrew Carnegie fait écho au message diffusé tout au long de ce manuel : les organisations sont d'abord les gens qui en font partie.

RÉSUMÉ DU CHAPITRE

De multiples éléments présents dans l'environnement actuel constituent des facteurs de changement pour les entreprises. Ce sont les variables technologiques et sociodémographiques, l'explosion des connaissances, les facteurs politico-légaux et l'internationalisation de l'économie. Les dirigeants d'entreprise peuvent choisir d'affronter le changement de façon graduelle, radicale ou de perpétuer leurs façons de faire. La résistance au changement peut émaner autant des individus que des caractéristiques mêmes des entreprises. Elle a des causes cognitives, idéologiques, politiques, psychologiques, socioéconomiques et culturelles. On peut surmonter cette résistance par des actions portant sur la communication, la participation, la formation et le *coaching*, la gestion du stress, la négociation et, en dernier recours, la contrainte. La résistance au changement a des aspects positifs : elle permet le dialogue et la participation des gens concernés par le changement. Par ailleurs, les dirigeants peuvent aussi amorcer ou précipiter le changement en créant un sentiment d'urgence ou une vision partagée de l'avenir, en multipliant les agents de changement et en le planifiant.

Plusieurs méthodes et techniques, anciennes et modernes, sont à la disposition des dirigeants pour planifier le changement de façon continue : l'analyse des champs de forces, la recherche-action, l'approche sociotechnique, le développement organisationnel (DO), l'analyse positive ou la création de structures d'apprentissage parallèles au système formel.

Les interventions pour introduire le changement dans les organisations ne s'appliquent pas d'une façon universelle et elles doivent être adaptées aux différences culturelles. Elles soulèvent aussi des questions d'éthique liées à la confidentialité des données et à l'estime de soi des participants au processus.

MOTS CLÉS

agent de changement, p. 682

analyse des champs de forces, p. 684

changement graduel, p. 674

changement radical, p. 674

consultation sur les processus, p. 688

dégel (ou décristallisation), p. 685

méthode de l'analyse positive, p. 689

recherche-action, p. 686

regel (ou cristallisation), p. 685

séminaires de prospective, p. 680

structures d'apprentissage parallèles, p. 690

QUESTIONS

1. Il se peut que votre établissement d'enseignement ou votre organisation fasse actuellement l'objet de changements afin de mieux s'adapter à son environnement. Discutez des forces extérieures qui ont provoqué ces changements. Quelles forces motrices internes poussent également dans ce sens ?

2. Utilisez l'analyse des champs de forces de Lewin pour décrire la dynamique du changement organisationnel ayant eu lieu à Royal Dutch/Shell (*voir l'encadré 17.3 à la page 691*).

3. « La résistance du personnel au changement est un symptôme et non un problème. » Quelles sont les principales causes pouvant expliquer la résistance du personnel ?

4. Que peuvent faire les organisations pour créer un environnement où les employés ressentiraient davantage l'urgence d'un changement ?

5. Quels sont les risques potentiels de l'utilisation de la contrainte comme méthode de mise en place d'un changement ?

6. Web Circuits inc., situé à Montréal, est un fabricant de cartes de circuits imprimés destinées à des entreprises de haute technologie. La direction souhaite introduire des pratiques de gestion à valeur ajoutée pour réduire les coûts de production et permettre à l'entreprise de rester compétitive. Un conseiller a recommandé de débuter avec un projet pilote dans un service et, lorsque le projet aura réussi, de diffuser ces pratiques aux autres secteurs de l'organisation. Discutez des avantages de cette recommandation et nommez trois conditions (autres que le succès du projet pilote) qui permettraient de réussir la diffusion de l'effort de changement.

7. Supposez que vous êtes vice-président des succursales de la Banque de Toronto. Vous remarquez que plusieurs d'entre elles présentent continuellement de faibles résultats dans le domaine du service à la clientèle, même s'il ne semble exister aucune différence quant aux ressources ou aux caractéristiques du personnel. Utilisez la méthode d'analyse positive pour régler ce problème. Décrivez votre façon de procéder.

8. Du point de vue éthique, quelles questions se posent en matière de changements organisationnels ? Comment une organisation devrait-elle faire face à ces questions ?

ÉTUDE DE CAS 17.1

TRANSACT INSURANCE CORPORATION

TransAct Insurance Corporation (TIC) fournit des assurances automobiles dans les parties du Canada où l'assurance privée est autorisée. Il y a peu de temps, le conseil de direction de TIC a nommé un nouveau président afin d'améliorer la compétitivité et le service à la clientèle de l'entreprise. Après plusieurs mois d'étude de la situation, le nouveau président a mis en place un plan stratégique pour améliorer la position de TIC en matière de concurrence. Il a remplacé trois vice-présidents. Jim Leon a alors été engagé comme vice-président de la division des réclamations, le plus important service de TIC, comptant 1500 employés, 50 dirigeants de centres de réclamations et 5 directeurs régionaux.

Jim Leon a immédiatement rencontré tous les dirigeants et directeurs du service des réclamations ainsi que des employés des 50 centres de réclamations de TIC. En tant que nouveau vice-président, la tâche était énorme. Toutefois, ses grandes aptitudes interpersonnelles et son incroyable capacité à se souvenir des noms et des discussions étaient chez lui un atout. Au cours de ses visites et de ses conversations, il a découvert que le service des réclamations était géré d'une manière relativement autoritaire par la voie hiérarchique. Il a également réalisé que le moral était assez bas et que les relations entre les employés et la direction étaient plutôt froides. La charge de travail élevée et l'isolement (les commis aux réclamations travaillaient dans de petits bureaux à cloisons) faisaient partie des plaintes les plus courantes. Plusieurs responsables ont admis que la rotation élevée des commis aux réclamations était partiellement due à ces conditions.

Après s'être entretenu avec le président de TIC, Jim Leon a décidé de considérer en priorité les problèmes de moral et de supervision. Il a lancé un bulletin d'information pour le service avec un formulaire détachable où les employés pouvaient donner leurs commentaires. De plus, il a annoncé une politique de porte ouverte. Ainsi, tout employé du service des réclamations pouvait s'adresser directement à lui en toute confidentialité sans passer par son supérieur hiérarchique. Jim Leon a aussi levé les obstacles qui s'opposaient au lancement, qu'il avait lui-même amorcé, d'un programme d'horaire variable permettant aux employés d'organiser leur temps de travail en fonction de leurs besoins. Plus tard, ce programme est devenu un modèle pour les autres sections de TIC.

L'un des symboles de changement les plus marquants de Jim Leon a été la création du « credo de la direction du service des réclamations », qui soulignait la philosophie à suivre par tous les cadres du service. Durant la première réunion avec l'équipe de direction complète du service, Jim Leon a présenté la philosophie et les actions importantes qu'un dirigeant efficace devrait selon lui adopter. Il a ensuite demandé au groupe de prendre position par rapport aux idées présentées et il a avisé ses cadres qu'ils les tenaient responsables de leur mise en œuvre. La plupart d'entre eux n'étaient pas à l'aise avec ce processus, mais ils comprenaient l'urgence d'agir et la nécessité pour Jim Leon d'utiliser cet exercice pour montrer sa capacité à diriger.

Les dirigeants du service ont dressé une liste de dix éléments de gestion, par exemple, encourager le travail d'équipe, créer un climat de confiance et définir des objectifs clairs et raisonnables. La liste a été communiquée à la haute direction de l'organisation qui l'a commentée, approuvée et retransmise aux dirigeants pour ratification. Une fois ce processus terminé, tous les employés du service ont reçu le document final. Jim Leon a aussi annoncé qu'il évaluerait la mise en œuvre de ces résolutions par les dirigeants. Cette mesure les a un peu inquiétés, mais la plupart d'entre eux considéraient que l'exercice du credo était une manifestation de l'enthousiasme de l'entrée en fonction de Jim Leon et que ce dernier serait trop occupé par la suite pour faire circuler un questionnaire d'évaluation.

Pourtant, un an plus tard, l'évaluation a bel et bien eu lieu, et elle portait sur la mise en œuvre des dix éléments du credo. Chaque formulaire comprenait également un espace pour l'ajout de commentaires.

Les dirigeants ont été encore plus surpris et inquiets lorsque Jim Leon a annoncé que les résultats seraient communiqués à tout le personnel. Quels « résultats » les employés verraient-ils ? Qui distribuerait ces résultats ? Que se passerait-il si un responsable obtenait de mauvais commentaires de ses subordonnés ? « Nous travaillerons les détails plus tard », a répondu Jim Leon. « Même si les résultats du sondage sont mauvais, cela nous donnera une bonne base pour le sondage de l'année prochaine. »

Le taux de participation au questionnaire a été très élevé.

Personne n'était préparé aux résultats de ce premier sondage. La plupart des dirigeants ont reçu un classement moyen ou faible pour les dix éléments de gestion. Les commentaires ont été encore plus accablants que le classement. Ils allaient d'une désapprobation modérée à une forte critique des responsables. Les employés décrivaient également leur longue frustration relativement à TIC, à la charge élevée de travail et à l'isolement. Plusieurs personnes ont exprimé sans ménagement qu'elles étaient sceptiques quant aux changements promis par Jim Leon. « On nous a déjà promis cela, mais nous n'y croyons plus », écrivait un commis aux réclamations.

On a fait parvenir les résultats du questionnaire à chaque dirigeant du service des réclamations, aux directeurs régionaux et aux employés. Jim Leon a alors donné l'instruction aux dirigeants de discu-ter des données et des commentaires du sondage avec leur responsable régional et leurs employés. Les dirigeants des centres ont été stupéfaits d'apprendre que les rapports incluaient des commentaires individuels, en plus des données chiffrées. Certains d'entre eux se sont plaints de cela auprès de leur directeur régional et ont clamé que la révélation des commentaires personnels ruinerait leur carrière. Mais les résultats étaient déjà distribués aux employés.

Lorsque Jim Leon a eu vent de ces inquiétudes, il a admis que les résultats étaient plus bas qu'il ne l'avait pensé et que les commentaires n'auraient pas dû être communiqués aux employés. Toutefois, retarder ou retirer les rapports minerait la crédibilité et la confiance que Jim Leon essayait de créer au sein du personnel. Aussi a-t-il maintenu la réunion prévue et ajouté la présence des directeurs régionaux pour minimiser les conflits directs entre les dirigeants des centres et leurs employés.

Bien que ces réunions se soient bien passées en général, quelques-unes d'entre elles ont suscité un peu d'acrimonie entre les participants. Quelques mois après ces réunions, deux dirigeants des centres de réclamations ont remis leur démission et trois autres ont demandé leur transfert à des postes sans gestion de personnel au sein de TIC. Pendant ce temps, Jim Leon réfléchissait à une manière de gérer tout ce processus plus efficacement, d'autant plus que les employés s'attendaient à une autre évaluation l'année suivante.

Questions

1. Dans cette étude de cas, déterminez les forces poussant au changement et celles s'y opposant.

2. Jim Leon a-t-il réussi à introduire le changement qu'il désirait ? Expliquez votre réponse.

3. Que devrait faire Jim Leon maintenant ?

DES SITUATIONS DE CHANGEMENTS STRATÉGIQUES

Objectif Cet exercice est conçu pour vous aider à concevoir des stratégies facilitant les changements organisationnels dans diverses situations.

Instructions

■ Étape 1: L'enseignant forme des groupes et assigne l'un des scénarios suivants à chaque groupe.

■ Étape 2: Chaque groupe établit un ensemble approprié de mesures pratiques de gestion de changement. Lorsque cela est possible, ces mesures devraient a) exprimer l'urgence du changement, b) minimiser la résistance au changement et c) «regeler» la situation afin de soutenir l'initiative de changement. Chacun de ces scénarios est basé sur des événements réels ayant eu lieu au Canada ou ailleurs.

■ Étape 3: Chaque équipe présente et défend sa stratégie de gestion de changement. Une discussion générale sur l'adéquation et la faisabilité des stratégies est amorcée pour chaque scénario.

Scénario 1: La société Telco et l'écologie

Le conseil d'administration d'une importante entreprise de téléphonie souhaite que ses cadres rendent l'organisation plus écologique en encourageant le personnel à réduire les déchets sur les lieux de travail. Le gouvernement et d'autres intervenants sont favorables à cette action et souhaitent que sa réussite soit publique. Le but de cette initiative est de réduire de manière significative l'utilisation de papier et la quantité de déchets produits dans toute l'entreprise.

Malheureusement, un sondage indique que le personnel ne considère pas les objectifs environnementaux comme importants. Il ignore comment «réduire, réutiliser et recycler». En tant que responsable chargé de cette initiative de changement, vous devez élaborer une stratégie qui engendrera une modification importante des comportements en faveur de ces objectifs. Comment procéderiez-vous?

Scénario 2: L'envol d'une compagnie aérienne

Une importante compagnie aérienne vient de traverser une décennie de turbulences. Elle a connu deux périodes de protection contre la faillite, une dizaine de p.-d.g. et un moral si bas que les employés, honteux, ont retiré le logo de l'entreprise de leur uniforme. Le service était de très mauvaise qualité, et les horaires rarement respectés. Les frais occasionnés par les attentes des passagers étaient lourds. Les dirigeants étaient paralysés par l'inquiétude. Bon nombre d'entre eux faisaient partie de l'entreprise depuis si longtemps qu'ils ont fini par ne plus être capables de définir des objectifs stratégiques efficaces. Un cinquième des vols étaient déficitaires, et l'entreprise était proche de l'effondrement (dans trois mois, elle ne pourrait plus verser de salaires). Avec le nouveau chef de la direction, vous devez inciter le personnel à améliorer rapidement l'efficacité des opérations et le service à la clientèle. Quelles mesures prendriez-vous pour apporter ces changements à temps?

APPLICATION DE L'ANALYSE DES CHAMPS DE FORCES DE LEWIN

Objectif Cet exercice est conçu pour vous aider à établir un diagnostic à l'aide de l'analyse des champs de forces de Lewin et à élaborer des stratégies facilitant les changements organisationnels.

Instructions Cet exercice consiste à examiner la situation décrite ci-après, à détecter les forces en faveur ou en défaveur du changement et à recommander des stratégies permettant de réduire la résistance au changement. L'exercice est décrit comme une activité de groupe, mais l'enseignant peut choisir de la proposer comme exercice individuel. Il peut également choisir une autre situation que celle qui est présentée ici.

■ Étape 1 : Les étudiants se réunissent en groupes de quatre ou cinq et lisent la description de la situation suivante.

Comme tout établissement postsecondaire canadien, l'année scolaire de votre collège ou de votre université est probablement divisée en deux sessions (commençant en septembre et en janvier). De plus, elle comprend une session intermédiaire de six semaines du début mai à la mi-juin. En général, les professeurs donnent leurs cours pendant les deux sessions. Durant la session intermédiaire, ce sont surtout des chargés de cours qui enseignent, mais aussi des enseignants à temps plein qui veulent un revenu supplémentaire. Après l'étude attentive des coûts, des demandes des étudiants et de la concurrence d'autres établissements d'enseignement, l'administration a décidé que le vôtre devrait opter pour un programme en trois sessions. Dans un système basé sur une division tripartite, les cours sont donnés durant trois périodes égales — de septembre à décembre, de janvier à avril et de mai à août. Le personnel universitaire devra toujours enseigner durant les deux sessions pendant lesquelles leurs cours sont offerts et les enseignants collégiaux, durant les trois sessions. L'administration considère que ce changement permettrait à l'établissement d'accepter davantage d'étudiants sans devoir construire de salles de classe supplémentaires ni d'autres installations. De plus, des études de marché indiquent que plus de 50 % des étudiants continueraient leurs études au cours de la nouvelle session d'été et que l'établissement attirerait plus d'étudiants à temps plein venant d'autres pays. Le gouvernement provincial considère ce projet très favorablement, car ce dernier augmenterait les ressources du collège ou de l'université et réduirait les problèmes de pénurie d'espace (vu le nombre d'étudiants). L'association du personnel enseignant ne s'est pas encore prononcée sur le changement proposé.

■ Étape 2 : À l'aide du modèle de l'analyse des champs de forces de Lewin, identifiez les forces en faveur du changement et les forces qui s'opposeront probablement à ce changement visant la division en trois de l'année scolaire. Les groupes peuvent aller au-delà du texte ci-dessus, de façon réaliste, pour enrichir leur diagnostic.

■ Étape 3 : Pour chaque catégorie de forces, décrivez une ou deux stratégies qui permettraient de réussir efficacement la gestion de ce changement.

■ Étape 4 : Les résultats obtenus par chaque groupe seront discutés avec la classe entière.

Modèle de l'analyse des champs de forces

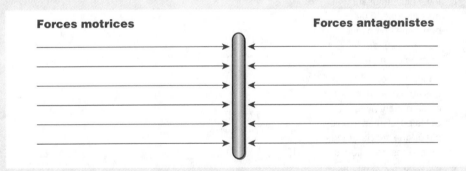

Forces motrices   Forces antagonistes

EXERCICE D'AUTOÉVALUATION 17.4

ÉCHELLE DE TOLÉRANCE AU CHANGEMENT ET À L'AMBIGUÏTÉ

Objectif Cet exercice est conçu pour vous aider à comprendre comment la tolérance au changement et à l'ambiguïté diffère selon les personnes.

Instructions Lisez chacun des énoncés de la page suivante et encerclez la réponse qui se rapproche le plus de ce que vous pensez. Utilisez ensuite la clé de correction disponible au www.cheneliere.ca/mcshanebenabou afin de calculer vos résultats. Cet exercice doit être effectué individuellement, sans influence externe. Cependant, la discussion en groupe aura pour objet la signification du concept mesuré à l'aide de cette échelle et son effet sur la gestion des changements en organisation.

Dans quelle mesure chaque énoncé vous décrit-il ? Cochez la case correspondant à votre opinion.	Profondément d'accord ▼	Modérément d'accord ▼	Légèrement d'accord ▼	Pas d'opinion ▼	Légèrement en désaccord ▼	Modérément en désaccord ▼	Profondément en désaccord ▼
1. Je considère qu'un expert qui ne fournit pas de réponse définitive ne possède probablement pas de connaissances suffisantes ou fermes.	☐	☐	☐	☐	☐	☐	☐
2. J'aimerais vivre dans un pays étranger pendant un certain temps.	☐	☐	☐	☐	☐	☐	☐
3. Tout problème peut être résolu.	☐	☐	☐	☐	☐	☐	☐
4. Les personnes vivant en fonction d'un calendrier ratent probablement la plupart des plaisirs de la vie.	☐	☐	☐	☐	☐	☐	☐
5. Un bon emploi est un emploi où la tâche et la façon de l'accomplir sont toujours exprimées clairement.	☐	☐	☐	☐	☐	☐	☐
6. Il est plus amusant de s'attaquer à un problème compliqué que de résoudre un problème simple.	☐	☐	☐	☐	☐	☐	☐
7. À long terme, il est possible d'en faire plus en se penchant sur de petits problèmes simples plutôt que sur de grands problèmes compliqués.	☐	☐	☐	☐	☐	☐	☐
8. Souvent, les personnes les plus intéressantes et stimulantes sont celles qui sont heureuses d'être différentes et originales.	☐	☐	☐	☐	☐	☐	☐
9. Ce à quoi l'on est habitué est toujours préférable à ce qui est inhabituel.	☐	☐	☐	☐	☐	☐	☐
10. Les personnes qui souhaitent toujours recevoir une réponse affirmative ou négative ne comprennent pas la réelle complexité des choses.	☐	☐	☐	☐	☐	☐	☐

▶

Dans quelle mesure chaque énoncé vous décrit-il? Cochez la case correspondant à votre opinion.	Profondément d'accord ▼	Modérément d'accord ▼	Légèrement d'accord ▼	Pas d'opinion ▼	Légèrement en désaccord ▼	Modérément en désaccord ▼	Profondément en désaccord ▼
11. Une personne menant une vie normale, sans surprise et sans événement inattendu, a vraiment de la chance.	☐	☐	☐	☐	☐	☐	☐
12. Bon nombre de nos plus importantes décisions sont basées sur une information trop limitée.	☐	☐	☐	☐	☐	☐	☐
13. Je préfère aller à des soirées où je connais la plupart des gens plutôt qu'à celles où je ne connais personne ou presque.	☐	☐	☐	☐	☐	☐	☐
14. Les enseignants ou les superviseurs qui donnent des tâches vagues offrent l'occasion de faire preuve d'initiative et d'originalité.	☐	☐	☐	☐	☐	☐	☐
15. Plus tôt les gens adoptent des valeurs et des idéaux similaires, mieux c'est.	☐	☐	☐	☐	☐	☐	☐
16. Un bon enseignant vous fait réfléchir à la manière de considérer les choses.	☐	☐	☐	☐	☐	☐	☐

Source: Adapté de S. Budner, « Intolerance of Ambiguity as a Personality Variable », *Journal of Personality*, n° 30, 1962, p. 29-50.

CAS 1

ARCTIC MINING CONSULTANTS

Tom Parker a toujours aimé travailler à l'extérieur. Par le passé, il a été ouvrier agricole, ouvrier métallurgiste, installateur de pierres tombales, prospecteur et technicien-géologue de terrain. À 43 ans, Parker est désormais technicien-géologue de terrain et coordonnateur régional chez Arctic Mining Consultants. Il possède des connaissances spécialisées ainsi que de l'expérience sur tous les aspects non techniques de la prospection de minéraux : l'établissement de concession, la coupe de ligne et l'installation de grille, le prélèvement d'échantillons de terrain, la prospection et les travaux de creusement. Il est responsable du recrutement, de la formation et de la supervision des assistants de terrain pour tous les programmes de l'entreprise. Les assistants de terrain reçoivent un salaire journalier assez bas (quel que soit le nombre d'heures effectuées, parfois 12 ou plus), repas et logement inclus. Un chef de projet gère la plupart des programmes et rend des comptes à Parker.

Parker est parfois chef de projet, comme il l'a été dans le cadre d'un travail regroupant 15 concessions près d'Eagle Lake, en Colombie-Britannique. À cette occasion, il a sélectionné John Talbot, Greg Boyce et Brian Millar, ayant tous déjà travaillé avec lui comme assistants de terrain. Pour établir une concession, l'équipe devait délimiter le périmètre de la concession avec du ruban et des marqueurs, et dresser des poteaux tous les 500 m (ce qui correspond à une « longueur »). Ces 15 concessions nécessitaient environ 100 km de ligne au total. Pour effectuer ce travail, Parker a établi un budget sur sept jours (en plus du transport). Ainsi, chacun des quatre employés (Parker, Talbot, Boyce et Millar) devait terminer un peu plus de sept longueurs par jour. Voici une chronologie du projet.

La première journée

L'équipe d'Arctic Mining Consultants se retrouve le matin et emprunte la route jusqu'à Eagle Lake, d'où ils rejoignent le site de la concession en hélicoptère. Lorsqu'ils y arrivent, ils dressent le campement au bord de la zone à marquer et se partagent la préparation des repas. Après le souper, ils sortent les cartes et discutent du travail: la durée, l'ordre du marquage de la zone, les points d'atterrissage en hélicoptère et les zones plus difficiles à marquer.

Parker souligne qu'ils ne disposent que d'une semaine pour terminer le travail et que tout le monde doit faire en moyenne sept longueurs et demie par jour. «Je sais que c'est beaucoup, ajoute-t-il, mais vous avez tous déjà marqué des concessions et je suis sûr que vous pouvez y arriver. Nous n'en avons que pour une semaine et, si nous terminons le travail à temps, chacun de nous aura droit à une prime de 300 $.» Deux heures plus tard, Parker et son équipe avaient mis sur pied un plan de travail qui semblait réalisable.

La deuxième journée

Millar effectue six longueurs, Boyce, six, Talbot, huit et Parker, huit. Ce dernier est mécontent du travail de Millar et de Boyce. Cependant, il ne dit rien, pensant qu'ils acquerront rapidement un rythme plus soutenu.

La troisième journée

Millar effectue cinq longueurs et demie, Boyce, quatre et Talbot, sept. Parker, qui est presque deux fois plus âgé que les trois autres, fait huit longueurs. De plus, il a eu assez de temps pour se rendre sur le lieu de marquage de Millar et de Boyce afin d'en vérifier la qualité, puis de revenir à l'endroit où il devait prendre l'hélicoptère pour retourner au campement.

Ce soir-là, Parker explose de colère. « Je croyais vous avoir dit de faire sept longueurs et demie par jour ! » lance-t-il à Boyce et à Millar. Boyce explique qu'il a été ralenti par des broussailles particulièrement épaisses dans sa zone. Millar précise qu'il a fait de son mieux, mais qu'il essaiera d'accélérer. Parker ne mentionne pas qu'il a inspecté leur travail. Il explique que c'est le rôle des assistants de terrain de terminer la zone qui leur est attribuée avant la fin de la journée, quoi qu'il arrive.

Talbot, qui partage sa tente avec Parker, lui confie plus tard dans la soirée : « Je pense que tu es un peu dur avec eux. Je sais que c'est plus par chance qu'autre chose que j'ai réussi à faire mon quota. Hier, je n'ai réussi à achever que cinq longueurs à la fin des sept premières heures et il ne me restait plus qu'une heure avant l'arrivée de l'hélicoptère. Et puis, j'ai atteint une portion de brousse facile d'accès et j'ai pu faire trois longueurs en une heure dix. Je pourrais prendre la zone de Millar demain, et il pourrait prendre la mienne ? Peut-être que ça aiderait. »

« Les conditions sont les mêmes pour tout le monde », réplique Parker en refusant la suggestion de Talbot. « Millar doit simplement se forcer un peu plus. »

La quatrième journée

Millar termine sept longueurs et Boyce, six et demie. Lorsqu'ils communiquent leurs résultats ce soir-là, Parker répond par un grognement peu communicatif. Parker et Talbot ont fait huit longueurs chacun.

La cinquième journée

Millar effectue six longueurs, Boyce, six, Talbot, sept et demie et Parker, huit. Une fois encore, Parker se met en colère, mais il concentre ses remontrances sur Millar. « Pourquoi ne fais-tu pas le travail prévu ? Tu sais que tu dois terminer sept longueurs et demie par jour. Nous en avons parlé en arrivant ici, alors pourquoi tu ne le fais pas ? Si tu ne voulais pas avoir ce boulot, il ne fallait pas l'accepter ! »

Millar répond qu'il fait de son mieux, qu'il ne s'est même pas arrêté pour dîner et qu'il ne sait pas comment parvenir à un meilleur résultat. Parker s'emporte à nouveau : « Tu dois travailler plus dur ! Si tu faisais davantage d'efforts, tu y arriverais ! »

Plus tard, Millar confie à Boyce : « Je déteste recevoir tous les reproches ! Je démissionnerais si je n'avais pas à marcher 80 km jusqu'à l'autoroute. De plus, j'ai besoin de l'argent de la prime. Pourquoi ne s'en prend-il pas à toi ? Tu ne travailles pas mieux que moi, en réalité, tu fais généralement moins. Si tu trimais un peu plus, il ne s'inquiéterait pas tant à mon sujet. »

« Je fais le travaille qu'on me demande de faire, ni plus ni moins », lui répond Boyce.

La sixième journée

Millar avale rapidement son petit-déjeuner. Il est le premier à sortir de l'hélicoptère et s'arrange pour être le dernier à revenir. Ce soir-là, les chiffres sont les suivants : huit longueurs et quart pour Millar, sept pour Boyce et huit pour Talbot et Parker. Ce dernier reste silencieux lorsque les assistants de terrain rapportent leurs résultats de la journée.

La septième journée

Millar est encore le premier à partir et le dernier à rentrer. Ce soir-là, il s'effondre sur la table, trop fatigué pour manger. Après un moment, il annonce, sur un ton dégoûté : « Six longueurs. J'ai travaillé comme un fou toute la journée et j'ai seulement fait six lamentables longueurs. » Boyce en a fait cinq, Talbot, sept et Parker, sept et quart.

Parker est furieux. « Ça veut dire que nous devons terminer 34 longueurs demain pour pouvoir finir le travail à temps ! » En regardant Millar, il ajoute : « Pourquoi tu ne finis jamais ton travail ? Ne comprends-tu pas que tu fais partie d'une équipe et qu'à cause de toi, nous allons échouer ? J'ai vérifié tes lignes. Tu débroussailles trop et tu perds trop de temps à fignoler tes pieux ! Si tu travaillais plus intelligemment, tes résultats seraient bien meilleurs ! »

La huitième journée

Parker prépare le petit-déjeuner à l'aube. L'hélicoptère s'envole dès les premiers rayons de soleil. Parker a donné l'instruction à chacun de faire huit longueurs et, s'ils terminent à l'avance, d'aider les autres. Parker ajoute qu'il achèvera les 10 autres longueurs. Les retours en hélicoptère sont prévus une heure avant la tombée de la nuit.

À midi, après avoir travaillé aussi dur qu'il le pouvait, Millar a terminé seulement trois longueurs. « Pourquoi essayer, pense-t-il, je n'arriverai jamais à faire les cinq autres avant le retour de l'hélicoptère et, de toute façon, je me ferai autant insulter par Parker, que je fasse six longueurs ou sept et demie. » Il s'assoit donc, dîne et se repose.

« Boyce ne finira pas ses huit longueurs non plus. Donc, même si je finis les miennes, de toute façon, je n'aurai pas la prime. Au moins, j'aurai ainsi un jour de salaire supplémentaire. »

Ce soir-là, Parker devient livide lorsque Millar lui rapporte qu'il a fait cinq longueurs et demie. Parker en a fait dix et quart et Talbot, huit. Boyce annonce fièrement qu'il en a terminé sept et demie mais il ajoute, penaud, que Talbot l'a aidé. Tout ce qui restait était les deux longueurs et demie que Millar n'avait pas terminées.

Le travail s'achève le lendemain matin, et l'équipe est dissoute. Millar n'a plus jamais travaillé pour Arctic Mining Consultants, bien que Parker lui ait proposé du travail plusieurs fois. Boyce fait parfois du marquage pour l'entreprise, alors que Talbot y travaille à plein temps.

CAS 2

JEUX INTERDITS AU SERVICE D'EXPÉDITION ?

Le Club des livres de science-fiction (CLSF) se spécialise dans la vente de livres de science-fiction par correspondance à prix avantageux. Bien que cette entreprise ait adopté le commerce électronique, la moitié de ses clients préfèrent encore passer leur commande de manière traditionnelle. Ce commerce florissant encaisse près de 10 millions de dollars annuellement et jouit d'une grande marge bénéficiaire. Bien sûr, ce résultat n'est possible que si le stock est réduit au minimum et que la gestion est très efficace. Les plus grands problèmes dans ce secteur sont de remplir correctement les commandes, surtout celles effectuées à la main, d'envoyer la marchandise et de facturer les clients.

La tâche du service d'expédition (SE) consiste notamment à emballer la marchandise, à l'étiqueter et à dresser la facture pour près de 300 livres par jour. Ce service comprend huit employés à temps complet :

- Ray, 44 ans, occupe son emploi depuis 7 ans.
- Alain, 49 ans, y travaille depuis 9 ans.

- Réjean, 53 ans, est employé depuis 16 ans. Il a occupé le poste de chef de service durant 2 années, il y a 12 ans, mais il a volontairement abandonné ce poste d'autorité pour des raisons de santé. Ses médecins attribuaient ses problèmes à la pression occasionnée par son emploi.

- Perle, 59 ans, a été la première employée de l'entreprise. C'est le propriétaire de la firme qui l'a recrutée, il y a 25 ans. Perle travaille au SE depuis 21 ans.

- Margaret, 20 ans, est la dernière embauchée ; elle y travaille depuis 1 an.

- Steve, 27 ans, occupe son poste depuis 3 ans et suit des cours du soir à l'université. Il ne se cache pas pour dire qu'il quittera le SE et probablement aussi le CLSF quand il sera diplômé, l'année prochaine.

- Georges, 46 ans, est actuellement le chef du service après 6 ans au SE et 10 ans au CLSF.

- Gary, 25 ans, est employé au SE depuis 2 ans.

Tous les postes au SE sont uniformes et ennuyants. Chacun doit effectuer les tâches mentionnées plus haut. Georges doit s'assurer qu'il n'y a pas de retard dans le travail de chacun. Par conséquent, il passe moins de 10 % de son temps à des tâches de supervision ; le reste du temps, Georges fait le même travail que les autres.

Dans ce contexte, les employés ont inventé divers jeux pour se divertir. Il faut noter qu'ils y participent assidûment. Ils pratiquent certains jeux une fois par jour et d'autres, au moins deux fois par semaine.

« La machine à affranchir est défectueuse » est un jeu d'Alain. Au moins une fois par jour, il se dirige vers la machine à affranchir et la débranche. Ensuite, en gesticulant, il essaie d'obtenir une impression du montant d'affranchissement puis s'écrie : « Cette machine est encore en panne. » Ray et Gary s'en approchent alors et tentent de l'« arranger », pour « découvrir » ensuite qu'elle est débranchée. Ils traitent alors Alain de « dérangé lui-même » pendant que les autres rient.

Gary, lui, est l'initiateur du jeu « Steve, il y a un appel pour toi ». Ce jeu a lieu en après-midi, un peu avant de partir du bureau. Gary fait semblant de prendre le combiné et crie : « Steve, c'est pour toi : c'est le président du Club. Il veut que tu ailles à son bureau immédiatement. Tu vas être promu vice-président ! » Ce jeu est une allusion ironique au fait que Steve va à l'université et qu'il dit fréquemment qu'un jour il sera un grand dirigeant.

Réjean a toujours été célibataire et vit avec sa mère. Son passe-temps préféré est de raconter des histoires, de montrer des photographies de ses vacances de l'année précédente et de planifier celles de cette année. Tout le monde trouve les histoires de Réjean ennuyantes. Néanmoins, cela n'empêche pas Perle ou Georges de le relancer sur le sujet plusieurs fois par semaine. « Réjean, tu pourrais nous montrer les photos que tu as prises l'année passée en Oregon ? » Invariablement, Réjean sort une centaine de photos de son tiroir. Ou alors, les deux mêmes collègues l'invitent à parler de ses prochaines vacances, et Réjean déploie alors des cartes géographiques.

Le jeu favori de Georges est « Qui se sent riche et célèbre ? », qu'il joue avec Perle. Le mari de Perle était un financier prospère et est décédé il y a six ans en lui laissant de quoi vivre à l'aise. Perle veut faire savoir à tous qu'elle n'a pas besoin de travailler et qu'elle a une maison immense et belle, qu'elle change de voiture tous les deux ans et qu'elle compte parmi ses amis des gens d'affaires ou des politiciens bien placés. Le jeu se déroule ainsi : Georges mentionne le nom de l'un d'eux et, immanquablement, Perle en parle comme d'un ami. Georges aborde aussi des problèmes liés à l'argent, et Perle se plaint aussitôt des impôts élevés, de la difficulté à trouver des employés de maison fidèles et d'autres questions qui touchent habituellement les gens fortunés.

Margaret est plutôt timide. Presque tout le monde, et surtout Steve, simulent pour elle le jeu du « sorcier amnésique » une fois par semaine. Ce jeu a été inventé lors de son entrée dans le service en guise d'« initiation ». Les employés se disent membres d'une tribu dont le sorcier a oublié la recette de leur plat préféré. Alors Margaret doit imaginer un mets qu'elle doit cuisiner pour tous à leur satisfaction. Elle va chercher une tasse et fait semblant d'y verser divers ingrédients. Tout le monde goûte à la potion et s'exclame de contentement.

Questions

1. En vous limitant aux théories de Maslow, de McClelland, d'Herzberg, d'Alderfer et de Vroom, choisissez la ou les théories qui permettent d'expliquer le mieux les comportements décrits.

2. Déterminez les besoins dominants de chacun des employés en ajoutant aux besoins de Maslow ceux que décrit McClelland.

3. Comme gestionnaire, quelles actions poseriez-vous pour remédier à la situation ?

Source : S. Robbins, *Organizational Behavior. Concepts, Controversies, and Applications,* Englewood Cliffs, Prentice Hall, 1989, p. 264-265. Traduction et adaptation : Charles Benabou.

LE GRAND ÉCHEC DE BIG SCREEN

par Fiona McQuarrie, Collège universitaire de Fraser Valley

Bill Brosnan contemplait ses états financiers et secouait la tête. Les pertes enregistrées pour le film *Conquistadors*, qui devait établir les studios Big Screen comme principale puissance hollywoodienne, avaient dépassé toutes les prévisions budgétaires. En fait, les pertes étaient telles que Buck Knox, prédécesseur de Brosnan, avait été renvoyé à la suite de cet échec colossal. Brosnan avait rêvé d'être à la tête d'une grosse entreprise de production de films depuis toujours, et il était ravi que le conseil d'administration l'ait choisi comme nouveau président. Il n'avait pourtant jamais pensé que la première tâche de l'emploi de ses rêves serait de gérer les retombées de l'un des plus grand échecs cinématographiques de l'histoire. Voici le résumé de cette saga.

Le moteur du film *Conquistadors* était son réalisateur, Mark Frazier. Celui-ci avait fait plusieurs films rentables pour d'autres studios et avait une réputation de personne indépendante dotée d'une « vision ». Ce réalisateur avait une idée précise des films qu'il voulait faire et n'hésitait pas à l'imposer aux producteurs, aux studios, aux acteurs et aux techniciens. Depuis plusieurs années, alors qu'il était occupé à d'autres projets, Frazier travaillait également à un nouveau scénario. Dans ce dernier, deux aristocrates espagnols du XVIe siècle partaient pour l'Amérique afin d'y faire fortune ; ils vivaient d'extraordinaires aventures au cours de leur voyage. Frazier était une sorte d'historien amateur, ce qui l'avait amené à s'intéresser à des histoires réelles de conquistadors espagnols et à vouloir les mettre à l'écran pour le public du XXIe siècle. Il pensait également que la réalisation d'une telle histoire épique l'établirait comme auteur et cinéaste sérieux à Hollywood, car ses derniers travaux avaient été considérés comme dépourvus d'imagination et remplis de clichés.

Lorsque les studios Big Screen ont approché Frazier, l'entreprise traversait une période difficile. Durant plusieurs années laborieuses comptant des productions couronnées de succès, Buck Knox, président de Big Screen, avait réussi à rentabiliser le studio. Ce dernier avait également la réputation

de bien soutenir le côté créatif de l'art cinématographique. En effet, les acteurs, les auteurs, les réalisateurs et les producteurs trouvaient que Big Screen leur faisait confiance en leur laissant une certaine autonomie. D'autres studios avaient la réputation de tenir trop fermement les rênes des budgets de production et de dicter leurs choix en fonction de coûts plutôt que de considérations artistiques. Cependant, ces deux dernières années, Big Screen avait investi dans plusieurs grosses productions (une comédie musicale, un film d'horreur et la suite de l'adaptation cinématographique à grand succès d'une bande dessinée). Pour diverses raisons, ces productions avaient toutes eu des résultats bien inférieurs aux attentes. Knox avait aussi officieusement entendu que plusieurs des membres du conseil d'administration du studio étaient prêts à lui retirer la présidence si Big Screen ne produisait pas un film à succès sous peu.

Knox savait que Frazier était sollicité par plusieurs autres studios. Il a donc décidé de le contacter pour savoir s'il voulait diriger l'une des productions que Big Screen prévoyait pour l'année suivante. Après avoir écouté la description fournie par Knox des productions à venir, Frazier a expliqué : « Ce que j'aimerais vraiment faire, ce serait de diriger le script que j'ai écrit. » Il a décrit l'intrigue de *Conquistadors* à Knox, qui a été enchanté des possibilités — deux personnages masculins forts, une belle femme rencontrée en Amérique du Sud pour laquelle ils rivalisent, des combats, des voyages en mer et des déplacements difficiles à travers les montagnes et la jungle. Cependant, Knox entrevoyait également un coût exorbitant pour la production du film. Il a exprimé son inquiétude à Frazier qui a répondu : « Oui, mais ce film sera un bon investissement puisqu'il sera rentable. Je sais que ce film marchera et je l'ai déjà proposé à deux autres studios qui sont intéressés. Je préférerais le faire avec Big Screen, mais si je n'ai pas le choix, j'irai ailleurs. Je veux vraiment le faire. Cependant, quel que soit le studio, ce dernier devra me faire confiance. Je ne ferai pas ce film sans un engagement financier adéquat de la part du studio. En outre, en tant que réalisateur, je veux pouvoir approuver le choix des acteurs ainsi que le montage définitif. » Cela signifie, d'une part, que le réalisateur, et non le studio, décide de la version du film vendue aux cinémas et, d'autre part, que le studio ne peut commercialiser une version du film non approuvée par le réalisateur.

Knox a informé Frazier qu'il le contacterait plus tard dans la semaine et lui a demandé de ne pas s'engager dans d'autres projets d'ici là. Il a passé plusieurs jours à réfléchir aux différentes possibilités. Tout comme Frazier, il pensait que *Conquistadors* pouvait être un grand succès. Ce film semblait avoir plus de potentiel que toutes les productions en cours chez Big Screen. Pourtant, Knox s'inquiétait de son coût élevé et du degré de contrôle sur le projet que Frazier exigeait. La réputation de Frazier comme personne indépendante signifiait qu'il ne ferait sans doute pas de compromis sur ses exigences. Knox s'inquiétait aussi de sa propre vulnérabilité si le film échouait. Par ailleurs, Big Screen avait besoin d'un grand succès, et ce, sans tarder. L'image de Big Screen serait sérieusement entachée s'il refusait *Conquistadors* et que le film obtenait un immense succès. Frazier avait la réputation de réaliser des films rentables et, même s'il pouvait être un collaborateur difficile, le produit final était habituellement couronné de succès. À la fin de la semaine, Knox a appelé Frazier et lui a annoncé que Big Screen était d'accord pour produire *Conquistadors*. Frazier l'a remercié et a ajouté : « Ce film va me racheter et va également racheter Big Screen. »

La préproduction du film a démarré après l'établissement concerté d'un budget de 50 millions de dollars. Il s'agissait d'un montant légèrement supérieur à ce que Knox avait anticipé, mais il estimait que ce n'était pas un montant excessif pour permettre à Frazier de réaliser la vision grandiose qu'il avait décrite. En outre, Knox s'est rassuré en choisissant John Connor, l'un des vice-présidents en qui il avait une grande confiance, comme intermédiaire entre le studio et Frazier et comme producteur exécutif du film. Connor était un vétéran de la production cinématographique et avait l'expérience des réalisateurs et des budgets. Knox faisait confiance à Connor pour obliger Frazier à respecter les coûts de production convenus.

Le premier problème de taille a été le choix des acteurs. Le studio a accepté que Mark Frazier donne son approbation finale des acteurs, comme il l'avait demandé. Le premier choix de Frazier a été Cole Rogan, célèbre vedette de films d'action, pour l'un des personnages principaux. Le studio n'a pas protesté ; en fait, Knox et Connor considéraient que Rogan était un atout, car il attirait le public. Cependant, Frazier a décidé de choisir Frank Monaco pour le deuxième rôle masculin. Monaco n'avait fait que quelques films jusqu'à présent, principalement des comédies romantiques légères. Frazier a expliqué que ce deuxième acteur enrichirait le rôle grâce à son image de vulnérabilité et d'innocence, ce qui serait un bon contraste avec l'image plus machiste de Rogan. Connor a confié ses doutes à Knox en ce qui concerne ce choix : d'une part, Monaco n'avait jamais prouvé qu'il pouvait tenir un rôle dans une aventure épique et, d'autre part, il risquait de trop accentuer la personnalité très dominante de Rogan. Knox a alors demandé à Connor de suggérer à Frazier de revoir le choix de Rogan. Malheureusement, Frazier avait déjà signé un accord avec Rogan, ce qui les forçait à lui payer une grosse somme d'argent si le studio lui retirait le projet. Knox était un peu ennuyé que Frazier ait signé cet accord sans les consulter d'abord, mais il a tout de même exigé de Connor qu'il demande à Frazier d'annuler le contrat avec Rogan et de choisir un autre acteur pour le rôle. Dans ce cas, le studio accepterait simplement de payer le dédommagement à Rogan comme coût de production. Malgré son mécontentement, Frazier a fait ce que le studio lui demandait. Il a choisi Marty Jones en remplacement, un acteur ayant eu quelques succès cinématographiques, mais surtout dans des seconds rôles. Jones était ravi d'avoir été choisi comme acteur principal, et Connor croyait qu'il serait capable de jouer le rôle de manière convaincante.

Quelques semaines après le choix de tous les acteurs, Connor a rencontré Knox. « Buck, lui a-t-il dit dès son arrivée dans le bureau, nous avons un grand problème. » Il lui a expliqué que Frazier insistait pour que la production soit surtout filmée dans la jungle d'Amérique du Sud, où la majeure partie de l'action se déroulait selon le scénario, plutôt que dans un studio d'enregistrement ou dans un endroit plus accessible. De plus, Frazier voulait engager l'équipe qui avait travaillé avec lui précédemment plutôt que le personnel du studio. « Pourquoi souhaite-t-il ça ? Cela va nous coûter une fortune », a répliqué Knox. « Je sais, dit Connor, mais il soutient que c'est la seule façon de s'assurer du succès. Il a ajouté que ce ne serait pas la même chose si les acteurs étaient dans un studio ou un marécage du sud des États-Unis. Selon lui, les acteurs et les techniciens doivent travailler dans le contexte réel pour comprendre la vie des conquistadors. De plus, le public ne croira pas qu'il s'agit réellement d'une jungle sud-américaine si le film n'est pas filmé là-bas. »

Knox a demandé à Connor d'expliquer à Frazier qu'il devait fournir un budget corrigé reflétant l'augmentation des coûts pour que le lieu de tournage soit approuvé. Connor a communiqué la demande à Frazier, qui s'est plaint que le studio se rétractait au sujet de sa promesse de soutenir le film adéquatement, et ajouté qu'il pourrait être tenté de proposer le film à un autre studio s'il n'était pas autorisé à filmer en Amérique du Sud. Après quelques semaines, il a produit un budget corrigé de 75 millions de dollars. Knox a été horrifié en constatant que le budget du film avait augmenté de 50 % par rapport au budget initial en seulement quelques semaines. Il a dit à Connor qu'il accepterait uniquement le budget corrigé à deux conditions : l'une était que Connor devait se trouver sur les lieux du tournage pour s'assurer que les coûts respecteraient le budget corrigé et l'autre, que si les coûts dépassaient les estimations de Frazier, celui-ci devrait payer la différence de sa poche. Frazier s'est à nouveau plaint que le studio essayait de compromettre sa vision, mais il a accepté à contrecœur les nouvelles conditions.

Frazier, Connor, les acteurs et les techniciens se sont ensuite rendus dans la jungle sud-américaine pour un tournage de deux mois. Il est vite devenu évident que d'autres problèmes allaient s'ajouter. Connor, qui rendait quotidiennement des comptes à Knox, lui a fait savoir après deux semaines que Frazier tournait les scènes plusieurs fois, non parce que les acteurs ou les techniciens faisaient des erreurs ou que la scène n'allait pas, mais parce que le résultat ne correspondait pas à ses critères artistiques. Cette attention aux détails signifiait qu'ils étaient déjà en retard d'une semaine par rapport au calendrier de tournage prévu, après seulement une semaine. De plus, du fait que les lieux de tournage étaient si retirés, les acteurs et les techniciens passaient presque quatre heures, sur les sept heures prévues pour le tournage quotidien, pour se rendre sur les lieux de tournage et en

revenir, ce qui ne laissait que trois heures pour tourner au tarif normal. Le travail dépassant ces heures devait être payé en heures supplémentaires et, comme la vision exigeante de Frazier nécessitait de tourner de 10 à 12 heures par jour, la production entraînait des coûts faramineux d'heures supplémentaires. Et comme si ce n'était pas suffisant, les rushes (le film fini produit chaque jour) indiquaient qu'il n'y avait aucune chimie entre Monaco et Jones. De plus, Gia Norman, l'actrice européenne choisie par Frazier pour le rôle de l'héroïne, avait un tel accent que la plupart de ses répliques étaient incompréhensibles.

Knox a dit à Connor qu'il venait de ce pas sur le lieu du tournage pour rencontrer Frazier. Après plusieurs jours de voyage ardu, Knox, Connor et Frazier se sont rencontrés au milieu de la jungle, dans une tente qui servait de bureau au réalisateur. Knox n'a pas perdu pas de temps en plaisanteries. « Mark, a-t-il dit à Frazier, il est impossible que tu puisses respecter le budget auquel tu t'es engagé pour ce film ou les échéances convenues. John m'a dit comment cette production est gérée et c'est inacceptable. J'ai fait quelques calculs et au train où vont les choses, ce film va coûter 85 millions de dollars et durera plus de quatre heures et demie. Big Screen ne compte pas accepter ça. Nous voulons un film qui soit d'une longueur commercialement viable et nous le voulons à un coût raisonnable. »

« Il doit être aussi long que nécessaire, a répliqué Frazier, car l'histoire doit être racontée. Et s'il doit coûter ce prix, c'est ainsi. Sinon, le film sera ridicule, et personne n'achètera de billet pour le voir. »

« Mark, a insisté Knox, nous acceptons de mettre 5 millions de plus dans ce film et c'est tout. Tu as le choix de continuer en respectant ces conditions et de laisser John estimer les coûts pour t'aider à respecter le budget. Si tu n'acceptes pas ces conditions, tu peux quitter la production. Nous engagerons un autre réalisateur et te poursuivrons pour non-respect du contrat. »

Frazier semblait sur le point de partir à pied à travers la jungle et de rentrer en Californie sur-le-champ, mais il n'a pas supporté l'idée d'abandonner le projet de ses rêves. Il a marmonné : « OK, je vais le finir. »

Knox est retourné en Californie, a soigné quelques mauvaises piqûres de moustiques, et Connor est resté dans la jungle et lui a fait des rapports réguliers. Malheureusement, Frazier s'est peu préoccupé des recommandations du studio. Connor a estimé que le tournage durerait trois mois, plutôt que deux, et que son coût total serait de 70 millions de dollars. Il ne restait que 10 millions pour le budget de la post-production, de la distribution et du marketing, ce qui était particulièrement peu dans le cas d'un film épique. De plus, Knox a reçu un appel de Richard Garrison, président du conseil d'administration de Big Screen. Garrison avait eu vent de ce qui se passait concernant le film qui se tournait dans la jungle sud-américaine et souhaitait savoir ce que Knox faisait pour limiter les excès de Frazier. Knox lui a expliqué que Frazier travaillait selon des exigences clairement établies et que Connor était sur les lieux du tournage pour surveiller les coûts. Malheureusement, pensait Knox, même si Connor faisait un bon travail, il ne semblait pas très efficace pour résoudre les problèmes.

Frazier est finalement revenu en Californie après trois mois et demi de tournage. Il a commencé à monter les centaines d'heures de film qu'il avait tournées. Knox a demandé à Frazier de permettre à Connor ou à lui-même de participer au montage. Frazier a répliqué qu'il s'agissait d'une atteinte à ses droits de montage définitif et il a refusé l'accès à la salle de montage à toute personne du studio. Knox a planifié une date de sortie pour le film six mois plus tard. Il a demandé au service publicitaire du studio de commencer à travailler à la campagne de publicité, mais il était difficile de faire quoi que ce soit sans avoir au moins une ébauche du produit fini.

Après trois mois de montage, Connor a appelé Knox. « J'ai eu des nouvelles de Mark aujourd'hui. Il veut filmer à nouveau quelques scènes. » « Est-ce un problème ? » a demandé Knox. « Non, a répondu Connor, la plupart sont des scènes d'intérieur qui peuvent être faites ici. Cependant, il veut ajouter un prologue. Il dit que l'histoire est incompréhensible sans plus de développement sur le voyage des deux personnages d'Espagne jusqu'en Amérique du Sud. Il veut louer un bateau. »

« Il veut QUOI ? » a explosé Knox.

« Il veut louer un vaisseau comme ceux qui ont transporté les conquistadors. Il existe plusieurs vaisseaux de ce type qui fonctionneraient, mais il en veut un qui se trouve en cale sèche au Mexique. Le remettre à flot et le faire venir dans le sud de la Californie coûterait plus d'un million de dollars. À cela s'ajoute le coût de faire revenir les acteurs et

les techniciens pour au moins une semaine. Je lui ai suggéré d'essayer des effets spéciaux ou une animation numérique pour les scènes du bateau sur l'océan et de filmer les scènes à bord en studio, mais il dit que ce ne sera pas la même chose et que tout doit être authentique. »

À ce moment-là, Knox était prêt à se rendre en personne au studio de montage et à se charger lui-même de Frazier. Il a plutôt appelé Garrison et lui a expliqué la situation. « Je ne consacrerai pas plus d'argent à ce projet sans l'autorisation du conseil. Néanmoins, comme nous avons déjà investi 80 millions de dollars dans le projet, est-ce que quelques millions de plus sont un problème pour terminer ce projet impossible et se débarrasser de Frazier ? Si nous lui disons non, nous devrons presque tout recommencer ou alors tout abandonner et dire adieu à nos 80 millions. » À l'autre bout du fil, Garrison a soupiré et conclu : « Faites ce que vous avez à faire pour terminer le projet. »

Knox a dit à Connor d'autoriser le tournage de nouvelles scènes dans un calendrier de deux mois et d'exiger de Frazier un premier montage du film pour les cadres du studio dans trois mois. Cependant, à cause du temps déjà écoulé pour le montage, Knox a dû changer la date de sortie, ce qui signifiait changer également la campagne de publicité — et sortir le film en même temps qu'une autre aventure épique d'un des principaux concurrents de Big Screen, considérée comme un succès infaillible. Knox a pourtant senti qu'il n'avait pas le choix. S'il n'imposait pas une échéance, Frazier pouvait rester dans la salle de montage éternellement à remanier son rêve.

Connor a supervisé le tournage des nouvelles scènes et rapporté qu'il s'était aussi bien passé que possible. Le principal problème était que Gia Norman avait subi une intervention de chirurgie esthétique entre temps et que son nez était considérablement différent du précédent. Toutefois, un éclairage approprié, du maquillage et les costumes ont permis de minimiser le changement d'apparence. Chose certaine, le (très coûteux) navire était spectaculaire sur les rushes, et Frazier considérait que sa vision avait été suffisamment bien adaptée.

Fait étonnant, Frazier a livré le premier montage du film à la date convenue. Knox, Connor, Garrison et les autres cadres du studio se sont rassemblés dans la salle de projection et ont visionné le rêve de Frazier. Cinq heures et demie plus tard, ils étaient sous le choc. Personne ne pouvait nier que le film était artistiquement fantastique et qu'il s'agissait d'une épopée de grand calibre. Cependant, il était impossible pour le studio de commercialiser un film de cinq heures et demie; de plus, Frazier avait accepté de produire un film de deux heures et demie au plus. Knox ne savait plus quoi faire. Il a pris Garrison à part dans le couloir en sortant de la projection. « Parlerez-vous à Mark? Il ne m'écoute pas et n'écoute pas John. Mais nous ne pouvons pas sortir ce film ainsi. Cela ne fonctionnera pas. » Garrison a accepté et contacté Frazier le lendemain. Il a rapporté à Knox que Frazier avait étonnamment accepté de réduire le film à deux heures et quart. Knox, encouragé par cette nouvelle, a conservé la date de parution précédemment convenue, soit un mois plus tard, et organisé la campagne de publicité.

Deux jours avant la date de parution prévue, Frazier a fourni une copie de la version raccourcie de *Conquistadors* pour une projection devant les cadres du studio. Knox lui avait demandé de fournir une copie plus tôt, mais Frazier avait répondu qu'il ne pouvait rien produire plus rapidement. Par conséquent, la version du film que les cadres du studio visionnaient pour la première fois était celle qui avait déjà été dupliquée des milliers de fois pour être distribuée aux cinémas d'Amérique du Nord. En fait, ces copies étaient déjà en route vers les cinémas lorsque la projection a débuté.

À la fin de la projection, les cadres du studio étaient abasourdis. Oui, le film était plus court, mais maintenant il était incompréhensible. Les personnages apparaissaient et disparaissaient au hasard, l'intrigue était impossible à suivre et les dialogues, à divers endroits où l'intrigue était un tant soit peu compréhensible, n'avaient aucun sens. Le film était un désastre. Plusieurs des cadres présents soupçonnaient Frazier d'avoir délibérément monté le film de cette manière pour se venger du studio de ne pas avoir « respecté » sa vision et de l'avoir forcé à réduire la longueur du film. D'autres ont suggéré que Frazier était simplement un fou à qui l'on n'aurait jamais dû donner autant d'autonomie au départ.

Knox, Garrison et Connor ont tenu une réunion dès le lendemain. Que pouvait faire le studio? Rappeler le film et forcer Frazier à produire une version courte plus cohérente? Rappeler le film et faire sortir la version de cinq heures et demie? Ou laisser sortir la version courte et espérer qu'elle ne serait pas trop mal reçue? Knox voulait que le film soit rappelé et que Frazier soit contraint de fournir le produit pour lequel il s'était engagé. Connor pensait que Frazier avait fait de son mieux pour satisfaire le studio, en se basant sur ce qu'il avait vu sur le tournage, et que forcer Frazier à tant raccourcir le film avait compromis sa vision. Il a suggéré que le studio aurait avantage à faire paraître la version longue et à la présenter comme un « événement cinématographique ». Garrison, en tant que président du conseil de direction, a écouté les deux opinions et, après avoir étudié les coûts de rappel ou de remontage du film — sans mentionner les coûts moins tangibles de la réputation du film — a déclaré: « Messieurs, nous n'avons vraiment pas le choix. *Conquistadors* doit paraître demain. »

Knox a immédiatement annulé la projection du film destinée aux critiques, prévue cet après-midi-là afin que de mauvaises critiques n'apparaissent pas le jour de la sortie du film. Malgré les mesures préventives et l'importante campagne de publicité, *Conquistadors* a été un échec total. Sur une mise de fonds de 90 millions de dollars, le studio a récupéré moins de 9 millions. Les critiques du film ont été sévères, et le public a boudé le film. Le seul endroit où *Conquistadors* avait frôlé le succès était dans certaines parties d'Europe, où les critiques de films considéraient la version modifiée comme un exemple de l'obsession crasse des studios états-uniens de faire de l'argent en compromettant le travail d'un génie. Le studio a tenté de capitaliser sur cette note d'espoir en faisant paraître la version de cinq heures et demie pour qu'elle soit projetée dans certains festivals cinématographiques à l'étranger et dans des sociétés de cinéphiles. Cependant, les revenus provenant de ces projections étaient si faibles qu'ils n'ont fait aucune différence sur les résultats financiers globaux.

Trois mois après la parution de *Conquistadors*, Garrison a convoqué Knox et l'a congédié. Garrison a expliqué à Knox que le conseil comprenait que *Conquistadors* avait été une production difficile à gérer. Toutefois, les coûts de production avaient été si mal gérés que le conseil n'avait plus confiance en la capacité de Knox à diriger les studios Big Screen d'une manière efficace. On a proposé à Connor une généreuse retraite anticipée et il l'a acceptée. Le conseil a alors engagé Bill Brosnan, vice-président d'un autre studio, pour remplacer Knox.

Brosnan a passé en revue les derniers résultats financiers de *Conquistadors* ainsi que les notes qu'avait prises Knox durant la production. Il était déterminé à ce qu'un tel désastre ne détruise pas sa carrière comme cela avait été le cas pour Knox. Pourtant, que pouvait-il faire pour s'assurer qu'une telle situation ne se reproduise plus?

CAS 4

INTELLIGENTSIA

par Roy L. Kirby, docteur ès lettres de l'Université de Carleton

Le contexte de l'entreprise

General Engineering était une entreprise d'ingénierie respectée, fondée en 1935, qui œuvrait dans de nombreux domaines de « vieilles » technologies. Elle était connue pour répondre aux besoins en services publics de petites communautés rurales. Après une longue histoire de services fiables en réparation de génératrices, d'installations locales de réseau électrique et d'entretien de lignes téléphoniques, les choses ont commencé à changer. De nouveaux services avaient récemment été proposés, par exemple des communications radio bidirectionnelles pour des fermes et des sources d'alimentation électrique (telles que des panneaux solaires et des éoliennes ainsi que des petites génératrices à essence ordinaire). Trois ans auparavant, à l'occasion d'un mouvement de renouveau de ses activités commerciales, l'entreprise a commencé à se diversifier en obtenant des contrats pour établir des réseaux de communication par fibre optique pour des entreprises du centre-ville. Cette démarche a mené l'entreprise vers des projets plus ambitieux dignes du XXI\ siècle. Il y a six mois, les propriétaires de l'entreprise ont racheté MCP Systems Research, Inc., une petite entreprise de premier plan au personnel ayant des idées intéressantes et un grand talent dans le domaine des communications et du commerce électronique. Le nouveau nom des entreprises fusionnées était Intelligentsia Systems Incorporated.

En plus des marchés existants de General Engineering, l'entreprise entrevoyait d'importantes possibilités dans une large gamme de services modernes, tels que la fourniture de serveurs Internet, les domaines Web et la télévision interactive avec service d'achat (commerce électronique). Cependant, la priorité de la nouvelle stratégie commerciale était d'accroître l'offre en service téléphonique et en transfert de données sans fil (comme fournisseur de service Internet sans fil) au moyen de réseaux locaux sans fil. Ce service était principalement destiné aux nouveaux lotissements de régions éloignées. Les entrepreneurs, ayant reçu la promesse d'un service sans fil d'Intelligentsia, avaient pris la décision courageuse de se passer de lignes terrestres. Ils avaient plutôt installé des tours de transmission, souvent dissimulées dans les arbres. Les entrepreneurs qualifiaient ces nouvelles régions sans fil de zones « vertes », soucieuses de l'environnement. Ils ciblaient des acheteurs jeunes, au courant des nouveautés technologiques et voulant adhérer à ce mouvement. Une entreprise locale de transmission par câble a intenté des poursuites pour concurrence déloyale. Toutefois, à l'annonce de la fusion, l'ancien chef de la direction de General Engineering, Pat Chuchinniwat, intégré à General Engineering comme agent de changement trois ans plus tôt, les avait ignorées, car il estimait que ces poursuites étaient sans fondement. « Ils ne dépenseraient jamais l'argent pour installer le service câblé dans les zones rurales — c'est bien trop éloigné et onéreux. La technologie sans fil est la voie d'avenir pour les régions reculées, et les fournisseurs de service par câble le savent bien », a alors commenté Pat Chuchinniwat. Ce dernier était connu pour son franc-parler. En outre, il pouvait recourir à des pratiques d'intimidation en affaires, mais il souriait toujours gaiement et aimait la publicité, les débats et les caméras.

Il y a un an, à l'occasion d'un discours prononcé devant un conseil d'administration enthousiaste, Pat Chuchinniwat déclarait :

« Le nombre de détenteurs de téléphones cellulaires a augmenté de 22 % au Canada l'année dernière pour atteindre le chiffre record de 11 millions d'utilisateurs ; les prévisions pour 2005 sont de 22 millions. Pourtant, l'utilisation de ces services va bientôt atteindre un plateau. Nous devrons faire face à une concurrence vive de la part d'entreprises comme Telus, Rogers, Bell et Microcell si nous ne ciblons que la transmission vocale ; les utilisateurs dépensent moins que jamais. Les chiffres nationaux ont chuté, passant d'une moyenne de 75 $ par mois en 1995 à moins de 50 $ actuellement. Personne n'a atteint le niveau de pénétration du marché qui existe au Japon et en Europe. Toutefois, même pour ces derniers, il est difficile de faire des bénéfices à cause de la concurrence et des coûts élevés que représente l'installation de l'infrastructure.

Le vrai défi est de stimuler nos sources de revenu en nous diversifiant avec des services de données sans fil. Intelligentsia ignorera la tendance vers les services de téléphonie vocale. Elle passera directement à la génération suivante : les réseaux les plus rapides que nous pouvons offrir pour la messagerie texte, l'accès à des intranets pour les particuliers et les entreprises, et le téléchargement de films. Ces marchés ainsi que les zones sans câbles apparents sont nos cibles. Nous proposons des services que personne d'autre n'offre ; nous offrons des forfaits sans fil bon marché ; nous encourageons la "maison électronique" de l'avenir en fournissant un service Internet intégré pour les foyers. Aujourd'hui, toute personne achetant une nouvelle maison a au moins quelques connaissances en réseau "intelligent" de données sans fil pour les bureaux à domicile, sans parler des enfants. Alors ? Nous proposerons des coffrets d'installation de connexion à domicile pour les nouvelles constructions des entrepreneurs locaux. Des appareils électroménagers reliés à Internet pour effectuer le suivi des besoins en épicerie sont déjà disponibles sur le marché. Les systèmes de cinéma à domicile et les systèmes de sécurité sont à notre portée ! Des idées futuristes ? Oui, mais n'est-ce pas vers l'avenir que nous nous dirigeons ? Tous ceux qui n'ont pas accès aux entreprises téléphoniques et de câble sont nos clients. » La fusion a permis à Pat Chuchinniwat d'accéder au poste de chef de la direction d'Intelligentsia. Toutefois, le chef de la direction de MCP est devenu, à la suite des négociations de la fusion, président du conseil d'administration. Aujourd'hui, Pat Chuchinniwat sait que le soutien pour ce projet ambitieux viendra de l'ancien président de MCP — et de son ancien personnel. Malheureusement, pour de nombreuses autres personnes, la fusion engendrera une réduction importante des effectifs. Deux entreprises peuvent avoir besoin de douze vice-présidents, mais la nouvelle entreprise unifiée n'en nécessitera que sept, en plus du chef de la direction. Le personnel technique n'est pas touché ; en effet, le recrutement commencera bientôt pour rendre disponibles les nouveaux services et ouvrir de nouveaux marchés. Les petits bureaux ruraux de General Engineering commenceront à fermer, puisque Intelligentsia adopte une approche virtuelle et que toutes les factures seront payées par courriel, téléphone, etc. L'un des projets privilégiés de Pat Chuchinniwat est un laboratoire ultramoderne, mis en place il y a trois ans, pour exploiter et explorer les nouvelles technologies. Ce laboratoire a coûté cher ; les divers conseils de direction l'ont critiqué en déclarant qu'il était trop éloigné géographiquement. Néanmoins, ce laboratoire a permis d'atteindre des résultats uniques sous la direction du charismatique et controversé Ute Klemper.

La fusion permettra de transférer sur le marché une partie des recherches de base, dont les applications de la technologie du cryptage. De plus, certains disent que Pat Chuchinniwat avait besoin de cette fusion pour satisfaire la famille des propriétaires de General Engineering, qui projette de rendre l'entreprise publique dans deux ans. Pat Chuchinniwat a jeté les bases éthiques d'Intelligentsia en la dépeignant comme une entreprise de distribution honnête ayant un système de valeurs importantes pour les clients et le personnel. Il a en outre mentionné à de nombreuses reprises qu'il était primordial pour l'entreprise de faire preuve d'une bonne citoyenneté d'entreprise. L'organisation a mis sur pied divers comités dans les domaines de l'environnement et des dons caritatifs ; elle fait partie de groupes représentant les services communautaires ; elle a mis en place des règlements guidant la fidélisation du personnel ; elle fait preuve d'une certaine souplesse des horaires de travail pour les parents de jeunes enfants. En outre, elle possède une politique et un programme de formation prévenant tout type de harcèlement, un système encourageant la diversité culturelle et, enfin, un système d'évaluation des performances nécessitant une communication constructive et continue et non uniquement basée sur une évaluation annuelle.

Jusqu'à il y a trois ans, General Engineering était une entreprise solide et traditionnelle basée sur des valeurs bien ancrées. De ce fait, à mesure que les nouvelles initiatives se concrétisaient et que l'entreprise prenait une toute nouvelle direction, certains membres du personnel ont commencé à craindre de perdre leur emploi. Ils ont certes de bonnes raisons de s'inquiéter. L'une des nouvelles recrues, engagée par l'ancien chef de la direction de MCP pour conduire ces changements, est Sandy Bartlett (ancienne vice-présidente des finances de FlatIron Appliances). Celle-ci est connue pour sa détermination lorsqu'il est question de réduire les effectifs. Au cours des nombreuses fusions et réductions de personnel auxquelles elle a participé, elle a gagné le surnom de « Dracula » Bartlett. Sandy Bartlett est désormais vice-présidente des services d'entreprise, poste qui comporte une large gamme de pouvoirs encore très vagues. Toutefois, elle n'a pas perdu de temps pour définir la portée de son influence. L'ancien vice-président des relations publiques de General Engineering, J. Bradson Hyde, n'envisage pas la réorganisation et la restructuration passive. Il se prépare cependant à un combat pour le pouvoir au sommet et la survie de sa carrière. Il est également soutenu par une épouse ambitieuse qui encourage en coulisse cette position agressive.

L'enquête de Natchez Associates

Votre entreprise, Natchez Associates Inc., est spécialisée dans la gestion des travailleurs du savoir et la consultation en matière de résolution de problèmes de haut niveau. Vous êtes l'un de leurs stagiaires les plus prometteurs et travaillez avec R. J. Renaldo, conseiller principal. Le vice-président des ressources humaines d'Intelligentsia, Merritt Hadley, a engagé Natchez Associates pour faciliter la fusion des deux entreprises et la transition vers une culture organisationnelle différente. Heureusement, depuis vos récentes années d'études à l'école de commerce Sprock-Carrolton, vous avez un mentor, Jean-Marie Rock. Ce dernier vous conseille depuis que vous avez obtenu votre diplôme avec mention, il y a quelques années. Vous le ren-

contrez de temps en temps pour dîner et gardez le contact par courriel.

C'est votre première journée à Intelligentsia. Vous êtes installé dans un bureau agréable, même s'il est presque vide, donnant sur le lac artificiel et la fontaine. Vous réfléchissez à l'avenir, car votre rôle est de faciliter cette transition. Vous devez maintenir la cohésion de la nouvelle entreprise en abordant les problèmes avant qu'ils ne surviennent. Les médias locaux ont déjà cherché à découvrir des scandales ou des signes de réduction du personnel. Déjà, les anciens de General Engineering parlent d'entreprendre les pourparlers avec les organisateurs syndicaux de Travailleurs des communications du Canada. Ils tentent de déstabiliser les cadres d'Intelligentsia et de ralentir le mouvement. D'un autre côté, les employés de MCP, qui sont des travailleurs du savoir, sont enthousiastes et prêts pour ce changement. Ils considèrent que cette occasion leur permettra d'acquérir de nouvelles connaissances et de faire évoluer leur carrière. Avec un peu de chance, dans cinq ou six ans, certains passeront à autre chose, prendront des parts dans un premier appel public et empocheront des millions. Interviennent ici des ego de taille, mais également de grands talents. Certains pensent à l'aspect peu éthique d'une domination du marché par le verrouillage d'une niche spécialisée dans un nouveau secteur électronique. D'autres considèrent cela non pas comme de l'opportunisme, mais simplement comme une pratique commerciale agressive normale. La fusion a rapproché deux entreprises obéissant à deux échelles de valeurs différentes. Vous prévoyez déjà tous les problèmes liés au personnel qui accompagnent habituellement ce genre de fusion. D'une part, General Engineering est une entreprise de la vieille école, à la lenteur traditionnelle, qui s'oppose aux changements, mais qui est considérée comme solide et fiable. D'autre part, l'entreprise MCP Systems Research, Inc. fait preuve d'une approche commerciale ferme. Cette approche est nouvelle et extrêmement excitante, mais le personnel de General Engineering la considère comme superficielle. Une partie du personnel de General Engineering cherche d'ailleurs déjà à quitter l'entreprise. Le mécontentement est généralisé à l'intérieur des deux groupes.

Vous laissez ces considérations de côté et décidez d'étudier une situation similaire. Vous savez déjà que Prairie Net, en Iowa, s'attend à obtenir

10 000 clients avant la fin de 2002 et que leur capacité à fournir l'accès haut débit promis a été mise en doute. L'entreprise se fie globalement à un débit de 900 MHz et de 2,4 GHz, mais elle veut des débits encore plus rapides, de 5 à 8 GHz. Dans Internet, vous recherchez Platinum Communications Corporation, située à Okotoka, en Alberta, fondée en 2000. Vous trouvez de l'information sur le site du journal *Globe and Mail*.

Vous obtenez la confirmation que les idées du conseil de direction d'Intelligentsia sont basées sur la réalité. Platinum, jeune entreprise Internet, cible le marché sans fil que les grandes entreprises téléphoniques et de câble ont pour l'instant négligé dans les communautés rurales. Les grosses entreprises ont ignoré les petites villes ; elles considèrent qu'offrir un service au-delà du « dernier kilomètre » implique des coûts d'infrastructure trop grands, compte tenu du nombre infime d'abonnés concernés. Platinum Communications dispose d'une technologie capable de transmettre des données à un débit de 1,4 Mo par seconde. Comment y réussit-elle ? Elle transmet à partir de la tour Calgary de 52 étages vers des antennes qui relaient alors le signal jusqu'aux abonnés. De cette manière, Platinum évite les coûts élevés de location des lignes terrestres auprès de Telco. La portée varie de 10 à 24 km. Les analystes du secteur apprécient cette stratégie, car Platinum a ainsi atteint un marché non desservi et la demande est bien réelle.

Vous vous dites : « Que le spectacle commence ! » Vous ouvrez votre logiciel de messagerie électronique et trouvez un message de Bev Harris sur les tests effectués auprès des gestionnaires. Harris vous met en garde sur la valeur de certains gestionnaires. Le message est alarmant mais informatif. Des références relatives à Lindsay Peebles sont particulièrement importantes. Vous commencez à prendre des notes, mais vous avez à peine lu ce message que vous décidez de consulter le fichier personnel des employés clés.

La première chose que vous trouvez est une série de notes envoyées par courriel concernant une conversation entre M. Smith et M. Klemper, responsable du laboratoire de cryptage. « Voici bien un problème lié au personnel, pensez-vous. Bien que ce type de problèmes soit l'un des plus difficiles à régler, il doit tout de même être abordé. Consultons le dossier. On dirait une pièce de théâtre... intitulée le conflit Smith-Klemper. » Vous classez la pièce jointe dans le dossier Incidents de votre disque dur.

Toutefois, il y a plus. Il semblerait que Klemper ait reçu les conseils d'un superviseur en relations interpersonnelles et en communications. Il est vrai que Klemper possède une forte réputation de scientifique égocentrique aux résultats uniques, se considérant lui-même comme un supérieur très exigeant. Vous trouvez le rapport dans le dossier Personnel de Klemper, mais l'enregistrez dans vos propres dossiers.

Vous décidez de chercher tout ce que vous pouvez trouver sur ce Smith. Vous trouvez une auto-évaluation sur la manière dont Smith est considéré au travail. Il est maintenant évident que Smith est une personne soumise et sensible, alors que Klemper est un penseur logique et dynamique. « Hum, pensez-vous. Je devrais regarder le matériel concernant le test de Myers Briggs. Ça pourrait m'aider à comprendre ces personnes. »

« Bien, maintenant, consultons ce dossier vert... Qui est ce Peebles ? Il y a des fichiers sur le besoin de pouvoir et d'affiliation — voyons cela... Il s'agit bien du matériel du psychologue McClelland, non ? »

« Et qui est ce Pat Kelly ? Tiens, un responsable d'équipe. Néanmoins, j'aurais avantage à attendre pour considérer ça plus sérieusement. » Le dossier vert est peu volumineux, mais il décrit les étapes d'une interaction émotionnellement chargée entre Pat et un membre de l'équipe appelé Niam, qui pense que Pat est un ancien qui est de trop et un superviseur peu accepté. Pat manque de respect envers son supérieur Kim. Ce dernier est mécontent parce qu'il considère que Pat refuse de s'adapter à la culture basée sur l'équipe, culture désormais adoptée à Intelligentsia.

Vous continuez à étudier les fichiers et trouvez quelque chose de concret sur la nouvelle entreprise. Cette trouvaille semble importante — quelque chose sur les décisions... ces importantes décisions — un cas de rationalité limitée en relation avec les Jeux olympiques. Vous classez cela pour étude ultérieure.

Vous êtes fatigué, mais en avez presque terminé avec ces notes qui vous aideront réellement à comprendre et à diagnostiquer la situation d'Intelligentsia. Vous parcourez maintenant une série de fichiers sur Rand Smith. Ce dernier est un « ESTJ », selon les indicateurs de types psychologiques de Myers Briggs. Le rapport indique le profil décrit ci-après.

> *La combinaison SJ est présente dans moins de 40 % de la population globale. Ces personnes sont utiles à leur équipe. Elles ont un fort sentiment d'appartenance et cherchent à gagner cette appartenance ; elles veulent être des personnes qui donnent, qui veillent sur les autres.*
>
> *Le secteur de l'éducation convient très bien aux SJ. De nombreux professeurs sont des SJ. Rand a probablement aidé les autres à l'école en leur donnant soutien et assistance dans l'accomplissement de leurs tâches. Rand peut très bien aimer cette partie de son travail où il excelle : faire évoluer les autres grâce à la formation, au développement et à la collaboration. Il déteste la dépendance envers les autres et peut se sentir coupable s'il l'accepte « trop facilement », selon ses propres références.*
>
> *Les SJ peuvent être assez pessimistes…*

Vous abandonnez alors la lecture et classez tout ce que vous avez.

La réunion de gestion du lundi matin

Une semaine plus tard, vous assistez à la réunion de gestion du lundi matin de l'entreprise. Après la présentation du nouveau spécialiste en cryptage, Rand explique qu'il a eu vent de rumeurs. Celles-ci indiquent que certains employés essaieraient apparemment de miner son projet relativement à la sécurité du commerce électronique. Avant toute discussion, Rand prend immédiatement l'offensive.

« Je dois travailler avec ces gens, commence Rand. J'essaie de leur faire comprendre que je suis suffisamment consciencieux pour garder un œil sur tout. Cependant, si j'ai droit à des coups bas, surtout en ce qui concerne le projet de cryptage Internet, je préviens le comité de faire bien attention. J'ai appris d'un vieil ami qui est chasseur de têtes que certains employés projettent de divulguer à la concurrence de l'information sur ce projet. »

En élevant le ton, Rand continue : « Si nous avons un problème, nous le réglons, n'est-ce pas ? N'est-ce pas ainsi que nous fonctionnons ? N'est-ce pas ainsi que notre équipe de gestion a toujours fonctionné ? Sommes-nous d'accord pour que je les licencie au premier signe de divulgation ? J'estime que tout le monde est d'accord avec moi là-dessus ? C'est la politique de la maison, n'est-ce pas ? »

Autour de la table, quelques têtes acquiescent.

« Oui, Rand, tu fais ce que tu dois faire. »

« Je suis d'accord avec toi, Rand. »

« Moi aussi. »

« Bien sûr, si tu vois que c'est un problème, alors ça doit être un problème. »

« OK. J'accepte la décision du reste du comité. »

Liam Xu et Chris Tyler, deux autres responsables présents à la réunion, parcouraient l'ordre du jour et n'ont rien dit. Pourtant, les autres membres ont bientôt appuyé Rand. Comme ce dernier l'avait prévu, le consensus a été atteint. Certains employés avaient peut-être mis le projet en danger, et Rand devait régler le problème. Le nouveau spécialiste en cryptage restait silencieux, réfléchissant aux différences entre Ute Klemper et Rand Smith.

Sam Goodrich est également demeuré silencieux, pensant que la situation était tout à fait acceptable. Même si c'était Smith qui avait obtenu le poste de directeur — aucune surprise de ce côté-là —, on l'acceptait bien. « Mon épouse avait raison concernant Rand. De plus, les blagues le décrivant comme un barbare des temps modernes ne sont peut-être pas très loin de la réalité. Je sens qu'il va y avoir du grabuge dans ce projet. Je pense faire des démarches pour partir d'ici dès que possible. »

Après la fin de la réunion du comité de gestion, Chris Tyler s'est discrètement entretenu avec Liam Xu en prenant un café. « Et bien Liam, je ne suis pas trop sûr de ce qui vient de se passer ici. Est-ce que Rand ne vient pas d'obtenir du comité entier l'autorisation de mettre à la porte toute personne qu'il considère comme une menace pour le projet ? Je ne sais même pas s'il y a une réelle menace, mais j'imagine que nous n'avions pas le choix. Tu veux un muffin ? »

PERFECT PIZZERIA

Perfect Pizzeria de Southville, au sud de l'Illinois, est la deuxième franchise la plus importante de cette chaîne de restaurants. Le siège social se trouve à Phoenix, en Arizona. Bien que l'entreprise prospère, elle connaît des problèmes liés au personnel et à l'administration.

Chaque restaurant emploie un gérant, un gérant adjoint et de deux à cinq gérants de nuit. Les gérants de chaque pizzeria sont sous les ordres d'un superviseur régional. Il n'existe pas de critères systématiques pour devenir gérant ou gérant stagiaire. La franchise ne propose pas de période de formation officielle pour les gérants. Aucun niveau d'études universitaires n'est requis. Les gérants pour qui l'observateur du cas a travaillé pendant quatre mois étaient relativement jeunes (de 24 à 27 ans), et seul l'un d'eux avait terminé un cours universitaire. Tous provenaient des rangs des gérants de nuit et des gérants adjoints. Les gérants de nuit étaient choisis pour leur capacité à effectuer les tâches du personnel de base. Les gérants adjoints acquéraient les connaissances relatives à la tenue de livres et à la gestion durant une formation de deux heures le midi pendant cinq jours. Les personnes devenant gérants restaient à ce niveau-là jusqu'à ce qu'elles expriment l'intérêt de s'investir davantage dans l'entreprise.

Le groupe des employés était surtout constitué de collégiens ainsi que de quelques étudiants du secondaire effectuant des tâches moins difficiles. Parce que Perfect Pizzeria était située dans une région aux emplois rares, il était relativement facile d'obtenir le nombre suffisant d'employés. Tout le personnel, sauf le gérant, était employé à temps partiel et ne gagnait par conséquent que le salaire minimum.

Le système de récompenses de Perfect Pizzeria est ainsi constitué: si le pourcentage de la nourriture invendue ou endommagée est très bas, le gérant reçoit une prime. Si le pourcentage est élevé, le gérant ne reçoit pas de prime, uniquement son salaire normal. Ce pourcentage peut fluctuer de nombreuses manières. Parce que le gérant ne peut être présent 24 heures sur 24 au restaurant, certains employés consomment les produits de la pizzeria pour arrondir leur maigre salaire. Lorsqu'un ami vient commander une pizza, des ingrédients supplémentaires sont ajoutés à sa pizza. Le grignotage occasionnel de 18 à 20 employés toute la journée augmente également le pourcentage de nourriture non comptabilisée. Il n'est pas rare de voir des sauces renversées ou des pizzas brûlées. Parfois, des erreurs dans la grosseur des pizzas sont commises.

Lorsque l'erreur provient d'un employé ou que le personnel travaillant au four brûle une pizza, c'est la personne concernée qui doit en assumer les coûts. À cause de la pression des pairs, le gérant de nuit établit rarement une facture pour les erreurs du personnel. L'établissement enregistre plutôt la perte, et l'erreur n'est remarquée qu'à la fin du mois, au moment de l'inventaire. Le gérant découvre alors que le pourcentage de pertes est élevé et qu'il n'aura pas de prime.

Le gérant a donc pris des mesures de contrôle. Auparavant, chaque employé avait droit à une pizza gratuite, à une salade et à des boissons gazeuses à volonté toutes les six heures de travail. Le gérant a augmenté ce dernier chiffre, passant de 6 à 12 heures de travail. Cependant, comme le personnel bénéficiait de ces avantages depuis longtemps, il a donc profité des absences du gérant ou de l'adjoint pour continuer de s'en prévaloir.

En théorie, bien que les gérants de nuit aient le plein pouvoir sur les opérations durant la nuit, ils n'imposaient pas le même respect que le gérant ou l'adjoint. En effet, les gérants de nuit recevaient le même salaire que le personnel habituel, ne pouvaient réprimander les employés et avaient presque le même âge, ou étaient parfois plus jeunes, que les autres employés.

Par conséquent, l'apathie s'est installée dans la pizzeria. L'écart s'est creusé entre le gérant et les employés, qui formaient à l'origine un petit groupe soudé. Le gérant n'a pas tenté d'améliorer la situation, car il pensait que le problème se dissiperait de lui-même. Soit les employés non satisfaits partiraient, soit ils accepteraient le nouveau règlement. De nombreuses démissions ont suivi. Le gérant n'a eu aucun problème à trouver des remplaçants, mais la perte de personnel clé a coûté cher à l'entreprise.

Du fait de la forte rotation du personnel, le gérant a dû passer plus de temps dans les locaux à superviser et parfois à prendre la place d'employés inexpérimentés. C'était une violation directe du règlement de la franchise. En effet, celle-ci précisait que le gérant devait agir comme superviseur et ne pas prendre part à la préparation du produit, ce qui causait un problème de contrôle. Ainsi, l'exploitation ne fonctionnait plus sans accroc. De plus, entre les travailleurs expérimentés et le gérant, il existait un écart flagrant quant à la manière d'effectuer une tâche particulière.

Après deux mois, le gérant a pu regagner son bureau et laisser ses subordonnés en charge du restaurant. Au cours de ces deux mois, malgré les différends entre les employés expérimentés et le gérant, le pourcentage de nourriture non vendue et endommagée avait baissé. Le gérant recevait donc une prime chaque mois. Il a alors cru que ce problème était résolu et que les conditions ne changeraient plus, puisque le nouveau personnel avait été correctement formé.

Bientôt, les nouveaux employés ont subi l'influence des autres. Lorsque le gérant a repris son rôle de superviseur, le pourcentage de nourriture invendue et endommagée a de nouveau augmenté. Cette fois, le gérant a imposé des mesures plus draconiennes. Il a mis fin à tous les avantages des employés qui n'ont plus eu droit aux pizzas, aux salades et aux boissons gratuites. Le marché de l'emploi, qui avait atteint un niveau encore plus bas qu'à l'habitude, a obligé le personnel à rester dans l'entreprise. À cause du recrutement d'un nouveau superviseur régional à Southville, le gérant ne pouvait plus participer au travail derrière le comptoir.

Le gérant a tenté une autre approche pour se débarrasser du problème de nourriture non vendue et endommagée et ainsi conserver sa prime. Il a placé une note sur le babillard annonçant que si le pourcentage restait à un niveau élevé, un test de détection de mensonge serait administré à tout le personnel. Les employés trouvés coupables de prendre ou de gaspiller de la nourriture ou des boissons seraient renvoyés. Cette mesure n'a pas eu l'effet escompté, car les employés savaient que s'ils subissaient tous le test, ils seraient tous coupables. Le gérant devrait alors tous les renvoyer et se retrouverait dans une situation encore pire.

Même avant les calculs du mois suivant, le gérant savait que le pourcentage de pertes serait élevé. Un gérant de nuit l'avait déjà informé de la réaction des employés à son annonce concernant le détecteur de mensonge. Le gérant ne s'attendait pourtant pas à ce que ce pourcentage soit le plus haut jamais enregistré. Voilà la situation dans laquelle se trouve actuellement l'entreprise.

Source : J.E. Dittrich et R.A. Zawacki, *People and Organizations*, Plano, Texas, Business Publications, 1981, p. 126-128. Publié avec l'autorisation d'Irwin/McGraw-Hill.

CAS 6

TRIVAC INDUSTRIES LTD.

TriVac Industries Ltd., fabricant de systèmes de pompage à vide situé à Kitchener, en Ontario, faisait face à de sérieux problèmes de flux de trésorerie. Ceux-ci provenaient de la demande croissante pour ses produits et de l'expansion rapide de ses installations de production. Steve Heinrich, fondateur de TriVac et principal actionnaire, s'est rendu en Allemagne pour rencontrer la direction de Rohrtech Gmb et discuter de la volonté de l'entreprise allemande de devenir actionnaire majoritaire de TriVac Industries. En échange, l'entreprise allemande apporterait des liquidités dont Trivac avait désespérément besoin. Un accord a été conclu grâce auquel Rohrtech devenait actionnaire majoritaire, alors qu'Heinrich restait président de TriVac. L'un des cadres supérieurs de Rohrtech devenait le président du conseil d'administration de TriVac, et Rohrtech devait y nommer deux autres membres.

La relation a bien fonctionné jusqu'à ce que, deux ans plus tard, un conglomérat européen rachète Rohrtech. Le nouveau propriétaire de Rohrtech souhaitait une information financière plus précise et un plus grand contrôle sur les acquisitions, y compris TriVac Industries. Toutefois, Heinrich n'aimait pas cette exigence et a refusé de fournir les informations demandées. Les relations entre Rohrtech et TriVac Industries se sont rapidement détériorées jusqu'à ce qu'Heinrich refuse de laisser entrer les représentants de Rohrtech dans son usine. Il a également entrepris des poursuites légales pour reprendre le contrôle de son entreprise.

Selon l'accord initial entre TriVac et Rohrtech, toute partie possédant plus des deux tiers des actions de l'entreprise pouvait forcer les autres actionnaires à vendre leurs actions à l'actionnaire majoritaire. Steve Heinrich possédait 29 % des actions de TriVac, alors que la société Rohrtech en possédait 56 %. Les 15 % restants étaient la propriété de Weston, vice-président des ventes et du marketing de TriVac. Weston était l'un des investisseurs initiaux de TriVac et cadre à TriVac Industries depuis longtemps. Cependant, il était resté silencieux tout au long du conflit entre Rohrtech et Heinrich. Il a pourtant accepté de vendre ses actions à Rohrtech, forçant ainsi Heinrich à abandonner les siennes. Lorsque la tentative de reprise de contrôle de Heinrich a échoué, Rohrtech a racheté toutes les actions restantes et le conseil d'administration de TriVac (désormais nommé par Rohrtech) a licencié Heinrich de son poste de président. Le conseil a immédiatement nommé Weston comme nouveau président de TriVac Industries.

À la recherche d'un nouveau directeur des opérations

Plusieurs mois avant le licenciement de Heinrich comme président, le président du conseil d'administration de TriVac avait reçu de Rohrtech, en privé, des instructions précises. Celles-ci consistaient à engager une entreprise torontoise de recrutement de cadres afin de trouver des candidats extérieurs à l'entreprise pour le nouveau poste de directeur des opérations de TriVac Industries. Le candidat retenu serait engagé après la résolution du conflit avec Heinrich (vraisemblablement après son départ). Le directeur des opérations serait sous les ordres du président (la personne qui remplacerait Heinrich) et serait responsable de la gestion quotidienne de l'entreprise. La direction de Rohrtech pensait avec raison que la plupart des responsables actuels de TriVac resteraient loyaux à Heinrich et qu'en engageant une personne de l'extérieur, l'entreprise allemande pourrait contrôler davantage sa filiale canadienne (TriVac).

L'agence de recrutement de cadres a trouvé plusieurs cadres qualifiés intéressés par le poste de

directeur des opérations. Trois candidats ont reçu une convocation de la part du président du conseil de TriVac et d'un autre représentant de Rohrtech. L'un de ces candidats était Kurt Devine, vice-président des ventes d'une entreprise d'emballage industriel de Montréal, au Québec. Âgé de 52 ans, Devine cherchait un dernier défi professionnel à réaliser avant de prendre sa retraite. Les représentants de Rohrtech lui ont expliqué la situation et lui ont offert un emploi stable, une fois les problèmes avec Heinrich résolus, afin que le directeur des opérations puisse régler les problèmes que posait TriVac. Lorsque Devine a exprimé son inquiétude quant à la concurrence interne, le cadre supérieur de Rohrtech a expliqué : « L'un de nos contrôleurs serait intéressé, mais notre choix ne se porte pas sur lui. D'un autre côté, le responsable des ventes aurait les capacités, mais il se trouve en Colombie-Britannique et ne souhaite pas déménager en Ontario. »

Une semaine après le renvoi de Heinrich et la désignation de Weston comme président, le président du conseil de TriVac a invité Devine à une entrevue dans un hôtel élégant où ont également été conviés Weston et un autre cadre de Rohrtech, également membre du conseil d'administration de TriVac. Le président du conseil a décrit les récents événements survenus à TriVac Industries et a invité officiellement Devine à accepter le poste de directeur des opérations. Après une discussion au sujet du salaire et du poste, Devine a demandé aux autres s'il pouvait compter sur leur soutien ainsi que sur celui du personnel de TriVac. Les deux représentants de Rohrtech lui ont répondu par l'affirmative ; Weston est resté silencieux. Lorsque le président du conseil a quitté la pièce pour aller chercher une bouteille de vin et porter un toast au nouveau directeur des opérations, Devine a demandé à Weston depuis combien de temps il était au courant de la décision de son embauche. Weston a répondu : « Seulement depuis la semaine dernière, lorsque je suis devenu président. J'ai été surpris... Je ne pense pas que je vous aurais engagé. »

L'affrontement avec Tom O'Grady

Devine a commencé son travail à TriVac Industries au début d'octobre. En quelques semaines, il a remarqué que le président et deux autres cadres de TriVac Industries ne lui apportaient pas le soutien dont il avait besoin pour faire son travail. Par exemple, Weston appelait le personnel de vente presque tous les jours et ne parlait à Devine que lorsque ce dernier en prenait l'initiative. Le vice-président des ventes, qui vivait à Vancouver, communiquait rarement avec Devine. De plus, O'Grady, vice-président des finances et de l'administration, semblait être l'employé le plus incommodé par sa présence. Il avait été promu au poste de contrôleur en octobre et détenait désormais le plus haut poste à TriVac Industries, après Devine. À la suite du départ de Heinrich, le conseil d'administration de TriVac a donné à O'Grady la responsabilité des activités quotidiennes jusqu'à l'entrée en fonction de Devine.

Devine dépendait de O'Grady en ce qui concerne toute l'information relative à l'exploitation générale, car ce dernier était le plus compétent sous de nombreux aspects. Cependant, à de nombreuses occasions, O'Grady donnait de l'information incomplète et refusait même toute demande de formation provenant du directeur des opérations dans certains domaines. En outre, O'Grady critiquait souvent les décisions de Devine et lui faisait savoir indirectement que lui-même aurait fait un meilleur directeur des opérations. Il a aussi mentionné que ni lui ni d'autres cadres de TriVac ne souhaitaient que l'entreprise allemande (Rohrtech) n'interfère avec leur entreprise.

Devine a appris par la suite d'autres choses que O'Grady avait dites et faites pour miner son travail. Par exemple, O'Grady confiait activement au personnel des bureaux et à d'autres cadres les problèmes que posait Devine et les encourageait à rapporter leurs inquiétudes au président. Devine a entendu O'Grady dire à un autre cadre que les notes de service de Devine étaient de « véritables plaisanteries » et que, « la plupart du temps, Devine n'avait aucune idée de ce qu'il disait ». À une occasion, O'Grady a volontairement laissé Devine présenter une information incorrecte aux représentants de TriVac « juste pour prouver que Rohrtech avait engagé un idiot ».

Six semaines après son embauche à TriVac Industries, Devine a affronté O'Grady. Ce dernier a été tout à fait honnête avec le directeur des opérations. Il lui a expliqué que tout le monde croyait que Devine était une « taupe » de Rohrtech et qu'il essayait de transformer TriVac Industries en filiale de l'entreprise allemande. Il a ajouté que certains employés démissionneraient si Devine ne partait pas, car ils souhaitaient que TriVac Industries garde son indépendance par rapport à Rohrtech. Dans une autre réunion avec Devine et Weston,

O'Grady a répété ses arguments. Il a ajouté que le style de direction de Devine n'était pas approprié à TriVac Industries. Devine lui a répondu qu'il n'avait reçu aucun soutien de TriVac Industries depuis son arrivée, même si Rohrtech avait envoyé à Weston et à d'autres responsables de TriVac Industries des directives à cet effet. En réalité, il devait recevoir un soutien complet dans la gestion des opérations quotidiennes de l'entreprise. Weston a confirmé qu'ils devaient travailler ensemble et que, bien sûr, Devine était le supérieur de O'Grady.

La décision du conseil d'administration de TriVac

En tant que président du conseil d'administration de TriVac, Weston a mis la performance de Devine à l'ordre du jour de la réunion de janvier. De plus, il a invité O'Grady à donner ses commentaires. En se basant sur ce témoignage, le conseil a décidé de retirer Devine du poste de directeur des opérations et de plutôt lui offrir un projet spécial. O'Grady a été immédiatement nommé directeur provisoire des opérations. Le président et d'autres représentants de Rohrtech au conseil d'administration de TriVac étaient déçus du déroulement des événements. Néanmoins, ils ont accepté de retirer Devine plutôt que de faire face à l'exode massif des gestionnaires de TriVac.

Un matin, à la fin avril, Devine a assisté à une réunion du conseil d'administration de TriVac pour présenter son rapport provisoire sur le projet spécial auquel il travaillait. Le conseil a accepté de donner à Devine jusqu'à la mi-juin pour terminer le projet. Toutefois, le conseil a rappelé Devine dans la salle du conseil l'après-midi même, et Weston lui a demandé pourquoi il n'avait pas déjà remis sa démission. Devine lui a répondu : « Pourquoi le ferais-je ? Je ne donnerai pas ma démission. J'ai joint votre entreprise il y a six mois pour relever un dernier défi. On ne m'a pas laissé faire mon travail. Ma décision de venir ici était basée sur le soutien de Rohrtech et sur un très bon produit. » Le lendemain, Weston est venu dans le bureau de Devine et lui a remis une lettre de résiliation de contrat signée par le président du conseil d'administration de TriVac.

WESTRAY

L'explosion de la mine Westray : cas pédagogique
conçu par Caroline O'Connell et Albert Mills, de l'Université Saint Mary

Le 6 février 1996, Carl Guptill était assis à la table de sa cuisine et contemplait sa tasse de café. Carl Guptill était un homme bien en chair, aux longs cheveux souvent cachés sous une casquette de baseball. Le lendemain, il apporterait son témoignage devant la commission d'enquête chargée de l'explosion de la mine Westray. Tous ses amis l'avaient appelé pour lui offrir leur soutien. L'un d'entre eux, géologue de la ville voisine d'Antigonish, n'était plus en contact avec lui depuis qu'ils avaient travaillé ensemble, cinq ans auparavant, dans une mine du comté de Guysborough, mais il voulait aussi l'encourager.

Carl Guptill s'est revu à une autre table de cuisine, celle de Roy Feltmate, un ami de longue date qui avait travaillé dans l'équipe B de la mine Westray. En avril 1992, trois mois après avoir quitté son emploi à Westray, Guptill avait rencontré Roy et quatre membres de l'équipe B autour de la table de cuisine, chez Feltmate. La discussion s'était rapidement orientée vers la sécurité dans la mine. Les conditions s'étaient encore détériorées, et les hommes pensaient que l'explosion ou l'effondrement de la mine étaient inévitables. Ils avaient calculé à 25 % leurs chances de se trouver sous terre à ce moment-là. Les hommes ont demandé à Guptill de leur promettre que s'ils mouraient dans la mine, il rendrait public ce qu'il savait sur elle. Mike MacKay, l'un des membres de l'équipe, l'a imploré de le faire « pour leurs veuves ».

Le 9 mai 1992, quelques semaines après cette réunion de cuisine, la chance a quitté les mineurs. Roy Feltmate, Mike MacKay, Randy House, Robbie Fraser et 22 autres membres de l'équipe B ont été ensevelis lorsque, à 5 h 20, une explosion a fait s'effondrer la mine Westray. Les 26 mineurs sous terre à ce moment-là sont morts. Quinze corps ont été remontés, mais onze autres, dont ceux de Roy Feltmate et de Mike MacKay, sont restés dans la mine. Guptill respecterait sa promesse.

Le récit d'un mineur

Carl Guptill avait travaillé dans des mines de roches dures en Nouvelle-Écosse avant d'être engagé à celle de Westray. À la mine de Gay's River, il avait dirigé le comité sur la santé et la sécurité et à la mine de Forest Hill, il avait été superviseur d'une équipe de plus de 35 hommes. Il avait pris un cours de gestion avancé au collège Henson, la branche d'enseignement continu de l'Université Dalhousie à Halifax. Détenteur d'un certificat de secours dans les mines, il avait aussi été capitaine d'une équipe de secours. En tant que mineur et superviseur, il avait une bonne relation de travail avec Albert McLean, inspecteur provincial des mines. Guptill considérait la sécurité comme prioritaire et pensait qu'il avait été clair sur ce point auprès de Roger Parry, chef de fosse à Westray, lorsque ce dernier lui avait fait passer une entrevue pour l'obtention d'un poste.

Après seulement quelques heures de travail, Guptill a commencé à mettre en doute les pratiques de sécurité employées à Westray. Les tracteurs agricoles, inappropriés dans une mine, étaient chargés au-delà de leur capacité. De la poussière de charbon combustible s'amoncelait librement dans la mine, les niveaux de méthane explosif étaient trop élevés et les méthanomètres de détection du gaz étaient trafiqués afin qu'ils ne puissent prévenir les mineurs lorsque les niveaux de gaz étaient trop dangereux. En outre, les mineurs travaillaient 12 heures de suite, souvent sans faire de pause. Les batteries de leur lampe frontale ne pouvaient pas tenir aussi longtemps et n'éclairaient plus que faiblement ou s'éteignaient avant la fin de leurs heures. Il n'y avait pas de toilettes dans la mine ; les mineurs devaient donc se soulager dans des recoins inutilisés.

Les plaintes étaient ignorées. Un superviseur a répondu aux inquiétudes de Guptill avec le commentaire suivant : « La direction a plusieurs milliers de candidatures d'hommes souhaitant travailler ici et prendre votre place. » Au cours de sa treizième période de travail seulement, le superviseur de Guptill lui a ordonné de continuer à travailler après que sa lampe se soit éteinte. Dans le noir, Guptill a trébuché ; une poutre d'acier, qu'il tentait de bouger, lui est tombée dessus et l'a blessé. Après trois jours à l'hôpital, Guptill a appelé Roger Parry. La conversation a rapidement tourné à la querelle. Guptill a alors contacté Claude White, directeur provincial de la sécurité dans les mines. White l'a dirigé vers l'inspecteur des mines, Albert McLean. Peu de temps après, Guptill a rencontré McLean, John Smith, responsable de l'inspection de l'équipement électrique et mécanique, et Fred Douche, chargé des secours dans la mine. Au cours de cette réunion, Guptill a relaté son accident et les nombreuses violations de la sécurité observées au cours de sa courte période de travail à Westray. Guptill s'attendait à ce que son rapport soit suivi de la fermeture de la mine et d'une enquête complète. Des semaines plus tard, alors qu'il n'avait pas eu de nouvelles de la situation, il a de nouveau contacté l'inspecteur McLean. Les deux hommes se sont rencontrés à nouveau mais, cette fois, dans une chambre d'un motel de la région plutôt que dans les bureaux du service du travail. Tout au long de la rencontre, McLean n'a pas baissé le son de la télévision. Intrigué, Guptill en a conclu que McLean craignait qu'il n'enregistre la discussion. McLean a confié à Guptill que les autres hommes n'avaient pas confirmé ses plaintes et qu'en tant qu'inspecteur, il ne pouvait pas faire grand-chose. Il a offert d'appuyer le retour au travail de Guptill auprès de la direction, s'il le souhaitait. Ceci est le récit qu'a fait Carl Guptill à la commission d'enquête.

Un aperçu de l'exploitation minière dans le comté de Pictou

Les quatre communautés de Trenton, New Glasgow, Westville et Stellarton forment le comté de Pictou, en Nouvelle-Écosse. La population totale du comté est de 25 000 personnes, descendants des Écossais qui ont débarqué dans cette région à bord du navire *Hector* et des immigrants d'autres îles britanniques et d'Europe ayant suivi la General Mining Association britannique jusqu'ici au XIXᵉ siècle. Ces générations de gens robustes ont travaillé sur les 25 couches de charbon du comté. Un historien a estimé que près de 600 travailleurs avaient perdu la vie dans les mines de charbon ; autant que le nombre de personnes de la région décédées au cours des deux guerres mondiales. Bien que regorgeant de charbon, les couches étaient considérées comme les plus dangereuses du monde ; les lits étaient accidentés et la teneur en cendres était élevée. Les chutes de roches et les inondations étaient fréquentes. Le problème le plus important concernait les niveaux élevés de méthane explosif.

À leur apogée, en 1875, les mines de charbon de Pictou produisaient 250 000 tonnes de charbon par année et employaient plus de 1600 hommes et garçons. La dernière mine exploitée à Pictou avait été la petite mine privée de Drummond, qui a fermé en 1984. Au milieu des années 1980, les dernières mines de charbon de Nouvelle-Écosse, exploitées grâce à de fortes subventions fédérales, se trouvaient à Cap-Breton, zone économique en déclin dans la partie la plus septentrionale de la province. Les mines du Cap-Breton auraient sans doute eu le même sort que celles de Pictou si elles ne s'étaient pas trouvées sur le territoire d'un membre fédéral influent du Parlement et au moment où la crise du pétrole au Moyen-Orient dominait les manchettes et l'économie des années 1970. Sous l'OPEP, le pétrole du Moyen-Orient était soumis à la fois aux hausses de prix et aux embargos. Cette situation a redonné du souffle à l'industrie moribonde du charbon au Cap-Breton qui est redevenu une source d'énergie en Nouvelle-Écosse. À la fin des années 1980 et au début des années 1990, une occasion similaire s'est présentée à l'industrie de Pictou. Un projet environnemental en pleine évolution stimulait la production d'énergie. Le service public d'électricité de la province, Nova Scotia Power Corporation, tentait de réduire ses émissions de dioxyde de soufre. Elle avait besoin de concurrencer le charbon hautement chargé en soufre du Cap-Breton. C'est alors que Clifford Frame, Curragh Resources et Westray sont entrés en scène.

La politique et l'influence

Clifford Frame, un homme costaud conduisant de grosses voitures, élevant du bétail et fumant des cigares coûteux, était un important homme d'affaires autodidacte qui utilisait les méthodes de la vieille école. Dans sa jeunesse, il avait refusé l'occasion de jouer pour le club école des New York Rangers. À la place, il avait obtenu un diplôme d'ingénierie minière et fait évoluer sa carrière dans les mines jusqu'au bureau de direction. Après son ascension au poste de président des mines Denison, il a été congédié en 1985 après l'échec public d'un projet en Colombie-Britannique. Il a créé Curragh Resources en 1985 et a rapidement réussi à faire revivre une mine de plomb et de zinc au Yukon. En 1987, la publication de l'industrie, *Northern Miner*, l'a nommé « homme de mine de l'année ». Cette même année, il a fusionné son entreprise avec celle de Westray Coal et l'année suivante, en

1988, il a acheté les droits sur les mines Suncor du comté de Pictou. Au cours de ses années à Denison, Frame avait rencontré des hommes politiques importants d'Ottawa. Grâce à ces contacts, il a été présenté à Elmer MacKay, alors représentant fédéral de Pictou et ministre des Travaux publics. Frame recherchait activement un soutien fédéral et politique pour l'exploitation de sa mine. Le comté de Pictou était accablé d'un taux de chômage de 20 %, et Frame a promis que sa mine emploierait au moins 250 personnes payées entre 35 000 et 60 000 $ pendant 15 ans. Les retombées économiques sur les communautés voisines atteindraient des millions de dollars. Les politiciens, y compris le premier ministre de l'époque, John Buchanan, soutenaient Frame. Le plus grand défenseur du projet était sans doute Donald Cameron, membre de l'assemblée législative, qui est devenu ministre du Développement économique au cours de l'évolution du projet et a finalement été élu premier ministre, poste qu'il occupait au moment de l'explosion. Frame a réussi à négocier une mise de fonds de 12 millions de dollars sous forme d'emprunt auprès du gouvernement provincial ainsi que 8 millions de prêts temporaires pendant que les négociations fédérales traînaient. Il a également décroché un soi-disant contrat d'achat ferme qui garantissait un marché pour le charbon de Westray. Dans le cadre de ce contrat, le gouvernement de la Nouvelle-Écosse achèterait 275 000 tonnes de charbon si d'autres acheteurs ne se matérialisaient pas. Westray rembourserait sans intérêt tout revenu obtenu grâce à cet accord, à la fin de la période de 15 ans. Le gouvernement fédéral a été plus difficile à convaincre, et les discussions ont duré trois ans. Finalement, le gouvernement fédéral a proposé une garantie d'emprunt de 85 millions de dollars et un intérêt escompté de presque 27 millions. C'était beaucoup moins que le montant initialement souhaité par Frame, mais bien plus que ce que la politique gouvernementale ne permettait généralement pour ce genre de projet. Harry Rogers, sous-ministre fédéral, est intervenu dans les négociations et a plus tard décrit Clifford Frame comme « une personne acerbe et grossière… Probablement la personne la plus déplaisante qu'il m'ait été donné de rencontrer en affaires ou au gouvernement ». Pourtant, un accord a finalement été conclu et en septembre 1991, à l'occasion de l'inauguration officielle de Westray, les politiciens des deux ordres de gouvernement étaient présents pour féliciter et célébrer l'entreprise.

Les règles du jeu

L'exploitation minière est un travail dangereux. Les premières réglementations de protection de la sécurité des mineurs datent de 1873 et imposent l'inspection des mines. En 1881, la législation a permis la certification de mineurs et de représentants. Les nouveaux règlements exigeaient également des tests de détection de gaz et interdisaient de fumer dans les mines. Cette loi faisait suite à un désastre au cours duquel 60 mineurs avaient péri. Les mines de Nouvelle-Écosse étaient alors les plus sûres du monde, selon un historien de l'exploitation minière. En 1923, la limite d'âge pour les travailleurs des mines est passée de 12 à 16 ans. (elle a été élevée à 18 ans seulement en 1951). En 1927, le niveau maximal de méthane permis dans une mine était de 2,5 %. Au moment de l'explosion de Westray, une lecture du niveau de méthane de 2,5 % imposait l'évacuation de tous les travailleurs du site, alors qu'une lecture de 1,25 % exigeait de couper l'électricité qui pouvait déclencher une explosion.

Au moment de l'explosion de la mine Westray, la réglementation de l'exploitation du charbon en Nouvelle-Écosse était principalement régie par la *Coal Mines Regulation Act*, qui remplissait 160 pages. Cette loi était considérée comme dépassée depuis 30 ans. Un exemple de son anachronisme se trouvait, par exemple, à la section 94, qui résumait les tâches des garçons d'écurie s'occupant des chevaux dans la mine. Cette section expliquait les soins à administrer aux chevaux et la propreté à maintenir dans les étables. Une autre indication du caractère obsolète de cette loi et de son incapacité à prévenir des comportements dangereux était la planification des amendes, puisque l'amende maximale était de 200 $. Le texte de loi comprenait une section applicable à la gestion moderne d'une mine, plus la réglementation relative aux qualifications requises pour les divers niveaux de compétences minières, dont les mineurs, les dirigeants, les propriétaires et les inspecteurs. Ce qui était particulièrement important pour Westray concernait les niveaux maximaux de méthane réglementaires. La Loi exigeait également l'enlèvement de la poussière de charbon hautement combustible et l'épandage de poussière de calcaire pour en neutraliser les effets. La Loi incluait en outre des clauses sur les soutènements de plafond et l'interdiction de toute présence de tabac et d'allumettes dans la mine ; elle permettait d'inspecter les mineurs et limitait la durée de travail à huit heures. Tous ces points feraient l'objet de l'attention publique après l'explosion.

La loi provinciale *Occupational Health and Safety Act* (Loi sur l'hygiène et la sécurité au travail), adoptée en 1986, s'appliquait en parallèle. Elle imposait aux employeurs l'obligation d'assurer la sécurité au travail et de fournir une formation, un équipement, des installations et une supervision appropriés. Cette loi imposait également au personnel de prendre des précautions en matière de sécurité, de porter des vêtements et un équipement appropriés et de coopérer sur ce point avec les employeurs, les organismes de réglementation et les autres employés. La Loi imposait aussi des comités conjoints de santé et de sécurité au travail composés de plusieurs employés désignés. Ces comités, constitués à la fois de représentants de l'employeur et des travailleurs, étaient chargés de former le personnel en matière de sécurité, de conserver des données, d'inspecter les lieux de travail et de répondre aux plaintes. Un élément clé de cette législation était le droit d'un employé de refuser un travail risqué sans subir de discrimination et sans être puni. La Loi énonçait par ailleurs qu'une copie de ladite loi devait être disponible pour les travailleurs afin qu'ils connaissent leurs droits. Elle exigeait des employeurs qu'ils signalent aux organismes de réglementation tout accident causant une blessure.

Lorsque cette loi a été adoptée, la responsabilité de son application a été transférée du ministère provincial des Mines et de l'Énergie au ministère du Travail. Les inspecteurs conservaient en outre les attributions stipulées dans la *Coal Mines Regulation Act*. Les deux lois autorisaient les inspecteurs à ordonner un arrêt du travail. De plus, la section 64 de la *Coal Mines Regulation Act* conférait tout particulièrement le droit aux inspecteurs d'ordonner la fermeture d'une mine dangereuse.

Un jour dans une vie[1]

La machine d'abattage continu rugissait, arrachant du charbon à la paroi de la mine et le chargeant sur des camions-navettes qui le transféraient à un convoyeur. Cette énorme machine permettait d'extraire chaque jour des quantités de charbon jamais atteintes auparavant. Les mineurs de Pictou savaient que c'était une grande évolution par rapport aux pioches et aux pelles de leurs grands-pères et aux explosifs de leurs pères. Les hommes travaillant ce jour-là représentaient le mélange habituel de mineurs expérimentés et de nouveaux sans expérience. Comme les autres jours à Westray, les hommes qui avaient l'expérience du travail de la mine l'avaient acquise dans des mines de roches dures et non dans des mines de charbon. Il n'existait simplement pas assez de mineurs en charbon dans la région pour remplir les postes. Claude White avait octroyé à l'entreprise une dérogation à la *Coal Mines Regulation Act* pour qu'elle puisse employer des mineurs en roches dures. Lenny Bonner et Shaun Comish étaient de vieux amis et des vétérans des mines de roches dures. Ils avaient été engagés ensemble, et leur conversation ce matin-là était centrée sur un récent accident survenu dans la mine. Un jeune homme, Matthew Sears, avait eu la jambe écrasée en essayant de remplacer un rouleau du convoyeur. Alors qu'il était debout sur la courroie, il a commencé le remplacement sans l'avertissement habituel et sa jambe a été happée par un gros rouleau. Les hommes présents dans la mine avaient rapporté que Ralph Melanson avait essayé plusieurs fois d'arrêter la courroie à l'aide du câble de sécurité, mais qu'elle redémarrait chaque fois. Sears avait déjà eu cinq opérations depuis l'accident et serait immobilisé pendant des mois. « Pauvre jeune, dit l'un des autres, il me disait qu'à son premier jour de travail, il ne savait même pas allumer sa lampe. » Roger Parry l'avait envoyé tout seul retrouver son équipe et il était resté là, debout, stupéfié par l'obscurité.

Bonner et Comish se souvenaient de leur premier jour à Westray. Sans aucune session d'information, on leur avait remis leur équipement personnel de secours et ils avaient été envoyés sous terre. À l'époque, ils avaient ri, car ni l'un ni l'autre n'avait compris un seul mot de ce qu'avait dit Roger Parry, à cause de son accent britannique et de la chique de tabac qu'il mastiquait. Les tâches des deux hommes avaient progressé rapidement sous terre, de l'installation d'arches dans les galeries et de soutènements du plafond dans les salles en cours d'exploitation à l'opération de l'équipement — appareil de forage, blutoir, camion-navette. Aucun n'avait reçu d'instructions précises. Comme

---

1. Tous les événements décrits dans cette section sont basés sur le témoignage sous serment des mineurs et d'autres témoins de la commission d'enquête. Ils sont rapportés ici comme s'ils étaient survenus un même jour de travail. À part des changements chronologiques, ces événements décrivent de manière exacte le travail dans la mine de Westray décrit par les parties.

Comish l'avait relaté : « Je suis monté dessus et il m'a montré les leviers à manœuvrer, où étaient le frein et l'accélérateur, et c'est tout. » Il se souvenait avec un peu de nostalgie de la mine d'Ontario où il avait appris à conduire une benne minière durant une vraie séance de formation, hors du secteur de production. Les deux hommes savaient qu'à Westray, plus un mineur savait manœuvrer de matériel, mieux il était payé.

La machine d'abattage s'était arrêtée. Cela signifiait que le méthanomètre, ou renifleur, avait détecté trop de gaz. Comish a appuyé sur le bouton de réinitialisation plusieurs fois, sans résultat. Bonner était sur le camion-navette et attendait. Comish a réussi à forcer le taquet d'arrêt et a continué à remplir le camion-navette. Il n'aimait pas passer outre à une mesure de sécurité visant sa propre protection, mais on lui avait montré comment faire et il savait ce qu'on attendait de lui. Le système de prime de la mine était simple : davantage de charbon signifiait davantage d'argent. Tous les quatre jours, lorsqu'il retournait dans la mine, Comish pensait démissionner. Toutefois, il pensait à nouveau au toit et à la nourriture dont avait besoin sa famille, soupirait et retournait au travail. Parfois, il n'était pas nécessaire de passer outre le renifleur. Comish se souvenait d'avoir travaillé dans la section sud-ouest de la mine où le méthanomètre ne fonctionnait tout simplement pas. Comish s'était tourné vers Donnie Dooley et avait plaisanté : « Si on meurt, je ne te parlerai plus jamais ! » Malgré les blagues et la camaraderie, Comish ne pouvait s'empêcher de penser que les choses ne se déroulaient pas vraiment comme elles le devaient. Il a décidé ce jour-là qu'il ne voulait tout simplement pas se trouver dans la mine. Il projetait de dire à son superviseur qu'il devait partir à cinq heures pour faire réparer sa voiture — pieux mensonge sans gravité.

Certains hommes sous terre ce jour-là se demandaient quand Eugene Johnson serait de retour de Montréal. L'association du secteur avait choisi son nom au hasard pour assister à la cérémonie de remise de la récompense John T. Ryan, à Westray. Cette récompense était décernée à la mine de charbon la plus sûre du Canada. Son attribution était basée sur les statistiques de signalement d'accidents. De plus, Johnson et sa femme devaient voir un match de la Ligue nationale de hockey avec Clifford Frame et sa femme. Les hommes étaient certains que Johnson aurait de bonnes histoires à raconter lorsqu'il reviendrait de ce voyage.

Bonner a demandé à Comish si Wayne Cheverie était dans la mine ce jour-là. Ils ne se souvenaient pas l'avoir vu en arrivant au travail. Sans système de fiches dans la zone de déploiement, il était impossible de savoir, à un quelconque moment, qui ou combien d'employés étaient sous terre. Lenny Bonner se souvenait du temps passé dans la mine Gay's River. Le système de fiches y était appliqué rigoureusement. Un jour, il avait oublié de retirer sa fiche, ce qui signifiait qu'elle se trouvait encore sur le tableau et qu'il était donc officiellement sous terre. Bien que son supérieur l'ait regardé quitter les lieux, il ne pouvait pas retirer lui-même la fiche du tableau. Bonner a dû revenir retirer sa fiche. Son supérieur l'avait attendu, car il ne pouvait partir tant que certains de ses hommes manquaient à l'appel.

Les hommes s'intéressaient à Wayne Cheverie parce que ce dernier avait fait beaucoup de bruit, dernièrement, au sujet de la sécurité. Même en septembre dernier, lors de l'inauguration officielle de la mine, il avait interpellé Albert McLean après la cérémonie. Cheverie racontait qu'il avait fait savoir à McLean qu'il était inquiet des conditions des toits et du manque de poussière de pierre et lui avait directement demandé s'il avait le pouvoir de faire fermer la mine. McLean lui avait répondu par la négative. Cheverie connaissait bien la signification de tels propos, car les autres mineurs qui s'étaient plaints avaient été victimes de harcèlement et d'intimidation. Pourtant, les hommes savaient que Cheverie avait atteint ses limites. Non seulement il parlait de se plaindre au ministère du Travail, mais il menaçait aussi de contacter les médias. Récemment, après un refus de travail, Arnie Smith, son superviseur direct, lui avait dit que s'il quittait la mine, il serait renvoyé. Sa réponse avait été : « Renvoyé ou mort, Arnie ? Tu parles d'un choix ! » Bonner comprenait ce que ressentait Cheverie. Un jour, une partie du toit de la mine lui était tombé sur la tête. Bonner était retourné chez lui en ayant mal à la jambe et au dos et avec une bosse sur la tête. Il a dû se battre avec la direction pour être payé ce jour-là. Roger Parry lui avait dit : « Nous ne payons pas les gens qui rentrent chez eux pour cause de maladie. » Bonner lui avait répondu : « Vous appelez ça "rentrer chez soi pour cause de maladie" lorsque le plafond de la mine et des morceaux de charbon vous tombent sur la tête et le dos et manquent de vous tuer ! » Finalement, il a été payé pour ses heures. Il pensait tout au moins qu'il s'en était mieux sorti que ce pauvre jeune Todd MacDonald. Le premier jour de travail de MacDonald, un plafond de la mine s'était effondré et le jeune homme avait été enseveli jusqu'à la taille. Il était resté étendu sur le dos, le regard vers le plafond, comme s'il l'avait regardé tomber plutôt que de s'enfuir en courant.

Bonner et Comish et quelques autres se sont arrêtés de travailler pour une pause rapide et tardive. Souvent, ils ne prenaient leur dîner qu'à la fin de leurs heures. Bonner s'est assis avec son dîner, mais il s'est aussitôt relevé subitement. Il s'était assis trop près d'un tas de déjections humaines mais, dans le noir, il ne l'avait pas remarqué jusqu'à ce que l'odeur l'atteigne. À ses débuts à la mine, Bonner avait parlé au directeur de la mine, Gerald Phillips, relativement à l'installation de toilettes sous terre. Phillips lui avait dit qu'il considérait plusieurs modèles. En attendant, Bonner se sentait humilié, forcé de s'accroupir au sol comme un animal. De toute façon, leur pause repas n'a pas duré. Shaun Comish avait prévenu les autres qu'il voyait une lumière s'approcher, et les hommes s'étaient dispersés comme des rats, craignant une visite de Roger Parry. Il les renverrait au travail avec ses jurons habituels.

La catastrophe

Quelques minutes après l'explosion, les voisins et les familles ont commencé à se rassembler sur le site de la mine. En quelques heures, les médias locaux, nationaux et internationaux avaient installé leur matériel et leurs journalistes dans le centre communautaire qui leur servait de quartier général. Les membres des familles, rassemblés dans un aréna en face du centre, où ils attendaient des nouvelles de leurs proches, n'appréciaient pas les caméras et les questions indiscrètes. Pendant six jours, ils ont attendu, pleuré, bu du café, fumé des cigarettes, réconforté les enfants et se sont réconfortés eux-mêmes en espérant des secours efficaces.

Pour les familles et la communauté, les producteurs et les journalistes, ainsi que pour tous les spectateurs, Colin Benner est devenu le « visage de Westray ». Il avait été nommé au poste de président des opérations en avril et était responsable de la mine Westray depuis moins d'un mois lorsque celle-ci a explosé. Il avait à peine commencé le processus qui, espérait-il, sortirait Westray de son gouffre financier. La production était trop faible, la mine ne fournissant pas les 60 000 tonnes par mois qu'elle avait promis à Nova Scotia Power. Les ventes des six derniers mois avaient atteint 7,3 millions de dollars, mais les coûts avaient dépassé 13 millions. Benner avait également eu vent des propos relatifs à la sécurité, du mécontentement des mineurs et des méthodes brutales de Gerald Phillips et de Roger Parry.

Tout ces problèmes ont été écartés pour gérer la crise. Benner servait d'intermédiaire avec les médias, donnant des nouvelles sur la progression des efforts de secours. Le sixième jour, le 14 mai, fatigué et avec une tristesse évidente, il a annoncé que les recherches étaient interrompues puisqu'il n'y avait plus d'espoir de trouver de survivants à l'explosion. Il était simplement trop dangereux pour les équipes de secours de continuer.

À la recherche de la vérité

Le 15 mai, le lendemain de l'annonce de l'interruption des recherches par Colin Benner, le premier ministre Donald Cameron nommait le juge Peter Richard à la tête de la commission d'enquête sur l'explosion. Son mandat était large, et il devait considérer tous les aspects concernant l'établissement, la direction et la réglementation de la mine Westray. La commission était tout particulièrement habilitée à enquêter sur toute « négligence ayant pu causer la catastrophe ou y contribuer » et à établir si l'accident aurait pu être évité. Un tissu inextricable de recours a fait durer l'enquête pendant plus de trois ans. Entre temps, des accusations provinciales et criminelles contre l'entreprise et ses dirigeants ont été portées puis retirées. La commission a entendu le premier témoignage le 6 novembre 1995. Le juge Peter Richard a également suivi des études substantielles sur l'exploitation minière de charbon et la sécurité dans les mines pour se préparer à la tâche. Il a visité des mines au Canada et aux États-Unis et a consulté des experts d'Afrique du Sud, de Grande-Bretagne et d'Australie. Il a demandé des rapports techniques de six experts sur des sujets incluant la ventilation dans les mines et la géotechnologie, ainsi que des études en histoire, en économie, en psychologie et en sciences politiques. Ces rapports lui ont permis de mieux comprendre l'histoire de la mine de Pictou, l'effet multiplicateur du chômage dans cette communauté, l'effet des primes de production sur le comportement des mineurs et le rôle de la responsabilité ministérielle dans le secteur public. La commission d'enquête a entendu 71 témoignages en 76 jours, produit 16 815 pages de transcription et enregistré 1579 pièces à conviction après l'examen de 800 boîtes de documents. Le coût total de l'enquête a atteint près de 5 millions de dollars.

Les conclusions du juge Richard ont été consignées dans un rapport de trois volumes comptant 750 pages, intitulé *The Westray Story: A Predictable Path to Disaster* (L'histoire de Westray: récit d'une catastrophe annoncée). Il a publié son rapport le 1er décembre 1997. Sa conclusion essentielle était que l'explosion était à la fois prévisible et évitable. Le juge a reconnu qu'il était rétrospectivement plus facile d'avoir une vue claire et précise de la situation. Toutefois, d'une façon succincte, détaillée et claire, il a isolé les nombreux facteurs ayant contribué à une explosion qui a coûté la vie à 26 hommes et laissé plus de 20 veuves et plus de 40 enfants sans père. Il a donné le ton au rapport en citant le sociologue français et inspecteur général des mines Frédéric Le Play (1806-1882): «L'élément le plus important qui doit sortir d'une mine est le mineur.» Le juge Richard, dans la préface, a noté que «l'histoire de Westray est une mosaïque complexe d'actions, d'omissions, d'erreurs, d'incompétence, d'apathie, de cynisme, de stupidité et de négligence». Il a reconnu, avec consternation, le patronage politique plus que zélé des débuts de Westray. En outre, il a établi clairement que la responsabilité incombait à la direction à cause de son arrogance, de son manque de formation et de son soutien tacite aux pratiques dangereuses, et de l'utilisation d'un système de primes. Seuls Colin Benner et Graham Clow, conseillers en ingénierie minière, ont reçu des éloges. Chacun avait participé à l'enquête sans citation à comparaître et à leurs propres frais. Ils étaient les seuls cadres de Curragh à témoigner. Colin Benner, en particulier, a produit un témoignage clé sur ses projets pour la mine. Il a mis sur pied un groupe de planification minière afin de faire face aux problèmes de sécurité et de production. Son objectif était de concevoir un projet de mine sécuritaire et applicable, qui serait basé sur de bonnes relations humaines et un respect mutuel entre les travailleurs et la direction. Son projet a été interrompu à la suite de l'explosion. Le juge Richard a également fait remarquer les nombreux échecs du corps des inspecteurs provinciaux et l'a décrit comme «particulièrement inutile». Il a souligné l'incompétence et le manque d'empressement de l'inspecteur

Albert McLean. En outre, il n'a pas épargné ses superviseurs, qui auraient dû remarquer les échecs évidents de McLean. Enfin, il a donné raison à Carl Guptill et conclu que la manière dont McLean l'avait traité avait «fait du tort à un mineur présentant une plainte légitime».

Épilogue

En 1993, un rapport rédigé par Coopers et Lybrand sur les pratiques de gestion du ministère du Travail de la Nouvelle-Écosse recommandait des changements radicaux à ce ministère en y incluant la formation du personnel, une planification de carrière et des évaluations des performances. En 1997, la *Occupational Health and Safety Act* a été révisée et adoptée. En 1995, toutes les charges criminelles contre Westray et les responsables de la mine ont été suspendues pour des raisons procédurales. En 1998, à la suite des résultats de la commission d'enquête, l'Institut canadien des mines, de la métallurgie et du pétrole (ICM), embarrassé, a annulé la récompense John T. Ryan en matière de sécurité présentée, la veille de l'explosion, à feu Eugene Johnson, représentant Westray. En 1999, le responsable fédéral du NPD a présenté un projet de loi à la Chambre des communes pour modifier le *Code criminel* afin que les entreprises, les cadres et les directeurs soient tenus responsables des décès sur les lieux du travail. Après un appel à la tenue d'élections, le projet de loi n'est pas allé plus loin. En 2001, la cour d'appel de la Nouvelle-Écosse refusait au groupe des familles de Westray le droit de poursuivre le gouvernement provincial, concluant qu'une telle poursuite allait à l'encontre de la loi provinciale d'indemnisation des travailleurs. En 2002, la Cour suprême du Canada a maintenu cette décision. En mai 2002, 10 ans après l'explosion et malgré toute la pression et les efforts législatifs, le Parlement considérait toujours le cas comme le fait d'une responsabilité criminelle d'entreprise.

Albert McLean et d'autres ont été renvoyés de leur poste au ministère du Travail. Donald Cameron a gagné une élection provinciale en 1993, mais a été battu en 1998. Peu de temps après, il a accepté un poste à Boston comme consul général. Gerald Phillips aurait en outre été accusé de tentative d'homicide au Honduras, à la suite d'une blessure infligée à un jeune homme qui protestait contre les activités minières menaçant son village. En

1998, une entreprise minière située à Vancouver aurait ensuite engagé Phillips. Bien que Curragh Resources ait fait faillite après l'explosion, Clifford Frame a continué d'attirer les investisseurs et, aux dernières nouvelles, exploitait toujours des mines. Quant à Roger Parry, il aurait été vu au volant d'un autobus en Alberta. De nombreux mineurs ont quitté le comté de Pictou et ont cherché un emploi dans l'ouest et le nord du Canada. Carl Guptill exploite une aquaculture sur la côte est de la Nouvelle-Écosse. Certaines des « veuves de Westray » ont déménagé, se sont remariées et ont refait leur vie, alors que d'autres vivent toujours leur deuil. Les corps de 11 mineurs sont demeurés ensevelis dans la mine.

Sources :

Jobb, D. *Calculated Risk : Greed, Politics and the Westray Tragedy*, Halifax, Nimbus, 1994.

Richard, J.K.P. *The Westray Story : A Predictable Path to Disaster : Report of the Westray Mine Public Inquiry*, Halifax, Nouvelle-Écosse, 1997.

Transcriptions de la commission d'enquête publique sur la mine de Westray (http://alts.net/ns1625/950013index.html).

Wilde, G. *Risk Awareness and Risk Acceptance at the Westray Coal Mine*, Rapport de l'enquête publique sur la mine de Westray, 1997.

RÉFÉRENCES

CHAPITRE 1

1. J. Rojot, *Théorie des organisations*, Paris, Eska.

2. Il serait prématuré, vu la nouveauté, de présumer que les recherches faites sur des organisations physiques dans le domaine qui nous occupe s'appliquent aussi aux organisations virtuelles.

3. Parfois, ces disciplines revendiquent la même paternité (par exemple, l'organisation scientifique du travail ou le mouvement des relations humaines).

4. J.D. Wood, « Une discipline vitale. Le comportement organisationnel », dans *L'art du management*, chapitre 6, Paris, Pearson Professional et Éditions Village Mondial, 1997.

5. Cet historique doit beaucoup aux auteurs suivants : L.L. Koppes, *Historical Perspectives in Industrial and Organizational Psychology*, New Jersey, Erlbaum Associates, 2007 ; R.A. Katzell et J.T. Austin, « From Then to Now : The Development of Industrial-Organizational Psychology in the United States », *Journal of Applied Psychology*, vol. 77, n° 6, 1992, p. 803-837 ; L.L. Koppes et W. Pickren, « Industrial and Organizational Psychology : An Evolving Science and Practice », dans L.L. Koppes, *Historical Perspectives in Industrial and Organizational Psychology*, New Jersey, Erlbaum Associates ; J.A. Vinchur et L.L. Koppes, « Early Contributors to the Science and Practice of Industrial and Organizational Psychology », dans L.L. Koppes, *Historical Perspectives in Industrial and Organizational Psychology*, New Jersey, Erlbaum Associates, 2007.

6. L.L. Koppes et W. Pickren, « Industrial and Organizational Psychology : An Evolving Science and Practice », dans L.L. Koppes, *Historical Perspectives in Industrial and Organizational Psychology*, New Jersey, Erlbaum Associates, 2007.

7. Découpage approximatif de Koppes et Pickren, *ibid.*, et de Katzell et Austin, *ibid.*

8. H. Münsterberg, *Psychology and Industrial Efficiency*, Boston, Houghton-Mifflin, 1913.

9. A.W. Kornhauser et F.A. Kingsbury, *Psychological Tests in Business*, Chicago, University of Chicago Press, 1924.

10. A.W. Kornhauser, *Mental Health of the Industrial Worker*, New York, Wiley, 1965.

11. H. Burtt, *Psychology and Industrial Efficiency*, New York, Appleton, 1929.

12. M.S. Viteles, *Industrial Psychology*, New York, Norton, 1932.

13. M.S. Viteles, *Motivation and Morale in Industry*, New York, Norton, 1953.

14. L.M. Gilbreth, *The Psychology of Management*, New York, Sturgis and Walton, 1914.

15. Partie redevable à P. Warr, « Some Historical Developments in I/O Psychology Outside the United States », dans L.L. Koppes, *ibid.*, chapitre 4.

16. C.S. Myers, *Industrial Psychology*, New York, Holt, 1929.

17. L.L. Thurstone et E.J. Chave, *The Measurement of Attitudes*, Chicago, University of Chicago Press, 1929.

18. R. Likert, « A Technique for the Measurement of Attitudes », *Archives of Psychology*, n° 22, p. 1-55.

19. G.E. Mayo, *The Human Problems of an Industrial Civilization*, New York, McMillan ; F.F.J. Roethlisberger et W.J. Dickson, *The Management and the Worker*, Cambridge, Harvard Business School Press, 1939.

20. K. Lewin, K. *et al.*, « Level of Aspiration », dans J.McV. Hunt (dir.), *Personality and the Behavior Disorder*, New York, Ronald, 1944 ; K. Lewin, R. Lippitt et R.K. White, « Patterns of Aggressive Behaviour in Experimentally Created "Social Climate" », *Journal of Social Psychology*, n° 10, 1939, p. 271-299.

21. E.L. Trist et K.W. Bamforth, « Some Social and Psychological Consequences of the Longwall Method of Coal Getting », *Human Relations*, n° 4, p.3-38.

22. A.W. Kornhauser, *Psychology of Labor-Management Relations*, Madison, Industrial Relations Research Association, 1949.

23. Voir les chapitres 3 et 6 pour le détail de ces théories et les références.

24. Voir les chapitres 6 et 7 pour le détail de ces théories et les références.

25. M.D. Dunette, *Handbook of Industrial and Organizational Psychology*, Chicago, Rand Mcnally, 1976.

26. Est résumé et reformulé le regroupement fait par Foucher et Leduc. R. Foucher et F. Leduc, *Domaines de pratiques et compétences professionnelles des psychologues du travail et des organisations*, Montréal, Éditions Nouvelles, 2001.

27. S. Rogelberg, *Encyclopedia of Industrial and Organizational Psychology*, Thousands Oaks, Sage, 2006.

28. Bien d'autres théories importantes de l'organisation, issues des sciences sociales, auraient pu être mentionnées. On pense à celle de l'*écologie des populations d'organisations* (Carrol, 1984 ; Aldrich, 1979 ; voir J. Rojot, *Théorie des organisations*, Paris, Eska) ou l'approche *néo-institutionnaliste des organisations*, ou encore l'approche *économique* (notamment la *théorie de l'agence* qui définit l'organisation comme un ensemble de contrats écrits ou non écrits) ou, enfin, la théorie de la *structuration* de Giddens. Toutefois, outre que cette introduction ne se veut pas un traité exhaustif de la théorie de l'organisation, les choix ont tenu compte du public auquel elle s'adresse et du niveau d'opérationnalisation (encore à réaliser) de certaines de ces théories.

29. D. Katz et R.L. Kahn, *The Social Psychology of Organizations*, New York, Wiley, 1966.

30. K. Weick, *The Social Psychology of Organizing*, New York, Random House, 1979.

31. M. Crozier et E. Friedberg, *L'acteur et le système*, Paris, Seuil, 1977.

32. G. Hoftede, *Culture's Consequences : International Differences in Work-Related Values*, Beverly Hills, Sage, 1980.

33. Comme on le disait au sujet des théories issues des sciences sociales, ce n'est pas le propos de cette introduction de présenter toutes les théories de l'organisation ni l'objectif de cet ouvrage, car l'espace manquerait. Cette introduction ne comprend donc qu'un choix de ces théories pour les mêmes raisons

qui ont déjà été données dans le cas des théories issues des sciences sociales.

34. G. Morgan, *Images de l'organisation*, Québec, Les Presses de l'Université Laval, 1986, Éditions ESKA, 1989.

35. En réalité, il faudrait ajouter une autre métaphore : celle de Morgan lui-même qu'on pourrait intituler « l'organisation vue comme un ensemble de métaphores » !

36. H.A. Simon, *Administrative Behavior*, New York, Wiley, 1947.

37. J.G. March et H.A. Simon, *Les organisations*, Paris, Dunod, 1969.

38. O. Aktouf, *Le management entre tradition et renouvellement*, 3e éd., Montréal, Gaëtan Morin Éditeur, 1994.

39. F.W. Taylor, *La direction scientifique des entreprises*, Paris, Dunod, 1911, 1957.

40. P. Muller et P. Silberer, *L'Homme en situation industrielle*, Paris, Payot, 1968, p. 17.

41. H. Fayol, *Administration industrielle et générale*, Paris, Dunod, 1916, 1979.

42. M. Weber, *The Theory of Social and Economic Organizations*, New York, Oxford University Press, 1922, 1947.

43. R.K. Merton, « The Anticipated Consequences of Purposive Social Action », *American Sociological Review*, vol. 1, no 6, 1936.

44. I.C. Barnard, *The Functions of the Executive*, Cambridge, Harvard University Press, 1938.

45. J. Rojot, *Théorie des organisations*, Paris, Eska.

46. Pour les références des auteurs nommés et d'autres détails sur les chercheurs dans ce champ d'études, voir R. Stewart, « Managerial Behavior », dans A. Sorge et M. Warner, *The IEBM Handbook of Organizational Behavior*, Londres, Thomson Learning, 1997.

47. H. Mintzberg, *The Nature of Managerial Work*, Londres, Harper, 1973.

48. J. Rojot, *Théorie des organisations*, Paris, Eska.

49. H. Trinca, « Her Way », *Boss Magazine*, 9 octobre 2000.

50. R.T. Pascale, M. Millemann et L. Gioja, *Surfing on the Edge of Chaos*, New York, Crown, 2000 ; P. Senge *et al.*, *The Dance of Change*, New York, Currency Doubleday, 1999, p. 137-148 ; A. De Geus, *The Living Company*, Boston, Harvard Business School Press, 1997 ; A. Waring, *Practical Systems Thinking*,

Boston, International Thomson Business Press, 1997 ; P.M. Senge, *The Fifth Discipline : The Art and Practice of the Learning Organization*, New York, Doubleday Currency, 1990, chapitre 4 ; F.E. Kast et J.E. Rosenweig, « General Systems Theory : Applications for Organization and Management », *Academy of Management Journal*, 1972, p. 447-465.

51. R. Mitchell, « Feeding the Flames », *Business 2.0*, 1er mai 2001.

52. V.P. Rindova et S. Kotha, « Continuous "Morphing" : Competing Through Dynamic Capabilities, Form, and Function », *Academy of Management Journal*, no 44, 2001, p. 1263-1280 ; R.T. Pascale, M. Millemann et L. Gioja, *Surfing on the Edge of Chaos*, Londres, Texere, 2000.

53. R. Martin, « The Virtue Matrix : Calculating the Return on Corporate Responsibility », *Harvard Business Review*, no 68, mars 2002, p. 68-75.

54. M.L. Tushman, M.B. Nadleret et D.A. Nadler, *Competing by Design : The Power of Organizational Architecture*, New York, Oxford University Press, 1997.

55. T.K. Burns et G.M. Stalker, *The Management of Innovation*, Londres, Tavistock, 1961.

56. P.R. Lawrence et J.W. Lorsch, *Organization and Environment : Differenciation and Integration*, Boston, Harvard University Press, 1967.

57. J.W. Lorsch et J.J. Morse, *Organization and their Members : A Contingency Approach*, New York, Harper and Row, 1974.

58. L. Festinger et J. Carlsmith, « Cognitive Consequences of Forced Compliance », *Journal of Abnormal and Social Psychology*, no 58, 1959, p. 203-210.

59. Kerlinger, *Foundations of Behavioral Research*, New York, Holt, Rinehart, & Winston, 1964, p. 11.

60. J.B. Miner, *Theories of Organizational Behaviour*, Hinsdale, Ill., Dryden, 1980, p. 7-9.

61. J.W. Lorsch et J.J. Morse, *Organization and their Members : A Contingency Approach*, New York, Harper and Row, 1974.

62. J. Mason, *Qualitative Researching*, Londres, Sage, 1996.

63. A. Strauss et J. Corbin (dir.), *Grounded Theory in Practice*, Londres, Sage Publications, 1997 ; B.G. Glaser et A. Strauss, *The Discovery of Grounded*

Theory : Strategies for Qualitative Research, Chicago, Ill., Aldine Publishing, 1967.

64. W.A. Hall et P. Callery, « Enhancing the Rigor of Grounded Theory : Incorporating Reflexivity and Relationality », *Qualitative Health Research*, no 11, mars 2001, p. 257-272.

65. Les catégories exposées par C. Benabou sont partiellement reprises ici. « Qu'est-ce que le comportement organisationnel ? », dans C. Benabou et H. Abravanel, *Le comportement des individus et des groupes dans les organisations*, chapitre 1, Montréal, Gaëtan Morin Éditeur, 1986, p. 14-15.

66. P. Bernoux, *La sociologie des organisations*, Paris, Seuil.

67. Aktouf, *ibid.*

68. Étapes empruntées à P. Fraisse, « La méthode expérimentale », dans Piaget *et al.*, *Traité de psychologie expérimentale, 1. Histoire et méthode*, Paris, Presses Universitaires de France, 1967.

69. Fraisse, *ibid.*

70. Piaget et Fraisse, *ibid.*

71. P. Selznick, *TVA and the Grass Roots*, Berkeley, Université de Californie, 1949.

72. A. Gouldner, *Patterns of Industrial Bureaucracy*, New York, Free Press, 1954.

73. M. Crozier, *Le phénomène bureaucratique*, Paris, Seuil, 1963.

74. Cas rappelés par C. Ballé, *Sociologie des organisations*, Paris, Presses Universitaires de France, 1990.

75. S.A. Ruiz-Quintilla, *Work Centrality and Related Work Meanings*, Hove, Erlbaum, 1991.

76. P. Cossette, *L'inconduite en recherche*, Enquête en sciences de l'administration, Québec, Presses de l'Université du Québec, 2007.

77. A. Bandura, *Social Learning Theory*, Englewood Cliffs, Prentice Hall, 1977.

78. Schéma de F. Luthans, *Organizational Behavior*, New York, McGraw-Hill, 1985, p. 20.

CHAPITRE 2

1. Nous n'incluons pas ici l'environnement des parties prenantes à l'organisation (dont certaines font partie de l'environnement d'affaires). Ce traitement aurait été plus complexe. Nous

l'abordons cependant dans le reste du chapitre.

2. B. Duff-Brown, « Service Centers Booming in India », *Chicago Tribune*, 9 juillet 2001, p. 6; M. Landler, « Hi, I'm in Bangalore (but I Can't Say So) », *New York Times*, 21 mars 2001, p. A1.

3. H. Schachter, « The 21st Century CEO », *Profit*, nᵒ 18, avril 1999, p. 25-35; M.A. Hitt, B.W. Keatset et S.M. DeMarie, « Navigating in the New Competitive Landscape: Building Strategic Flexibility and Competitive Advantage in the 21st Century », *Academy of Management Executive*, nᵒ 12, novembre 1998, p. 22-42. Pour connaître les divers sens du terme « mondialisation », voir M.F. Guillén, « Is Globalization Civilizing, Destructive or Feeble ? A Critique of Five Key Debates in the Social Science Literature », *Annual Review of Sociology*, nᵒ 27, 2001, p. 235-260.

4. J. Garten, *The Mind of the CEO*, Perseus, New York, 2001, chapitre 3.

5. Cité dans P. Verburg, « New Kid on the Beach », *Canadian Business*, nᵒ 72, 12 février 1999, p. 52-56.

6. J. Bagnall, « SiGe Siren Song », *Ottawa Citizen*, 6 décembre 2001, p. E3.

7. « Les Échos », 7 mai 2007, p. 24; *La Presse*, 8 mai 2007, p. 6.

8. Bloomberg, « Fusions et acquisitions: déjà 2000 milliards US et la frénésie continue », *La Presse Affaires*, 16 mai 2007, p. 4.

9. Pour une excellente revue des avantages et des inconvénients de la mondialisation pour les Canadiens et les peuples d'autres pays, voir R.P. Chaykowski (éd.), *Globalization and the Canadian Economy: The Implications for Labour Markets, Society and the State*, Faculté de science politique, Université Queen's, Kingston, Ont., 2001.

10. R. Martin, « The Virtue Matrix: Calculating the Return on Corporate Responsibility », *Harvard Business Review*, nᵒ 68, mars 2002, p. 68-75.

11. C. Higgins et L. Duxbury, *The 2001 National Work–Life Conflict Study: Report One, Final Report*, Santé et Bien-être Canada, Ottawa, mars 2002; J. Foley, « Has Work Intensified in Canada ? », *Proceedings of the Annual Conference of the Administrative Sciences Association of Canada, Human Resource Management Division*, vol. 23, nᵒ 9, 2002, p. 24-32; A. Dastmalchian et P. Blyton, « Workplace Flexibility and the Changing Nature of Work: An Introduction », *Canadian Journal of Administrative Sciences*, nᵒ 18, 2001, p. 1-4; T.H. Wagar, « Consequences of Work Force Reduction: Some Employer and Union Evidence », *Journal of Labor Research*, nᵒ 22, automne 2001, p. 851-862.

12. C. Kleiman, « Work Issues the Same the Whole World Over », *Seattle Times*, 2 septembre 2001.

13. P.R. Sparrow, « Reappraising Psychological Contracting: Lessons for the Field of Human-Resource Development from Cross-Cultural and Occupational Psychology Research », *International Studies of Management & Organization*, nᵒ 28, mars 1998, p. 30-63; R. Schuler et N. Rogovsky, « Understanding Compensation Practice Variations Across Firms: The Impact of National Culture », *Journal of International Business Studies*, nᵒ 29, 1998, p. 159-177.

14. R. House *et al.*, « Understanding Cultures and Implicit Leadership Theories Across the Globe: An Introduction to Project GLOBE », *Journal of World Business*, nᵒ 37, printemps 2002, p. 3-10; R. House, M. Javidanet et P. Dorfman, « Project GLOBE: An Introduction », *Applied Psychology: An International Journal*, nᵒ 50, 2001, p. 489-505.

15. C. Cobb, « Canadians Want Diverse Society: Poll », *Ottawa Citizen*, 18 février 2002, p. A5. La citation de McDonald's Canada est tirée de F. McNair, « Employers Reach Out to Reflect Society », *Edmonton Journal*, 10 juillet 2002, p. F6.

16. Les données statistiques proviennent du site Internet de Statistique Canada (www.statcan.ca). Voir aussi J. Duncanson, « Mostly White, Mostly Male: Why Police Are Reaching Out Again », *Toronto Star*, 6 mars 1999, p. 1; R.A. Wanner, « Prejudice, Profit or Productivity: Explaining Returns to Human Capital Among Male Immigrants to Canada », *Canadian Ethnic Studies*, nᵒ 30, septembre 1998, p. 24-55; V.M. Esses et R.C. Gardner, « Multiculturalism in Canada: Context and Current Status », *Canadian Journal of Behavioural Science*, nᵒ 28, juillet 1996, p. 145-152.

17. Ministère de l'Immigration et des Communautés culturelles du Québec, 2004.

18. N. Glazer, « American Diversity and the 2000 Census », *The Public Interest*, 22 juin 2001, p. 3-18. La diversité ethnique du Canada est débattue dans E. Kishibe, « Defining Societies of One », *The Globe and Mail*, 5 juillet 2001, p. A20; N. Bissoondath, « There's No Place Like Home », *New Internationalist*, nᵒ 305, septembre 1998. Le problème des « étrangers perpétuels » est expliqué dans F.H. Wu, *Yellow, Race in America Beyond Black and White*, Basic, New York, 2002, p. 79-129.

19. W. Chow, « Banana Magazine Starting to Bear Fruit », *Vancouver Sun*, 31 mai 2002.

20. « Agence France-Presse », *La Presse Affaires*, 8 février 2007.

21. P. Rich, « Doctors, Women, Mothers, Wives », *Medical Post*, nᵒ 34, 1ᵉʳ décembre 1998, suppl., p. 48-51; D. Mangan, « Remember When... a Women Doctor Was a Rarity ? », *Medical Economics*, nᵒ 75, 11 mai 1998, p. 225-226.

22. Cité dans le journal *Les Affaires*, 7 octobre 2006, p. 33.

23. C. Loughlin et J. Barling, « Young Workers' Work Values, Attitudes, and Behaviours », *Journal of Occupational and Organizational Psychology*, nᵒ 74, 2001, p. 543-558.

24. La plupart des auteurs définissent la génération X comme les individus nés entre 1964 (fin de la génération des baby-boomers) et 1977 environ. Le professeur David Foot, de l'Université de Toronto, quant lui, décrit les membres de la génération X comme les individus nés entre 1960 et 1964 (la fin du baby-boom). Voir B. Losyk, « Generation X: What They Think and What They Plan to Do », *The Futurist*, vol. 31, mars-avril 1997, p. 29-44. Pour lire un texte sur les membres de la génération X en tant que travailleurs et consommateurs, voir R. Barnard, D. Cosgrave et J. Welsh, *Chips and Pop*, Malcolm Lester Books, Toronto, 1998.

25. Voir l'article de Michèle Boisvert dans le journal *La Presse* du 20 mars 2006.

26. Étude de l'ORHRI publiée le 4 octobre 2006, rapportée par Michel Munger, *La Presse Affaires*, p. 13.

27. N. Mui, « Here Come the Kids », *New York Times*, 4 février 2001, p. 1; R. Zemke et B. Filipczak, *Generations at Work: Managing the Clash of Veterans, Boomers, Xers, and Nexters in Your Workplace*, Amacom, New York, 2000; B.R. Kupperschmidt, « Multigeneration Employees: Strategies for Effective Management », *Health Care*

Manager, septembre 2000, p. 65-76; S. Hays, « Generation X and the Art of the Reward », *Workforce*, nᵒ 78, novembre 1999, p. 44-48; B. Losyk, « Generation X: What They Think and What They Plan to Do », *The Futurist*, vol. 31, mars-avril 1997, p. 29-44.

28. Voir A. Mc Kenna, *La Presse Affaires*, 3 mai 2006.

29. Cas cités dans R. Foucher et A. Gosselin, « Mettre en place une gestion de la relève: comment procéder, quelles pratiques adopter? », *Gestion*, vol. 29, nᵒ 3, 2004, p.38-47.

30. Étude citée par M. Audet dans un article de V. Bouvier, *La Presse Affaires*, 5 octobre 2006, p. 13.

31. G. Paré, « La génération Internet: un nouveau profil d'employés », *Gestion*, vol. 27, nᵒ 2, 2002.

32. A. Duhamel, « Le travail, c'est la santé », *Les Affaires*, 19 mai 2007, p. 31.

33. P. Gilbert, « Les TIC en contexte de gestion », dans P. Gilbert, F. Guérin et F. Pigeyre, *Organisations et comportements*, Paris, Dunod, 2005.

34. Propos recueillis par L. d'Amours, *Perspectives 2003*, CEFRIO.

35. K. Voigt, « Virtual Work: Some Telecommuters Take Remote Work to the Extreme », *Wall Street Journal Europe*, 1er février 2001, p. 1.

36. D.G. Tremblay, « Telework: Work Organization and Satisfaction of Teleworkers », *Proceedings of the Annual Conference of the Administrative Sciences Association of Canada, Human Resource Management Division*, vol. 23, nᵒ 9, 2002, p. 73-83; N.B. Kurland et D.E. Bailey, « Telework: The Advantages and Challenges of Working Here, There, Anywhere, and Anytime », *Organizational Dynamics*, nᵒ 28, automne 1999, p. 53-68; A. Mahlon, « The Alternative Workplace: Changing Where and How People Work », *Harvard Business Review*, nᵒ 76, mai-juin 1998, p. 121-130.

37. J. Lipnack et J. Stamps, *Virtual Teams: People Working Across Boundaries with Technology*, John Wiley & Sons, New York, 2001; D.J. Armstrong et P. Cole, « Managing Distances and Differences in Geographically Distributed Work Groups », dans S.E. Jackson et M.N. Ruderman (éd.), *Diversity in Work Teams: Research Paradigms for a Changing Workplace*, American Psychological Association, Washington, District of Columbia, 1995, p. 187-215.

38. T.R. Kayworth et D.E. Leidner, « Leadership Effectiveness in Global Virtual Teams, » *Journal of Management Information Systems*, nᵒ 18, hiver 2001-2002, p. 7-40; B.L. Kelsey, « Managing in Cyberspace: Strategies for Developing High-Performance Virtual Team », document présenté au congrès annuel de l'Association des sciences administratives du Canada, Organizational Behaviour Division, London, Ontario, juin 2001; J.S. Lureya et M.S. Raisinghani, « An Empirical Study of Best Practices in Virtual Teams », *Information & Management*, nᵒ 38, 2001, p. 523-544; D.L. Duarte et N.T. Snyder, *Mastering Virtual Teams: Strategies, Tools, and Techniques that Succeed*, 2e édition, Jossey-Bass, San Francisco, Calif., 2000.

39. R.P. Gephart, Jr., « Introduction to the Brave New Workplace: Organizational Behavior in the Electronic Age », *Journal of Organizational Behavior*, nᵒ 23, 2002, p. 327-344; R.E. Rice et U.E. Gattiker, « New Media and Organizational Structuring », dans F.M. Jablin et L.L. Putnam (éd.), *The New Handbook of Organizational Communication*, Sage, Thousand Oaks, Calif., 2001, p. 544-581.

40. S. Lemieux, « L'apprentissage en ligne gagne du terrain au Québec », *Les Affaires*, 1er juillet 2006, p. 16.

41. R. Roy, « Gestion du changement. Comment réussir un projet TI? », *Perspectives 2006*, CEFRIO, 2006, p 22-27.

42. Nous sommes redevables à notre collègue Jean Pasquero pour la rédaction de cette partie (hormis les documents d'illustration). Nous le remercions d'avoir mis ses connaissances au service de cette tâche. Jean Pasquero est professeur à l'École des sciences de la gestion de l'Université du Québec à Montréal.

43. Le Pacte mondial, publié en 2001, est un code de déontologie supranational constitué de dix principes extraits de quatre conventions internationales ratifiées par tous les États membres de l'organisation. Ces principes sont divisés en quatre catégories: les droits humains, les droits des travailleurs, la protection de l'environnement et la lutte contre la corruption.

44. S. Beaulieu et J. Pasquero, « La chute d'Andersen », dans D.G. Tremblay et D. Rolland (dir.), *Responsabilité sociale d'entreprise et finance responsable: quels enjeux?*, Québec, Presses de l'Université du Québec, p. 127-157;

A. Finet (dir.), *Gouvernement d'entreprise? Enjeux managériaux, comptables et financiers*, Bruxelles, De Boeck, 2005; J. Pasquero, La responsabilité sociale de l'entreprise comme objet des sciences de gestion: un regard historique, dans M.F. Turcotte et A. Salmon (dir.), *Responsabilité sociale et environnementale de l'entreprise*, Sillery, Québec, Presses de l'Université du Québec, 2005, p. 80-111; J. Pasquero, « La responsabilité sociale comme nouvelle forme de régulation économique », *Gestion*, 2006, vol. 31, nᵒ 2, p. 51-54 (Introduction au dossier spécial « Responsabilité sociale de l'entreprise: débats actuels et perspectives »).

45. A. De Serres, « La gestion du risque fiduciaire pour lier éthique et finance », *Gestion*, vol. 32, nᵒ 1, 2007, p. 47-55.

46. R.J. Burke, « Organizational Transitions », dans C.L. Cooper et R.J. Burke (éd.), *The New World of Work: Challenges and Opportunities*, Blackwell, Oxford, 2002, p. 3-28; F. Patterson, « Developments in Work Psychology: Emerging Issues and Future Trends », *Journal of Occupational and Organizational Psychology*, nᵒ 74, novembre 2001, p. 381-390.

47. W.R. Boswell *et al.*, « Responsibilities in the "New Employment Relationship": An Empirical Test of an Assumed Phenomenon », *Journal of Managerial Issues*, nᵒ 13, automne 2001, p. 307-327; M.V. Roehling *et al.*, nᵒ 39, « The Nature of the New Employment Relationship(s): A Content Analysis of the Practitioner and Academic Literatures », *Human Resource Management*, 2000, p. 305-320; J. Dionne-Proulx, J.C. Bernatchezet et R. Boulard, « Attitudes and Satisfaction Levels Associated with Precarious Employment », *International Journal of Employment Studies*, nᵒ 6, 1998, p. 91-114; P. Cappelli *et al.*, *Change at Work*, Oxford University Press, New York, 1997.

48. D.G. Gallagher, « Contingent Work Contracts: Practice and Theory », dans C.L. Cooper et R.J. Burke (éd.), *The New World of Work: Challenges and Opportunities*, Blackwell, Oxford, 2002, p. 115-136; A.E. Polivka, « Contingent and Alternative Work Arrangements, Defined », *Monthly Labor Review*, nᵒ 119, octobre 1996, p. 3-10; S. Nollen et H. Axel, *Managing Contingent Workers*, AMACOM, New York, 1996, p. 4-9.

49. P. Kulig, « Temporary Employment Changing the Character of Canada's Labour Force », *Canadian HR Reporter*,

16 novembre 1998, p. 1, 15; K. Barker et K. Christensen (éd.), *Contingent Work: American Employment in Transition*, ILR Press, Ithaca, New York, 1998.

50. D.H. Pink, «Land of the Free», *Fast Company*, mai 2001, p. 125-133; S.B. Gould, K.J. Weineret et B.R. Levin, *Free Agents: People and Organizations Creating a New Working Community*, Jossey-Bass, San Francisco, 1997; C. von Hippel *et al.*, «Temporary Employment: Can Organizations and Employees Both Win?», *Academy of Management Executive*, n° 11, février 1997, p. 93-104; W.J. Byron, «Coming to Terms with the New Corporate Contract», *Business Horizons*, janvier-février 1995, p. 8-15.

51. J. Walsh et S. Deery, «Understanding the Peripheral Workforce: Evidence from the Service Sector», *Human Resource Management Journal*, n° 9, 1999, p. 50-63.

52. Y.S. Park et R.J. Butler, «The Safety Costs of Contingent Work: Evidence from Minnesota», *Journal of Labor Research*, n° 22, automne 2001, p. 831-849; D.M. Rousseau et C. Libuser, «Contingent Workers in High Risk Environments», *California Management Review*, n° 39, automne 1997, p. 103-123.

53. R. Dupaul, «L'auto en Inde: 25 millions d'emplois», *La Presse Affaires*, 22 mai 2007, p. 2.

54. J. Nollet et S. Ponce, «Après l'impartition... la désimpartition?», *Gestion*, été 2004, p. 57-67.

55. P. Fortin et M. Van Audenrode, «Sous-traitance, emplois et salaires», *Gestion*, été 2004, p. 33-37.

56. «Quality: How to Make It Pay», *Business Week*, août 1994, n° 8, p. 54-59; F. Gibney, Jr., «Consequences of Quality Circles in an Industrial Setting. A Longitudinal Assessment», *Academy of Management Journal*, juin 1988, p. 338-358.

57. J.M. Legentil, «Le Six Sigma, version PME», *La Presse Affaires*, 24 octobre 2005, p. 6.

58. G. Hamel et C.K. Prahalad, *La conquête du futur*, Paris, InterÉditions et Montréal, Erpi, 1995.

59. P.C. Earley et E. Mosakowski, «Cultural Intelligence», *Harvard Business Review*, 2004, vol. 82, n° 10.

60. J. Santos, «L'avantage d'être né au mauvais endroit», *Harvard Business Review*, cité dans *Les Affaires*, 28 avril 2007, p. 31.

CHAPITRE 3

1. E. Morin et C. Aubé, *Psychologie et management*, Montréal, Chenelière Éducation, 2007.

2. P.-C. Morin et S. Bouchard, *Introduction aux théories de la personnalité*, Boucherville, Gaëtan Morin Éditeur, 1992.

3. N. Aubert, «Personnalité et comportements» dans N. Aubert, J.P. Gruère, Jak Jabès, H. Laroche et S. Michel, Paris, PUF, 1991.

4. J.-P. Hogue, D. Lévesque et E. Morin, *Groupe, pouvoir et communication*, Presses de l'Université du Québec et de l'École des hautes études commerciales, 1988, p. 181.

5. A.P. Brief, *Attitudes In and Around Organizations*, Sage, Thousand Oaks, CA, 1998; J.M. George et G.R. Jones, «Experiencing Work: Values, Attitudes, and Moods», *Human Relations*, vol. 50, avril 1997, p. 393-416; J.M. Olson et M.P. Zama, «Attitudes and Attitude Change», *Annual Review of Psychology*, vol. 44, 1993, p. 117-154. Le débat continue sur la question de savoir si les attitudes se composent uniquement de sentiments ou si elles englobent les trois composantes décrites ici. Toutefois, les partisans de la perspective unique voient encore les croyances comme la composante cognitive des attitudes. Voir, par exemple: I. Ajzen, «Nature and Operation of Attitudes», *Annual Review of Psychology*, vol. 52, 2001, p. 27-58.

6. M.D. Zalesny et J.K. Ford, «Extending the Social Information Processing Perspective: New Links to Attitudes, Behaviours, and Perceptions», *Organizational Behaviour and Human Decision Processes*, vol. 52, 1992, p. 205-246; G. Salancik et J. Pfeffer, «A Social Information Processing Approach to Job Attitudes and Task Design», *Administrative Science Quarterly*, vol. 23, 1978, p. 224-253.

7. J.D. Morris *et al.*, «The Power of Affect: Predicting Intention», *Journal of Advertising Research*, vol.42, mai/juin 2002, p. 7-17; M. Perugini et R.P. Bagozzi, «The Role of Desires and Anticipated Emotions in Goal-Directed Behaviours: Broadening and Deepening the Theory of Planned Behaviour», *British Journal of Social Psychology*, vol. 40, mars 2001, p. 79-98; C.D. Fisher, «Mood and Emotions while Working: Missing Pieces of Job Satisfaction?», *Journal of Organizational Behavior*, vol. 21, 2000, p. 185-202. Pour comprendre la prévisibilité du modèle traditionnel des attitudes, lire: Armitage and Conner, «Efficacy of the Theory of Planned Behaviour».

8. Le centre émotionnel est le centre limbique où naissent nos pulsions innées. Le centre rationnel est le cortex cérébral préfrontal. Les signaux sont transmis dans les deux directions entre ces centres cérébraux. Les connexions neurales impliquent un signal beaucoup plus fort entre le centre émotionnel et le centre rationnel que vice-versa. Voir D.S. Massey, «A Brief History of Human Society: The Origin and Role of Emotion in Social Life», *American Sociological Review*, vol. 67, février 2002, p.1-29; P.R. Lawrence et N. Nohria, *Driven: How Human Nature Shapes Our Choices*, Jossey-Bass, San Francisco, 2002, p. 44-47, 168-170; R. Hastie, «Problems For Judgment and Decision Making», *Annual Review of Psychology*, vol. 52, 2001, p. 653-683; A. Damasio, *The Feeling of What Happens*, Harcourt Brace and Co., New York, 1999.

9. Weiss et Cropanzano, «Affective Events Theory».

10. L. Ajzen, L. et M. Fishbein, *Understanding Attitudes and Predicting Social Behavior*, Englewood Cliff, Prentice Hall, 1980.

11. L. Festinger, *A Theory of Cognitive Dissonance*, Row, Peterson, Evanston, Ill., 1957; G.R. Salancik, «Commitment and the Control of Organizational Behaviour and Belief» dans B.M. Staw et G.R. Salancik (éd.), *New Directions in Organizational Behaviour*, St. Clair, Chicago, 1977, p. 1-54.

12. H.M. Weiss, «Deconstructing Job Satisfaction: Separating Evaluations, Beliefs and Affective Experiences», *Human Resource Management Review*, n° 12, 2002, p. 173-194. Cette définition ne fait pas encore l'unanimité chez les chercheurs. En effet, dans certaines définitions on considère l'émotion comme un élément ou un indicateur de la satisfaction au travail tandis que, en vertu de cette définition-ci, l'émotion serait une cause de cette satisfaction. Pour en savoir plus sur cette question, voir: Brief et Weiss, *Organizational Behavior: Affect in the Workplace*.

13. E.A. Locke, «The Nature and Causes of Job Satisfaction» dans

M. Dunnette (éd.), *Handbook of Industrial and Organizational Psychology*, Rand McNally, Chicago, 1976, p. 1297-1350. Notre définition laisse entendre que la satisfaction au travail est un « ensemble d'attitudes » et non plusieurs « facettes » de la satisfaction. Pour en apprendre davantage, voir: Weiss, *Deconstructing Job Satisfaction*.

14. S. Foster, « Good Job, Lots of Cash, Great Life », *Regina Leader-Post*, 8 juin 2002.

15. « Workplace Satisfaction Hits 82 Percent », *Vancouver Sun*, 1er novembre 1999; S. Lambert, « Annual Poll Finds We're a Happy Lot », *Toronto Star*, 10 octobre 1998, p. B2. Les résultats de ce sondage se comparent à ceux des sondages Gallup, effectués aux États-Unis, qui démontrent d'une manière constante depuis une décennie qu'au moins 85 % des Américains sont satisfaits de leur travail. Voir: F. Newport, « Most American Workers Satisfied With Their Jobs », *Gallup News Service*, 29 août 2002.

16. International Survey Research, *Employee Satisfaction in the World's 10 Largest Economies: Globalization or Diversity?*, ISR, Chicago, 2002; « Ipsos-Reid Global Poll Finds Major Differences in Employee Satisfaction Around the World », communiqué de Ipsos-Reid, 8 janvier 2001.

17. Sondage CROP et l'Ordre des conseillers en ressources humaines et en relations industrielles (ORHRI), 4 octobre 2006, rapporté par le journal *La Presse* du jeudi 5 octobre 2006, p. 13.

18. R. Laver, « The Best & Worst Jobs », *Maclean's*, 31 mai 1999, p. 18-23.

19. Les problèmes que pose la mesure des attitudes et des valeurs dans diverses cultures sont débattus dans: P.E. Spector *et al.*, « Do National Levels of Individualism and Internal Locus of Control Relate to Well-Being: An Ecological Level International Study », *Journal of Organizational Behavior*, no 22, 2001, p. 815-832; G. Law, « If You're Happy and You Know It, Tick The Box », *Management-Auckland*, no 45, mars 1998, p. 34-37.

20. C.N. Weaver, « Job satisfaction in the USA in the 1970s », *Journal of Applied Psychology*, no 65, 1980, p. 364-367.

21. D.M. Eichar, E.M. Brady et R.H. Fortinsky, « The Job Satisfaction of Older Workers », *Journal of Organizational Behavior*, no 12, 1991, p. 609-620.

22. S.L. Lambert, « The combined effect of job and family characteristics on the job satisfaction, job involvement and intrinsic motivation of men and women workers », *Journal of Organizational Behavior*, no 12, 1991, p. 341-363.

23. M. Troy, « Motivating your Workforce: A Home Depot Case Study », *DSN Retailing Today*, 10 juin 2002, p. 29.

24. W.H. Turnley et D.C. Feldman, « The Impact of Psychological Contract Violations on Exit, Voice, Loyalty, and Neglect », *Human Relations*, no 52, juillet 1999, p. 895-922; M.J. Withey et W.H. Cooper, « Predicting Exit, Voice, Loyalty, and Neglect », *Administrative Science Quarterly*, no 34, 1989, p. 521-539.

25. T.R. Mitchell, B.C. Holtom et T.W. Lee, « How to Keep your Best Employees: Developing an Effective Retention Policy », *Academy of Management Executive*, no 15, novembre 2001, p. 96-108. L'idée que des « événements déclencheurs » pousseraient des employés à partir est également évoquée dans: B. Dyck et F.A. Starke, « The Formation of Breakaway Organizations: Observations and a Process Model », *Administrative Science Quarterly*, no 44, décembre 1999, p. 792-822.

26. A.A. Luchak, « What Kind of Voice do Loyal Employees Use? », *British Journal of Industrial Relations*, sous presse; L. Van Dyne et J.A. LePine, « Helping and Voice Extra-Role Behaviors: Evidence of Construct and Predictive Validity », *Academy of Management Journal*, no 41, 1998, p. 108-119.

27. La confusion qui entoure la loyauté a été soulignée il y a une décennie dans Withey et Cooper, « Predicting Exit, Voice, Loyalty, and Neglect » et elle persiste encore aujourd'hui. Outre l'interprétation présentée ici, la loyauté a été associée à des situations où les employés mécontents sont moins loyaux, ce qui les porte, entre autres, à bouder les comportements associés à la citoyenneté organisationnelle. Voir: W.H. Turnley et D.C. Feldman, « The Impact of Psychological Contract Violations on Exit, Voice, Loyalty, and Neglect », *Human Relations*, no 52, juillet 1999, p. 895-922.

28. J. Zhou et J.M. George, « When Job Dissatisfaction Leads to Creativity: Encouraging the Expression of Voice », *Academy of Management Journal*, no 44, août 2001, p. 682-696; J.D. Hibbard, N. Kumar et L.W. Stern, « Examining the

Impact of Destructive Acts in Marketing Channel Relationships », *Journal of Marketing Research*, no 38, février 2001, p. 45-61; Dyck et Starke, « The Formation of Breakaway Organizations ».

29. R.D. Hackett et P. Bycio, « An Evaluation of Employee Absenteeism as a Coping Mechanism Among Hospital Nurses », *Journal of Occupational and Organizational Psychology*, no 69, décembre 1996, p. 327-338.

30. M.J. Withey et I.R. Gellatly, « Exit, Voice, Loyalty and Neglect: Assessing the Influence of Prior Effectiveness and Personality, *Proceedings of the Administrative Sciences Association of Canada, Organizational Behavior Division*, no 20, 1999, p. 110-119; M.J. Withey et I.R. Gellatly, « Situational and Dispositional Determinants of Exit, Voice, Loyalty and Neglect », *Proceedings of the Administrative Sciences Association of Canada*, Saskatoon, Saskatchewan, juin 1998.

31. A.J. Kinicki *et al.*, *Journal of Applied Psychology*, no 87, p. 14-32.

32. D.J. Weiss *et al.*, *Manual for the Minnesota Satisfaction Questionnaire*, Industrial Relations Center, Work Adjustment Project, University of Minnesota.

33. F. Herzberg, *Work and the Nature of Man*, Cleveland, World, 1996.

34. E.A. Locke, « Job Satisfaction », dans M. Gruenberg et T. Wall, *Social Psychology and Organizational Behavior*, London, Wiley, p. 93-117.

35. B.M. Staw et S.G. Barsade, « Affect and Managerial Performance: A Test of the Sadder-but-Wiser vs. Happier-and-Smarter Hypotheses », *Administrative Science Quarterly*, no 38, 1993, p. 304-331; M.T. Iaffaldano et P.M. Muchinsky, « Job Satisfaction and Job Performance: A Meta-Analysis », *Psychological Bulletin*, no 97, 1985, p. 251-273; D.P. Schwab et L.L. Cummings, « Theories of Performance and Satisfaction: A Review », *Industrial Relations*, no 9, 1970, p. 408-430.

36. T.A. Judge *et al.*, « The Job Satisfaction-Job Performance Relationship: A Qualitative and Quantitative Review », *Psychological Bulletin*, no 127, 2001, p. 376-407.

37. T.A. Judge *et al.*, *ibid*, p. 377-381.

38. T.A. Judge *et al.*, *ibid*, p. 389, 391.

39. « Happy, Passionate Employees Key to Good Business, Top Executives Say », *Ascribe News*, 16 avril 2001; S. OndraSek, « Four Seasons makes Local Debut », *Prague Post*, 7 février 2001.

40. J.I. Heskett, W.E. Sasser et L.A. Schlesinger, *The Service Profit Chain*, Free Press, New York, 1997. Pour lire des données récentes en faveur de ce modèle, voir: D.J. Koys, « The Effects of Employee Satisfaction, Organizational Citizenship Behaviour, and Turnover on Organizational Effectiveness: A Unit-Level, Longitudinal Study », *Personnel Psychology*, n° 54, avril 2001, p. 101-114.

41. A.J. Rucci, S.P. Kirn et R.T. Quinn, « The Employee-Customer-Profit Chain At Sears », *Harvard Business Review*, n° 76, janvier-février 1998, p. 83-97.

42. K. Gwinner, D. Gremier et M. Bitner, « Relational Benefits in Services Industries: The Customer's Perspective », *Journal of the Academy of Marketing Science*, n° 26, 1998, p.101-114.

43. J. Greenberg et R.A. Baron, *Behavior in Organizations. Understanding and Managing the Human Side of Work*, New Jersey, Prentice Hall, 2003, p. 173.

44. J. Greenberg et R.A. Baron, *ibid.*

45. G.M. Hereck, *Stigma and Sexual Orientation: Understanding Prejudice Against Lesbians, Gay Men, and Bisexuals*, Newbury Park, Sage, 1998.

46. P. Wright, « Competitiveness through Management of Diversity: Effects of Stock Price Valuation », *Academy of Management Journal*, n° 38, p. 272-287.

47. S. Franklin, *The Heroes: A Saga of Canadian Inspiration*, McClelland & Stewart, Toronto, 1967, p. 53-59.

48. R.T. Mowday, L.W. Porter et R.M. Steers, *Employee Organization Linkages: The Psychology of Commitment, Absenteeism, and Turnover*, Academic Press, New York, 1982.

49. C.W. Mueller et E.J. Lawler, « Commitment to Nested Organizational Units: Some Basic Principles and Preliminary Findings », *Social Psychology Quarterly*, décembre 1999, p. 325-346; T.E. Becker *et al.*, « Foci and Bases of Employee Commitment: Implications for Job Performance », *Academy of Management Journal*, n° 39, 1996, p. 464-482.

50. J.P. Meyer, « Organizational Commitment », *International Review of Industrial and Organizational Psychology*, n° 12, 1997, p. 175-228. Outre l'engagement affectif et l'engagement continu, Meyer décrit « l'engagement normatif », en vertu duquel les employés se sentent obligés de rester dans l'organisation. Cet engagement a été laissé de côté ici afin que les étudiants se concentrent sur les deux perspectives les plus courantes.

51. R.D. Hackett, P. Bycio et P.A. Hausdorf, « Further Assessments of Meyer and Allen's (1991) Three-Component Model of Organizational Commitment », *Journal of Applied Psychology*, n° 79, 1994, p. 15-23.

52. International Survey Research, « UK Employees Lack Commitment » Communiqué de presse, 3 septembre 2002; Z. Olijnyk, « Win the Loyalty Game », *Canadian Business*, 10 décembre 2001, p. 74ff; Watson Wyatt, « Survey Says Employee Commitment Declining ». Communiqué de presse, 14 mars 2000. Par contre, la Gallup Organization rapporte que les taux de loyauté sont demeurés élevés au cours de la dernière décennie chez les travailleurs américains. Voir: D.W. Moore, « Most American Workers Satisfied With Their Job », *Gallup News Service*, 31 août 2001.

53. J.P. Meyer *et al.*, « Affective, Continuance, and Normative Commitment to the Organization: A Meta-Analysis of Antecedents, Correlates, and Consequences », *Journal of Vocational Behavior*, n° 61, 2002, p. 20-52; M. Riketta, « Attitudinal Organizational Commitment and Job Performance: A Meta-Analysis », *Journal of Organizational Behavior*, n° 23, 2002, p. 257-266; F.F. Reichheld, « Lead for Loyalty », *Harvard Business Review*, n° 79, juillet-août 2001, p. 76; D.S. Bolon, « Organizational Citizenship Behavior Among Hospital Employees: A Multidimensional Analysis Involving Job Satisfaction and Organizational Commitment », *Hospital & Health Services Administration*, n° 42, été 1997, p. 221-241; Meyer, « Organizational Commitment », p. 203-215; F.F. Reichheld, *The Loyalty Effect*, Harvard Business School Press, Boston, 1996, chapitre 4.

54. P. Arab, « CIBC Takeover of Merrill Lynch Brokerage Makes Bank Biggest Brokerage », *Canadian Press*, 22 novembre 2001; P. Mackey, « Old Ireland Tries New Hooks », *Computerworld*, 23 avril 2001, p. 46.

55. A.A. Luchak, « What Kind of Voice do Loyal Employees Use? », *British Journal of Industrial Relations*, sous presse; A.A. Luchak et I.R. Gellatly, « What Kind of Commitment Does a Final-Earnings Pension Plan Elicit? », *Relations Industrielles*, n° 56, printemps 2001, p. 394-417; H.L. Angle et M.B. Lawson, « Organizational Commitment and Employees' Performance Ratings: Both Type of Commitment and Type of Performance Count », *Psychological Reports*, n° 75, 1994, p. 1539-1551; J.P. Meyer *et al.*, « Organizational Commitment and Job Performance: It's the Nature of the Commitment that Counts », *Journal of Applied Psychology*, n° 74, 1989, p. 152-156.

56. J.P. Meyer et N.J. Allen, *Commitment in the Workplace: Theory, Research, and Application*, Sage, Thousand Oaks, CA, 1997, chapitre 4.

57. J.E. Finegan, « The Impact of Person and Organizational Values on Organizational Commitment », *Journal of Occupational and Organizational Psychology*, n° 73, juin 2000, p. 149-169; E.W. Morrison et S.L. Robinson, « When Employees Feel Betrayed: A Model of How Psychological Contract Violation Develops », *Academy of Management Review*, n° 22, 1997, p. 226-256.

58. L. Rhoades, R. Eisenberger et S. Armeli, « Affective Commitment to the Organization: The Contribution of Perceived Organizational Support », *Journal of Applied Psychology*, n° 86, octobre 2001, p. 825-836.

59. C. Hendry, C. Jenkins et R. Jenkins, « Psychological Contracts and New Deals », *Human Resource Management Journal*, n° 7, 1997, p. 38-44; D.M. Noer, *Healing the Wounds*, Jossey-Bass, San Francisco, 1993; S. Ashford, C. Lee et P. Bobko, « Content, Causes, and Consequences of Job Insecurity: A Theory-Based Measure and Substantive Test », *Academy of Management Journal*, n° 32, 1989, p. 803-829.

60. D. Steinhart, « Where Pink Slips are not Part of Corporate Culture », *National Post*, 5 octobre 2001.

61. T.S. Heffner et J.R. Rentsch, « Organizational Commitment and Social Interaction: A Multiple Constituencies Approach », *Journal of Vocational Behavior*, n° 59, 2001, p. 471-490.

62. A. Dastmalchian et M. Javidan, « High-Commitment Leadership: A Study of Iranian Executives », *Journal of Comparative International Management*, n° 1, 1998, p. 23-37.

63. R.J. Lewicki et B.B. Bunker, «Developing and Maintaining Trust in Work Relationships», dans R.M. Kramer et T.R. Tyler (éd.), *Trust in Organizations: Frontiers of Theory and Research*, Sage, Thousand Oaks, CA, 1996, p. 114-139; S.L. Robinson, «Trust and Breach of the Psychological Contract», *Administrative Science Quarterly*, n° 41, 1996, p. 574-599; J.M. Kouzes et B.Z. Posner, *The Leadership Challenge*, Jossey-Bass, San Francisco, 1987, p. 146-152.

64. J. Beatty, «Tense Employees Wonder Who Will Go», Victoria Times Colonist, 29 novembre 2001.

65. R. Deruyter, «Some Auto Workers Upset by Forced Overtime», *Kitchener-Waterloo Record*, 15 mars 2002.

66. P. Kruger, «Betrayed by Work», *Fast Company*, novembre 1999, p. 182.

67. E.W. Morrison et S.L. Robinson, «When Employees Feel Betrayed: A Model of How Psychological Contract Violation Develops», *Academy of Management Review*, n° 22 1997, p. 226-256.

68. S.L. Robinson, M.S. Kraatz et D.M. Rousseau, «Changing Obligations and the Psychological Contract: A Longitudinal Study», *Academy of Management Journal*, n° 37, 1994, p. 137-152; D.M. Rousseau et J.M. Parks, «The Contracts of Individuals and Organizations», *Research in Organizational Behavior*, n° 15, 1993, p. 1-43.

69. P. Herriot, W.E.G. Manning et J.M. Kidd, «The Content of the Psychological Contract», *British Journal of Management*, n° 8, 1997, p. 151-162.

70. J. McLean Parks et D.L. Kidder, «Till Death Us Do Part... Changing Work Relationships in the 1990s» dans C.L. Cooper et D.M. Rousseau (éd.), *Trends in Organizational Behavior*, vol. 1, Wiley, Chichester, UK, 1994, p. 112-136.

71. P.G. Irving, T.F. Cawsey et R. Cruikshank, «Organizational Commitment Profiles: Implications for Turnover Intentions and Psychological Contracts», *Proceedings of the Administrative Sciences Association of Canada, Organizational Behavior Division*, vol. 23 n° 5, 2002, p. 21-30.

72. D.C. Thomas, K. Au et E.C. Ravlin, Cultural variation and the psychological contract, *Journal of Organizational Behavior*, n° 24, p. 451-471.

73. E. Campoy, S. Castaing et S. Guerrero dans N. Delobbe *et al.*, *Comportement organisationnel, volume 1, Contrat psychologique, émotions au travail, socialisation organisationnelle*, Bruxelles, de Boeck, 2005, p. 153.

74. D.W. Organ, «Organizational Citizenship Behaviour: It's Construct Clean-up Time», *Human Performance*, n° 10, 1997, p. 85-97; D.W. Organ, «The Motivational Basis of Organizational Citizenship Behaviour», *Research in Organizational Behaviour*, n° 12, 1990, p. 43-72. On trouvera les premières références à la citoyenneté organisationnelle (comportements extra rôles) dans C.I. Barnard, *The Functions of the Executive*, Harvard University Press, Cambridge, Mass., 1938, p. 83-84; D. Katz et R.L. Kahn, *The Social Psychology of Organizations*, Wiley, New York, 1966, p. 337-340.

75. J.A. LePine, A. Erez et D.E. Johnson, «The Nature and Dimensionality of Organizational Citizenship Behaviour: A Critical Review and Meta-Analysis», *Journal of Applied Psychology*, n° 87, février 2002, p. 52-65; L. Van Dyne et J.A. LePine, «Helping and Voice Extra-Role Behaviours: Evidence Of Construct and Predictive Validity», *Academy of Management Journal*, n° 41, 1998, p. 108-119; R.N. Kanungo et J.A. Conger, «Promoting Altruism as a Corporate Goal», *Academy of Management Executive*, vol. 7, n° 3, 1993, p. 37-48.

76. J.A. LePine, A. Eretz et D.E. Johnson, «The Nature and Dimensionality of Organizational Behavior Citizenship Behavior: A Critical Review and Meta-Analysis, *Journal of Applied Psychology*, n° 87, p. 52-67.

77. Statistique Canada, *Taux d'absence au travail 2005*, n° 71-211-xif au catalogue.

78. G. Kean, «Too Much Money Spent On Sick Leave, Says Board Association», *Western Star*, 29 novembre 2001; V. Lu, «Rising Sick Days Cost Billions», *Toronto Star*, 15 août 1999. Les données sur l'absentéisme au Canada proviennent de Statistique Canada. «Work Absences», *The Daily*, 4 juillet 2002. On trouvera une comparaison des données sur l'absentéisme au Canada et dans d'autres pays de l'OCDE dans R.M. Leontaridi et M.E. Ward, «Dying to Work? An Investigation into Work-Related Stress, Quitting Intentions, and Absenteeism», document présenté au congrès annuel 2002 de la Royal Economic Society, Université de Warwick, Coventry, R.-U., mars 2002.

79. D.F. Colemen et N.V. Schaefer, «Weather and Absenteeism», *Canadian Journal of Administrative Sciences*, vol. 7, n° 4, 1990, p. 35-42; S.R. Rhodes et R.M. Steers, *Managing Employee Absenteeism*, Addison-Welsey, Reading, Mass., 1990.

80. Farrell et Stamm, 1988, voir P.E. Spector, *Industrial and Organizational Psychology. Research and pratice*, Wiley, 2006, Gaudine et Sacks, 2001, voir Spector, *ibid.*

81. D.A. Harrison et J.J. Martocchio, «Time for Absenteeism: A 20-Year Review of Origins, Offshoots, and Outcomes», *Journal of Management*, n° 24, printemps 1998, p. 305-350; R.D. Hackett et P. Bycio, «An Evaluation of Employee Absenteeism as a Coping Mechanism Among Hospital Nurses», *Journal of Occupational and Organizational Psychology*, n° 69, décembre 1996, p. 327-338; R.G. Ehrenberg *et al.*, «School District Leave Policies, Teacher Absenteeism, and Student Achievement», *Journal of Human Resources*, n° 26, hiver 1991, p. 72-105; I. Ng, «The Effect of Vacation and Sick Leave Policies on Absenteeism», *Canadian Journal of Administrative Sciences*, n° 6, décembre 1989, p. 18-27; V.V. Baba et M.J. Harris, «Stress and Absence: A Cross-Cultural Perspective», *Research in Personnel and Human Resources Management, Supplement*, 1 (1989), p. 317-337.

82. P. Hemp, «Presenteeism: At work but out of it», *Harvard Business Review*, octobre 2004, p. 48-58.

83. B.A. Agle et C.B. Caldwell, «Understanding Research on Values in Business», *Business and Society*, n° 38, septembre 1999, p. 326-387; J.J. Dose, «Work Values: An Integrative Framework and Illustrative Application to Organizational Socialization», *Journal of Occupational and Organizational Psychology*, n° 70, septembre 1997, p. 219-240; A. Sagie et D. Elizur, «Work Values: A Theoretical Overview and a Model of Their Effects», *Journal of Organizational Behaviour*, n° 17, 1996, p. 503-514; S.H. Schwartz, «Are there Universal Aspects in the Structure and Contents of Human Values?», *Journal of Social Issues*, n° 50, 1994, p. 19-45; W.H. Schmidt et B.Z. Posner, *Managerial Values in Perspective*, American Management Association,

New York, 1983; M. Rokeach, *The Nature of Human Values*, The Free Press, New York, 1973.

84. D. Lubinski, D.B. Schmidt et C.P. Benbow, « A 20-year Stability Analysis of the Study of Values for Intellectually Gifted Individuals from Adolescence to Adulthood », *Journal of Applied Psychology*, n° 81, 1996, p. 443-451; M. Rokeach, *Understanding Human Values*, Free Press, New York, 1979.

85. Pour lire les résultats d'une étude récente sur les valeurs et le leadership, voir: C.P. Egri et S. Herman, « Leadership in the North American Environmental Sector: Values, Leadership Styles, and Contexts of Environmental Leaders and Their Organizations », *Academy of Management Journal*, n° 43, août 2000, p. 571-604. Pour consulter d'autres études sur l'influence des valeurs, voir: Meglino et Ravlin, « Individual Values in Organizations ».

86. S.H. Schwartz *et al.*, « Extending the Cross-Cultural Validity of the Theory of Basic Human Values With a Different Method of Measurement », *Journal of Cross-Cultural Psychology*, n° 32, septembre 2001, p. 519-542; P. Stern, T. Dietz et G.A. Guagnano, « A Brief Inventory of Values », *Educational and Psychological Measurement*, n° 58, décembre 1998, p. 984-1001; S.H. Schwartz, « Value Priorities and Behaviour: Applying a Theory of Integrated Value Systems » dans C. Seligman, J.M. Olson et M.P. Zanna (éd.), *The Psychology of Values: The Ontario Symposium*, vol. 8, Lawrence Erlbaum, Hillsdale, NJ, 1996, p. 1-24; S.H. Schwartz, « Are there Universal Aspects in the Structure and Contents of Human Values? », *Journal of Social Issues*, n° 50, 1994, p. 19-45; S.H. Schwartz, « Universals in the Content and Structure of Values: Theoretical Advances and Empirical Tests in 20 Countries », *Advances in Experimental Social Psychology*, n° 25, 1992, p. 1-65.

87. M. Rokeach, *The Nature of Human Values*, New York, Free Press, 1973.

88. W.C. Frederick et J. Weber, « The Values of Corporate Managers and their Critics: an Empirical Description and Normative Implications », dans W.C. Frederick et L.E. Preston, *Business Ethics: Research Issues and Empirical Studies*, Greenwich, Jai Press, 1990.

89. Voir le site Web de Environics Research Group: http://erg.environics.net/

90. Sondage CROP et l'Ordre des conseillers en ressources humaines et en relations industrielles (ORHRI), 4 octobre 2006. Les valeurs, pour qu'elles puissent réellement influencer le comportement, dépendent de trois conditions. Tout d'abord, la prise de conscience de la nécessité d'appliquer telle valeur; il en est ainsi après une crise ou un accident (par exemple, l'honnêteté après un scandale financier). Ensuite, les occasions d'appliquer les valeurs auxquelles on croit (remplacer un collègue quand il en a besoin). Et enfin, la culture ou le contexte qui encourage (ou décourage) l'application des valeurs.

91. Meglino et Ravlin, « Individual Values in Organizations »; C. Argyris et D.A. Schön, *Organizational Learning: A Theory of Action Perspective*, Addison-Wesley, Reading, MA, 1978.

92. P. Pruzan, « The Question of Organizational Consciousness: Can Organizations Have Values, Virtues and Visions? », *Journal of Business Ethics*, n° 29, février 2001, p. 271-284.

93. S.R. Chatterjee et C.A.L. Pearson, « Indian Managers in Transition: Orientations, Work Goals, Values and Ethics », *Management International Review*, janvier 2000, p. 81-95; K.F. Alam, « Business Ethics in New Zealand Organizations: Views from the Middle and Lower Level Managers », *Journal of Business Ethics*, n° 22, novembre 1999, p. 145-153.

94. A.E.M. Van Vianen, « Person-Organization Fit: The Match Between Newcomers' And Recruiters' Preferences For Organizational Cultures », *Personnel Psychology*, n° 53, printemps 2000, p. 113-149; B.A. Agle et C.B. Caldwell, « Understanding Research on Values in Business », *Business and Society*, n° 38, septembre 1999, p. 326-387.

95. S. Whittaker, « Bringing your Own Values to Work », *Ottawa Citizen*, 7 avril 2001, p. J1.

96. D. Arnott, *Corporate Cults*, Amacom, New York, 1999; K.M. Eisenhardt, J.L. Kahwajy et L.J. Bourgeois III, « Conflict and Strategic Choice: How Top Management Teams Disagree », *California Management Review*, n° 39, hiver 1997, p. 42-62.

97. T.A. Joiner, « The Influence of National Culture and Organizational Culture Alignment on Job Stress and Performance: Evidence from Greece »,

Journal of Managerial Psychology, n° 16, 2001, p. 229-242; Z. Aycan, R.N. Kanungo et J.B.P. Sinha, « Organizational Culture And Human Resource Management Practices: The Model of Culture Fit », *Journal Of Cross-Cultural Psychology*, n° 30, juillet 1999, p. 501-526.

98. C. Fox, « Firms Go Warm And Fuzzy To Lure Staff », *Australian Financial Review*, n° 15, mai 2001, p. 58.

99. Confédération mondiale du travail (CMT), *La responsabilité sociale des entreprises, Nouveaux enjeux ou vieux débat*, avril 2004.

100. C. Savoye, « Workers say Honesty is Best Company Policy », *Christian Science Monitor*, 15 juin 2000.

101. Pour un rapport détaillé de « l'affaire Gildan », voir: S. de Bellefeuille, Stéphane et M.-F.B. Turcotte, « Le code de conduite de Gildan Inc. Chronique d'une firme de textile aux prises avec les nouveaux mouvements sociaux économiques », dans M.-F.B. Turcotte et A. Salmon, *Responsabilité sociale et environnementale de l'entreprise*, Québec, Presses de l'Université du Québec, 2005.

102. P.L. Schumann, « A Moral Principles Framework for Human Resource Management Ethics », *Human Resource Management Review*, n° 11, printemps-été 2001, p. 93-111; M.G. Velasquez, *Business Ethics*, 4ᵉ éd., Prentice Hall, Upper Saddle River, N.J., 1998, ch. 2.

103. R. Berenbeim, « The Search for Global Ethics », *Vital Speeches of the Day*, n° 65, janvier 1999, p. 177-178.

104. J. Brockner et B.M. Wiesenfeld, « An Integrative Framework for Explaining Reactions to Decisions: The Interactive Effects of Outcomes and Procedures », *Psychological Bulletin*, n° 120, 1996, p.189-208.

105. D.R. Mai et K.P. Pauli, « The Role of Moral Intensity in Ethical Decision Making », *Business and Society*, n° 41, mars 2002, p. 84-117; B.H. Frey, « The Impact of Moral Intensity on Decision Making in a Business Context », *Journal of Business Ethics*, n° 26, août 2000, p. 181-195; J.M. Dukerich *et al.*, « Moral Intensity and Managerial Problem Solving », *Journal of Business Ethics*, n° 24, mars 2000, p. 29-38; T.J. Jones, « Ethical Decision Making by Individuals in Organizations: An Issue Contingent Model », *Academy of Management Review*, n° 16, 1991, p. 366-395.

106. J.R. Sparks et S.D. Hunt, « Marketing Researcher Ethical Sensitivity : Conceptualization, Measurement, and Exploratory Investigation », *Journal of Marketing*, n° 62, avril 1998, p. 92-109.

107. B. Stoneman et K.K. Holliday, « Pressure Cooker », *Banking Strategies*, janvier-février 2001, p. 13 ; Alam, « Business Ethics in New Zealand Organizations » ; K. Blotnicky, « Is Business in Moral Decay ? », *Halifax Chronicle-Herald*, 11 juin 2000 ; D. McDougall et B. Orsini, « Fraudbusting Ethics », *CMA Management*, n° 73, juin 1999, p. 18-21 ; J. Evensen, « Ethical Behaviour In Business And Life Is Its Own Reward », *Desert News*, Salt Lake City, UT, 19 octobre 1997. Pour en apprendre davantage sur l'influence des facteurs conjoncturels sur l'éthique, voir : C.J. Thompson, « A Contextualist Proposal for the Conceptualization and Study of Marketing Ethics », *Journal of Public Policy and Marketing*, n° 14, 1995, p. 177-191.

108. Commission européenne, *Livre vert*, 2001.

109. Voir les résultats de sondages favorables à la RSE dans le rapport de la Commission sur la démocratie canadienne et la responsabilisation des entreprises (CDCRE), novembre 2002 et dans celui du Conference Board du Canada (2000) [en ligne] *Market explorers pools*. www.conferenceboard.ca. Voir aussi Vector Research, 2001. Références citées par A. Lapointe et C. Gendron, « La responsabilité sociale d'entreprise : option marginale ou vitale ? », *Les cahiers de recherche de la Chaire de responsabilité sociale et de développement durable de l'ESG de l'UQAM*, n° 06-2005, 2005.

110. V. Kirsch, « Sometimes the Lines between Right and Wrong can Become a Little Blurred », *Guelph Mercury*, 18 octobre 1999, p. B1 ; L. Young, « Ethics Training is the Key », *Canadian HR Reporter*, 14 juin 1999, p. 2 ; M. Acharya, « A Matter of Business Ethics », *Kitchener-Waterloo Record*, 23 mars 1999, p. C2.

111. Confédération mondiale du travail (CMT), *ibid.*

112. M.S. Schwartz, « The Nature of the Relationship Between Corporate Codes of Ethics and Behaviour », *Journal of Business Ethics*, n° 32, août 2001, p. 247-262 ; J.S. Adams et A. Tashchian, « Codes of Ethics as Signals for Ethical Behaviour », *Journal of Business Ethics*, n° 29, février 2001, p. 199-211 ; M.A. Clark et S.L. Leonard, « Can Corporate Codes of Ethics Influence Behaviour ? », *Journal of Business Ethics*, n° 17, avril 1998, p. 619-630.

113. L. Young, « Employer Ethics Codes Lack Supports Needed for Success », *Canadian HR Reporter*, 19 avril 1999, p. 1, 11. Pour en apprendre davantage sur d'autres pratiques éthiques, voir « Doing Well by Doing Good », *Economist*, 22 avril 2000.

114. R.N. Kanungo, « Ethical Values of Transactional and Transformational Leaders », *Canadian Journal of Administrative Sciences*, n° 18, décembre 2001, p. 257-265 ; E. Aronson, « Integrating Leadership Styles and Ethical Perspectives », *Canadian Journal of Administrative Sciences*, n° 18, décembre 2001, p. 244-256 ; M. Mendonca, « Preparing for Ethical Leadership in Organizations », *Canadian Journal of Administrative Sciences*, n° 18, décembre 2001, p. 266-276.

115. Confédération mondiale du travail (CMT), *ibid.*

116. S. Roccas *et al.*, « The Big Five Personality Factors and Personal Values », *Personality and Social Psychology*, n° 28, juin 2002, p. 789-801.

117. R.T. Hogan, « Personality and Personality Measurement », dans M.D. Dunnette et L.M. Hough (éd.), *Handbook of Industrial and Organizational Psychology*, 2e éd., vol. 2, Consulting Psychologists Press, Palo Alto, CA, 1991, p. 873-919. Voir aussi : W. Mischel, *Introduction to Personality*, Holt, Rinehart and Winston, New York, 1986.

118. H.M. Weiss et S. Adler, « Personality and Organizational Behaviour », *Research in Organizational Behaviour*, n° 6, 1984, p. 1-50.

119. R.R. McCrae *et al.*, « Nature over Nurture : Temperament, Personality, and Life Span Development », *Journal of Personality and Social Psychology*, n° 78, 2000, p. 173-186.

120. S. Robbins et N. Langton. Exemple cité par ces auteurs dans *Canadian Organizational Behavior*, Scarborough, Prentice Hall, p. 44.

121. H.C. Triandis et E.M. Suh, « Cultural Influences on Personality », *Annual Review of Psychology*, n° 53, 2002, p. 133-60 ; D.C. Funder, « Personality », *Annual Review of Psychology*, n° 52, 2001, p. 197-221 ; R.R. McCrae *et al.*, « Nature over Nurture : Temperament, Personality, and Life Span Development », *Journal of Personality and Social Psychology*, n° 78, 2000, p. 173-186 ; W. Revelle, « Personality Processes », *Annual Review of Psychology*, n° 46, 1995, p. 295-328.

122. R.M. Guion et R.F. Gottier, « Validity of Personality Measures in Personnel Selection », *Personnel Psychology*, n° 18, 1965, p. 135-164. Voir aussi N. Schmitt *et al.*, « Meta-Analyses of Validity Studies Published Between 1964 and 1982 and the Investigation of Study Characteristics », *Personnel Psychology*, n° 37, 1984, p. 407-422.

123. P.G. Irving, « On the Use of Personality Measures in Personnel Selection », *Canadian Psychology*, n° 34, avril 1993, p. 208-214.

124. K.M. DeNeve et H. Cooper, « The Happy Personality : A Meta-Analysis of 137 Personality Traits and Subjective Well-Being », *Psychological Bulletin*, n° 124, septembre 1998, p.197-229 ; M.K. Mount et M.R. Barrick, « The Big Five Personality Dimensions : Implications for Research and Practice in Human Resources Management », *Research in Personnel and Human Resources Management*, n° 13, 1995, p. 153-200 ; B.M. Bass, *Stogdill's Handbook of Leadership : A Survey of Theory and Research*, 3e éd., Free Press, New York, 1990 ; J.L. Holland, *Making Vocation Choices : A Theory of Careers*, Prentice Hall, Englewood Cliffs, NJ, 1973.

125. C. Daniels, « Does This Man Need a Shrink ? », *Fortune*, 5 février 2001, p. 205.

126. Ce rappel historique ainsi que les descriptions des caractéristiques présentées dans cette section sont expliquées dans : R.J. Schneider et L.M. Hough, « Personality and Industrial/Organizational Psychology » *International Review of Industrial and Organizational Psychology*, n° 10, 1995, p. 75-129 ; M.K. Mount et M.R. Barrick, « The Big Five Personality Dimensions : Implications for Research and Practice in Human Resources Management », *Research in Personnel and Human Resources Management*, n° 13, 1995, p. 153-200 ; J.M. Digman, « Personality Structure : Emergence of the Five-Factor Model », *Annual Review of Psychology*, n° 41, 1990, p. 417-440.

127. G.M. Hurtz et J.J. Donovan, « Personality and Job Performance : The Big Five Revisited », *Journal of Applied Psychology*, n° 85, décembre 2000, p. 869-879 ; M.K. Mount, M.R. Barrick et J.P. Strauss, « Validity of Observer Ratings of the Big Five Personality Factors », *Journal of Applied Psychology*, n° 79 (1994), p. 272-280 ; R.P. Tett, D.N. Jackson et M. Rothstein, « Personality Measures as Predictors of Job Performance : A Meta-Analytic Review », *Personnel Psychology*, n° 44, 1991, p. 703-742.

128. J.M. Howell et C.A. Higgins, « Champions of Change : Identifying, Understanding, and Supporting Champions of Technological Innovations », *Organizational Dynamics*, été 1990, p. 40-55.

129. T.A. Judge et R. Ilies, « Relationship of Personality to Performance Motivation : A Meta-Analytic Review », *Journal of Applied Psychology*, n° 87, août 2002, p. 797-807 ; L.A. Witt, L.A. Burke et M.R. Barrick, « The Interactive Effects of Conscientiousness and Agreeableness on Job Performance », *Journal of Applied Psychology*, n° 87, février 2002, p. 164-169 ; M. Dalton et M. Wilson, « The Relationship of the Five-Factor Model of Personality to Job Performance for a Group of Middle Eastern Expatriate Managers », *Journal of Cross-Cultural Psychology*, mars 2000, p. 250-258 ; K.P. Carson et G.L. Stewart, « Job Analysis and the Sociotechnical Approach to Quality : A Critical Examination », *Journal of Quality Management*, n° 1, 1996, p. 49-64 ; Mount et Barrick, « The Big Five Personality Dimensions », p. 177-178.

130. I.B. Myers, *The Myers-Briggs Type Indicator*, Consulting Psychologists Press, Palo Alto, CA, 1987 ; C.G. Jung, *Psychological Types* (Traduit en anglais par H. G. Baynes, révisé par R.F.C. Hull), Princeton University Press, Princeton, NJ, 1971. (Ouvrage original paru en 1921).

131. L.R. Offermann et R.K. Spiros, « The Science and Practice of Team Development : Improving the Link », *Academy of Management Journal*, n° 44, avril 2001, p. 376-392.

132. G. Potts, « Oklahoma City Employers Use Personality Tests to Improve Placement », *Daily Oklahoman*, 26 février 2001.

133. W.L. Johnson *et al.*, « A Higher Order Analysis of the Factor Structure of the Myers-Briggs Type Indicator », *Measurement and Evaluation in Counseling and Development*, n° 34, juillet 2001, p. 96-108 ; D.W. Salter et N.J. Evans, « Test-Retest of the Myers-Briggs Type Indicator : An Examination of Dominant Functioning », *Educational and Psychological Measurement*, n° 57, août 1997, p. 590-597 ; W.L. Gardner et M.J. Martinko, « Using the Myers-Briggs Type Indicator to Study Managers : A Literature Review and Research Agenda », *Journal of Management*, n° 22, 1996, p. 45-83 ; M.H. McCaulley, « The Myers-Briggs Type Indicator : A Measure for Individuals and Groups », *Measurement and Evaluation in Counseling and Development*, n° 22, 1990, p. 181-195.

134. J.A. Edwards, K. Lanning et K. Hooker, « The MBTI and Social Information Processing : An Incremental Validity Study », *Journal of Personality Assessment*, n° 78, juin 2002, p. 432-450 ; R. Farnsworth, E. Gilbert et D. Armstrong, « Exploring The Relationship Between The Myers-Briggs Type Indicator And The Baron Emotional Quotient Inventory : Applications For Professional Development Practices », *Proceedings of the Annual Conference of the Administrative Sciences Association of Canada, Human Resources Division*, vol. 23, n° 9, 2002, p. 16-23 ; Gardner et Martinko, « Using the Myers-Briggs Type Indicator to Study Managers ».

135. P.E. Spector *et al.*, « Do National Levels of Individualism and Internal Locus of Control Relate to Well-Being : An Ecological Level International Study », *Journal of Organizational Behaviour*, n° 22, 2001, p. 815-832 ; S.S.K. Lam et J. Schaubroeck, « The Role of Locus of Control in Reactions to Being Promoted and to Being Passed Over : A Quasi Experiment », *Academy of Management Journal*, n° 43, février 2000, p. 66-78 ; J.M. Howell et B.J. Avolio, « Transformational Leadership, Transactional Leadership, Locus of Control, and Support for Innovation : Key Predictors of Consolidated-Business-Unit Performance », *Journal of Applied Psychology*, n° 78, 1993, p. 891-902 ; D. Miller et J.-M. Toulouse, « Chief Executive Personality and Corporate Strategy and Structure in Small Firms », *Management Science*, n° 32, 1986, p. 1389-1409 ; P.E. Spector, « Behaviour in Organizations as a Function of Employee's Locus of Control » *Psychological Bulletin*, n° 91, 1982, p. 482-497.

136. M. Snyder, *Public Appearances/Private Realities : The Psychology of Self-Monitoring*, W.H. Freeman, New York, 1987.

137. A. Mehra, M. Kilduff et D.J. Brass, « The Social Networks of High and Low Self-Monitors : Implications for Workplace Performance », *Administrative Science Quarterly*, n° 46, mars 2001, p. 121-146 ; M.A. Warech *et al.*, « Self-Monitoring and 360-Degree Ratings », *Leadership Quarterly*, n° 9, hiver 1998, p. 449-473 ; M. Kilduff et D.V. Day, « Do Chameleons Get Ahead ? The Effects of Self-Monitoring on Managerial Careers », *Academy of Management Journal*, n° 37, 1994, p. 1047-1060 ; R.J. Ellis et S.E. Cronshaw, « Self-Monitoring and Leader Emergence : A Test of Moderator Effects », *Small Group Research*, n° 23, 1992, p. 113-129 ; S.J. Zaccaro, R.J. Foti et D.A. Kenny, « Self-Monitoring and Trait-Based Variance in Leadership : An Investigation of Leader Flexibility Across Multiple Group Situations », *Journal of Applied Psychology*, n° 76, 1991, p. 308-315.

138. M.K. Kilduff et D.V. Day, « Do Chameleons Get Ahead ? The Effects of Self-Monitoring on Managerial Careers », *Academy of Management Journal*, n° 37, p. 1047-1060.

139. M.E. Gist et T.T. Mitchell, « Self-efficacy : a theoretical analysis of its determinants and malleability », *Academy of Management Review*, n° 17, p. 183-211.

140. T.A. Judje et J.E. Bono, « Relationship of Core Evaluation Traits, Self-Esteem, Generalized Self-Efficacy, Locus of Control and Emotional Stability with Job Satisfaction : A Meta-Analysis », *Journal of Applied Psychology*, n° 86, p. 80-92.

141. B.M. Staw et S.G. Barsade, « Affect and Managerial Performance : A Test of the Sadder-but-wiser vs Happier-and-smarter Hypothesis », *Administrative Science Quarterly*, n° 38, p. 304-331.

142. D.S. Wilson, D. Near et R.R. Miller, « Macchiavellianism : A Synthesis of the Evolutionary and Psychological Literature », *Psychological Bulletin*, n° 119, p. 283-299.

143. C. Lee, S.J. Ashford et L.F. Jamieson, « The Effects of Type A Behavior and Optimism on Coping Strategy, Health and Performance », *Journal of*

Organizational Behaviour, nᵒ 14, 1993, p. 143-157.

144. E.T. Hall, *The Dance of Life*, Garden City, NY, Anchor Press, 1983.

145. C. Benabou, « Polychronicity and Time Dimension of Work in Learning Organizations », (publication spéciale de la revue sur la polychronicité), *Journal of Managerial Psychology*, printemps 1999.

146. D. McClelland, *Human Motivation*, Glenview, Scott, Foresman.

147. D. Miller et C. Drodge, « Psychological and Traditional Determinants of Structure », *Administrative Science Quarterly*, nᵒ 31, 1986, p. 359-560.

148. T. Snyder, « Take This Job and Love It », *Chatelaine*, octobre 1999, p. 97.

149. J.L. Holland, *Making Vocational Choices: A Theory of Careers*, Prentice Hall, Englewood Cliffs, N.J., 1973.

150. A. Furnham, « Vocational Preference and P-O Fit: Reflections on Holland's Theory of Vocational Choice », *Applied Psychology: An International Review*, nᵒ 50, 2001, p. 5-29; G.D. Gottfredson et J.L. Holland, « A Longitudinal Test of The Influence of Congruence: Job Satisfaction, Competency Utilization, and Counterproductive Behaviour », *Journal of Counseling Psychology*, nᵒ 37, 1990, p. 389-398.

151. A. Furnham, « Vocational Preference and P-O Fit »; J. Arnold, « The Psychology of Careers in Organizations », *International Review of Industrial and Organizational Psychology*, nᵒ 12, 1997, p. 1-37.

152. R.A. Young et C.P. Chen, « Annual Review: Practice and Research in Career Counseling and Development – 1998 », *Career Development Quarterly*, décembre 1999, p. 98.

153. Glass (1995), voir B.L. Raynes, « Predicting Difficult Employees: The Relationship Between Vocational Interests, Self-Esteem, and Problem Communication Styles », *Applied HRM Research*, vol. 6, nᵒ 1, p. 33-66.

154. Alessandra et Hunsaker (1993), voir Raynes, *ibid*.

155. Finley (1988), voir Raynes, *ibid*.

156. Bramson (1981), Keating (1984), Bersnstein et Rosen (1992), Brinkman et Kirschner (1994), voir Raynes, *ibid*.

157. Bramson (1981), Keating (1984), Bersnstein et Rosen (1992), Brinkman et Kirschner (1994), voir Raynes, *ibid*.

CHAPITRE 4

1. S.F. Cronshaw et R.G. Lord, « Effects of Categorization, Attribution, and Encoding Processes on Leadership Perceptions », *Journal of Applied Psychology*, vol. 72, 1987, p. 97-106.

2. R.H. Fazio, D.R. Roskos-Ewoldsen et M.C. Powell, « Attitudes, Perception, and Attention », dans P.M. Niedenthal et S. Kitayama, éd., *The Heart's Eye: Emotional Influences in Perception and Attention*, San Diego, Californie, Academic Press, 1994, p. 197-216.

3. D. Goleman, *Vital Lies, Simple Truths: The Psychology of Deception*, New York, Touchstone, 1985; M. Haire et W.F. Grunes, « Perceptual Defenses: Processes Protecting an Organized Perception of Another Personality », *Human Relations*, vol. 3, 1950, p. 403-412.

4. C.N. Macrae *et al.*, « Tales of the Unexpected: Executive Function and Person Perception », *Journal of Personality and Social Psychology*, vol. 76, 1999, p. 200-213; J.M. Beyer *et al.*, « The Selective Perception of Managers Revisited », *Academy of Management Journal*, vol. 40, juin 1997, p. 716-737; C.N. Macrae et G.V. Bodenhausen, « The Dissection of Selection in Person Perception: Inhibitory Processes in Social Stereotyping », *Journal of Personality and Social Psychology*, vol. 69, 1995, p. 397-407; J.P. Walsh, « Selectivity and Selective Perception: An Investigation of Managers' Belief Structures and Information Processing », *Academy of Management Journal*, vol. 31, 1988, p. 873-896; D.C. Dearborn et H.A. Simon, « Selective Perception: A Note on the Departmental Identification of Executives », *Sociometry*, vol. 21, 1958, p. 140-144.

5. J. Rupert, « We Haven't Forgotten about Her », *Ottawa Citizen*, 6 décembre 1999; W. Burkan, « Developing Your Wide-Angle Vision; Skills for Anticipating the Future », *Futurist*, vol. 32, mars 1998, p. 35-38. Pour la vision périphérique appliquée aux ornithologues, voir: E. Nickens, « Window on the Wild », *Backpacker*, vol. 25, avril 1997, p. 28-32.

6. D. Gurteen, « Knowledge, Creativity and Innovation », *Journal of Knowledge Management*, vol. 2, septembre 1998, p. 5; C. Argyris et D.A. Schön, *Organizational Learning II*, Reading, Massachusetts, Addison-Wesley, 1996; P.M.

Senge, *The Fifth Discipline: The Art and Practice of the Learning Organization*, New York, Doubleday Currency, 1990, chap. 10; P.N. Johnson-Laird, *Mental Models*, Cambridge, Cambridge University Press, 1984. Les modèles mentaux sont largement traités en philosophie de la logique. Par exemple, voir: J.L. Aronson, « Mental Models And Deduction », *American Behavioural Scientist*, vol. 40, mai 1997, p. 782-797.

7. « What are Mental Models? », *Sloan Management Review*, vol. 38, printemps 1997, p. 13; P. Nystrom et W. Starbuck, « To Avoid Organizational Crises, Unlearn », *Organizational Dynamics*, vol. 12, hiver 1984, p. 53-65.

8. M.A. Hogg et D.J. Terry, « Social Identity and Self-Categorization Processes in Organizational Contexts », *Academy of Management Review*, vol. 25, janvier 2000, p. 121-140; B.E. Ashforth et F. Mael, « Social Identity Theory and the Organization », *Academy of Management Review*, vol. 14, 1989, p. 20-39; H. Tajfel, *Social Identity and Intergroup Relations*, Cambridge Cambridge University Press, 1982. Le processus d'identité personnelle dans le contexte social est une théorie de la catégorisation de soi, mais les concepts de catégorisation de soi et d'identité sociale sont tellement entremêlés que cette section les considère tous deux comme la théorie de l'identité sociale.

9. L'interaction entre l'identité personnelle et l'identité sociale est relativement complexe, comme le découvrent actuellement les chercheurs. Voir J.A. Howard, « Social Psychology of Identities », *Annual Review of Sociology*, vol. 26, 2000, p. 367-393.

10. J.E. Dutton, J.M. Dukerich et C.V. Harquail, « Organizational Images And Member Identification », *Administrative Science Quarterly*, vol. 39, juin 1994, p. 239-263. Pour une recherche récente sur la sélection de groupes d'identité, voir B. Simon et C. Hastedt, « Self-Aspects as Social Categories: The Role of Personal Importance and Valence », *European Journal of Social Psychology*, vol. 29, 1999, p. 479-487.

11. J.W. Jackson et E.R. Smith, « Conceptualizing Social Identity: A New Framework And Evidence For The Impact Of Different Dimensions », *Personality and Social Psychology Bulletin*, vol. 25, janvier 1999, p. 120-135.

12. C.N. Macrae et G.V. Bodenhausen, « Social Cognition: Thinking Categorically about Others », *Annual Review of Psychology*, vol. 51, 2000, p. 93-120; S.T. Fiske, « Stereotyping, Prejudice, and Discrimination » dans D.T. Gilbert, S.T. Fiske et G. Lindzey (éd.), *Handbook of Social Psychology*, 4ᵉ éd., New York, McGraw-Hill, 1998, p. 357-411; W.G. Stephan et C.W. Stephan, *Intergroup Relations*, Boulder, Colorado, Westview, 1996, chap. 1; L. Falkenberg, « Improving the Accuracy of Stereotypes within the Workplace », *Journal of Management*, vol. 16, 1990, p. 107-118.

13. M. Billig, « Henri Tajfel's "Cognitive Aspects of Prejudice" and the Psychology of Bigotry », *British Journal of Social Psychology*, vol. 41, 2002, p. 171-188.

14. C.N. Macrae et G.V. Bodenhausen, « Social Cognition: Thinking Categorically about Others », *Annual Review of Psychology*, vol. 51, 2000, p. 93-120.

15. J.C. Turner et S.A. Haslam, « Social Identity, Organizations, and Leadership » dans M.E. Turner, *Groups at Work: Theory and Research*, Mahwah, New Jersey Lawrence Erlbaum Associates, 2001, p. 25-65; P.J. Oaks, S.A. Haslam et J.C. Turner, *Stereotyping and Social Reality*, Cambridge, Massachusetts, Blackwell, 1994. La récente étude canadienne figure dans L. Sinclair et Z. Kunda, « Motivated Stereotyping of Women: She's Fine if She Praised Me but Incompetent if She Criticized Me », *Personality and Social Psychology Bulletin*, vol. 26, novembre 2000, p. 1329-1342.

16. F.T. McAndrew *et al.*, « A Multicultural Study of Stereotyping in English-Speaking Countries », *Journal of Social Psychology*, août 2000, p. 487-502; S. Madon *et al.*, « The Accuracy and Power of Sex, Social Class, and Ethnic Stereotypes: A Naturalistic Study in Person Perception », *Personality and Social Psychology Bulletin*, vol. 24, décembre 1998, p. 1304-1318; Y. Lee, L.J. Jussim et C.R. McCauley (éd.), *Stereotype Accuracy: Toward Appreciating Group Differences*, Washington, DC, American Psychological Association, 1996. Pour des discussions anciennes sur les stéréotypes, voir W. Lippmann, *Public Opinion*, New York, Macmillan, 1922.

17. D.L. Stone et A. Colella, « A Model of Factors Affecting the Treatment of Disabled Individuals in Organizations », *Academy of Management Review*, vol. 21, 1996, p. 352-401.

18. C. Stangor et L. Lynch, « Memory for Expectancy-Congruent and Expectancy-Incongruent Information: A Review of the Social and Social Development Literatures », *Psychological Bulletin*, vol. 111, 1992, p. 42-61; C. Stangor, L. Lynch, C. Duan, et B. Glass, « Categorization of Individuals on the Basis of Multiple Social Features », *Journal of Personality and Social Psychology*, vol. 62, 1992, p. 207-218.

19. M. Hewstone, M. Rubin et H. Willis, « Intergroup Bias », *Annual Review of Psychology*, vol. 53, 2002, p. 575–604; Fiske, « Stereotyping, Prejudice, and Discrimination »; S.O. Gaines et E.S. Reed, « Prejudice: From Allport to DuBois », *American Psychologist*, vol. 50, février 1995, p. 96-103.

20. Y. Zacharias, « Woman Wins Discrimination Case against Canadian Tire », *Vancouver Sun*, 22 mars 2002, p. D3. Pour une étude sur les attitudes basées sur les préjugés dans les hôpitaux ontariens, voir: R. Hagey *et al.*, « Immigrant Nurses' Experience of Racism », *Journal of Nursing Scholarship*, vol. 33, quatrième trimestre 2001, p. 389 et suivantes.

21. P.M. Buzzanell, « Reframing the Glass Ceiling as a Socially Constructed Process: Implications for Understanding and Change », *Communication Monographs*, vol. 62, décembre 1995, p. 327-354; M.E. Heilman, « Sex Stereotypes and their Effects in the Workplace: What We Know and What We Don't Know », *Journal of Social Behaviour and Personality*, vol. 10, 1995, p. 3-26.

22. K. Kawakami et J.F. Dovidio, « Implicit Stereotyping: How reliable is It? », *Personality and Social Psychology Bulletin*, vol. 27, 2001, p. 212-225; J.A. Bargh, « The Cognitive Monster: The Case Against the Controllability of Automatic Stereotype Effects » dans S. Chaiken et Y. Trope (éd.), *Dual Process Theories in Social Psychology*, New York, Guilford, 1999, p. 361-382.

23. J.W. Sherman *et al.*, « Stereotype Efficiency Reconsidered: Encoding Flexibility under Cognitive Load », *Journal of Personality and Social Psychology*, vol. 75, 1998, p. 589-606; C.N. Macrae, A.B. Milne et G.V. Bodenhausen, « Stereotypes as Energy-Saving Devices: A Peek Inside the Cognitive Toolbox », *Journal of Personality and Social Psychology*, vol. 66, 1994, p. 37-47; S.T. Fiske, « Social Cognition and Social Perception », *Annual Review of Psychology*, vol. 44, 1993, p. 155-194.

24. B. Parks, « Club Swinging a Sticky Situation in NHL », *Star-Ledger*, Newark, New Jersey, 28 mars 2000, p. 61; L. Hornby, « Racism Meeting Hits Home With Leafs Players », *Toronto Sun*, 27 septembre 1999, p. 81; K.C. Johnson, « When Words Collide », *Chicago Tribune*, 2 mai 1999, p. 7.

25. M. Bendick Jr., M.L. Egan et S.M. Lofhjelm, « Workforce Diversity Training: From Anti-Discrimination Compliance to Organizational Development HR », *Human Resource Planning*, vol. 24, 2001, p. 10-25.

26. A.P. Brief *et al.*, « Beyond Good Intentions: The Next Steps Toward Racial Equality In The American Workplace », *Academy of Management Executive*, vol. 11, novembre 1997, p. 59-72; M.J. Monteith, « Self-Regulation of Prejudiced Responses: Implications for Progress in Prejudice-Reduction Efforts », *Journal of Personality and Social Psychology*, vol. 65, 1993, p. 469-485.

27. F. Glastra *et al.*, « Broadening the Scope of Diversity Management: Strategic Implications in the Case of the Netherlands », *Relations Industrielles*, vol. 55, automne 2000, p. 698-721; J.S. Osland *et al.*, « Beyond Sophisticated Stereotyping: Cultural Sensemaking in Context », *Academy of Management Executive*, vol. 14, février 2000, p. 65-79.

28. S. Brickson, « The Impact of Identity Orientation Individual and Organizational Outcomes in Demographically Diverse Settings », *Academy of Management Review*, vol. 25, janvier 2000, p. 82-101; Z. Kunda et P. Thagard, « Forming Impressions from Stereotypes, Traits, and Behaviours: A Parallel-Constraint Satisfaction Theory », *Psychological Review*, vol. 103, 1996, p. 284-308. Pour une application récente de l'hypothèse du rapprochement et de l'éducation dans un cadre non professionnel, voir: P.W. Corrigan *et al.*, « Three Strategies for Changing Attributions about Severe Mental Illness », *Schizophrenia Bulletin*, vol. 27, 2001, p. 187 et suivantes.

29. B. Whitaker, « United Parcel's School for Hard Hearts, Sort Of », *New*

York Times, 26 juillet 2000; M.J. Reid, « Profit Motivates Corporate Diversity », *San Francisco Examiner*, 15 mars 1998, p. W42.

30. F.J. Flynn, J.A. Chatman et S.E. Spataro, « Getting to Know You: The Influence of Personality on Impressions and Performance of Demographically Different People in Organizations », *Administrative Science Quarterly*, vol. 46, septembre 2001, p. 414-442; F. Linnehan et A.M. Konrad, « Diluting Diversity: Implications for Intergroup Inequality in Organizations », *Journal of Management Inquiry*, vol. 8, décembre 1999, p. 399-414; M.B. Brewer et R.J. Brown, « Intergroup Relations » dans D.T. Gilbert, S.T. Fiske et G. Lindzey (éd.), *Handbook of Social Psychology*, vol. 2, New York, McGraw-Hill, 1998, p. 554-594.

31. B.F. Reskin, « The Proximate Causes of Employment Discrimination », *Contemporary Sociology*, vol. 29, mars 2000, p. 319-328.

32. H.H. Kelley, *Attribution in Social Interaction*, Morristown, New Jersey, General Learning Press, 1971.

33. H.H. Kelley, « The Processes of Causal Attribution », *American Psychologist*, vol. 28, 1973, p. 107-128; J.M. Feldman, « Beyond Attribution Theory: Cognitive Processes in Performance Appraisal », *Journal of Applied Psychology*, vol. 66, 1981, p. 127-148.

34. J.D. Ford, « The Effects of Causal Attributions on Decision Makers' Responses to Performance Downturns », *Academy of Management Review*, vol. 10, 1985, p. 770-786; M.J. Martinko et W.L. Gardner, « The Leader/ Member Attribution Process », *Academy of Management Review*, vol. 12, 1987, p. 235-249.

35. J. Martocchio et J. Dulebohn, « Performance Feedback Effects in Training: the Role of Perceived Controllability », *Personnel Psychology*, vol. 47, 1994, p. 357-373; J.M. Crant et T.S. Bateman, « Assignment of Credit and Blame for Performance Outcomes », *Academy of Management Journal*, vol. 36, 1993, p. 7-27; D.R. Norris et R.E. Niebuhr, « Attributional Influences on the Job Performance–Job Satisfaction Relationship », *Academy of Management Journal*, vol. 27, 1984, p. 424-431.

36. H.J. Bernardin et P. Villanova, « Performance Appraisal » dans *Genera-*

lising from Laboratory to Field Settings, éd. E.A. Locke, Lexington, Massachusetts, Lexington Books, 1986, p. 43-62; S.G. Green et T.R. Mitchell, « Attributional Processes of Leader–Member Interactions », *Organizational Behaviour and Human Performance*, vol. 23, 1979, p. 429-458.

37. P.J. Taylor et J.L. Pierce, « Effects of Introducing a Performance Management System on Employees' Subsequent Attitudes and Effort », *Public Personnel Management*, vol. 28, automne 1999, p. 423-452.

38. J.R. Bettman et B.A. Weitz, « Attributions in the Board Room: Causal Reasoning in Corporate Annual Reports », *Administrative Science Quarterly*, vol. 28, 1983, p. 165-183.

39. P. Rosenthal et D. Guest, « Gender Difference in Managers' Causal Explanations for Their Work Performance: A Study in Two Organizations », *Journal of Occupational and Organizational Psychology*, vol. 69, 1996, p. 145-151.

40. « The Motive Isn't Money », *Profit*, vol. 14, printemps 1995, p. 20-29.

41. J.M. Darley et K.C. Oleson, « Introduction to Research on Interpersonal Expectations » dans *Interpersonal Expectations: Theory, Research, and Applications*, Cambridge, Royaume-Uni, Cambridge University Press, 1993, p. 45-63; D. Eden, *Pygmalion in Management*, Lexington, Massachusetts, Lexington, 1990; L. Jussim, « Self-Fulfilling Prophecies: A Theoretical and Integrative Review », *Psychological Review*, vol. 93, 1986, p. 429-445.

42. O.B. Davidson et D. Eden, « Remedial Self-Fulfilling Prophecy: Two Field Experiments to Prevent Golem Effects Among Disadvantaged Women », *Journal of Applied Psychology*, nᵒ 85, p. 386-398.

43. Des modèles similaires sont présentés dans R.H.G. Field et D.A. Van Seters, « Management by Expectations (MBE): The Power of Positive Prophecy », *Journal of General Management*, vol. 14, hiver 1988, p. 19-33; D. Eden, « Self-Fulfilling Prophecy as a Management Tool: Harnessing Pygmalion », *Academy of Management Review*, vol. 9, 1984, p. 64-73.

44. M.J. Harris et R. Rosenthal, « Mediation of Interpersonal Expectancy Effects: 31 Meta-Analyses », *Psychological Bulletin*, vol. 97, 1985, p. 363-386.

45. D. Eden, « Interpersonal Expectations in Organizations » dans *Interpersonal Expectations: Theory, Research, and Applications*, Cambridge, Royaume-Uni, Cambridge University Press, 1993, p. 154-178.

46. J.-F. Manzoni, « The Set-Up-to-Fail Syndrome », *Harvard Business Review*, vol. 76, mars-avril 1998, p. 101-113; J.S. Livingston, « Retrospective Commentary », *Harvard Business Review*, vol. 66, septembre-octobre 1988, p. 125.

47. D. Eden *et al.*, « Implanting Pygmalion Leadership Style through Workshop Training: Seven Field Experiments », *Leadership Quarterly*, vol. 11, 2000, p. 171-210; S. Oz et D. Eden, « Restraining the Golem: Boosting Performance by Changing the Interpretation of Low Scores », *Journal of Applied Psychology*, vol. 79, 1994, p. 744-754.

48. S.S. White et E.A. Locke, « Problems with the Pygmalion Effect and Some Proposed Solutions », *Leadership Quarterly*, vol. 11, automne 2000, p. 389-415. Cette source cite également les études récentes sur l'échec des formations traditionnelles en effet Pygmalion. Pour une ancienne application de la confiance en ses propres capacités au sein de l'effet Pygmalion, voir K.S. Crawford, E.D. Thomas et J.J. Fink, « Pygmalion at Sea: Improving the Work Effectiveness of Low Performers », *Journal of Applied Behavioural Science*, vol. 16, 1980, p. 482-505.

49. A.D. Stajkovic et F. Luthans, « Social Cognitive Theory And Self-Efficacy: Going Beyond Traditional Motivational And Behavioural Approaches », *Organizational Dynamics*, vol. 26, printemps 1998, p. 62-74; A. Bandura, *Self-Efficacy: The Exercise of Control*, W.H. Freeman & Co., 1996; M.E. Gist et T.R. Mitchell, « Self-Efficacy: A Theoretical Analysis of Its Determinants and Malleability », *Academy of Management Review*, vol. 17, 1992, p. 183-211; R.F. Mager, « No Self-Efficacy, No Performance », *Training*, vol. 29, avril 1992, p. 32-36.

50. T. Hill, P. Lewicki, M. Czyzewska et A. Boss, « Self-Perpetuating Development of Encoding Biases in Person Perception », *Journal of Personality and Social Psychology*, vol. 57, 1989, p. 373-387; C.L. Kleinke, *First Impressions: The Psychology of Encountering Others*, Englewood Cliffs, New Jersey, Prentice Hall, 1975.

51. O. Ybarra, « When First Impressions Don't Last : The Role of Isolation and Adaptation Processes in the Revision of Evaluative Impressions », *Social Cognition*, vol. 19, octobre 2001, p. 491-520.

52. D.D. Steiner et J.S. Rain, « Immediate and Delayed Primacy and Recency Effects in Performance Evaluation », *Journal of Applied Psychology*, vol. 74, 1989, p. 136-142 ; R.L. Heneman et K.N. Wexley, « The Effects of Time Delay in Rating and Amount of Information Observed in Performance Rating Accuracy », *Academy of Management Journal*, vol. 26, 1983, p. 677-686.

53. W.H. Cooper, « Ubiquitous Halo », *Psychological Bulletin*, vol. 90, 1981, p. 218-244 ; K.R. Murphy, R.A. Jako et R.L. Anhalt, « Nature and Consequences of Halo Error : A Critical Analysis », *Journal of Applied Psychology*, vol. 78, 1993, p. 218-225.

54. T.H. Feeley, « Evidence of Halo Effects in Student Evaluations of Communication Instruction », *Communication Education*, vol. 51, juillet 2002, p. 225-236 ; S. Kozlowski, M. Kirsch et G. Chao, « Job Knowledge, Ratee Familiarity, Conceptual Similarity, and Halo Error : An Exploration », *Journal of Applied Psychology*, vol. 71, 1986, p. 45-49.

55. C.J. Jackson et A. Furnham, « Appraisal Ratings, Halo, and Selection : A Study Using Sales Staff », *European Journal of Psychological Assessment*, vol. 17, 2001, p. 17-24 ; W.K. Balzer et L.M. Sulsky, « Halo and Performance Appraisal Research : A Critical Examination », *Journal of Applied Psychology*, vol. 77, 1992, p. 975-985.

56. *Economist.com*, mai 2006, p. 3.

57. R.L. Gross et S.E. Brodt, « How Assumptions of Consensus Undermine Decision Making », *Sloan Management Review*, janvier 2001, p. 86-94 ; G.G. Sherwood, « Self-Serving Biases in Person Perception : A Re-examination of Projection as a Mechanism of Defense », *Psychological Bulletin*, vol. 90, 1981, p. 445-459.

58. E.D. Pulakos et K.N. Wexley, « The relationship among perceptual similarity, sex, and performance ratings in manager-subordinate dyads », *Academy of Management Journal*, vol. 26, 1983, p.129-139.

59. W.G. Stephen et K.A. Finlay, « The Role of Empathy in Improving Intergroup Relations », *Journal of Social Issues*, vol. 55, hiver 1999, p. 729-743 ; C. Duan et C.E. Hill, « The Current State of Empathy Research », *Journal of Counseling Psychology*, vol. 43, 1996, p. 261-274.

60. S.K. Parker et C.M. Axtell, « Seeing Another Viewpoint : Antecedents and Outcomes of Employee Perspective Taking », *Academy of Management Journal*, vol. 44, décembre 2001, p. 1085-1100.

61. F. Shalom, « Catching the Next Wave at Pratt », *Montreal Gazette*, 27 juillet 2002. L'importance du coaching et de la rétroaction dans le développement de l'empathie est décrite dans D. Goleman, « What Makes a Leader ? », *Harvard Business Review*, vol. 76, novembre-décembre 1998, p. 92-102.

62. T.W. Costello et S.S. Zalkind, *Psychology in Administration : A Research Orientation*, Englewood Cliffs, New Jersey, Prentice Hall, 1963, p. 45-46.

63. J. Luft, *Group Processes*, Palo Alto, Californie, Mayfield Publishing, 1984. Pour une variation de ce modèle, voir J. Hall, « Communication Revisited », *California Management Review*, vol. 15, printemps 1973, p. 56-67.

64. L.C. Miller et D.A. Kenny, « Reciprocity of Self-Disclosure at the Individual and Dyadic Levels : A Social Relations Analysis », *Journal of Personality and Social Psychology*, vol. 50, 1986, p. 713-719.

65. S. Dansereau, *Les Affaires*, 23 septembre 2006, p. 45.

66. D.M. Harris et R.L. DeSimone, *Human Resource Development*, Fort Worth, Texas, Harcourt Brace, 1994, p. 54 ; B. Bass et J. Vaughn, *Training in Industry : The Management of Learning*, Belmont, Californie, Wadsworth, 1966, p. 8 ; W. McGehee et P.W. Thayer, *Training in Business and Industry*, New York, Wiley, 1961, p. 131-134.

67. G.F.B. Probst, « Practical Knowledge Management : A Model That Works », *Prism*, deuxième trimestre 1998, p. 17-23 ; G. Miles, Grant, R.E. Miles, V. Perrone et L Edvinsson, « Some Conceptual and Research Barriers to the Utilization Of Knowledge », *California Management Review*, vol. 40, printemps 1998, p. 281-288 ; E.C. Nevis, A.J. DiBella et J.M. Gould, « Understanding Organizations as Learning Systems », *Sloan Management Review*, vol. 36, hiver 1995, p. 73-85 ; D. Ulrich, T. Jick et M. Von Glinow, « High Impact Learning : Building and Diffusing Learning Capability », *Organizational Dynamics*, vol. 22, automne 1993, p. 52-66 ; G. Huber, « Organizational Learning : The Contributing Processes and Literature », *Organizational Science*, vol. 2, 1991, p. 88-115.

68. Watson Wyatt, *Playing to Win : Strategic Rewards in the War for Talent*, Fifth Annual Survey Report 2000/2001, Washington, DC, Watson Wyatt, 2001.

69. W.L.P. Wong et D.F. Radcliffe, « The Tacit Nature of Design Knowledge », *Technology Analysis and Strategic Management*, décembre 2000, p. 493–512 ; R. Madhavan et R. Grover, « From Embedded Knowledge To Embodied Knowledge : New Product Development As Knowledge Management », *Journal of Marketing*, vol. 62, octobre 1998, p. 1-12 ; D. Leonard et S. Sensiper, « The Role Of Tacit Knowledge In Group Innovation », *California Management Review*, vol. 40, printemps 1998, p. 112-132 ; I. Nonaka et H. Takeuchi, *The Knowledge-Creating Company*, New York, Oxford University Press, 1995 ; R.K. Wagner et R.J. Sternberg, « Practical Intelligence in Real-World Pursuits : The Role of Tacit Knowledge », *Journal of Personality and Social Psychology*, vol. 49, 1985, p. 436-458.

70. A. Lam, « Tacit Knowledge, Organizational Learning and Societal Institutions : An Integrated Framework », *Organization Studies*, vol. 21, mai 2000.

71. M.J. Kerr, « Tacit Knowledge as a Predictor of Managerial Success : A Field Study », *Canadian Journal of Behavioural Science*, vol. 27, 1995, p. 36-51.

72. W.F. Dowling, « Conversation with B. F. Skinner », *Organizational Dynamics*, hiver 1973, p. 31-40.

73. R.G. Miltenberger, *Behaviour Modification : Principles and Procedures*, Pacific Grove, Californie, Brooks/Cole, 1997 ; J. Komaki, T. Coombs et S. Schepman, « Motivational Implications of Reinforcement Theory » dans R.M. Steers, L.W. Porter et G.A. Bigley (éd.), *Motivation and Leadership at Work*, New York, McGraw-Hill, 1996, p. 34-52 ; H.P. Sims et P. Lorenzi, *The New Leadership Paradigm : Social Learning and Cognition in Organizations*, Newbury Park, Californie, Sage, 1992, sect. II.

74. F. Luthans et R. Kreitner, *Organizational Behaviour Modification and Beyond*, Glenview, Illinois, Scott, Foresman, 1985, p. 85-88 ; T.K. Connellan, *How to Improve Human Performance*, New York, Harper & Row, 1978, p. 48-57.

75. Miltenberger, *Behaviour Modification*, chap. 4-6.

76. T.C. Mawhinney et R.R. Mawhinney, « Operant Terms and Concepts Applied to Industry » dans *Industrial Behaviour Modification : A Management Handbook*, R.M. O'Brien, A.M. Dickinson et M.P. Rosow (éd.), New York, Pergamon Press, 1982, p. 117 ; R. Kreitner, « Controversy in OBM : History, Misconceptions, and Ethics » dans L.W. Frederiksen (éd.), *Handbook of Organizational Behaviour Management*, New York, Wiley, 1982, p. 76-79.

77. Luthans et Kreitner, *Organizational Behaviour Modification and Beyond*, p. 53-54.

78. K.D. Butterfield, L.K. Trevino et G.A. Ball, « Punishment from the Manager's Perspective : A Grounded Investigation and Inductive Model », *Academy of Management Journal*, vol. 39, 1996, p. 1479-1512 ; L.K. Trevino, « The Social Effects of Punishment in Organizations : A Justice Perspective », *Academy of Management Review*, vol. 17, 1992, p. 647-676.

79. G.P. Latham et V.L. Huber, « Schedules of Reinforcement : Lessons from the Past and Issues for the Future », *Journal of Organizational Behaviour Management*, vol. 13, 1992, p. 125-149.

80. D. Brown, « Corp. Culture Change Combats Absenteeism », *Canadian HR Reporter*, 29 novembre 1999, p. 1, 16 ; R. Curren, « Lottery Helps Solve Absenteeism », *Winnipeg Free Press*, 6 novembre 1999. Information mise à jour fournie par Mme Roxann Good, NOVA Chemicals Ltd., juillet 2000.

81. F. Luthans et A.D. Stajkovic, « Reinforce for Performance : The Need to Go Beyond Pay and Even Rewards », *Academy of Management Executive*, vol. 13, mai 1999, p. 49-57 ; Alexander D. Stajkovic et F. Luthans, « A Meta-Analysis of the Effects of Organizational Behaviour Modification on Task Performance, 1975-95 », *Academy of Management Journal*, vol. 40, octobre 1997, p. 1122-1149.

82. K. Maeshiro, « School Attendance Pays », *Los Angeles Daily News*, 28 janvier 2002, p. AV1 ; P. Eaton-Robb, « For Employees, Solutions That Work », *Providence Journal*, 10 janvier 2001, p. E1 ; D. Behar, « Firm Launches Lottery to Beat "Sickies" Plague », *Daily Mail* (Royaume-Uni), 8 janvier 2001, p. 27 ; G. Masek, « Dana Corp. », *Industry Week*, 19 octobre 1998, p. 48.

83. « New Warnings on the Fine Points of Safety Incentives », *Pay for Performance Report*, septembre 2002 ; G.A. Merwin, J.A. Thomason et E.E. Sanford, « A Methodological and Content Review of Organizational Behaviour Management in the Private Sector : 1978-1986 », *Journal of Organizational Behaviour Management*, vol. 10, 1989, p. 39-57 ; T.C. Mawhinney, « Philosophical and Ethical Aspects of Organizational Behaviour Management : Some Evaluative Feedback », *Journal of Organizational Behaviour Management*, vol. 6, printemps 1984, p. 5-31.

84. J.A. Bargh et M.J. Ferguson, « Beyond Behaviourism : On the Automaticity of Higher Mental Processes », *Psychological Bulletin*, vol. 126, 2000, p. 925-945.

85. A. Bandura, *Social Foundations of Thought and Action : A Social Cognitive Theory*, Englewood Cliffs, New Jersey, Prentice Hall, 1986.

86. A. Pescuric et W.C. Byham, « The New Look of Behaviour Modeling », *Training and Development*, vol. 50, juillet 1996, p. 24-30 ; H.P. Sims, Jr. et C.C. Manz, « Modeling Influences on Employee Behaviour », *Personnel Journal*, janvier 1982, p. 58-65.

87. L.K. Trevino, « The Social Effects of Punishment in Organizations : A Justice Perspective », *Academy of Management Review*, vol. 17, 1992, p. 647-676 ; M.E. Schnake, « Vicarious Punishment in a Work Setting », *Journal of Applied Psychology*, vol. 71, 1986, p. 343-345.

88. M. Foucault, *Discipline and Punish : The Birth of the Prison*, Harmondsworth, Penguin, 1977.

89. L.K. Trevino, « The Social Effects of Punishment in Organizations : A Justice Perspective », *Academy of Management Review*, vol. 17, 1992, p. 647-676 ; M.E. Schnake, « Vicarious Punishment in a Work Setting », *Journal of Applied Psychology*, vol. 71, 1986, p. 343-345.

90. A.W. Logue, *Self-Control : Waiting Until Tomorrow for What You Want Today*, Englewood Cliffs, New Jersey, Prentice-Hall, 1995 ; A. Bandura, « Self-Reinforcement : Theoretical and Methodological Considerations », *Behaviourism*, vol. 4, 1976, p. 135-155.

91. C.A. Frayne, « Improving Employee Performance Through Self-Management Training », *Business Quarterly*, vol. 54, été 1989, p. 46-50.

92. D. Woodruff, « Putting Talent to the Test », *Wall Street Journal* (Europe), 14 novembre 2000, p. 25. Les événements de simulation décrits ici ont été vécus par l'auteur de l'article, mais il est raisonnable de penser que Mandy Chooi, qui a également suivi la simulation, a fait l'expérience de sensations similaires.

93. S. Gherardi, D. Nicolini et F. Odella, « Toward a Social Understanding Of How People Learn In Organizations », *Management Learning*, vol. 29, septembre 1998, p. 273-297 ; Ulrich, Jick et Von Glinow, « High Impact Learning ».

94. D.A. Kolb, R.E. Boyatzis et C. Mainemelis, « Experiential Learning Theory : Previous Research and New Directions » dans R.J. Sternberg et L.F. Zhang (éd.), *Perspectives on Thinking, Learning, and Cognitive Styles*, Mahwah, New Jersey, Lawrence Erlbaum, 2001, p. 227-248 ; D.A. Kolb, *Experiential Learning*, Englewood Cliffs, New Jersey, Prentice-Hall, 1984.

95. Le concept d'orientation vers l'apprentissage attire actuellement l'attention des services de marketing ; voir M.A. Farrell, « Developing a Market-Oriented Learning Organization », *Australian Journal of Management*, vol. 25, septembre 2000 ; W.E. Baker et J.M. Sinkula, « The Synergistic Effect of Market Orientation and Learning Orientation », *Journal of the Academy of Marketing Science*, vol. 27, 1999, p. 411-427.

96. R. Farson et R. Keyes, « The Failure-Tolerant Leader », *Harvard Business Review*, vol. 80, août 2002, p. 64-71 ; J. Jusko, « Always Lessons To Learn », *Industry Week*, 15 février 1999, p. 23.

97. L. Ferenc, « Mock Disaster Tests Region's Resources, » *Toronto Star*, 30 mai 2002, p. B7 ; « York region Conducts Emergency Exercise with Town of Newmarket and GO Transit », Town of Newmarket news release, 29 mai 2002.

98. R.W. Revans, *The Origin and Growth of Action Learning*, Londres, Chartwell Bratt, 1982, p. 626-627.

99. V.J. Marsick, « The Many Faces of Action Learning », *Management Learning*, vol. 30, juin 1999, p. 159-176.

100. R.M. Fulmer, P. Gibbs et J.B. Keys, « The Second Generation Learning Organizations: New Tools For Sustaining Competitive Advantage », *Organizational Dynamics*, vol. 27, autome 1998, p. 6-20 ; A.L. Stern, « Where the Action Is », *Across the Board*, vol. 34, septembre 1997, p. 43-47 ; R.W. Revans, « What Is Action Learning? », *Journal of Management Development*, vol. 15, 1982, p. 64-75.

101. R.M. Fulmer, P.A. Gibbs et M. Goldsmith, « Developing Leaders : How Winning Companies Keep on Winning », *Sloan Management Review*, octobre 2000, p. 49-59 ; J.A. Conger et K. Xin, « Executive Education in the 21st Century », *Journal of Management Education*, février 2000, p. 73-101.

102. T.T. Baldwin, C. Danielson et W. Wiggenhorn, « The Evolution of Learning Strategies in Organizations : From Employee Development to Business Redefinition », *Academy of Management Executive*, vol. 11, novembre 1997, p. 47-58.

103. J.F. Ballay, *Tous managers du savoir ! La seule ressource qui prend de la valeur en la partageant*, Paris, Éditions d'Organisation, 2002.

104. C. Argyris et D. Schon, *Theory in practice*, San Francisco, Jossey-Bass.

105. G. Probst, « Practical Knowledge Management : A Model That Works », *Prism*, deuxième trimestre 1998, p. 17-23 ; G. Miles *et al.*, « Some Conceptual And Research Barriers To The Utilization Of Knowledge », *California Management Review*, vol. 40, printemps 1998, p. 281-288 ; E. C. Nevis, A.J. DiBella et J. M. Gould, « Understanding Organizations as Learning Systems », *Sloan Management Review*, vol. 36, hiver 1995, p. 73-85 ; G. Huber, « Organizational Learning : The Contributing Processes and Literature », *Organizational Science*, n° 2, 1991, p. 88-115.

106. Gross : voir J. Greenberg, J. et R.A. Baron, *Behavior in organizations*, 8ᵉ édition, 2003.

107. H. Saint-Onge et D. Wallace, *Leveraging Communities of Practice for Strategic Advantage*, Butterworth-Heinemann, Boston, 2003, p. 9-10 ; L.A. Joia, « Measuring Intangible Corporate Assets Linking Business Strategy With Intellectual Capital », *Journal of Intellectual Capital*, n° 1, 2000, p. 68-84 ; T.A. Stewart, *Intellectual Capital : The New Wealth of Organizations*, Currency/Doubleday, New York, 1997 ; H. Saint-Onge, « Tacit Knowledge : The Key to the Strategic Alignment of Intellectual Capital », *Strategy and Leadership*, n° 24, mars/avril 1996, p. 10-14.

108. Auparavant on disait « capital-client » plutôt que « capital relationnel » dans les documents sur la gestion des connaissances. Toutefois, ce concept a évolué et il englobe désormais les relations avec les parties prenantes extérieures. Pour en savoir plus, voir : D. Halloran, « Putting Knowledge Management Initiatives into Action at Motorola », exposé du vice-président et directeur des ressources humaines de Motorola, Dan Halloran, lors du Congrès sur l'avenir des affaires dans la nouvelle économie basée sur les connaissances, tenu les 22 et 23 mars 2000 au Pan Pacific Hotel de Singapour.

109. N. Bontis, « Assessing Knowledge Assets : A Review of the Models Used to Measure Intellectual Capital », *International Journal of Management Reviews*, n° 3, 2001, p. 41-60 ; P.N. Bukh, H.T. Larsen et J. Mouritsen, « Constructing Intellectual Capital Statements », *Scandinavian Journal of Management*, n° 17, mars 2001, p. 87-108.

110. Les chercheurs ne s'entendent pas tout à fait sur la nature de l'apprentissage organisationnel (ou organisation apprenante) ; de sorte que le rapport entre l'apprentissage organisationnel et la gestion des connaissances demeure quelque peu ambigu. Pour en savoir plus sur ce sujet, voir : B.R. McElyea, « Knowledge Management, Intellectual Capital, and Learning Organizations : A Triad of Future Management Integration », *Futurics*, n° 26, 2002, p. 59-65.

111. P. Tam, « Hot Jobs in a Cool Economy », *Ottawa Citizen*, 18 avril 2002. Le procédé de « greffe de personnel ou d'organisations » est traité dans : Huber, « Organizational Learning », *Organizational Science*.

112. L. Falkenberg, J. Woiceshyn et J. Karagianis, « Knowledge Acquisition Processes For Technology Decisions », *Proceedings of the Academy of Management 2002 Annual Conference, Technology and Innovation Management Division*, p. J1-J6.

113. A.L. Brown, « In Economic Slowdown, Wal-Mart Counts on its Cultural Roots », *Detroit News*, 9 juin 2001 ; L. Wah, « Behind the Buzz », *Management Review*, n° 88, avril 1999, p. 16-19 ; C.W. Wick et L.S. Leon, « From Ideas to Actions : Creating a Learning Organization », *Human Resource Management*, n° 34, été 1995, p. 299-311 ; D. Ulrich, T. Jicket et M. Von Glinow, « High Impact Learning : Building and Diffusing Learning Capability », *Organizational Dynamics*, n° 22, automne 1993, p. 52-66. Ce concept se rapproche de l'« apprentissage synthétique » décrit dans D. Miller, « A Preliminary Typology of Organizational Learning : Synthesizing the Literature », *Journal of Management*, n° 22, 1996, p. 485-505.

114. C. O'Dell et C.J. Grayson, « If Only We Knew What We Know : Identification And Transfer Of Internal Best Practices », *California Management Review*, n° 40, printemps 1998, p. 154-174 ; R. Ruggles, « The State Of The Notion : Knowledge Management In Practice », *California Management Review*, n° 40, printemps 1998, p. 80-89 ; G.S. Richards et S.C. Goh, « Implementing Organizational Learning : Toward a Systematic Approach », *The Journal of Public Sector Management*, automne 1995, p. 25-31.

115. Saint-Onge et Wallace, *Leveraging Communities of Practice for Strategic Advantage*, p. 12-13 ; Etienne C. Wenger et William M. Snyder, « Communities of Practice : The Organizational Frontier », *Harvard Business Review*, n° 78, janvier-février 2000, p. 139-145 ; C. O'Dell et C.J. Grayson, « If Only We Knew What We Know : Identification And Transfer Of Internal Best Practices », *California Management Review*, n° 40, printemps 1998, p. 154-174.

116. Saint-Onge et Wallace, *Leveraging Communities of Practice for Strategic Advantage*, chapitre 5.

117. G. Barker, « High Priest of the PC », *The Age*, 4 avril 2001 ; N. Way, « Talent War », *Business Review Weekly*, 18 août 2000, p. 64.

118. Stewart, *Intellectual Capital*, chapitre 7.

119. B.P. Sunoo, « The Sydney Challenge » *Workforce*, septembre 2000, p. 70-76.

120. D. Lei, J.W. Slocumet et R.A. Pitts, « Designing Organizations for Competitive Advantage : The Power of Unlearning and Learning » *Organizational Dynamics*, nº 27, hiver 1999, p. 24-38 ; M.E. McGill et J.W. Slocum, Jr., « Unlearn the Organization », *Organizational Dynamics*, vol. 22, nº 2, 1993, p. 67-79.

121. J.F. Ballay, *Tous managers du savoir ! La seule ressource qui prend de la valeur en la partageant*, Paris, Éditions d'Organisation, 2002.

CHAPITRE 5

1. *Managing Emotions in the Workplace*, M.E. Sharpe, New York, Armonk, 2002, p. 3-18 ; H.M. Weiss, « Conceptual and Empirical Foundations for the Study of Affect at Work », dans R.G. Lord, R.J. Klimoski et R. Kanfer (éd.), *Emotions in the Workplace*, San Francisco, Jossey-Bass, 2002, p. 20-63 ; S. Kitayama et P.M. Niedenthal, « Introduction », dans P.M. Niedenthal et S. Kitayama, *The Heart's Eye : Emotional Influences in Perception and Attention*, San Diego, Academic Press, Calif., 1994, p. 6-7.

2. R. B. Zajonc, « Emotions », dans D.T. Gilbert, S.T. Fiske et L. Gardner (éd.), *Handbook of Social Psychology*, Oxford University Press, New York, 1998, p. 591-634 ; K. Oatley et J.M. Jenkins, « Human Emotions : Function and Dysfunction », *Annual Review of Psychology*, 43 (1992), p. 55-85.

3. Weiss et Cropanzano, « Affective Events Theory », p. 52-57.

4. R. Kanfer et R. J. Klimoski, « Affect and Work : Looking Back to the Future », dans R. G. Lord, R. J. Klimoski, & R. Kanfer (éd.), *Emotions in the Workplace*, Jossey-Bass, San Francisco, 2002, p. 473-90 ; J. M. George et A. P. Brief, « Motivational Agendas in the Workplace : The Effects of Feelings on Focus of Attention and Work Motivation », *Research in Organizational Behaviour*, 18 (1996), p. 75-109.

5. A.P. Brief, A.B. Butcher et L. Roberson, « Cookies, disposition, and job attitudes : The effect of positive mood-inducing agents and negative affectivity on job satisfaction in a field experiment », *Organizational behaviour and human decision process*, (1995), 62, p. 55-62.

6. H.M. Weiss et R. Cropanzano, « Affective Events Theory : A Theoretical Discussion of the Structure, Causes, and Consequences of Affective Experiences at Work », *Research in Organizational Behavior*, 18 (1996), p. 1-74 ; P. Shaver, J. Schwartz, D. Kirson et C. O'Connor, « Emotion Knowledge : Further Exploration of a Prototype Approach », *Journal of Personality and Social Psychology*, 52 (1987), p. 1061-86.

7. R.J. Larson, E. Diener et R.E. Lucas, « Emotion : Models, Measures, and Differences », dans R.G. Lord, R.J. Klimoski & R. Kanfer (éd.), *Emotions in the Workplace*, Jossey-Bass, San Francisco, 2002, p. 64-113.

8. N.M. Ashkenazy, C.E.J. Hartel et W.J. Zerbe, *Emotions in the Workplace*, 2000, Westport, CN : Quorum Books.

9. C.D. Fisher, « Antecedents and Consequences of Real-Time Affective Reactions at Work », *Motivation and Emotion*, March, 2002, p. 3-30.

10. S.L. Robinson, R.J. Bennett, « A Typology of Deviant Workplace Behavior : A Multidimensional Scaling Study », *Academy of management journal*, avril 1995, p. 555-572.

11. T.A. Judge, E.A. Locke et C.C. Durham, « The Dispositional Causes of Job Satisfaction : A Core Evaluations Approach », *Research in Organizational Behaviour*, 19 (1997), p. 151-88 ; A.P Brief, A. H. Butcher et L. Roberson, « Cookies, Disposition, and Job Attitudes : The Effects of Positive Mood-Inducing Events and Negative Affectivity on Job Satisfaction in a Field Experiment », *Organizational Behaviour and Human Decision Processes*, 62 (1995), p. 55-62.

12. C. M. Brotheridge et A.A. Grandey, « Emotional Labor and Burnout : Comparing Two Perspectives of "People Work" », *Journal of Vocational Behavior*, 60 (2002), p. 17-39 ; A.P. Brief et H.M.Weiss, « Organizational Behavior : Affect in the Workplace », *Annual Review of Psychology*, 53 (2002), p. 279-307 ; R. D. Iverson et S. J. Deery, « Understanding the "Personological" Basis of Employee Withdrawal : The Influence of Affective Disposition on Employee Tardiness, Early Departure, and Absenteeism », *Journal of Applied Psychology*, 86 (Octobre 2001), p. 856-66.

13. C. Dormann et D. Zapf, « Job Satisfaction : A Meta-Analysis of Stabilities »,

Journal of Organizational Behavior, 22 (2001), p. 483-504 ; J. Schaubroeck, D.C. Ganster et B. Kemmerer, « Does Trait Affect Promote Job Attitude Stability ? », *Journal of Organizational Behaviour*, 17 (1996), p. 191-196 ; R.D. Arvey, B.P. McCall, T.L. Bouchard et P. Taubman, « Genetic Differences on Job Satisfaction and Work Values », *Personality and Individual Differences*, 17 (1994), p. 21-33.

14. M. Lewis et J.M. Haviland, *Handbook of Emotions*, New York, Guilford Press, 1993, p. 447-460.

15. J.A. Hall, *Nonverbal Sex Differences : Communication Accuracy and Expressive Style*, 1984, Baltimore, John Hopkins Press.

16. M. Lafrance et M. Banaji, « Toward a Reconsideration of the Gender-Emotion Relationship », in Clark, M.S. *Emotions and Social Behavior : Review of Personality and Social Psychology*, 14 (1992), p. 178-201.

17. J. Schaubroeck et J.R. Jones, « Antecedents of Workplace Emotional Labour Dimensions and Moderators of their Effects on Physical Symptoms », *Journal of Organizational Behaviour*, 21 (2000), 163-183 ; R. Buck, « The Spontaneous Communication of Interpersonal Expectations », dans *Interpersonal Expectations : Theory, Research, and Applications*, Cambridge University Press, Cambridge, UK, 1993, p. 227-241. La citation de George Burns est tirée de l'ouvrage de Buck. Cependant, elle a également été attribuée à Groucho Marx.

18. W.J. Zerbe, « Emotional Dissonance and Employee Well-Being », dans N.M. Ashkanasy, W.J. Zerbe, C.E.J. Hartel (éd.), *Managing Emotions in the Workplace*, M.E. Sharpe, Armonk, N.Y., 2002, p. 189-214 ; K. Pugliesi, « The Consequences of Emotional Labour : Effects on Work Stress, Job Satisfaction, and Well-Being », *Motivation & Emotion*, 23 (Juin 1999), p. 125-54 ; A.S. Wharton, « The Psychosocial Consequences of Emotional Labour », *Annals of the American Academy of Political & Social Science*, 561 (Janvier 1999), p. 158-76.

19. D. Matheson, « A Vancouver Cafe Where Rudeness is Welcomed », Canada AM, *CTV Television*, 11 janvier 2000 ; R. Corelli, « Dishing out Rudeness », *Maclean's*, 11 janvier 1999, p. 44.

20. J. A. Morris et D.C. Feldman, « The Dimensions, Antecedents, and Consequences of Emotional Labour », *Academy of Management Review*, 21 (1996), p. 986-1010; B. E. Ashforth et R.H. Humphrey, « Emotional Labour in Service Roles: The Influence of Identity », *Academy of Management Review*, 18 (1993), p. 88-115.

21. K. McArthur, « Air Canada Tells Employees to Crack a Smile More Often », *Globe and Mail*, 14 mars 2002, p. B1; G. Van Moorsel, *Call Centres Deserve Ringing Endorsement*, London Free Press, 27 octobre 2001.

22. A.A. Grandey et A.L. Brauburger, « The Emotion Regulation Behind the Customer Service Smile », dans R.G. Lord, R.J. Klimoski et R. Kanfer (éd.), *Emotions in the Workplace*, San Francisco, Jossey-Bass, 2002, p. 260-294; J.A. Morris et D.C. Feldman, « Managing Emotions in the Workplace », *Journal of Managerial Issues*, n° 9, automne 1997, p. 257-274.

23. J.S. Sass, « Emotional Labour as Cultural Performance: The Communication of Caregiving in a Nonprofit Nursing Home », *Western Journal of Communication*, n° 64, été 2000, p. 330-358; R.I. Sutton, « Maintaining Norms About Expressed Emotions: The Case of Bill Collectors », *Administrative Science Quarterly*, n° 36, 1991, p. 245-268.

24. J. Strasburg, « The Making of a Grand Hotel », *San Francisco Chronicle*, 25 mars 2001, p. B1.

25. E. Forman, « "Diversity Concerns Grow as Companies Head Overseas", Consultant Says », *Fort Lauderdale Sun-Sentinel*, 26 juin 1995.

26. Van Maanen, J., Kunda, G. (1989). « Real Feelings: Emotional Expression and Organizational Culture », dans L.L. Staw et B.M. Greenwich (éd.), *Research in organizational behaviour*, vol. 11, Cummings, Jai Press, p. 43-103.

27. V. Waidron et K Krone, « The Experience and Expression of Emotion in the Workplace: A Study of a Corrections Organization, *Management Communication Quartely*, n° 4, 1991, p. 287-309.

28. C.M. Brotheridge et A.A. Grandey, « Emotional Labor and Burnout: Comparing Two Perspectives of "People Work" », *Journal of Vocational Behavior*, n° 60, 2002, p. 17-39. Cette observation a également été relevée dans: N.M. Ashkanasy et C.S. Daus, « Emotion in the Workplace: The New Challenge for Managers », *Academy of Management Executive*, n° 16, février 2002, p. 76-86.

29. D. Flavelle, « Firms Try to Rope Winners by Hiring Out of the Herd », *Toronto Star*, 30 janvier 2000; G. Pitts, « Hotel Chain Hires for Attitude », *Globe and Mail*, 3 juin 1997, p. B13.

30. T. Schwartz, « How Do You Feel? », *Fast Company*, juin 2000, p. 296; J. Stuller, « Unconventional Smarts », *Across the Board*, n° 35, janvier 1998, p. 22-23.

31. J.D. Maier, P. Salovey et D.R. Caruso, « Models of Emotional Intelligence », dans R.J. Sternberg (éd.), *Handbook of Human Intelligence*, 2ᵉ éd., New York, Cambridge University Press, 2000, p. 396. Cette définition est également reconnue dans: C. Cherniss, « Emotional Intelligence and Organizational Effectiveness », dans C. Cherniss et D. Goleman, (éd.), *The Emotionally Intelligent Workplace*, San Francisco, Jossey-Bass, 2001, p. 3-12.

32. P. Salovey et J.D. Mayer, « Emotional Intelligence », *Imagination, Cognition and Personality*, n° 9, 1990, p. 185-211.

33. R. Bar-On, *The Development of an Operational Concept of Psychological Well-Being*, Thèse de doctorat non éditée, Rhodes University, Afrique du Sud, 1988.

34. D. Goleman, *L'intelligence émotionnelle*, Paris, Laffont, 1997.

35. On trouvera un bref historique de l'intelligence émotionnelle dans: D. Goleman, « Emotional Intelligence: Issues in Paradigm Building », dans C. Cherniss et D. Goleman (éd.), *The Emotionally Intelligent Workplace*, Jossey-Bass, San Francisco, 2001, p. 13-26; S. Newsome, A.L. Day et V.M. Catano, « Assessing the Predictive Validity of Emotional Intelligence », *Personality and Individual Differences*, n° 29, décembre 2000, p. 1005-1016.

36. H. Gardner, *Les formes de l'intelligence*, Paris, Odile Jacob, 1997.

37. M.A. Brackett et J.D. Mayer, « Convergent, Discriminant, and Incremental Validity of Competing Measures of Emotional Intelligence, *Personality and Social Psychology Bulletin*, vol. 29, n° 9, 2003, p. 1147-1158.

38. P.J. Jordan *et al.*, « Workgroup Emotional Intelligence: Scale Development and Relationship to Team Process Effectiveness and Goal Focus », *Human Resource Management Review*, n° 12, 2002, p. 195-214; C.-S. Wong et K.S. Law, « The Effects of Leader and Follower Emotional Intelligence on Performance and Attitude: An Exploratory Study », *Leadership Quarterly*, n° 13, 2002, p. 243-274; L.T. Lam et S.L. Kirby, « Is Emotional Intelligence an Advantage? An Exploration of the Impact of Emotional and General Intelligence on Individual Performance », *Journal of Social Psychology*, n° 142, février 2002, p. 133-143; N.S. Schutte *et al.*, « Emotional Intelligence and Interpersonal Relations », *Journal of Social Psychology*, n° 141, août 2001, p. 523-536; S. Fox et P.E. Spector, « Relations of Emotional Intelligence, Practical Intelligence, General Intelligence, and Trait Affectivity with Interview Outcomes: It's not All Just G », *Journal of Organizational Behaviour*, n° 21, 2000, p. 1099-1379.

39. J.E. Dutton *et al.*, « Leading in Times of Trauma », *Harvard Business Review,* janvier 2002, p. 54-61.

40. D. Dawda et S.D. Hart, « Assessing Emotional Intelligence: Reliability and Validity of the Bar-on Emotional Quotient Inventory (EQ-i) in University Students », *Personality and Individual Differences*, n° 28, 2000, p. 797-812.

41. J. Rowlands, « Soft Skills Give Hard Edge », *Globe and Mail*, 9 juin 2004.

42. J. Brown, « School Board, Employment Centres Test Emotional Intelligence », *Technology in Government*, n° 8, avril 2001, p. 9; R.J. Grossman, « Emotions at Work », *Health Forum Journal*, n° 43, septembre-octobre 2000, p. 18-22.

43. « Emotional Intelligence (EQ) Gets Better with Age », *EQi News Release*, 3 mars 1997.

44. La santé psychologique au travail... de la définition du problème aux solutions. L'ampleur du problème. L'expression du stress au travail. Fascicule 1, Chaire en gestion de la santé et de la sécurité au travail dans les organisations, Québec, Université Laval, 2003.

45. S. James, « Work Stress Taking Larger Financial Toll », Reuters, 9 août

2003 ; American Institute of Stress (www.stress.org.) ; « New survey : Americans Stressed More than Ever », PR Newswire, juin 2003.

46. « Career Builder Survey Finds Growing Worker Disenchantment, Long Hours and Stress », *PR Newswire*, 30 août 2001 ; « Good Bosses are Hard to Find », communiqué de presse publié par Morgan & Banks, août 2000 ; S. Efron, « Jobs Take a Deadly Toll on Japanese », *Los Angeles Times*, 12 avril 2000, p. A1 ; N. Chowdhury et S. Menon, « Beating Burnout », *India Today*, 9 juin 1997, p. 86 ; Cross-National Collaborative Group, « The Changing Rate of Major Depression : Cross-National Comparisons », *The Journal of the American Medical Association*, n° 268, 2 décembre 1992, p. 3098-3105.

47. R.S. DeFrank et J.M. Ivancevich, « Stress on the Job : An Executive Update », *Academy of Management Executive*, n° 12, août 1998, p. 55-66 ; J.C. Quick et J.D. Quick, *Organizational Stress and Prevention Management*, New York, McGraw-Hill, 1984.

48. J.C. Quick *et al.*, *Preventive Stress Management in Organizations*, Washington, District of Columbia, American Psychological Association, 1997.

49. B.L. Simmons et D.L. Nelson, « Eustress at Work : The Relationship Between Hope and Health in Hospital Nurses », *Health Care Management Review*, n° 26, octobre 2001, p. 7-18.

50. G. Hassell, « Energy Trading Fast, Furious and Lucrative », *Houston Chronicle*, 20 mai 2001, p. 25.

51. K. Danna et R.W. Griffin, « Health and Well-Being in the Workplace : A Review and Synthesis of the Literature », *Journal of Management*, printemps 1999, p. 357-384 ; *Quick and Quick, Organizational Stress and Prevention Management*, p. 3.

52. Jean-Pierre Brun *et al.*, Évaluation de la santé mentale au Québec : une analyse des pratiques de gestion des ressources humaines. Chaire de gestion de la santé et de la sécurité au travail dans les organisations, Québec, Université Laval, 2002.

53. E. Vigoda, « Stress-Related Aftermaths to Workplace Politics : The Relationships Among Politics, Job Distress, and Aggressive Behavior in Organizations », *Journal of Organizational Beha-

vior*, n° 23, 2002, p. 571-591. Pour mieux comprendre les effets du conflit et des équipes sur le stress, voir : P.E. Spector et S.M. Jex, « Development of Four Self-Report Measures of Job Stressors and Strain : Interpersonal Conflict at Work Scale, Organizational Constraints Scale, Quantitative Workload Inventory, and Physical Symptoms Inventory », *Journal of Occupational Health Psychology*, n° 3, 1998, p. 356-367 ; D.F. Elloy et A. Randolph, « The Effect of Superleader Behavior on Autonomous Work Groups in a Government Operated Railway Service », *Public Personnel Management*, n° 26, juin 1997, p. 257.

54. « Commission Powerless to Enforce Judgment », *London Free Press*, 21 février 2000, p. A7.

55. S.I. Paish et A.A. Alibhai, *Act, don't React : Dealing with Sexual Harassment in your Organization*, Western Legal Publications, Vancouver, 1996 ; H. Johnson, « Work-Related Sexual Harassment », *Perspectives on Labour and Income*, hiver 1994, p. 9-12 ; pour mieux comprendre ces deux formes de harcèlement sexuel d'un point de vue américain, voir : V. Schultz, « Reconceptualizing Sexual Harassment », *Yale Law Journal*, n° 107, avril 1998, p. 1683-1705. On trouvera les résultats de recherches sur les différences entre hommes et femmes en ce qui a trait à la définition du harcèlement sexuel dans : M. Rotundo, D-H. Nguyen et P.R. Sackett, « A Meta-Analytic Review of Gender Differences in Perceptions of Sexual Harassment », *Journal of Applied Psychology*, n° 86, octobre 2001, p. 914-922.

56. L.J. Munson, C. Hulin et F. Drasgow, « Longitudinal Analysis of Dispositional Influences and Sexual Harassment : Effects on Job and Psychological Outcomes », *Personnel Psychology*, printemps 2000, p. 21-46 ; L.F. Fitzgerald *et al.*, « The Antecedents and Consequences of Sexual Harassment in Organizations : A Test of an Integrated Model », *Journal of Applied Psychology*, n° 82, 1997, p. 578-589 ; C.S. Piotrkowski, « Gender Harassment, Job Satisfaction, and Distress Among Employed White and Minority Women », *Journal of Occupational Health Psychology*, n° 3, janvier 1998, p. 33-43 ; J. Barling *et al.*, « Prediction and Replication of the Organizational

and Personal Consequences of Workplace Sexual Harassment », *Journal of Managerial Psychology*, vol. 11, n° 5, 1996, p. 4-25.

57. H.W. French, « Fighting Sex Harassment, and Stigma, in Japan », *New York Times*, 15 juillet 2001, p. 1.

58. C.M. Schaefer et T.R. Tudor, « Managing Workplace Romances », *SAM Advanced Management Journal*, n° 66, été 2001, p. 4-10 ; S. Ulfelder, « Cupid Hits Cubeland », *Boston Globe*, 11 février 2001, p. H1 ; R. Dhooma, « Taking Care of Business and Pleasure », *Toronto Sun*, 20 septembre 1999, p. 38 ; A. Kingston, « Working It », *Flare*, 21 avril 1999, p. 104, 106 ; E. Edmonds, « Love and Work », *Ottawa Sun*, 14 février 1999, p. S10. Voir aussi G.N. Powell et S. Foley, « Something to Talk About : Romantic Relationships in Organizational Settings », *Journal of Management*, n° 24, 1998, p. 421-428.

59. « Work Life », *Arizona Daily Star*, 18 février 2001, p. D1. For a discussion of perceived justice and office romance, see : S. Foley and G.N. Powell, « Not All is Fair in Love and Work : Coworkers' Preferences for and Responses to Managerial Interventions Regarding Workplace Romances », Journal of Organizational Behavior, 20 (1999), p. 1043-1056.

60. S. Ulfelder, « Cupid hits Cubeland », Boston Globe, 11 février 2001, p. H1. Pour une discussion détaillée sur les idylles et le harcèlement sexuel au travail, voir : C.A. Pierce et H. Aguinis, « Link Between Workplace Romance and Sexual Harassment », Group & Organization Management, 26 (juin 2001), p. 206-229.

61. M. Solomon, « The Secret's Out : How to Handle the Truth of Workplace Romance », Workforce, 7 (juillet 1998), p. 42-48. Voir aussi C.A Pierce et H. Aguinis, « A Framework for Investigating the Link Between Workplace Romance and Sexual Harassment », Group & Organization Management, 26 (juin 2001), p. 206-229 ; N. Nejat-Bina, « Employers as Vigilant Chaperones Armed with Dating Waivers : The Intersection of Unwelcomeness and Employer Liability in Hostile Work Environment Sexual Harassment Law », Berkeley Journal of Employment and Labor Law, 22 décembre 1999, p. 325ff.

62. J.H. Neuman et R.A. Baron, « Workplace Violence and Workplace

Aggression: Evidence Concerning Specific Forms, Potential Causes, and Preferred Targets », *Journal of Management*, nᵒ 24, mai 1998, p. 391-419.

63. G. Lardner, Jr., « Violence at Work Is Largely Unreported », *Washington Post*, 27 juillet 1998, p. A2.

64. V. Di Martino, *Workplace Violence in the Health Sector: Country Case Study*, Genève, International Labour Organization, 2002.

65. J.M. Christenson *et al.*, « Violence in the Emergency Department: A Survey of Health Care Workers », *Canadian Medical Association Journal*, nᵒ 161, 16 novembre 1999, p. 1245-1248. On trouvera les résultats de l'étude menée par l'OMT dans J.D. Leck, « Violence in the Workplace: A New Challenge », *Optimum*, nᵒ 31, novembre 2001; « ILO Survey Reveals Extent of Violence at Work », *Agence France Presse*, 19 juillet 1998.

66. J.D. Leck, « How Violence Is Costing the Canadian Workplace », *HR Professional*, février-mars 2002; J. Barling, A.G. Rogers et E.K. Kelloway, « Behind Closed Doors: In-Home Workers' Experience of Sexual Harassment and Workplace Violence », *Journal of Occupational Health Psychology*, nᵒ 6, juillet 2001, p. 255-269; M. Kivimaki, M. Elovainio et J. Vahtera, « Workplace Bullying and Sickness Absence in Hospital Staff », *Occupational & Environmental Medicine*, nᵒ 57, octobre 2000, p. 656-660; J. Barling, « The Prediction, Experience, and Consequences of Workplace Violence », dans G.R. VandenBos et E.Q. Bulatao (éd.), *Violence on the Job: Identifying Risks and Developing Solutions*, Washington, District of Columbia, American Psychological Association, 1996, p. 29-49.

67. V. Di Martino, H. Hoel et C.L. Cooper, Prévention du harcèlement et de la violence au travail. Fondation européenne pour l'amélioration des conditions de vie et de travail, Luxembourg, Office des publications officielles des communautés européennes, 2003.

68. *Idem.*

69. « Morgan v. Chukal Enterprises Ltd. », Cour suprême de la Colombie-Britannique, BCSC 1163, 28 juillet 2000, disponible en ligne. Voir aussi « Lloyd v. Imperial Parking Ltd. », [1997] 3 W.W.R. 697 (Alta., Q.B.).

70. Conseil canadien de la sécurité (safety-council.org/CCS/sujet/harcel.html).

71. On trouvera les résultats des recherches menées actuellement par Joanne Leck sur les effets du harcèlement psychologique au travail dans S. Hickman, « Making Work a Better Place », *HK MBA Alumni Connections*, Université d'Ottawa, août 2000, p. 3. Les résultats de l'étude menée par l'Université du Michigan sont cités dans M. Fletcher Stoeltje, « Jerks at Work », *San Antonio Express-News*, 31 août 2001, p. F1. M. Kivimaki, M. Elovainio et J. Vahtera, « Workplace Bullying and Sickness Absence in Hospital Staff », *Occupational & Environmental Medicine*, nᵒ 57, octobre 2000, p. 656-660; S. Einarsen, « Harassment and Bullying at Work: A Review of the Scandinavian Approach », *Aggression and Violent Behavior*, nᵒ 5, 2000, p. 379-401.

72. H. Cowiea *et al.*, « Measuring Workplace Bullying », *Aggression and Violent Behavior*, nᵒ 7, 2002, p. 33-51; C.M. Pearson, L.M. Andersson et C.L. Porath, « Assessing and Attacking Workplace Incivility », *Organizational Dynamics*, nᵒ 29, novembre 2000, p. 123-137.

73. Kivimaki *et al.*, « Workplace Bullying and Sickness Absence in Hospital Staff »; P. McCarthy et M. Barker, « Workplace Bullying Risk Audit », *Journal of Occupational Health and Safety, Australia and New Zealand*, nᵒ 16, 2000, p. 409-418; M. O'Moore *et al.*, « Victims of Bullying at Work in Ireland », *Journal of Occupational Health and Safety*, nᵒ 14, 1998, p. 569-574; G. Namie, « U.S. Hostile Workplace Survey », (http://www.bullybusters.org/home/twd/bb/res/surv2000.html).

74. J.P. Brun et E. Plante, « 2004: Le harcèlement psychologique au travail au Québec », sondage réalisé par Léger Marketing. Chaire de gestion de la santé et de la sécurité au travail dans les organisations, Québec, Université Laval, (http://cgsst.fsa.ulaval.ca).

75. Pearson *et al.*, « Assessing and Attacking Workplace Incivility ».

76. R.J. House et J.R. Rizzo, « Role Conflict and Ambiguity as Critical Variables in a Model of Organizational Behavior », *Organizational Behavior and Human Performance*, nᵒ 7, juin 1972, p. 467-505. Voir aussi M. Siegall et L.L. Cummings, « Stress and Organizational Role Conflict », *Genetic, Social, and General Psychology Monographs*, nᵒ 12, 1995, p. 65-95; E.K. Kelloway et J. Barling, « Job Characteristics, Role Stress and Mental Health », *Journal of Occupational Psychology*, nᵒ 64, 1991, p. 291-304; R.L. Kahn *et al.*, *Organizational Stress: Studies in Role Conflict and Ambiguity*, New York, Wiley, 1964.

77. M. C. Turkel, « Struggling to Find a Balance: The Paradox Between Caring and Economics », *Nursing Administration Quarterly*, nᵒ 26, automne 2001, p. 67-82.

78. G.R. Cluskey et A. Vaux, « Vocational Misfit: Source of Occupational Stress Among Accountants », *Journal of Applied Business Research*, nᵒ 13, été 1997, p. 43-54; J.R. Edwards, « An Examination of Competing Versions of the Person-Environment Fit Approach to Stress », *Academy of Management Journal*, nᵒ 39, 1996, p. 292-339; B.E. Ashforth et R.H. Humphrey, « Emotional Labor in Service Roles: The Influence of Identity », *Academy of Management Review*, nᵒ 18, 1993, p. 88-115.

79. A. Nygaard et R. Dahlstrom, « Role Stress and Effectiveness in Horizontal Alliances », *Journal of Marketing*, nᵒ 66, avril 2002, p. 61-82; A.M. Saks et B.E. Ashforth, « Proactive Socialization and Behavioral Self-Management », *Journal of Vocational Behavior*, nᵒ 48, 1996, p. 301-323; D.L. Nelson et C. Sutton, « Chronic Work Stress and Coping: A Longitudinal Study and Suggested New Directions », *Academy of Management Journal*, nᵒ 33, 1990, p. 859-869.

80. B.K. Hunnicutt, *Kellogg's Six-Hour Day*, Philadelphie, Temple University Press, 1996; J.B. Schor, *The Overworked American: The Unexpected Decline of Leisure*, New York, Basic, 1991.

81. C. Higgins et L. Duxbury, *The 2001 National Work-Life Conflict Study: Report One, Final Report*, Ottawa, Santé et Bien-Être Canada, mars 2002; « Workin' Past 9 to 5? New Study Finds Many Canadian White-Collar Workers Tied to Job Around the Clock », communiqué de presse d'Ipsos-Reid, mars 27, 2001 (enquête menée par Ipsos-Reid auprès de 1000 Canadiens pour Workopolis en janvier-février 2001); K. Hall, « Hours Polarization at the End of the 1990s », *Perspectives on Labour and Income*, été 1999, p. 28-37.

82. J. Foley, « Has Work Intensified in Canada? », *Proceedings of the Annual*

Conference of the Administrative Sciences Association of Canada, Human Resource Management Division, vol. 23, n° 9, 2002, p. 24-32; K. Isaksson et al., (éd.), Health Effects of the New Labour Market, Kluwer Academic, New York, 2000. Voir aussi A.R. Hochschild, The Time Bind: When Work Becomes Home and Home Becomes Work, New York, Metropolitan Books, 1997.

83. J. Vahtera et al., «Effect of Change in the Psychosocial Work Environment on Sickness Absence: A Seven Year Follow Up of Initially Healthy Employees», Journal of Epidemiology & Community Health, n° 54, juillet 2000, p. 482-483; L.D Sargent et D.J. Terry, «The Effects of Work Control and Job Demands on Employee Adjustment and Work Performance», Journal of Occupational and Organizational Psychology, n° 71, septembre 1998, p. 219-236; M.G. Marmot et al., «Contribution of Job Control and Other Risk Factors to Social Variations in Coronary Heart Disease Incidence», Lancet, n° 350, 26 juillet 1997, p. 235-239; P.M. Elsass et J.F. Veiga, «Job Control and Job Strain: A Test of Three Models», Journal of Occupational Health Psychology, n° 2, juillet 1997, p. 195-211; R. Karasek et T. Theorell, Healthy Work: Stress, Productivity, and the Reconstruction of Working Life, Basic Books, New York, 1990.

84. P. Fayerman, «Job Stress Linked to Control, Says Statistics Canada», Vancouver Sun, 18 janvier 1999, p. B1, B3.

85. G. Bellett, «Employees Rage at Changes», Victoria Times-Colonist, 3 mars 2002. On trouvera plusieurs articles sur les effets du dégraissement et de la restructuration dans R.J. Burke et C.L. Cooper (éd.), The Organization in Crisis: Downsizing, Restructuring, and Privatization, Oxford, Royaume-Uni, Blackwell, 2000.

86. M. Sverke, J. Hellgren et K. Nasvall, «No Security: A Meta Analysis and Review of Job Insecurity and its Consequences», Journal of Occupational Health Psychology, 7 juillet 2002, p. 242-264.

87. G. Evans et D. Johnson, «Stress and Open-Office Noise», Journal of Applied Psychology, n° 85, 2000, p. 779-783; S. Melamed et S. Bruhis, «The Effects of Chronic Industrial Noise Exposure on Urinary Cortisol, Fatigue, and Irritability: A Controlled Field Experiment», Journal of Occupational and Environmental Medicine, n° 38, 1996, p. 252-256.

88. «Office Workers More Stressed than Nurses», The Independent (London), 7 août 2000, p. 8; B. Keil, «The 10 Most Stressful Jobs in NYC», New York Post, 6 avril 1999, p. 50; «International Labor Office», Le travail dans le monde, Genève, OMT, 1993, chapitre 5; Karasek et Theorell, Healthy Work.

89. C.S. Bruck, T.D. Allen et P.E. Spector, «The Relation Between Work-Family Conflict and Job Satisfaction: A Finer-Grained Analysis», Journal of Vocational Behavior, n° 60, 2002, p. 336-353; G.A. Adams, L.A. King et D.W. King, «Relationships of Job and Family Involvement, Family Social Support, and Work-Family Conflict with Job and Life Satisfaction», Journal of Applied Psychology, n° 81, août 1996, p. 411-420; J.H. Greenhaus et N. Beutell, «Sources of Conflict Between Work and Family Roles», Academy of Management Review, n° 10, 1985, p. 76-88.

90. L. Washburn, «Sleepless in America», Bergen Record, 28 mars 2001, p. A1.

91. J. MacBride-King et K. Bachmann, Is Work-Life Balance Still an Issue for Canadians and their Employers? You Bet It Is, Ottawa, Conference Board du Canada, cité dans K.L. Johnson, D.S. Lero et J.A. Rooney, Work-Life Compendium 2001, Centre for Families, Work and Well-Being, Guelph, Ont., Université de Guelph, 2001. Voir aussi: J.A. Frederick et J.E. Fast, «Enjoying Work: An Effective Strategy in the Struggle to Juggle?», Canadian Social Trends, été 2001, p. 8-11.

92. Conciliation du travail et de la vie de famille. Une mission de plus en plus difficile. Marie-France Léger, La Presse, 20 octobre 2003.

93. M. Shields, «Shift Work and Health», Health Reports (Statistics Canada), n° 13, printemps 2002, p. 11-34; Higgins et Duxbury, The 2001 National Work-Life Conflict Study; M. Jamal et V.V. Baba, «Shiftwork and Department-Type Related to Job Stress, Work Attitudes and Behavioral Intentions: A Study of Nurses», Journal of Organizational Behavior, n° 13 1992, p. 449-464; C. Higgins, L. Duxbury et R. Irving, «Determinants and Consequences of Work-Family Conflict», Organizational Behavior and Human Decision Processes, n° 51, février 1992, p. 51-75.

94. R.J. Burke, «Workaholism in Organizations: The Role of Organizational Values», Personnel Review, n° 30, octobre 2001, p. 637-645; D.S. Carlson, «Work-Family Conflict in the Organization: Do Life Role Values Make a Difference?», Journal of Management, septembre 2000.

95. D.L Nelson et R.J Burke, «Women Executives: Health, Stress, and Success», Academy of Management Executive, n° 14, mai 2000, p. 107-121; C.S. Rogers, «The Flexible Workplace: What Have We Learned?», Human Resource Management, n° 31, automne 1992, p. 183-199; L.E. Duxbury et C.A. Higgins, «Gender Differences in Work-Family Conflict», Journal of Applied Psychology, n° 76, 1991, p. 60-74; A. Hochschild, The Second Shift, New York, Avon, 1989. Il existe un point de vue différent selon lequel le conflit de temps et les autres stresseurs liés au conflit entre le travail et la famille reflètent les hypothèses de base de chaque sexe à propos des tâches professionnelles (masculines) et familiales (féminines). Plus les hommes et les femmes sortiront de leurs rôles sexués, plus le conflit travail-famille s'atténuera. Voir M. Runté et A.J. Mills, «The Discourse of Work-Family Conflict: A Critique», Proceedings of the Annual Conference of the Administrative Sciences Association of Canada, Gender and Diversity in Organizations Division, vol. 23, n° 11, 2002, p. 21-32.

96. M.P. Leiter et M.J. Durup, «Work, Home, and In-Between: A Longitudinal Study of Spillover», Journal of Applied Behavioral Science, n° 32, 1996, p. 29-47; W. Stewart et J. Barling, «Fathers' Work Experiences Effect on Children's Behaviors via Job-Related Affect and Parenting Behaviors», Journal of Organizational Behavior, n° 17, 1996, p. 221-232; C.A. Beatty, «The Stress of Managerial and Professional Women: Is the Price too High?», Journal of Organizational Behavior, n° 17, 1996, p. 233-251. Voir aussi D.L. Morrison et R. Clements, «The Effect of One Partner's Job Characteristics on the Other Partner's Distress: A Serendipitous, but Naturalistic, Experiment», Journal of Occupational and Organizational Psychology, n° 70, décembre

1997, p. 307-324; C. Higgins, L. Duxbury et R. Irving, « Determinants and Consequences of Work-Family Conflict », *Organizational Behavior and Human Decision Processes*, n° 51, février 1992, p. 51-75.

97. A.S. Wharton et R.J. Erickson, « Managing Emotions on the Job and at Home: Understanding the Consequences of Multiple Emotional Roles », *Academy of Management Review*, n° 18, 1993, p. 457-486. Pour lire un texte récent sur le conflit lié au rôle et le chevauchement des tâches professionnelles et non professionnelles, voir S.M. MacDermid, B.L. Seery et H.M. Weiss, « An Emotional Examination of the Work-Family Interface », dans R.G. Lord, R.J. Klimoski et R. Kanfer (éd.), *Emotions in the Workplace*, San Francisco, Jossey-Bass, 2002, p. 402-427.

98. M. Friedman et R. Rosenman, *Type A Behavior and your Heart*, New York, Knopf, 1974. Pour lire un texte plus récent, voir P.E. Spector et B.J. O'Connell, « The Contribution of Personality Traits, Negative Affectivity, Locus of Control and Type A to the Subsequent Reports of Job Stressors and Job Strains », *Journal of Occupational and Organizational Psychology*, n° 67, 1994, p. 1-11; K.R. Parkes, « Personality and Coping as Moderators of Work Stress Processes: Models, Methods and Measures », *Work & Stress*, n° 8, avril 1994, p. 110-129.

99. B.D. Kirkcaldy, R.J. Shephard et A.F. Furnham, « The Influence of Type A Behaviour and Locus of Control upon Job Satisfaction and Occupational Health », *Personality and Individual Differences*, sous presse; A.L. Day et S. Jreige, « Examining Type A Behavior Pattern to Explain the Relationship Between Job Stressors and Psychosocial Outcomes », *Journal of Occupational Health Psychology*, n° 7, avril 2002, p. 109-120.

100. C.P. Flowers et B. Robinson, « A Structural and Discriminant Analysis of the Work Addiction Risk Test », *Educational and Psychological Measurement*, n° 62, juin 2002, p. 517-526; R.J. Burke, « Workaholism Among Women Managers: Personal and Workplace Correlates », *Journal of Managerial Psychology*, n° 15, 2000, p. 520-534; R.J. Burke, « Workaholism and Extra-Work Satisfactions », *International Journal of Organizational Analysis*, n° 7, 1999,

p. 352-364; J.T. Spence et A.S. Robbins, « Workaholism: Definition, Measurement and Preliminary Results », *Journal of Personality Assessment*, n° 58, 1992, p. 160-178. On attribue l'invention du terme « workaholism » à W. Oates, auteur de *Confessions of a Workaholic*, New York, World, 1971. La psychologue clinique Barbara Killinger a donné l'une des premières descriptions de l'ergomane traditionnel dans B. Killinger, *Workaholics: The Respectable Addicts*, Toronto, Key Porter Books, 1991.

101. R.J. Burke, « Workaholism Among Women Managers: Personal and Workplace Correlates », *Journal of Managerial Psychology*, n° 15, 2000, p. 520-534. On trouvera d'autres typologies des ergomanes dans B.E. Robinson, « A Typology of Workaholics with Implications for Counsellors », *Journal of Addictions & Offender Counseling*, n° 21, octobre 2000, p. 34.

102. R.J. Burke, *ibid.*

103. D. Ganster, M. Fox et D. Dwyer, « Explaining Employees' Health Care Costs: A Prospective Examination of Stressful Job Demands, Personal Control, and Physiological Reactivity », *Journal of Applied Psychology*, n° 86, mai 2001, p. 954-964; S. Cohen, D.A. Tyrrell et A.P. Smith, « Psychological Stress and Susceptibility to the Common Cold », *New England Journal of Medicine*, n° 325, 29 août 1991, p. 654-656.

104. S.A. Everson *et al.*, « Stress-Induced Blood Pressure Reactivity and Incident Stroke in Middle-Aged Men », *Stroke*, n° 32, juin 2001, p. 1263-1270; R.J. Benschop *et al.*, « Cardiovascular and Immune Responses to Acute Psychological Stress in Young and Old Women: A Meta-Analysis », *Psychosomatic Medicine*, n° 60, mai-juin 1998, p. 290-296; H. Bosma *et al.*, Two Alternative Job Stress Models and the Risk of Coronary Heart Disease », *American Journal of Public Health*, n° 88, janvier 1998, p. 68-74.

105. Statistique Canada, « How Healthy Are Canadians », rapport spécial sur la santé, Ottawa, Statistique Canada, 2001; « Health Among Older Adults », *Health Reports*, n° 11, 1999, p. 47-61.

106. D.K. Sugg, « Study Shows Link Between Minor Stress, Early Signs of Coronary Artery Disease », *Baltimore Sun*, 16 décembre 1997, p. A3.

107. R.C. Kessler, « The Effects of Stressful Life Events on Depression », *Annual Review of Psychology*, n° 48, 1997, p. 191-214; H.M. Weiss et R. Cropanzano, « Affective Events Theory: A Theoretical Discussion of the Structure, Causes, and Consequences of Affective Experiences at Work », *Research in Organizational Behavior*, n° 18, 1996, p. 1-74.

108. C. Maslach, W.B. Schaufeli et M.P. Leiter, « Job Burnout », *Annual Review of Psychology*, n° 52, 2001, p. 397-422; R.T. Lee et B.E. Ashforth, « A Meta-Analytic Examination of the Correlates of the Three Dimensions of Job Burnout », *Journal of Applied Psychology*, n° 81, 1996, p. 123-133; R.J. Burke, « Toward a Phase Model of Burnout: Some Conceptual and Methodological Concerns », *Group and Organization Studies*, n° 14, 1989, p. 23-32; C. Maslach, *Burnout: The Cost of Caring*, Prentice Hall, New York, Englewood Cliffs, 1982.

109. C.L. Cordes et T.W. Dougherty, « A Review and Integration of Research on Job Burnout », *Academy of Management Review*, n° 18, 1993, p. 621-656.

110. R.T. Lee et B.E. Ashforth, « A Further Examination of Managerial Burnout: Toward an Integrated Model », *Journal of Organizational Behavior*, n° 14, 1993, p. 3-20.

111. Maslach *et al.*, « Job Burnout », p. 405. Toutefois, certains chercheurs favorisent depuis peu le modèle en trois étapes présenté ici. Voir S. Toppinen-Tanner, R. Kalimo et P. Mutanen, « The Process of Burnout in White-Collar and Blue-Collar Jobs: Eight-Year Prospective Study of Exhaustion », *Journal of Organizational Behavior*, n° 23, 2002, p. 555-570.

112. J. Jamal, « Job Stress and Job Performance Controversy: An Empirical Assessment », *Organizational Behavior and Human Performance*, n° 33, 1984, p. 1-21; G. Keinan, « Decision Making under Stress: Scanning of Alternatives under Controllable and Uncontrollable Threats », *Journal of Personality and Social Psychology*, n° 52, 1987, p. 638-644; S.J. Motowidlo, J.S. Packard et M.R. Manning, « Occupational Stress: Its Causes and Consequences for Job Performance », *Journal of Applied Psychology*, n° 71, 1986, p. 618-629.

113. R.D. Hackett et P. Bycio, « An Evaluation of Employee Absenteeism

as a Coping Mechanism Among Hospital Nurses », *Journal of Occupational & Organizational Psychology*, n° 69, décembre 1996, p. 327-338 ; V.V. Baba et M.J. Harris, « Stress and Absence : A Cross-Cultural Perspective », *Research in Personnel and Human Resources Management, Supplement 1*, 1989, p. 317-337.

114. DeFrank et Ivancevich, « Stress on the Job : An Executive Update » ; Neuman et Baron, « Workplace Violence and Workplace Aggression ».

115. H. Steensma, « Violence in the Workplace : The Explanatory Strength of Social (in) Justice Theories », dans M. Ross et D.T. Miller (éd.), *The Justice Motive in Everyday Life*, New York, Cambridge University Press, 2002, p. 149-167 ; L. Greenberg et J. Barling, « Predicting Employee Aggression Against Coworkers, Subordinates and Supervisors : The Roles of Person Behaviors and Perceived Workplace Factors », *Journal of Organizational Behavior*, n° 20, 1999, p. 897-913 ; M.A. Diamond, « Administrative Assault : A Contemporary Psychoanalytic View of Violence and Aggression in the Workplace », *American Review of Public Administration*, n° 27, septembre 1997, p. 228-247.

116. Neuman et Baron, « Workplace Violence and Workplace Aggression » ; L. Berkowitz, *Aggression : Its Causes, Consequences, and Control*, New York, MCGraw-Hill, 1993.

117. J.P. Brun et E. Plante, « Le harcèlement psychologique au travail au Québec », sondage réalisé par Léger Marketing. Chaire de gestion de la santé et de la sécurité au travail dans les organisations, Québec, Université Laval, 2004.

118. Siegall et Cummings, « Stress and Organizational Role Conflict », *Genetic, Social et General Psychology Monographs* ; Havlovic et Keenen, « Coping with Work Stress : The Influence of Individual Differences ».

119. T. Newton, J. Handy et S. Fineman, *Managing Stress : Emotion and Power at Work*, Newbury Park, Calif., Sage, 1995.

120. N. Elkes, « Hospital Tackles Health of Stressed-Out Staff », *Birmingham Evening Mail*, Royaume-Uni, 24 août 2001, p. 73.

121. R.J. Burke, « Workaholism and Extra-Work Satisfactions » ; N. Terra, « The Prevention of Job Stress by Redesigning Jobs and Implementing Self-Regulating Teams », dans L.R. Murphy (éd.), *Job Stress Interventions*, American Psychological Association, Washington, District of Columbia, 1995 ; T.D. Wall et K. Davids, « Shopfloor Work Organization and Advanced Manufacturing Technology », *International Review of Industrial and Organizational Psychology*, n° 7, 1992, p. 363-398 ; Karasek et Theorell, *Healthy Work*.

122. Higgins et Duxbury, *The 2001 National Work-Life Conflict Study*, p. xiv. Lire le texte sur les beaux discours des dirigeants par rapport à leur soutien réel dans : M. Blair-Loy et A.S. Wharton, « Employees' Use of Work-Family Policies and the Workplace Social Context », *Social Forces*, n° 80, mars 2002, p. 813-845.

123. C. Avery et D. Zabel, *The Flexible Workplace : A Sourcebook of Information and Research*, Westport, Connect., Quorum, 2000.

124. V. Galt, « Kraft Canada Cooks up a Tempting Workplace », *Globe and Mail*, 5 août 2002, p. B1.

125. B.S. Watson, « Share and Share Alike », *Management Review*, n° 84, octobre 1995, p. 50-52.

126. E.J. Hill *et al.*, « Influences of the Virtual Office on Aspects of Work and Work/Life Balance », *Personnel Psychology*, n° 51, automne 1998, p. 667-683 ; A. Mahlon, « The Alternative Workplace : Changing Where and How People Work », *Harvard Business Review*, mai-juin 1998, p. 121-130.

127. B. Livesey, « Provide and Conquer », *Report on Business Magazine*, mars 1997, p. 34-44 ; K. Mark, « Balancing Work and Family », *Canadian Banker*, janvier-février 1993, p. 22-24 ; Bureau of Municipal Research, *Work-Related Day Care ? Helping to Close the Gap*, Toronto, BMR, 1981.

128. S. Hale, « Execs Embrace Wide-Open Spaces », *Los Angeles Times*, 13 mai 2001 ; P. DeMont, « Too Much Stress, Too Little Time », *Ottawa Citizen*, 12 novembre 1999.

129. Y. Iwasaki *et al.*, « A Short-Term Longitudinal Analysis of Leisure Coping Used by Police and Emergency Response Service Workers », *Journal of Leisure Research*, n° 34, juillet 2002, p. 311-339.

130. A. Gordon, « Perks and Stock Options are Great, But It's Attitude that Makes the Difference », *Globe and Mail*, 28 janvier 2000 ; A. Vincola, « Working Sabbaticals Offer Employees more than Rejuvenation », *Canadian HR Reporter*, 15 novembre 1999, p. 11, 13 ; L. Ramsay, « Good for the Employee, Good for the Employer », *National Post*, 30 juillet 1999, p. C15. Pour en savoir plus sur les expériences récentes relatives aux congés sabbatiques dans les entreprises américaines, voir P. Paul, « Time Out », *American Demographics*, n° 24, juin 2002.

131. S.L. McShane et M.A. Von Glinow, 3e éd., *Organizational Behavior*, New York, McGraw-Hill Irwin, note 89, 2005, p. 617.

132. A.M. Saks et B.E. Ashforth, « Proactive Socialization and Behavioral Self-Management », *Journal of Vocational Behavior*, n° 48, 1996, p. 301-323 ; M. Waung, « The Effects of Self-Regulatory Coping Orientation on Newcomer Adjustment and Job Survival », *Personnel Psychology*, n° 48, 1995, p. 633-650 ; J.E. Maddux (éd.), *Self-Efficacy, Adaptation, and Adjustment : Theory, Research, and Application*, New York, Plenum Press, 1995.

133. A.J. Daley et G. Parfitt, « Good Health ? Is It Worth It ? Mood States, Physical Well-Being, Job Satisfaction and Absenteeism in Members and Non-Members of British Corporate Health and Fitness Clubs », *Journal of Occupational and Organizational Psychology*, n° 69, 1996, p. 121-134 ; L.E. Falkenberg, « Employee Fitness Programs : Their Impact on the Employee and the Organization », *Academy of Management Review*, n° 12, 1987, p. 511-522 ; R.J. Shephard, M. Cox et P. Corey, « Fitness Program Participation : Its Effect on Workers' Performance », *Journal of Occupational Medicine*, n° 23, 1981, p. 359-363.

134. M. Moralis, « Canada All Talk, no Action on Wellness », *Canadian HR Reporter*, 22 avril 2002, p. 23, 29. Pour lire un texte plus détaillé sur le stress et le bien-être au sein des organisations, voir K. Danna et R.W. Griffin, « Health and Well-Being in the Workplace : A Review and Synthesis of the Literature », *Journal of Management*, n° 25, mai 1999, p. 357-384.

135. L. Cassiani et D. Brown, « Investing in Wellness », *Canadian HR Reporter*, 23 octobre 2000, p. 20.

136. A.S. Sethi, « Meditation for Coping with Organizational Stress »,

dans A.S. Sethi et R.S. Schuler, *Handbook of Organizational Stress Coping Strategies*, Ballinger, Cambridge, Mass., 1984, p. 145-165; M.T. Matteson et J.M. Ivancevich, *Managing Job Stress and Health*, The Free Press, New York, 1982, p. 160-166.

137. J. McCoy, «Company Stress Programs "a Sham"», *Ottawa Citizen*, 15 novembre 1999; S. MacDonald et S. Wells, «The Prevalence and Characteristics of Employee Assistance, Health Promotion and Drug Testing Programs in Ontario», *Employee Assistance Quarterly*, n° 10, 1994, p. 25-60; R. Loo et T. Watts, «A Survey of Employee Assistance Programs in Medium and Large Canadian Organizations», *Employee Assistance Quarterly*, n° 8, 1993, p. 65-71.

138. J.J.L. Van Der Klink *et al.*, «The Benefits of Interventions for Work-Related Stress», *American Journal of Public Health*, n° 91, février 2001, p. 270-276; T. Rotarius, A. Liberman et J.S. Liberman, «Employee Assistance Programs: A Prevention and Treatment Prescription for Problems in Health Care Organizations», *Health Care Manager*, n° 19, septembre 2000, p. 24-31.

139. P.D. Bliese et T.W. Britt, «Social Support, Group Consensus, and Stressor-Strain Relationships: Social Context Matters», *Journal of Organizational Behavior*, n° 22, 2001, p. 425-436; B.N. Uchino, J.T. Cacioppo et J.K. Kiecolt-Glaser, «The Relationship Between Social Support and Physiological Processes: A Review with Emphasis on Underlying Mechanisms and Implications for Health», *Psychological Bulletin*, n° 119, mai 1996, p. 488-531; M.R. Manning, C.N. Jackson et M.R. Fusilier, «Occupational Stress, Social Support, and the Costs of Health Care», *Academy of Management Journal*, n° 39, juin 1996, p. 738-750.

140. J.S. House, *Work Stress and Social Support*, Addison-Wesley, Reading, Mass., 1981; S. Cohen et T.A. Wills, «Stress, Social Support, and the Buffering Hypothesis», *Psychological Bulletin*, n° 98, 1985, p. 310-357.

141. S. Schachter, *The Psychology of Affiliation*, Stanford, Calif., Stanford University Press, 1959.

CHAPITRE 6

1. C.A. O'Reilly, «Organizational behavior: Where we've been, where we're going», *Annual Review of Psychology*, n° 42, 1991, p. 427-458.

2. «Towers Perrin Study Finds, Despite Layoffs and Slow Economy, a New, More Complex Power Game is Emerging Between Employers and Employees», *Business Wire*, 30 août 2001.

3. T.H. Wagar, «Consequences of Work Force Reduction: Some Employer and Union Evidence», *Journal of Labor Research*, vol. 22, automne 2001, p. 851-862; R.J. Burke et C.L. Cooper (éd.), *The Organization in Crisis: Downsizing, Restructuring, and Privatization*, Oxford, Blackwell Publishers, 2000; R. Burke, «Downsizing and Restructuring in Organizations: Research Findings and Lessons Learned – Introduction», *Canadian Journal of Administrative Sciences*, vol. 15, décembre 1998, p. 297-299.

4. R. Zemke et B. Filipczak, *Generations at Work: Managing the Clash of Veterans, Boomers, Xers, and Nexters in Your Workplace*, New York, AMACOM, 2000; B. Losyk, «Generation X: What They Think and What They Plan to Do», *The Futurist*, vol. 31, mars-avril 1997, p. 29-44; B. Tulgan, *Managing Generation X: How to Bring Out the Best in Young Talent*, Oxford, Capstone, 1996.

5. C.C. Pinder, *Work Motivation in Organizational Behaviour*, Upper Saddle River, New Jersey, Prentice-Hall, 1998; E.E. Lawler III, *Motivation in Work Organizations*, Monterey, Californie, Brooks/Cole, 1973, p. 2-5.

6. G.P. Latham et M.-H. Budworth, «The Study of Work Motivation in the 20th Century» dans L. Koppes, *Historical Perspectives in Industrial and Organizational Psychology*, 2007, Mahwah, New Jersey, Lawrence Erlbaum Associates.

Note: Nous sommes redevables à ces auteurs de l'historique présenté dans le présent chapitre. Mais le résumé que nous en avons fait n'engage que nous. Nous avons en effet ajouté des commentaires personnels et des thèmes que ces auteurs n'avaient pas mentionnés. Nous avons également interprété différemment la troisième période de leur historique, même si les théories décrites sont les leurs.

7. E.L. Thorndike, «The Curve of Work and the Curve of Satisfyingness», *Journal of Applied Psychology*, n° 1, 1917, p. 265-267.

8. R. Likert, «A Technique for the Measurement of Attitudes», *Archives of Psychology*, n° 140, 1932, p. 55.

9. R. Hoppock, *Job Satisfaction*, Oxford, Harper, 1935.

10. E. Mayo, *The Human Problems of an Industrialized Civilization*, Glenview, Scott, Foresman, 1933.

11. Pour tous ces auteurs, voir Latham et Budworth, *ibid.*

12. A.H. Brayfied et W.H. Crokett, «Employee Attitudes and Employee Performance», *Psychological Bulletin*, n° 52, 1955, p. 396-424.

13. D. McGregor, *The Human Side of the Enterprise*, New York, McGraw-Hill, 1960.

14. J.R. Hackman et G.R. Oldman, «Motivation Through the Design of Work: Test of a Theory», *Organizational Behavior and Human Performance*, n° 16, 1976, p. 250-279.

15. J.S. Adams, «Toward an Understanding of Inequity», *Journal of Abnormal and Social Psychology*, n° 67, p. 422-436.

16. V.H. Vroom, *Work Motivation*, New York, Wiley, 1964.

17. F. Luthans et R. Kreitner, *Organizational Behavior Modification*, Glenview, Scott, Foresman, 1975.

18. E.A. Locke, «Toward a Theory of Task Motivation and Incentives», *Organizational Behavior and Human Decision Processes*, n° 3, 1968, p. 157-189.

19. E.A. Locke et G.P. Latham, *A Theory of Goal Setting and Task Performance*, Englewood Cliffs, Prentice-Hall, 1990.

20. A. Bandura, «Social Cognitive Theory. An Agentic Perspective», *Annual Review of Psychology*, n° 52, 2001, p. 1-26.

21. J. Greenberg, «A Taxonomy of Organizational Justice Theories», *Academy of Management Review*, n° 12, 1987, p. 9-22.

22. A.P. Brief et H.M. Weiss, «Organizational Behavior: Affect in the Workplace», *Annual Review of Psychology*, n° 53, 2002, p. 279-307.

23. C.C. Pinder, *Work Motivation in Organizational Behaviour*, chap. 3.

24. A.H. Maslow, «A Theory of Human Motivation», *Psychological Review*, vol. 50, 1943, p. 370-396; A.H. Maslow, *Motivation and Personality*, New York, Harper and Row, 1954.

25. Pour des exemples récents de la popularité toujours existante de la

théorie de Maslow, voir : M. Witzel, « Motivations that Push our Buttons », *Financial Times*, 14 août 2002, p. 9 ; P. Kelley, « Revisiting Maslow », *Workspan*, vol. 45, mai 2002, p. 50-56.

26. M.A. Wahba et L.G. Bridwell, « Maslow Reconsidered : A Review of Research on the Need Hierarchy Theory », *Organizational Behaviour and Human Performance*, vol. 15, 1976, p. 212-240.

27. D. McGregor, *The Human Side of the Enterprise*, New York, McGraw-Hill, 1960.

28. C.P. Alderfer, *Existence, Relatedness, and Growth*, New York, The Free Press, 1972.

29. J.P. Wanous et A.A. Zwany, « A Cross-Sectional Test of Need Hierarchy Theory », *Organizational Behaviour and Human Performance*, vol. 18, 1977, p. 78-97.

30. E.A. Locke, « Motivation, Cognition, and Action : An Analysis of Studies of Task Goals and Knowledge », *Applied Psychology : An International Review*, vol. 49, 2000, p. 408-429 ; S.A. Haslam, C. Powell et J. Turner, « Social Identity, Self-Categorization, and Work Motivation : Rethinking the Contribution of the Group to Positive and Sustainable Organisational Outcomes », *Applied Psychology : An International Review*, vol. 49, juillet 2000, p. 319-339.

31. F.I. Herzberg, B. Mausner et B.B. Snyderman, *The Motivation to Work*, New York, Wiley, 1959.

32. P.R. Lawrence et N. Nohria, *Driven : How Human Nature Shapes Our Choices*, San Francisco, Jossey-Bass, 2002, p. 10.

33. P.R. Lawrence et N. Nohria, *ibid.*, p. 261.

34. P.R. Lawrence et N. Nohria, *ibid.*, chap. 4 à chap. 7.

35. P.R. Lawrence et N. Nohria, *ibid.*, p. 66-68.

36. R.E. Baumeister et M.R. Leary, « The Need to Belong : Desire for Interpersonal Attachments as a Fundamental Human Motivation », *Psychological Bulletin*, vol. 117, 1995, p. 497-529.

37. P.R. Lawrence et N. Nohria, 2002, p. 136.

38. Le centre émotionnel est le centre limbique où les instincts innés se trouvent. Le centre rationnel est le cortex cérébral préfrontal. Bien que les signaux puissent se déplacer dans les deux directions entre ces centres cérébraux, les connexions nerveuses suggèrent un signal bien plus fort du centre émotionnel vers le centre rationnel que dans l'autre direction. Voir D.S. Massey, « A Brief History of Human Society : The Origin and Role of Emotion in Social Life », *American Sociological Review*, vol. 67, février 2002, p. 1-29 ; Lawrence et Nohria, *Driven*, p. 44-47 et p. 168-170.

39. P.R. Lawrence et N. Nohria, 2002, p. 47.

40. Pour des critiques de diverses théories de psychologie évolutionnistes, voir : P.R. Ehrlich, « Human Natures, Nature Conservation, and Environmental Ethics », *Bioscience*, vol. 52, janvier 2002, p. 31-43 ; L.R. Caporael, « Evolutionary Psychology : Toward a Unifying Theory and a Hybrid Science », *Annual Review of Psychology*, vol. 52, 2001, p. 607-628.

41. Par exemple, voir : J. Langan-Fox et S. Roth, « Achievement Motivation and Female Entrepreneurs », *Journal of Occupational and Organizational Psychology*, vol. 68, 1995, p. 209-218 ; H.A. Wainer et I.M. Rubin, « Motivation of Research and Development Entrepreneurs : Determinants of Company Success, Part I », *Journal of Applied Psychology*, vol. 53, juin 1969, p. 178-184.

42. R. Amit, K.R. MacCrimmon, C. Zietsma et J.M. Oesch, « Does Money Matter ? Wealth Attainment as the Motive for Initiating Growth-Oriented Technology Ventures », *Journal of Business Venturing*, vol. 16, mars 2001, p. 119-143 ; D.C. McClelland, *The Achieving Society*, New York, Van Nostrand Reinhold, 1961 ; M. Patchen, *Participation, Achievement, and Involvement on the Job*, Englewood Cliffs, New Jersey, Prentice Hall, 1970.

43. D.C. McClelland, « Retrospective Commentary », *Harvard Business Review*, vol. 73, janvier-février 1995, p. 138-139 ; D. McClelland et R. Boyatzis, « Leadership Motive Pattern and Long-Term Success in Management », *Journal of Applied Psychology*, vol. 67, 1982, p. 737-743.

44. R.J. House et R.N. Aditya, « The Social Scientific Study of Leadership : Quo Vadis ? », *Journal of Management*, vol. 23, 1997, p. 409-473 ; D.C. McClelland et D.H. Burnham, « Power Is the Great Motivator », *Harvard Business Review*, vol. 73, janvier-février 1995, p. 126-139 (réimprimé à partir de 1976).

45. D. Vredenburgh et Y. Brender, « The Hierarchical Abuse of Power in Work Organizations », *Journal of Business Ethics*, vol. 17, septembre 1998, p. 1337-1347 ; McClelland et Burnham, « Power Is the Great Motivator ».

46. D.G. Winter, « A Motivational Model of Leadership : Predicting Long-term Management Success from TAT Measures of Power Motivation and Responsibility », *Leadership Quarterly*, vol. 2, 1991, p. 67-80.

47. R. J. House et R.N. Aditya, *ibid.*

48. D.C. McClelland et D.G. Winter, *Motivating Economic Achievement*, New York, The Free Press, 1969 ; D. Miron et D. McClelland, « The Impact of Achievement Motivation Training on Small Business », *California Management Review*, vol. 21, 1979, p. 13-28.

49. P.R. Lawrence et N. Nohria, 2002, chap. 11.

50. A. Tomlinson, « Top Shops Deliver More than Flashy Perks », *Canadian HR Reporter*, 28 janvier 2002, p. 1 et 3.

51. A. Kohn, *Punished by Rewards*, New York, Houghton Mifflin, 1993.

52. La théorie des attentes de la motivation dans un cadre professionnel est due à V.H. Vroom, *Work and Motivation*, New York, Wiley, 1964. La version de la théorie des attentes présentée ici a été établie par Edward Lawler. Le modèle d'Edward Lawler fournit une présentation plus claire des trois composants du modèle. L'attente PàR est similaire à l'« instrumentalité » du modèle initial de la théorie des attentes de V.H. Vroom. La différence est que l'instrumentalité est une corrélation alors que l'attente PàR est une probabilité. Voir D.A. Nadler et E.E. Lawler, « Motivation : A Diagnostic Approach » dans J.R. Hackman, E.E. Lawler III et L.W. Porter (éd.), *Perspectives on Behaviour in Organizations*, 2e éd., New York, McGraw-Hill, 1983, p. 67-78 ; J.P. Campbell, M.D. Dunnette, E.E. Lawler et K.E. Weick, *Managerial Behaviour, Performance, and Effectiveness*, New York, McGraw-Hill, 1970, p. 343-348 ; E.E. Lawler, *Motivation in Work Organizations*, Monterey, Californie, Brooks/Cole, 1973, chap. 3.

53. D.A.Nadler et E.E. Lawler, 1983, p. 70-73.

54. K.A. Karl, A.M. O'Leary-Kelly et J.J. Martoccio, « The Impact of Feedback and Self-Efficacy on Performance in Training », *Journal of Organizational Behaviour*, vol. 14, 1993, p. 379-394 ; T. Janz, « Manipulating Subjective Expectancy Through Feedback : A Laboratory Study of the Expectancy-Performance Relationship », *Journal of Applied Psychology*, vol. 67, 1982, p. 480-485.

55. K. May, « Managers Rewarded for Presiding over $1B Bungle », *Ottawa Citizen*, 27 janvier 2000.

56. P.W. Mulvey *et al.*, *The Knowledge of Pay Study : E-Mails from the Frontline*, Scottsdale, WorldatWork, 2002.

57. J.B. Fox, K.D. Scott et J.M. Donohoe, « An Investigation into Pay Valence and Performance in a Pay-for-Performance Field Setting », *Journal of Organizational Behaviour*, vol. 14, 1993, p. 687-693.

58. W. Van Eerde et H. Thierry, « Vroom's Expectancy Models and Work-Related Criteria : A Meta-Analysis », *Journal of Applied Psychology*, vol. 81, 1996, p. 575-586 ; T.R. Mitchell, « Expectancy Models of Job Satisfaction, Occupational Preference and Effort : A Theoretical, Methodological, and Empirical Appraisal », *Psychological Bulletin*, vol. 81, 1974, p. 1053-1077.

59. C.L. Haworth et P.E. Levy, « The Importance of Instrumentality Beliefs in the Prediction of Organizational Citizenship Behaviours », *Journal of Vocational Behavior*, vol. 59, août 2001, p. 64-75 ; M.L. Ambrose et C.T. Kulik, « Old Friends, New Faces : Motivation Research in the 1990s », *Journal of Management*, vol. 25, mai 1999, p. 231-292 ; K.C. Snead et A.M. Harrell, « An Application of Expectancy Theory to Explain a Manager's Intention to Use a Decision Support System », *Decision Sciences*, vol. 25, 1994, p. 499-513.

60. Elenkov, « Can American Management Concepts Work In Russia ? » ; N.A. Boyacigiller et N.J. Adler, « The Parochial Dinosaur : Organizational Science in a Global Context », *Academy of Management Review*, vol. 16, 1991, p. 262-290 ; N.J. Adler, *International Dimensions of Organizational Behaviour*, 3e éd., Cincinnati, South-Western, 1997, chap. 6.

61. D.H.B. Welsh, F. Luthans et S.M. Sommer, « Managing Russian Factory Workers : The Impact of U.S.-Based Behavioural and Participative Techniques », *Academy of Management Journal*, vol. 36, 1993, p. 58-79 ; T. Matsui et I. Terai, « A Cross-Cultural Study of the Validity of the Expectancy Theory of Motivation », *Journal of Applied Psychology*, vol. 60, 1979, p. 263-265.

62. Pour de récents écrits sur le comportement organisationnel incorporant les émotions dans le sujet de la motivation du personnel, voir : E.L. Zurbriggen et T.S. Sturman, « Linking Motives and Emotions : A Test of McClelland's Hypotheses », *Personality and Social Psychology Bulletin*, vol. 28, avril 2002, p. 521-535 ; P.E. Spector et S. Fox, « An Emotion-Centered Model of Voluntary Work Behavior : Some Parallels between Counterproductive Work Behavior and Organizational Citizenship Behavior », *Human Resource Management Review*, vol. 12, 2002, p. 269-292 ; J. Brockner et E.T. Higgins, « Regulatory Focus Theory : Implications for the Study of Emotions at Work », *Organizational Behavior and Human Decision Processes*, vol. 86, septembre 2001, p. 35-66 ; M. Perugini et R.P. Bagozzi, « The Role of Desires and Anticipated Emotions in Goal-Directed Behaviours : Broadening and Deepening the Theory of Planned Behaviour », *British Journal of Social Psychology*, vol. 40, mars 2001, p. 79-98.

63. David Beardsley, « This Company Doesn't Brake For (Sacred) Cows », *Fast Company*, vol. 16, août 1998, p. 66.

64. Pour une récente recherche sur l'efficacité de la définition d'objectifs, voir : L.A. Wilk et W.K. Redmon, « The Effects of Feedback and Goal Setting on the Productivity and Satisfaction of University Admissions Staff », *Journal of Organizational Behaviour Management*, vol. 18, 1998, p. 45-68 ; K.H. Doerr et T.R. Mitchell, « Impact of Material Flow Policies and Goals on Job Outcomes », *Journal of Applied Psychology*, vol. 81, 1996, p. 142-152 ; A.A. Shikdar et B. Das, « A Field Study of Worker Productivity Improvements », *Applied Ergonomics*, vol. 26, février 1995, p. 21-27 ; M.D. Cooper et R.A. Phillips, « Reducing Accidents Using Goal Setting and Feedback : A Field Study », *Journal of Occupational and Organizational Psychology*, vol. 67, 1994, p. 219-240.

65. T.H. Poister et G. Streib, « MBO in Municipal Government : Variations on a Traditional Management Tool », *Public Administration Review*, vol. 55, 1995, p. 48-56.

66. E.A. Locke et G.P. Latham, *A Theory of Goal Setting and Task Performance*, Englewood Cliffs, New Jersey, Prentice Hall, 1990 ; A.J. Mento, R.P. Steel et R.J. Karren, « A Meta-analytic Study of the Effects of Goal Setting on Task Performance : 1966–1984 », *Organizational Behaviour and Human Decision Processes*, vol. 39, 1987, p. 52-83 ; M.E. Tubbs, « Goal-setting : A Meta-analytic Examination of the Empirical Evidence », *Journal of Applied Psychology*, vol. 71, 1986, p. 474-483. Certains praticiens se basent sur l'acronyme « SMART » pour les objectifs, qui fait référence à des objectifs Spécifiques, Mesurables, Acceptables, peRtinents et limités dans le Temps. Cependant, cette liste chevauche les éléments clés (par exemple, des objectifs spécifiques sont mesurables et limités dans le temps) et ignore les éléments clés liés au défi et à la rétroaction.

67. K. Tasa, T. Brown et G.H. Seijts, « The Effects of Proximal, Outcome and Learning Goals on Information Seeking and Complex Task Performance », compte rendu de la conférence annuelle de l'Association des sciences administratives du Canada, division du comportement organisationnel, vol. 23, no 5, 2002, p. 11-20.

68. E.A. Locke, « Motivation, Cognition, and Action » ; I.R. Gellatly et J.P. Meyer, « The Effects of Goal Difficulty on Physiological Arousal, Cognition, and Task Performance », *Journal of Applied Psychology*, vol. 77, 1992, p. 694-704 ; A. Mento, E.A. Locke et H. Klein, « Relationship of Goal Level to Valence and Instrumentality », *Journal of Applied Psychology*, vol. 77, 1992, p. 395-405.

69. J.T. Chambers, « The Future of Business », *Executive Excellence*, vol. 17, février 2000, p. 3-4 ; K.R. Thompson, W.A. Hochwarter et N.J. Mathys, « Stretch Targets : What Makes them Effective ? », *Academy of Management Executive*, vol. 11, août 1997, p. 48-60 ; S. Sherman, « Stretch Goals : The Dark Side of Asking for Miracles », *Fortune*, vol. 132, 13 novembre 1995, p. 231-232.

70. M.E. Tubbs, « Commitment as a Moderator of the Goal-Performance Relation : A Case for Clearer Construct Definition », *Journal of Applied Psychology*, vol. 78, 1993, p. 86-97.

71. H.J. Klein, « Further Evidence of the Relationship Between Goal Setting and Expectancy Theory », *Organizational Behaviour and Human Decision Processes*, vol. 49, 1991, p. 230-257.

72. J. Wegge, « Participation in Group Goal Setting : Some Novel Findings and a Comprehensive Model as a New Ending to an Old Story », *Applied Psychology : An International Review*, vol. 49, 2000, p. 498-516 ; Locke et Latham, *A Theory of Goal Setting and Task Performance*, chap. 6 et 7 ; E.A. Locke, G.P. Latham et M. Erez, « The Determinants of Goal Commitment », *Academy of Management Review*, vol. 13, 1988, p. 23-39.

73. R.W. Renn et D.B. Fedor, « Development and Field Test of a Feedback Seeking, Self-Efficacy, and Goal Setting Model of Work Performance », *Journal of Management*, vol. 27. 2001, p. 563-583.

74. R.W. Renn et D.B. Fedor, *ibid.*

75. R.E. Wood, A.J. Mento et E.A. Locke, « Task complexity as a moderator of goals effects : A meta-analysis », *Journal of Applied Psychology*, août, p. 416-425.

76. A.N. Kluger et A. DeNisi, « The Effects of Feedback Interventions on Performance : a Historical Review, a Meta-Analysis, and a Preliminary Feedback Intervention Theory », *Psychological Bulletin*, vol. 119, mars 1996, p. 254-284 ; A.A. Shikdar et B. Das, « A Field Study of Worker Productivity Improvements », *Applied Ergonomics*, vol. 26, 1995, p. 21-27 ; L.M. Sama et R.E. Kopelman, « In Search of a Ceiling Effect on Work Motivation : Can Kaizen Keep Performance "Risin"? », *Journal of Social Behaviour and Personality*, vol. 9, 1994, p. 231-237.

77. R. Waldersee et F. Luthans, « The Impact of Positive and Corrective Feedback on Customer Service Performance », *Journal of Organizational Behaviour*, vol. 15, 1994, p. 83-95 ; P.K. Duncan et L.R. Bruwelheide, « Feedback : Use and Possible Behavioural Functions », *Journal of Organizational Behaviour Management*, vol. 7, automne 1985, p. 91-114 ; J. Annett, *Feedback and Human Behaviour*, Baltimore, Penguin, 1969.

78. R.D. Guzzo et B.A. Gannett, « The Nature of Facilitators and Inhibitors of Effective Task Performance » dans F.D. Schoorman et B. Schneider (éd.), *Facilitating Work Effectiveness*, Lexington, Massachusetts, Lexington Books, 1988, p. 23 ; R.C. Linden et T.R. Mitchell, « Reactions to Feedback : The Role of Attributions », *Academy of Management Journal*, 1985, p. 291-308.

79. P.M. Posakoff et J. Fahr, « Effects of Feedback Sign and Credibility on Goal Setting and Task Performance », *Organizational Behaviour and Human Decision Processes*, vol. 44, 1989, p. 45-67.

80. A. Tomlinson, « Top Shops Deliver More than Flashy Perks », *Canadian HR Reporter*, 28 janvier 2002, p. 1 et 3 ; I. Wilkinson, « Few Rules Rule », *BC Business*, janvier 2002, p. 25 et suivantes ; « Creo Named One of Canada's Top Employers », *CCN Newswire*, 19 décembre 2001.

81. Pour une discussion sur la rétroaction provenant de sources multiples, voir : L.E. Atwater, D.A. Waldman et J.F. Brett, « Understanding and Optimizing Multisource Feedback », *Human Resource Management*, vol. 41, été 2002, p. 193-208 ; W.W. Tornow et M. London, *Maximizing the Value of 360-degree Feedback : A Process for Successful Individual and Organizational Development*, San Francisco, Jossey-Bass, 1998.

82. S. Brutus et M. Derayeh, « Multisource Assessment Programs in Organizations : An Insider's Perspective », *Human Resource Development Quarterly*, vol. 13, juillet 2002, p. 187 et suivantes.

83. D.A. Waldman et L.E. Atwater, « Attitudinal and Behavioral Outcomes of an Upward Feedback Process », *Group & Organization Management*, vol. 26, juin 2001, p. 189-205.

84. Les problèmes de la rétroaction à 360 degrés sont discutés dans : M.A. Peiperl, « Getting 360 Degree Feedback Right », *Harvard Business Review*, vol. 79, janvier 2001, p. 142-147 ; A.S. DeNisi et A.N. Kluger, « Feedback Effectiveness : Can 360-Degree Appraisals be Improved ? », *Academy of Management Executive*, vol. 14, février 2000, p. 129-139 ; J. Ghorpade, « Managing Five Paradoxes of 360-Degree Feedback », *Academy of Management Executive*, vol. 14, février 2000, p. 140-150 ; B. Usher et J. Morley, « Overcoming the Obstacles to a Successful 360-Degree Feedback Program », *Canadian HR Reporter*, 8 février 1999, p. 17.

85. S. Watkins, « Ever Wanted To Review The Boss ? », *Investor's Business Daily*, 10 août 2001, p. A1.

86. R.R. Kilburg, *Executive Coaching : Developing Managerial Wisdom in a World of Chaos*, Washington D.C., American Psychological Association, 2000, p. 65.

87. D. Goleman, *The Emotionally Intelligent Workplace*, San Francisco, Jossey-Bass, 2001 ; J.H. Eggers et D. Clark, « Executive Coaching that Wins », *Ivey Business Journal*, vol. 65, septembre 2000, p. 66 et suivantes.

88. S. Berglas, « The Very Real Dangers of Executive Coaching », *Harvard Business Review*, vol. 80, juin 2002, p. 80-86.

89. M.C. Andrews et K.M. Kacmar, « Confirmation and Extension of the Sources of Feedback Scale in Service-based Organizations », *Journal of Business Communication*, vol. 38, avril 2001, p. 206-226.

90. N. Zurell, « Built for Speed », *Intelligent Enterprise*, 3 septembre 2002, p. 14.

91. L. Hollman, « Seeing the Writing On the Wall », *Call Center*, août 2002, p. 37.

92. M. London, « Giving Feedback : Source-Centered Antecedents and Consequences of Constructive and Destructive Feedback », *Human Resource Management Review*, vol. 5, 1995, p. 159-188 ; D. Antonioni, « The Effects of Feedback Accountability on 360-Degree Appraisal Ratings », *Personnel Psychology*, vol. 47, 1994, p. 375-390 ; S.J. Ashford et G.B. Northcraft, « Conveying More (or Less) Than We Realize : The Role of Impression Management in Feedback Seeking », *Organizational Behaviour and Human Decision Processes*, vol. 53, 1992, p. 310-334 ; E.W. Morrison et R.J. Bies, « Impression Management in the Feedback-Seeking Process : A Literature Review and Research Agenda », *Academy of Management Review*, vol. 16, 1991, p. 522-541.

93. J.R. Williams, C.E. Miller, L.A. Steelman et P.E. Levy, « Increasing Feedback Seeking in Public Contexts : It Takes Two (or More) to Tango », *Journal of Applied Psychology*, vol. 84, décembre 1999, p. 969-976 ; G.B. Northcraft et S.J. Ashford, « The Preservation of Self in Everyday Life : The Effects of Performance Expectations and Feedback Context on Feedback Inquiry », *Organizational Behaviour and Human Decision Processes*, vol. 47, 1990, p. 42-64.

94. P.M. Wright, « Goal Setting and Monetary Incentives : Motivational Tools that Can Work Too Well », *Compensation and Benefits Review*, vol. 26, mai-juin 1994, p. 41-49.

95. F.M. Moussa, « Determinants and Process of the Choice of Goal Difficulty », *Group & Organization Management*, vol. 21, 1996, p. 414-438.

96. Certains experts suggèrent que la détermination d'objectifs est la théorie de la motivation professionnelle la mieux étayée et la plus pratique. Voir : C.C. Pinder, *Work Motivation in Organizational Behavior*, Upper Saddle River, New Jersey, Prentice Hall, 1998, p. 384.

97. K. Gagne, « One Day at a Time », *Workspan*, février 2002, p. 20 et suivantes.

98. D.T. Miller, « Disrespect and the Experience of Injustice », *Annual Review of Psychology*, vol. 52, 2001, p. 527-553 ; R. Cropanzano et M. Schminke, « Using Social Justice to Build Effective Work Groups » dans M.E. Turner (éd.), *Groups at Work : Theory and Research*, Mahwah, New Jersey, Lawrence Erlbaum Associates, 2001, p. 143-171 ; J. Greenberg et E.A. Lind, « The Pursuit of Organizational Justice : From Conceptualization to Implication to Application » dans C.L. Cooper et E.A. Locke (éd.), *Industrial and Organizational Psychology : Linking Theory with Practice*, Londres, Blackwell, 2000, p. 72-108.

99. « Commission Withdraws Complaint in Light of Pay Equity Agreement », *M2 Presswire*, 24 septembre 1999 ; C. Silverthorn, « Rights Commission Launches Investigation into Safeway Pay Practices », *Canadian Press Newswire*, 9 janvier 1998.

100. R. Cropanzano et M. Schminke, « Using Social Justice to Build Effective

Work Groups » dans M.E. Turner (éd.), *Groups at Work : Theory and Research*, Mahwah, New Jersey, Lawrence Erlbaum Associates, 2001, p. 143-171.

101. R. Cropanzano et J. Greenberg, « Progress in Organizational Justice : Tunneling Through the Maze » dans C.L. Cooper et I.T. Robertson (éd.), *International Review of Industrial and Organizational Psychology*, New York, Wiley, 1997, p. 317-372 ; R.T. Mowday, « Equity Theory Predictions of Behaviour in Organizations » dans *Motivation and Work Behaviour*, 5e éd., R.M. Steers et L.W. Porter (éd.), New York, McGraw-Hill, 1991, p. 111-131 ; J.S. Adams, « Toward an Understanding of Inequity », *Journal of Abnormal and Social Psychology*, vol. 67, 1963, p. 422-436.

102. G. Blau, « Testing the Effect of Level and Importance of Pay Referents on Pay Level Satisfaction », *Human Relations*, vol. 47, 1994, p. 1251-1268 ; C.T. Kulik et M.L. Ambrose, « Personal and Situational Determinants of Referent Choice », *Academy of Management Review*, vol. 17, 1992, p. 212-237 ; J. Pfeffer, « Incentives in Organizations : The Importance of Social Relations » dans *Organization Theory : From Chester Barnard to the Present and Beyond*, O.E. Williamson (éd.), New York, Oxford University Press, 1990, p. 72-97.

103. T.P. Summers et A.S. DeNisi, « In Search of Adams' Other : Reexamination of Referents Used in the Evaluation of Pay », *Human Relations*, vol. 43, 1990, p. 497-511.

104. J.S. Adams, « Inequity in Social Exchange » dans *Advances in Experimental Psychology*, L. Berkowitz (éd.), New York, Academic Press, 1965, p. 157-189.

105. Y. Cohen-Charash et P.E. Spector, « The Role of Justice in Organizations : A Meta-Analysis », *Organizational Behaviour and Human Decision Processes*, vol. 86, novembre 2001, p. 278-321.

106. J. Barling, C. Fullagar et E.K. Kelloway, *The Union and Its Members : A Psychological Approach*, New York, Oxford University Press, 1992.

107. J. Greenberg, « Cognitive Reevaluation of Outcomes in Response to Underpayment Inequity », *Academy of Management Journal*, vol. 32, 1989, p. 174-184 ; E. Hatfield et S. Sprecher,

« Equity Theory and Behaviour in Organizations », *Research in the Sociology of Organizations*, vol. 3, 1984, p. 94-124.

108. Cité dans *Canadian Business*, février 1997, p. 39.

109. M.N. Bing et S.M. Burroughs, « The Predictive and Interactive Effects of Equity Sensitivity in Teamwork-oriented Organizations », *Journal of Organizational Behaviour*, vol. 22, 2001, p. 271-290 ; K.S. Sauleya et A.G. Bedeian, « Equity Sensitivity : Construction of a Measure and Examination of its Psychometric Properties », *Journal of Management*, vol. 26, septembre 2000, p. 885-910 ; P.E Mudrack, E.S. Mason et K.M. Stepanski, « Equity Sensitivity and Business Ethics », *Journal of Occupational and Organizational Psychology*, vol. 72, décembre 1999, p. 539-560 ; R.P. Vecchio, « An Individual-Differences Interpretation of the Conflicting Predictions Generated by Equity Theory and Expectancy Theory », *Journal of Applied Psychology*, vol. 66, 1981, p. 470-481.

110. La signification de ces trois groupes a évolué au cours des années. Ces définitions sont basées sur W.C. King, Jr. et E.W. Miles, « The Measurement of Equity Sensitivity », *Journal of Occupational and Organizational Psychology*, vol. 67, 1994, p. 133-142.

111. M. Wenzel, « A Social Categorization Approach to Distributive Justice : Social Identity as the Link Between Relevance of Inputs and Need for Justice », *British Journal of Social Psychology*, vol. 40, 2001, p. 315-335.

112. C. Viswesvaran et D.S. Ones, « Examining the Construct of Organizational Justice : A Meta-Analytic Evaluation of Relations with Work Attitudes and Behaviours », *Journal of Business Ethics*, vol. 38, juillet 2002, p. 193-203 ; J.A. Colquitt, D.E. Conlon, M.W. Wesson, L.H. Porter et K.Y. Ng, « Justice at the Millennium : A Meta-Analytic Review of 25 Years of Organizational Justice Research », *Journal of Applied Psychology*, vol. 86, 2001, p. 425-445 ; Y. Cohen-Charash et P.E. Spector, « The Role of Justice in Organizations : A Meta-Analysis », *Organizational Behaviour and Human Decision Processes*, vol. 86, novembre 2001, p. 278-321.

113. Plusieurs types de justice ont été reconnus et il existe un certain débat pour savoir s'ils représentent des formes de justice procédurale ou s'ils sont différents des justices procédurale et distributive. La discussion adopte ici le premier point de vue qui semble dominer dans la littérature sur la question. Voir C. Viswesvaran et D.S. Ones, «Examining the Construct of Organizational Justice: A Meta-Analytic Evaluation of Relations with Work Attitudes and Behaviours», *Journal of Business Ethics*, vol. 38, juillet 2002, p. 193-203.

114. Greenberg et Lind, «The Pursuit of Organizational Justice», p. 79-80. Pour des preuves récentes de l'effet d'expression, voir: E.A. Douthitt et J.R. Aiello, «The Role of Participation and Control in the Effects of Computer Monitoring on Fairness Perceptions, Task Satisfaction, and Performance», *Journal of Applied Psychology*, vol. 86, octobre 2001, p. 867-874.

115. L.B. Bingham, «Mediating Employment Disputes: Perceptions of Redress at the United States Postal Service», *Review of Public Personnel Administration*, vol. 17, printemps 1997, p. 20-30; R. Folger et J. Greenberg, «Procedural Justice: An Interpretive Analysis of Personnel Systems», *Research in Personnel and Human Resources Management*, vol. 3, 1985, p. 141-183.

116. R. Hagey *et al.*, «Immigrant Nurses' Experience of Racism», *Journal of Nursing Scholarship*, vol. 33, 4e trimestre 2001, p. 389 et suivantes. K. Roberts et K.S. Markel, «Claiming in the Name of Fairness: Organizational Justice and the Decision to File for Workplace Injury Compensation», *Journal of Occupational Health Psychology*, vol. 6, octobre 2001, p. 332-347.

117. D.T. Miller, «Disrespect and the Experience of Injustice», *Annual Review of Psychology*, vol. 52, 2001, p. 534-535 et 543-545; J.A. Colquitt *et al.*, «Justice at the Millennium: A Meta-Analytic Review of 25 Years of Organizational Justice Research», *Journal of Applied Psychology*, vol. 86, 2001, p. 425-445.

118. S. Fox, P.E. Spector et D. Miles, «Counterproductive Work Behaviour (CWB) in Response to Job Stressors and Organizational Justice: Some Mediator and Moderator Tests for Autonomy and Emotions», *Journal of Vocational Behaviour*, vol. 59, 2001, p. 291-309; L. Greenberg et J. Barling, «Employee Theft» dans C.L. Cooper et D.M. Rousseau (éd.), *Trends in Organizational Behaviour*, vol. 3, 1996, p. 49-64.

119. D.P. Skarlicki et R. Folger, «Retaliation in the Workplace: The Roles of Distributive, Procedural, and Interactional Justice», *Journal of Applied Psychology*, vol. 82, 1997, p. 434-443.

120. N.D. Cole et G.P. Latham, «Effects of Training in Procedural Justice on Perceptions of Disciplinary Fairness by Unionized Employees and Disciplinary Subject Matter Experts», *Journal of Applied Psychology*, vol. 82, 1997, p. 699-705; D.P. Skarlicki et G.P. Latham, «Increasing Citizenship Behavior Within a Labor Union: A Test of Organizational Justice Theory», *Journal of Applied Psychology*, vol. 81, 1996, p. 161-169.

121. R. de Charms, *Personal Causation: The Internal Affective Determinants of Behavior*, New York, Academic Press, 1968.

122. E.L. Deci, *Intrinsic Motivation*, New York, Plenum, 1975.

123. J.J. Arnold, «Effects of Performance Feedback and Extrinsic Reward upon High Intrinsic Motivation», *Organizational Behavior and Human Performance*, décembre 1976, p. 275-288.

124. M. Csikszentmihaly, *Flow: The Psychology of Optimal Experience*, New York, Harper, 1990, en français: *Vivre*, chez Laffont, 2004.

125. K. Thomas, *Intrinsic Motivation at Work: Building Energy and Commitment*, San Francisco, Berret-Koehler Publishers, s.d.

126. G. Simard et M. Tremblay, «Qu'est-ce qui mobilise les ressources humaines?», *Le point en administration scolaire*, vol. 7, n° 3, p. 14-18.

CHAPITRE 7

1. Voir le site Internet de Hewitt Associates, 8 janvier 2007. L'étude de Hewitt Associates démontre l'impact des employés clés sur les résultats de l'entreprise.

2. Étude citée par Sylvie St-Onge, «Les pratiques de reconnaissance: popularité et efficacité», *Effectif*, vol. 9, n° 4, 2006, p. 35-44.

3. A.D. Stajkovoic et F. Luthans, «Differential effects of incentive motivation on work performance», *Academy of Management Journal*, juin 2001, p. 587.

4. M.C. Bloom et G.T. Milkovich, «Issues in Managerial Compensation Research» dans C.L. Cooper et D.M. Rousseau (éd.) *Trends in Organizational Behaviour*, vol. 3, Chichester, Royaume-Uni, John Wiley & Sons, 1996, p. 23-47.

5. T. Kinni, «Why We Work», *Training*, vol. 35, août 1998, p. 34-39; A. Furnham et M. Argyle, *The Psychology of Money*, Londres, Routledge, 1998; T.L-P. Tang, «The Meaning of Money Revisited», *Journal of Organizational Behaviour*, vol. 13, mars 1992, p. 197-202.

6. T.R. Mitchell et A.E. Mickel, «The Meaning of Money: An Individual-Difference Perspective», *Academy of Management Review*, juillet 1999, p. 568-578.

7. C. Loch, M. Yaziji et C. Langen, «The Fight for the Alpha Position: Channeling Status Competition in Organizations», *European Management Journal*, vol. 19, février 2001, p. 16-25. Pour une discussion sur la pulsion d'acquérir, voir P.R. Lawrence et N. Nohria, *Driven: How Human Nature Shapes Our Choices*, San Francisco, Jossey-Bass, 2002, chap. 4.

8. S. Foster, «Good Job, Lots of Cash, Great Life», *Regina Leader-Post*, 8 juin 2002; Watson Wyatt Worldwide, *Playing to Win: Strategic Rewards in the War for Talent–Fifth Annual Survey Report 2000/2001*, Chicago, Watson Wyatt Worldwide, 2001.

9. A. Furnham et R. Okamura, «Your Money or Your Life: Behavioural and Emotional Predictors of Money Pathology», *Human Relations*, vol. 52, septembre 1999, p. 1157-1177.

10. T.L-P. Tang, J.K. Kim et D.S-H. Tang, «Does Attitude toward Money Moderate the Relationship between Intrinsic Job Satisfaction and Voluntary Turnover?», *Human Relations*, vol. 53, février 2000, p. 213-245; Thomas Li-Ping Tang et Jwa K. Kim, «The Meaning of Money among Mental

Health Workers: The Endorsement of Money Ethic as Related to Organizational Citizenship Behaviour, Job Satisfaction, and Commitment », *Public Personnel Management*, vol. 28, printemps 1999, p. 15-26.

11. S.H. Ang, « The Power of Money: A Cross-Cultural Analysis of Business-Related Beliefs », *Journal of World Business*, vol. 35, mars 2000, p. 43-60. L'importance de l'argent au Canada et sa relation avec une vie heureuse sont discutées dans M. Adams, *Better Happy than Rich?*, Toronto, Viking, 2001.

12. L.S. Hoon et V.K.G. Lim, « Attitudes Towards Money and Work – Implications for Asian Management Style Following the Economic Crisis », *Journal of Managerial Psychology*, vol. 16, 2001, p. 159-172; A.K. Kau, S.J. Tan et J. Wirtz, *Seven Faces of Singaporeans: Their Values, Aspirations, and Lifestyles*, Singapore, Prentice Hall, 1998; A. Furnham, B.D. Kirkcaldy et R. Lynn, « National Attitudes to Competitiveness, Money, and Work Among Young People: First, Second, and Third World Differences », *Human Relations*, vol. 47, janvier 1994, p. 119-132.

13. O. Mellan, « Men, Women & Money », *Psychology Today*, vol. 32, février 1999, p. 46-50. Pour l'étude canadienne, voir H. Das, « The Four Faces of Pay: An Investigation into How Canadian Managers View Pay », *International Journal of Commerce & Management*, vol. 12, 2002, p. 18-40.

14. R. Lynn, *The Secret of the Miracle Economy*, Londres, SAE, 1991, cité dans A. Furnham et R. Okamura, « Your Money or Your Life: Behavioural and Emotional Predictors of Money Pathology », *Human Relations*, vol. 52, septembre 1999, p. 1157-1177. Les récents sondages publics d'opinion sont cités dans M. Steen, « Study Looks at What Good Employees Want from a Company », *San Jose Mercury*, 19 décembre 2000; J. O'Rourke, « Show Boys the Money and Tell Girls You Care », *Sydney Morning Herald*, 10 décembre 2000.

15. M. Steen, « Study Looks at What Good Employees Want from a Company », *San Jose Mercury*, 19 décembre 2000; O. Mellan, « Men, Women & Money », *Psychology Today*, vol. 32, février 1999, p. 46-50; V.K.G. Lim et T.S.H. Teo, « Sex, Money and Financial Hardship: An Empirical Study of Attitudes Towards Money among Undergraduates in Singapore », *Journal of Economic Psychology*, vol. 18, 1997, p. 369-386; A. Furnham, « Attitudinal Correlates and Demographic Predictors of Monetary Beliefs and Behaviours », *Journal of Organizational Behavior*, vol. 17, 1996, p. 375-388.

16. J.M. Newman et F.J. Krzystofiak, « Value-Chain Compensation », *Compensation and Benefits Review*, vol. 30, mai 1998, p. 60-66. Les pratiques japonaises de rémunération sont décrites dans H.Y. Park, « A Comparative Analysis of Work Incentives in U.S. and Japanese Firms », *Multinational Business Review*, vol. 4, automne 1996, p. 59-70.

17. R.J. Long, « Job Evaluation in Canada: Has its Demise Been Greatly Exaggerated? », *Compte rendu de la conférence annuelle de l'Association des sciences administratives du Canada, division de la gestion des Ressources humaines*, vol. 23, n° 9, 2002, p. 61-72. Pour plus de détails sur les compensations basées sur le statut des postes, voir R.J. Long, *Compensation in Canada: Strategy, Practice, and Issues*, 2e éd., Toronto, ITP Nelson Publishers, 2002, chap. 9.

18. E.E. Lawler, III, *Rewarding Excellence: Pay Strategies for the New Economy*, San Francisco, Jossey-Bass, 2000, p. 30-35, 109-119; M. Quaid, *Job Evaluation: The Myth of Equitable Assessment*, Toronto, University of Toronto Press, 1993; S.L. McShane, « Two Tests of Direct Gender Bias in Job Evaluation Ratings », *Journal of Occupational Psychology*, vol. 63, 1990, p. 129-140. L'étude sur l'équité des salaires à Hong Kong est décrite dans Q. Chan et C. Wan, « Equal Pay Under the Microscope », *South China Morning Post*, 31 mai 2001, p. 4.

19. R. Shareef, « A Midterm Case Study Assessment of Skill-Based Pay in the Virginia Department of Transportation », *Review of Public Personnel Administration*, vol. 18, hiver 1998, p. 5-22; D. Hofrichter, « Broadbanding: A "Second Generation" Approach », *Compensation & Benefits Review*, vol. 25, septembre/octobre 1993, p. 53-58.

20. M. Messin et S. St-Onge, « Widening Salary Bands at the National Bank of Canada », *Workplace Gazette*, vol. 3, été 2000, p. 82-85.

21. B. Murray et B. Gerhart, « Skill-Based Pay and Skill Seeking », *Human Resource Management Review*, vol. 10, automne 2000, p. 271-287; J.R. Thompson et C.W. LeHew, « Skill-Based Pay as an Organizational Innovation », *Review of Public Personnel Administration*, vol. 20, hiver 2000, p. 20-40; D-O. Kim et K. Mericle, « From Job-based Pay to Skill-based Pay in Unionized Establishments: A Three-Plant Comparative Analysis », *Relations Industrielles*, vol. 54, été 1999, p. 549-580; E.E. Lawler III, « From Job-Based to Competency-Based Organizations », *Journal of Organizational Behaviour*, vol. 15, 1994, p. 3-15.

22. E.E. Lawler III, G.E. Ledford, Jr. et L. Chang, « Who Uses Skill-Based Pay, and Why », *Compensation and Benefits Review*, vol. 25, mars-avril 1993, p. 22-26.

23. Long, 1993; Sylvie St-Onge et al., *Relever les défis de la gestion des ressources humaines*, 2e éd., Montréal, Gaëtan Morin Éditeur, 2004.

24. E.E. Lawler III, « Competencies: A Poor Foundation for The New Pay », *Compensation & Benefits Review*, novembre/décembre 1996, p. 20, 22-26.

25. E.B. Peach et D.A. Wren, « Pay for Performance from Antiquity to the 1950s », *Journal of Organizational Behaviour Management*, 1992, p. 5-26.

26. Caroline Montaigne, Rédaction Web des Échos, 5 mai 2006, section métiers, ressources humaines, p. 1 et 2.

27. « Human Resources Practices: Survey Results », *Worklife Report*, vol. 13, janvier 2001, p. 6.

28. E.E. Lawler, *Rewarding Excellence*, chap. 9; J.S. DeMatteo, L.T. Eby et E. Sundstrom, « Team-Based Rewards: Current Empirical Evidence and Directions for Future Research », dans B.M. Staw et L.L. Cummings (éd.), *Research in Organizational Behaviour*, vol. 20, 1998, p. 141-183; P. Pascarella, « Compensating Teams », *Across the Board*, vol. 34, février 1997, p. 16-23; D.G. Shaw et C.E. Schneier, « Team Measurement and Rewards: How Some Companies are Getting it Right », *Human Resource Planning*, 1995, p. 34-49. Les récompenses basées sur l'équipe à Wall Street sont décrites dans F. Russo, « Aggression Loses Some Of Its Punch », *Time*, 30 juillet 2001.

29. L.R. Gomez-Mejia, T.M. Welbourne, R.M. Wiseman, « The Role of Risk Sharing and Risk Taking under Gainsharing », *Academy of Management Review*, vol. 25, juillet 2000, p. 492-507; D.P. O'Bannon et C.L. Pearce, « An Exploratory Examination of Gainsharing in Service Organizations: Implications for Organizational Citizenship Behaviour and Pay Satisfaction », *Journal of Managerial Issues*, vol. 11, automne 1999, p. 363-378; C. Cooper et B. Dyck, « Improving the Effectiveness of Gainsharing: The Role of Fairness and Participation », *Administrative Science Quarterly*, vol. 37, 1992, p. 471-490.

30. « Inland Group Uses Gainsharing to Become a "World Class" Company », *Pay for Performance Report*, août 2002; « Canadian Companies Encourage Employees With Innovative Bonus Plans », *Coal International*, mars/avril 2002, p. 68; « How Hibernia Helped Its Hourly Employees Make a Leap to PFP », *Pay for Performance Report*, janvier 2000.

31. J. Case, « Opening the Books », *Harvard Business Review*, vol. 75, mars-avril 1997, p. 118-127; T.R.V. Davis, « Open-Book Management: Its Promise and Pitfalls », *Organizational Dynamics*, hiver 1997, p. 7-20; J. Case, *Open Book Management: The Coming Business Revolution*, New York, Harper Business, 1995.

32. T.H. Wagar et R.J. Long, « Profit Sharing in Canada: Incidence and Predictors », Conférence de l'ASAC 1995, division des Ressources humaines, vol. 16, n° 9, 1995, p. 97-105.

33. J.M. Newman et M. Waite, « Do Broad-Based Stock Options Create Value? », *Compensation and Benefits Review*, vol. 30, juillet 1998, p. 78-86.

34. G. Bellett, « Worker-Friendly Policies Connect with Telus Staff: Stock Options, Education Raise Employees' Worth », *Edmonton Journal*, 20 février 2002, p. F6; « Giving Stock to More Employees Improves Corporate Performance », *Canadian HR Report*, 26 mars 2001; B. Lewis, « Exec Perk Goes to All at Telus », *Vancouver Province*, 2 mars 2001.

35. R.S. Kaplan et D.P. Norton, *The Strategy-Focused Organization*, Cambridge, Massachusetts, Harvard Business School Press, 2001.

36. Le tableau de bord de performance de Nova Scotia Power est décrit dans P.R. Niven, *Balanced Scorecard Step-by-Step: Maximizing Performance and Maintaining Results*, New York, John Wiley & Sons, 2002; Kaplan et Norton, *The Strategy-Focused Organization*, p. 121-123.

37. S.J. Marks, « Incentives that Really Reward and Motivate », *Workforce*, vol. 80, juin 2001, p. 108-114; « A Fair Day's Pay », *Economist*, 8 mai 1999, p. 12; D. Bencivenga, « Employee-Owners Help Bolster The Bottom Line », *HRMagazine*, vol. 42, février 1997, p. 78-83; J. Chelius et R.S. Smith, « Profit Sharing and Employment Stability », *Industrial and Labour Relations Review*, vol. 43, 1990, p. 256-273 et suivantes.

38. M.D. Mumford, « Managing Creative People: Strategies and Tactics for Innovation », *Human Resource Management Review*, vol. 10, automne 2000, p. 313-351; M. O'Donnell et J. O'Brian, « Performance-Based Pay in the Australian Public Service », *Review of Public Personnel Administration*, vol. 20, printemps 2000, p. 20-34; A. Kohn, « Challenging Behaviourist Dogma: Myths About Money and Motivation », *Compensation and Benefits Review*, vol. 30, mars 1998, p. 27-33; A. Kohn, *Punished by Rewards*, Boston, Houghton Mifflin, 1993; B. Nelson, *1001 Ways to Reward Employees*, New York, Workman Publishing, 1994, p. 148; W.C. Hamner, « How to Ruin Motivation With Pay », *Compensation Review*, vol. 7, n° 3, 1975, p. 17-27.

39. B.N. Pfau et I.T. Kay, « The Five Key Elements of a Total Rewards and Accountability Orientation », *Benefits Quarterly*, vol. 18, troisième trimestre 2002, p. 7-15; B.N. Pfau et I.T. Kay, *The Human Capital Edge*, New York, McGraw-Hill, 2002; J. Pfeffer, *The Human Equation*, Boston, Harvard Business School Press, 1998. Pour un résumé des premières recherches en faveur de la valeur motivationnelle des récompenses basées sur les performances, voir E.E. Lawler, III, *Pay and Organizational Effectiveness: A Psychological View*, New York, McGraw-Hill, 1971.

40. WorkCanada 2004-2005, *Pursuing Productive Engagement*, Toronto, Watson Wyatt, janvier 2005.

41. M. Rotundo et P. Sackett, « The Relative Importance of Task, Citizenship, and Counterproductive Performance to Global Ratings of Job Performance: A Policy-Capturing Approach », *Journal of Applied Psychology*, vol. 87, février 2002, p. 66-80; « New Survey Finds Variable Pay Has Yet to Deliver on Its Promise », *Pay for Performance Report*, mars 2000, p. 1. La politique de la rémunération est discutée dans D. Collins, *Gainsharing and Power? Lessons from Six Scanlon Plans*, Ithaca, Cornell University Press, 1998; K.M. Bartol et D.C. Martin, « When Politics Pays: Factors Influencing Managerial Compensation Decisions », *Personnel Psychology*, vol. 43, 1990, p. 599-614.

42. Kerr, « Organization Rewards ».

43. « Dream Teams », *Human Resources Professional*, novembre 1994, p. 17-19.

44. Lawler, *Rewarding Excellence*, p. 77; « New Survey Finds Variable Pay "Has Yet to Deliver on Its Promise" », *Pay for Performance Report*, mars 2000, p. 1.

45. DeMatteo *et al.*, « Team-Based Rewards ».

46. R. Wageman, « Interdependence and Group Effectiveness », *Administrative Science Quarterly*, vol. 40, 1995, p. 145-180.

47. S. Rynes, B. Gerhart et L. Parks, « Personnel Psychology: Performance, evaluation and pay for performance », *Annual Review of Psychology*, n° 56, p. 571-600.

48. S. Kerr, « On the Folly of Rewarding A, While Hoping for B », *Academy of Management Journal*, vol. 18, 1975, p. 769-783.

49. D.R. Spitzer, « Power Rewards: Rewards That Really Motivate », *Management Review*, mai 1996, p. 45-50.

50. D. MacDonald, « Good Managers Key to Buffett's Acquisitions », *Montreal Gazette*, 16 novembre 2001; P.M. Perry, « Holding Your Top Talent », *Research Technology Management*, vol. 44, mai 2001, p. 26-30.

51. J.A. Ross, « Japan: Does Money Motivate? », *Harvard Business Review*, septembre-octobre.

52. S.K. Saha, « Managing Human Resources; China vs The West », *Canadian Journal of Administrative Sciences*, vol. 10, n° 2, p. 167-177; Chao C. Chen, « New Trends in Reward Allocation Preferences: A Sino-U.S. Comparison », *Academy of Management Journal*, vol. 38, n° 2, p. 408-492.

53. Exemple cité par R. Robbins et N. Langton, *Canadian Organizational Behavior*, Prentice-Hall, 2007.

54. D.H. Welsh, F. Luthans et M. Sommers, «Managing Russian Factory Workers: The Impact of U.S.-based Behavioral and Participative Techniques», *Academy of Management Journal*, vol., 36, n° 1, p. 58-79.

55. M.E. De Forest, «Thinking of a plant in Mexico?», *Academy of Management Executive*, vol. 8, n° 1, p. 33-40.

56. R. Robbins et N. Langton (2007), *ibid.*, p. 173.

57. G.L. Dalton, «The Collective Stretch: Workforce Flexibility», *Management Review*, vol. 87, décembre 1998, p. 54-59; C. Hendry et R. Jenkins, «Psychological Contracts and New Deals», *Human Resource Management Journal*, vol. 7, 1997, p. 38-44.

58. D. Whitford, «A Human Place to Work», *Fortune*, 8 janvier 2001, p. 108-119.

59. A. Smith, *The Wealth of Nations*, Londres, Dent, 1910. Des exemples plus anciens sont décrits dans: «Scientific Management: Lessons from Ancient History through the Industrial Revolution», www.accel-team.com.

60. M.A. Campion, «Ability Requirement Implications of Job Design: An Interdisciplinary Perspective», *Personnel Psychology*, vol. 42, 1989, p. 1-24; H. Fayol, *General and Industrial Management*, trad. C. Storrs, Londres, Pitman, 1949; E.E. Lawler III, *Motivation in Work Organizations*, Monterey, Californie, Brooks/Cole, 1973, chap. 7.

61. Pour un apercu du travail et de la vie de Frederick Winslow Taylor, voir R. Kanigel, *The One Best Way: Frederick Winslow Taylor and the Enigma of Efficiency*, Viking, New York, 1997. Voir également C.R. Littler, «Taylorism, Fordism, and Job Design» dans *Job Design: Critical Perspectives on the Labour Process*, D. Knights, H. Willmott et D. Collinson (éd.), Aldershot, Royaume-Uni, Gower Publishing, 1985, p. 10-29; F.W. Taylor, *The Principles of Scientific Management*, New York, Harper & Row, 1911.

62. E.E. Lawler III, *High-Involvement Management*, San Francisco, Jossey-Bass, 1986, chap. 6; C.R. Walker et R.H. Guest, *The Man on the Assembly Line*, Cambridge, Massachusetts, Harvard University Press, 1952.

63. W.F. Dowling, «Job Redesign on the Assembly Line: Farewell to Blue-Collar Blues?», *Organizational Dynamics*, automne 1973, p. 51-67; E.E. Lawler, *Motivation in Work Organizations*, p. 150.

64. M. Keller, *Rude Awakening*, New York, Harper Perennial, 1989, p. 128.

65. F. Herzberg, B. Mausner et B.B. Snyderman, *The Motivation to Work*, New York, Wiley, 1959.

66. S.K. Parker, T.D. Wall et J.L. Cordery, «Future Work Design Research and Practice: Towards an Elaborated Model of Work Design», *Journal of Occupational and Organizational Psychology*, vol. 74, novembre 2001, p. 413-440. Une critique décisive de la théorie de Herzberg se trouve dans N. King, «Clarification and Evaluation of the Two Factor Theory of Job Satisfaction», *Psychological Bulletin*, vol. 74, 1970, p. 18-31.

67. D. Whitford, «A Human Place to Work», *Fortune*, 8 janvier 2001, p. 108-119.

68. M.C. Andrews et K.M. Kacmar, «Confirmation and Extension of the Sources of Feedback Scale in Service-based Organizations», *Journal of Business Communication*, vol. 38, avril 2001, p. 206-226.

69. G. Johns, J.L. Xie et Y. Fang, «Mediating and Moderating Effects in Job Design», *Journal of Management*, vol. 18, 1992, p. 657-676.

70. P.E. Spector, «Higher-Order Need Strength as a Moderator of the Job Scope-Employee Outcome Relationship: A Meta Analysis», *Journal of Occupational Psychology*, vol. 58, 1985, p. 119-127.

71. R.M. Malinski, «Job Rotation in an Academic Library: Damned if You Do and Damned If You Don't!», *Library Trends*, 22 mars 2002, p. 673 et suivantes.

72. S. Shepard, «Safety Program at Carrier Plant in Collierville Paying Dividends», *Memphis Business Journal*, 25 mai 2001, p. 38. Une récente étude canadienne a rapporté que la rotation des postes n'a aucun effet sur les attitudes ou le stress au travail; voir: J. Godard, «High Performance and the Transformation Of Work? The Implications of Alternative Work Practices for the Experience and Outcomes of Work», *Industrial & Labour Rela-*

tions Review, vol. 54, juillet 2001, p. 776-805.

73. M. Grotticelli, «CNN Moves to Small-format ENG», *Broadcasting & Cable*, 14 mai 2001, p. 46. Des informations sur les journalistes vidéo de CBC se trouvent dans S. Yaffe et L. Rice-Barker, «CBC: Regs Don't make Sense», *Playback*, 24 janvier 2000, p. 1; «Windsor's Enterprise Going Where no TV News Station has Gone Before», *Broadcaster*, vol. 54, avril 1995, p. 12-14; H. Enchin, «Video Players», *Globe and Mail*, 6 décembre 1994, p. B22.

74. N.G. Dodd et D.C. Ganster, «The Interactive Effects of Variety, Autonomy, and Feedback on Attitudes and Performance», *Journal of Organizational Behaviour*, vol. 17, 1996, p. 329-347; M.A. Campion et C.L. McClelland, «Follow-up and Extension of the Interdisciplinary Costs and Benefits of Enlarged Jobs», *Journal of Applied Psychology*, vol. 78, 1993, p. 339-351.

75. Ce point est souligné dans C. Pinder, *Work Motivation*, Glenview, Illinois, Scott Foresman, 1984, p. 244; F. Herzberg, «One More Time: How Do You Motivate Employees?», *Harvard Business Review*, vol. 46, janvier-février 1968, p. 53-62. Pour une discussion complète sur l'enrichissement des tâches, voir également: R.W. Griffin, *Task Design: An Integrative Approach*, Glenview, Illinois, Scott Foresman, 1982; J.R. Hackman, G. Oldham, R. Janson et K. Purdy, «A New Strategy for Job Enrichment», *California Management Review*, vol. 17, n° 4, 1975, p. 57-71.

76. Hackman et Oldham, *Work Redesign*, p. 137-138.

77. L.R. Comeau, «Re-engineering for a More Competitive Tomorrow», *Canadian Business Review*, hiver 1994, p. 51-52.

78. R. Saavedra et S.K. Kwun, «Affective States in Job Characteristics Theory», *Journal of Organizational Behaviour*, vol. 21, 2000, p. 131-146; P. Osterman, «How Common is Workplace Transformation and Who Adopts It?», *Industrial and Labour Relations Review*, vol. 47, 1994, p. 173-188; D.E. Bowen et E.E. Lawler III, «The Empowerment of Service Workers: What, Why, How, and When», *Sloan Management Review*, printemps 1992, p. 31-39; P.E. Spector et S.M. Jex, «Relations

of Job Characteristics from Multiple Data Sources with Employee Affect, Absence, Turnover Intentions, and Health», *Journal of Applied Psychology*, vol. 76, 1991, p. 46-53; Y. Fried et G.R. Ferris, «The Validity of the Job Characteristics Model: A Review and Meta-analysis», *Personnel Psychology*, vol. 40, 1987, p. 287-322.

79. E.L. Trist, G. W. Higgin, H. Murray et A. B. Pollock, *Organizational Choice*, Londres, Tavistock, 1963. Les origines des équipes de travail autonomes issues des études sur les systèmes sociotechniques sont également mentionnées dans R. Beckham, «Self-Directed Work Teams: The Wave of the Future?», *Hospital Material Management Quarterly*, vol. 20, août 1998, p. 48-60.

80. F. Alexandre-Bailly *et al.*, *Comportements humains et management*, Pearson Éducation France, 2003, p. 350.

81. Les principaux composants des systèmes sociotechniques sont présentés dans M. Moldaschl et W.G. Weber, «The "Three Waves" of Industrial Group Work: Historical Reflections on Current Research on Group Work», *Human Relations*, vol. 51, mars 1998, p. 347-388; W. Niepce et E. Molleman, «Work Design Issues In Lean Production From A Sociotechnical Systems Perspective: Neo-Taylorism Or The Next Step In Sociotechnical Design?», *Human Relations*, vol. 51, mars 1998, p. 259-287.

82. E. Ulich et W.G. Weber, «Dimensions, Criteria, and Evaluation of Work Group Autonomy» dans M. A. West (éd.), *Handbook of Work Group Psychology*, Chichester, Royaume-Uni, John Wiley & Sons, 1996, p. 247-282.

83. C.C. Manz et G.L. Stewart, «Attaining Flexible Stability by Integrating Total Quality Management and Sociotechnical Systems Theory», *Organization Science*, vol. 8, 1997, p. 59-70; K.P. Carson et G.L. Stewart, «Job Analysis and the Sociotechnical Approach to Quality: A Critical Examination», *Journal of Quality Management*, vol. 1, 1996, p. 49-65.

84. K. Kane, «L.L. Bean Delivers the Goods», *Fast Company*, n° 10, août 1997, p. 104.

85. I.M. Kunii, «He Put the Flash Back in Canon», Business Week, 16 septembre 2002, p. 40.

86. L. Fuxman, «Teamwork in Manufacturing: The Case of the Automotive Industry», *International Journal of Commerce & Management*, vol. 9, 1999, p. 103-130; P. S. Adler et R. E. Cole, «Designed for Learning: A Tale of Two Auto Plants», *Sloan Management Review*, vol. 34, printemps 1993, p. 85-94; J. P. Womack, D. T. Jones et D. Roos, *The Machine that Changed the World*, New York, MacMillan, 1990.

87. Caroline Montaigne, Rédaction Web des Échos, 5 mai 2006, section métiers, ressources humaines, p. 1- 2.

88. R. Likert, *New Patterns of Management*, New York, McGraw-Hill, 1991.

89. J. Simmons et W. Mares, *Working Together: Employee Participation in Action*. New York, University Press, 1985.

90. K.I. Miller et P.R. Monge, «Participation, Satisfaction and Productivity: A Meta-Analytic Review», *Academy of Management Journal*, n° 29, p. 727-753.

91. P. Booth, *Challenge and Change: Embracing the Team Concept*, Report 123-94, Conference Board of Canada, 1994.

92. B. Lewis, «WestJet–A Crazy Idea that Took Off», *Vancouver Province*, 21 octobre 2001.

93. Cette définition est principalement basée sur: G.M. Spreitzer et R.E. Quinn, *A Company of Leaders: Five Disciplines for Unleashing the Power in Your Workforce*, San Francisco, Jossey-Bass, 2001, p. 13-21; G.M. Spreitzer, «Psychological Empowerment in the Workplace: Dimensions, Measurement, and Validation», *Academy of Management Journal*, vol. 38, 1995, p. 1442-1465. Cependant, la plupart des éléments de cette définition figurent dans d'autres discussions sur la responsabilisation. Voir, par exemple: S.T. Menon, «Employee Empowerment: An Integrative Psychological approach», *Applied Psychology: An International Review*, vol. 50, 2001, p. 53-180; W.A. Randolph, «Re-Thinking Empowerment: Why is it so Hard to Achieve?», *Organizational Dynamics*, vol. 29, novembre 2000, p. 94-107; R. Forrester, «Empowerment: Rejuvenating a Potent Idea», *Academy of Management Executive*, vol. 14, août 2000, p. 67-80; J.A. Conger et R.N. Kanungo, «The Empowerment Process: Integrating Theory and Practice», *Academy of*

Management Review, vol. 13, 1988, p. 471-482. J'aimerais également remercier Angus Buchanan pour son aide à redécouvrir les détails des documents relatifs à la responsabilisation.

94. «Job Satisfaction Means More Than Pay», *Business Day* (Afrique du Sud), 6 décembre 2000, p. 14; S. Planting, «Mirror, Mirror... Here Are The Fairest Of Them All», *Financial Mail* (Afrique du Sud), 24 novembre 2000, p. 48.

95. R. Forrester, «Empowerment: Rejuvenating a Potent Idea», *Academy of Management Executive*, vol. 14, août 2000, p. 67-90. Les relations positives entre ces conditions (parfois appelées les conditions structurelles de responsabilisation) et la responsabilisation psychologique figurent dans: H.K.S. Laschinger, J. Finegan et J. Shamian, «Promoting Nurses' Health: Effect of Empowerment on Job Strain and Work Satisfaction», *Nursing Economics*, vol. 19, mars/avril 2001, p. 42-52.

96. C.S. Koberg, R.W. Boss, J.C. Senjem et E.A. Goodman, «Antecedents and Outcomes of Empowerment», *Group and Organization Management*, vol. 24, 1999, p. 71-91.

97. T.D. Wall, J.L. Cordery et C.W. Clegg, «Empowerment, Performance, and Operational Uncertainty: A Theoretical Integration», *Applied Psychology: An International Review*, vol. 51, 2002, p. 146-169; W.A. Randolph et M. Sashkin, «Can Organizational Empowerment Work in Multinational Settings?», *Academy of Management Executive*, vol. 16, février 2002, p. 102-116; J. Yoon, «The Role of Structure and Motivation for Workplace Empowerment: The Case of Korean Employees», *Social Psychology Quarterly*, vol. 64, juin 2001, p. 195-206; B.J. Niehoff, R.H. Moorman, G. Blakely et J. Fuller, «The Influence of Empowerment and Job Enrichment on Employee Loyalty in a Downsizing Environment», *Group and Organization Management*, vol. 26, mars 2001, p. 93-113; K. Blanchard, J.P. Carlos et A. Randolph, *The 3 Keys to Empowerment: Release the Power Within People For Astonishing Results*, San Francisco, Berrett-Koehler, 1999.

98. P. Verburg, «Prepare for Takeoff», *Canadian Business*, 25 décembre 2000, p. 94-99. Les facteurs organisationnels

influant sur la responsabilisation sont présentés dans : P.A. Miller, P. Goddard et H.K. Spence Laschinger, « Evaluating Physical Therapists' Perception Of Empowerment Using Kanter's Theory Of Structural Power In Organizations », *Physical Therapy*, vol. 81, décembre 2001, p. 1880-1888 ; G.M. Spreitzer et R.E. Quinn, *A Company of Leaders : Five Disciplines for Unleashing the Power in Your Workforce*, San Francisco, Jossey-Bass, 2001 ; J. Godard, « High Performance and the Transformation Of Work ? The Implications of Alternative Work Practices for the Experience and Outcomes of Work », *Industrial & Labour Relations Review*, vol. 54, juillet 2001, p. 776-805 ; G.M. Spreitzer, « Social Structural Characteristics of Psychological Empowerment », *Academy of Management Journal*, vol. 39, avril 1996, p. 483-504.

99. H.K.S. Laschinger, J. Finegan et J. Shamian, « The Impact of Workplace Empowerment, Organizational Trust on Staff Nurses' Work Satisfaction and Organizational Commitment », *Health Care Management Review*, vol. 26, été 2001, p. 7-23 ; J-C. Chebat et P. Kollias, « The Impact of Empowerment on Customer Contact Employees' Role in Service Organizations, », *Journal of Service Research*, vol. 3, août 2000, p. 66-81.

100. P. Verburg, « Prepare for Takeoff », *Canadian Business*, 25 décembre 2000, p. 94-99.

101. T. Romita, « The Talent Search », *Business*, vol. 2.0, 12 juin 2001.

102. C.P. Neck et C.C. Manz, « Thought Self-Leadership : The Impact of Mental Strategies Training on Employee Cognition, Behaviour, and Affect », *Journal of Organizational Behaviour*, vol. 17, 1996, p. 445-467.

103. C.C. Manz et H.P. Sims, Jr., *Superleadership : Leading Others to Lead Themselves*, Englewood Cliffs, New Jersey, Prentice-Hall, 1989 ; C.C. Manz, « Self-Leadership : Toward an Expanded Theory of Self-Influence Processes in Organizations », *Academy of Management Review*, vol. 11, 1986, p. 585-600.

104. O.J. Strickland et M. Galimba, « Managing Time : The Effects of Personal Goal Setting on Resource Allocation Strategy and Task Performance », *Journal of Psychology*, vol. 135, juillet 2001, p. 357-367 ; P.R. Pintrich, « The Role of Goal Orientation in Self-Regulated Learning », dans M. Boekaerts, P.R. Pintrich et M. Zeidner (éds), *Handbook of Self-Regulation*, New York, Academic, 2000, p. 452-502 ; H.P. Sims, Jr. et C.C. Manz, *Company of Heroes : Unleashing the Power of Self-Leadership*, New York, Wiley, 1996 ; A.M. Saks, R.R. Haccoun et D. Laxer, « Transfer Training : A Comparison of Self-Management and Relapse Prevention Interventions », Compte rendu de la conférence 1996 de l'ASAC, division des Ressources humaines, vol. 17, n° 9, 1996, p. 81-91 ; M.E. Gist, A.G. Bavetta et C.K. Stevens, « Transfer Training Method : Its Influence on Skill Generalization, Skill Repetition, and Performance Level », *Personnel Psychology*, vol. 43, 1990, p. 501-523.

105. R.M. Duncan et J.A. Cheyne, « Incidence and Functions of Self-reported Private Speech in Young Adults : A Self-verbalization Questionnaire », *Canadian Journal of Behavioural Science*, vol. 31, avril 1999, p. 133-136. Pour une discussion sur les modèles de pensée constructive dans le cadre du comportement organisationnel, voir : C.P. Neck et C.C. Manz, « Thought Self-Leadership : The Influence of Self-Talk and Mental Imagery on Performance », *Journal of Organizational Behaviour*, vol. 13, 1992, p. 681-699.

106. G.E. Prussia, J.S. Anderson et C.C. Manz, « Self-Leadership and Performance Outcomes : The Mediating Influence of Self-Efficacy », *Journal of Organizational Behaviour*, septembre 1998, p. 523-538 ; Neck et Manz, « Thought Self-Leadership : The Impact of Mental Strategies Training on Employee Cognition, Behaviour, and Affect », *Journal of Organizational Behaviour*, vol. 17, 1996.

107. Les premiers experts semblent faire une distinction entre la pratique mentale et l'imagerie mentale, alors que la littérature récente combine la pratique mentale avec la visualisation du résultat positif d'une tâche dans la définition de l'imagerie mentale. Pour une discussion récente sur ce concept, voir : C.P. Neck, G.L. Stewart et C.C. Manz, « Thought Self-Leadership as a Framework for Enhancing the Performance of Performance Appraisers », *Journal of Applied Behavioural Science*, vol. 31, septembre 1995, p. 278-302 ; W.P. Anthony, R.H. Bennett III, E.N. Maddox et W.J. Wheatley, « Picturing the Future : Using Mental Imagery to Enrich Strategic Environmental Assessment », *Academy of Management Executive*, vol. 7, n° 2, 1993, p. 43-56.

108. L. Morin et G. Latham, « The Effect of Mental Practice and Goal Setting as a Transfer of Training Intervention on Supervisors' Self-efficacy and Communication Skills : An Exploratory Study », *Applied Psychology : An International Review*, vol. 49, juillet 2000, p. 566-578 ; J.E. Driscoll, C. Cooper et A. Moran, « Does Mental Practice Enhance Performance ? », *Journal of Applied Psychology*, vol. 79, 1994, p. 481-492.

109. *Les Affaires*, 23 décembre 2006, p. 4.

110. A. Wrzesniewski et J.E. Dutton, « Crafting a Job : Revisioning Employees as Active Crafters of their Work », *Academy of Management Review*, vol. 26, avril 2001, p. 179-201 ; Manz, « Self-Leadership : Toward an Expanded Theory of Self-Influence Processes in Organizations ».

111. M.I. Bopp, S.J. Glynn et R.A. Henning, « Self-Management of Performance Feedback During Computer-Based Work by Individuals and Two-Person Work Teams », argumentation présentée à la conférence APA-NIOSH en mars 1999.

112. A.W. Logue, *Self-Control : Waiting Until Tomorrow for What You Want Today*, Englewood Cliffs, New Jersey, Prentice Hall, 1995.

113. J. Bauman, « The Gold Medal Mind », *Psychology Today*, vol. 33, mai 2000, p. 62-69 ; K.E. Thiese et S. Huddleston, « The Use Of Psychological Skills By Female Collegiate Swimmers », *Journal of Sport Behaviour*, décembre 1999, p. 602-610 ; D. Landin et E.P. Hebert, « The Influence of Self-Talk on the Performance of Skilled Female Tennis Players », *Journal of Applied Sport Psychology*, vol. 11, septembre 1999, p. 263-282 ; C. Defrancesco et K.L. Burke, « Performance Enhancement Strategies Used in a Professional Tennis Tournament », *International Journal of Sport Psychology*, vol. 28, 1997, p. 185-195 ; S. Ming et G.L. Martin, « Single-Subject Evaluation of a Self-Talk Package for Improving Figure Skating Performance », *Sport Psychologist*, vol. 10, 1996, p. 227-238.

114. Morin et Latham, « The Effect of Mental Practice and Goal Setting as a Transfer of Training Intervention on Supervisors' Self-efficacy and Communication Skills » ; A.M. Saks et B.E. Ashforth, « Proactive Socialization and Behavioural Self-Management », *Journal of Vocational Behaviour*, vol. 48, 1996, p. 301-323 ; Neck et Manz, « Thought Self-Leadership: The Impact of Mental Strategies Training on Employee Cognition, Behaviour, and Affect ».

115. A.L. Kazan, « Exploring the Concept of Self-Leadership: Factors Impacting Self-Leadership of Ohio Americorps Members », *Dissertation Abstracts International*, vol. 60, juin 2000 ; S. Ross, « Corporate Measurements Shift from Punishment to Rewards », *Reuters*, 28 février 2000 ; M. Castaneda, T.A. Kolenko et R.J. Aldag, « Self-Management Perceptions and Practices: A Structural Equations Analysis », *Journal of Organizational Behaviour*, vol. 20, 1999, p. 101-120 ; G.L. Stewart, K.P. Carson et R.L. Cardy, « The Joint Effects of Conscientiousness and Self-Leadership Training on Employee Self-Directed Behaviour in a Service Setting », *Personnel Psychology*, vol. 49, 1996, p. 143-164.

116. Yannick Chorlay, *Les Affaires*, 20 janvier 2007, p. 38.

117. S. Robbins et Nancy Langton, 2007, *ibid.*

118. U.Hums, « Wired in the country », *People Management*, novembre 1999, p. 46-47.

119. P. Chisholm, « Redesigning Work », *Maclean's*, 5 mars 2001, p. 34-38. Le sondage d'AT&T et les sondages effectués au Canada sont décrits dans : « AT&T Telework Survey Indicates Productivity is Up », *AT&T news release*, 6 août 2002 ; Ipsos-Reid, *Canadian Families and the Internet*, rapport présenté à la Banque royale du Canada, janvier 2002. Les avantages, les inconvénients et les limitations du télétravail sont fort bien détaillés dans : L. Duxbury et C. Higgins, « Telework: A Primer for the Millennium Introduction » dans C.L. Cooper et R.J. Burke (éd.), *The New World of Work: Challenges and Opportunities*, Blackwell, Oxford, 2002, p. 157-199.

120. S. Robbins et Nancy Langton, *Ibid.*

121. D.-G. Tremblay, « Telework: Work Organization and Satisfaction of Teleworkers », *Proceedings of the Annual Conference of the Administrative Sciences Association of Canada, Human Resource Management Division*, vol. 23, n° 9, 2002, p. 73-83 ; N.B. Kurland et D.E. Bailey, « Telework: The Advantages and Challenges of Working Here, There, Anywhere, and Anytime », *Organizational Dynamics*, vol. 28, automne 1999, p. 53-68 ; A. Mahlon, « The Alternative Workplace: Changing Where and How People Work », *Harvard Business Review*, n° 76, mai-juin 1998, p. 121-130.

122. Jocelyne Arcand, « Le télétravail comme solution d'affaires : pourquoi et comment ? », *Effectif*, septembre-octobre 2006, p. 41-44.

123. V. Galt, « Kraft Canada Cooks up a Tempting Workplace », *Globe and Mail*, 5 août 2002, p. B1.

124. D.R. Dalton et D.J. Mesch, « The impact of flexible scheduling on employee attendance and turnover », *Administrative Science Quarterly*, juin 1990, p. 370-387 ; L. Golden, « Flexible work schedules: What are we trading off to get them ? », *Monthly Labor Review*, mars 2001, p. 50-55.

125. B.S. Watson, « Share and Share Alike », *Management Review*, 84, Octobre 1995, p. 50-52.

126. Job Sharing, *The daily statistics Canada*, 1997, 9 juin.

127. P.M. Blau, *Exchange and power in social life*, New York, Wiley, 1964.

CHAPITRE 8

1. G. Bylinsky, « Bombardier: A New Plant Saves Old Brand Names », (Elite Factories), *Fortune*, 2 septembre 2002, p. 172ff ; R. Barrett, « New Owner Hopes Outboard Motors Make a Splash », *Milwaukee Journal Sentinel*, 20 janvier 2002, p. 1D ; L. Klink, « Bombardier to Hire up to 700 », *Milwaukee Journal Sentinel*, 2 septembre 2001, p. 32.

2. A. Swift, « Management Method Catching On », *London Free Press*, 8 mars 2000 ; I. Bloomstone, « Everyone Wins when Workers Participate », *Montreal Gazette*, 21 juin 1999, p. F3 ; M. Greissel, « Dofasco Supports Research at the University of British Columbia », *Iron Age New Steel*, n° 14, mai 1998, p. 64-68.

3. P. Booth, *Challenge and Change: Embracing the Team Concept*, Report 123-94, Conference Board of Canada, 2004.

4. S. Carney, « DaimlerChrysler Launches Product Teams », *The Detroit News*, 13 juillet 2001, p. 1 ; J. Dixon, « Lean, Mean Is Theme for Chrysler », *Detroit Free Press*, 12 juillet 2001 ; E. Garsten, « Chrysler Has New Product Process », *AP Online*, 12 juillet 2001 ; E. Garsten, « Chrysler Has New Product Process », *AP Online*, 12 juillet 2001.

5. On trouvera des variations très similaires de cette définition dans E. Sundstrom, « The Challenges of Supporting Work Team Effectiveness », tiré de E. Sundstrom and Associates (éd.), *Supporting Work Team Effectiveness*, San Francisco, Calif., Jossey-Bass, 1999, p. 6-9 ; S.G. Cohen et D.E. Bailey, « What Makes Teams Work: Group Effectiveness Research from the Shop Floor to the Executive Suite », *Journal of Management*, 23 mai 1997, p. 239-290 ; M.A. West, « Preface: Introducing Work Group Psychology », dans M.A. West (éd.), *Handbook of Work Group Psychology*, Chichester, Royaume-Uni, Wiley, 1996, p. xxvi ; S.A. Mohrman, S.G. Cohen et A.M. Mohrman junior, *Designing Team-Based Organizations: New Forms for Knowledge Work*, San Francisco, Jossey-Bass, 1995, p. 39-40 ; J.R. Katzenbach et K.D. Smith, « The Discipline of Teams », *Harvard Business Review*, mars-avril 1993, p. 111-120 ; M.E. Shaw, *Group Dynamics*, 3e éd., New York, McGraw-Hill, 1981, p. 8.

6. L.R. Offermann et R.K. Spiros, « The Science and Practice of Team Development: Improving the Link » *Academy of Management Journal*, n° 44, avril 2001, p. 376-392. De manière semblable, David Nadler distingue les mots *crowds*, *groups* et *teams* dans D.A. Nadler, « From Ritual to Real Work: The Board as a Team », *Directors and Boards*, n° 22, été 1998, p. 28-31.

7. L'utilisation du mot « équipe » plutôt que du mot « groupe » est aussi débattue dans : Cohen et Bailey, « What Makes Teams Work » ; R.A. Guzzo et M.W. Dickson, « Teams in Organizations: Recent Research on Performance and Effectiveness », *Annual*

Review of Psychology, n° 47, 1996, p. 307-338.

8. G.E. Huszczo, *Tools for Team Excellence*, Palo Alto, Calif., Davies-Black, 1996, p. 9-15; R. Likert, *New Patterns of Management*, New York, McGraw-Hill, 1961, p. 106-108.

9. B. Meyer, « Reko Finds Hidden Potential While Getting ISO 9001 », *Windsor Star*, 17 septembre 2001.

10. J.L. Cotton, *Employee Involvement*, Newbury Park, Calif., Sage, 1993.

11. T. Peters, *Thriving on Chaos*, New York, Knopf, 1987, p. 211-218; T. Kidder, *Soul of a New Machine*, Boston, Little, Brown, 1981; T. Peters et N. Austin, *A Passion for Excellence*, New York, Random House, 1985, chap. 9 et 10.

12. S. Zesiger, « Dial "M" for Mystique », *Fortune*, 12 janvier 1998, p. 175; R. Hertzberg, « No Longer a Skunkworks », *Internet World*, 3 novembre 1997; R. Lim, « Innovation, Innovation, Innovation », *Business Times*, Singapore, 27 octobre 1997, p. 18.

13. T. Koppel, *Powering the Future*, Toronto, John Wiley & Sons, 1999.

14. H. Saint-Onge et D. Wallace, *Leveraging Communities of Practice for Strategic Advantage*, Boston, Butterworth-Heinemann, 2003; E.C. Wenger et W.M. Snyder, « Communities of Practice: The Organizational Frontier », *Harvard Business Review*, n° 78, janvier-février 2000, p. 139-145; J.W. Botkin, *Smart Business: How Knowledge Communities Can Revolutionize your Company*, New York, Free Press, 1999.

15. M. Finlay, « Panning for Gold », *Computer User*, 1er juillet 2001.

16. P.R. Lawrence et N. Nohria, *Driven: How Human Nature Shapes our Choices*, San Francisco, Jossey-Bass, 2002; B.D. Pierce et R. White, « The Evolution of Social Structure: Why Biology Matters », *Academy of Management Review*, n° 24, octobre 1999, p. 843-853.

17. J.C. Turner et S.A. Haslam, « Social Identity, Organizations, and Leadership », dans M.E. Turner (éd.), *Groups at Work: Theory and Research*, Mahwah, New Jersey, Lawrence Erlbaum Associates, 2001, p. 25-65; M.A. Hogg et D.J. Terry, « Social Identity and Self-Categorization Processes in Organizational Contexts », *Academy of Ma-*

nagement Review, n° 25, janvier 2000, p. 121-140.

18. A.S. Tannenbaum, *Social Psychology of the Work Organization*, Belmont, Calif., Wadsworth, 1966, p. 62; S. Schacter, *The Psychology of Affiliation*, Stanford, Calif., Stanford University Press, 1959, p. 12-19.

19. R. Forrester et A.B. Drexler, « A Model for Team-Based Organization Performance », *Academy of Management Executive*, n° 13, août 1999, p. 36-49; M.A. West, C.S. Borrill et K.L. Unsworth, « Team Effectiveness in Organizations », *International Review of Industrial and Organizational Psychology*, n° 13, 1998, p. 1-48; R.A. Guzzo et M.W. Dickson, « Teams in Organizations: Recent Research on Performance and Effectiveness », *Annual Review of Psychology*, n° 47, 1996, p. 307-338.

20. J.R. Hackman *et al.*, « Team Effectiveness in Theory and in Practice », dans C.L. Cooper et E.A. Locke (éd.), *Industrial and Organizational Psychology: Linking Theory with Practice*, Oxford, Royaume-Uni, Blackwell, 2000, p. 109-129; M.R. Barrick *et al.*, « Relating Member Ability and Personality to Work-Team Processes and Team Effectiveness », *Journal of Applied Psychology*, n° 83, 1998, p. 377-391; West *et al.*, « Team Effectiveness in Organizations »; Mohrman, Cohen et Mohrman junior, *Designing Team-Based Organizations*, p. 58-65; J.E. McGrath, « Time, Interaction, and Performance (TIP): A Theory of Groups », *Small Group Research*, n° 22, 1991, p. 147-174; G.P. Shea et R.A. Guzzo, « Group Effectiveness: What Really Matters? », *Sloan Management Review*, n° 27, 1987, p. 33-46.

21. J.N. Choi, « External Activities and Team Effectiveness: Review and Theoretical Development », *Small Group Research*, n° 33, avril 2002, p. 181-208.

22. E.E. Lawler III, *Rewarding Excellence: Pay Strategies for the New Economy*, San Francisco, Jossey-Bass, 2000, p. 207-214; S. Sarin et V. Mahajan, « The Effect of Reward Structures on the Performance of Cross-Functional Product Development Teams », *Journal of Marketing*, n° 65, avril 2001, p. 35-53; J.S. DeMatteo, L.T. Eby et E. Sundstrom, « Team-Based Rewards: Current Empirical Evidence and Directions for Future Research », *Research*

in Organizational Behaviour, n° 20, 1998, p. 141-183.

23. L.A. Yerkes, « Motivating Workers in Tough Times », *Incentive*, octobre 2001, p. 120-121.

24. P. Bordia, « Face-to-Face Versus Computer-Mediated Communication: A Synthesis of the Experimental Literature », *Journal of Business Communication*, n° 34, janvier 1997, p. 99-120; A.D. Shulman, « Putting Group Information Technology in its Place: Communication and Good Work Group Performance », dans S.R. Clegg, C. Hardy et W.R. Nord (éd.), *Handbook of Organization Studies*, London, Sage, 1996, p. 357-374; J.E. McGrath et A.B. Hollingshead, *Groups Interacting with Technology*, Thousand Oaks, Calif., Sage, 1994.

25. A. Smith, « Perfect Fits Vander Laan », *London Free Press*, 3 mai 1999, p. 11. L'aménagement des bureaux et la dynamique des groupes sont abordés dans J. Wineman et M. Serrato, « Facility Design for High-Performance Teams », dans E. Sundstrom and Associates (éd.), *Supporting Work Team Effectiveness*, San Francisco, Jossey-Bass, 1999, p. 271-298.

26. R. Wageman, « Case Study: Critical Success Factors for Creating Superb Self-Managing Teams at Xerox », *Compensation and Benefits Review*, n° 29, septembre-octobre 1997, p. 31-41; D. Dimancescu et K. Dwenger, « Smoothing the Product Development Path », *Management Review*, n° 85, janvier 1996, p. 36-41.

27. E.F. McDonough III, « Investigation of Factors Contributing to the Success of Cross-Functional Teams », *Journal of Product Innovation Management*, n° 17, mai 2000, p. 221-235; A. Edmondson, « Psychological Safety and Learning Behaviour in Work Teams », *Administrative Science Quarterly*, n° 44, 1999, p. 350-383; D.G. Ancona et D.E. Caldwell, « Demography and Design: Predictors of New Product Team Performance », *Organization Science*, n° 3, août 1992, p. 331-341.

28. J. Kurlantzick, « New Balance Stays a Step Ahead », *U.S. News & World Report*, 2 juillet 2001, p. 34; A. Bernstein, « Low-Skilled Jobs: Do They Have to Move? », *Business Week*, 26 février 2001, p. 92; G. Gatlin, « Firm Boasts of New Balance of Power », *The Boston Herald*, 24 janvier 2001, p. 27.

29. M.A. Campion, E.M. Papper et G.J. Medsker, « Relations Between Work Team Characteristics and Effectiveness: A Replication and Extension », *Personnel Psychology*, n° 49, 1996, p. 429-452; S. Worchel et S.L. Shackelford, « Groups Under Stress: The Influence of Group Structure and Environment on Process and Performance », *Personality & Social Psychology Bulletin*, n° 17, 1991, p. 640-647; E. Sundstrom, K.P. De Meuse et D. Futrell, « Work Teams: Applications and Effectiveness », *American Psychologist*, n° 45, 1990, p. 120-133.

30. R. Wageman, « The Meaning of Interdependence », dans M.E. Turner (éd.), *Groups at Work: Theory and Research*, Mahwah, New Jersey, Lawrence Erlbaum Associates, 2001, p. 197-217.

31. G. van der Vegt, B. Emans et E. van de Vliert, « Motivating Effects of Task and Outcome Interdependence in Work Teams », *Group & Organization Management*, n° 23, juin 1998, p. 124-143; R.C. Liden, S.J. Wayne et L.K. Bradway, « Task Interdependence as a Moderator of the Relation Between Group Control and Performance », *Human Relations*, n° 50, 1997, p. 169-181; R. Wageman, « Interdependence and Group Effectiveness », *Administrative Science Quarterly*, n° 40, 1995, p.145-180; M.A. Campion, G.J. Medsker et A.C. Higgs, « Relations Between Work Group Characteristics and Effectiveness: Implications for Designing Effective Work Groups », *Personnel Psychology*, n° 46, 1993, p. 823-850; M.N. Kiggundu, « Task Interdependence and the Theory of Job Design », *Academy of Management Review*, n° 6, 1981, p. 499-508.

32. J.D. Thompson, *Organizations in Action*, New York, McGraw-Hill, 1967, p. 54-56.

33. K.H. Doerr, T.R. Mitchell et T.D. Klastorin, « Impact of Material Flow Policies and Goals on Job Outcomes », *Journal of Applied Psychology*, n° 81, 1996, p. 142-152.

34. A. Muoio, « Growing Smart », *Fast Company*, n° 16, août 1998; A.R. Sorkin, « Gospel According to St. Luke's », *New York Times*, 12 février 1998, p. D1.

35. G.R. Hickman et A. Creighton-Zollar, « Diverse Self-Directed Work Teams: Developing Strategic Initiatives for 21st Century Organizations », *Public Personnel Management*, n° 27,

printemps 1998, p. 187-200; J.R. Katzenbach et D.K. Smith, *The Wisdom of Teams: Creating the High-Performance Organization*, Boston, Harvard University Press, 1993, p. 45-47; G. Stasser, « Pooling of Unshared Information During Group Discussion », dans S. Worchel, W. Wood et J.A. Simpson (éd.), *Group Process and Productivity*, Newbury Park, Calif., Sage, 1992, p. 48-67.

36. T. Willmert, « Smart Workplace Design Should Bring People, and their Ideas, Together », *Minneapolis Star Tribune*, 28 janvier 2001, p. D11.

37. D. Flavelle, « Firms Try to Rope Winners by Hiring out of the Herd », *Toronto Star*, 30 janvier 2000.

38. L.T. Eby et G.H. Dobbins, « Collectivist Orientation in Teams: An Individual and Group-Level Analysis », *Journal of Organizational Behaviour*, n° 18, 1997, p. 275-295; P.C. Earley, « East Meets West Meets Mideast: Further Explorations of Collectivistic and Individualistic Work Groups », *Academy of Management Journal*, n° 36, 1993, p. 319-348.

39. Mohrman, Cohen et Mohrman junior, *Designing Team-Based Organizations*, p. 248-254; M.J. Stevens et M.A. Campion, « The Knowledge, Skill and Ability Requirements for Teamwork: Implications for Human Resources Management », *Journal of Management*, n° 20, 1994, p. 503-530; A.P. Hare, *Handbook of Small Group Research*, 2ᵉ éd., New York, The Free Press, 1976, p. 12-15.

40. S. Sonnentag, « Excellent Performance: The Role of Communication and Cooperation Processes », *Applied Psychology: An International Review*, n° 49, juillet 2000, p. 483-497; B. Buzaglo et S. Wheelan, « Facilitating Work Team Effectiveness: Case Studies from Central America », *Small Group Research*, n° 30, 1999, p. 108-129; B. Schultz, « Improving Group Communication Performance: An Overview of Diagnosis and Intervention », dans L. Frey, D. Gouran et M. Poole (éd.), *Handbook of Group Communication Theory and Research*, Thousand Oaks, Calif., Sage, 1999, p. 371-394; M.R. Barrick *et al.*, « Relating Member Ability and Personality to Work-Team Processes and Team Effectiveness », *Journal of Applied Psychology*, n° 83, 1998, p. 377-391.

41. D.C. Hambrick *et al.*, « When Groups Consist of Multiple Nationalities: Towards a New Understanding of the Implications », *Organization Studies*, n° 19, 1998, p. 181-205; F.J. Milliken et L.L. Martins, « Searching for Common Threads: Understanding the Multiple Effects of Diversity in Organizational Groups », *Academy of Management Review*, n° 21, 1996, p. 402-433; J.K. Murnighan et D. Conlon, « The Dynamics of Intense Work Groups: A Study of British String Quartets », *Administrative Science Quarterly*, n° 36, 1991, p. 165-186.

42. P.C. Earley et E. Mosakowski, « Creating Hybrid Team Cultures: An Empirical Test of Transnational Team Functioning », *Academy of Management Journal*, n° 43, février 2000, p. 26-49; D.C. Lau et J.K. Murnighan, « Demographic Diversity and Faultlines: The Compositional Dynamics of Organizational Groups », *Academy of Management Review*, n° 23, avril 1998, p. 325-340.

43. L.H. Pelled, K.M. Eisenhardt et K.R. Xin, « Exploring the Black Box: An Analysis of Work Group Diversity, Conflict, and Performance », *Administrative Science Quarterly*, n° 44, mars 1999, p. 1-28; K.Y. Williams et C.A. O'Reilly III, « Demography and Diversity in Organizations: A Review of 40 Years of Research », *Research in Organizational Behaviour*, n° 20, 1998, p. 77-140; B. Daily *et al.*, « The Effects of a Group Decision Support System on Culturally Diverse and Culturally Homogeneous Group Decision Making », *Information & Management*, n° 30, 1996, p. 281-289; W.E. Watson, K. Kumar et L.K. Michaelson, « Cultural Diversity's Impact on Interaction Process and Performance: Comparing Homogeneous and Diverse Task Groups », *Academy of Management Journal*, n° 36, 1993, p. 590-602.

44. J.A. LePine *et al.*, « Gender Composition, Situational Strength, and Team Decision-Making Accuracy: A Criterion Decomposition Approach », *Organizational Behaviour and Human Decision Processes*, n° 88, 2002, p. 445-475.

45. L. Tucci, « Owens Drake Consulting Fosters Systematic Change », *St. Louis Business Journal*, n° 25, mai 1998. Pour en savoir davantage sur l'importance du consensus et de la compréhension dans les groupes de prise de décision

hétérogènes, voir S. Mohammed et E. Ringseis, « Cognitive Diversity and Consensus in Group Decision Making: The Role of Inputs, Processes, and Outcomes », *Organizational Behaviour and Human Decision Processes*, n° 85, juillet 2001, p. 310-335.

46. Les résultats des études menées par le NTSB et la NASA sont résumés dans J.R. Hackman, « New Rules for Team Building », *Optimize*, 1ᵉʳ juillet 2002, p. 50ff.

47. R. Deruyter, « Budd Workers Reject Shift Change », *Kitchener-Waterloo Record*, 1ᵉʳ juin 2002.

48. B.W. Tuckman et M.A.C. Jensen, « Stages of Small-Group Development Revisited », *Group and Organization Studies*, n° 2, 1977, p. 419-442. Pour lire un texte humoristique et quelque peu cynique sur la dynamique des groupes à travers ces étapes, voir H. Robbins et M. Finley, *Why Teams Don't Work*, Princeton, New Jersey, Peterson's/Pacesetters, 1995, chap. 21.

49. J.E. Mathieu et G.F. Goodwin, « The Influence of Shared Mental Models on Team Process and Performance », *Journal of Applied Psychology*, n° 85, avril 2000, p. 273-284 ; J.A. Cannon-Bowers, S.I. Tannenbaum, E. Salas et C.E. Volpe, « Defining Competencies and Establishing Team Training Requirements », dans Guzzo, Salas et Associates (éd.), *Team Effectiveness and Decision Making in Organizations,* » San Francisco, Jossey-Bass, 1995, p. 333-380.

50. A. Edmondson, « Psychological Safety and Learning Behaviour in Work Teams », *Administrative Science Quarterly*, n° 44, 1999, p. 350-383.

51. D.L. Miller, « Synergy in Group Development: A Perspective on Group Performance », *Proceedings of the Annual ASAC Conference, Organizational Behaviour, Division 17*, par. 5, 1996, p. 119-128 ; S. Worchel, D. Coutant-Sassic et M. Grossman, « A Developmental Approach to Group Dynamics: A Model and Illustrative Research », dans *Group Process and Productivity*, Worchel *et al.* (éd.), p. 181-202.

52. C.J.G. Gersick, « Time and Transition in Work Teams: Toward a New Model of Group Development », *Academy of Management Journal*, n° 31, 1988, p. 9-41.

53. C.J.G. Gersick, « Marking Time, Predictable transitions in task group »,

Academy of Management Journal, 1989, n° 32, p. 274-309.

54. D.C. Feldman, « The Development and Enforcement of Group Norms », *Academy of Management Review*, n° 9, 1984, p. 47-53 ; L.W. Porter, E.E. Lawler et J.R. Hackman, *Behaviour in Organizations*, New York, McGraw-Hill, 1975, p. 391-394.

55. I.R. Gellatly, « Individual and Group Determinants of Employee Absenteeism: Test of a Causal Model », *Journal of Organizational Behaviour*, n° 16, 1995, p. 469-485 ; G. Johns, « Absenteeism Estimates by Employees and Managers: Divergent Perspectives and Self-Serving Perceptions », *Journal of Applied Psychology*, n° 79, 1994, p. 229-239.

56. « Employees Terrorized by Peer Pressure in the Workplace », communiqué de presse de Morgan & Banks, septembre 2000. Voir aussi B. Latané, « The Psychology of Social Impact », *American Psychologist*, n° 36, 1981, p. 343-356 ; C.A. Kiesler et S.B. Kiesler, *Conformity*, Reading, Mass., Addison-Wesley, 1970.

57. Porter, Lawler et Hackman, *Behaviour in Organizations*, p. 399-401.

58. Feldman, « The Development and Enforcement of Group Norms », p. 50-52.

59. Katzenbach et Smith, *The Wisdom of Teams*, p. 121-123.

60. K.L. Bettenhausen et J.K. Murnighan, « The Development of an Intragroup Norm and the Effects of Interpersonal and Structural Challenges », *Administrative Science Quarterly*, n° 36, 1991, p. 20-35.

61. R.S. Spich et K. Keleman, « Explicit Norm Structuring Process: A Strategy for Increasing Task-Group Effectiveness », *Group & Organization Studies*, n° 10, mars 1985, p. 37-59.

62. L.Y. Chan et B.E. Lynn, « Operating in Turbulent Times: How Ontario's Hospitals are Meeting the Current Funding Crisis », *Health Care Management Review*, n° 23, juin 1998, p. 7.

63. D.I. Levine, « Piece Rates, Output Restriction, and Conformism », *Journal of Economic Psychology*, n° 13, 1992, p. 473-489.

64. L. Coch et J.R.P. French junior, « Overcoming Resistance to Change », *Human Relations*, n° 1, 1948, p. 512-532.

65. E.P. Torrance, « Some Consequences of Power Differences on Deci-

sion Making in Permanent and Temporary Three-Man Groups. *Research Studies: Washington State College*, n° 22, 1954, p. 130-140.

66. D. Katz et R.L. Kahn, *The Social Psychology of Organizations*, New York, John Wiley & Sons, 1966, chap. 7 ; J.W. Thibault et H.H. Kelley, *The Social Psychology of Groups*, New York, Wiley & Sons, 1959, chap. 8.

67. K.D. Benne et P. Sheats, « Functional Roles of Group Members », *Journal of Social Issues*, n° 4, 1948, p. 41-49.

68. D. Vinokur-Kaplan, « Treatment Teams that Work (and Those that Don't): An Application of Hackman's Group Effectiveness Model to Interdisciplinary Teams in Psychiatric Hospitals », *Journal of Applied Behavioral Science*, n° 31, 1995, p. 303-327 ; Shaw, *Group Dynamics*, p. 213-226 ; P.S. Goodman, E. Ravlin et M. Schminke, « Understanding Groups in Organizations », *Research in Organizational Behaviour*, n° 9, 1987, p. 121-173.

69. J.R. Kelly et S.G. Barsade, « Mood and Emotions in Small Groups and Work Teams », *Organizational Behaviour and Human Decision Processes*, n° 86, septembre 2001, p. 99-130 ; S. Lembke et M.G. Wilson, « Putting the "Team" into Teamwork: Alternative Theoretical Contributions for Contemporary Management Practice », *Human Relations*, n° 51, juillet 1998, p. 927-944 ; B.E. Ashforth et R.H. Humphrey, « Emotion in the Workplace: A Reappraisal », *Human Relations*, n° 48, 1995, p. 97-125.

70. K.M. Sheldon et B.A. Bettencourt, « Psychological Need-Satisfaction and Subjective Well-Being Within Social Groups », *British Journal of Social Psychology*, n° 41, 2002, p. 25-38 ; N. Ellemers, R. Spears et B. Doosje, « Self and Social Identity », *Annual Review of Psychology*, n° 53, 2002, p. 161-186 ; A. Lott et B. Lott, « Group Cohesiveness as Interpersonal Attraction: A Review of Relationships with Antecedent and Consequent Variables », *Psychological Bulletin*, n° 64, 1965, p. 259-309.

71. S.E. Jackson, « Team Composition in Organizational Settings: Issues in Managing an Increasingly Diverse Work Force », dans Worchel *et al.* (éd.), *Group Process and Productivity*, p. 138-173 ; J. Virk, P. Aggarwal et R.N. Bhan, « Similarity Versus Complementarity in Clique Formation », *Journal of Social Psychology*, n° 120, 1983, p. 27-34.

72. M.B. Pinto, J.K. Pinto et J.E. Prescott, « Antecedents and Consequences of Project Team Cross-Functional Cooperation », *Management Science*, nᵒ 39, 1993, p. 1281-1296 ; W. Piper *et al.*, Cohesion as a Basic Bond in Groups », *Human Relations*, nᵒ 36, 1983, p. 93-108.

73. M. Frase-Blunt, « The Cubicles Have Ears. Maybe They Need Earplugs », *Washington Post*, 6 mars 2001, p. HE7.

74. J.E. Hautaluoma et R.S. Enge, « Early Socialization into a Work Group : Severity of Initiations Revisited », *Journal of Social Behaviour & Personality*, nᵒ 6, 1991, p. 725-748 ; E. Aronson et J. Mills, « The Effects of Severity of Initiation on Liking for a Group », *Journal of Abnormal and Social Psychology*, nᵒ 59, 1959, p. 177-181.

75. B. Mullen et C. Copper, « The Relation Between Group Cohesiveness and Performance : An Integration », *Psychological Bulletin*, nᵒ 115, 1994, p. 210-227 ; Shaw, *Group Dynamics*, p. 215.

76. Les effets positifs et négatifs des menaces extérieures sur l'équipe sont décrits dans M.E. Turner et T. Horvitz, « The Dilemma of Threat : Group Effectiveness and Ineffectiveness Under Adversity », dans M.E. Turner (éd.), *Groups at Work : Theory and Research*, Mahwah, New Jersey, Lawrence Erlbaum Associates, 2001, p. 445-470.

77. M. Rempel et R.J. Fisher, « Perceived Threat, Cohesion, and Group Problem Solving in Intergroup Conflict », *International Journal of Conflict Management*, nᵒ 8, 1997, p. 216-234.

78. J.M. McPherson et P.A. Popielarz, « Social Networks and Organizational Dynamics », *American Sociological Review*, nᵒ 57, 1992, p. 153-170 ; Piper *et al.*, « Cohesion as a Basic Bond in Groups », p. 93-108.

79. C.A. O'Reilly III, D.F. Caldwell et W.P. Barnett, « Work Group Demography, Social Integration, and Turnover », *Administrative Science Quarterly*, nᵒ 34, 1989, p. 21-37.

80. P.J. Sullivan et D.L. Feltz, « The Relationship Between Intrateam Conflict and Cohesion Within Hockey Teams », *Small Group Research*, nᵒ 32, juin 2001, p. 342-355.

81. J. Pappone, « Sometimes Life's Truly a Beach... », *Ottawa Citizen*, 3 février 2000.

82. R.D. Banker *et al.*, « Impact of Work Teams on Manufacturing Performance : A Longitudinal Study », *Academy of Management Journal*, nᵒ 39, 1996, p. 867-890 ; D. Vinokur-Kaplan, « Treatment Teams that Work (and Those that Don't) : An Application of Hackman's Group Effectiveness Model to Interdisciplinary Teams in Psychiatric Hospitals », *Journal of Applied Behavioral Science*, nᵒ 31, septembre 1995, p. 303-327 ; Mullen et Copper, « The Relation Between Group Cohesiveness and Performance », *Psychological Bulletin* ; C.R. Evans et K.L. Dion, « Group Cohesion and Performance : A Meta-Analysis », *Small Group Research*, nᵒ 22, 1991, p. 175-186.

83. K.L. Gammage, A.V. Carron et P.A. Estabrooks, « Team Cohesion and Individual Productivity : The Influence of the Norm for Productivity and the Identifiability of Individual Effort », *Small Group Research*, nᵒ 32, février 2001, p. 3-18 ; C. Langfred, « Is Group Cohesiveness a Double-Edged Sword ? An Investigation of the Effects of Cohesiveness on Performance », *Small Group Research*, nᵒ 29, 1998, p. 124-143.

84. E.A. Locke *et al.*, « The Importance of the Individual in an Age of Groupism », M.E. Turner (éd.), *Groups at Work : Theory and Research*, Mahwah, New Jersey, Lawrence Erlbaum Associates, 2001, p. 501-528 ; Robbins et Finley, *Why Teams Don't Work*, chap. 20 ; « The Trouble with Teams », *Economist*, 14 janvier 1995, p. 61 ; A. Sinclair, « The Tyranny of Team Ideology », *Organization Studies*, nᵒ 13, 1992, p. 611-626.

85. P. Panchak, « The Future Manufacturing », *Industry Week*, nᵒ 247, 21 septembre 1998, p. 96-105 ; B. Dumaine, « The Trouble with Teams », *Fortune*, 5 septembre 1994, p. 86-92.

86. I.D. Steiner, *Group Process and Productivity*, New York, Academic Press, 1972.

87. D. Dunphy et B. Bryant, « Teams : Panaceas or Prescriptions for Improved Performance ? », *Human Relations*, nᵒ 49, 1996, p. 677-699. Pour en savoir plus sur la loi de Brooke, voir M.A. Cusumano « How Microsoft Makes Large Teams Work Like Small Teams », *Sloan Management Review*, nᵒ 39, automne 1997, p. 9-20.

88. R. Cross, « Looking Before You Leap : Assessing the Jump to Teams in Knowledge-Based Work », *Business Horizons*, septembre 2000.

89. M. Erez et A. Somech, « Is Group Productivity Loss the Rule or the Exception ? Effects of Culture and Group-Based Motivation », *Academy of Management Journal*, nᵒ 39, 1996, p. 1513-1537 ; S.J. Karau et K.D. Williams, « Social Loafing : A Meta-Analytic Review and Theoretical Integration », *Journal of Personality and Social Psychology*, nᵒ 65, 1993, p. 681-706 ; J.M. George, « Extrinsic and Intrinsic Origins of Perceived Social Loafing in Organizations », *Academy of Management Journal*, nᵒ 35, 1992, p. 191-202 ; R. Albanese et D.D. Van Fleet, « Rational Behaviour in Groups : The Free-Riding Tendency », *Academy of Management Review*, nᵒ 10, 1985, p. 244-255.

90. M. Erez et A. Somech, « Is Group Productivity Loss the Rule or the Exception ? Effects of Culture and Group-Based Motivation », *Academy of Management Journal*, nᵒ 39, 1996, p. 1513-1537 ; P.C. Earley, « Social Loafing and Collectivism : A Comparison of the U.S. and the People's Republic of China », *Administrative Science Quarterly*, nᵒ 34, 1989, p. 565-581.

91. T.A. Judge et T.D. Chandler, « Individual-Level Determinants of Employee Shirking », *Relations Industrielles*, nᵒ 51, 1996, p. 468-486 ; J.M. George, « Asymmetrical Effects of Rewards and Punishments : The Case of Social Loafing », *Journal of Occupational and Organizational Psychology*, nᵒ 68, 1995, p. 327-338 ; R.E. Kidwell et N. Bennett, « Employee Propensity to Withhold Effort : A Conceptual Model to Intersect Three Avenues of Research », *Academy of Management Review*, nᵒ 19, 1993, p. 429-456 ; J.A. Shepperd, « Productivity Loss in Performance Groups : A Motivation Analysis », *Psychological Bulletin*, nᵒ 113, 1993, p. 67-81.

92. J.R. Aiello et C.M. Svec, « Computer Monitoring of Work Performance : Extending the Social Facilitation Framework to an Electronic Presence », *Journal of Applied Social Psychology*, 1993, nᵒ 23, p. 538-548.

93. J.R. Aiello et E.A. Douthitt, « Social Facilitation from Triplette to Electronic Performance Monitoring », *Group Dynamics*, 2001, nᵒ 5, p. 163-180.

CHAPITRE 9

1. J. Jusko, « Always Lessons To Learn, » *Industry Week,* 19 octobre 1998, pages 76-78.

2. R. Robertson, « Pain Relief », *Materials Management and Distribution,* avril 1997.

3. E.E. Lawler, *Organizing for High Performance,* San Francisco, Jossey-Bass, 2001 ; S.G. Cohen, G.E. Ledford Junior et G.M. Spreitzer, « A Predictive Model of Self-Managing Work Team Effectiveness », *Human Relations,* nᵒ 49, 1996, p. 643-676.

4. Les attributs des équipes de travail autonomes discutés ici sont présentés dans Yeatts et Hyten, *High-Performing Self-Managed Work Teams* ; B.L. Kirkman et D.L. Shapiro, « The Impact of Cultural Values on Employee Resistance to Teams : Toward a Model of Globalized Self-Managing Work Team Effectiveness », *Academy of Management Review,* nᵒ 22, juillet 1997, p. 730-757 ; Mohrman *et al., Designing Team-Based Organizations.*

5. L. Rittenhouse, « Dennis W. Bakke – Empowering a Workforce with Principles », *Electricity Journal,* janvier 1998, p. 48-59.

6. J. King, « Employers Quickly Hire Circuit Board Assemblers » *Detroit News,* 15 octobre 2000, p. 7.

7. P.S. Goodman, R. Devadas et T.L.G. Hughson, « Groups and Productivity : Analyzing the Effectiveness of Self-Managing Teams », dans J.P. Campbell, R.J. Campbell et associés (éd.), *Productivity in Organizations,* San Francisco, Jossey-Bass, 1988, p. 295-327.

8. Les exemples de centres d'équipes de travail autonomes dans les domaines des services automobiles, des gouvernements provinciaux et des services de coursiers sont décrits dans C.R. Emery et L.D. Fredendall, « The Effect of Teams on Firm Profitability and Customer Satisfaction », *Journal of Service Research,* nᵒ 4, février 2002, p. 217-229 ; S. Simpson, « Ilg Repaying Emotional Debt to City », *Hartford Courant,* 15 décembre 2001, p. B1 ; J. Childs, « Five Years and Counting : The Path to Self-Directed Work Teams », *Hospital Materiel Management Quarterly,* nᵒ 18, mai 1997, p. 34-43.

9. D. Tjosvold, *Teamwork for Customers,* San Francisco, Jossey-Bass, 1993 ; D.E. Bowen et E.E. Lawler III, « The Empowerment of Service Workers : What, Why, How, and When », *Sloan Management Review,* printemps 1992, p. 31-39.

10. X. Chen et W. Barshes, « To Team or not to Team ? », *The China Business Review,* nᵒ 27, mars-avril 2000, p. 30-34 ; C.E. Nicholls, H.W. Lane et M.B. Brechu, « Taking Self-Managed Teams to Mexico », *Academy of Management Executive,* nᵒ 13, août 1999, p. 15-25.

11. C. Robert et T.M. Probst, « Empowerment and Continuous Improvement in the United States, Mexico, Poland, and India », *Journal of Applied Psychology,* nᵒ 85, octobre 2000, p. 643-658 ; B.L. Kirkman et D.L. Shapiro, « The Impact of Cultural Values on Employee Resistance to Teams : Toward a Model of Globalized Self-Managing Work Team Effectiveness », *Academy of Management Review,* nᵒ 22, juillet 1997, p. 730-757 ; C. Pavett et T. Morris, « Management Styles Within a Multinational Corporation : A Five Country Comparative Study », *Human Relations,* nᵒ 48, 1995, p. 1171-1191 ; M. Erez et P.C. Earley, *Culture, Self-Identity, and Work,* New York, Oxford University Press, 1993, p. 104-112.

12. Cette citation se trouve sur le site www.quoteland.com.

13. J.D. Orsburn et L. Moran, *The New Self-Directed Work Teams : Mastering the Challenge,* New York, McGraw-Hill, 2000, chap. 11 ; C.C. Manz, D.E. Keating et A. Donnellon, « Preparing for an Organizational Change to Employee Self-Management : The Managerial Transition », *Organizational Dynamics,* nᵒ 19, automne 1990, p. 15-26.

14. G.T. Fairhurst, S. Green et J. Courtright, « Inertial Forces and the Implementation of a Socio-Technical Systems Approach : A Communication Study », *Organization Science,* nᵒ 6, 1995, p. 168-185 ; Manz *et al.,* « Preparing for an Organizational Change to Employee Self-Management », p. 23-25.

15. J. Jusko, « Always Lessons to Learn », *Industry Week,* 15 février 1999, p. 23-30. Des commentaires similaires sont présentés dans D. Stafford, « Sharing the Driver's Seat », *Kansas City Star,* 11 juin 2002, p. D1 ; R. Cross, « Looking Before You Leap : Assessing the Jump to Teams in Knowledge-Based Work », *Business Horizons,* septembre 2000.

16. M. Fenton-O'Creevy, « Employee Involvement and the Middle Manager : Saboteur or Scapegoat ? », *Human Resource Management Journal,* nᵒ 11, 2001, p. 24-40.

17. R. Yonatan et H. Lam, « Union Responses to Quality Improvement Initiatives : Factors Shaping Support and Resistance », *Journal of Labor Research,* nᵒ 20, hiver 1999, p. 111-131 ; D.I. Levine, *Reinventing the Workplace,* Washington, District of Columbia, Brookings, 1995, p. 66-69 ; I. Goll et N.B. Johnson, « The Influence of Environmental Pressures, Diversification Strategy, and Union/Nonunion Setting on Employee Participation », *Employee Responsibilities and Rights Journal,* nᵒ 10, 1997, p. 141-154 ; R. Hodson, « Dignity in the Workplace under Participative Management : Alienation and Freedom Revisited », *American Sociological Review,* nᵒ 61, 1996, p. 719-738.

18. A. Ford, « Web Ace Turns Hobby into Global Winner », *Vancouver Province,* 15 février 2000.

19. J. Lipnack et J. Stamps, *Virtual Teams : People Working Across Boundaries with Technology,* New York, John Wiley & Sons, 2001 ; A.M. Townsend, S.M. deMarie et A.R. Hendrickson, « Virtual Teams and the Workplace of the Future », *Academy of Management Executive,* nᵒ 12, août 1998, p. 17-29.

20. B.S. Bell et W.J. Kozlowski, « A Typology of Virtual Teams : Implications for Effective Leadership », *Group & Organization Management,* nᵒ 27, mars 2002, p. 14-49.

21. B.S. Bell et W.J. Kozlowski, « A Typology of Virtual Teams : Implications for Effective Leadership » ; D.L. Duarte et N.T. Snyder, *Mastering Virtual Teams : Strategies, Tools, and Techniques that Succeed,* 2ᵉ éd., San Francisco, Calif., Jossey-Bass, 2000, p. 4-8.

22. S. Murray, « Pros and Cons of Technology : The Corporate Agenda : Managing Virtual Teams », *Financial Times* (Londres), 27 mai 2002, p. 6.

23. G. Gilder, *Telecosm : How Infinite Bandwidth will Revolutionize our World,* New York, Free Press, 2001 ; J.S. Brown, « Seeing Differently : A Role for Pioneering Research », *Research Technology Management,* nᵒ 41, mai-juin 1998, p. 24-33.

24. A.M. Townsend, S.M. DeMarie et A.R. Hendrickson, « Virtual Teams : Technology and the Workplace of the Future », *Academy of Management Executive*, n° 12, août 1998, p. 17-29.

25. M. Foreman, « US Pays for Designers to Stay Home, » *New Zealand Herald*, 21 novembre 2000.

26. Y.L. Doz, J.F.P. Santos et P.J. Williamson, « The Metanational Advantage », *Optimize*, mai 2002, p. 45 et suivantes ; J.S. Lureya et M.S. Raisinghani, « An Empirical Study of Best Practices in Virtual Teams », *Information & Management*, n° 38, 2001, p. 523-544.

27. B.L. Kelsey, « Managing in Cyberspace : Strategies for Developing High-Performance Virtual Team », allocution présentée à la conférence annuelle 2001 de l'Association des sciences administratives du Canada, division du comportement organisationnel, London, Ont., juin 2001.

28. J.S. Lureya et M.S. Raisinghani, « An Empirical Study of Best Practices in Virtual Teams », *Information & Management*, n° 38, 2001, p. 523-544 ; K. Fisher et M.D. Fisher, *The Distance Manager*, New York, McGraw-Hill, 2000.

29. S. Gaspar, « Virtual Teams, Real Benefits », *Network World*, 24 septembre 2001, p. 45.

30. D. Robey, H.M. Khoo et C. Powers, « Situated Learning in Cross-Functional Virtual Teams », *Technical Communication*, février 2000, p. 51-66.

31. S. Murray, « Pros and Cons of Technology : The Corporate Agenda : Managing Virtual Teams », *Financial Times* (Londres), 27 mai 2002, p. 6.

32. Lureya et Raisinghani, « An Empirical Study of Best Practices in Virtual Teams ».

33. S. Alexander, « Virtual Teams Going Global », *InfoWorld*, 13 novembre 2000, p. 55-56.

34. S. Van Ryssen et S.H. Godar, « Going International Without Going International : Multinational Virtual Teams », *Journal of International Management*, n° 6, 2000, p. 49-60.

35. F.G. Mangrum, M.S. Fairley et D.L. Wieder, « Informal Problem Solving in the Technology-Mediated Work Place », *Journal of Business Communication*, n° 38, juillet 2001, p. 315-336 ; Robey *et al.*, « Situated Learning in Cross-Functional Virtual Teams » ;

E.J. Hill *et al.*, « Influences of the Virtual Office on Aspects of Work and Work/Life Balance », *Personnel Psychology*, n° 51, automne 1998, p. 667-683 ; S.B. Gould, K.J. Weiner et B.R. Levin, *Free Agents : People and Organizations Creating a New Working Community*, San Francisco, Jossey-Bass, 1997, p. 158-160.

36. L.L. Bierema, J.W. Bing et T.J. Carter, « The Global Pendulum », *T & D*, n° 56, mai 2002, p. 70-79.

37. J. Zbar, « Home Base », *Network World Fusion*, 12 mars 2001.

38. D.L. Duarte et N.T. Snyder, *Mastering Virtual Teams : Strategies, Tools, and Techniques that Succeed*, 2ᵉ éd., San Francisco, Calif., Jossey-Bass, 2000, p. 139-155 ; S.L. Robinson, « Trust and Breach of the Psychological Contract », *Administrative Science Quarterly*, n° 41, 1996, p. 574-599. Pour une discussion concernant les ouvrages précédents sur le thème de la confiance, voir E.M. Whitener *et al.*, « Managers as Initiators of Trust : An Exchange Relationship Framework for Understanding Managerial Trustworthy Behavior », *Academy of Management Review*, n° 23, juillet 1998, p. 513-530. Différents points de vue sur la confiance sont discutés dans R.D. Costigan, S.S. Ilter et J.J. Berman, « A Multi-Dimensional Study of Trust in Organizations », *Journal of Managerial Issues*, n° 10, automne 1998, p. 303-317.

39. Whitener *et al.*, « Managers as Initiators of Trust » ; Bennis et Nanus, *Leaders*, p. 43-55 ; Kouzes et Posner, *Credibility : How Leaders Gain and Lose It, Why People Demand It*. La confiance basée sur les connaissances est parfois appelée « confiance basée sur l'histoire » dans la littérature psychologique. Voir R.M. Kramer, « Trust and Distrust in Organizations : Emerging Perspectives, Enduring Questions », *Annual Review of Psychology*, n° 50, 1999, p. 569-598.

40. S. Gaspar, « Virtual Teams, Real Benefits », *Network World*, 24 septembre 2001, p. 45.

41. S.L. Jarvenpaa et D.E. Leidner, « Communication and Trust in Global Virtual Teams », *Organization Science*, n° 10, 1999, p. 791-815 ; T.K. Das et B. Teng, « Between Trust and Control : Developing Confidence in Partner Cooperation in Alliances », *Academy of Management Review*, n° 23, 1998, p. 491-512.

42. S.L. Jarvenpaa et D.E. Leidner, « Is Anybody out There ? The Implications of Trust in Global Virtual Teams », *Journal of Management Information Systems*, n° 14, 1998, p. 29-64.

43. L. Fleming, « M&As, Piecing Together Strategies », *Canadian Underwriter*, n° 68, octobre 2001, p. 78-79.

44. W.G. Dyer, *Team Building : Issues and Alternatives*, 2ᵉ éd., Reading, Mass., Addison-Wesley, 1987 ; S.J. Liebowitz et K.P. De Meuse, « The Application of Team Building », *Human Relations*, n° 35, 1982, p. 1-18.

45. Sundstrom *et al.*, « Work Teams : Applications and Effectiveness », *American Psychologist*, p. 128 ; M. Beer, *Organizational Change and Development : A Systems View*, Santa Monica, Calif., Goodyear, 1980, p. 143-146.

46. M. Beer, *Organizational Change and Development*, p. 145.

47. G. Coetzer, *A Study of the Impact of Different Team Building Techniques on Work Team Effectiveness*. Projet de mastère de gestion non publié, Burnaby, C.-B., Simon Fraser University, 1993.

48. T.G. Cummings et C.G. Worley, *Organization Development & Change*, 6ᵉ éd., Cincinnati, South-Western, 1997, p. 218-219 ; P.F. Buller et C.H. Bell Junior, « Effects of Team Building and Goal Setting on Productivity : A Field Experiment », *Academy of Management Journal*, n° 29, 1986, p. 305-328.

49. C.J. Solomon, « Simulation Training Builds Teams Through Experience », *Personnel Journal*, n° 72, juin 1993, p. 100-106.

50. M.J. Brown, « Let's Talk About It, Really Talk About It », *Journal for Quality & Participation*, vol. 19, n° 6, 1996, p. 26-33 ; E.H. Schein, « On Dialogue, Culture, and Organizational Learning », *Organizational Dynamics*, automne 1993, p. 40-51 ; P.M. Senge, *The Fifth Discipline*, New York, Doubleday Currency, 1990, p. 238-249.

51. B. Oaff, « Team Games Take Turn for the Verse », *Mail on Sunday*, Royaume-Uni, 28 janvier 2001, p. 56 ; K. Cross, « Adventure Capital », *Business 2.0*, 11 juillet 2000 ; C. Prystay, « Executive Rearmament : Tempering Asia's Executive Mettle », *Asian Business*, octobre 1996.

52. R.W. Woodman et J.J. Sherwood, « The Role of Team Development in

Organizational Effectiveness : A Critical Review », *Psychological Bulletin*, nº 88, 1980, p. 166-186 ; Sundstrom *et al.*, « Work Teams : Applications and Effectiveness », p. 128.

53. Robbins et Finley, *Why Teams Don't Work*, chap. 17.

CHAPITRE 10

1. F.A. Shull, Jr., A.L. Delbecq et L.L. Cummings, *Organizational Decision Making*, New York, McGraw-Hill, 1910, p. 31. Voir également J.G. March, « Understanding How Decisions Happen in Organizations », dans Z. Shapira (éd.), *Organizational Decision Making*, New York, Cambridge University Press, 1997, p 9-32.

2. Ce modèle est adapté de plusieurs sources : H. Mintzberg, D. Raisinghani et A. Théorêt, « The Structure of "Unstructured" Decision Processes », *Administrative Science Quarterly*, vol. 21, 1976, p. 246-275 ; H.A. Simon, *The New Science of Management Decision*, New York, Harper & Row, 1960 ; C. Kepner et B. Tregoe, *The Rational Manager*, New York, McGraw-Hill, 1965 ; W.C. Wedley et R.H.G. Field, « A Prediction Support System », *Academy of Management Review*, vol. 9, 1984, p. 696-703.

3. B.M. Bass, *Organizational Decision Making*, Homewood, Ill., Irwin, 1983, chap. 3 ; W.F. Pounds, « The Process of Problem Finding », *Industrial Management Review*, vol. 11, automne 1969, p. 1-19 ; C. Kepner et B. Tregoe, *The Rational Manager*, New York, McGraw-Hill, 1965.

4. P.F. Drucker, *The Practice of Management*, New York, Harper & Brothers, 1954, p. 353-357.

5. Wedley et Field, « A Predecision Support System », p. 696 ; Drucker, *The Practice of Management*, p. 357 ; L.R. Beach et T.R. Mitchell, « A contingency Model for the Selection of Decision Strategies », *Academy of Management Review*, vol. 3, 1978, p. 439-449.

6. I.L. Janis, *Crucial Decisions*, New York, The Free Press, 1989, p. 35-37 ; Simon, *The New Science of Management Decision*, p. 5-6.

7. Mintzberg, Raisinghani et Théorêt, « The Structure of "Unstructured" Decision Processes », p. 255-256.

8. B. Fischhoff et S. Johnson, « The Possibility of Distributed Decision Making », dans Shapira, *Organizational Decision Making*, p. 216-237.

9. Les différents points de vue sur les émotions intervenant dans les prises de décision sont traités dans N.M. Ashkanasy et C.E.J. Hartel, « Managing Emotions in Decision-Making », dans N.M. Ashkanasy, W.J. Zerbe, C.E.J. Hartel (éd.) *Managing Emotions in the Workplace*, Armonk, New York, M.E. Sharpe, 2002 ; D.S. Massey, « A Brief History of Human Society : The Origin and Role of Emotion in Social Life », *American Sociological Review*, vol. 67, février 2002, p. 1-29 ; J.P. Forgas et J.M. George, « Affective Influences on Judgments and Behaviour in Organizations : An Informational Processing Perspective », *Organizational Behaviour and Human Decision Processes*, vol. 86, septembre 2001, p. 3-34 ; N. Schwarz, « Social Judgment and Attitudes : Warmer, More Social, and Less Conscious », *European Journal of Social Psychology*, vol. 30, 2000, p. 149-176 ; P. Greenspan, « Emotional Strategies and Rationality », *Ethics*, vol. 110, avril 2000, p. 469-487.

10. A. Howard, « Opinion », *Computing*, 8 juillet 1999, p. 18.

11. Schwarz, « Social Judgment and Attitudes », p. 149-176 ; R. Hastie, « Problems For Judgment And Decision Making », *Annual Review of Psychology*, vol. 52, 2001, p. 653-683.

12. J.E. Dutton, « Strategie Agenda Building in Organizations », dans Shapira, *Organizational Decision Making*, p. 81-107 ; M. Lyles et H. Thomas, « Strategic Problem Formulation : Biases and Assumptions Embedded in Alternative Decision-Making Models », *Journal of Management Studies*, vol. 25, 1988, p. 131-145 ; I.I. Mitroff, « On Systematic Problem Solving and the Error of the Third Kind », *Behavioral Science*, vol. 9, 1974, p. 383-393.

13. D. Domer, *The Logic of Failure*, Reading, Mass., Addison-Wesley, 1996 ; M. Basadur, « Managing the Creative Process in Organizations », dans M.A. Runco (éd.), *Problem Finding, Problem Solving, and Creativity*, Norwood, New Jersey, Ablex Publishing, 1994, p. 237-268.

14. P.C. Nutt, « Preventing Decision Debacles », *Technological Forecasting and Social Change*, vol. 38, 1990, p. 159-174.

15. P.C. Nutt, *Making Tough Decisions*, San Francisco, Jossey-Bass, 1989.

16. H.A. Simon, « A Behavioral Model of Rational Choice », *Quaterly Journal of Economics*, vol. 69, 1955, p. 99-118.

17. J. Conlisk, « Why Bounded Rationality ? », *Journal of Economic Literature*, vol. 34, 1996, p. 669-700 ; B.L. Lipman, « Information Processing and Bounded Rationality : A Survey », *Canadian Journal of Economics*, vol. 28, 1995, p. 42-67.

18. L.T. Pinfield, « A Field Evaluation of Perspectives on Organizational Decision Making », *Administrative Science Quarterly*, vol. 31, 1986, p. 365-388. La récente étude effectuée par Kepner-Tregoe est décrite dans D. Sandahl et C. Hewes, « Decision Making at Digital Speed », *Pharmaceutical Executive*, vol. 21, août 2001, p. 62.

19. H.A. Simon, *Administrative Behaviour*, 2e éd., New York, The Free Press, 1957, p. xxv, 80-84 ; et J.G. March et H.A. Simon, *Organizations*, New York, Wiley, 1958, p. 140-141.

20. J.E. Russo, V.H. Medvec et M.G. Meloy, « The Distortion of Information During Decisions », *Organizational Behaviour & Human Decision Processes*, vol. 66, 1996, p. 102-110 ; P.O. Soelberg, « Unprogrammed Decision Making », *Industrial Management Review*, vol. 8, 1967, p. 19-29.

21. F. Philips, « The Distortion of Criteria after Decision-Making », *Organizational Behaviour & Human Decision Processes*, vol. 88, 2002, p. 769-784.

22. H.A. Simon, *Models of Man : Social and Rational*, New York, Wiley, 1957, p. 253.

23. N.M. Ashkanasy, W.J. Zerbe, C.E.J. Hartel, « Introduction : Managing Emotions in a Changing Workplace », dans N.M. Ashkanasy, W.J. Zerbe, C.E.J. Hartel (éd.), *Managing Emotions in the Workplace*, Armonk, New York, M.E. Sharpe, 2002, p. 3-18.

24. J.P. Forgas et J.M. George, « Affective Influences on Judgments and Behaviour in Organizations : An Information Processing Perspective », *Organizational Behaviour and Human Decision Processes*, vol. 86, septembre 2001, p. 3-34. L'étude d'évaluation logicielle se trouve dans D.S. Kempf, « Attitude Formation from Product Trial : Distinct Roles of Cognition And Affect

for Hedonic and Functional Products», *Psychology and Marketing*, vol. 16, 1999, p. 35-50.

25. M. Lyons, «Cave-In Too Close for Comfort, Miner Says», *Saskatoon Star-Phoenix*, 6 mai 2002.

26. O. Behling et N.L. Eckel, «Making Sense Out of Intuition», *Academy of Management Executive*, vol. 5, février 1991, p. 46-54; Nutt, *Making Tough Decisions*, p. 54; H.A. Simon «Making Management Decisions: The Role of Intuition and Emotion», *Academy of Management Executive*, février 1987, p. 57-64; W.H. Agor, «The Logic of Intuition», *Organizational Dynamics*, hiver 1986, p. 5-18.

27. N. Khatri, «The Role of Intuition in Strategic Decision Making», *Human Relations*, vol. 53, janvier 2000, p. 57-86; L.A. Burke et M.K. Miller, «Taking the Mystery Out of Intuitive Decision Making», *Academy of Management Executive*, vol. 13, novembre 1999, p. 91-99.

28. M.D. Lieberman, «Intuition: A Social Cognitive Neuroscience Approach», *Psychological Bulletin*, vol. 126, 2000, p. 109-137; E.N. Brockmann et W.P. Anthony, «The Influence of Tacit Knowledge and Collective Mind on Strategic Planning», *Journal of Managerial Issues*, vol. 10, été 1998, p. 204-222; D. Leonard et S. Sensiper, «The Role of Tacit Knowledge in Group Innovation», *California Management Review*, vol. 40, printemps 1998, p. 112-132. Pour une discussion sur les problèmes liés à l'intuition dans les nouvelles entreprises, voir L. Broderick et M. Sponer, «The Death of Gut Instinct», *Inc.*, vol. 23, janvier 2001, p. 38-42.

29. J. Gregoire, «Leading the Charge for Change», *CIO*, 1er juin 2001. Voir également Y. Ganzach, A.H. Kluger et N. Klayman, «Making Decisions from an Interview: Expert Measurement and Mechanical Combination», *Personnel Psychology*, vol. 53, printemps 2000, p. 1-20.

30. A.M. Hayashi, «When to Trust Your Guts», *Harvard Business Review*, vol. 79, février 2001, p. 59-65; E. Gubbins et B. Quinton, «Serial Entrepreneurs: They're Grrreat!», *Upstart*, 30 janvier 2001.

31. P. Goodwin et G. Wright, «Enhancing Strategy Evaluation in Scenario Planning: A Role for Decision Analysis», *Journal of Management Studies*, vol. 38, janvier 2001, p. 1-16; P.J.H. Schoemaker, «Disciplined Imagination: From Scenarios to Strategic Options», *International Studies of Management & Organization*, vol. 27, été 1997, p. 43-70; K. Van Der Heijden, *Scenarios: The Art of Strategic Conversation*, New York, Wiley, 1996. La recommandation de reconsidérer des décisions figure dans J.M. George, «Emotions and Leadership: The Role of Emotional Intelligence», *Human Relations*, vol. 53, 2000, p. 1027-1055.

32. R.N. Taylor, *Behavioral Decision Making*, Glenview, Ill., Scott, Foresman, 1984, p. 163-166.

33. D.R. Bobocel et J.P. Meyer, «Escalating Commitment to a Failing Course of Action: Separating the Role of Choice and Justification», *Journal of Applied Psychology*, vol. 79, 1994, p. 360-363; G. Whyte, «Escalating Commitment in Individual and Group Decision Making: A Prospect Theory Approach», *Organizational Behaviour and Human Decision Processes*, vol. 54, 1993, p. 430-455; G. Whyte, «Escalating Commitment to a Course of Action: A Reinterpretation», *Academy of Management Review*, vol. 11, 1986, p. 311-321.

34. M. Keil et R. Montealegre, «Cutting your Losses: Extricating your Organization When a Big Project Goes Awry», *Sloan Management Review*, vol. 41, printemps 2000, p. 55-68; M. Fackler, «Tokyo's Newest Subway Line a Saga of Hubris, Humiliation», *Associated Press Newswires*, 20 juillet 1999; P. Ayton et H. Arkes, «Call It Quits», *New Scientist*, 20 juin 1998.

35. F.D. Schoorman et P.J. Holahan, «Psychological Antecedents of Escalation Behaviour: Effects of Choice, Responsibility, and Decision Consequences», *Journal of Applied Psychology*, vol. 81, 1996, p. 786-793.

36. B.M. Staw, K.W. Koput et S.G. Barsade, «Escalation at the Credit Window: A Longitudinal Study of Bank Executives' Recognition and Write-Off Of Problem Loans», *Journal of Applied Psychology*, vol. 82, 1997, p. 130-142. Voir également M. Keil et D. Robey, «Turning Around Troubled Software Projects: An Exploratory Study of the De-escalation of Commitment to Failing Courses of Action», *Journal of Management Information Systems*, vol. 15, printemps 1999, p. 63-87.

37. W. Boulding, R. Morgan et R. Staelin, «Pulling the Plug to Stop the New Product Drain», *Journal of Marketing Research*, vol. 34, 1997, p. 164-176; I. Simonson et B.M. Staw, «De-escalation Strategies: A Comparison of Techniques for Reducing Commitment to Losing Courses of Action», *Journal of Applied Psychology*, vol. 77, 1992, p. 419-426.

38. D. Ghosh, «De-Escalation Strategies: Some Experimental Evidence», *Behavioral Research in Accounting*, vol. 9, 1997, p. 88-112.

39. A. Tversky et K. Kahneman, «Judgement under Uncertainty: Heuristics and Biases», *Science*, septembre 1974, p. 1124-1131.

40. M. Fenton-O'Creevy, «Employee Involvement and the Middle Manager: Saboteur or Scapegoat?», *Human Resource Management Journal*, vol. 11, 2001, p. 24-40. Voir également V.H. Vroom et A.G. Jago, *The New Leadership: Managing Participation in Organizations*, Englewood Cliffs, New Jersey, Prentice Hall, 1988, p. 15. La citation incluse dans ce paragraphe est de E.E. Lawler III, *Rewarding Excellence: Pay Strategies for the New Economy*, San Francisco, Jossey-Bass, 2000, p. 23-24.

41. R.C. Liden et S. Arad, «A Power Perspective of Empowerment and Work Groups: Implications for Human Resources Management Research», *Research in Personnel and Human Resources management*, vol. 14, 1996, p. 205-251; R.C. Ford et M.D. Fottler, «Empowerment: A Matter of Degree», *Academy of Management Executive*, vol. 9, août 1995, p. 21-31; R.W. Coye et J.A. Belohlav, «An Exploratory Analysis of Employee Participation», *Group & Organization Management*, vol. 20, 1995, p. 4-17; Vroom et Jago, *The New Leadership*.

42. P. Fengler et T. Heaps, «Aqua Purus», *Corporate Knights*, 2002. (www.corporateknights.ca); R. Kang, «Turnarounds of the Year: Power from the People», *Profit*, novembre 1999, p. 36 et suivantes; P. Delean, «These Caps are Tops», *Montreal Gazette*, 27 septembre 1999.

43. J.T. Addison, «Nonunion Representation in Germany», *Journal of*

Labor Research, vol. 20, hiver 1999, p. 73-92 ; G. Strauss, « Collective Bargaining, Unions, and Participation », dans F. Heller, E. Pusic, G. Strauss et B. Wilpert (éd.), *Organizational Participation : Myth and Reality*, New York, Oxford University Press, 1998, p. 97-143 ; D.I. Levine, *Reinventing the Workplace*, Washington, D.C., Brookings, 1995, p. 47-48.

44. Pour les premiers écrits en faveur de la participation du personnel, voir R. Likert, *New Patterns of Management*, New York, McGraw-Hill, 1961 ; D. McGregor, *The Human Side of Enterprise*, New York, McGraw-Hill, 1960 ; C. Argyris, *Personality and Organization*, New York, Harper & Row, 1957.

45. C.L. Cooper, B. Dyck et N. Frohlich, « Improving the Effectiveness of Gainsharing : The Role of Fairness and Participation », *Administrative Science Quarterly*, vol. 37, 1992, p. 471-490.

46. J.P. Walsh et S.-F. Tseng, « The Effects of Job Characteristics on Active Effort at Work », *Work & Occupations*, vol. 25, février 1998, p. 74-96 ; K.T. Dirks, L.L. Cummings et J.L. Pierce, « Psychological Ownership in Organizations : Conditions Under Which Individuals Promote and Resist Change », *Research in Organizational Change and Development*, vol. 9, 1996, p. 1-23.

47. J.A. Wagner III *et al.*, « Cognitive and Motivational Frameworks in U.S. Research on Participation : A Meta-Analysis of Primary Effects », *Journal of Organizational Behaviour*, vol. 18, 1997, p. 49-65 ; G.P. Latham, D.C. Winters et E.A. Locke, « Cognitive and Motivational Effects of Participation : A Mediator Study », *Journal of Organizational Behaviour*, vol. 15, 1994, p. 49-63 ; Cotton, *Employee Involvement*, chap. 8 ; S.J. Havlovic, « Quality of Work Life and Human Resource Outcomes », *Industrial Relations*, 1991, p. 469-479 ; K.I. Miller and P.R. Monje, « Participation, Satisfaction, and Productivity : A Meta-Analytic Review », *Academy of Management Journal*, vol. 29, 1986, p. 727-753.

48. A. Cummings et G.R. Oldham, « Enhancing Creativity : Managing Work Contexts for the High Potential Employee », *California Management Review*, vol. 40, automne 1997, p. 22-38 ; T.M. Amabile, *The Social Psycho-*

logy of Creativity, New York, Springer-Verlag, 1983, p. 32-35.

49. B. Kabanoff et J.R. Rossiter, « Recent Developments in Applied Creativity », *International Review of Industrial and Organizational Psychology*, vol. 9, 1994, p. 283-324.

50. J.R. Hayes, « Cognitive Processes in Creativity », dans J.A. Glover, R.R. Ronning et C.R. Reynolds (éd.), *Handbook of Creativity*, New York, Plenum, 1989, p. 135-145.

51. R.S. Nickerson, « Enhancing Creativity », dans R.J. Sternberg (éd.), *Handbook of Creativity*, New York, Cambridge University Press, 1999, p. 392-430 ; A. Hiam, « Obstacles to Creativity – and How You Can Remove Them », *Futurist*, vol. 32, octobre 1998, p. 30-34.

52. R.T. Brown, « Creativity : What are We to Measure », dans J.A. Glover, R.R. Ronning et C.R. Reynolds (éd.), *Handbook of Creativity*, New York, Plenum, 1989, p. 3-32.

53. A. Hargadon et R.I. Sutton, « Building an Innovation Factory », *Harvard Business Review*, vol. 78, mai-juin 2000, p. 157-166.

54. Pour une discussion poussée sur les idées, voir R.J. Sternberg et J.E. Davidson (éd.), *The Nature of Insight*, Cambridge, Mass., MIT Press, 1995.

55. V. Parv, « The Idea Toolbox : Techniques for Being a More Creative Writer », *Writer's Digest*, vol. 78, juillet 1998, p. 18 ; J. Ayan, *Aha ! 10 Ways to Free Your Creative Spirit and Find Your Great Ideas*, New York, Crown Trade, 1997, p. 50-56.

56. A. Chandrasekaran, « Bye, Bye Serendipity », *Business Standard*, 28 mars 2000, p. 1 ; K. Cottrill, « Reinventing Innovation », *Journal of Business Strategy*, mars-avril 1998, p. 47-51.

57. S. Taggar, « Individual Creativity and Group Ability to Utilize Individual Creative Resources : A Multilevel Model », *Academy of Management Journal*, vol. 45, avril 2002, p. 315-330 ; R.J. Sternberg et L.A. O'Hara, « Creativity and Intelligence », dans R.J. Sternberg (éd.), *Handbook of Creativity*, New York, Cambridge University Press, 1999, p. 251-272.

58. Sutton, *Weird Ideas that Work*, p. 8-9, chap. 10.

59. G.J. Feist, « The Influence of Personality on Artistic and Scientific Creativity », dans R.J. Sternberg (éd.), *Handbook of Creativity*, New York, Cambridge University Press, 1999, p. 273-296 ; M.A. West, *Developing Creativity in Organizations*, Leicester, Royaume-Uni, BPS Books, 1997, p. 10-19.

60. R.W. Weisberg, « Creativity and Knowledge : A Challenge to Theories », dans Sternberg (éd.), *Handbook of Creativity*, p. 226-250.

61. R.I. Sutton, *Weird Ideas that Work*, New York, Free Press, 2002, p. 121, 153-154. Pour d'autres titres sur la créativité et les connaissances, voir R.J. Sternberg, *Thinking Styles*, New York, Cambridge University Press, 1997 ; R.J. Sternberg, L.A. O'Hara et T.I. Lubart, « Creativity as Investment », *California Management Review*, vol. 40, automne 1997, p. 8-21.

62. T. Koppell, *Powering the Future*, New York, Wiley, 1999, p. 15.

63. D.K. Simonton, « Creativity : Cognitive, Personal, Developmental, and Social Aspects », *American Psychologist*, vol. 55, janvier 2000, p. 151-158 ; A. Cummings et G.R. Oldham, « Enhancing Creativity : Managing Work Contexts for the High Potential Employee », *California Management Review*, vol. 40, automne 1997, p. 22-38.

64. S. Bharadwaj et A. Menon, « Making Innovation Happen in Organizations : Individual Creativity Mechanisms, Organizational Creativity Mechanisms or Both ? », *Journal of Product Innovation Management*, vol. 17, novembre 2000, p. 424-434 ; M.D. Mumford, « Managing Creative People : Strategies and Tactics for Innovation », *Human Resource Management Review*, vol. 10, automne 2000, p. 313-351 ; T.M. Amabile, R. Conti, H. Coon, J. Lazenby et M. Herron, « Assessing the Work Environment for Creativity », *Academy of Management Journal*, vol. 39, 1996, p. 1154-1184 ; G.R. Oldham et A. Cummings, « Employee Creativity : Personal and Contextual Factors at Work », *Academy of Management Journal*, vol. 39, 1996, p. 607-634.

65. Le concept de l'orientation vers l'apprentissage est le centre d'intérêt actuel du marketing. Voir M.A. Farrell, « Developing a Market-Oriented Learning Organization », *Australian Journal*

of Management, vol. 25, septembre 2000; W.E. Baker et J.M. Sinkula, « The Synergistic Effect of Market Orientation and Learning Orientation », *Journal of the Academy of Marketing Science*, vol. 27, 1999, p. 411-427.

66. « It's OK to Fail », *Profit Magazine*, vol. 18, novembre 1999, p. 25-32.

67. C.E. Shalley, L.L. Gilson et T.C. Blum, « Matching Creativity Requirements and the Work Environment : Effects on Satisfaction and Intentions to Leave », *Academy of Management Journal*, avril 2000, p. 215-223; R. Tierney, S.M. Farmer et G.B. Graen, « An Examination of Leadership and Employee Creativity : The Relevance of Traits and Relationships », *Personnel Psychology*, vol. 52, automne 1999, p. 591-620; Cummings et Oldham, « Enhancing Creativity ».

68. T.M. Amabile, « Motivating Creativity in Organizations : On Doing What You Love and Loving What You Do », *California Management Review*, vol. 40, automne 1997, p. 39-58.

69. T.M. Amabile, « Changes in the Work Environment for Creativity during Downsizing », *Academy of Management Journal*, vol. 42, décembre 1999, p. 630-640.

70. Cummings et Oldham, « Enhancing Creativity ».

71. T.M. Amabile, « A Model of Creativity and Innovation in Organizations », *Research in Organizational Behaviour*, vol. 10, 1988, p. 123-167. L'enquête sur la pression temporelle en publicité et en marketing est résumée dans « No Time for Creativity », *London Free Press*, 7 août 2001, p. D3.

72. Hiam, « Obstacles to Creativity – and How You Can Remove Them ».

73. West, *Developing Creativity in Organizations*, p. 33-35.

74. P. Luke, « Business World's a Stage », *Vancouver Province*, 2 septembre 2001; P. Brown, « Across the Table into the Bedroom », *The Times of London*, 1ᵉʳ mars 2001, p. D4.

75. J. Neff, « At Eureka Ranch, Execs Doff Wing Tips, Fire Up Ideas », *Advertising Age*, vol. 69, 9 mars 1998, p. 28-29.

76. A.G. Robinson et S. Stern, *Corporate Creativity, How Innovation and Improvement Actually Happen*, San Francisco, Berrett-Koehler Publishers, 1997.

77. D. Beardsley, « This Company Doesn't Brake For (Sacred) Cows », *Fast Company*, vol. 16, août 1998.

78. T. Kelley, *The Art of Innovation*, New York, Currency Doubleday, 2001, p. 69.

79. V.H. Vroom et A.G. Jago, *The New Leadership*, Englewood Cliffs, New Jersey, Prentice-Hall, 1988, p. 28-29.

80. R.B. Gallupe *et al.*, « Blocking Electronic Brainstorms », *Journal of Applied Psychology*, vol. 79, 1994, p. 77-86; M. Diehl et W. Stroebe, « Productivity Loss in Idea-Generating Groups : Tracking Down the Blocking Effects », *Journal of Personality and Social Psychology*, vol. 61, 1991, p. 392-403.

81. B.E. Irmer et P. Bordia, « Evaluation Apprehension and Perceived Benefits in Interpersonal and Database Knowledge Sharing », *Academy of Management Proceedings*, 2002, p. B1-B6.

82. P.W. Mulvey, J.F. Veiga, P.M. Elsass, « When Teammates Raise a White Flag », *Academy of Management Executive*, vol. 10, février 1996, p. 40-49.

83. S. Plous, *The Psychology of Judgment and Decision Making*, Philadelphie, Temple University Press, 1993, p. 200-202.

84. B. Mullen *et al.*, « Group Cohesiveness and Quality of Decision Making : An Integration of Tests of the Groupthink Hypothesis », *Small Group Research*, vol. 25, 1994, p. 189-204; I.L. Janis, *Crucial Decisions*, New York, Free Press, 1989, p. 56-63; I.L. Janis, *Groupthink : Psychological Studies of Policy Decisions and Fiascoes*, 2ᵉ éd., Boston, Houghton Mifflin, 1982.

85. M.E. Turner et A.R. Pratkanis, « Threat, Cohesion, and Group Effectiveness : Testing a Social Identity Maintenance Perspective on Groupthink », *Journal of Personality and Social Psychology*, vol. 63, 1992, p. 781-796.

86. M. Rempel et R.J. Fisher, « Perceived Threat, Cohesion, and Group Problem Solving in Intergroup Conflict », *International Journal of Conflict Management*, vol. 8, 1997, p. 216-234.

87. C. McGarty *et al.*, « Group Polarization as Conformity to the Prototypical Group Member », *British Journal of Social Psychology*, vol. 31, 1992, p. 1-20; D. Isenberg, « Group Polarization : A Critical Review and Meta-analysis »,

Journal of Personality and Social Psychology, vol. 50, 1986, p. 1141-1151; D.G. Myers et H. Lamm, « The Group Polarization Phenomenon », *Psychological Bulletin*, vol. 83, 1976, p. 602-627.

88. D. Friedman, « Monty Hall's Three Doors : Construction and Deconstruction of a Choice Anomaly », *American Economic Review*, vol. 88, septembre 1998, p. 933-946; D. Kahneman et A. Tversky, « Prospect Theory : An Analysis of Decision under Risk », *Econometrica*, vol. 47, 1979, p. 263-291. L'influence de l'illusion du joueur en termes d'émotions et de psychologie évolutionniste est traitée dans N. Nicholson, « Evolutionary Psychology : Toward a New View of Human Nature and Organizational Society », *Human Relations*, vol. 50, septembre 1997, p. 1053-1078.

89. Janis, *Crucial Decisions*, p. 244-249.

90. F.A. Schull, A.L. Delbecq et L.L. Cummings, *Organizational Decision Making*, New York, McGraw-Hill, 1970, p. 144-149.

91. Sutton, *Weird Ideas that Work*, chap. 8.; A.C. Amason, « Distinguishing the Effects of Functional and Dysfunctional Conflict on Strategic Decision Making : Resolving a Paradox for Top Management Teams », *Academy of Management Journal*, vol. 39, 1996, p. 123-148; G. Katzenstein, « The Debate on Structured Debate : Toward a Unified Theory », *Organizational Behaviour and Human Decision Processes*, vol. 66, 1996, p. 316-332; D. Tjosvold, *Team Organization : An Enduring Competitive Edge*, Chichester, Royaume-Uni, Wiley, 1991.

92. J.S. Valacich et C. Schwenk, « Structuring Conflict in Individual, Face-To-Face, and Computer-Mediated Group Decision Making : Carping Versus Objective Devil's Advocacy », *Decision Sciences*, vol. 26, 1995, p. 369-393; D.M. Schweiger, W.R. Sandberg et P.L. Rechner, « Experiential Effects of Dialectical Inquiry, Devil's Advocacy, and Consensus Approaches to Strategic Decision Making », *Academy of Management Journal*, vol. 32, 1989, p. 745-772.

93. C.J. Nemeth *et al.*, « Improving Decision Making by Means of Dissent », *Journal of Applied Social Psychology*, vol. 31, 2001, p. 48-58.

94. K.M. Eisenhardt, J.L. Kahwajy et L.J. Bourgeois, « Conflict and Strategic Choice: How Top Management Teams Disagree », *California Management Review*, vol. 39, hiver 1997, p. 42-62.

95. L. Tucci « Owens Drake Consulting Fosters Systematic Change », *St. Louis Business Journal*, 25 mai 1998.

96. A.F. Osborn, *Applied Imagination*, New York, Scribner, 1957.

97. B. Mullen, C. Johnson et E. Salas, « Productivity Loss in Brainstorming Groups: A Meta-analytic Integration », *Basic and Applied Psychology*, vol. 12, 1991, p. 2-23.

98. R.I. Sutton et A. Hargadon, « Brainstorming Groups in Context: Effectiveness in a Product Design Firm », *Administrative Science Quarterly*, vol. 41, 1996, p. 685-718; P.B. Paulus et M.T. Dzindolet, « Social Influence Processes in Group Brainstorming », *Journal of Personality and Social Psychology*, vol. 64, 1993, p. 575-586; B. Mullen *et al.*, « Productivity Loss in Brainstorming Groups: A Meta-Analytic Integration », *Basic and Applied Psychology*, vol. 12, 1991, p. 2-23.

99. A.R. Dennis et J.S. Valacich, « Electronic Brainstorming: Illusions and Patterns of Productivity », *Information Systems Research*, vol. 10, 1999, p. 375-377; R.B. Gallupe *et al.*, « Electronic Brainstorming and Group Size », *Academy of Management Journal*, vol. 35, juin 1992, p. 350-369; R.B. Gallupe, L.M. Bastianutti et W.H. Cooper, « Unblocking Brainstorms », *Journal of Applied Psychology*, vol. 76, 1991, p. 137-142.

100. P. Bordia, « Face-To-Face Versus Computer-Mediated Communication: A Synthesis of the Experimental Literature », *Journal of Business Communication*, vol. 34, 1997, p. 99-120; J.S. Valacich, A.R. Dennis et T. Connolly, « Idea Generation in Computer-Based Groups: A New Ending to an Old Story », *Organizational Behaviour and Human Decision Processes*, vol. 57, 1994, p. 448-467; R.B. Gallupe *et al.*, « Blocking Electronic Brainstorms », *Journal of Applied Psychology*, vol. 79, 1994, p. 77-86.

101. G. Crone, « Electrifying Brainstorms », *National Post*, 3 juillet 1999, p. D11.

102. A. Pinsoneault *et al.*, « Electronic Brainstorming: The Illusion of Produc- tivity », *Information Systems Research*, vol. 10, 1999, p. 110-133; B. Kabanoff et J.R. Rossiter, « Recent Developments in Applied Creativity », *International Review of Industrial and Organizational Psychology*, vol. 9, 1994, p. 283-324.

103. H.A. Linstone et M. Turoff (éd.), *The Delphi Method: Techniques and Applications*, Reading, Mass., Addison- Wesley, 1975.

104. C. Critcher et B. Gladstone, « Uti- lizing the Delphi Technique in Policy Discussion: A Case Study of a Pri- vatized Utility in Britain », *Public Administration*, vol. 76, automne 1998, p. 431-449; S.R. Rubin *et al.*, « Re- search Directions Related to Rehabili- tation Practice: A Delphi Study », *Journal of Rehabilitation*, vol. 64, hiver 1998, p. 19.

105. A.L. Delbecq, A.H. Van de Ven et D.H. Gustafson, *Group Techniques for Program Planning: A Guide to Nominal Group and Delphi Processes*, Middleton, Wisc., Green Briar Press, 1986.

106. A.B. Hollingshead, « The Rank- Order Effect In Group Decision Making », *Organizational Behaviour and Human Decision Processes*, vol. 68, 1996, p. 181-193.

107. S. Frankel, « NGT + MDS: An Adaptation of the Nominal Group Tech- nique for Ill-Structured Problems », *Journal of Applied Behavioral Science*, vol. 23, 1987, p. 543-551; D.M. Hegedus et R. Rasmussen, « Task Effectiveness and Interaction Process of a Modified Nominal Group Technique in Solving an Evaluation Problem », *Journal of Management*, vol. 12, 1986, p. 545-560.

CHAPITRE 11

1. N. Sriussadaporn-Charoenngam et F.M. Jablin, « An Exploratory Study of Communication Competence in Thai Organizations », *Journal of Business Communication*, nº 36, octobre 1999, p. 382-418; F.M. Jablin *et al.*, « Commu- nication Competence in Organizations: Conceptualization and Comparison across Multiple Levels of Analysis », dans L. Thayer & G. Barnett (éd.), *Organization Communication: Emer- ging Perspectives*, vol. 4, Norwood, N.J., Ablex, 1994, p. 114-140.

2. « Canadian CEOs Love Their "Coa- ching" Jobs », *London Free Press*, 10 sep- tembre 1999, p. D7; H. Mintzberg, *The Nature of Managerial Work*, New York, Harper & Row, 1973; E.T. Klemmer et F.W. Snyder, « Measurement of Time Spent Communicating », *Journal of Com- munication*, nº 22, juin 1972, p. 142-158.

3. C. Benabou, « La communication interne: fonction stratégique », dans A. Petit *et al.*, *Gestion stratégique et opé- rationnelle des ressources humaines*, Montréal, Gaëtan Morin Éditeur, 1993, p. 490-491.

4. R.T. Barker et M.R. Camarata, « The Role of Communication in Creating and maintaining a Learning Organization: Preconditions, Indicators, and Disci- plines », *Journal of Business Communi- cation*, nº 35, octobre 1998, p. 443-467.

5. R. Grenier et G. Metes, « Wake Up and Smell the Syzygy », *Business Com- munications Review*, nº 28, août 1998, p. 57-60; « We are the World », CIO, nº 9, août 1996, p. 24.

6. G. Calabrese, « Communication and Co-operation in Product Development: A Case Study of a European Car Produ- cer », *R & D Management*, nº 27, juillet 1997, p. 239-252; C. Downs, P. Clam- pittet et A.L. Pfeiffer, « Communication and Organizational Outcomes », dans G. Goldhaber et G. Barnett (éd.), *Hand- book of Organizational Communica- tion*, Norwood, N.J., Ablex, 1988, p. 171-211.

7. V.L. Shalin et G.V. Prabhu, « A Cogni- tive Perspective on Manual Assembly », *Ergonomics*, nº 39, 1996, p. 108-127; I. Nonaka et H. Takeuchi, *The Knowledge- Creating Company*, New York, Oxford University Press, 1995.

8. T. Wanless, « Let's Hear it for Wor- kers! » *Vancouver Province*, 13 juin 2002; L.K. Lewis et D.R. Seibold, « Communi- cation During Intraorganizational Inno- vation Adoption: Predicting User's Behavioral Coping Responses to Inno- vations in Organizations », *Communica- tion Monographs*, vol. 63, nº 2, 1996, p. 131-157; R.J. Burke et D.S. Wilcox, « Effects of Different Patterns and Degrees of Openness in Superior – Subordinate Communication on Subor- dinate Satisfaction », *Academy of Mana- gement Journal*, nº 12, 1969, p. 319-326.

9. C. Benabou, « La communication interne: fonction stratégique », p. 496.

10. C.L. Shannon et W. Weber, *La théo- rie mathématique des communications*, Paris, Retz-CEPL, (1949), 1975.

11. C.E. Shannon et W. Weaver, *The Mathematical Theory of Communication*, Urbana Ill., University of Illinois Press, 1949. Pour une analyse plus récente, voir K.J. Krone, F.M. Jablin et L.L. Putnam, « Communication Theory and Organizational Communication : Multiple Perspectives », dans F.M. Jablin, *et al.* (éd.), *Handbook of Organizational Communication : An Interdisciplinary Perspective*, Newbury Park, Sage, Calif., 1987, p. 18-40.

12. S. Axley, « Managerial and Organizational Communication in Terms of the Conduit Metaphor », *Academy of Management Review*, n° 9, 1984, p. 428-437.

13. C. Benabou, « La communication interne : fonction stratégique », p. 498-499.

14. P. Watzlawick, H. Beavin et D.D. Jackson, *Une logique de la communication*, Paris, Seuil, 1972.

15. N. Cossette, « Élaboration d'un modèle "dual" de la communication », thèse de doctorat, Montréal, Université de Montréal, 1985.

16. J.H.E. Andriessen, « Mediated Communication and New Organizational Forms », *International Review of Industrial and Organizational Psychology*, n° 6, 1991, p. 17-70 ; L. Porter et K. Roberts, « Communication in Organizations », dans M. Dunnette (éd.), *Handbook of Industrial and Organizational Psychology*, Chicago, Rand McNally, 1976, p. 1553-1589.

17. F. Moore, « Storage faces Newest Challenge – Coping with Success », *Computer Technology Review*, n° 21, septembre 2001, p. 1 ; S.D. Kennedy, « Finding a Cure for Information Anxiety », *Information Today*, 1er mai 2001, p. 40 ; M.R. Overly, « E-Policy », *Messaging Magazine*, janvier/février 1999. Lire l'analyse des mérites du courrier électronique dans J. Hunter et M. Allen, « Adaptation to Electronic Mail », *Journal of Applied Communication Research*, août 1992, p. 254-274 ; M. Culnan et M.L. Markus, « Information Technologies », dans Jablin *et al.*, (éd.), *Handbook of Organizational Communication : An Interdisciplinary Perspective*, p. 420-443. NUA Internet Surveys, 2000, 8 août (www.nua.ie/surveys/index.cgi ?f=VS&art_id=905355960&rel=true).

18. C.S. Saunders, D. Robey et K.A. Vaverek, « The Persistence of Status Differentials in Computer Conferencing », *Human Communications Research*, n° 20, 1994, p. 443-472 ; D.A. Adams, P.A. Todd et R.R. Nelson, « A Comparative Evaluation of the Impact of Electronic and Voice Mail on Organizational Communication », *Information & Management*, n° 24, 1993, p. 9-21.

19. « Eisner : E-mail Is Biggest Threat », *Associated Press*, 12 mai 2000 ; A.D. Shulman, « Putting Group Information Technology in its Place : Communication and Good Work Group Performance », dans Clegg *et al.* (éd.), *Handbook of Organization Studies*, p. 373-408.

20. J. Jamieson, « Net Marks 20 Years of the ;-) », *Vancouver Province*, 20 septembre 2002 ; S. Schafer, « Misunderstandings @ the Office », *Washington Post*, 31 octobre 2000, p. E1 ; M. Gibbs, « Don't Say it with Smileys », *Network World*, 9 août 1999, p. 62.

21. A. Gumbel, « How E-mail Puts Us in a Flaming Bad Temper », *The Independent* (Londres), 3 janvier 1999, p. 14 ; J. Kaye, « The Devil You Know », *Computer Weekly*, 19 mars 1998, p. 46 ; S. Kennedy, « The Burning Issue of Electronic Hate Mail », *Computer Weekly*, 5 juin 1997, p. 22.

22. A.C. Poe, « Don't Touch That 'Send' Button ! », *HRMagazine*, n° 46, juillet 2001, p. 74-80. Les problèmes engendrés par le courrier électronique sont discutés dans M.M. Extejt, « Teaching Students to Correspond Effectively Electronically : Tips for Using Electronic Mail Properly », *Business Communication Quarterly*, n° 61, juin 1998, p. 57-67 ; V. Frazee, « Is E-mail Doing More Harm than Good ? », *Personnel Journal*, n° 75, mai 1996, p. 23.

23. J.L. Locke, « Q : Is E-mail Degrading Public and Private Discourse ? ; Yes : Electronic Mail Is Making Us Rude, Lonely, Insensitive and Dishonest », *Insight on the News*, 19 octobre 1998, p. 24.

24. S. Stellin, « The Intranet Is Changing Many Firms From Within », *New York Times*, 30 janvier 2001.

25. S. Stellin, « The Intranet Is Changing Many Firms From Within », *New York Times*, 30 janvier 2001 ; A. Mahlon, « The Alternative Workplace : Changing Where and How People Work », *Harvard Business Review*, maijuin 1998, p. 121-130 ; C. Meyer et S. Davis, *Blur : The Speed of Change in the Connected Economy*, Reading, Mass., Addison-Wesley, 1998 ; P. Bordia, « Face-To-Face Versus Computer-Mediated Communication : A Synthesis of the Experimental Literature », *Journal of Business Communication*, n° 34, janvier 1997, p. 99-120.

26. M. McCance, « IM : Rapid, Risky », *Richmond Times-Dispatch*, 19 juillet 2001, p. A1 ; C. Hempel, « Instant-Message Gratification is What People Want », *Ventura County Star*, 9 avril 2001.

27. D. Robb, « Ready or Not... Instant Messaging has Arrived as a Financial Planning Tool », *Journal of Financial Planning*, juillet 2001, p. 12-14.

28. W. Boei, « The Most Wired Person in Nunavut », *Ottawa Citizen*, 13 novembre 1999 ; S. De Santis, « Across Tundra and Cultures, Entrepreneur Wires Arctic », *Wall Street Journal*, 19 octobre 1998, p. B1 ; T. Saito, « Internet Helps Keep Scattered Inuit in Touch », *Daily Yomiuri*, 7 juin 1997.

29. « New Age Heralds End of Information Overload », *Financial News*, 8 décembre 1998.

30. M. Misra et P. Misra, « Hughes Software : Fun & Flexibility », *Business Today*, 7 janvier 2001, p. 182.

31. B. Sosnin, « Digital Newsletters "E-volutionize" Employee Communications », *HRMagazine*, n° 46, mai 2001, p. 99-107 ; G. Grates, « Is the Employee Publication Extinct ? », *Communication World*, n° 17, décembre 1999/janvier 2000, p. 27-30.

32. C. Benabou, « La communication interne : fonction stratégique », p. 502.

33. T.E. Harris, *Applied Organizational Communication : Perspectives, Principles, and Pragmatics*, Hillsdale, N.J., Lawrence Erlbaum Associates, 1993, chapitre 5 ; R.E. Rice et D.E. Shook, « Relationships of Job Categories and Organizational Levels to Use of Communication Channels, Including Electronic Mail : A Meta-Analysis and Extension », *Journal of Management Studies*, n° 27, 1990, p. 195-229 ; Sitkin *et al.*, « A Dual-Capacity Model of Communication Media Choice in Organizations », p. 584.

34. P. Ekman et E. Rosenberg, *What the Face Reveals : Basic and Applied Studies of Spontaneous Expression Using the Facial Action Coding System*, Oxford, Angleterre, Oxford University Press, 1997.

35. B. Parkinson, *Ideas and Realities of Emotion*, Londres, Routledge, 1995, p. 182-183 ; E. Hatfield, J.T. Cacioppo et R.L. Rapson, *Emotional Contagion*, Cambridge, G.-B., Cambridge University Press, 1993.

36. J.R. Kelly et S.G. Barsade, « Mood and Emotions in Small Groups and Work Teams », *Organizational Behavior and Human Decision Processes*, n° 86, septembre 2001, p. 99-130.

37. R.L. Daft, R.H. Lengel et L.K. Tevino, « Message Equivocality, Media Selection, and Manager Performance : Implications for Information Systems », *MIS Quarterly*, n° 11, 1987, p. 355-366.

38. I. Lamont, « Do Your Far-Flung Users Want to Communicate as if They Share an Office ? », *Network World*, 13 novembre 2000.

39. R. Lengel et R. Daft, « The Selection of Communication Media as an Executive Skill », *Academy of Management Executive*, n° 2, 1988, p. 225-232 ; G. Huber et R. Daft, « The Information Environments of Organizations », dans Jablin *et al.* (éd.), *Handbook of Organizational Communication : An Interdisciplinary Perspective*, p. 130-164 ; R. Daft et R. Lengel, « Information Richness : A New Approach to Managerial Behavior and Organization Design », *Research in Organizational Behavior*, n° 6, 1984, p. 191-233.

40. R.E. Rice, « Task Analyzability, Use of New Media, and Effectiveness : A Multi-Site Exploration of Media Richness », *Organization Science*, n° 3, 1992, p. 475-500 ; J. Fulk, C.W. Steinfield, J. Schmitz et J.G. Power, « A Social Information Processing Model of Media Use in Organizations », *Communication Research*, n° 14, 1987, p. 529-552.

41. R. Madhavan et R. Grover, « From Embedded Knowledge To Embodied Knowledge : New Product Development As Knowledge Management », *Journal of Marketing*, n° 62, octobre 1998, p. 1-12 ; D. Stork et A. Sapienza, « Task and Human Messages over the Project Life Cycle : Matching Media to Messages », *Project Management Journal*, n° 22, décembre 1992, p. 44-49 ; [34.] J.R. Carlson et R.W. Zmud, « Channel Expansion Theory and the Experiential Nature of Media Richness Perceptions », *Academy of Management Journal*, n° 42, avril 1999, p. 153-170.

42. S.B. Sitkin, K.M. Sutcliffe et J.R. Barrios-Choplin, « A Dual-Capacity Model of Communication Media Choice in Organizations », *Human Communication Research*, n° 18, juin 1992, p. 563-598 ; J. Schmitz et J. Fulk, « Organizational Colleagues, Media Richness, and Electronic Mail : A Test of the Social Influence Model of Technology Use », *Communication Research*, n° 18, 1991, p. 487-523.

43. M. Meissner, « The Language of Work », dans R. Dubin (éd.), *Handbook of Work, Organization, and Society*, Chicago, Rand McNally, 1976, p. 205-279.

44. D. Goleman, R. Boyatzis et A. McKee, *Primal Leaders*, Boston, Harvard Business School Press, 2002, p. 92-95.

45. M.J. Glauser, « Upward Information Flow in Organizations : Review and Conceptual Analysis », *Human Relations*, n° 37, 1984, p. 613-643.

46. L. Larwood, « Don't Struggle to Scope Those Metaphors Yet », *Group and Organization Management*, n° 17, 1992, p. 249-254 ; L.R. Pondy, P.J. Frost, G. Morgan et T.C. Dandridge (éd.), *Organizational Symbolism*, Greenwich, Conn., JAI Press, 1983.

47. L. Sahagun, « Cold War Foes Find Harmony in Satellite Launch Partnership », *Los Angeles Times*, 25 juillet 2001, p. B1.

48. M.J. Hatch, « Exploring the Empty Spaces of Organizing : How Improvisational Jazz Helps Redescribe Organizational Structure », *Organization Studies*, n° 20, 1999, p. 75-100 ; G. Morgan, *Images of Organization*, 2ᵉ éd., Thousand Oaks, Calif., Sage, 1997 ; L.L. Putnam, Nelson Phillips et P. Chapman, « Metaphors of Communication and Organization », dans S.R. Clegg, C. Hardy et W.R. Nord (éd.), *Handbook of Organization Studies*, Londres, Sage, 1996, p. 373-408 ; E.M. Eisenberg, « Ambiguity as a Strategy in Organizational Communication », *Communication Monographs*, n° 51, 1984, p. 227-242 ; R. Daft et J. Wiginton, « Language and Organization », *Academy of Management Review*, 4 (1979), p. 179-191.

49. M. Rubini et H. Sigall, « Taking the Edge Off of Disagreement : Linguistic Abstractness and Self-Presentation to a Heterogeneous Audience », *European Journal of Social Psychology*, n° 32, 2002, p. 343-351.

50. B. Robins, « Why "Sell" is Now a Four-Letter Word », *The Age* (Melbourne), 16 juin 2001.

51. « Information Technology In The 21ˢᵗ Century », *Globe and Mail*, 17 septembre 1999.

52. J.T. Koski, « Reflections on Information Glut and Other Issues in Knowledge Productivity », *Futures*, n° 33, août 2001, p. 483-495 ; C. Norton et A. Nathan, « Computer-Mad Generation has a Memory Crash », *Sunday Times* (Londres), 4 février 2001 ; S. Bury, « Does E-mail Make you More Productive ? », *Silicon Valley North*, septembre 1999.

53. « The Best of Ideas », émission de la S.R.C., 1967. Cité sur le site Internet www.mcluhan4managers.com.

54. A. Edmunds et A. Morris, « The Problem of Information Overload in Business Organisations : A Review of the Literature », *International Journal of Information Management*, n° 20, 2000, p. 17-28 ; A.G. Schick, L.A. Gordon et S. Haka, « Information Overload : A Temporal Approach », *Accounting, Organizations & Society*, n° 15, 1990, p. 199-220.

55. Schick *et al.*, « Information Overload », p. 209-214 ; C. Stohl et W.C. Redding, « Messages and Message Exchange Processes », dans Jablin *et al.* (éd.), *Handbook of Organizational Communication*, p. 451-502.

56. L. McCallister, « *I wish I'd said that !* », *How to Talk your Way out of Trouble and into Success*, New York, Wiley, 1994.

57. G. Dutton, « One Workforce, Many Languages », *Management Review*, n° 87, décembre 1998, p. 42-47.

58. G. Erasmus, « Why Can't We Talk ? », *Globe and Mail*, 9 mars 2002 ; D. Woodruff, « Crossing Culture Divide Early Clears Merger Paths », *Asian Wall Street Journal*, n° 28, mai 2001, p. 9.

59. Mead, *Cross-Cultural Management Communication*, p. 161-162 ; J.V. Hill et C.L. Bovée, *Excellence in Business Communication*, New York, McGraw-Hill, 1993, chapitre 17.

60. F. Cunningham, « A Touch of the Tartan Treatment for Mazda », *The Scotsman*, 14 octobre 1997, p. 27.

61. R.M. March, *Reading the Japanese Mind*, Tokyo, Kodansha International, 1996, chapitre 1 ; H. Yamada, *American and Japanese Business Discourse : A*

Comparison of Interaction Styles, Norwood, N.J., Ablex, 1992, p. 34.

62. Un auteur explique que, comme les aborigènes n'aiment pas les conflits, ils discutent de leurs différends autour d'un feu de camp. Celui-ci absorbe une partie du conflit potentiel et permet d'éviter le contact oculaire. Voir H. Blagg, « A Just Measure of Shame ? », *British Journal of Criminology*, n° 37, automne 1997, p. 481-501. Pour connaître d'autres différences dans la communication entre membres de différentes cultures, voir R. Axtell, *Gestures : The Do's and Taboos of Body Language around the World*, New York, Wiley, 1991 ; P. Harris et R. Moran, *Managing Cultural Differences*, Houston, Gulf, 1987 ; et P. Ekman, W.V. Friesen et J. Bear, « The International Language of Gestures », *Psychology Today*, mai 1984, p. 64-69.

63. H. Yamada, *Different Games, Different Rules*, New York, Oxford University Press, 1997, p. 76-79 ; H. Yamada, *American and Japanese Business Discourse*, chapitre 2 ; D. Tannen, *Talking from 9 to 5*, New York, Avon, 1994, p. 96-97 ; D.C. Barnlund, *Communication Styles of Japanese and Americans : Images and Realities*, Belmont, Calif., Wadsworth, 1988.

64. D. Goleman, « What Makes a Leader ? », *Harvard Business Review*, n° 76, novembre-décembre 1998, p. 92-102.

65. Ce stéréotype est omniprésent dans l'ouvrage de J. Gray, *Les hommes viennent de Mars, les femmes de Vénus*, Paris, J'ai Lu, 2005, 342 p. Pour lire une critique de ce point de vue, voir J.T. Wood, « A Critical Response to John Gray's Mars and Venus Portrayals of Men and Women », *Southern Communication Journal*, n° 67, hiver 2002, p. 201-210 ; D.J. Canary, T. et M. Emmers-Sommer, *Sex and Gender Differences in Personal Relationships*, New York, Guilford Press, 1997, chapitre 1 ; M. Crawford, *Talking Difference : On Gender and Language*, Thousand Oaks, Calif., Sage, 1995, chapitre 4.

66. Crawford, *Talking Difference : On Gender and Language*, p. 41-44 ; Tannen, *Talking from 9 to 5* ; D. Tannen, *You Just Don't Understand : Men and Women in Conversation*, New York, Ballentine Books, 1990 ; S. Helgesen, *The Female Advantage : Women's Ways of Leadership*, New York, Doubleday, 1990.

67. A. Mulac et *al.*, « 'Uh-Huh. What's That All About ?' Differing Interpretations Of Conversational Backchannels and Questions as Sources of Miscommunication Across Gender Boundaries », *Communication Research*, n° 25, décembre 1998, p. 641-668 ; G.H. Graham, J. Unruh et P. Jennings, « The Impact of Nonverbal Communication in Organizations : A Survey of Perceptions », *Journal of Business Communication*, n° 28, 1991, p. 45-61 ; J. Hall, « Gender Effects in Decoding Nonverbal Cues », *Psychological Bulletin*, n° 68, 1978, p. 845-857.

68. P. Tripp-Knowles, « A Review of the Literature on Barriers Encountered by Women in Science Academia », *Resources for Feminist Research*, n° 24, printemps-été 1995, p. 28-34.

69. R.J. Grossman, « Emotions at Work », *Health Forum Journal*, n° 43, septembre-octobre 2000, p. 18-22.

70. Cité dans K. Davis et J.W. Newstrom, *Human Behavior at Work : Organizational Behavior*, 7ᵉ éd., New York, McGraw-Hill, 1985, p. 438.

71. Les trois composantes de l'écoute décrites ici sont basées sur plusieurs études récentes dans le domaine du marketing, notamment : K. de Ruyter et M.G.M. Wetzels, « The Impact of Perceived Listening Behavior in Voice-to-Voice Service Encounters », *Journal of Service Research*, n° 2, février 2000, p. 276-284 ; S.B. Castleberry, C.D. Shepherd et R. Ridnour, « Effective Interpersonal Listening in the Personal Selling Environment : Conceptualization, Measurement, and Nomological Validity », *Journal of Marketing Theory and Practice*, n° 7, hiver 1999, p. 30-38 ; L.B. Comer et T. Drollinger, « Active Empathetic Listening and Selling Success : A Conceptual Framework », *Journal of Personal Selling & Sales Management*, n° 19, hiver 1999, p. 15-29.

72. S. Silverstein, « On The Job But Do They Listen ? », *Los Angeles Times*, 19 juillet 1998.

73. F. Lee, « Being Polite and Keeping MUM : How Bad News Is Communicated in Organizational Hierarchies », *Journal of Applied Psychology*, n° 23, 1993, p. 1124-1149.

74. G. Evans et D. Johnson, « Stress and Open-Office Noise », *Journal of Applied Psychology*, n° 85, 2000, p. 779-783.

75. F. Russo, « My Kingdom For A Door », *Time Magazine*, 23 octobre 2000, p. B1. L'aménagement de l'espace de travail à TBWA Chiat/Day et les difficultés qui y sont liées sont décrites dans Hulsman, « Farewell, Corner Office » ; « Why Chiat/Day is Putting Down its Binoculars », *Creative Review*, avril 1998, p. 67 ; C. Knight, « Gone Virtual », *Canadian HR Reporter*, 16 décembre 1996, p. 24, 26.

76. A. Gordon, « Perks and Stock Options are Great, But it's Attitude that Makes the Difference », *Globe and Mail*, 28 janvier 2000 ; B. Schneider, S.D. Ashworth, A.C. Higgs et L. Carr, « Design, Validity, and Use of Strategically Focused Employee Attitude Surveys », *Personnel Psychology*, n° 49, 1996, p. 695-705 ; T. Geddie, « Surveys are a Waste of Time... Until You Use Them », *Communication World*, avril 1996, p. 24-26 ; D.M. Saunders et J.D. Leck, « Formal Upward Communication Procedures : Organizational and Employee Perspectives », *Canadian Journal of Administrative Sciences*, n° 10, 1993, p. 255-268.

77. T. Peters et R. Waterman, *In Search of Excellence*, New York, Harper and Row, 1982, p. 122 ; W. Ouchi, *Theory Z*, New York, Avon Books, 1981, p. 176-177.

78. D. Penner, « Putting the Boss out Front », *Vancouver Sun*, 7 juin 2002.

79. C. Benabou, « La communication interne : fonction stratégique », p. 505.

80. C. Benabou, « La communication interne : fonction stratégique », p. 505.

81. C. Benabou, « La communication interne : fonction stratégique », p. 506.

82. C. Benabou, « La communication interne : fonction stratégique », p. 506.

83. C. Benabou, « La communication interne : fonction stratégique », p. 506.

84. « Survey Finds Good And Bad Points On Worker Attitudes », *Eastern Pennsylvania Business Journal*, 5 mai 1997, p. 13.

85. G. Kreps, *Organizational Communication*, White Plains, N.Y., Longman, 1986, p. 202-206 ; W.L. Davis et J.R. O'Connor, « Serial Transmission of Information : A Study of the Grapevine », *Journal of Applied Communication Research*, n° 5, 1977, p. 61-72 ; K. Davis, « Management Communication and the Grapevine », *Harvard Business Review*, n° 31, septembre-octobre 1953, p. 43-49.

86. S. Crampton, J.W. Hodge et J.M. Mishra, « The Informal Communication Network: Factors Influencing Grapevine Activities », *Public Personnel Management*, n° 27, 1998, p. 569-584.

87. D. Krackhardt et J.R. Hanson, « Informal Networks: The Company Behind the Chart », *Harvard Business Review*, n° 71, juillet-août 1993, p. 104-111; H. Mintzberg, *The Structuring of Organizations*, Englewood Cliffs, N.J., Prentice Hall, 1979, p. 46-53.

88. M. Noon et R. Delbridge, « News from Behind My Hand: Gossip in Organizations », *Organization Studies*, n° 14, 1993, p. 23-36; R.L. Rosnow, « Inside Rumor: A Personal Journey », *American Psychologist*, n° 46, mai 1991, p. 484-496; C.J. Walker et C.A. Beckerle, « The Effect of State Anxiety on Rumor Transmission », *Journal of Social Behavior & Personality*, n° 2, août 1987, p. 353-360.

89. N. Nicholson, « Evolutionary Psychology: Toward a New View of Human Nature and Organizational Society », *Human Relations*, n° 50, septembre 1997, p. 1053-1078.

90. Thibault et collab., Lesley et Zinn, Schiller voir G. Greenberg et R.A. Baron, *Behavior in Organizations*, 8e éd., New Jersey, Pearson, 2003.

91. « Odd Spot », *The Age* (Melbourne), 20 juillet 2001, p. 1.

92. C. Benabou, « La communication interne: fonction stratégique », p. 508-509.

93. C. Benabou, « La communication interne: fonction stratégique », p. 509.

94. O. Lerbinger, « Un événement inattendu mettant en péril la réputation et le fonctionnement d'une organisation », dans T. Libaert, *La communication en période de crise*, 2e éd., Paris, Dunod, 2005.

95. T. Libaert, *La communication en période de crise*, p. 10.

CHAPITRE 12

1. C. Hardy et S. Leiba-O'Sullivan, « The Power Behind Empowerment: Implications for Research and Practice », *Human Relations*, n° 51, avril 1998, p. 451-483; R. Farson, *Management of the Absurd*, New York, Simon & Schuster, 1996, chap. 13; R.M. Cyert

et J.G. March, *A Behavioral Theory of the Firm*, Englewood Cliffs, New Jersey, Prentice Hall, 1963.

2. M. Crozier et E. Friedberg, *L'acteur et le système*, Paris, Seuil, 1977.

3. Pour une discussion sur la définition du *power*, voir J.M. Whitmeyer, « Power Through Appointment », *Social Science Research*, n° 29, 2000, p. 535-555; J. Pfeffer, *New Directions in Organizational Theory*, New York, Oxford University Press, 1997, chap. 6; J. Pfeffer, *Managing with Power*, Boston, Harvard Business University Press, 1992, p. 17, 30; H. Mintzberg, *Power In and Around Organizations*, Englewood Cliffs, New Jersey, Prentice Hall, 1983, chapitre 1.

4. A.M. Pettigrew, *The Politics of Organizational Decision-Making*, Londres, Tavistock, 1973; R.M. Emerson, « Power-Dependence Relations », *American Sociological Review*, n° 27, 1962, p. 31-41; R.A. Dahl, « The Concept of Power », *Behavioral Science*, n° 2, 1957, p. 201-218.

5. D.J. Brass et M.E. Burkhardt, « Potential Power and Power Use: An Investigation of Structure and Behaviour », *Academy of Management Journal*, n° 36, 1993, p. 441-470; K.M. Bartol et D.C. Martin, « When Politics Pays: Factors Influencing Managerial Compensation Decisions », *Personnel Psychology*, n° 43, 1990, p. 599-614.

6. Crozier et Friedberg, *L'acteur et le système*.

7. H. Mintzberg, *Le pouvoir dans les organisations*, trad. fr., nouv. éd., Paris, Éd. d'Organisation, 2003.

8. P.P. Carson et K.D. Carson, « Social Power Bases: A Meta-Analytic Examination of Interrelationships and Outcomes », *Journal of Applied Social Psychology*, n° 23, 1993, p. 1150-1169; P. Podsakoff et C. Schreisheim, « Field Studies of French and Raven's Bases of Power: Critique, Analysis, and Suggestions for Future Research », *Psychological Bulletin*, n° 97, 1985, p. 387-411; J.R.P. French et B. Raven, « The Bases of Social Power », dans D. Cartwright (éd.), *Studies in Social Power*, Ann Arbor, Mich., University of Michigan Press, 1959, p. 150-167.

9. Par exemple, voir S. Finkelstein, « Power in Top Management Teams: Dimensions, Measurement, and Valida-

tion », *Academy of Management Journal*, n° 35, 1992, p. 505-538.

10. G. Yukl et C.M. Falbe, « Importance of Different Power Sources in Downward and Lateral Relations », *Journal of Applied Psychology*, n° 76, 1991, p. 416-423.

11. G.A. Yukl, *Leadership in Organizations*, 3e éd., Englewood Cliffs, New Jersey, Prentice Hall, 1994, p. 13; B.H. Raven, « The Bases of Power: Origins and Recent Developments », *Journal of Social Issues*, n° 49, 1993, p. 227-251.

12. C. Hardy et S.R. Clegg, « Some Dare Call It Power », dans S.R. Clegg, C. Hardy et W.R. Nord (éd.), *Handbook of Organization Studies*, Londres, Sage, 1996, p. 622-641; C. Barnard, *The Function of the Executive*, Cambridge, Mass., Harvard University Press, 1938.

13. I. Nonaka et H. Takeuchi, *The Knowledge-Creating Company*, New York, Oxford University Press, 1995, p. 138-139.

14. H. Schachter, « The 21st Century CEO », *Profit*, avril 1999, p. 25; J.A. Conger, *Winning' em Over*, New York, Simon & Shuster, 1998, annexe A.

15. M. Weber, « Types d'autorité », dans A. Lévy, *Psychologie sociale, Textes fondamentaux*, t. 2, Paris, Dunod, 1972.

16. « Empowerment Torture to Some », *Tampa Tribune*, 5 octobre 1997, p. 6. La pression des pairs à CAMI est décrite dans D. Robertson *et al.*, « Team Concept and Kaizen: Japanese Production Management in a Unionized Canadian Auto Plant », *Studies in Political Economy*, n° 39, automne 1992, p. 77-107. Pour une discussion sur la pression des pairs, voir M.L. Loughry, « Co-Workers Are Watching: Performance Implications of Peer Monitoring », *Academy of Management Best Papers Proceedings 2002*, p. O1-O6; J.A. LePine et L. Van Dyne, « Peer Responses to Low Performers: An Attributional Model of Helping in the Context of Groups », *Academy of Management Review*, n° 26, 2001, p. 67-84; G. Sewell, « The Discipline of Teams: The Control of Team-Based Industrial Work Through Electronic and Peer Surveillance », *Administrative Science Quarterly*, n° 43, juin 1998, p. 397-428. Pour une discussion détaillée sur le pouvoir par la contrainte et la récompense dans les structures en réseau,

voir L.D. Molm, *Coercive Power in Social Exchange*, Cambridge, Cambridge University Press, 1997.

17. J.D. Kudisch et M.L. Poteet, « Expert Power, Referent Power, and Charisma : Toward the Resolution of a Theoretical Debate », *Journal of Business & Psychology*, n° 10, hiver 1995, p. 177-195.

18. L'information était considérée comme une forme d'influence et non de pouvoir dans les écrits initiaux de French et Raven. Elle a été ajoutée comme sixième source de pouvoir dans les écrits suivants de Raven mais, dans ce livre, l'auteur considère que le pouvoir de l'information est dérivé des cinq sources d'origine. Voir B.H. Raven, « Kurt Lewin Address : Influence, Power, Religion, and the Mechanisms of Social Control », *Journal of Social Issues*, n° 55, printemps 1999, p. 161-186 ; Yukl et Falbe, « Importance of Different Power Sources in Downward and Lateral Relations ».

19. « Corporate Culture Instilled Online », *The Economist*, 11 novembre 2000.

20. D.J. Brass, « Being in the Right Place : A Structural Analysis of Individual Influence in an Organization », *Administrative Science Quarterly*, n° 29, 1984, p. 518-539 ; N.M. Tichy, M.L. Tuchman et C. Frombrun, « Social Network Analysis in Organizations », *Academy of Management Review*, n° 4, 1979, p. 507-519 ; H. Guetzkow et H. Simon, « The Impact of Certain Communication Nets upon Organization and Performance in Task-Oriented Groups », *Management Science*, n° 1, 1955, p. 233-250.

21. D. Krackhardt et J.R. Hanson, « Informal Networks : The Company Behind the Chart », *Harvard Business Review*, n° 71, juillet-août 1993, p. 104-111 ; R.E. Kaplan, « Trade Routes : The Manager's Network of Relationships », *Organizational Dynamics*, printemps 1984, p. 37-52.

22. A. Mehra, M. Kilduff et D.J. Brass, « The Social Networks of High and Low Self-Monitors : Implications for Workplace Performance », *Administrative Science Quarterly*, n° 46, mars 2001, p. 121-146.

23. M. Linehan, « Barriers to Women's Participation in International Management », *European Business Review*, n° 13, 2001, p. 10-18 ; R.J. Burke et C.A. McKeen, « Women in Management », *International Review of Industrial and Organizational Psychology*, n° 7, 1992, p. 245-283 ; B.R. Ragins et E. Sundstrom, « Gender and Power in Organizations : A Longitudinal Perspective », *Psychological Bulletin*, n° 105, 1989, p. 51-88.

24. D.M. McCracken, « Winning the Talent War for Women : Sometimes It Takes a Revolution », *Harvard Business Review*, novembre-décembre 2000, p. 159-167 ; D.L. Nelson et R.J. Burke, « Women Executives : Health, Stress, and Success », *Academy of Management Executive*, n° 14, mai 2000, p. 107-121.

25. T. Stewart, « CEOs See Clout Shifting », *Fortune*, 6 novembre 1989, p. 66.

26. Hickson *et al.*, « A Strategic Contingencies' Theory of Intraorganizational Power » ; Hinings *et al.*, « Structural Conditions of Intraorganizational Power » ; R.M. Kanter, « Power Failure in Management Circuits », *Harvard Business Review*, juillet-août 1979, p. 65-75.

27. R. Colapinto, « Nine-to-Five Nirvana », *Canadian Business*, n° 72, 30 avril 1999, p. 34-38.

28. C.S. Saunders, « The Strategic Contingency Theory of Power : Multiple Perspectives », *The Journal of Management Studies*, n° 27, 1990, p. 1-21 ; D.J. Hickson *et al.*, « A Strategic Contingencies' Theory of Intraorganizational Power », *Administrative Science Quarterly*, n° 16, 1971, p. 216-227 ; J.D. Thompson, *Organizations in Action*, New York, McGraw-Hill, 1967.

29. C.R. Hinings *et al.*, « Structural Conditions of Intraorganizational Power », *Administrative Science Quarterly*, n° 19, 1974, p. 22-44.

30. M. Crozier, *The Bureaucratic Phenomenon*, Londres, Tavistock, 1964.

31. M.F. Masters, *Unions at the Crossroads : Strategic Membership, Financial, and Political Perspectives*, Westport, Conn., Quorum Books, 1997.

32. D. Beveridge, « Job Actions Hit World's Airlines During Year's Busiest Flying Season », *Canadian Press*, 10 juillet 2001 ; M. O'Dell, « Airlines Grounded by the Rise of Pilot Power », *Financial Times* (Royaume-Uni), 3 juillet 2001.

33. Brass et Burkhardt, « Potential Power and Power Use », p. 441-470 ; Hickson *et al.*, « A Strategic Contingencies' Theory of Intraorganizational Power », p. 219-221 ; J.D. Hackman, « Power and Centrality in the Allocation of Resources in Colleges and Universities », *Administrative Science Quarterly*, n° 30, 1985, p. 61-77.

34. L. Holden, « European Managers : HRM and an Evolving Role », *European Business Review*, n° 12, 2000, p. 251-260 ; Kanter, « Power Failure in Management Circuits », p. 68 ; B.E. Ashforth, « The Experience of Powerlessness in Organizations », *Organizational Behaviour and Human Decision Processes*, n° 43, 1989, p. 207-242.

35. M.L.A. Hayward et W. Boeker, « Power and Conflicts of Interest in Professional Firms : Evidence from Investment Banking », *Administrative Science Quarterly*, n° 43, mars 1998, p. 1-22.

36. R. Madell, « Ground Floor », *Pharmaceutical Executive (Women in Pharma Supplement)*, juin 2000, p. 24-31.

37. Raven, « The Bases of Power », p. 237-239.

38. L.A. Perlow, « The Time Famine : Toward a Sociology of Work Time », *Administrative Science Quarterly*, n° 44, mars 1999, p. 5-31.

39. M.C. Higgins et K.E. Kram, « Reconceptualizing Mentoring at Work : A Developmental Network Perspective », *Academy of Management Review*, n° 26, avril 2001, p. 264-288 ; B.R. Ragins, « Diversified Mentoring Relationships in Organizations : A Power Perspective », *Academy of Management Review*, n° 22, 1997, p. 482-521.

40. Crozier et Friedberg, *L'acteur et le système*.

41. S. Milgram, *Soumission à l'autorité*, trad. fr., Paris, Calmann-Lévy, 1972.

42. J. Greenberg et R.A. Baron, *Behavior in Organizations*, 8e éd., Upper Saddler River, Pearson Education, Inc., 2003.

43. A.J. DuBrin, *Contemporary Applied Management*, 4e éd., Burr Ridge, Ill., Irwin, 1994.

44. C.C. Robert *et al.*, « Empowerment and Continuous Improvement in the United States, Poland, and India : Predicting Fit on the Basis of the Dimensions of Power Distance and

Individualism », *Journal of Applied Psychology*, no 85, 2000, p. 643-658.

45. D. Katz et R.L. Kahn, *The Social Psychology of Organizations*, New York, Wiley, 1966, p. 301.

46. W.A. Hochwarter *et al.*, « A Reexamination of Schriesheim and Hinkin's (1990) Measure of Upward Influence », *Educational and Psychological Measurement*, no 60, octobre 2000, p. 755-771; C. Schriesheim et T. Hinkin, « Influence Tactics Used by Subordinates: A Theoretical and Empirical Analysis and Refinement of the Kipnis, Schmidt, and Wilkinson Subscales », *Journal of Applied Psychology*, no 75, 1990, p. 246-257. L'étude initiale comprenant des dissertations d'étudiants figure dans D. Kipnis, S.M. Schmidt et I. Wilkinson, « Intraorganizational Influence Tactics: Explorations in Getting One's Way », *Journal of Applied Psychology*, no 65, 1980, p. 440-452.

47. Certaines des listes plus complètes des tactiques d'influence sont présentées dans L.A. McFarland, A.M. Ryan et S.D. Kriska, « Field Study Investigation of Applicant Use of Influence Tactics in a Selection Interview », *Journal of Psychology*, no 136, juillet 2002, p. 383-398; K. Hashimoto et A. Rao, « Universal and Culturally Specific Aspects of Managerial Influence: A Study of Japanese Managers », *Leadership Quarterly*, no 8, 1997, p. 295-312.

48. K. Hashimoto et A. Rao, « Universal and Culturally Specific Aspects of Managerial Influence: A Study of Japanese Managers », *Leadership Quarterly*, no 8, 1997, p. 295-312. L'autorité silencieuse comme tactique d'influence dans les cultures non occidentales est également traitée dans S.F. Pasa, « Leadership Influence in a High Power Distance and Collectivist Culture », *Leadership & Organization Development Journal*, no 21, 2000, p. 414-426.

49. A.W. Gouldner, « The Norm of Reciprocity: A Preliminary Statement », *American Sociological Review*, no 25, 1960, p. 161-178.

50. E.A. Mannix, « Organizations as Resource Dilemmas: The Effects of Power Balance on Coalition Formation in Small Groups », *Organizational Behaviour and Human Decision Processes*, no 55, 1993, p. 1-22; A.T. Cobb, « Toward the Study of Organizational Coalitions: Participant Concerns and Activities in a Simulated Organizational Setting », *Human Relations*, no 44, 1991, p. 1057-1079; W.B. Stevenson, J.L. Pearce et L.W. Porter, « The Concept of "Coalition" in Organization Theory and Research », *Academy of Management Review*, no 10, 1985, p. 256-268.

51. D.J. Terry, M.A. Hogg et K.M. White, « The Theory of Planned Behaviour: Self-Identity, Social Identity and Group Norms », *British Journal of Social Psychology*, no 38, septembre 1999, p. 225-244.

52. M. Warshaw, « The Good Guy's Guide to Office Politics », *Fast Company*, no 14, avril-mai 1998, p. 157-178.

53. Rao *et al.*, « Universal and Culturally Specific Aspects of Managerial Influence ».

54. D. Strutton et L.E. Pelton, « Effects of Ingratiation on Lateral Relationship Quality Within Sales Team Settings », *Journal of Business Research*, no 43, 1998, p. 1-12.

55. H.G. Enns, S.L. Huff et B.R. Golden, « How CIOs Obtain Peer Commitment to Strategic IS Proposals: Barriers and Facilitators », *Journal of Strategic Information Systems*, no 10, mars 2001, p. 3-14; G. Yukl, *Leadership in Organizations*, 3e éd., Englewood Cliffs, New Jersey, Prentice Hall, 1994.

56. D. Strutton, L.E. Pelton et J.F. Tanner, Jr., « Shall We Gather in the Garden: The Effect of Ingratiatory Behaviors on Buyer Trust in Salespeople », *Industrial Marketing Management*, no 25, 1996, p. 151-162; R. Thacker et S.I. Wayne, « An Examination of the Relationship Between Upward Influence Tactics and Assessments of Promotability », *Journal of Management*, no 21, 1995, p. 739-756.

57. A. Rao et S.M. Schmidt, « Upward Impression Management: Goals, Influence Strategies, and Consequences », *Human Relations*, no 48, 1995, p. 147-167; R.A. Giacalone P. Rosenfeld (éd.), *Applied Impression Management*, Newbury Park, Calif., Sage, 1991; J.T. Tedeschi (éd.), *Impression Management Theory and Social Psychological Research*, New York, Academic Press, 1981.

58. W.L. Gardner III, « Lessons in Organizational Dramaturgy: The Art of Impression Management », *Organizational Dynamics*, été 1992, p. 33-46; R.C. Liden et T.R. Mitchell, « Ingratiatory Behaviours in Organizational Settings », *Academy of Management Review*, no 13, 1988, p. 572-587.

59. A. Vuong, « Job Applicants Often Don't Tell Whole Truth », *Denver Post*, 30 mai 2001, p. C1. Pour une discussion sur l'étude effectuée sur les faux curriculum vitæ, voir S.L. McShane, « Applicant Misrepresentation in Résumés and Interviews », *Labor Law Journal*, no 45, janvier 1994, p. 15-24.

60. L.A. McFarland, A.M. Ryan et S.D. Kriska, « Field Study Investigation of Applicant Use of Influence Tactics in a Selection Interview », *Journal of Psychology*, no 136, juillet 2002, p. 383-398; G. Yukl et J.B. Tracey, « Consequences of Influence Tactics Used with Subordinates, Peers, and the Boss », *Journal of Applied Psychology*, no 77, 1992, p. 525-535.

61. Heureusement, certains récents écrits sur les tactiques d'influence de persuasion incluent le rôle des émotions. Voir S. Fox et Y. Amichai-Hamburger, « The Power of Emotional Appeals in Promoting Organizational Change Programs », *Academy of Management Executive*, no 15, novembre 2001, p. 84-94.

62. A.P. Brief, *Attitudes In and Around Organizations*, Thousand Oaks, Calif., Sage, 1998, p. 69-84; K.K. Reardon, *Persuasion in Practice*, Newbury Park, Calif., Sage, 1991; P. Zimbardo et E.B. Ebbeson, *Influencing Attitudes and Changing Behavior*, Reading, Mass., Addison-Wesley, 1969.

63. J.J. Jiang, G. Klein et R.G. Vedder, « Persuasive Expert Systems: The Influence of Confidence and Discrepancy », *Computers in Human Behavior*, no 16, mars 2000, p. 99-109; J.A. Conger, *Winning'Em Over: A New Model for Managing in the Age of Persuasion*, New York, Simon & Schuster, 1998; J. Cooper et R.T. Coyle, « Attitudes and Attitude Change », *Annual Review of Psychology*, no 35, 1984, p. 395-426.

64. E. Aronson, *The Social Animal*, San Francisco, W.H. Freeman, 1976, p. 67-68; R.A. Jones et J.W. Brehm, « Persuasiveness of One- and Two-Sided Communications as a Function

of Awareness that There Are Two Sides », *Journal of Experimental Social Psychology*, nº 6, 1970, p. 47-56.

65. D.G. Linz et S. Penrod, « Increasing Attorney Persuasiveness in the Courtroom », *Law and Psychology Review*, nº 8, 1984, p. 1-47 ; R.B. Zajonc, « Attitudinal Effects of Mere Exposure », *Journal of Personality and Social Psychology Monograph*, nº 9, 1968, p. 1-27 ; R. Petty et J. Cacioppo, *Attitudes and Persuasion : Classic and Contemporary Approaches*, Dubuque, Iowa, W.C. Brown, 1981.

66. Conger, *Winning'Em Over*.

67. M. Zellner, « Self-Esteem, Reception, and Influenceability », *Journal of Personality and Social Psychology*, nº 15, 1970, p. 87-93.

68. C.P. Egri *et al.*, « Managers in the NAFTA Countries : A Cross-Cultural Comparison of Attitudes Toward Upward Influence Strategies », *Journal of International Management*, nº 6, 2000, p. 149-171.

69. « Be Part of the Team if you Want to Catch the Eye », *Birmingham Post* (Royaume-Uni), 31 août 2000, p. 14.

70. Y. Gabriel, « An Introduction to the Social Psychology of Insults in Organizations », *Human Relations*, nº 51, novembre 1998, p. 1329-1354.

71. L.A. McFarland, A.M. Ryan et S.D. Kriska, « Field Study Investigation of Applicant Use of Influence Tactics in a Selection Interview », *Journal of Psychology*, nº 136, juillet 2002, p. 383-398 ; Somech et Drach-Zahavy, « Relative Power and Influence Strategy » ; R.C. Ringer et R.W. Boss, « Hospital Professionals' Use of Upward Influence Tactics », *Journal of Managerial Issues*, nº 12, printemps 2000, p. 92-108 ; B.H. Raven, J. Schwarzwald et M. Koslowsky, « Conceptualizing and Measuring a Power/Interaction Model of Interpersonal Influence », *Journal of Applied Social Psychology*, nº 28, 1998, p. 307-332.

72. Falbe et Yukl, « Consequences for Managers of Using Single Influence Tactics and Combinations of Tactics », p. 638-652. L'efficacité des coalitions dans le marketing est décrite dans K. Atuahene-Gima et H. Li, « Marketing's Influence Tactics in New Product Development : A Study of High Technology Firms in China », *Journal of Product Innovation Management*, nº 17, 2000, p. 451-470.

73. C.M. Falbe et G. Yukl, « Consequences for Managers of Using Single Influence Tactics and Combinations of Tactics », *Academy of Management Journal*, nº 35, 1992, p. 638-652.

74. J.R. Schermerhorn, Jr. et M.H. Bond, « Upward and Downward Influence Tactics in Managerial Networks : A Comparative Study of Hong Kong Chinese and Americans », *Asia Pacific Journal of Management*, nº 8, 1991, p. 147-158.

75. K.R. Xin et A.S. Tsui, « Different Strokes for Different Folks ? Influence Tactics by Asian-American and Caucasian-American Managers », *Leadership Quarterly*, nº 7, 1996, p. 109-132.

76. H.G. Enns, S.L. Huff et B.R. Golden, « How CIOs Obtain Peer Commitment to Strategic IS Proposals : Barriers and Facilitators », *Journal of Strategic Information Systems*, nº 10, mars 2001, p. 3-14 ; R.C. Ringer et R.W. Boss, « Hospital Professionals' Use of Upward Influence Tactics », *Journal of Managerial Issues*, nº 12, printemps 2000, p. 92-108.

77. N. Martin, « Men Gossip More than Women to Boost their Egos », *Daily Telegraph* (Royaume-Uni), 15 juin 2001, p. P13 ; Tannen, *Talking From 9 to 5*, chapitre 2 ; M. Crawford, *Talking Difference : On Gender and Language*, Thousand Oaks, Calif., Sage, 1995, p. 41-44 ; D. Tannen, *Talking From 9 to 5*, New York, Avon, 1995, p. 137-141 et p. 151-152 ; D. Tannen, *You Just Don't Understand : Men and Women in Conversation*, New York, Ballentine Books, 1990 ; S. Helgesen, *The Female Advantage : Women's Ways of Leadership*, New York, Doubleday, 1990.

78. L.L. Carli, « Gender, Interpersonal Power, and Social Influence », *Journal of Social Issues*, nº 55, printemps 1999, p. 81 et suivantes ; E.H. Buttner et M. McEnally, « The Interactive Effect of Influence Tactic, Applicant Gender, and Type of Job on Hiring Recommendations », *Sex Roles*, nº 34, 1996, p. 581-591 ; S. Mann, « Politics and Power in Organizations : Why Women Lose Out », *Leadership & Organization Development Journal*, nº 16, 1995, p. 9-15.

79. E. Vigoda et A. Cohen, « Influence Tactics and Perceptions of Organizational Politics : A Longitudinal Study », *Journal of Business Research*, nº 55, 2002, p. 311-324 ; R. Cropanzano *et al.*, « The Relationship of Organizational Politics and Support to Work Behaviors, Attitudes, and Stress », *Journal of Organizational Behavior*, nº 18, 1997, p. 159-180.

80. W.E. O'Connor et T.G. Morrison, « A Comparision of Situational and Dispositional Predictors of Perceptions of Organizational Politics », *Journal of Psychology*, nº 135, mai 2001, p. 301-312.

81. E. Vigoda, « Stress-Related Aftermaths to Workplace Politics : The Relationships Among Politics, Job Distress, and Aggressive Behavior in Organizations », *Journal of Organizational Behavior*, nº 23, 2002, p. 571-591 ; K.M. Kacmar et R.A. Baron, « Organizational Politics : The State of the Field, Links to Related Processes, and an Agenda for Future Research », dans G.R. Ferris (éd.), *Research in Personnel and Human Resources Management*, Greenwich, Conn., JAI Press, 1999, p. 1-39 ; K.M. Kacmar *et al.*, « An Examination of the Perceptions of Organizational Politics Model : Replication and Extension », *Human Relations*, nº 52, 1999, p. 383-416 ; J.M. Maslyn et D.B. Fedor, « Perceptions of Politics : Does Measuring Different Foci Matter ? », *Journal of Applied Psychology*, nº 84, 1998, p. 645-653.

82. D. Sandahl et C. Hewes, « Decision Making at Digital Speed », *Pharmaceutical Executive*, nº 21, août 2001, p. 62 ; « Notes About Where We Work and How We Make Ends Meet », *Arizona Daily Star*, 18 février 2001, p. D1.

83. C. Hardy, *Strategies for Retrenchment and Turnaround : The Politics of Survival*, Berlin, Walter de Gruyter, 1990, chapitre 14 ; J. Gandz et V.V. Murray, « The Experience of Workplace Politics », *Academy of Management Journal*, nº 23, 1980, p. 237-251.

84. P. Dillon, « Failure IS an Option », *Fast Company*, nº 22, février-mars 1999, p. 154-171.

85. M.C. Andrews et K.M. Kacmar, « Discriminating Among Organizational Politics, Justice, and Support », *Journal of Organizational Behavior*, nº 22, 2001, p. 347-366.

86. G.R. Ferris, G.S. Russ et P.M. Fandt, « Politics in Organizations »,

dans R.A. Giacalone et P. Rosenfeld (éd.), *Impression Management in the Organization*, Hillsdale, New Jersey, Erlbaum, 1989, p. 143-170; H. Mintzberg, «The Organization as Political Arena», *Journal of Management Studies*, n° 22, 1985, p. 133-154.

87. R.J. House, «Power and Personality in Complex Organizations», *Research in Organizational Behaviour*, n° 10, 1988, p. 305-357; L.W. Porter, R.W. Allen et H.L. Angle, «The Politics of Upward Influence in Organizations», *Research in Organizational Behaviour*, n° 3, 1981, p. 120-122.

88. K.S. Sauleya et A.G. Bedeian, «Equity Sensitivity: Construction of a Measure and Examination of its Psychometric Properties», *Journal of Management*, n° 26, septembre 2000, p. 885-910; S.M. Farmer *et al.*, «Putting Upward Influence Strategies in Context», *Journal of Organizational Behaviour*, n° 18, 1997, p. 17-42; P.E. Mudrack, «An Investigation into the Acceptability of Workplace Behaviours of a Dubious Ethical Nature», *Journal of Business Ethics*, n° 12, 1993, p. 517-524; R. Christie et F. Geis, *Studies in Machiavellianism*, New York, Academic Press, 1970.

89. Mintzberg, *Le pouvoir dans les organisations*.

90. R.S. Cropanazno *et al.*, «The Relationships of Organizational Politics and Support to Work Behaviors, Attitudes, and Stress», *Journal of Organizational Behavior*, n° 18, 1997, p. 159-181.

91. G.R. Ferris *et al.*, «Perceptions of Organizational Politics: Prediction, Stress-Related Implications, and Outcomes», *Human Relations*, n° 49, 1996, p. 233-263.

92. L.A. Witt, M.C. Andrews et K.M. Kacmar, «The Role of Participative Decisionmaking in the Organizational Politics-Job Satisfaction Relationship», *Human Relations*, n° 53, 2000, p. 341-357.

CHAPITRE 13

1. J.A. Wall et R.R. Callister, «Conflict and its Management,» *Journal of Management*, n° 21, 1995, p. 515-558; D. Tjosvold, *Working Together to Get Things Done*, Lexington, Lexington, Mass., 1986, p. 114-115.

2. J.G. March et H.A. Simon, *Les Organisations*, Paris, Dunod, 1969.

3. J. Greenberg et R.A. Baron, *Behavior in Organizations*, 8e éd., New Jersey, Pearson Education, 2003.

4. Greenberg, *ibid.*

5. Le processus de conflit est décrit dans K.W. Thomas, «Conflict and Negotiation Processes in Organizations», dans M.D. Dunnette et L.M. Hough (éd.), *Handbook of Industrial and Organizational Psychology*, 2e éd., n° 3, Consulting Psychologists Press, Palo Alto, Calif., 1992, p. 651-718; L. Pondy, «Organizational Conflict: Concepts and Models», *Administrative Science Quarterly*, n° 2, 1967, p. 296-320.

6. C. Benabou, *La gestion des conflits*, dans Petit *et al.*, *La gestion stratégique des ressources humaines*, Boucherville, Gaëtan Morin Éditeur, 1988.

7. A.C. Ward, «Another Look at How Toyota Integrates Product Development», *Harvard Business Review*, juillet-août, 1998, p. 36-49.

8. L.H. Pelled, K.R. Xin et A.M. Weiss, «No Es Como Mi: Relational Demography and Conflict in a Mexican Production Facility», *Journal of Occupational and Organizational Psychology*, n° 74, mars 2001, p. 63-84; L.H. Pelled, K.M. Eisenhardt et K.R. Xin, «Exploring the Black Box: An Analysis of Work Group Diversity, Conflict, and Performance», *Administrative Science Quarterly*, n° 44, mars 1999, p. 1-28. Une étude récente rapportait que le conflit lié à la tâche, par exemple le conflit socio-émotionnel, a un effet négatif sur la performance de l'équipe. Toutefois, l'effet du conflit lié à la tâche variait considérablement d'une étude à l'autre; certaines études laissaient entendre qu'il pouvait avoir un effet positif dans des conditions précises. Voir C.K.W. De Dreu et L.R. Weingart, «Task Versus Relationship Conflict, Team Performance and Team Member Satisfaction: A Meta-Analysis», *Journal of Applied Psychology*, 2003.

9. K. McArthur, «Air Canada Pilot Seniority Feelings Run High: "Scuffles on the Crew Bus"», *Canadian Press*, 3 avril 2001.

10. J.M. Brett, D.L. Shapiro et A.L. Lytle, «Breaking the Bonds of Reciprocity in Negotiations», *Academy of Management Journal*, n° 41, août 1998, p. 410-424; G.E. Martin et T.J. Bergman, «The Dynamics of Behavioral Response to Conflict in the Workplace», *Journal of Occupational & Organizational Psychology*, n° 69, décembre 1996, p. 377-387; G. Wolf, «Conflict Episodes», dans *Negotiating in Organizations*, M.H. Bazerman et R.J. Lewicki (éd.), Sage, Beverly Hills, Calif., 1983, p. 135-140; L.R. Pondy, «Organizational Conflict: Concepts and Models», *Administrative Science Quarterly*, n° 12, 1967, p. 296-320.

11. H. Witteman, «Analyzing Interpersonal Conflict: Nature of Awareness, Type of Initiating Event, Situational Perceptions, and Management Styles», *Western Journal of Communications*, n° 56, 1992, p. 248-280; F.J. Barrett et D.L. Cooperrider, «Generative Metaphor Intervention: A New Approach for Working with Systems Divided by Conflict and Caught in Defensive Perception», *Journal of Applied Behavioral Science*, n° 26, 1990, p. 219-239.

12. Wall et Callister, «Conflict and its Management», p. 526-533.

13. T. Wallace, «Fear & Loathing», *Boss Magazine*, n° 12, 12 avril 2001, p. 42.

14. C.K.W. de Dreu, P. Harinck et A.E.M. Van Vianen, «Conflict and Performance in Groups and Organizations», *International Review of Industrial and Organizational Psychology*, n° 14, 1999, p. 376-405.

15. F. Rose, «The Eisner School of Business», *Fortune*, 6 juillet 1998, p. 29-30. Pour connaître une interprétation favorable du conflit à Disney, voir S. Wetlaufer, «Common Sense and Conflict: An Interview with Disney's Michael Eisner», *Harvard Business Review*, n° 78, janvier-février 2000, p. 114-124.

16. M. Rempel et R.J. Fisher, «Perceived Threat, Cohesion, and Group Problem Solving in Intergroup Conflict», *International Journal of Conflict Management*, n° 8, 1997, p. 216-234.

17. Amason, «Distinguishing the Effects of Functional and Dysfunctional Conflict on Strategic Decision Making»; L.L. Putnam, «Productive Conflict: Negotiation as Implicit Coordination», *International Journal of Conflict Management*, n° 5, 1994,

p. 285-299; D. Tjosvold, *The Conflict-Positive Organization*, Addison-Wesley, Reading, Massach., 1991; R.A. Baron, « Positive Effects of Conflict : A Cognitive Perspective », *Employee Responsibilities and Rights Journal*, n° 4, 1991, p. 25-36.

18. K.M. Eisenhardt, J.L. Kahwajy et L.J. Bourgeois III, « Conflict and Strategic Choice : How Top Management Teams Disagree », *California Management Review*, n° 39, hiver 1997, p. 42-62 ; J.K. Bouwen et R. Fry, « Organizational Innovation and Learning : Four Patterns of Dialog Between the Dominant Logic and the New Logic », *International Studies of Management and Organizations*, n° 21, 1991, p. 37-51.

19. J. Hall et M.S. Williams, « A Comparison of Decision-Making Performances in Established and Ad-Hoc Groups », *Journal of Personality and Social Psychology*, février 1986, p. 217.

20. R.E. Walton et J.M. Dutton, « The Management of Conflict : A Model and Review », *Administrative Science Quarterly*, n° 14, 1969, p. 73-84.

21. K. Jelin, « A Multimethod Examination of the Benefits and Detriments of Intragroup Conflict », *Administrative Science Quarterly*, n° 40, 1995, p. 245-282 ; P.C. Earley et G.B. Northcraft, « Goal Setting, Resource Interdependence, and Conflict Management », dans M.A. Rahim (éd.), *Managing Conflict : An Interdisciplinary Approach*, Praeger, New York, 1989, p. 161-170.

22. W.W. Notz, F.A. Starke et J. Atwell, « The Manager as Arbitrator : Conflicts over Scarce Resources », dans Bazerman et Lewicki (éd.), *Negotiating in Organizations*, p. 143-164.

23. A. Risberg, « Employee Experiences of Acquisition Processes », *Journal of World Business*, n° 36, mars 2001, p. 58-84.

24. Brett *et al.*, « Breaking the Bonds of Reciprocity in Negotiations » ; R.A. Baron, « Reducing Organizational Conflict : An Incompatible Response Approach », *Journal of Applied Psychology*, n° 69, 1984, p. 272-279.

25. K.D. Grimsley, « Slings and Arrows on the Job », *Washington Post*, 12 juillet 1998, p. H1 ; « Flame Throwers », *Director*, n° 50, juillet 1997, p. 36.

26. T.A. Abma, « Stakeholder Conflict : A Case Study », Evaluation and Pro-

gram Planning, 23 mai 2000, p. 199-210 ; J.W. Jackson et E.R. Smith, « Conceptualizing Social Identity : A New Framework and Evidence for the Impact of Different Dimensions », *Personality & Social Psychology Bulletin*, n° 25, janvier 1999, p. 120-135.

27. D.C. Dryer et L.M. Horowitz, « When do Opposites Attract ? Interpersonal Complementarity Versus Similarity », *Journal of Personality and Social Psychology*, n° 72, 1997, p. 592-603.

28. SEILER, J.A. « Diagnosing Interdepartemental Conflict », *Harvard Business Review*, septembre-octobre 1963, p. 120-132.

29. D.M. Brock, D. Barry et D.C. Thomas, « "Your Forward is our Reverse, your Right, our Wrong" : Rethinking Multinational Planning Processes in Light of National Culture », *International Business Review*, 9 décembre 2000, p. 687-701.

30. Pour une explication plus détaillée du conflit transgénérationnel, voir R. Zemke et B. Filipczak, *Generations at Work : Managing the Clash of Veterans, Boomers, Xers, and Nexters in your Workplace*, Amacom, New York, 1999.

31. T. Aeppel, « Power Generation : Young and Old See Technology Sparking Friction on Shop Floor », *Wall Street Journal*, 7 avril 2000, p. A1.

32. S. Robbins et N. Langton, Organizational Behavior. 3ᵉ éd. canadienne, Toronto, Pearson Education, 2007, p. 322.

33. R.J. Lewicki et J.A. Litterer, *Negotiation*, Irwin, Homewood, Ill., 1985, p. 102-106 ; K.W. Thomas, « Toward Multi-Dimensional Values in Teaching : The Example of Conflict Behaviors », *Academy of Management Review*, n° 2, 1977, p. 484-490.

34. Jehn, « A Multimethod Examination of the Benefits and Detriments of Intragroup Conflict », p. 276.

35. C.K.W. de Dreu *et al.*, « A Theory-Based Measure of Conflict Management Strategies in the Workplace », *Journal of Organizational Behavior*, n° 22, 2001, p. 645-668.

36. M. Lyster *et al.*, « The Changing Guard », *Orange County Business Journal*, 7 mai 2001, p. 31.

37. L. Xiaohua et R. Germain, « Sustaining Satisfactory Joint Venture Re-

lationships : The Role of Conflict Resolution Strategy », *Journal of International Business Studies*, n° 29, mars 1998, p. 179-196.

38. Tjosvold, *Working Together to Get Things Done*, chap. 2 ; D.W. Johnson *et al.*, « Effects of Cooperative, Competitive, and Individualistic Goal Structures on Achievement : A Meta-Analysis », *Psychological Bulletin*, n° 89, 1981, p. 47-62 ; R.J. Burke, « Methods of Resolving Superior-Subordinate Conflict : The Constructive Use of Subordinate Differences and Disagreements », *Organizational Behavior and Human Performance*, n° 5, 1970, p. 393-441.

39. C.K.W. De Dreu et A.E.M. Van Vianen, « Managing Relationship Conflict and the Effectiveness of Organizational Teams », *Journal of Organizational Behavior*, n° 22, 2001, p. 309-328.

40. M. Tutton, « Seafood Firm on Feeding Frenzy », *Toronto Star*, 30 juin 2002, p. C13 ; O. Bertin, « FPI Ready to Get Back to Business », *Globe and Mail*, 17 mai 2002, p. B2 ; I. Bulmer, « Fishing Battle nears Climax », *Halifax Herald*, 27 avril 2001.

41. C.H. Tinsley et J.M. Brett, « Managing Workplace Conflict in the United States and Hong Kong », *Organizational Behavior and Human Decision Processes*, n° 85, juillet 2001, p. 360-381 ; M.W. Morris et H.Y. Fu, « How Does Culture Influence Conflict Resolution ? Dynamic Constructivist Analysis », *Social Cognition*, n° 19, juin 2001, p. 324-349 ; K. Leung et D. Tjosvold (éd.), *Conflict Management in the Asia Pacific*, John Wiley & Sons, Singapour, 1998 ; M.A. Rahim et A.A. Blum (éd.), *Global Perspectives on Organizational Conflict*, Praeger, Westport, Connect., 1995 ; M. Rabie, *Conflict Resolution and Ethnicity*, Praeger, Westport, Connect., 1994. Pour connaître un point de vue différent, voir D.A. Cai et E.L. Fink, « Conflict Style Differences Between Individualists and Collectivists », *Communication Monographs*, n° 69, mars 2002, p. 67-87.

42. C.C. Chen, X.P. Chen et J.R. Meindl, « How Can Cooperation be Fostered ? The Cultural Effects of Individualism-Collectivism », *Academy of Management Review*, n° 23, 1998, p. 285-304 ; S.M. Elsayed-Ekhouly et R.

Buda, « Organizational Conflict : A Comparative Analysis of Conflict Styles Across Cultures », *International Journal of Conflict Management*, n° 7, 1996, p. 71-81 ; D.K. Tse, J. Francis et J. Walls, « Cultural Differences in Conducting Intra- and Inter-Cultural Negotiations : A Sino-Canadian Comparison », *Journal of International Business Studies*, n° 25, 1994, p. 537-555 ; S. Ting-Toomey *et al.*, « Culture, Face Management, and Conflict Styles of Handling Interpersonal Conflict : A Study in Five Cultures », *International Journal of Conflict Management*, n° 2, 1991, p. 275-296.

43. S. Robbins et N. Langton, *Organizational Behavior*, 3ᵉ éd. canadienne, Toronto, Pearson Education, 2007, p. 322.

44. L. Karakowsky, « Toward an Understanding of Women and Men at the Bargaining Table : Factors Affecting Negotiator Style and Influence in Multi-Party Negotiations », *Proceedings of the Annual ASAC Conference, Women in Management Division*, 1996, p. 21-30 ; W.C. King Junior et T.D. Hinson, « The Influence of Sex and Equity Sensitivity on Relationship Preferences, Assessment of Opponent, and Outcomes in a Negotiation Experiment », *Journal of Management*, n° 20, 1994, p. 605-624 ; R. Lewicki *et al.* (éd.), *Negotiation : Readings, Exercises, and Cases*, Irwin, Homewood, Ill., 1993.

45. E. Van de Vliert, « Escalative Intervention in Small Group Conflicts », *Journal of Applied Behavioral Science*, n° 21, hiver, 1985, p. 19-36.

46. M.B. Pinto, J.K. Pinto et J.E. Prescott, « Antecedents and Consequences of Project Team Cross-Functional Cooperation », *Management Science*, n° 9, 1993, p. 1281-1297 ; M. Sherif, « Superordinate Goals in the Reduction of Intergroup Conflict », *American Journal of Sociology*, n° 68, 1958, p. 349-358.

47. X.M. Song, J. Xile et B. Dyer, « Antecedents and Consequences of Marketing Managers' Conflict-Handling Behaviors », *Journal of Marketing*, n° 64, janvier 2000, p. 50-66 ; K.M. Eisenhardt, J.L. Kahwajy et L.J. Bourgeois III, « How Management Teams Can Have a Good Fight », *Harvard Business Review*, juillet-août 1997, p. 77-85.

48. L. Mulitz, « Blying Off over Office Politics », *Info World*, 6 novembre 2000.

49. X.M. Song, J. Xile et B. Dyer, « Antecedents and Consequences of Marketing Managers' Conflict-Handling Behaviors », *Journal of Marketing*, n° 64, janvier 2000, p. 50-66.

50. « Teamwork Polishes this Diamond », *Philippine Daily Inquirer*, 4 octobre 2000, p. 10 ; « How Hibernia Helped its Hourly Employees Make a Leap to PFP », *Pay for Performance Report*, n° 64, janvier 2000, p. 50-66.

51. Cette stratégie et d'autres méthodes de gestion de conflit utilisées pour des opérations militaires mixtes sont expliquées en détail dans E. Elron, B. Shamir et E. Ben-Ari, « Why Don't They Fight Each Other ? Cultural Diversity and Operational Unity in Multinational Forces », *Armed Forces & Society*, n° 26, octobre 1999, p. 73-97.

52. R.J. Fisher, E. Maltz et B.J. Jaworski, « Enhancing Communication Between Marketing and Engineering : The Moderating Role of Relative Functional Identification », *Journal of Marketing*, n° 61, 1997, p. 54-70. Pour prendre connaissance d'un débat sur la manière de minimiser les conflits grâce à la compréhension de la mutiplicité des points de vue, voir T.A. Abma, « Stakeholder Conflict : A Case Study », *Evaluation and Program Planning*, n° 23, mai 2000, p.199-210.

53. A. Zurcher, « Techies and Non-Techies Don't Always Interface Well », *Washington Post*, 3 septembre 2000, p. L5.

54. D. Woodruff, « Crossing Culture Divide Early Clears Merger Paths », *Asian Wall Street Journal*, 28 mai 2001, p. 9.

55. L. Ellinor et G. Gerard, *Dialogue : Rediscovering the Transforming Power of Conversation*, John Wiley & Sons Inc, New York, 1998 ; W.N. Isaacs, « Taking Flight : Dialog, Collective Thinking, and Organizational Learning », *Organizational Dynamics*, automne 1993, p. 24-39 ; E.H. Schein, « On Dialog, Culture, and Organizational Learning », *Organizational Dynamics*, automne 1993, p. 40-51 ; P.M. Senge, *The Fifth Discipline*, Doubleday Currency, New York, 1990, p. 238-49.

56. P.R. Lawrence et J.W. Lorsch, *Organization and Environment*, Irwin, Homewood, Ill., 1969.

57. E. Horwitt, « Knowledge, Knowledge, Who's Got the Knowledge », *Computerworld*, 8 avril 1996, p. 80, 81, 84.

58. D.G. Pruitt et P.J. Carnevale, *Negotiation in Social Conflict*, Open University Press, Buckingham, Royaume-Uni, 1993, p. 2 ; et J.A. Wall Junior, *Negotiation : Theory and Practice*, Scott, Foresman, Glenview, Ill., 1985, p. 4.

59. L. Edson, « The Negotiation Industry », *Across the Board*, avril 2000, p. 14-20.

60. Pour lire une analyse critique de la résolution de problème dans les négociations, voir J.M. Brett, « Managing Organizational Conflict », *Professional Psychology : Research and Practice*, n° 15, 1984, p. 664-678.

61. R.E. Fells, « Overcoming the Dilemmas in Walton and Mckersie's Mixed Bargaining Strategy », *Industrial Relations Laval*, n° 53, mars 1998, p. 300-325 ; R.E. Fells, « Developing Trust in Negotiation », *Employee Relations*, n° 15, 1993, p. 33-45.

62. L. Thompson, *The Mind and Heart of the Negotiator*, Prentice-Hall, Upper Saddle River, New Jersey, 1998, chap. 2 ; R. Stagner et H. Rosen, *Psychology of Union-Management Relations*, Wadsworth, Belmont, Calif., 1965, p. 95-96, 108-110 ; R.E. Walton et R.B. McKersie, *A Behavioral Theory of Labor Negotiations : An Analysis of a Social Interaction System*, McGraw-Hill, New York, 1965, p. 41-46.

63. R. Fisher et W. Ury, *Comment réussir une négociation*, Paris, Seuil, 1982.

64. J. Maifield *et al.*, « How Location Impacts International Business Negotiations », *Review of Business*, n° 19, décembre 1998, p. 21-24 ; J.W. Salacuse et J.Z. Rubin, « Your Place or Mine ? Site Location and Negotiation », *Negotiation Journal*, n° 6, janvier 1990, p. 5-10 ; Lewicki et Litterer, *Negotiation*, p. 144-146.

65. Pour lire une explication détaillée des avantages et des inconvénients de la rencontre face à face et d'autres solutions pour négocier, voir M.H. Bazerman *et al.*, « Negotiation », *Annual Review of Psychology*, n° 51, 2000, p. 279-314.

66. Lewicki et Litterer, *Negotiation*, p. 146-151 ; B. Kniveton, *The Psychology of Bargaining*, Avebury, Aldershot, Angleterre, 1989, p. 76-79.

67. Pruitt et Carnevale, *Negotiation in Social Conflict*, p. 59-61 ; Lewicki et Litterer, *Negotiation*, p. 151-154.

68. B.M. Downie, « When Negotiations Fail : Causes of Breakdown and Tactics

for Breaking the Stalemate», *Negotiation Journal*, avril 1991, p. 175-186.

69. Pruitt et Carnevale, *Negotiation in Social Conflict*, p. 56-58; Lewicki et Litterer, *Negotiation*, p. 215-222.

70. V.V. Murray, T.D. Jick et P. Bradshaw, «To Bargain or not to Bargain? The Case of Hospital Budget Cuts», dans *Negotiating in Organizations*, éd. Bazerman & Lewicki, p. 272-295.

71. D.C. Zetik et A.F. Stuhlmacher, «Goal Setting and Negotiation Performance: A Meta-Analysis», *Group Processes & Intergroup Relations*, n° 5, janvier 2002, p. 35-52; S. Doctoroff, «Reengineering Negotiations», *Sloan Management Review*, n° 39, mars 1998, p. 63-71; R.L. Lewicki, A. Hiam et K. Olander, *Think Before You Speak: The Complete Guide to Strategic Negotiation*, John Wiley & Sons, New York, 1996; G.B. Northcraft et M.A. Neale, «Joint Effects of Assigned Goals and Training on Negotiator Performance», *Human Performance*, n° 7, 1994, p. 257-272.

72. M.A. Neale et M.H. Bazerman, *Cognition and Rationality in Negotiation*, Free Press, New York, 1991, p. 29-31; L.L. Thompson, «Information Exchange in Negotiation», *Journal of Experimental Social Psychology*, n° 27, 1991, p. 161-179.

73. Y. Paik et R.L. Tung, «Negotiating with East Asians: How to Attain "Win-Win" Outcomes», *Management International Review*, n° 39, 1999, p. 103-122; L. Thompson, E. Peterson et S.E. Brodt, «Team Negotiation: An Examination of Integrative and Distributive Bargaining», *Journal of Personality and Social Psychology*, n° 70, 1996, p. 66-78.

74. L.L. Putnam et M.E. Roloff (éd.), *Communication and Negotiation*, Sage, Newbury Park, Calif., 1992.

75. L. Hall, éd., *Negotiation: Strategies for Mutual Gain Newbury Park*, Calif., Sage, 1993; D. Ertel, «How to Design a Conflict Management Procedure that Fits Your Dispute», *Sloan Management Review*, n° 32, été 1991, p. 29-42.

76. Lewicki et Litterer, *Negotiation*, p. 89-93.

77. J.J. Zhao, «The Chinese Approach to International Business Negotiation», *Journal of Business Communication*, juillet 2000, p. 209-237; Paik et Tung, «Negotiating with East Asians»;

N.J. Adler, *International Dimensions of Organizational Behavior*, 2e éd., Wadsworth, Belmont, Calif., 1991, p. 180-181.

78. Kniveton, *The Psychology of Bargaining*, p. 100-101; J.Z. Rubin et B.R. Brown, *The Social Psychology of Bargaining and Negotiation*, Academic Press, New York, 1976, chap. 9; Brett, «Managing Organizational Conflict», p. 670-671.

79. B. McRae, *The Seven Strategies of Master Negotiators*, McGraw-Hill Ryerson, Toronto, 2002, p. 7-11.

80. A.R. Elangovan, «The Manager as the Third Party: Deciding How to Intervene in Employee Disputes», dans R. Lewicki, J. Litterer et D. Saunders (éd.), *Negotiation: Readings, Exercises, and Cases*, 3e éd., McGraw-Hill, New York, 1999, p. 458-469; L.L. Putnam, «Beyond Third Party Role: Disputes and Managerial Intervention», *Employee Responsibilities and Rights Journal*, n° 7, 1994, p. 23-36; Sheppard *et al.*, *Organizational Justice*.

81. B.H. Sheppard, «Managers as Inquisitors: Lessons from the Law», dans M. Bazerman et R.J. Lewicki (éd.), *Bargaining Inside Organizations*, Sage, Beverly Hills, Calif., 1983, p. 193-213.

82. R. Cropanzano *et al.*, «Disputant Reactions to Managerial Conflict Resolution Tactics», *Group & Organization Management*, n° 24, juin 1999, p. 124-153; R. Karambayya et J.M. Brett, «Managers Handling Disputes: Third Party Roles and Perceptions of Fairness», *Academy of Management Journal*, n° 32, 1989, p. 687-704.

83. S. Robbins et N. Langton, *Organizational Behavior*, édition canadienne, Scarborough, Prentice-Hall, 1999, p. 514.

84. M.A. Neale et M.H. Bazerman, *Cognition and Rationality in Negotiation*, The Free Press, New York, 1991, p. 140-142.

85. A.R. Elangovan, «Managerial Intervention in Organizational Disputes: Testing a Prescriptive Model of Strategy Selection», *International Journal of Conflict Management*, n° 4, 1998, p. 301-335.

86. J.P. Meyer, J.M. Gemmell et P.G. Irving, «Evaluating the Management of Interpersonal Conflict in Organizations: A Factor-Analytic Study of Outcome Criteria», *Canadian Journal of*

Administrative Sciences, n° 14, 1997, p. 1-13.

87. C. Hirschman, «Order in the Hearing», *HRMagazine*, n° 46, juillet 2001, p. 58; D. Hechler, «No Longer a Novelty: ADR Winning Corporate Acceptance», *Fulton County Daily Report*, 29 juin 2001; S.L. Hayford, «Alternative Dispute Resolution», *Business Horizons*, n° 43, janvier-février 2000, p. 2-4.

CHAPITRE 14

1. R.A. Barker, «How Can We Train Leaders if We Do not Know What Leadership Is?», *Human Relations*, n° 50, 1997, p. 343-362; P.C. Drucker, «Forward», dans F. Hesselbein *et al.*, *The Leader of the Future*, San Francisco, Calif., Jossey-Bass, 1997.

2. R. House *et al.*, «Understanding Cultures and Implicit Leadership Theories Across the Globe: An Introduction to Project GLOBE», *Journal of World Business*, n° 37, 2002, p. 3-10; R. House, M. Javidan et P. Dorfman, «Project GLOBE: An Introduction», *Applied Psychology: An International Review*, n° 50, 2001, p. 489-505.

3. M. Groves, «Cream Rises to the Top, but from a Small Crop», *Los Angeles Times*, 8 juin 1998. Une étude récente a également rapporté que seulement 3% des cadres de grosses entreprises considèrent que leur entreprise encourage les talents de leadership rapidement et efficacement. Voir H. Handfield-Jones, «How Executives Grow», *McKinsey Quarterly*, janvier 2000, p. 116-123.

4. R.G. Isaac, W.J. Zerbe et D.C. Pitt, «Leadership and Motivation: The Effective Application of Expectancy Theory», *Journal of Managerial Issues*, n° 13, été 2001, p. 212-226.

5. C.L. Cole, «Eight Values Bring Unity to a Worldwide Company», *Workforce*, n° 80, mars 2001, p. 44-45.

6. C.A. Beatty, «Implementing Advanced Manufacturing Technologies: Rules of the Road», *Sloan Management Review*, été 1992, p. 49-60; J.M. Howell et C.A. Higgins, «Champions of Technological Innovation», *Administrative Science Quarterly*, n° 35, 1990, p. 317-341.

7. Bon nombre de ces points de vue sont résumés dans R.N. Kanungo,

« Leadership in Organizations : Looking Ahead to the 21st Century », *Canadian Psychology*, nᵒ 39, printemps 1998, p. 71-82.

8. J. Higley, « Head of the Class », *Hotel & Motel Management*, novembre 2001, p. 92 et suivantes.

9. T. Takala, « Plato on Leadership », *Journal of Business Ethics*, nᵒ 17, mai 1998, p. 785-798.

10. R.M. Stogdill, *Handbook of Leadership*, New York, The Free Press, 1974, chap. 5.

11. J. Kochanski, « Competency-Based Management », *Training & Development*, octobre 1997, p. 40-44 ; Hay Group *et al.*, *Raising the Bar : Using Competencies to Enhance Employee Performance*, Scottsdale, Arizona, American Compensation Association, 1996 ; L.M. Spencer et S.M. Spencer, *Competence at Work : Models for Superior Performance*, New York, Wiley, 1993.

12. La plupart des éléments de cette liste proviennent de S.A. Kirkpatrick et E.A. Locke, « Leadership : Do Traits Matter ? », *Academy of Management Executive*, nᵒ 5, mai 1991, p. 48-60. Diverses compétences de leadership sont également présentées dans R.M. Aditya, R.J. House et S. Kerr, « Theory and Practice of Leadership : Into the New Millennium », dans C.L. Cooper et E.A. Locke (dir.), *Industrial and Organizational Psychology : Linking Theory with Practice*, Oxford, Royaume-Uni, Blackwell, 2000, p. 130-165 ; H.B. Gregersen, A.J. Morrison et J.S. Black, « Developing Leaders for the Global Frontier », *Sloan Management Review*, nᵒ 40, automne 1998, p. 21-32 ; R.J. House et R.N. Aditya, « The Social Scientific Study of Leadership : Quo Vadis ? », *Journal of Management*, nᵒ 23, 1997, p. 409-473 ; R.J. House et M.L. Baetz, « Leadership : Some Empirical Generalizations and New Research Directions », *Research in Organizational Behavior*, nᵒ 1, 1979, p. 341-423.

13. D. Goleman, R. Boyatzis et A. McKee, *Primal Leaders*, Boston, Harvard Business School Press, 2002 ; J. George, « Emotions and Leadership : The Role of Emotional Intelligence », *Human Relations*, nᵒ 53, août 2000, p. 1027-1055 ; D. Goleman, « What Makes a Leader ? », *Harvard Business Review*, nᵒ 76, novembre-décembre 1998, p. 92-102.

14. J.D. Mayer, P. Salovey et D.R. Caruso, « Models of Emotional Intelli-

gence », dans R.J. Sternberg (dir.), *Handbook of Human Intelligence*, 2ᵉ éd., New York, Cambridge University Press, 2000, p. 396. Cette définition est également reconnue dans C. Cherniss, « Emotional Intelligence and Organizational Effectiveness », dans C. Cherniss et D. Goleman (dir.), *The Emotionally Intelligent Workplace*, San Francisco, Jossey-Bass, 2001, p. 3-12.

15. J.J. Sosik, D. Potosky et D.I. Jung, « Adaptive Self-Regulation : Meeting Others' Expectations of Leadership and Performance », *Journal of Social Psychology*, nᵒ 142, avril 2002, p. 211-232 ; J.A. Kolb, « The Relationship Between Self-Monitoring and Leadership in Student Project Groups », *Journal of Business Communication*, nᵒ 35, avril 1998, p. 264-282 ; S.J. Zaccaro, R.J. Foti et D.A. Kenny, « Self-Monitoring and Trait-Based Variance in Leadership : An Investigation of Leader Flexibility Across Multiple Group Situations », *Journal of Applied Psychology*, nᵒ 76, 1991, p. 308-315 ; S.E. Cronshaw et R.J. Ellis, « A Process Investigation of Self-Monitoring and Leader Emergence », *Small Group Research*, nᵒ 22, 1991, p. 403-420 ; S.J. Zaccaro, R.J. Foti et D.A. Kenny, « Self-Monitoring and Trait-Based Variance Is Leadership : An Investigation of Leader Flexibility Across Multiple Group Situations », *Journal of Applied Psychology*, nᵒ 76, 1991, p. 308-315.

16. C. Savoye, « Workers Say Honesty is Best Company Policy », *Christian Science Monitor*, 15 juin 2000 ; « Canadian CEOs Give Themselves Top Marks for Leadership ! », *Canada NewsWire*, 9 septembre 1999 ; J.M. Kouzes et B.Z. Posner, *Credibility : How Leaders Gain and Lose It, Why People Demand It*, San Francisco, Jossey-Bass, 1993.

17. R.J. House et R.N. Aditya, « The Social Scientific Study of Leadership : Quo Vadis ? », *Journal of Management*, vol. 23, nᵒ 3, 1997, p. 409-473.

18. L.L. Paglis et S.G. Green, « Leadership Self-Efficacy and Managers' Motivation for Leading Change », *Journal of Organizational Behavior*, nᵒ 23, 2002, p. 215-235.

19. W. Bennis, *On Becoming a Leader*, London, Arrow, 1998.

20. J.C. Maxwell, *Développez votre leadership*, Saint-Hubert, Qc, Un monde différent, 1996.

21. R. Jacobs, « Using Human Resource Functions to Enhance Emotional Intelligence », dans C. Cherniss et D. Goleman (dir.), *The Emotionally Intelligent Workplace*, San Francisco, Jossey-Bass, 2001, p. 161-163.

22. R.G. Lord et K.J. Maher, *Leadership and Information Processing : Linking Perceptions and Performance*, Cambridge, Mass., Unwin Hyman, 1991.

23. W.C. Byham, « Grooming Next-Millennium Leaders », *HRMagazine*, nᵒ 44, février 1999, p. 46-50 ; R. Zemke et S. Zemke, « Putting Competencies to Work », *Training*, nᵒ 36, janvier 1999, p. 70-76.

24. J. Cardinal, « Le leadership en tandem : la coprésidence de Guy Laliberté et de Daniel Gauthier du Cirque du Soleil », *Gestion*, vol. 20, nᵒ 3, 1995, p. 80-82.

25. G.A. Yukl, *Leadership in Organizations*, 3ᵉ éd., Englewood Cliffs, N.J., Prentice Hall, 1994, p. 53-75 ; R. Likert, *New Patterns of Management*, New York, McGraw-Hill, 1961.

26. M.D. Abrashoff, « Retention Through Redemption », *Harvard Business Review*, nᵒ 79, février 2001, p. 136-141.

27. A.K. Korman, « Consideration, Initiating Structure, and Organizational Criteria – A Review », *Personnel Psychology*, nᵒ 19, 1966, p. 349-362 ; E.A. Fleishman, « Twenty Years of Consideration and Structure », dans E.A. Fleishman et J.C. Hunt, (dir.), *Current Developments in the Study of Leadership*, Carbondale, Ill., Southern Illinois University Press, 1973, p. 1-40.

28. V.V. Baba, « Serendipity in Leadership : Initiating Structure and Consideration in the Classroom », *Human Relations*, nᵒ 42, 1989, p. 509-525.

29. P. Weissenberg et M.H. Kavanagh, « The Independence of Initiating Structure and Consideration : A Review of the Evidence », *Personnel Psychology*, nᵒ 25, 1972, p. 119-130 ; Stogdill, *Handbook of Leadership*, chap. 11 ; R.L. Kahn, « The Prediction of Productivity », *Journal of Social Issues*, vol. 12. nᵒ 2, 1956, p. 41-49.

30. R.R. Blake et A.A. McCanse, *Leadership Dilemmas – Grid Solutions*, Houston, Gulf Publishing Company, 1991 ; R.R. Blake et J.S. Mouton, « Management by Grid Principles or Situationalism : Which ? », *Group and*

Organization Studies, nº 7, 1982, p. 207-210.

31. R.M. Stogdill, *Handbook of Leadership,* New York: Free Press, 2ᵉ éd., 1974.

32. R. Blake et J. Mouton, *The Managerial Grid,* Houston, Texas, Gulf Publishing , 1961.

33. R. Likert, *New Patterns of Management,* New York, McGraw-Hill, 1961.

34. L.L. Larson, J.G. Hunt et R.N. Osborn, « The Great Hi-Hi Leader Behavior Myth : A Lesson from Occam's Razor », *Academy of Management Journal,* nº 19, 1976, p. 628-641 ; S. Kerr *et al.,* « Towards a Contingency Theory of Leadership Based upon the Consideration and Initiating Structure Literature », *Organizational Behavior and Human Performance,* nº 12, 1974, p. 62-82 ; A.K. Korman, « Consideration, Initiating Structure, and Organizational Criteria – A Review », *Personnel Psychology,* nº 19, 1966, p. 349-362.

35. J.A. Conger et R.N. Kanungo, *Charismatic Leadership,* San Francisco, Jossey-Bass, 1988.

36. J. Collins, *De la performance à l'excellence. Devenir une entreprise leader,* Paris, Village Mondial, 2003.

37. J. Badaracco Junior, « We don't Need Another Hero », *Harvard Business Review,* On Leading in Rurbulent Times, 2003.

38. R. Tannenbaum et W.H. Schmidt, « How to Choose a Leadership Pattern », *Harvard Business Review,* mai-juin 1973, p. 162-180.

39. Pour une discussion récente en matière de leadership et de l'intelligence émotionnelle, voir D. Goleman, « Leadership that Gets Results », *Harvard Business Review,* nº 78, mars-avril 2000, p. 78-90.

40. Pour une étude détaillée expliquant le lien entre la théorie des attentes en matière de motivation et le leadership, voir R.G. Isaac, W.J. Zerbe et D.C. Pitt, « Leadership and Motivation : The Effective Application of Expectancy Theory ».

41. M.G. Evans, « The Effects of Supervisory Behavior on the Path-Goal Relationship », *Organizational Behavior and Human Performance,* nº 5, 1970, p. 277-298 ; M.G. Evans, « Extensions of a Path-Goal Theory of Motivation », *Journal of Applied Psychology,* nº 59, 1974, p. 172-178 ; R.J. House, « A Path-Goal Theory of Leader Effectiveness », *Administrative Science Quarterly,* nº 16, 1971, p. 321-338.

42. R.J. House et T.R. Mitchell, « Path-Goal Theory of Leadership », *Journal of Contemporary Business,* automne 1974, p. 81-97.

43. M. Fulmer, « Learning Across a Living Company : The Shell Companies' Experiences », *Organizational Dynamics,* nº 27, automne 1998, p. 61-69 ; R. Wageman, « Case Study : Critical Success Factors for Creating Superb Self-Managing Teams at Xerox », *Compensation and Benefits Review,* nº 29, septembre-octobre 1997, p. 31-41.

44. M.E. McGill et J.W. Slocum Junior, « A Little Leadership, Please ? », *Organizational Dynamics,* nº 39, hiver 1998, p. 39-49 ; R.J. Doyle, « The Case of a Servant Leader : John F. Donnelly Senior », dans R.P. Vecchio (dir.), *Leadership : Understanding the Dynamics of Power and Influence in Organizations,* Notre Dame, Ind., University of Notre Dame Press, 1997, p. 439-457.

45. R.J. House, « Path-Goal Theory of Leadership : Lessons, Legacy, and a Reformulated Theory », *Leadership Quarterly,* nº 7, 1996, p. 323-352.

46. J.C. Wofford et L.Z. Liska, « Path-Goal Theories of Leadership : A Meta-Analysis », *Journal of Management,* nº 19, 1993, p. 857-876 ; J. Indvik, « Path-Goal Theory of Leadership : A Meta-Analysis », *Academy of Management Proceedings,* 1986, p. 189-192.

47. R.T. Keller, « A Test of the Path-Goal Theory of Leadership with Need for Clarity as a Moderator in Research and Development Organizations », *Journal of Applied Psychology,* nº 74, 1989, p. 208-212.

48. J.C. Wofford et L.Z. Liska, « Path-Goal Theories of Leadership : A Meta-Analysis » ; G.A. Yukl, *Leadership in Organizations,* p. 102-104 ; J. Indvik, « Path-Goal Theory of Leadership : A Meta-Analysis ».

49. C.A. Schriesheim et L.L. Neider, « Path-Goal Leadership Theory : The Long and Winding Road », *Leadership Quarterly,* nº 7, 1996, p. 317-321. L'une des plus importantes études ayant trouvé des contre-exemples à la théorie d'adéquation chemins-buts est H.K. Downey, J.E. Sheridan et J.W. Slocum, « Analysis of Relationships Among Leader Behavior, Subordinate Job Performance and Satisfaction : A Path-Goal Approach », *Academy of Management Journal,* nº 18, 1975, p. 253-262.

50. P. Hersey et K.H. Blanchard, *Management of Organizational Behavior : Utilizing Human Resources,* 5ᵉ éd., Englewood Cliffs, N.J., Prentice Hall, 1988.

51. C.L. Graeff, « Evolution of Situational Leadership Theory : A Critical Review », *Leadership Quarterly,* nº 8, 1997, p. 153-170 ; W. Blank, J.R. Weitzel et S.G. Green, « A Test of the Situational Leadership Theory », *Personnel Psychology,* nº 43, 1990, p. 579-597 ; R.P. Vecchio, « Situational Leadership Theory : An Examination of a Prescriptive Theory », *Journal of Applied Psychology,* nº 72, 1987, p. 444-451.

52. F.E. Fiedler, *A Theory of Leadership Effectiveness,* New York, McGraw-Hill, 1967 ; F.E. Fiedler et M.M. Chemers, *Leadership and Effective Management,* Glenview, Ill., Scott, Foresman, 1974.

53. F.E. Fiedler, « Engineer the Job to Fit the Manager », *Harvard Business Review,* vol. 43, nº 5, 1965, p. 115-122.

54. Pour un résumé des critiques, voir G.A. Yukl, *Leadership in Organizations,* p. 197-198.

55. N. Nicholson, *Executive Instinct,* New York, Crown, 2000.

56. P.M. Podsakoff et S.B. MacKenzie, « Kerr and Jermier's Substitutes for Leadership Model : Background, Empirical Assessment, and Suggestions for Future Research », *Leadership Quarterly,* nº 8, 1997, p. 117-132 ; P.M. Podsakoff *et al.,* « Do Substitutes Really Substitute for Leadership ? An Empirical Examination of Kerr and Jermier's Situational Leadership Model », *Organizational Behavior and Human Decision Processes,* nº 54, 1993, p. 1-44.

57. Cette observation a également été faite par C.A. Schriesheim, « Substitutes-for-Leadership Theory : Development and Basic Concepts », *Leadership Quarterly,* nº 8, 1997, p. 103-108.

58. D.F. Elloy et A. Randolph, « The Effect of Superleader Behavior on Autonomous Work Groups in a Government Operated Railway Service », *Public Personnel Management,* nº 26, été 1997, p. 257-272.

59. M.L. Loughry, « Coworkers Are Watching : Performance Implications of Peer Monitoring », *Academy of Management Proceedings,* 2002, p. 01-06.

60. C. Manz et H. Sims, *Superleadership; Getting to the Top by Motivating Others*, San Francisco, Berkley Publishing, 1990.

61. C.P. Neck et C.C. Manz, « Thought Self-Leadership: The Impact of Mental Strategies Training on Employee Cognition, Behavior, and Affect », *Journal of Organizational Behavior*, nº 17, 1996, p. 445-467.

62. A. Nikiforuk, « Saint or Sinner? », *Canadian Business*, 13 mai 2002, p. 54 et suivantes; C. Cattaneo, « The Man Who Saved Suncor », *National Post*, 11 septembre 1999, p. D1.

63. J.M. Howell et B.J. Avolio, « Transformational Leadership, Transactional Leadership, Locus of Control, and Support for Innovation: Key Predictors of Consolidated-Business-Unit Performance », *Journal of Applied Psychology*, nº 78, 1993, p. 891-902; J.A. Conger et R.N. Kanungo, « Perceived Behavioral Attributes of Charismatic Leadership », *Canadian Journal of Behavioral Science*, nº 24, 1992, p. 86-102; J. Seltzer et B.M. Bass, « Transformational Leadership: Beyond Initiation and Consideration », *Journal of Management*, nº 16, 1990, p. 693-703.

64. B.J. Avolio et B.M. Bass, « Transformational Leadership, Charisma, and Beyond », dans J.G. Hunt *et al.*, (dir.), *Emerging Leadership Vistas*, Lexington, Mass., Lexington Books, 1988, p. 29-49.

65. R.H.G. Field, « Leadership Defined: Web Images Reveal the Differences Between Leadership and Management », intervention durant la conférence annuelle de l'Association des sciences administratives du Canada, division du comportement organisationnel, à Winnipeg au Manitoba en mai 2002; J. Kotter, *A Force for Change*, Cambridge, Mass., Harvard Business School Press, 1990; W. Bennis et B. Nanus, *Leaders: The Strategies for Taking Charge*, New York, Harper & Row, 1985, p. 21; A. Zaleznik, « Managers and Leaders: Are They Different? », *Harvard Business Review*, vol. 55, nº 5, 1977, p. 67-78.

66. C.P. Egri et S. Herman, « Leadership in the North American Environmental Sector: Values, Leadership Styles, and Contexts of Environmental Leaders and their Organizations », *Academy of Management Journal*, nº 43, août 2000, p. 571-604.

67. Pour une discussion sur la tendance d'un glissement du leadership transformationnel à transactionnel, voir W. Bennis, *An Invented Life: Reflections on Leadership and Change*, Reading, Mass., Addison-Wesley, 1993.

68. J.A. Conger et R.N. Kanungo, « Toward a Behavioral Theory of Charismatic Leadership in Organizational Settings », *Academy of Management Review*, nº 12, 1987, p. 637-647; R.J. House, « A 1976 Theory of Charismatic Leadership », dans J.G. Hunt et L.L. Larson (dir.), *Leadership: The Cutting Edge*, Carbondale, Ill., Southern Illinois University Press, 1977, p. 189-207.

69. Y.A. Nur, « Charisma and Managerial Leadership: The Gift that Never Was », *Business Horizons*, nº 41, juillet 1998, p. 19-26; J.E. Barbuto Junior, « Taking the Charisma out of Transformational Leadership », *Journal of Social Behavior & Personality*, nº 12, septembre 1997, p. 689-697.

70. L. Sooklal, « The Leader as a Broker of Dreams », *Organizational Studies*, 1989, p. 833-855.

71. J.R. Sparks et J.A. Schenk, « Explaining the Effects of Transformational Leadership: An Investigation of the Effects of Higher-Order Motives in Multilevel Marketing Organizations », *Journal of Organizational Behavior*, nº 22, 2001, p. 849-869; I.M. Levin, « Vision Revisited », *Journal of Applied Behavioral Science*, nº 36, mars 2000, p. 91-107; J.M. Stewart, « Future State Visioning – A Powerful Leadership Process », *Long Range Planning*, nº 26, décembre 1993, p. 89-98; Bennis et Nanus, *Leaders*, p. 27-33, 89.

72. T.J. Peters, « Symbols, Patterns, and Settings: An Optimistic Case for Getting Things Done », *Organizational Dynamics*, nº 7, automne 1978, p. 2-23.

73. I.R. Baum, E.A. Locke et S.A. Kirkpatrick, « A Longitudinal Study of the Relation of Vision and Vision Communication to Venture Growth in Entrepreneurial Firms », *Journal of Applied Psychology*, nº 83, 1998, p. 43-54; S.A. Kirkpatrick et E.A. Locke, « Direct and Indirect Effects of Three Core Charismatic Leadership Components on Performance and Attitudes », *Journal of Applied Psychology*, nº 81, 1996, p. 36-51.

74. « Canadian CEOs Give Themselves Top Marks for Leadership! », *Canada NewsWire*, 9 septembre 1999.

75. G.T. Fairhurst et R.A. Sarr, *The Art of Framing: Managing the Language of Leadership*, San Francisco, Jossey-Bass, 1996; J.A. Conger, « Inspiring Others: The Language of Leadership », *Academy of Management Executive*, nº 5, février 1991, p. 31-45.

76. R.S. Johnson, « Home Depot Renovates », *Fortune*, 23 novembre 1998, p. 200-206.

77. G.T. Fairhurst et R.A. Sarr, *The Art of Framing*, chap. 5; J. Pfeffer, « Management as Symbolic Action: The Creation and Maintenance of Organizational Paradigms », *Research in Organizational Behavior*, nº 3, 1981, p. 1-52.

78. L. Black, « Hamburger Diplomacy », *Report on Business Magazine*, nº 5, août 1988, p. 30-36; S. Franklin, *The Heroes: A Saga of Canadian Inspiration*, Toronto, McClelland and Stewart, 1967, p. 53.

79. McGill et Slocum Junior, « A Little Leadership, Please? »; N.H. Snyder et M. Graves, « Leadership and Vision », *Business Horizons*, nº 37, janvier 1994, p. 1-7; D.E. Berlew, « Leadership and Organizational Excitement », dans D.A. Kolb, I.M. Rubin et J.M. McIntyre (dir.), *Organizational Psychology: A Book of Readings*, Englewood Cliffs, N.J., Prentice Hall, 1974.

80. M.F.R. Kets de Vries, « Charisma in Action: The Transformational Abilities of Virgin's Richard Branson and ABB's Percy Barnevik », *Organizational Dynamics*, nº 26, hiver 1998, p. 6-21; M.F.R. Kets de Vries, « Creative Leadership: Jazzing up Business », *Chief Executive*, mars 1997, p. 64-66; F. Basile, « Hotshots in Business Impart their Wisdom », *Indianapolis Business Journal*, 21 juillet 1997, p. A40.

81. E.M. Whitener *et al.*, « Managers as Initiators of Trust: An Exchange Relationship Framework for Understanding Managerial Trustworthy Behavior », *Academy of Management Review*, nº 23, juillet 1998, p. 513-530; W.G. Bennis et B. Nanus, *Leaders*, p. 43-55; J.M. Kouzes et B.Z. Posner, *Credibility: How Leaders Gain and Lose It, Why People Demand It*.

82. J.J. Sosik, S.S. Kahai et B.J. Avolio, « Transformational Leadership and Dimensions of Creativity: Motivating Idea Generation in Computer-Mediated Groups », *Creativity Research Journal*, nº 11, 1998, p. 111-121; P. Bycio, R.D. Hackett et J.S. Allen, « Further Assess-

ments of Bass's (1985) Conceptualization of Transactional and Transformational Leadership», *Journal of Applied Psychology*, n° 80, 1995, p. 468-478; W.L. Koh, R.M. Steers et J.R. Terborg, «The Effects of Transformational Leadership on Teacher Attitudes and Student Performance in Singapore», *Journal of Organizational Behavior*, n° 16, 1995, p. 319-333; Howell et Avolio, «Transformational Leadership, Transactional Leadership, Locus of Control, and Support for Innovation».

83. J. Barling, T. Weber et E.K. Kelloway, «Effects of Transformational Leadership Training on Attitudinal and Financial Outcomes: A Field Experiment», *Journal of Applied Psychology*, n° 81, 1996, p. 827-832.

84. A. Bryman, «Leadership in Organizations», dans S.R. Clegg, C. Hardy et W.R. Nord (dir.), *Handbook of Organization Studies*, Thousand Oaks, Calif., Sage, 1996, p. 276-292.

85. C.R. Egri et S. Herman, «Leadership in the North American Environmental Sector»; B.S. Pawar et K.K. Eastman, «The Nature and Implications of Contextual Influences on Transformational Leadership: A Conceptual Examination», *Academy of Management Review*, n° 22, 1997, p. 80-109.

86. K. Boehnke *et al.*, «Leadership for Extraordinary Performance», *Business Quarterly*, n° 61, été 1997, p. 56-63.

87. Pour un rapport concernant cette recherche, voir R.J. House et R.N. Aditya, «The Social Scientific Study of Leadership: Quo Vadis?».

88. R.J. Hall et R.G. Lord, «Multi-Level Information Processing Explanations of Followers' Leadership Perceptions», *Leadership Quarterly*, n° 6, 1995, p. 265-287; R. Ayman, «Leadership Perception: The Role of Gender and Culture», dans M.M. Chemers et R. Ayman (dir.), *Leadership Theory and Research: Perspectives and Directions*, San Diego, Calif., Academic Press, 1993, p. 137-166; J.R. Meindl, «On Leadership: An Alternative to the Conventional Wisdom», *Research in Organizational Behavior*, n° 12, 1990, p. 159-203.

89. G.R. Salancik et J.R. Meindl, «Corporate Attributions as Strategic Illusions of Management Control», *Administrative Science Quarterly*, n° 29, 1984, p. 238-254; J.M. Tolliver, «Leadership and Attribution of Cause: A Modification and Extension of Current Theory», compte rendu de la conférence annuelle ASAC, division comportements organisationnels, sect. 4, 5, 1983, p. 182-191.

90. L.M. Ah Chong et D.C. Thomas, «Leadership Perceptions in Cross-Cultural Context: Pakeha and Pacific Islanders in New Zealand», *Leadership Quarterly*, n° 8, 1997, p. 275-293; J.L. Nye et D.R. Forsyth, «The Effects of Prototype-Based Biases on Leadership Appraisals: A Test of Leadership Categorization Theory», *Small Group Research*, n° 22, 1991, p. 360-379; S.F. Cronshaw et R.G. Lord, «Effects of Categorization, Attribution, and Encoding Processes on Leadership Perceptions», *Journal of Applied Psychology*, n° 72, 1987, p. 97-106.

91. J. Meindl, «On Leadership: An Alternative to the Conventional Wisdom», p. 163.

92. J. Pfeffer, «The Ambiguity of Leadership», *Academy of Management Review*, n° 2, 1977, p. 102-112; G.A. Yukl, *Leadership in Organizations*, p. 265-267.

93. S.F. Cronshaw et R.G. Lord, «Effects of Categorization, Attribution, and Encoding Processes on Leadership Perceptions», p. 104-105.

94. G.B. Graen et M. Uhl-Bien, «Relationship-Based Approach to Leadership: Development of Leader-Member Exchange (LMX) Theory of Leadership over 25 years: Applying a Multi-Level Multi-Domain Perspective», *Leadership Quarterly*, vol. 6, n° 2, 1995, p. 219-247.

95. Par exemple, sur le site de la Fédération canadienne d'éducation économique.

96. W. Glasser, *Contrôler ou influencer. Le leader qualité*, Montréal, Les Éditions Logiques, 1997.

97. W.J. Reddin, *Managerial Effectiveness*, New-York, McGraw-Hill, 1970.

98. M. Kets de Vries et D. Miller, *L'entreprise névrosée*, Montréal, McGraw-Hill, 1981.

99. M. Kets de Vries, *The Irrational Executive, Psychoanalytic Studies in Management*, New York, International University Press, 1984.

100. Six des groupes du projet GLOBE sont décrits dans le numéro spécial du *Journal of World Business*, n° 37, 2000. Pour une présentation du projet GLOBE, voir R. House *et al.*, «Understanding Cultures and Implicit Leadership Theories Across the Globe: An Introduction to Project GLOBE»; R. House, M. Javidan et P.W. Dorfman, «Project GLOBE: An Introduction».

101. J.C. Jesiuno, «Latin Europe Cluster: From South to North», *Journal of World Business*, n° 37, 2002, p. 88. Une autre étude du projet GLOBE sur les responsables iraniens a également rapporté que le concept de visionnaire charismatique est considéré comme une dimension primordiale du leadership. Voir A. Dastmalchian, M. Javidan et K. Alam, «Effective Leadership and Culture in Iran: An Empirical Study», *Applied Psychology: An International Review*, n° 50, 2001, p. 532-558.

102. E. Szabo *et al.*, «The Europe Cluster: Where Employees Have a Voice», *Journal of World Business*, n° 37, 2002, p. 55-68; F.C. Brodbeck *et al.*, «Cultural Variation of Leadership Prototypes Across 22 European Countries», *Journal of Occupational and Organizational Psychology*, n° 73, 2000, p. 1-29; D.N. Den Hartog *et al.*, «Culture Specific and Cross-Cultural Generalizable Implicit Leadership Theories: Are Attributes of Charismatic/Transformational Leadership Universally Endorsed?», *Leadership Quarterly*, n° 10, 1999, p. 219-256. L'étude mexicaine est mentionnée dans C.E. Nicholls, H.W. Lane et M.B. Brechu, «Taking Self-Managed Teams to Mexico», *Academy of Management Executive*, n° 13, août 1999, p. 15-25.

103. Voir spécialement le chapitre 14 dans M. Hillary, «Lips», *A new Psychology of Women. Gender, Culture and Ethnicity*, McGraw-Hill, 3e éd., 2005.

104. L'étude a été dirigée par le Conference Board of Canada et a été rapportée dans L. Elliott, «Women Switch Jobs to Climb the Power Ladder», *Toronto Star*, 15 juin 2000, p. NE1.

105. N. Wood, «Venus Rules», *Incentive*, n° 172, février 1998, p. 22-27; S.H. Appelbaum et B.T. Shapiro, «Why Can't Men Lead Like Women?», *Leadership and Organization Development Journal*, n° 14, 1993, p. 28-34; J.B. Rosener, «Ways Women Lead», *Harvard Business Review*, n° 68, novembre-décembre 1990, p. 119-125.

106. G.N. Powell, «One More Time: Do Female and Male Managers Differ?», *Academy of Management Executive*, n° 4,

août 1990, p. 68-75; G.H. Dobbins et S.J. Platts, « Sex Differences in Leadership: How Real Are They? », *Academy of Management Review*, n° 11, 1986, p. 118-127. Contrairement à ces études, un rapport cite une étude non publiée indiquant que les femmes adoptent un leadership davantage orienté vers les gens et sont mieux notées que les hommes relativement à leurs aptitudes de leader. Voir M.T. Claes, « Women, Men and Management Styles », *International Labour Review*, n° 138, 1999, p. 431-446.

107. A.H. Eagly et B.T. Johnson, « Gender and Leadership Style: A Meta-Analysis », *Psychological Bulletin*, n° 108, 1990, p. 233-256.

108. J. Eckberg, « When It's Time to Get Tough – It's Tough », *Cincinnati Enquirer*, 28 août 2000, p. B18; A.H. Eagly, S.J. Karau et M.G. Makhijani, « Gender and the Effectiveness of Leaders: A Meta-Analysis », *Psychological Bulletin*, n° 117, 1995, p. 125-145; M.E. Heilman et C.J. Block, « Sex Stereotypes: Do They Influence Perceptions of Managers? », *Journal of Social Behavior and Personality*, n° 10, 1995, p. 237-252; R.L. Kent et S.E. Moss, « Effects of Sex and Gender Role on Leader Emergence », *Academy of Management Journal*, n° 37, 1994, p. 1335-1346; A.H. Eagly, M.G. Makhijani et B.G. Klonsky, « Gender and the Evaluation of Leaders: A Meta-Analysis », *Psychological Bulletin*, n° 111, 1992, p. 3-22.

109. F. Harel-Giasson et M.F. Marchis-Mouren, « Le leadership au féminin: et si c'était du leadership? », *Gestion*, vol. 16, n° 3, p.81-90.

110. Par exemple, sur le site de la Fédération canadienne d'éducation économique.

111. N. Aubert (dir.), *Diriger et motiver, Art et pratique du management*, Paris, Éditions d'Organisation, 2ᵉ éd., notamment par N. Aubert, le chapitre 3, « Pratiquer l'art du leadership ».

112. R.A. Heifetz, *Leadership Without Easy Answers*, Cambridge, Mass., Belknap Press, 1991.

113. O. Aktouf, « Leadership interpellable et gestion mobilisatrice », *Gestion*, vol. 15, n° 4, 1990, p. 37-44.

114. Mentionnons un autre exemple québécois de pouvoir et de leadership partagés: l'expérience de l'aluminerie Alcoa-Lauralco, à Deschambault, *Les Affaires*, 6 mars 1999, p. 21.

115. É. Luc, *Le leadership partagé: Modèle d'apprentissage et d'actualisation*, Montréal, Les Presses de l'Université de Montréal, 2004. 284 p.

116. Voir le chapitre 2, « La philosophie du leadership des FC », à l'adresse www.cda-acd.forces.gc.ca.

117. É. Luc, *Le leadership partagé: Modèle d'apprentissage et d'actualisation*, Montréal, Les Presses de l'Université de Montréal, 2004, 284 p.

118. Voir le chapitre 2, « La philosophie du leadership des FC » à l'adresse www.cda-acd.forces.gc.ca.

CHAPITRE 15

1. S. Ranson, R. Hinings et R. Greenwood, « The Structuring of Organizational Structure », *Administrative Science Quarterly*, vol. 25, 1980, p. 1-14.

2. J.-E. Johanson, « Intraorganizational Influence », *Management Communication Quarterly*, vol. 13, février 2000, p. 393-435.

3. « Ford Motor Company Announces Consumer-Focused Organization for the 21st Century », *Auto Channel* (en ligne), 18 octobre 1999.

4. H. Mintzberg, *The Structuring of Organizations*, Englewood Cliffs, New Jersey, Prentice Hall, 1979, p. 2-3.

5. H. Fayol, *General and Industrial Management*, trad. C. Storrs, Londres, Pitman, 1949; E.E. Lawler III, *Motivation in Work Organizations*, Monterey, Californie, Brooks/Cole, 1973, chap. 7; M.A. Campion, « Ability Requirement Implications of Job Design: An Interdisciplinary Perspective », *Personnel Psychology*, vol. 42, 1989, p. 1-24.

6. A.N. Maira, « Connecting Across Boundaries: The Fluid-Network Organization », *Prism*, premier trimestre 1998, p. 23-26; D.A. Nadler et M.L. Tushman, *Competing by Design: The Power of Organizational Architecture*, New York, Oxford University Press, 1997, chap. 6; H. Mintzberg, *The Structuring of Organizations*, p. 2-8.

7. C. Downs, P. Clampitt et A.L. Pfeiffer, « Communication and Organizational Outcomes » dans G. Goldhaber & G. Barnett (éd.), *Handbook of Organizational Communication*, Norwood, New Jersey, Ablex, 1988, p. 171-211;

H.C. Jain, « Supervisory Communication and Performance in Urban Hospitals », *Journal of Communication*, vol. 23, 1973, p. 103-117.

8. V.L. Shalin et G.V. Prabhu, « A Cognitive Perspective on Manual Assembly », *Ergonomics*, vol. 39, 1996, p. 108-27; I. Nonaka et H. Takeuchi, *The Knowledge-Creating Company*, New York, Oxford University Press, 1995.

9. A.L. Patti, J.P. Gilbert et S. Hartman, « Physical Co-location and the Success of New Product Development Projects », *Engineering Management Journal*, vol. 9, septembre 1997, p. 31-37; M.L. Swink, J.C. Sandvig et V.A. Mabert, « Customizing Concurrent Engineering Processes: Five Case Studies », *Journal of Product Innovation Management*, vol. 13, 1996, p. 229-244; W.I. Zangwill, *Lightning Strategies for Innovation: How the World's Best Firms Create New Products*, New York, Lexington, 1993.

10. Pour une discussion récente sur le rôle de chef de marque chez Procter & Gamble, voir C. Peale, « Branded for Success », *Cincinnati Enquirer*, 20 mai 2001, p. A1. Des détails sur la manière de concevoir des rôles d'intégrateur dans des structures organisationnelles sont présentés dans J.R. Galbraith, *Designing Organizations*, San Francisco, Jossey-Bass, 2002, p. 66-72.

11. Le travail de H. Fayol est résumé dans J.B. Miner, *Theories of Organizational Structure and Process*, Chicago, Dryden, 1982, p. 358-366.

12. J.A. Conger, *Winning' em Over*, New York, Simon & Shuster, 1998, Appendix A.

13. Y.-M. Hsieh et A. Tien-Hsieh, « Enhancement of Service Quality with Job Standardisation », *Service Industries Journal*, vol. 21, juillet 2001, p. 147-166.

14. J.H. Sheridan, « Lessons from the Best », *Industry Week*, 20 février 1995, p. 13-22.

15. J.P. Starr, « Reintroducing Alcoa to Economic Reality » dans W. E. Halal (éd.), *The Infinite Resource*, San Francisco, Jossey-Bass, 1998, p. 57-67.

16. M. Roy et M. Audet, « La transformation vers de nouvelles formes d'organisation plus flexibles: un cadre de référence », *Gestion*, hiver 2003, vol. 27, n° 4, p. 48.

17. D.D. Van Fleet et A.G. Bedeian, « A History of the Span of Management », *Academy of Management Review*, vol. 2, 1977, p. 356-372 ; H. Mintzberg, *The Structuring of Organizations*, chap. 8 ; D. Robey, *Designing Organizations*, 3e éd., Homewood, Illinois, Irwin, 1991, p. 255-259.

18. Roy et Audet, « La transformation vers de nouvelles formes d'organisation plus flexibles : un cadre de référence », p. 45.

19. T. Peters, *Thriving on Chaos*, New York, Knopf, 1987, p. 359.

20. L.A. Bossidy, « Reality-based Leadership », *Executive Speeches*, vol. 13, août-septembre 1998, p. 10-15.

21. Q.N. Huy, « In Praise of Middle Managers », *Harvard Business Review*, vol. 79, septembre 2001, p. 72-79 ; L. Donaldson et F.G. Hilmer, « Management Redeemed : The Case Against Fads that Harm Management », *Organizational Dynamics*, vol. 26, printemps 1998, p. 6-20.

22. H. Mintzberg, *The Structuring of Organizations*, p. 136.

23. Le nombre de niveaux hiérarchiques à Microsoft est déduit d'un exemple dans F. Jebb, « Don't Call Me Sir », *Management Today*, août 1998, p. 44-47.

24. P. Brabeck, « The Business Case Against Revolution : An Interview with Nestle's Peter Brabeck », *Harvard Business Review*, vol. 79, février 2001, p. 112.

25. H. Mintzberg, *The Structuring of Organizations*, chap. 5.

26. B. Victor et A.C. Boynton, *Invented Here*, Boston, Harvard Business School Press, 1998, chap. 2 ; M. Hamstra, « McD Speeds Up Drive-Thru With Beefed Up Operations », *Nation's Restaurant News*, 6 avril 1998, p. 3 ; G. Morgan, *Creative Organization Theory : A Resourcebook*, Newburg Park, Californie, Sage, 1989, p. 271-273 ; K. Deveny, « Bag Those Fries, Squirt that Ketchup, Fry that Fish », *Business Week*, 13 octobre 1986, p. 86.

27. H. Mintzberg, *The Structuring of Organizations*, p. 106.

28. J.R. Galbraith, *Designing Organizations*, p. 23-25 ; D. Robey, *Designing Organizations*, p. 186-189.

29. E.E. Lawler, III, *Rewarding Excellence : Pay Strategies for the New Economy*, San Francisco, Jossey-Bass, 2000, p. 31-34.

30. M. Hamstra, « McD's To Decentralize US Management Team », *Nation's Restaurant News*, 2 juin 1997, p. 1.

31. « Microsoft Splits Into Five Groups in Reorganization », *Reuters*, 29 mars 1999 ; « Microsoft Plans Realignment To Focus On Customers », *Reuters*, 8 février 1999.

32. M. Goold et A. Campbell, « Do You Have a Well-Designed Organization ? », *Harvard Business Review*, vol. 80, mars 2002, p. 117-124.

33. « Nortel plans 3,500 more Job Cuts », *Canadian Press*, 29 mai 2002 ; « A World of Networks : Building the Foundation for the Future », *Telesis*, octobre 1995 ; « Nortel Splits Operating Roles », *Globe and Mail*, 23 décembre 1993, p. B3 ; L. Surtees, « Power Shifts at Northern Telecom », *Globe and Mail*, 14 février 1991, p. B1, B2.

34. T.H. Davenport, J.G. Harris et A.K. Kohli, « How Do They Know their Customers So Well ? », *Sloan Management Review*, vol. 42, hiver 2001, p. 63-73. Voir également : J.R. Galbraith, « Organizing to Deliver Solutions », *Organizational Dynamics*, vol. 31, 2002, p. 194-207 ; E.E. Lawler, *Rewarding Excellence*, chap 1.

35. « Axa Executive Says Global Insurers Must Pool Local Expertise », *Best's Insurance News*, 1er mai 2001. L'évolution des structures organisationnelles au sein d'organisations internationales est traitée plus en détail dans J.R. Galbraith, « Structuring Global Organizations », dans S.A. Mohrman, J.R. Galbraith, E.E. Lawler III et associés (éd.), *Tomorrow's Organization*, San Francisco, Jossey-Bass, 1998, p. 103-129.

36. D. Robey, *Designing Organizations*, p. 191-197 ; A.G. Bedeian et R.F. Zammuto, *Organizations : Theory and Design*, Hinsdale, Illinois, Dryden, 1991, p. 162-168.

37. « Tearing Down Silos to Build a Corporate-wide Communication Plan », *PR News*, 10 juillet 2000.

38. R. Waters, « SAP America Faces Up to Challenge of Change », *Financial Times*, 13 juin 2001.

39. J. Belanger, C. Berggren, T. Bjorkman et C. Kohler (éd.), *Being Local Worldwide. ABB and the Challenge of Global Management*, Ithaca, New York, Cornell University Press, 1999 ; M.F.R. Kets de Vries, « Charisma in Action : The Transformational Abilities of Virgin's Richard Branson and ABB's Percy Barnevik », *Organizational Dynamics*, vol. 26, hiver 1998, p. 6-21 ; D.A. Nadler et M.L. Tushman, *Competing by Design*, New York, Oxford University Press, 1997, chap. 6.

40. R.C. Ford et W.A. Randolph, « Cross-Functional Structures : A Review and Integration of Matrix Organization and Project Management », *Journal of Management*, vol. 18, 1992, p. 267-294.

41. H.F. Kolodny, « Managing in a Matrix », *Business Horizons*, mars-avril 1981, p. 17-24 ; S.M. Davis et P.R. Lawrence, *Matrix*, Reading, Massachusetts, Addison-Wesley, 1977.

42. K. Knight, « Matrix Organization : A Review », *Journal of Management Studies*, mai 1976, p. 111-130.

43. C. Herkströter, « Royal Dutch/Shell : Rewriting the Contracts » dans G.W. Dauphinais et C. Price (éd.), *Straight From the CEO*, New York, Simon & Schuster, 1998, p. 86-93 ; G. Calabrese « Communication and Co-operation in Product Development : A Case Study of a European Car Producer », *R & D Management*, vol. 27, juillet 1997, p. 239-252 ; J.L. Brown et N.M. Agnew, « The Balance of Power in a Matrix Structure », *Business Horizons*, novembre-décembre 1982, p. 51-54.

44. Roy et Audet, « La transformation vers de nouvelles formes d'organisation plus flexibles : un cadre de référence », p. 47.

45. J.R. Galbraith, *Competing with Flexible Lateral Organizations*, Boston, Massachusetts, Addison-Wesley, 1994.

46. K. Dorrell, « The Right Stuff », *Plant*, 16 décembre 1996, p. 18-19 ; D. Jones, « Robo-Shop », *Report on Business Magazine*, mars 1994, p. 54-62 ; L. Gutri, « Pratt & Whitney Employees Don't Want to Be Managed : Teams Demand Leadership », *Canadian HR Reporter*, 2 mai 1988, p. 8 ; J. Todd, « Firm Fashions Workplace for High-Tech Era », *Montreal Gazette*, 12 décembre 1987, p. B4.

47. R. Bettis et M. Hitt, « The New Competitive Landscape », *Strategic Management Journal*, vol. 16, 1995, p. 7-19 ; J.R. Galbraith, E.E. Lawler III et

associés, *Organizing for the Future: The New Logic for Managing Complex Organizations*, San Francisco, Californie, Jossey-Bass, 1993.

48. P.C. Ensign, «Interdependence, Coordination, and Structure in Complex Organizations: Implications for Organization Design», *Mid-Atlantic Journal of Business*, vol. 34, mars 1998, p. 5-22.

49. L.Y. Chan et B.E. Lynn, «Operating in Turbulent Times: How Ontario's Hospitals are Meeting the Current Funding Crisis», *Health Care Management Review*, vol. 23, juin 1998, p. 7-18; M.M. Fanning, «A Circular Organization Chart Promotes A Hospital-Wide Focus On Teams», *Hospital & Health Services Administration*, vol. 42, juin 1997, p. 243-254.

50. R. Cross, «Looking Before You Leap: Assessing the Jump to Teams in Knowledge-based Work», *Business Horizons*, vol. 43, septembre 2000, p. 29-36; W.F. Joyce, V.E. McGee, J.W. Slocum, Jr., «Designing Lateral Organizations: An Analysis Of The Benefits, Costs, And Enablers Of Nonhierarchical Organizational Forms», *Decision Sciences*, vol. 28, hiver 1997, p. 1-25.

51. H. Mintzberg, *Le management: voyage au centre des organisations*, Paris, Les Éditions d'organisation, 1998, p. 55.

52. R. Hacki et J. Lighton, «The Future Of The Networked Company», *Business Review Weekly*, 30 août 2001, p. 58; A.M. Porter, «The Virtual Corporation: Where Is It?», *Purchasing*, 23 mars 2000, p. 40-48; J.A. Byrne «The Corporation Of The Future», *Business Week*, 31 août 1998, p. 102-104.

53. J.R. Galbraith, «Designing the Networked Organization», *In Tomorrow's Organization*, p. 102; C. Baldwin et K. Clark, «Managing in an Age of Modularity», *Harvard Business Review*, vol. 75, septembre-octobre 1997, p. 84-93; R.E. Miles et C.C. Snow, «The New Network Firm: A Spherical Structure Built on a Human Investment Philosophy», *Organizational Dynamics*, vol. 23, n° 4, 1995, p. 5-18; W. Powell, «Neither Market nor Hierarchy: Network Forms of Organization», *Research in Organizational Behavior*, vol. 12, 1990, p. 295-336.

54. R. Hacki et J. Lighton, «The Future of the Networked Company», *McKinsey Quarterly*, vol. 3, 2001, p. 26-39; J. Hagel III et M. Singer, «Unbundling the Corporation», *McKinsey Quarterly*, vol. 3, 2000, p. 148-161; T.W. Malone et R.J. Laubacher, «The Dawn of the E-lance Economy», *Harvard Business Review*, vol. 76, septembre-octobre 1998, p. 144-152.

55. G. Ip, «Outsourcing Becoming a Way of Life for Firms», *Globe and Mail*, 2 octobre 1996, p. B8.

56. Roy et Audet, «La transformation vers de nouvelles formes d'organisation plus flexibles: un cadre de référence», p. 46.

57. J. Vardy, «Mitel Outsources Manufacturing to New Company», *National Post*, 6 septembre 2001; J. Hagel III et M. Singer, «Unbundling the Corporation», *Harvard Business Review*, vol. 77, mars-avril 1999, p. 133-141. Pour une discussion sur les compétences de base, voir G. Hamel et C.K. Prahalad, *Competing For the Future*, Boston, Harvard Business School Press, 1994, chap. 10.

58. M.A. Schilling et H.K. Steensma, «The Use of Modular Organizational Forms: An Industry-Level Analysis», *Academy of Management Journal*, vol. 44, décembre 2001, p. 1149-1168.

59. L. Fried, *Managing Information Technology in Turbulent Times*, New York, John Wiley and Sons, 1995; W.H. Davidow et M.S. Malone, *The Virtual Corporation*, New York, Harper Business, 1992.

60. C. Taylor, «Agency Teams Balancing in an Ever-Changing Media World», *Media Week*, 1ᵉʳ juin 2001, p. 20.

61. G. Morgan, *Imagin-I-Zation: New Mindsets for Seeing, Organizing and Managing*, Thousand Oaks, Californie, Sage, 1997; G. Morgan, *Images of Organization*, 2ᵉ éd., Newbury Park, Sage, 1996.

62. C. Meyer et S. Davis, *Blur: The Speed of Change in the Connected Economy*, Reading, Massachusetts, Addison-Wesley, 1998; P.M.J. Christie et R. Levary, «Virtual Corporations: Recipe for Success», *Industrial Management*, vol. 40, juillet 1998, p. 7-11; H. Chesbrough et D.J. Teece, «When is Virtual Virtuous? Organizing for Innovation», *Harvard Business Review*, janvier-février 1996, p. 65-73.

63. H. Mintzberg, *The Structuring of Organizations*, chap. 13; D.S. Pugh et C.R. Hinings (éd.), *Organizational Structure: Extensions and Replications*, Farnborough, Angleterre, Lexington Books, 1976.

64. T.A. Stewart, *Intellectual Capital: The New Wealth of Organizations*, New York, Doubleday/Currency, 1997, chap. 10.

65. D. Robey, *Designing Organizations*, p. 102.

66. C. Perrow, «A Framework for the Comparative Analysis of Organizations», *American Sociological Review*, vol. 32, 1967, p. 194-208.

67. H. Mintzberg, *The Structuring of Organizations*, chap. 15.

68. Burns et Stalker, *The Management of Innovation*; P.R. Lawrence et J.W. Lorsch, *Organization and Environment*, Homewood, Illinois, Irwin, 1967; D. Miller et P.H. Friesen, *Organizations: A Quantum View*, Englewood Cliffs, New Jersey, Prentice Hall, 1984, p. 197-198.

69. H. Mintzberg, *The Structuring of Organizations*, p. 282.

70. T. Burns et G. Stalker, *The Management of Innovation*, Londres, Tavistock, 1961.

71. A. Lam «Tacit Knowledge, Organizational Learning and Societal Institutions: An Integrated Framework», *Organization Studies*, vol. 21, mai 2000, p. 487-513.

72. R.H. Kilmann, *Beyond the Quick Fix*, San Francisco, Jossey-Bass, 1984, p. 38.

73. J. Child, «Organizational Structure, Environment, and Performance: The Role of Strategic Choice», *Sociology*, vol. 6, 1972, p. 2-22.

74. A.D. Chandler, *Strategy and Structure*, Cambridge, Massachusetts, MIT Press, 1962.

75. M.E. Porter, *Competitive Strategy*, New York, The Free Press, 1980.

76. D. Miller, «Configurations of Strategy and Structure», *Strategic Management Journal*, vol. 7, 1986, p. 233-250.

CHAPITRE 16

1. En 2004, pour la troisième année consécutive, D.L.G.L. a remporté le titre de meilleur employeur du Québec

dans la catégorie des entreprises de moins de 200 employés.

2. T.O. Davenport, « The Integration Challenge : Managing Corporate Mergers », *Management Review*, n° 87, janvier 1998, p. 25-28 ; E.H. Schein, « What Is Culture ? », dans P.J. Frost *et al.*, (éd.), *Reframing Organizational Culture*, Sage, Beverly Hills, Calif., 1991, p. 243-253 ; A. Williams, P. Dobson et M. Walters, *Changing Culture : New Organizational Approaches*, Institute of Personnel Management, Londres, 1989.

3. A. Sagie et D. Elizur, « Work Values : A Theoretical Overview and a Model of their Effects », *Journal of Organizational Behavior*, n° 17, 1996, p. 503-514 ; W.H. Schmidt et B.Z. Posner, *Managerial Values in Perspective*, American Management Association, New York, 1983.

4. M. Brady, « Wellness Program Paying Off in the Poutine Capital », *National Post*, 12 juin 2000, p. C19 ; C. Tremblay, « MDS Nordion "Happiest, Healthiest Workplace" », *Ottawa Citizen*, 15 novembre 1999 ; « Healthy Workplace Award Reflects a "Win-Win-Win" Culture », *Canadian Newswire*, 29 octobre 1999 ; R. Andrew, « Years of Living Dangerously », *CA Magazine*, mars 1999, p. 26-30. L'exemple relatif à Telus est décrit dans « Efficiency Top Priority for Telus, Says CEO », *Victoria Times Colonist*, 12 juillet 2002.

5. B.M. Meglino et E.C. Ravlin, « Individual Values in Organizations : Concepts, Controversies, and Research », *Journal of Management*, n° 24, mai 1998, p. 351-389 ; C. Argyris et D.A. Schön, *Organizational Learning : A Theory of Action Perspective*, Addison-Wesley, Reading, Mass., 1978.

6. P. Théroux, « L'innovation, au cœur du succès de General Electric », *Les Affaires*, 22 septembre 2005, p. 39.

7. *Les Affaires*, mai 2004, p. 4.

8. M. Cooke, « Humiliation as Motivator ? », *Meetings & Conventions*, n° 36, juillet 2001, p. 26 ; G. Groeller, « Eat or Be Eaten Ethic Boosts Bottom Line », *Orlando Sentinel*, 30 avril 2001, p. 16.

9. S. Sackmann, « Culture and Subcultures : An Analysis of Organizational Knowledge », *Administrative Science Quarterly*, n° 37, 1992, p. 140-161 ; J. Martin et C. Siehl, « Organizational Culture and Counterculture : An Uneasy Symbiosis », *Organizational Dynamics*,

automne 1983, p. 52-64 ; J.S. Ott, *The Organizational Culture Perspective*, Brooks/Cole, Pacific Grove, Calif., 1989, p. 45-47 ; T.E. Deal et A.A. Kennedy, *Corporate Cultures*, Addison-Wesley, Reading, Mass., 1982, p. 138-139.

10. A. Boisnier et J. Chatman, « The Role of Subcultures in Agile Organizations », dans R. Petersen et E. Mannix (éd.), *Leading and Managing People in Dynamic Organizations*, Lawrence Erlbaum Associates, Mahwah, New Jersey, en cours d'impression ; A. Sinclair, « Approaches to Organizational Culture and Ethics », *Journal of Business Ethics*, n° 12, 1993, p. 63-73.

11. M.O. Jones, *Studying Organizational Symbolism : What, How, Why ?* Sage, Thousand Oaks, Calif., 1996 ; J.S. Ott, *The Organizational Culture Perspective*, chapitre 2 ; J.S. Pederson et J.S. Sorensen, *Organizational Cultures in Theory and Practice*, Gower, Aldershot, Angleterre, 1989, p. 27-29.

12. E.H. Schein, *The Corporate Culture Survival Guide*, Jossey-Bass, San Francisco, 1999, chapitre 4 ; A. Furnham et B. Gunter, « Corporate Culture : Definition, Diagnosis, and Change », *International Review of Industrial and Organizational Psychology*, n° 8, 1993, p. 233-261 ; E.H. Schein, « Organizational Culture », *American Psychologist*, février 1990, p. 109-119 ; J.S. Ott, *The Organizational Culture Perspective*, chapitre 12 ; W.J. Duncan, « Organizational Culture : "Getting a Fix" on an Elusive Concept », *Academy of Management Executive*, n° 3, 1989, p. 229-236.

13. J.C. Meyer, « Tell Me a Story : Eliciting Organizational Values from Narratives », *Communication Quarterly*, n° 43, 1995, p. 210-224.

14. A. Gordon, « Perks and Stock Options Are Great, but It's Attitude that Makes the Difference », *Globe and Mail*, 28 janvier 2000.

15. *Les Échos*, 26 juillet 2005, p. 1, section dossiers.

16. J.Z. DeLorean, *On a Clear Day You Can See General Motors*, Wright Enterprises, Grosse Pointe, Mich., 1979.

17. R. Zemke, « Storytelling : Back to a Basic », *Training*, n° 27, mars 1990, p. 44-50 ; A.L. Wilkins, « Organizational Stories as Symbols which Control the Organization », dans L.R. Pondy *et al.* (éd.), *Organizational Symbolism*, JAI Press, Greenwich, Conn., 1984, p. 81-

92 ; J. Martin et M.E. Powers, « Truth or Corporate Propaganda : The Value of a Good War Story », dans Pondy *et al.* (éd.), *Organizational Symbolism*, p. 93-107.

18. J. Martin *et al.*, « The Uniqueness Paradox in Organizational Stories », *Administrative Science Quarterly*, n° 28, 1983, p. 438-453.

19. P.S. DeLisi, « A Modern-Day Tragedy : The Digital Equipment Story », *Journal of Management Inquiry*, n° 7, juin 1998, p. 118-130. Les célèbres engueulades des employés de Digital sont aussi décrites dans E. Schein, « How to Set the Stage for a Change in Organizational Culture », dans P. Senge *et al.*, *The Dance of Change*, Currency Doubleday, New York, 1999, p. 334-344.

20. J.M. Beyer and H.M. Trice, « How an Organization's Rites Reveal its Culture », *Organizational Dynamics*, n° 15, vol. 4, 1987, p. 5-24 ; L. Smirchich, « Organizations as Shared Meanings », dans Pondy *et al.* (éd.), *Organizational Symbolism*, p. 55-65.

21. D. Roth, « My Job at the Container Store », *Fortune*, 10 janvier 2000, p. 74-78.

22. L.A. Krefting et P.J. Frost, « Untangling Webs, Surfing Waves, and Wildcatting », dans P.J. Frost *et al.* (éd.), *Organizational Culture*, Sage, Beverly Hills, Calif., 1985, p. 155-168.

23. R.E. Quinn et N.T. Snyder, « Advance Change Theory : Culture Change at Whirlpool Corporation », dans J.A. Conger, G.M. Spreitzer et E.E. Lawler III, *The Leader's Change Handbook*, Jossey-Bass, San Francisco, 1999, p. 162-193.

24. « Design Scales New Heights on Eco Values », *Toronto Star*, 8 avril 2002. Voir aussi « Co-op's Stores and Products Shaped to Reflect an Alternative Approach to Business », *Canada Newswire*, 25 septembre, n° 25, 2002 ; K. MacQueen, « The Anti-Retailer : Vancouver's Mountain Equipment Co-op Succeeds in Spite of Itself », *Maclean's*, 29 avril 2002, p. 30 ; L. Hendry, « Friend of the Earth », *Winnipeg Free Press*, 16 mars 2002, p. A16.

25. J.M. Kouzes et B.Z. Posner, *The Leadership Challenge*, Jossey-Bass, San Francisco, 1995, p. 230-231.

26. C. Siehl et J. Martin, « Organizational Culture : A Key to Financial Performance ? », dans *Organizational Climate*

and Culture, B. Schneider (éd.), Jossey-Bass, San Francisco, Calif., 1990, p. 241-281 ; J.B. Barney, « Organizational Culture : Can It Be a Source of Sustained Competitive Advantage ? », *Academy of Management Review*, n° 11, 1986, p. 656-665 ; V. Sathe, *Culture and Related Corporate Realities*, Irwin, Homewood, Ill., 1985, chapitre 2 ; Deal et Kennedy, *Corporate Cultures*, chapitre 1. Les renseignements sur Viant, Inc. sont tirés de L. Daniel, « Within the Viant Experiment », *WebTechniques*, avril 2000 (www.webtechniques.com).

27. G.S. Saffold III, « Culture Traits, Strength, and Organizational Performance : Moving Beyond "Strong" Culture », *Academy of Management Review*, n° 13, 1988, p. 546-558 ; Williams *et al.*, *Changing Culture*, p. 24-27.

28. J.P. Kotter et J.L. Heskett, *Corporate Culture and Performance*, Free Press, New York, 1992 ; G.G. Gordon et N. DiTomasco, « Predicting Corporate Performance from Organizational Culture », *Journal of Management Studies*, n° 29, 1992, p. 783-798 ; D.R. Denison, *Corporate Culture and Organizational Effectiveness*, Wiley, New York, 1990.

29. C. Fishman, « Why Can't Lego Click ? », *Fast Company*, n° 50, septembre 2001, p. 144.

30. E.H. Schein, « On Dialogue, Culture, and Organizational Learning », *Organization Dynamics*, automne 1993, p. 40-51.

31. Adapté de C. Kerdellant, *Le prix de l'incompétence*, Paris, Denoël, 2000.

32. J. Kotter, « Cultures and Coalitions », *Executive Excellence*, n° 15, mars 1998, p. 14-15 ; Kotter et Heskett, *Corporate Culture and Performance*.

33. Les caractéristiques des cultures souples sont décrites dans W.F. Joyce, *MegaChange : How Today's Leading Companies Have Transformed their Workforces*, Free Press, New York, 1999, p. 44-47.

34. M. Acharya, « A Matter of Business Ethics », *Kitchener-Waterloo Record*, 23 mars 1999, p. C2. Lire le texte sur les concepts liés à la culture et à l'éthique des organisations dans S. Peck et J. Larson, « Making Change : Some Major Corporations are Making Sustainability their Business », *Alternatives*, n° 27, printemps 2001, p. 17-20 ; S.J. Carroll et M.J. Gannon, *Ethical Dimensions of International Management*, Sage, Thousand Oaks, Calif.,

1997, chapitre 5 ; A. Sinclair, « Approaches to Organizational Culture and Ethics », *Journal of Business Ethics*, n° 12, 1993, p. 63-73.

35. I. Aaltio-Marjosola et A.J. Mills (éd.), *Gender, Identity and the Culture of Organizations*, Routledge, London, 2002 ; Helms Mills et Mills, « Rules, Sensemaking, Formative Contexts, and Discourse in the Gendering of Organizational Culture » ; voir aussi I. Aaltio-Marjosola, A.J. Mills et J. Helms Mills (éd.), le numéro spécial « Exploring Gendered Organizational Cultures », dans *Culture and Organization*, n° 8, vol. 2, 2002.

36. C. Fox, « Mergers et Desires II », *Business Review Weekly*, 11 mai 2001.

37. D.B. Marron, « Is this Marriage Made in Heaven ? », *Chief Executive*, mai 2001, p. 50-52 ; P. Troiano, « Post-Merger Challenges », *Management Review*, n° 88, janvier 1999, p. 6. Lire le texte sur les aspects de la culture d'entreprise à considérer lors d'une fusion dans M.L. Marks, « Mixed Signals », *Across the Board*, mai 2000, p. 21-26 ; M.L. Marks, « Adding Cultural Fit to your Diligence Checklist », Mergers and Acquisitions, décembre 1999 ; E.H. Schein, *The Corporate Culture Survival Guide*, Jossey-Bass, San Francisco, 1999, chapitre 8 ; A.F. Buono et J.L. Bowditch, *The Human Side of Mergers and Acquisitions*, Jossey-Bass, San Francisco, 1989, chapitre 6.

38. M. Lamey, « Sun Sets for Godfrey », *Montreal Gazette*, 15 juin 2000 ; « The Newspaper Wars », Canoe (en ligne), 2 mars 1999. Lire le texte concernant les effets négatifs d'une fusion sur les entreprises dont les cultures sont incompatibles dans M.L. Marks, « Adding Cultural Fit to your Diligence Checklist », *Mergers & Acquisitions*, n° 34, décembre 1999, p. 14-20.

39. M.L. Marks, « Mixed Signals », *Across the Board*, mai 2000, p. 21-26 ; M.L. Marks, « Adding Cultural Fit to your Diligence Checklist », *Mergers & Acquisitions*, décembre 1999 ; S. Greengard, « Due Diligence : The Devil in the Details », *Workforce*, octobre 1999, p. 68 ; J. MacFarland, « An Unusual Team, on Paper », *Globe and Mail*, 19 février 1997, p. B1, B11 ; G. MacDonald, « What Happens after the Deal is Done », *Globe and Mail*, 20 février 1997, p. B14.

40. E. Krell, « Merging Corporate Cultures », *Training*, n° 38, mai 2001, p. 68-78 ; J.K. Stewart, « Imperfect Partners », *Chicago Tribune*, 18 mars 2001, p. 1.

41. M.L. Marks, « Adding Cultural Fit to Your Diligence Checklist », *Mergers & Acquisitions*, décembre 1999 ; S. Greengard, « Due Diligence : The Devil in the Details », *Workforce*, octobre 1999, p. 68 ; E.H. Schein, *The Corporate Culture Survival Guide*, Jossey-Bass, San Francisco, 1999. Un audit biculturel est également recommandé dans les cas de *joint-venture*. Lire les détails dans K.J. Fedor et W.B. Werther, Jr., « The Fourth Dimension : Creating Culturally Responsive International Alliances », *Organizational Dynamics*, n° 25, automne 1996, p. 39-53.

42. D. Kramer-Kawakami, « Merging Cultures : The Challenges of Convergence », *LIMRA's MarketFacts*, n° 19, septembre-octobre 2000, p. 24.

43. D. Buckner, « Nortel versus Cisco », Venture, CBC TV, 4 janvier 2000 ; R.N. Ashkenas, L.J. DeMonaco et S.C. Francis, « Making The Deal Real : How GE Capital Integrates Acquisitions », *Harvard Business Review*, n° 76, janvier-février 1998, p. 165-176.

44. K.W. Smith, « A Brand-New Culture for the Merged Firm », *Mergers and Acquisitions*, n° 35, juin 2000, p. 45-50 ; A.R. Malekazedeh et A. Nahavandi, « Making Mergers Work by Managing Cultures », *Journal of Business Strategy*, mai-juin 1990, p. 55-57.

45. A. Levy, « Mergers Spread Despite Failures », *Plain Dealer*, 9 août 1998, p. H1.

46. S. Feschuk, « Lean, Mean Anderson Trims Home Oil's Fat », *Globe and Mail*, 17 octobre 1995, p. B8.

47. J.P. Kotter, « Leading Change : The Eight Steps of Transformation », dans J.A. Conger, G.M. Spreitzer et E.E. Lawler III, *The Leader's Change Handbook*, Jossey-Bass, San Francisco, 1999, p. 87-99.

48. R. House *et al.*, « Understanding Cultures and Implicit Leadership Theories Across the Globe : An Introduction to Project GLOBE », *Journal of World Business*, n° 37, 2002, p. 3-10 ; R. House, M. Javidan et P. Dorfman, « Project GLOBE : An Introduction », *Applied Psychology : An International Review*, n° 50, 2001, p. 489-505 ; E.H. Schein, « The Role of the Founder in

Creating Organizational Culture », *Organizational Dynamics*, vol. 12, n° 1, été 1983, p. 13-28.

49. E.H. Schein, *Organizational Culture and Leadership*, Jossey-Bass, San Francisco, 1985, chapitre 10; T.J. Peters, « Symbols, Patterns, and Settings: An Optimistic Case for Getting Things Done », *Organizational Dynamics*, vol. 7, n° 2, automne 1978, p. 2-23.

50. A. Effinger, « With Charm, Poise and Attitude Fiorina Rousting Hewlett-Packard », *Seattle-Post Intelligencer*, 3 janvier 2000, p. E1.

51. J. Kerr et J.W. Slocum, Jr., « Managing Corporate Culture Through Reward Systems », *Academy of Management Executive*, n° 1, mai 1987, p. 99-107; Williams *et al.*, *Changing Cultures*, p. 120-124; K.R. Thompson et F. Luthans, « Organizational Culture: A Behavioral Perspective », dans *Organizational Climate and Culture*, éd. Schneider, p. 319-344.

52. W.G. Ouchi et A.M. Jaeger, « Type Z Organization: Stability in the Midst of Mobility », *Academy of Management Review*, n° 3, 1978, p. 305-314; K. McNeil et J.D. Thompson, « The Regeneration of Social Organizations », *American Sociological Review*, n° 36, 1971, p. 624-637.

53. M. De Pree, *Leadership Is an Art*, Michigan State University Press, East Lansing, Mich., 1987.

54. C. Daniels, « Does this Man Need a Shrink? », *Fortune*, 5 février 2001, p. 205-208.

55. Chatman et Cha, « Leading by Leveraging Culture »; A.E.M. Van Vianen, « Person-Organization Fit: The Match Between Newcomers and Recruiters Preferences for Organizational Cultures », *Personnel Psychology*, n° 53, printemps 2000, p. 113-149; C.A. O'Reilly III, J. Chatman et D.F. Caldwell, « People and Organizational Culture: A Profile Comparison Approach to Assessing Person-Organization Fit », *Academy of Management Journal*, n° 34, 1991, p. 487-516.

56. « Corporate Culture Rivals Company Benefits in Importance to Job Applicants », communiqué de presse, Robert Half International, 1er mai 1996.

57. P. Tam, « Frugal Founder Rewards Employees », *Ottawa Citizen*, 21 novembre 1999.

58. A. Kluckhorn et F. Strodtbeck, *Variations in Value Orientations*, Westport, Conn., Greenwood Press, 1961.

59. G. Hofstede, « Cultural Constraints in Management Theories », *Academy of Management Executive*, n° 7, 1993, p. 81-94; G. Hofstede, *Culture's Consequences: International Differences in Work-Related Values*, Sage, Beverly Hills, Calif., 1980.

60. D. Oyserman, H.M. Coon et M. Kemmelmeier, « Rethinking Individualism and Collectivism: Evaluation of Theoretical Assumptions and Meta-Analyses », *Psychological Bulletin*, n° 128, 2002, p. 3-72; F.S. Niles, « Individualism-Collectivism Revisited », *Cross-Cultural Research*, n° 32, novembre 1998, p. 315-341; C.P. Earley et C.B. Gibson, « Taking Stock in our Progress on Individualism-Collectivism: 100 Years of Solidarity and Community », *Journal of Management*, n° 24, mai 1998, p. 265-304; J.A. Wagner III, « Studies of Individualism-Collectivism: Effects of Cooperation in Groups », *Academy of Management Journal*, n° 38, 1995, p. 152-172; H.C. Triandis, *Individualism and Collectivism*, Westview, Boulder, Col., 1995.

61. Oyserman *et al.*, « Rethinking Individualism and Collectivism ».

62. Oyserman *et al.*, « Rethinking Individualism and Collectivism ».

63. M. Voronov et J.A. Singer, « The Myth of Individualism-Collectivism: A Critical Review », *Journal of Social Psychology*, n° 142, août 2002, p. 461-480; M.H. Bond, « Reclaiming the Individual from Hofstede's Ecological Analysis – A 20-Year Odyssey: Comment on Oyserman *et al.*, 2002 », *Psychological Bulletin*, n° 128, 2002, p. 73-77.

64. K.L. Newman et S.D. Nolan, « Culture and Congruence: The Fit Between Management Practices and National Culture », *Journal of International Business Studies*, n° 27, 1996, p. 753-779; Hofstede, « Cultural Constraints in Management Theories »; Hofstede, *Culture's Consequences*.

65. M. Erez et P. Christopher Earley, *Culture, Self-Identity, and Work*, Oxford University Press, New York, 1993, p. 126-127.

66. G. Hofstede, *Cultures and Organizations: Software of the Mind*, McGraw-Hill, New York, 1991, p. 124. Hofstede emploie les termes « masculinité » et « féminité » pour désigner respectivement l'accomplissement et l'appui

moral. On trouve également ces expressions dans G.R. Jones, J.M. George et C.W.L. Hill, *Contemporary Management*, Irwin/McGraw-Hill, Burr Ridge, Ill., 1998, p. 112-113.

67. Kluckhorn et Strodtbeck, *Variations in Value Orientations*.

68. Pour lire un point de vue opposé, voir G. Hofstede, « Attitudes, Values and Organizational Culture: Disentangling the Concepts », *Organization Studies*, n° 19, juin 1998, p. 477-492.

69. M. Voronov et J.A. Singer, « The Myth of Individualism-Collectivism: A Critical Review », *Journal of Social Psychology*, n° 142, août 2002, p. 461-480; S.S. Sarwono et R.W Armstrong, « Microcultural Differences and Perceived Ethical Problems: An International Business Perspective », *Journal of Business Ethics*, n° 30, mars 2001, p. 41-56; C.J. Robertson, « The Global Dispersion of Chinese Values: A Three-Country Study of Confucian Dynamism », *Management International Review*, n° 40, Third Quarter 2000, p. 253-268; J.S. Osland *et al.*, « Beyond Sophisticated Stereotyping: Cultural Sense-Making in Context », *Academy of Management Executive*, n° 14, février 2000, p. 65-79. Le résultat des recherches menées auprès de 13 groupes culturels du Canada est disponible dans M. Adams, *Better Happy than Rich?*, Viking, Toronto, 2001.

70. P. Brent, « Store Wars », *National Post*, 16 octobre 2001; B. Simon, « Canada Warms to Wal-Mart », *New York Times*, 1er septembre 2001, p. 1; J. Heinzl, « Wal-Mart's Cheer Fades », *Globe and Mail*, 15 février 1997.

71. M. Adams, « What Makes Us Different », *Globe and Mail*, 4 juillet 2001; Adams, *Better Happy than Rich?*

72. C. Cobb, « Canadians Want Diverse Society: Poll », *Ottawa Citizen*, 18 février 2002, p. A5.

73. K. Mai, « Canadian Nationalism Growing: Study », *Ottawa Citizen*, 5 juin 2002, p. A8.

74. H. MacLennan, *Two Solitudes*, MacMillan of Canada, Toronto, 1945.

75. E. Grabb, J. Curtis et D. Baer, « Defining Moments and Recurring Myths: Comparing Canadians and Americans after the American Revolution », *Canadian Review of Sociology and Anthropology*, n° 37, novembre 2000, p. 373-419; D.M. Taylor et L. Dube, « Two Faces of Identity: The "I" and the "We" », *Journal of Social Issues*,

n° 42, 1986, p. 81-98 ; R.N. Kanungo et J.K. Bhatnagar, « Achievement Orientation and Occupational Values : A Comparative Study of Young French and English Canadians », *Canadian Journal of Behavioural Science*, n° 12, 1978, p. 384-392.

76. N. Chiasson, L. Dube et J.-P. Blondin, « Happiness : A Look into the Folk Psychology of Four Cultural Groups », *Journal of Cross-Cultural Psychology*, n° 27, novembre 1996, p. 673-691 ; M. Major *et al.*, « Meanings of Work and Personal Values of Canadian Anglophone and Francophone Middle Managers », *Canadian Journal of Administrative Sciences*, n° 11, septembre 1994, p. 251-263.

77. Z. Wu et D.E. Baer, « Attitudes Toward Family and Gender Roles : A Comparison of English and French Canadian Women », *Journal of Comparative Family Studies*, n° 27, automne 1996, p. 437-452. La citation de Seymour Lipset provient aussi de cette source.

78. Z. Su et L.F. Lessard, « Application d'un modèle révisé de Hofstede à la compréhension des traits culturels des gestionnaires québécois », *Revue Organisation*, hiver 1998.

79. R. Walker, « Nunavut Politics : When Caribou Culture Meets Westminster », *Christian Science Monitor*, 28 avril 2000.

80. L. Redpath et M. Nielsen. « A Comparison of Native Culture, Non-Native Culture and New Management Ideology », *Canadian Journal of Administrative Sciences*, vol. 14, septembre 1997, p. 327-339 ; I. Chapman, D. McCaskill et D. Newhouse, *Management in Contemporary Aboriginal Organizations*, Trent University, Peterborough, Ont., 1992, document de travail, études en administration, série n° 92-04.

81. R.B. Anderson, « Entrepreneurship and Aboriginal Canadians : A Case Study in Economic Development », *Journal of Developmental Entrepreneurship*, n° 7, avril 2002, p. 45-65 ; J. Stackhouse, « Norma Rae of the Okanagan », *Globe and Mail*, 8 novembre 2001, p. A14.

82. E.T. Hall et M.R. Hall, *Guide du comportement dans les affaires internationales : Allemagne, États-Unis, France*, Paris, Seuil, 1990.

83. E.T. Hall, *La danse de la vie, temps culturel, temps vécu*, Paris, Seuil, 1984.

84. P. Dupriez et S. Simons, *La résistance culturelle : fondements, applications et implications du management interculturel*, 2e éd., Bruxelles, Éditions de Boeck Université, 2002.

85. Dupriez et Simons, *La résistance culturelle*.

86. J.B. Schriber et B.A. Gutek, « Some Time Dimensions of Work : Measurement of an Underlying Aspect of Organizational Culture », *Journal of Applied Psychology*, vol. 72, n° 4, p. 642-650.

87. C. Benabou, « Polychronicity and Temporal Dimensions of Work in Learning Organizations », *Journal of Managerial Psychology*, vol. 14, n°s 3 et 4, p. 257-268.

88. Hall, *La danse de la vie, temps culturel, temps vécu*.

89. F. Trompenaars, *L'entreprise multiculturelle*, Paris, Maxima, Laurent du Mesnil, éditeur, 1994.

90. P.R. Harris et R.T. Moran, *Managing Cultural Differences*, Houston, Gulf Publishing, 1993.

91. Dupriez et Simons, *La résistance culturelle*.

92. Hall, *La danse de la vie, temps culturel, temps vécu*.

CHAPITRE 17

1. R.M. Kanter, Transcending business boundaries : 12 000 World Managers View Change, *Harvard Business Review*, mai-juin 1991, p. 151-164.

2. R. Mitchell, « Feeding the Flames », *Business 2.0*, 1er mai 2001.

3. K.E. Weick, *Sensemaking in Organizations*, Sage, 1995.

4. D. Miller, *Le paradoxe d'Icare. Comment les entreprises se tuent à réussir*, Les presses de l'Université Laval. Sainte-Foy, 1992.

5. M. Moravec, O.J. Johannessen et T.A. Hjelmas, « The Well-Managed SMT », *Management Review*, n° 87, juin 1998, p. 56-58 ; M. Moravec, O.J. Johannessen et T.A. Hjelmas, « Thumbs Up for Self-Managed Teams », *Management Review*, 17 juillet 1997, p. 42.

6. C.O. Longenecker, D.J. Dwyer et T.C. Stansfield, « Barriers and Gateways to Workforce Productivity », *Industrial Management*, n° 40, mars-avril 1998, p. 21-28. Plusieurs sources traitent de la résistance au changement, dont D.A. Nadler, *Champions of Change*, San Francisco, Californie, Jossey-Bass, 1998, chap. 5 ; P. Strebel,

« Why Do Employees Resist Change ? », *Harvard Business Review*, mai-juin 1996, p. 86-92 ; R. Maurer, *Beyond the Wall of Resistance : Unconventional Strategies to Build Support for Change*, Austin, Texas, Bard Books, 1996 ; C. Hardy, *Strategies for Retrenchment and Turnaround : The Politics of Survival*, Berlin, Walter de Gruyter, 1990, chap. 13.

7. E.B. Dent et S.G. Goldberg, « Challenging "Resistance to Change" », *Journal of Applied Behavioral Science*, n° 35, mars 1999, p. 25-41.

8. D.A. Nadler, « The Effective Management of Organizational Change », dans J.W. Lorsch (éd.), *Handbook of Organizational Behavior*, Englewood Cliffs, New Jersey, Prentice Hall, 1987, p. 358-369 ; D. Katz et R.L. Kahn, *The Social Psychology of Organizations*, 2e éd., New York, Wiley, 1978.

9. F. Vogelstein et P. Sloan, « Corporate Dowagers Go for a Makeover », *U.S. News & World Report*, 6 novembre 2000.

10. Y. Allaire et M. Firsirotu, *Stratégies et moteurs de performance*, Montréal, Chenelière/McGraw-Hill, 2004 (sauf pour la résistance socioéconomique).

11. D.A. Nadler, « The Effective Management of Organizational Change », dans J.W. Lorsch (éd.), *Handbook of Organizational Behavior*, Englewood Cliffs, New Jersey, Prentice Hall, 1987, p. 358-369 ; D. Katz et R.L. Kahn, *The Social Psychology of Organizations*, 2e éd., New York, Wiley, 1978.

12. « Making Change Work for You – Not Against You », *Agency Sales Magazine*, n° 28, juin 1998, p. 24-27.

13. M.E. McGill et J.W. Slocum Junior, « Unlearn the Organization », *Organizational Dynamics*, vol. 22, n° 2, 1993, p. 67-79.

14. R. Katz, « Time and Work : Toward an Integrative Perspective », *Research in Organizational Behavior*, n° 2, 1980, p. 81-127.

15. D. Nicolini et M.B. Meznar, « The Social Construction of Organizational Learning : Conceptual and Practical Issues in the Field », *Human Relations*, n° 48, 1995, p. 727-746.

16. D. Miller, « What Happens After Success : The Perils of Excellence », *Journal of Management Studies*, n° 31, 1994, p. 325-358.

17. J.P. Kotter et L.A. Schlesinger, « Choosing Strategies for Change », *Harvard Business Review*, mars-avril 1979, p. 106-114.

18. Kotter et Cohen, *The Heart of Change*, p. 83-98.

19. T. White, « Supporting Change : How Communicators at Scotiabank Turned Ideas into Action », *Communication World*, n° 19, avril 2002, p. 22-24.

20. K.H. Hammonds, « Grassroots Leadership — Ford Motor Company », *Fast Company*, avril 2000, p. 138 ; S. Wetlaufer, « Driving Change : An Interview with Ford Motor Company's Jacques Nasser », *Harvard Business Review*, n° 77, mars-avril 1999, p. 76-88.

21. D. Tarrant, « Boss Aha ! », *Australian Financial Review*, 29 décembre 2000, p. 24. Pour une discussion sur la participation des employés dans le cadre de la gestion des changements, voir J.P. Walsh et S.-F. Tseng, « The Effects of Job Characteristics on Active Effort at Work », *Work & Occupations*, n° 25, février 1998, p. 74-96 ; K.T. Dirks, L.L. Cummings et J.L. Pierce, « Psychological Ownership in Organizations : Conditions Under Which Individuals Promote and Resist Change », *Research in Organizational Change and Development*, n° 9, 1996, p. 1-23.

22. M. Evans *et al.*, « The Road to a Billion », *Globe and Mail*, 6 janvier 2000 ; R. Dyck et N. Halpern, « Team-Based Organizations Redesign at Celestica », *Journal for Quality & Participation*, n° 22, septembre-octobre 1999, p. 36-40 ; « Celestica Nurtures Strong Corporate Culture Within », *Northern Colorado Business Report*, 16 juillet 1999, p. B5 ; K. Damsell, « Celestica Escapes from its Cage », *National Post*, 1er septembre 1998, p. 9.

23. M. Weisbord et S. Janoff, *Future Search : An Action Guide to Finding Common Ground in Organizations and Communities*, San Francisco, Berrett-Koehler, 2000 ; B.B. Bunker et B.T. Alban, *Large Group Interventions : Engaging the Whole System for Rapid Change*, San Francisco, Calif., Jossey-Bass, 1996 ; M. Emery et R.E. Purser, *The Search Conference : A Powerful Method for Planning Organizational Change and Community Action*, San Francisco, Calif., Jossey-Bass, 1996. Pour une description des origines des séminaires prospectifs, voir M.R. Weibord, « Inventing the Search Conference : Bristol Siddeley Aircraft Engines, 1960 », dans M.R. Weisbord (éd.), *Discovering Common Ground*, San Francisco, Berret-Koehler, 1992, p. 19-33.

24. J. Pratt, « Naturalists Deserve More Credit », *St. John's Telegram*, 22 juin 2002, p. B3 ; R.E. Purser et S. Cabana, *The Self-Managing Organization*, New York, Free Press, 1998, chap. 7 ; T. McCallum, « Vision 2001 : Staying Ahead of the Competition », *Human Resource Professional*, novembre 1996, p. 25-26.

25. Pour une critique sur un séminaire prospectif concernant son manque d'innovation et d'idées réalistes, voir R. MacFarlane, « Thin Gruel », *Montreal Gazette*, 1er avril 2002, p. B3.

26. P.H. Mirvis et M.L. Marks, *Managing the Merger*, Englewood Cliffs, New Jersey, Prentice Hall, 1992.

27. R. Greenwood et C.R. Hinings, « Understanding Radical Organizational Change : Bringing Together the Old and the New Institutionalism », *Academy of Management Review*, n° 21, 1996, p. 1022-1054.

28. J. Lublin, « Curing Sick Companies Better Done Fast », *Globe and Mail*, 25 juin 1995, p. B18.

29. F. Shalom, « Dorel's Profit Soars », *Montreal Gazette*, 31 mai 2002.

30. D. Nicolini et M.B. Meznar, « The Social Construction of Organizational Learning ».

31. J.P. Kotter et D.S. Cohen, *The Heart of Change*, Boston, Harvard Business School Press, 2002, p. 15-36 ; T.G. Cummings, « The Role and Limits of Change Leadership », dans J.A. Conger, G.M. Spreitzer et E.E. Lawler III, *The Leader's Change Handbook*, San Francisco, Jossey-Bass, 1999, p. 301-320.

32. J.P. Donlon *et al.*, « In Search of the New Change Leader », *Chief Executive* (États-Unis), novembre 1997, p. 64-75.

33. L.D. Goodstein et H.R. Butz, « Customer Value : The Linchpin of Organizational Change », *Organizational Dynamics*, n° 27, juin 1998, p. 21-35.

34. A. Gore, « Joel Kocher : Power COO Says It's Time to Evolve », *MacUser*, avril 1997.

35. D.A. Nadler, « Implementing Organizational Changes », dans D.A. Nadler, M.L. Tushman et N.G. Hatvany (éd.), *Managing Organizations : Readings and Cases*, Boston, Little, Brown, and Company, 1982, p. 440-459.

36. B. McDermott et G. Sexton, « Sowing the Seeds of Corporate Innovation », *Journal for Quality and Participation*, n° 21, novembre-décembre 1998, p. 18-23.

37. J.P. Kotter, « Leading Change : The Eight Steps to Transformation », dans J.A. Conger, G.M. Spreitzer et E.E. Lawler III, *The Leader's Change Handbook*, San Francisco, Jossey-Bass, 1999, p. 221-267 ; J.P. Kotter, « Leading Change : Why Transformation Efforts Fail », *Harvard Business Review*, mars-avril 1995, p. 59-67.

38. « CHC Completes Final Step in Rival's Takeover », *St. John's Telegram*, 29 octobre 1999 ; CHC Helicopter Corporation, Rapport annuel 1999 ; C. Flanagan, « Birdman of Newfoundland », *Canadian Business*, 27 août 1999, p. 55.

39. Kotter et Cohen, *The Heart of Change*, p. 161-177.

40. E.E. Lawler, III, « Pay Can Be a Change Agent », *Compensation & Benefits Management*, n° 16, été 2000, p. 23-26 ; R.H. Miles, « Leading Corporate Transformation : Are You Up to the Task ? », dans J.A. Conger, G.M. Spreitzer et E.E. Lawler III, *The Leader's Change Handbook*, San Francisco, Jossey-Bass, 1999, p. 221-267 ; L.D. Goodstein et H.R. Butz, « Customer Value : The Linchpin of Organizational Change », *Organizational Dynamics*, n° 27, été 1998, p. 21-34.

41. C.L. Bernick, « When Your Culture Needs a Makeover », *Harvard Business Review*, n° 79, juin 2001, p. 53-61.

42. M. Beer, R.A. Eisenstat et B. Spector, *The Critical Path to Corporate Renewal*, Boston, Mass., Harvard Business School Press, 1990.

43. R.E. Walton, *Innovating to Compete : Lessons for Diffusing and Managing Change in the Workplace*, San Francisco, Jossey-Bass, 1987 ; Beer *et al.*, *The Critical Path to Corporate Renewal*, chap. 5 ; R.E. Walton, « Successful Strategies for Diffusing Work Innovations », *Journal of Contemporary Business*, printemps 1977, p. 1-22.

44. K. Lewin, *Field Theory in Social Science*, New York, Harper & Row, 1951.

45. D. Coghlan, « Putting "Research" Back into OD and Action Research : A Call to OD Practitioners », *Organization Development Journal*, n° 20, printemps 2002, p. 62-65 ; P. Reason et H. Bradbury, *Handbook of Action Research*, London, Sage, 2001 ; D. Avison *et al.*, « Action Research », *Communications*

of the ACM, nº 42, janvier 1999, p. 94 et suivantes.

46. La recherche en vue de l'action est étroitement liée au développement organisationnel. Toutefois, ce chapitre ne traite pas précisément du développement organisationnel, car il n'est pas facile de distinguer le développement organisationnel de la gestion des changements. Par exemple, voir N.A.M. Worren, K. Ruddle et K. Moore, « From Organizational Development to Change Management: The Emergence of a New Profession », *Journal of Applied Behavioral Science*, nº 35, septembre 1999, p. 273-286.

47. L. Dickens et K. Watkins, « Action Research: Rethinking Lewin », *Management Learning*, nº 30, juin 1999, p. 127-140; J.B. Cunningham, *Action Research and Organization Development*, Westport, Conn., Praeger, 1993. Pour une discussion sur les premières applications de la recherche en vue de l'action, voir R. Sommer, « Action Research: From Mental Hospital Reform in Saskatchewan to Community Building in California », *Canadian Psychology*, nº 40, février 1999, p. 47-55.

48. M. Beer et E. Walton, « Developing the Competitive Organization: Interventions and Strategies », *American Psychologist*, nº 45, février 1990, p. 154-161.

49. Pour une étude de cas sur de mauvais diagnostics, voir M. Popper, « The Glorious Failure », *Journal of Applied Behavioral Science*, nº 33, mars 1997, p. 27-45.

50. K.E. Weick et R. E. Quinn, « Organizational Change and Development », *Annual Review of Psychology*, 1999, p. 361-386; D.A. Nadler, « Organizational Frame Bending: Types of Change in the Complex Organization », dans R.H. Kilmann *et al.* (éd.), *Corporate Transformation: Revitalizing Organizations for a Competitive World*, San Francisco, Jossey-Bass, 1988, p. 66-83.

51. J.M. Watkins et B.J. Mohr, *Appreciative Inquiry: Change at the Speed of Imagination*, San Francisco, Jossey-Bass, 2001; G. Johnson et W. Leavitt, « Building on Success: Transforming Organizations Through an Appreciative Inquiry », *Public Personnel Mana-*

gement, nº 30, mars 2001, p. 129-136; D. Whitney et D.L. Cooperrider, « The Appreciative Inquiry Summit: Overview and Applications », *Employment Relations Today*, nº 25, été 1998, p. 17-28.

52. L'histoire à propos de cet aspect et d'autres concernant la méthode d'analyse positive est résumée dans J.M. Watkins et B.J. Mohr, *Appreciative Inquiry*, p. 15-21. Pour d'autres descriptions du modèle d'analyse positive, voir D. Whitney et C. Schau, « Appreciative Inquiry: An Innovative Process for Organization Change », *Employment Relations Today*, nº 25, printemps 1998, p. 11-21; F.J. Barrett et D.L. Cooperrider, « Generative Metaphor Intervention: A New Approach for Working with Systems Divided by Conflict and Caught in Defensive Perception », *Journal of Applied Behavioral Science*, nº 26, 1990, p. 219-239.

53. G.R. Bushe et G. Coetzer, « Appreciative Inquiry as a Team-Development Intervention: A Controlled Experiment », *Journal of Applied Behavioral Science*, nº 31, 1995, p. 13-30; L. Levine, « Listening with Spirit and the Art of Team Dialogue », *Journal of Organizational Change Management*, nº 7, 1994, p. 61-73.

54. A. Vido, « Chrysler and Minivans: Are We There Yet? », *CMA Magazine*, novembre 1993, p. 11-16.

55. M. Schiller, « Case Study: AVON Mexico », dans J.M. Watkins et B.J. Mohr, *Appreciative Inquiry: Change at the Speed of Imagination*, San Francisco, Jossey-Bass, 2001, p. 123-126.

56. G.R. Bushe, « Five Theories of Change Embedded in Appreciative Inquiry », document présenté au 18e congrès mondial annuel du développement organisationnel, Dublin, Irlande, 14-18 juillet 1998.

57. E.M. Van Aken, D.J. Monetta et D.S. Sink, « Affinity Groups: The Missing Link in Employee Involvement », *Organization Dynamics*, nº 22, printemps 1994, p. 38-54; G.R. Bushe et A.B. Shani, *Parallel Learning Structures*, Reading, Mass., Addison-Wesley, 1991.

58. M. Evans *et al.*, « The Road to a Billion », *Globe and Mail*, 6 janvier 2000; R. Dyck et N. Halpern, « Team-Based Organizations Redesign at

Celestica », *Journal for Quality & Participation*, nº 22, septembre-octobre 1999, p. 36-40; « Celestica Nurtures Strong Corporate Culture Within », *Northern Colorado Business Report*, 16 juillet 1999, p. B5; K. Damsell, « Celestica Escapes from its Cage », *National Post*, 1er septembre 1998, p. 9.

59. C.-M. Lau, « A Culture-Based Perspective of Organization Development Implementation », *Research in Organizational Change and Development*, nº 9, 1996, p. 49-79.

60. R.J. Marshak, « Lewin Meets Confucius: A Review of the OD Model of Change », *Journal of Applied Behavioral Science*, nº 29, 1993, p. 395-415; T.C. Head et P.F. Sorenson, « Cultural Values and Organizational Development: A Seven-Country Study », *Leadership and Organization Development Journal*, nº 14, 1993, p. 3-7; J.M. Putti, « Organization Development Scene in Asia: The Case of Singapore », *Group and Organization Studies*, nº 14, 1989, p. 262-270; A.M. Jaeger, « Organization Development and National Culture: Where's the Fit? », *Academy of Management Review*, nº 11, 1986, p. 178-190.

61. Pour une excellente discussion sur la gestion des conflits et les valeurs asiatiques, voir plusieurs articles dans K. Leung et D. Tjosvold (éd.), *Conflict Management in the Asia Pacific: Assumptions and Approaches in Diverse Cultures*, Singapour, John Wiley & Sons (Asie), 1998.

62. C.M.D. Deaner, « A Model of Organization Development Ethics », *Public Administration Quarterly*, nº 17, 1994, p. 435-446; M. McKendall, « The Tyranny of Change: Organizational Development Revisited », *Journal of Business Ethics*, nº 12, février 1993, p. 93-104.

63. G.A. Walter, « Organization Development and Individual Rights », *Journal of Applied Behavioral Science*, nº 20, 1984, p. 423-439.

64. « Perils of Public Sector Work: A Case Study », *Consultants News*, avril 1996, p. 5; S. Parker Junior, « SaskTel Dials the Wrong Number », *Western Report*, 26 février 1996, p. 14-17.

65. Burke, *Organization Development*, p. 149-151; Beer, *Organization Change and Development*, p. 223-224.